B.A.C.

Historia de la Iglesia en España

BIBLIOTECA

DE

AUTORES CRISTIANOS

Declarada de interés nacional

―――――――――MAIOR 16――――――――――

ESTA COLECCIÓN SE PUBLICA BAJO LOS AUSPICIOS Y ALTA DIRECCIÓN DE LA UNIVER-
SIDAD PONTIFICIA DE SALAMANCA

LA EDITORIAL CATOLICA, S.A. — APARTADO 466
MADRID ● MCMLXXIX

Historia de la Iglesia en España

DIRIGIDA POR

RICARDO GARCIA VILLOSLADA

COMITE DE DIRECCION

VICENTE CARCEL ORTI
JAVIER FERNANDEZ CONDE
JOSE LUIS GONZALEZ NOVALIN
ANTONIO MESTRE SANCHIS

Historia de la Iglesia en España

I

La Iglesia en la España romana y visigoda
(siglos I-VIII)

RICARDO GARCIA VILLOSLADA

COLABORADORES:

MANUEL SOTOMAYOR Y MURO
TEODORO GONZALEZ GARCIA
PABLO LOPEZ DE OSABA

BIBLIOTECA DE AUTORES CRISTIANOS
MADRID ● MCMLXXIX

© Biblioteca de Autores Cristianos, de EDICA, S.A. Madrid 1979
Mateo Inurria, 15. Madrid
Depósito legal M-14.416-1979
ISBN 84-220-0906-4 Obra completa
ISBN 84-220-0909-9 tomo I
Impreso en España. Printed in Spain

DATOS BIOGRAFICOS DE LOS COLABORADORES

Pablo López de Osaba
Nació en Guadalajara en 1934. Sacerdote. Licenciado y lector en Teología. Doctor en Filosofía (Historia del Arte) por la Universidad de Munich. Director del Museo de Arte Abstracto de Cuenca y director del Instituto de Música Religiosa de la Diputación de Cuenca. Ha escrito las siguientes obras: *Historia de la Música en la UNED; Música y Cultura; Catálogo-Guía del Museo del Prado* (en prensa).

Manuel Sotomayor y Muro
Nació en Algeciras (Cádiz) en 1922. Jesuita. Es doctor en Historia Eclesiástica por la Universidad Gregoriana (Roma) y en Filosofía y Letras por la Universidad de Granada; licenciado en Filosofía por la Facultad de Chamartín de la Rosa (Madrid) y en Teología por la Universidad Gregoriana (Roma). Profesor ordinario de Historia de la Iglesia antigua en la Facultad de Teología de Granada. Ha sido profesor extraordinario de Iconografía paleocristiana en el Pontificio Instituto de Arqueología Cristiana (Roma). Es miembro correspondiente del Instituto Arqueológico Alemán y del Instituto de Estudios Jiennenses. Ha publicado varios libros y numerosos artículos, sobre todo de temas de iconografía paleocristiana, arqueología y hagiografía.

Teodoro González García
Nació en Hoyos del Espino (Avila) en 1940. Dominico. Es doctor en Historia Eclesiástica por la Universidad Gregoriana de Roma y licenciado en Filosofía y Teología por la Universidad de Santo Tomás de Manila. Es profesor de Historia Eclesiástica en el Instituto Pontificio de Teología de San Pedro Mártir (Madrid). Ha publicado varios artículos sobre temas de Historia de la Iglesia española en el siglo VII.

INDICE GENERAL

SEGUNDA PARTE

LA IGLESIA DESDE LA CONVERSION DE RECAREDO HASTA LA INVASION ARABE

Por TEODORO GONZÁLEZ

Págs.

INTRODUCCION GENERAL

Por RICARDO GARCÍA VILLOSLADA

I. PRELUDIO HISTORIOGRAFICO

E S ésta la primera vez que se emprende la HISTORIA DE LA IGLE-
SIA EN ESPAÑA por un equipo de historiadores. Por su novedad y significación, merece notarse este acontecimiento. Puede ser
garantía de seriedad y de competencia.

La causa principal, sin duda, de que hasta ahora no tengamos
una historia completa y digna de la Iglesia española, se ha de
buscar en que nuestros historiadores arremetieron solitarios,
como Sísifo, la ardua tarea de levantar sobre su pecho y llevar
hasta la cima el enorme peñasco de nuestra historia religiosa,
multisecular y compleja. Faltos de fuerza o de tiempo, se dete-
nían fatigados a mitad de camino, cuando no se les escapaba antes de entre las manos el magnífico bloque histórico, rodando
por las laderas de la impotencia o del desaliento. Para empeño de
tal monta son menester muchos brazos y pechos aunados en labor conjunta y bien concertada. Y es imprescindible, desde luego,
la previa labor de zapadores, excavadores y canteros que apron-
ten los materiales de construcción.

Sabemos que ya el austero genio tacitiano del P. Juan de Mariana —según cartas de amigos suyos con data de 1572 y 1605—
estaba proyectando y quizá redactando, con el poderoso talento
que Dios le había dado para la historia y la filosofía moral, una
Historia eclesiástica. Lo que no sabemos con certeza es si trabajaba
en una historia de la Iglesia universal o solamente de la española.
Quien ciertamente planeó y trató de escribir la historia de la
Iglesia en España fue Esteban de Garibay hacia 1578, pero se
detuvo en los primeros pasos; de lo cual no hay que lamentarse
demasiado, porque este benemérito vasco tenía más de cronista y
erudito que de historiador de alto estilo.

No importa mucho a nuestro propósito la *Historia eclesiástica y flores de santos de España* (Cuenca 1594), compuesta por Fr. Juan de Murieta, O.P., porque no es más que un *Flos sanctorum hispanorum*, con algo —muy poco y desordenado— de concilios.

De más elevada talla es el beneficiado de Dueñas (Palencia) y viajero de la Italia del Renacimiento, Gonzalo de Illescas († 1583), historiador típicamente contrarreformista, dado a conocer por Ludwig Pfandl en 1931 y acreedor a nuevos estudios. Su *Historia pontifical y católica* (4.ª ed. Zaragoza 1583), en dos tomos, es realmente *pontifical*, porque se desarrolla toda sobre la falsilla de los Pontífices Romanos, realzando el papel del papa «cabeza y principal miembro deste cuerpo místico de la Iglesia militante nuestra madre»; y es *católica* o universal, abrazando todas las cuestiones (doctrinas, herejías, persecuciones, concilios, reformas, Ordenes religiosas, misiones, disminución o crecimiento del número de fieles), desde la muerte de Cristo hasta los tiempos actuales, en forma tan completa, que «en ningún lugar se hallará ansí junto, si no me engaño, ni en romance ni en latín, ni en otra lengua vulgar». Illescas piensa haber superado no sólo a los antiguos historiadores eclesiásticos (Sócrates, Sozomenos, Teodorico), sino también a los modernos, como Plátina y Panvinio, citados todos en la lista bibliográfica, de 229 autores, que antepone a su obra.

Como se ve, no es una Historia de la Iglesia en España, pero nos asegura que apuntará «algunas cosas tocantes a nuestra nación española, por volver, como soy obligado, por la honra de mi patria» *(Prol.* t.II). «Pondré aquí, con toda brevedad, las cosas más notables que nuestros pasados hicieron en defensa desta sancta religión y fe católica..., por que el español (a quien yo entiendo servir con este trabajo) halle recogido todo lo que quisiere saber de su patria..., de suerte que vendrá a ser *una breve recopilación y summario de todas las cosas de España»* *(Prol.* t.I.)

Llega hasta 1572. Sabe narrar y resumir en clásico lenguaje y agradable estilo todo cuanto ha leído, pero es deficiente en su crítica de los hechos antiguos y le interesa, mucho más que la vida interna de la Iglesia, la defensa que de ella hacen los príncipes cristianos.

De todos modos, no se puede negar que Illescas hizo obra útil y provechosa, muy leída y estimada en su tiempo, continuada luego con igual título por Luis de Bavia (de 1572 a 1605), por el carmelita Marcos de Guadalajara (de 1605 a 1623) y por Juan de Baños y Velasco hasta la muerte de Urbano VIII († 1644). Desgraciadamente para nosotros, estos continuadores, que revelan extensos conocimientos de la época por ellos historiada, son mucho más parcos que Illescas en lo concerniente a España.

Es lástima que el analista aragonés Jerónimo Zurita († 1580), el mejor investigador de archivos (cosa que faltaba a los precedentes), no se interesase más que por la historia civil y política. Y aquel insigne cordobés, Ambrosio de Morales, «el hombre predestinado para la labor del historiador (B. Sánchez Alonso), gran rebuscador de documentos histórico-eclesiásticos en su *Viaje santo* (1573) por las iglesias y monasterios de León, Galicia y Asturias, tal vez se entretuvo demasiado en *La Crónica general de España,* que aquí no nos interesa, y en discutir críticamente muchos puntos de hagiografía, arqueología, etc.

Tampoco podíamos esperar obra pertinente a nuestro caso del dominico andaluz Alfonso Chacón *(Ciaconius* † 1601?), famoso autor de las biografías de todos los pontífices y cardenales; era más bien erudito y arqueólogo que propiamente historiador y vivió largos años en Roma.

La primera —cronológicamente— *Historia eclesiástica de España* puede decirse la del canónigo malagueño Francisco de Padilla († 1607), dos tomos publicados en Málaga en 1605. No le faltaban al autor nobles y elevados propósitos, porque todo buen historiador —nos dice— «es menester que ande peregrinando por los archivos de ciudades, villas, iglesias y antiguos monasterios buscando instrumentos y escrituras antiguas..., porque quien esto no hiciere fabricará sobre fundamento flaco». Merece nuestro aplauso y agradecimiento, aunque hoy podemos prescindir en absoluto de aquella *Historia,* que intentaba recorrer dieciséis centurias, pero que sólo llegó hasta el año 700 y carece del sentido crítico más elemental cuando narra los sucesos primitivos.

Corramos pudorosamente un velo sobre aquel gran falsario, inventor de viejos cronicones (el de Flavio Lucio Dextro, ¡hijo de San Paciano!, lo admitió Migne en el volumen 31 de su *Patrología)* y extraño tipo humano, que, a la hora de la muerte, se encomendaba a los santos creados por su fantasía. Me refiero al jesuita Jerónimo Román de la Higuera († 1611), perfecto conocedor de las lenguas clásicas y dueño de infinita erudición, peste de nuestra historiografía, que compuso una *Historia eclesiástica de España*, afortunadamente interrumpida en los comienzos del siglo VII. ¡Cuántos de nuestros analistas e historiógrafos eclesiásticos de la Edad del Barroco se contagiaron del «higuerismo» o, como decía donosamente J. Godoy Alcántara, de la «enfermedad ficúlnea»!

¿Y qué decir de los *Anales eclesiásticos y seglares de España,* en no menos de 12 volúmenes, que empezó a estampar en una imprenta de Madrid aquel monstruo de la naturaleza, «el siglo XVII hecho hombre», que se decía Joseph Pellicer Ossau y Salas de Tovar († 1663), cronista mayor de Felipe IV? Esa obra *iam sudat sub Matritensi quodam praelo,* nos asegura su amigo Nicolás Antonio († 1694), quien añade en su lista bibliográfica los títulos de 156 obras de Pellicer, algunas en varios volúmenes (con más exactitud las cita A. Palau en su *Manual del librero).* Un polígrafo que escribió infinitas obras de historia de España, geografía, genealogía, biografías de personas ilustres, arqueología, antigüedades hispánicas, historia de las misiones *(Misión evangélica al reyno de Congo,* Madrid 1649), poesía, literatura española *(Lecciones sobre Góngora),* etc., etc.; un erudito que no se cansaba de consultar libros, y códices, y documentos, pero que llegó a publicar una larga historia natural de la mitológica ave fénix (!) en verso (Madrid 1630) y que se dejó seducir un tiempo por los cronicones apócrifos, aunque más tarde los impugnó con ardor, juntamente con su ilustre amigo Nicolás Antonio, ¿qué garantía de seriedad y crítica histórica nos puede ofrecer en sus *Anales eclesiásticos* (si es que por fin los estampó)?

Durante los siglos XVII y XVIII, en las principales diócesis españolas pulularon respetables historiógrafos, que nos suministraron bloques y sillares de gran utilidad para el arquitecto futuro que no se arredre ante la construcción total del monumento. Remito al curioso lector a la extensa «Introducción historiográfica» que figura al principio del *Diccionario de historia eclesiástica de España* (Madrid, CSIC, 1972), volumen I. Allí podrá ver indicaciones rápidas acerca de las *Antigüedades eclesiásticas de España* (Madrid 1725), de Fr. Pablo de Santo Tomás, O.S.H.; sobre el *Compendio histórico... de todas las iglesias metropolitanas y catedrales de España* (Madrid 1756), de Andrés Lozano Parreño (con datos muy seguros relativos a la organización eclesiástica), y sobre otros ensayos de escaso valor.

Entre los numerosos alarifes y peones del quehacer histórico, resalta y sobresale la ingente labor pesquisidora y copiadora de documentos inéditos del jesuita conquense Andrés Marcos Burriel († 1762), que arrancó a la pluma de M. Menéndez Pelayo palabras de la más encendida admiración. La labor de Burriel se ordenaba a la realización de un proyecto grandioso, por nadie superado en España: la publicación, bajo los auspicios del Gobierno, de una especie de «Monumenta Hispaniae Historica», con variedad de secciones (escritores antiguos, códigos y leyes, libros litúrgicos, crónicas, etc.), como setenta años más tarde comenzaría a hacer en Alemania G. E. Pertz.

Al año segundo de sus faenas en los archivos toledanos, pudo rendir cuenta de su tenaz y fructífero laboreo en aquellas minas de preciosos metales historiográficos: innumerables diplomas reales, bulas pontificias, colecciones canónicas de la época visigótica, actas de mártires y santos, viejos cronistas y escritores, inscripciones, medallas y mil variadas antigüedades; arsenal enorme que, bien editado, serviría de base sólida a los historiadores. La caída de sus protectores en la Corte y «el despotismo ministerial» (en frase de W. Coxe), que tomó las riendas del Gobierno, le arrancaron de las manos aquellos inestimables tesoros, que pasaron, en parte, a enriquecer las arcas de otros eruditos. Despojado de todo por orden del ministro Ricardo Wall, la salud de Burriel no pudo resistir a tan rudo golpe.

Notábase aquellos años en Madrid gran fervor por los estudios históricos, especialmente de historia de la Iglesia española. Lo anhelaba sinceramente el rey Fernando VI, y más de una vez expresó su deseo de «que logre su debido lustre esta monarquía en una *Historia eclesiástica*». Y su confesor, el P. Francisco de Rávago, esperaba que con las tareas encomendadas al P. Burriel y otros amantes de la ciencia española «se ha de dar una gran luz a la *Historia eclesiástica de la nación*».

Vivía por entonces en la capital del orbe católico un español, Mons. Alonso Clemente de Aróstegui (1698-1774), representante interino de España ante la Santa Sede en 1747, auditor de la Sacra Rota Romana desde 1745 y aficionadísimo a los estudios históricos, que en aquella sazón florecían en Italia, Francia y Alemania. El deseo de que nuestra Patria no fuese en este punto a la zaga de otros países, le incitó a soñar en una *Historia eclesiástica de España*. Hubiera deseado él gastar en tan laudable empresa las últimas energías de su vida para dar a su patria una historia eclesiástica *integram absolutamque,* ajustándose con la mayor exactitud a la verdad de los hechos. Su avanzada edad se lo impedía: *si vires mihi non deessent.* Entonces pensó que tantos varones doctos de origen español residentes en Roma podrían asociarse para acometer la obra. En Roma tenían numerosos archivos y riquísimas bibliotecas, en que les sería fácil trabajar con fruto.

Revolviendo estas ideas, el 21 de agosto de 1747 convocó en el gran palacio de la Embajada, en donde se había instalado hacía poco, a muchos estudiosos españoles, y en un hermoso discurso latino (que puede leerse en el tomo primero de la *Historia eclesiástica* de V. de la Fuente, apénd.1) les exhortó con entusiasmo a que emplearan sus ocios en la exploración de los fondos históricos de la Urbe relativos a España: *Haec cogitanti mihi, multosque*

Hispanos esse, qui in Urbe conveniunt, ingenio et virtute animi praedititos, visum est opportunum tempus et occasio efficiendae Historiae ecclesiasticae hispanae». Aróstegui cosechó grandes aplausos; su discurso que fue estimado como un manifiesto de la nueva escuela histórica española, se publicó lujosamente y circuló con profusión, siendo benévolamente acogido por muchos de la Corte de Fernando VI, especialmente por el ministro de Estado, José de Carvajal y Lancáster, que no tardaría en prestar su favor a Burriel y a otros investigadores.

Lo que hizo Aróstegui fue fundar en Roma una *academia española de historia eclesiástica,* que podría contar hasta 24 miembros numerarios, uno de los cuales fue José Manuel del Pino, secretario de la Embajada española, quien nos ha dejado copia de muchos documentos extraídos de los archivos, a los que tuvo acceso por benigna permisión del papa Benedicto XIV.

La obra que planearon aquellos académicos se parecía mucho en el método a la que ya había iniciado por aquellas calendas el agustino burgalés Enrique Flórez: la *España sagrada.* En Fr. Enrique Flórez y en sus continuadores admiramos algo de la paciencia, tenacidad, amor a la historia y a los códices antiguos de los maurinos franceses y de varios eruditos italianos sus coetáneos.

El tomo III (Madrid 1748) lleva la aprobación oficial del P. Burriel, quien, después de trazar a grandes pinceladas el brillantísimo cuadro de la historia de nuestro pueblo, viene a lamentarse —usando las propias palabras de Aróstegui—: *Nullam esse Ecclesiae Hispaniensis Historiam, quae fluens ab exordio rerum ad haec tempora perveniat.* Y comenta Burriel: «Pero fuera mal tolerable no tener historia general eclesiástica buena si mucho de lo que de ella tenemos no fuera tan malo». El pensamiento se le iba, indudablemente, al maleficio de los engañosos cronicones. Opina el exigente Burriel que la *España sagrada* no corresponde a la suspirada historia que los doctos anhelaban, pero «es, en la misma línea, una obra mucho más útil que si lo fuera». ¿Por qué? Porque Flórez, con sus disquisiciones críticas, ha puesto luz y orden en la confusa cronología, ha puntualizado exactamente con largas disertaciones históricas los hechos más célebres y embrollados, ha estudiado nuestra historia diócesis por diócesis y principalmente ha recogido y publicado numerosas fuentes documentales y narrativas, que serán firmes pilastras de construcciones futuras.

La expulsión —más despótica que ilustrada— de los jesuitas españoles a Italia por real decreto de Carlos III en 1767, si fue fatal para la cultura española e hispanoamericana bajo muchos respectos, resultó beneficiosa para la historia española, porque muchos de ellos, sometidos a forzosa inactividad tanto en lo civil como en lo eclesiástico, se propusieron huir del ocio dedicándose al estudio, preferentemente de la historia de la Iglesia y de su patria. Refiere uno de aquellos exiliados, el sabio H. Hervás y Panduro, que «una Compañía de literatos jesuitas» consagró todas sus actividades a la recolección de documentos y a la redacción de una *Historia eclesiástica de España.* Otro de los desterrados, Manuel Luengo, nos habla, en su famoso *Diario,* de una «academia literaria cuyo empeño y destino es la composición de una *Historia eclesiástica».* Les interesaba, y les era tal vez más hacedero, escribir la historia general que la nacional; pero «en la historia eclesiástica de estos españoles —anota el mismo Luengo— aparecerá la *Iglesia de España* como una de las principales del mundo». Los miembros de la susodicha academia (Roque Menchaca y Miguel José Maceda, bien conocidos por sus publicaciones, con Martinicorena, Aguado y otros cinco) reuníanse periódicamente para examinar los documentos recogidos y planear el desarrollo metódico de la obra. Las azarosas circunstancias en que vivían no les permitió dar cima a la empresa que habían acometido con religioso entusiasmo y noble patriotismo.

Abrese el siglo XIX sin que ningún signo permita presagiar próximamente una historia de tipo narrativo y completa en lo posible de la Iglesia española. Muy meritoria aportación, digna de parangonarse con la *España sagrada,* aunque más señalada por el acarreo de los materiales que por la narración y examen crítico de los hechos, se la debemos a Jaime Villanueva, O.P. († 1824), que nos dio, como fruto de sus exploraciones y rebuscas por 150 archivos de catedrales y conventos, el *Viaje literario a las iglesias de España,* cuyos cinco primeros tomos se publicaron en Madrid de 1803 a 1806 a nombre de su hermano mayor, Joaquín Lorenzo, académico de la Historia; los tomos VI-X, a su nombre, en 1821, y los doce restantes salieron póstumos en 1850-52.

Pero tenía que ser en esa centuria decimonónica —tan felizmente amadrinada por la Musa Clío— cuando la ciencia de la historia daría por fin a luz la suspirada criatura historiográfica que nos relatase, ordenadamente y con garantías de veracidad, todos los avatares de la Iglesia en España durante diecinueve siglos. Balbucirá todavía algunas veces, pero paso a paso irá aprendiendo el lenguaje de la ciencia y el método.

Oigamos al padre de la criatura. «Llegamos hasta el comedio de este siglo y a la época del concordato de 1851 sin que nuestra

Iglesia tuviera la historia por todos anhelada; y hubo de escribirla entonces el menos competente para ello, oscuro catedrático de cánones en Salamanca, en medio de las convulsiones políticas, cuando se disipaban los tesoros del saber antiguo y caían derrumbadas antiquísimas instituciones». Es el bilbilitano D. Vicente de la Fuente quien así habla en la introducción al tomo I de su obra, cuya primera edición se publicó en 4 tomos con el modesto título de *Historia eclesiástica de España o Adiciones a la «Historia general de la Iglesia»* escrita por Alzog (Barcelona 1855). La traducción española del conocido Manual de J. B. Alzog se había estampado también en Barcelona, en 4 volúmenes, tres años antes.

La segunda edición de La Fuente (*Historia eclesiástica de España,* en 6 tomos, Madrid 1873-75) es la que debe consultarse. Con todos sus fallos de método (en lo cual, sin embargo, significó un avance sobre sus colegas españoles), con todas sus lagunas, bien explicables en aquellas fechas, y con sus puntos de vista hoy día superados, la *Historia eclesiástica* de La Fuente ha sido, hasta la actualidad, la mejor historia de la Iglesia española. Revela, es verdad, un conocimiento de la literatura extranjera harto deficiente; aunque procura acudir a las fuentes, éstas no pocas veces le fueron inaccesibles; recoge y sistematiza prudentemente los datos de la *España sagrada;* la nueva problemática de la postrera Edad Media no se ha asomado aún a sus horizontes; pero todo, incluso los involuntarios errores, se le perdona en atención a la época en que escribó y al tesón de sus esfuerzos. Demuestra siempre una lectura nada común, sabe airear problemas no discutidos por otros historiadores, y en los últimos centenios tiene verdaderos aciertos de visión y de juicio. Tenemos que agradecerle, además de un estilo suelto y desenfadado con cierta crítica personal muy independiente, el cuidado de enriquecer cada tomo con valiosos anejos e importantes documentos.

En otros muchos escritos se demostró La Fuente tan buen historiador como canonista y teólogo (sin ser sacerdote como algunos imaginan).

Casi en perfecto sincronismo con este aragonés, académico de la Historia, conducía en Alemania un trabajo idéntico el benedictino wurtembergense Pius Bonifacius Gams († 1892), autor de varias obras históricas bastante apreciables. Su *Kirchengeschichte von Spanien* (Ratisbona 1862-79) consta de tres tomos, partidos en cinco volúmenes. Gams se presenta con un empaque científico superior a La Fuente; le vence en el conocimiento de las publicaciones extranjeras; gana también el alemán al español en el estudio analítico de las antiguas fuentes patrísticas, litúrgicas y canónicas; pero no le alcanza en el conocimiento de las fuentes españolas del Medioevo y, sobre todo, en la comprensión de los personajes y sucesos de los últimos siglos. Gams viajó por España como turista, sin entrar en los archivos; amaba al pueblo español; estimaba sus producciones artísticas, religiosas y literarias; pero nunca llegó a entender la política de nuestros reyes y gobernantes, ni el espíritu de nuestros obispos, ni el carácter de nuestras instituciones. Categóricamente osa afirmar que, «a pesar de todos los galicanos, el episcopado francés y su clero .eran un fuerte sostén del papa y de la libertad eclesiástica, mientras en España el clero estuvo siempre a merced de los católicos reyes». La historia de los embajadores españoles en Roma, a juicio de Gams, no es otra cosa que «la historia de las insolencias y de las brutalidades». A Felipe II lo estigmatiza como a «sepulturero de la grandeza y de la gloria de España». ¿En qué grandeza y gloria sepultadas soñará el benedictino alemán? Y asegura que «catalanes y vascos hoy día no entienden aún la lengua de los castellanos». Esto demuestra que él no habló con ningún vasco o catalán. La apresurada superficialidad con que pasa sobre largos períodos de nuestra historia tiene alguna explicación y excusa en la incuria de nuestros historiadores generales, que apenas habían desflorado las cuestiones eclesiásticas.

Algún renombre alcanzó un tiempo, aunque ya está arrinconada y olvidada, la *Historia de la Iglesia en España* (Barcelona 1856), en dos gruesos volúmenes, redactada bajo la dirección de Ramón Buldú, franciscano sometido a la ley de exclaustración. Carece de investigación personal, utiliza la *España sagrada* y saquea la entonces recentísima edición primera de La Fuente, sin mejorarla en nada.

Un paso de gigante da nuestra historiografía con la obra clásica de Marcelino Menéndez Pelayo: *Historia de los heterodoxos españoles* (Madrid 1880-82). Se ha dicho que es el reverso de nuestra historia eclesiástica, una historia eclesiástica vista del revés; en realidad se trata de un importante capítulo de la historia, el capítulo de las herejías, y errores, y apostasías, entreverado —como no podía ser menos bajo la pluma de D. Marcelino— con el capítulo, incompleto naturalmente, de la cultura española. En el «Discurso preliminar», firmado en Bruselas el 26-11-1877, cuando el autor contaba sólo veintiún años, escribía estas frases: «Cuantos extravagaron, en cualquier sentido de la ortodoxia, han de encontrar cabida en las páginas de este libro: Prisciliano, Elipando y Félix, Hostegesis, Claudio (de Turín), el español Mauricio, Arnaldo de Vilanova, Fr. Tomás Scoto, Pedro de Osma..., tienen el mismo derecho a figurar en él que Valdés, Enzinas, Servet, Constantino, Cazalla, Casiodoro de Reina o Cipriano de Valera». En efecto, desde los libeláticos del siglo III hasta los erasmistas del Renacimiento y desde los protestantes peninsulares hasta los filósofos librepensadores del siglo XIX, pasando por los alumbrados, molinosistas, judaizantes, moriscos, jansenistas, enciclopedistas, etc., todos cuantos pueden decirse heterodoxos se ven desfilar por estos brillantes y a menudo magistrales tapices, que dibujan la historia religiosa de España vuelta al revés. Con mano de artista y de sabio iluminó muchos problemas y puntos oscuros, por nadie tocados hasta entonces. Más tarde, en su edad madura, se reprochaba a sí mismo cierta acrimonia e intemperancia juvenil de expresión, que jamás aparecen en sus escritos posteriores. Lo que ahora me interesa subrayar es que a Menéndez Pelayo le debemos en sus *Heterodoxos* una interpretación del auténtico ser de España desde el ángulo religioso.

Tengo que saltar, por fuerza, los nombres de muchos investigadores silenciosos que con paciencia y abnegación fueron extrayendo de las canteras archivísticas la documentación imprescindible para el gran edificio de nuestra historia eclesiástica. Las iglesias catedrales de Santiago, Sigüenza, Valencia, Pamplona, Cuenca, Tortosa, Barcelona, abrieron sus archivos y bibliotecas a abnegados obreros de la ciencia histórica, que nos dejaron historias parciales o monografías de sus obispos y de sus diócesis, mosaicos sueltos que a otros servirán para más espaciosas y armónicas construcciones. El estupendo laboreo del abad de Silos dom Luciano Serrano en el Archivo Vaticano y en los monasterios de Castilla; la *Historia del Carmen descalzo,* descrita en 15 tomos por Fr. Silverio de Santa Teresa, y la *Historia de la Compañía de Jesús en la Asistencia de España,* trazada en siete volúmenes por el P. Antonio Astrain, historiador de más alta categoría, iluminan definitivamente muchos y muy importantes sectores de la historia de la Iglesia.

Pretermitiendo, por su insignificancia, ciertos *compendios* escolares (Fermín de Uncilla, Leopoldo Arias Prieto), hay que pararse un momento ante el historiador eclesiástico de mayores aspiraciones científicas.

Los que hoy nos proponemos estudiar y escribir la totalidad de esa historia tenemos ante los ojos la figura de Zacarías García Villada, S.I. (1879-1936), de quien, en cierto modo, nos consideramos continuadores, porque él fue el primero que intentó con técnica moderna, cumplida información y razonable crítica (dentro de sus limitaciones personales) realizar por sí solo la labor que nosotros mancomunadamente hemos emprendido.

La formación humanística que García Villada recibió en España la completó con el estudio de lenguas extranjeras en Inglaterra y Alemania y con el aprendizaje del riguroso método científico, practicado con excelentes maestros en Innsbruck y Viena. Amigo de desempolvar códices y huronear en archivos, era por naturaleza más paleógrafo y diplómata que historiador. Por patriotismo más que por otros motivos, acometió la gigantesca tarea de escribir, en momentos difíciles para el catolicismo español, la historia casi bimilenaria de ese catolicismo. Por muchos años que viviera, tenía que sucumbir antes de alcanzar la cima. Era demasiado grande y audaz la tarea para un hombre solo, aunque bien nos podría responder con Propercio: *Audacia certe laus erit; in magnis et voluisse sat est (Eleg.* I 2,10). En su honor hay que decir que no desfalleció jamás, ni siquiera cuando el vandálico incendio de la residencia jesuítica de Madrid el 11 de mayo de 1931 le privó de sus ficheros y valiosas notas, obligándole a recomenzar sus investigaciones o a contentarse con lo que pudo salvar de las llamas. Y si al fin dejó caer la pluma de la mano, fue porque otra mano, teñida en sangre y odio, cortó el hilo de su existencia el 1.º de octubre de 1936 cuando se hallaba en la plenitud de sus cincuenta y siete años.

Su *Historia eclesiástica de España* (Madrid 1929-36) se truncó —no sé si triste o gloriosamente— en las últimas décadas del siglo XI. Nadie espere de su autor grandes novedades ni el planteamiento de nuevos problemas; su fuerte es la documentación y la exactitud. Alejado en sus últimos años de las bibliotecas y archivos por la fuerza de las circunstancias políticas, le fue imposible o muy difícil redondear e ilustrar cumplidamente algunas de sus páginas. En los tres tomos (cinco volúmenes no muy densos) que llegó a publicar, hallamos capítulos magistrales y de primera mano, alternando con otros muy someros y redactados con precipitación. Resumen de su tercero y último volumen viene a ser el discurso de recepción en la Academia de la Historia: *Organización y fisonomía de la Iglesia española desde la caída del imperio visigodo (711) hasta la toma de Toledo (1085)* (Madrid 1935).

En general, su estilo es castizo y llano, como la Tierra de Campos en que nació; claro y preciso, pero de vista corta y sin grandes perspectivas. García Villada quiso subsanar, en parte, su defecto de vigor sintético con un librito vulgarizador: *El destino de España en la historia universal,* publicado, poco antes de su muerte, por la editorial de Acción Española. Tal vez ésa fue la causa de su trágico fin.

Preciso es confesar que de García Villada hemos vivido hasta nuestros días en todo cuanto concierne a la Iglesia española de la época romana y visigoda, como también de los inicios de la Reconquista. Lo evidencia la gran *Historia de España* dirigida por Menéndez Pidal, cuyos colaboradores han dado muy escasa importancia a lo eclesiástico. Salvo los capítulos referentes a la dominación romana y visigótica, muy laudables en sí, pero que se contentan con poner al día lo que escribió García Villada, en lo demás la Iglesia enmudece. Para los siglos XII-XIX teníamos que acudir a La Fuente y Gams. Me refiero —claro está— a obras de conjunto, no a las monografías y estudios particulares, que en nuestra época se multiplican felizmente.

A tal indigencia trató de subvenir, para el gran público, el guipuzcoano Pedro de Leturia, S.I. Nadie con más capacidad y prestigio que él. Autor de no pocos libros históricos y de admirables artículos de revista, siempre estimadísimos de los entendidos, sobresalió como maestro incomparable en la Universidad Gregoriana de Roma, donde, con la ayuda y cooperación de Joseph Grisar y Robert Leiber, fundó en 1932 la Facultad de Historia de la Iglesia.

Rodeado de jóvenes estudiosos de todo el mundo, que le admiraban y veneraban agradecidos a su magisterio, se persuadió —tal vez con excesivo optimismo— que con un grupo de sus más capacitados discípulos españoles podría en breve tiempo dar a España la historia eclesiástica que se necesitaba. Tuvo con ellos (inicialmente ocho, después alguno más) dos reuniones, en 1950 y 1951, con objeto de planear y repartirse entre todos la faena. Aquella historia había de constar de cuatro volúmenes de la BAC normal, o, más exactamente, tres, pues el cuarto versaría sobre la evangelización española en el Nuevo Mundo. La muerte inesperada del eximio maestro en 1955 paralizó la obra, en la que tanta ilusión había puesto el entonces director de la BAC, don Máximo Cuervo. Afortunadamente, varios de aquellos jóvenes animosos pueden todavía hoy —después de casi tres decenios—, con mayor ciencia y experiencia, volver a las tareas que entonces soñaron. Vinieron años de silencio, meditación y trabajo oscuro, mientras los árboles crecían y nuevos vástagos se incorporaban a nuestro campo historiográfico. Sólo cuando el timón de la BAC fue empuñado por un piloto de arrestos juveniles y espléndida preparación cultural, se renovó nuestra antigua ilusión, y lo que creíamos un sueño desvanecido empezó a cuajar en palpable realidad. El actual director de la BAC sabe mejor que nadie las inercias que fue preciso vencer, la velocidad que ha habido que imprimir a la complicada máquina de esta obra, las muy sentidas bajas que fue necesario llenar a tiempo, la innumerable bandada de cartas que en tres años han volado por los aires de España y sobre el mar Mediterráneo. A él, que ha sido el efectivo director de esta *Historia,* o, por lo menos, su más dinámico y potente animador, dirijo, en nombre de todos, nuestra sincera gratitud.

II. INTERPRETACION DEL SER HISTORICO DE ESPAÑA A LA LUZ DE LA IGLESIA

Grave y transcendental problema que por primera vez en nuestros días se ha empezado a plantear y discutir con seriedad y hondura. Tal vez sea el genio polifacético de Marcelino Menéndez Pelayo, faro máximo de resplandores en el aborrascado mar de nuestra historia religiosa y cultural, quien, sin pretenderlo expresamente, puso en evidencia el carácter religioso y la impronta eclesiástica de nuestras grandes creaciones y empresas nacionales, de nuestro pueblo colectivamente considerado, y principalmente de nuestros más intuitivos y originales cerebros. De su pluma juvenil brotó, lleno de brío, el «Epílogo» de los *Heterodoxos:*

«La Iglesia nos educó a sus pechos con sus mártires y confesores, con sus Padres, con el régimen admirable de sus concilios. Por ella fuimos nación, y gran nación, en vez de muchedumbre de gentes colecticias... Si en la Edad Media nunca dejamos de considerarnos *unos,* fue por el sentimiento cristiano, la sola cosa que nos juntaba... No hay patria en aquellos siglos, no la hay en rigor hasta el Renacimiento; pero hay una fe, un bautismo, una grey, un pastor, una Iglesia, una liturgia, una cruzada eterna y una legión de santos que combate por nosotros desde Causegadia hasta Almería, desde el Muradal hasta la Higuera». Y sigue acuñando cláusulas tan redondas, perfectas y bellas, que permanecen aún grabadas en la memoria de todos.

Después del gran santanderino, otros nombres tan ilustres como los de Ganivet, Unamuno, Ortega y Gasset, Maeztu, García Morente, Giménez Caballero, Eugenio Montes, Menéndez Pidal, Laín Entralgo, han dicho su palabra sobre el ser de España, sin abordar de frente nuestro tema específico, aunque todos con alguna bella sugerencia sobre el carácter y la religiosidad de nuestro pueblo. De todos ellos, es Menéndez Pidal el que más seriamente ha estudiado y más hondamente penetrado en los entresijos de nuestra historia.

Recientemente, el más original o inquietante de cuantos han intentado definir la esencia o el ser histórico de España, el más audaz planteador de problemas, el que acertó a poner en ebullición las más altas cabezas pensadoras, fue Américo Castro, gran ensayista, más filólogo que historiador, que llevaba a España en la sangre, no en el pasaporte ni en la partida de nacimiento (nació en Río de Janeiro en 1885 y su pasaporte era norteamericano). Este originalísimo escritor saltó al palenque con un libro revolucionario: *España en su historia. Cristianos, moros y judíos* (Buenos Aires 1948), refundido con nuevas aportaciones en *La realidad histórica de España* (México 1954), obra fundamentalmente renovada, enriquecida y matizada en la segunda y tercera edición (México 1962, 1966). Esta última edición, igual a la de 1962, es la que utilizaré (posteriormente volvió a las mismas ideas en *The Spaniards, An Introduction to their History,* Berkeley 1971).

La realidad histórica de España, según Castro, se halla esencialmente integrada y condicionada por la conjugación de «tres castas de creyentes: cristianos, moros, judíos»; del entrecruce de esas tres castas resultaron los españoles. Para Castro es inimaginable cualquier duda: «Hago ver ahora sin sombra de duda, sin posibilidad de tergiversar elementales evidencias, que los futuros españoles se hicieron posibles como una ternaria combinación de cristianos, de moros y de judíos» (p.XX). Diríase que la historia hubiese jugado a los bolillos con esos tres elementos sustanciales para trenzar lo que él denomina, con extraño vocablo, «la vividura hispánica», o sea, el estilo vital español, el modo de sentir, vivir y pervivir típico de los hispanos.

Ni los pueblos primitivos de la Península ni los de la Hispania romana o visigoda eran españoles, porque la España concebida por Castro no existía aún. A la posible objeción de que el niño de diez años es la misma persona del joven de veinticinco, aunque sus rasgos fisonómicos y psicológicos sean diferentes, responde Castro: «Los celtíberos serán antepasados..., sin ser por eso niñez o mocedad de los españoles». «Los españoles nacieron a la vida histórica sin conciencia de ser celtíberos, y sí de ser *cristianos, mudéjares o judíos*» (p.XII).

A quien le pregunte cuándo nació España, le dará esta respuesta: «La vida visigótica nada creó con sello inconfundible español... En el año 1000, por el contrario, la España cristiana era ya, en lo esencial, como en el 1600» (pról. de *España en su historia).* Y en *La realidad histórica* (p.XVI) retrasa aún más la fecha del nacimiento: «En el año 1100 aún no había españoles, sino gallegos, leoneses, castellanos y aragoneses».

Pero ¿no poseían todos la misma *vividura,* el mismo estilo vital, igual o parejo modo de vivir su religión? No es otra, para Castro (p.155), la razón de que los visigodos no sean españoles.

Fácilmente se le concederá a Castro que «los españoles nacieron a la vida histórica sin conciencia de ser celtíberos». Y también, con algunas reservas, que en los hispano-romanos la conciencia de su romanidad prevalecía sobre la de su hispanidad. Pero no se puede afirmar cosa análoga de los hispanovisigodos después del año 589, en que —según creemos muchos— nace España bautizada por la Iglesia, y se forma una sola nación, una patria común bajo una sola ley: *unum gregem et unum pastorem,* como cantó en sus *Laudes* finales el concilio III de Toledo (MANSI 9,983). Es el más egregio de los españoles de entonces San Isidoro de Sevilla, quien siente con inusitadas vibraciones su *conciencia de español,* y proclama líricamente la gloria y el destino de España. Lo veremos en el apartado siguiente.

¿Y será verdad, como pretende Castro, que bajo los visigodos no se plasmó nada nuevo que dejase huella en el auténtico ser de España? ¿Nada significa para los españoles la *unidad religiosa,* fraguada en el concilio III de Toledo bajo la autoridad de San Leandro, representante natural del papa? Y el pensamiento isidoriano, que perdura vivo y eficaz durante un milenio en el mundo cristiano, ¿tan sólo en España dejó de marcar su huella? Toda la Patrología toledana, presidida por él, cuyos nombres preclaros (Eugenio, Ildefonso y Julián, obispos de Toledo; Liciniano, de Cartagena; Masona, de Mérida; Braulio y Tajón, de Zaragoza; Fructuoso, de Braga; San Valerio el asceta y tantos otros) formaban la constelación más refulgente en la Europa de su tiempo, ¿no enseñaron a los españoles un modo suyo y duradero de pensar y de vivir? ¿No dieron a la legislación civil un concepto político-jurídico más elevado que el de los otros reinos germánicos? Con sus decretos sobre la monarquía y la corona real, sobre la guerra, sobre los judíos, ¿no crearon los concilios toledanos una política religiosa propia de aquel imperio godo? ¿No era una novedad el poder judicial *in re civili* de los obispos y su decisiva intervención en el gobierno y en las grandes empresas nacionales? ¿No inventaron ellos un concepto de realeza de apariencia absolutista y teocrática, sin que fuese propiamente ni una cosa ni otra? En la misma historia literaria, ¿no afirmó R. Menéndez Pidal, en sus estudios sobre la epopeya castellana, que «los godos... influyeron de modo persistente y profundo sobre toda la literatura española, dando vida a un género poético que no es como los demás... *la poesía épica de las gestas,* un género cuyo espíritu transmigra, a fines de la Edad Media, al romancero y más tarde renace en el teatro nacional»?

Toda la historia de España sería *tamquam tabula rasa* hasta que los árabes y berberiscos, en fraternidad con los judíos, nos inyectan su modo de pensar y de sentir semítico, fundado en la creencia en un mundo transcendente y no en el discurso de la razón, de donde se origina en nuestras venas —en nuestro pensamiento y en nuestro obrar personalista— un plasma sanguíneo de coloración preponderantemente judeo-islámica. Hasta el catolicismo hispano cambió de color al entrar los cristianos en contacto con moros y judíos.

«La religión española... está basada en un catolicismo muy distinto del de Roma y Francia —para no hablar del norteamericano—. Es una forma de creencia característica de España, sólo inteligible dentro de la peculiar disposición castiza de su historia. La religión española —como su lengua, sus instituciones, su escasa capacidad para la ciencia objetiva, su desborde expresivo y su personalismo integral— ha de ser referida a los 900 años de entrelace cristiano-islámico-judaico... Como institución social, la Iglesia española es algo que nadie ni nada ha conseguido suprimir o reemplazar... Pero lo peculiar de España no es eso, sino que la Iglesia sigue siendo en ella un poder erigido frente al Estado en una forma que no conocieron ni Francia, ni Italia, ni los otros grandes países católicos» (p.241).

La aguda sensibilidad de Castro ha acertado a detectar el fenómeno religioso como una constante de nuestra historia; es un mérito que en un laicista como él sorprende y admira. Las lentes desenfocadas del ensayista no aciertan a leer más que ciertas páginas de nuestra historia eclesiástica, y creen descubrir en nuestro pueblo solamente una religiosidad de tipo islámico-judío, no la auténtica fe católica (que es firme asentimiento a la verdad revelada por la autoridad del testimonio divino), sino un fideísmo temperamental y ciego o poco racional. Es muy chocante su empeño en cerrar los ojos al intenso trasiego de ideas, instituciones y creencias entre España y el resto de Europa, como si nada de lo español se debiera al contacto europeo; sólo tiene mirada perspicaz para lo de origen semita. España nace, crece y se configura de espaldas a Europa. ¿Es que la cristiandad medieval del Occidente europeo nada tiene que ver con nuestra historia?

Los muchos e insignes conversos de los siglos XIV-XVI —objeto en nuestros días de frecuentes investigaciones— han dado motivo a encarecer superlativamente la aportación hebrea a la cultura y a las finanzas españolas; de lo que se aprovechó Castro para confirmar su tesis de la esencialidad del elemento judío en el alma de España, en su vividura, en su modo de sentir, vivir y pensar.

No hay inconveniente en admitir el influjo semita; mas, para no dejarse deslumbrar y seducir por la tesis castrista, léase la serena, ecuánime y documentada réplica de Eugenio Asensio (*La España imaginada de Américo Castro,* Barcelona 1976), volumen reducido, pero sumamente denso y bien escrito, que empieza por hacer crítica (en el c.1) del *método histórico* empleado por aquel autor: «Castro opina que para entender la historia hay que sumirse en ella, penetrar su intimidad, interpretar, a través de nuestra experiencia, las expresiones vitales de los demás... Escribir la historia de nuestro pueblo a modo de confesión o biografía... Considerar la historia como literatura, la literatura como historia», etc. Le reprocha su erguirse como adivino de la historia, sin atender a que la adivinación tiene sus límites, que el imaginativo ensayista no vacila en traspasar. Respecto a la aportación semita, Asensio la reduce a sus justos términos, rebatiendo con pruebas positivas muchos de los asertos inaceptables de Castro. Todo un capítulo dedica a rechazar «la peculiaridad literaria de los conversos», que no forman grupo aparte en la esfera de las letras, y alarga la afirmación a la esfera política, porque «cada vez que surge una disensión nacional hay conversos de uno y otro partido; las líneas divisorias no son las de la casta» (p.91). Esto no le impide reconocer los méritos del autor, aplicándole el dicho que Meinecke acuñó para Taine y luego Huizinga lo echó sobre Spengler: «Hizo más por la historia con sus grandes errores que otros con sus pequeñas verdades» (p.87).

En el campo de la literatura moderna sobre el ser de España, al libro de Américo Castro podemos adjudicarle un mérito, aunque sea involuntario: el de haber provocado la formidable respuesta de Claudio Sánchez Albornoz, autor de una de las más monumentales obras históricas de nuestro tiempo: *España: un enigma histórico* (Buenos Aires 1956), en dos poderosos volúmenes.

Hasta los días de Menéndez Pelayo atribuíase una importancia casi ilimitada a la conquista y colonización romana, ya que con ella nos regaló Roma su lengua, su arte, su religión, su régimen municipal, su derecho. Quizás porque se conocía poco y mal la prehistoria, el substrato indígena de Hispania, el alma religiosa de sus primitivos pobladores (aunque algunos alcanzasen tan alta cota de civilización como los tartesios y turdetanos), era imposible adivinar en qué forma y medida habían contribuido a forjar el talante psicológico y el estilo vital del futuro pueblo español. Sospecho que Menéndez Pelayo advirtió en sus últimos años ese desconocimiento que teníamos de las tribus primitivas de la Península, y que eso le impulsó a escribir el volumen I de la segunda edición refundida de los *Heterodoxos* (Madrid 1933) en forma de «Prolegómenos», que ocupan nada menos que 427 páginas en el volumen 42 de la Edición Nacional de las *Obras Completas* de Menéndez Pelayo (Madrid 1948).

Hoy esa ciencia etnológica y religiosa ha progresado mucho, y Sánchez Albornoz ha sabido echar mano de los modernos conocimientos para revelarnos otra muy distinta «realidad histórica». La respuesta que dio a Castro con estilo febril, algo bronco y apasionado, carpetovetónico, aunque siempre digno, sereno, respetuoso, me parece, en casi todos los puntos, apodíctica y perentoria. El gran historiador abulense machacó literalmente a martillazos de ciencia histórica las hipótesis arbitrarias y los asertos ensayísticos de su contrincante. Le reprocha su absoluto olvido de lo que significa para el ser de España el elemento indígena; compara la idiosincrasia de aquellos primitivos con la *vividura* de los españoles posteriores al año 1000, para sacar la conclusión —confirmada con abundancia de datos— que no hay que aguardar, para explicar la «contextura vital hispánica», a que la marea islámico-judía se derrame en oleadas sobre la península Ibérica.

«Temo —escribe— que Castro está demasiado anclado en la modernidad para ver muy lejos en el ayer de España. Tal vez por eso desdeña o desprecia en demasía la prehistoria y la historia primitiva españolas. ¿Por qué no han podido realizarse otras veces en el suelo de España simbiosis y antibiosis, a la par culturales y vitales, no demasiado disímiles de las que tuvieron por teatro a la Península desde el siglo VIII al XV?... España ha sido muchas veces encrucijada de etnias y de civilizaciones... desde el paleolítico» (I 99-100).

Señala algunos rasgos que desde los celtíberos hasta nuestros días han perdurado en el temperamento español y reafirma el decisivo influjo de la romanidad. Pero añadiendo: «Ni los romanos, ni los godos, ni los musulmanes fueron, naturalmente, españoles. Pero de todos ellos fueron los visigodos los únicos que se vertieron integralmente en el río de lo hispánico... Sólo con los godos entró en tierras hispanas un pueblo entero, una total comunidad humana con su vieja herencia temperamental, su contextura orgánica, su potencial de vida. No eran españoles al cruzar los montes Pirineos; pero ¿pudieron dejar de influir —se calcula su número en 200.000 hombres— en la forja de lo hispánico?... La tradición gótica estuvo presente en muchos aspectos de la vida española. Los reyes asturianos y sus sucesores de León se dieron por continuadores de los soberanos hispano-godos. La

nobleza hispana medieval se atribuyó ascendencia visigoda»
(I 131.134).

Frente a la tesis de Castro, el capítulo IV del volumen I de
Sánchez Albornoz se intitula así: *No se arabiza la contextura vital
hispana.*

«No; la contextura vital hispana no pudo arabizarse... La estructura funcional de los peninsulares estaba ya firmemente acu-
ñada cuando en 711 pusieron pie en Gibraltar los berberiscos de
Tariq. Lo arábigo-islámico era todavía fluido e impreciso. Llegaron a España muchos humanos recién convertidos al Islam y todavía sin arabizar... La arabización vital [*de los españoles sometidos
al Islam*] o se realizó muy tarde o no se realizó jamás... Desde los
días de Silo y Mauregato hasta los de Fernando e Isabel, jamás,
sino durante la decadencia del reino de León y la época triunfal
del califato cordobés, vivieron los cristianos de España mediatiza-
dos por los islamitas españoles» (I 189.197).

De Sánchez Albornoz, insuperable conocedor de la historia de
España, con mucha mayor razón que de Castro, podíamos esperar que nos dijese alguna de sus palabras esclarecedoras sobre el
papel de la Iglesia en la lenta forjadura del alma española. Agu-
damente se fija en la apasionada sensibilidad religiosa, en la unidad de la fe, en la devoción al Papado y en el cristianismo militante de los españoles, y no deja de subrayar la notable participación de los clérigos, empezando por los obispos, en las guerras
«divinales» contra el infiel; pero habría que estudiar la transformación íntima que en los españoles se operó cuando los politeís-
tas romanos, los últimos secuaces del paganismo aborigen, los
arrianos visigodos y los sectarios de otras creencias aceptaron la
fe cristiana y se dejaron bautizar; qué nueva vida se encendió
en sus corazones; cómo la Iglesia, con su continua catequesis y
con el ejemplo de los santos, elevó el alma popular hacia ideales
éticos y místicos, que configuraron su modo de sentir y de obrar.

Es comprensible que, con la mira puesta en la refutación de su
adversario, no haya tenido tiempo ni oportunidad para estudiar
problemas que, en parte al menos, caen fuera de su campo.

Uno de nuestros más insignes hebraístas, José María Millás Vallicrosa en sus *Nuevos estudios sobre la historia de la ciencia española*
(Barcelona 1960), opina —tal vez con un poco de exageración—
que los dos grandes escritores a cuya controversia hemos asistido,
cuando intentan la explicación de nuestra «contextura vital», no
levantan sus ojos de las causas materiales, como son las simbiosis
de sangres, de razas y los modos de hablar y de vivir; y piensa

que todo esto no basta a establecer firmemente la unidad nacional.

«Nosotros a continuación —son sus palabras— intentaremos probar cómo, para descifrar *el enigma* de nuestro ser histórico, el acento ha de ponerse no sólo en una causa *material,* sino también en una causa *formal,* o sea, principalmente, en una vinculación espiritual a Roma, cabeza de la cristiandad» (p.38).

No es esto repetir el viejo tópico de que a la Roma imperial debemos la unidad de lengua y de cultura, la unidad de religión y tantos otros bienes que integran nuestra herencia nacional. Millás Vallicrosa, mirando más a los tiempos sucesivos, quiere demostrar que la Roma papal, y, de un modo más vago la cristiandad europea, continúa en la Edad Media y en épocas posteriores asistiendo a España, ayudándole a conservar la integridad de su ser en las más graves crisis nacionales.

Nuestra Reconquista, iniciada en los riscos de Covadonga contra los invasores árabes, cobró aliento y seguridad al amparo de Carlomagno, brazo secular del pontífice romano, porque él con su prestigio, más que con las armas, protegió a Alfonso II el Casto, caudillo español del minúsculo reino asturiano, y prestó su apoyo a la nobleza de la Marca Hispánica en sus empeños independentistas de la musulmana Córdoba. Hasta dónde fue efectivo el auxilio y respaldo que dio la cristiandad europea a nuestra Reconquista, es problema que podría discutirse. Una cosa merece acentuarse: aquella reconquista de España no se ha de concebir como una mera recuperación de terrenos perdidos, sino como campaña restauradora de la fe cristiana y preservadora de las virtudes morales frente a la gran seducción islamita del Sur. Así surgen en seguida, entre Asturias y Cataluña, «almas místicas y apologéticas como San Justo de Urgel o San Beato de Liébana». Los prelados en persona, embrazando la adarga, se ponen al frente de las huestes, dan su bendición ritual a los soldados, y con ellos militan «contra los impíos y los infieles» en aquella «guerra divinal», hecha en nombre de Dios y por la «extensión de los términos de la cristiandad», como dirá en el siglo XV Alfonso de Cartagena. Las crónicas más antiguas insisten en que el intento primordial de las campañas contra los moros era salvar a la Iglesia y a los cristianos en peligro.

Roma volvió a intervenir en el pontificado de Gregorio VII con apremiantes epístolas a los reyes en pro de una vinculación estrecha con la Santa Sede, de donde se seguiría una integración más perfecta en el cuerpo de la cristiandad europea y una unión más apretada y fraternal entre los reinos españoles. Instrumentos eficaces de aquel papa fueron los monjes cluniacenses, que, como franceses, aprovechaban la coyuntura de los sucesivos matrimonios del monarca castellano con mujeres francesas. Alguna vez pudieron excederse, sacrificando peculiaridades nacionales estimables en aras de la mayor unidad religioso-litúrgica, como en el caso discutible del rito mozárabe o visigótico, sustituido por el romano.

Esto, lo mismo que otras intervenciones de la Roma papal en nuestra Reconquista y en la plasmación espiritual y moral de España, espero que a lo largo de esta HISTORIA ECLESIÁSTICA se verán con suficiente claridad.

En lo que se refiere concretamente a la Iglesia y la Reconquista, me complazco en recomendar aquí —porque no ha tenido la resonancia que merece— una obra fundamental del historiador navarro José Goñi Gaztambide, tan rica de documentación nueva como sugeridora de problemas históricos: *Historia de la bula de Cruzada en España* (Vitoria 1958).

No trata del «enigma de España» ni de la realidad intrahistórica española, sino de cómo la nación se fue formando, en la secular cruzada contra los moros, con el apoyo moral y económico de la Iglesia. Yo me pregunto: Ese lento fraguarse de la nación con un ideal religioso-político, propiciado por la jerarquía eclesiástica, ¿no contribuyó a que todo el pueblo español, con su autoridad civil, se sintiera compenetrado con la autoridad religiosa, unido con ella en las grandes empresas nacionales e inspirado por el cristianismo en su vivir y hasta en su hablar? Superfluo sería tratar aquí de la importantísima participación de las Ordenes Militares (fusión de lo religioso con lo militar) en la conquista de la ribera del Ebro, Bajo Aragón y Valencia, así como de Extremadura, Andalucía y Murcia.

En una reseña que del libro aludido hice a su tiempo, escribía yo las siguientes palabras, que no me atrevo a retocar: «Hasta hace muy poco, los cultivadores de la historia de España —me refiero a los laicos o seglares— solían construirla casi al margen de la Iglesia, desatendiendo y aun menospreciando el enorme influjo de ésta en el alma, en la cultura, en las instituciones y en la misma forjadura política de la nación. El colmo de ese olvido y desdén de lo eclesiástico se puede ver en la harto famosa obra de Américo Castro, cuyo subtítulo dice: *Cristianos, moros y judíos* (1948), aunque reflejaría mejor el pensamiento del autor y el contenido del libro si dijese: moros, judíos y cristianos. Tan escasa es la importancia que da a lo cristiano en la plasmación del ser nacional. Incluso el *Enigma histórico de España,* tan grandiosamente concebido por ese titán de la historia que es Claudio Sánchez Albornoz, podría iluminarse mucho mejor con una mirada más constante a la acción de la Iglesia católica y de sus instituciones. Nadie se imagine que encontrará en este sólido trabajo [*del Dr. Goñi*] una potente construcción histórica, fruto de investigaciones ya hechas, y una elaboración literaria como las dos grandes obras que acabo de mencionar. No es la obra de un pensador y un ensayista, sino la de un "puro historiador", que estudia los hechos en sus fuentes, hace crítica de lo ya construido, desentierra nuevos sillares y piedras de construcción y muestra el diseño que debería tener el monumento. Todo con el método más severo, sin concesiones al subjetivismo ni a la vana conjetura, sin una afirmación que no lleve la prueba al canto. Hácese aquí la historia de ocho siglos de cruzada, mirando a la Reconquista española en su aspecto religioso y eclesiástico, y especialmente en el económico, para lo cual aporta copiosísima documentación, sacada de las relaciones diplomáticas entre España y la Santa Sede» (Gregorianum [1959] 516-22).

Contemplar la cruzada multisecular de la Reconquista a la luz de la bula, como hace el Dr. Goñi en más de 750 páginas, es contemplarla a la luz de la ayuda financiera de la Iglesia y de la participación de los clérigos en aquella empresa nacional. La predicación de la bula de Cruzada, según cálculos de F. Guicciardini en 1513, produciría al fisco real un rendimiento de 300.000 ducados anuales. Y téngase en cuenta que no era ésa la única fuente de subsidios que la Iglesia solía conceder a los monarcas españoles en sus campañas contra el moro infiel.

Cualquier lector reflexivo, al cerrar la lectura de este libro, tiene que preguntarse: ¿Hubiera sido posible aquella larga epopeya nacional, en la que España forjó su ser histórico, sin las continuas subvenciones económicas de los papas y de los obispos, y, en último término, del pueblo fiel y de los beneficiarios eclesiásticos?

Haría falta que un pensador español bien documentado estudiase no tanto la «historia de España» cuanto la vida de los españoles, o mejor, su modo de vivir, de pensar, de sentir, de creer, de reaccionar ante la vida y la muerte, ante lo perecedero y lo eterno. Entonces se podría apreciar en qué grado la religión cristiana sublimó sus cualidades raciales, matizó religiosamente su temperamento, dio fortaleza diamantina a su ética en trances difíciles, levantó su espíritu hacia ideales transcendentes, sobrehumanos.

III. APORTACION DE LA IGLESIA AL SER HISTORICO DE ESPAÑA

Voy a tocar este punto con cierta repugnancia por miedo al tópico de la fácil apología. Sobre ello se han escrito libros enteros, tan saturados de incienso como desnudos de valor científico. Ante las frivolidades encomiásticas, de una parte, y las acusaciones antihistóricas, de otra, lo mejor sería callar, o bien emprender seriamente una obra positiva de análisis y crítica. Pero eso no es incumbencia de un prologuista, sino, más bien, de la obra que estoy presentando. A sus cinco volúmenes me remito. Con todo, séame lícito ahora sugerir algunos temas que convendría meditar y profundizar.

¿Cuándo nace España? A mi entender, en el momento en que la Iglesia católica la recibe en sus brazos oficialmente y en cierto modo la bautiza en mayo del 589, cuando Recaredo I inicia su cuarto año de reinado. Antes del visigodo Eurico († 484) no era España nación independiente, ni alcanzaría la perfecta unidad nacional durante más de un siglo: eran dos pueblos de raza y religión diversas, dos pueblos que cohabitaban en la misma morada. Solamente en el concilio III de Toledo (589) España adquiere plena conciencia de su unidad, de su soberanía e independencia. Desde entonces, todos los hispano-godos quieren ser hermanos asociados en el mismo destino histórico. Verifícase en aquel momento transcendental la conversión pública de Recaredo (privadamente era católico desde hacía dos años) y la conversión masiva de los magnates. El pueblo vencedor pasa a la religión del vencido, fundiéndose ambos espiritualmente y dando origen a la España del futuro.

Cuando hablo de bautismo, no quiero decir que el arzobispo Leandro de Sevilla bañase sus frentes con las aguas bautismales, pues parece más probable que diese por válido el bautismo arriano, pero sí que ungió ritualmente a Recaredo, derramando sobre su germánica cabellera el crisma de cristiano y de rey.

Alma de todo y presidente de aquel concilio fue el arzobispo

Leandro, hermoso símbolo de la fusión de las dos razas, pues era hijo de padre hispano-romano y de madre probablemente goda. Hermano suyo, más joven, era Isidoro, que le sucedió en la sede sevillana, y que ha sido apellidado «el inventor del nacionalismo español», porque es el primero que con plena conciencia de su españolía pregonó líricamente su patriotismo en el primer canto a España que resonó en la Península; canto a España que tiene acentos de epitalamio, porque se entonó celebrando las bodas de dos pueblos diferentes, y melodías de canción de cuna, porque se cantó en la cuna de España recién nacida.

Su *Historia Gothorum* se inicia con esta musical y poética obertura:

LOORES DE ESPAÑA *(De laude Spaniae)*

«De todas las tierras que se extienden desde el mar de Occidente hasta la
[India, tú eres la más hermosa,
¡Oh sacra y siempre venturosa España, madre de príncipes y de pueblos!
Con justo título brillas ahora, como reina de todos los países...
Tú eres la gloria y el ornamento del orbe, la porción más ilustre de la
[tierra,
en la que mucho se deleita y abundosamente florece la gloriosa fecundi-
[dad de la gente goda...
Tú, riquísima en frutas, exuberante de racimos, copiosa de mieses,
te revistes de espigas, te sombreas de olivos, te adornas de vides.
Tú, llena de flores en los campos, de frondosidad en los montes, de peces
[en las riberas...
No te vence en caballos el río Alfeo, ni en bueyes el Clitumno,
por más que el sagrado Alfeo lance sus cuadrigas veloces al viento en las
[carreras olímpicas
y el Clitumno inmolase otrora corpulentos novillos en las aras capitoli-
[nas...
Fértil en gobernantes, a la par que en dotes imperiales...
Así que, con razón, antiguamente la áurea Roma, cabeza de las naciones,
[te codició.
Y, vencedora en un principio, se desposó contigo.
Mas luego la florentísima nación de los godos... te raptó porfiadamente
y te amó y te goza ahora entre regias ínfulas y pródigas riquezas en la
[tranquila felicidad del imperio.»

¿Qué le faltaba a este egregio hispano-godo para ser auténtico español? ¿No se ufanaba de tener por patria a la España recién nacida? Y no se tenga por énfasis retórico aquello de «Tú eres la gloria y el ornamento del orbe», porque en realidad la España visigoda desplegaba entonces un esplendor de cultura latina y eclesiástica superior al de las demás naciones de Occidente. ¿Y de dónde le venía a España ese esplendor? No de las armas de sus caudillos, sino de sus doctores y obispos de la Iglesia, de sus concilios, de su legislación canónica, de sus escuelas clericales. El mismo *Fuero juzgo (Liber iudicum)*, promulgado bajo Recesvinto († 672) para igualar y unificar a las dos razas ante la ley, es, en gran parte, de origen eclesiástico.

No sabemos qué hubiera sido de España si, tras la invasión de los bárbaros, el pueblo hispano, unido espiritualmente a Roma, no hubiese logrado absorber a los invasores, comunicándoles su religión y su cultura, y qué hubiera sido de nuestra Patria si la invasión islámica la hubiera encontrado sin ideales cristianos. ¿No la hubiera islamizado toda, desvirilizándola para la resistencia?

Estudiando la Edad Media española, la vemos dominada toda por la idea —y por la tarea constante— de «reconquista», restauración, reorganización, aunque, naturalmente, se da origen a nuevas instituciones y formas de vida. La situación de todo español, del siglo VIII al XI, es de riesgo continuo. Se siente solo, aislado, casi abandonado de Europa, sin aliados extrapeninsulares frente a un enemigo poderoso y acometedor. No puede dormir sin el escudo al brazo y la lanza a la cabecera, esperando que de un instante a otro suene el toque de alarma que lo llamará a la hueste o al fonsado. Esta intranquilidad le priva del ocio necesario para los menesteres culturales. Sólo tras la muerte de Almanzor (1002) respira libremente, empieza a sentir los aires de Francia, el contacto caliente con la cristiandad, con las hermanas suyas en la fe. Merced en gran parte a monjes y obispos, protegidos por monarcas como Sancho el Mayor, España pone su paso al ritmo de Europa.

Empieza a tener peso internacional en la comunidad de pueblos cristianos. En los tiempos que siguen, la iniciativa bélica y la superioridad militar están ya de parte de los cristianos norteños. Sobrevienen momentos críticos, ocasionados por las nuevas oleadas de fanáticos africanos, almorávides (Zalaca 1086) y almohades (Alarcos 1195); pero ya España es mayor de edad y camina segura del brazo de las otras naciones de la cristiandad. ¿Quién refuerza estas vinculaciones europeas, si no es la Iglesia con sus obispos, sus monjes y frailes?

Si nuestro pueblo no se dejó seducir por la brillantez meridional de la civilización arábiga y, armado de la cruz, se mantuvo firme en la pelea con esperanza de la victoria final, no fue sino porque estaba firmísimamente apegado a su religión, contraria a la de Mahoma. La conciencia cristiana era el sostén de la conciencia nacional. Lo afirmó con su autoridad de historiador y medievalista Ramón Menéndez Pidal en la magistral «Introducción» de la *Historia de España* publicada bajo su dirección: «El libre y puro espíritu religioso, salvado en el Norte, fue el que dio aliento y sentido nacional a la Reconquista. Sin él, sin su poderosa firmeza, España hubiera desesperado de la resistencia y se habría desnacionalizado y habría llegado a islamizarse, como todas las otras provincias del imperio romano al este y al sur del Mediterráneo..., como sucumbieron, arabizándose, Siria y Egipto, a pesar de su cultura helenística más adelantada... Lo que dio a España su excepcional fuerza de resistencia colectiva... fue el haber fundido en un solo ideal la recuperación de las tierras godas para la patria y la de las cautivas iglesias para la cristiandad» (I p.XXVII).

Aquel pueblo español —que era siempre «un pueblo en armas»— tenía a su lado, como consejeros, maestros y guías, a un pueblo de clérigos que fraternizaban con todos y levantaban el espíritu de caballeros y peones; a un pueblo de monjes que cantaba salmos en el coro y transcribía en el *scriptorium* lo mismo códices antiguos que crónicas recientes; a un grupo selecto de prelados amigos del rey o conde que laboraban de mil maneras en la construcción de la España eclesiástica, civil, política, científica, artística y literaria.

Pensad por un momento en aquel glorioso triunvirato arquiepiscopal de la primera mitad del siglo XII: San Olegario, de Tarragona; Diego Gelmírez, de Compostela, y Bernardo, de Toledo. Siempre me ha impresionado su grandeza, tan distinta en cada uno de ellos; su aparición, poco menos que sincrónica, en momentos de resurgir nacional y su ubicación triangular en los puntos claves de la Península. Personajes como ésos, columnas de nuestra historia, van creciendo, en número y en estatura histórica, durante las centurias XIII y XIV y XV. En estas páginas han de figurar sus nombres. Y de no contar con ellos, ¿qué hubiera sido de España? Suprimidlos con la imaginación por un instante; borrad juntamente los nombres de Santo Domingo de Guzmán, Dominico Gundisalvi, Vicente Hispano, San Raimundo de Penyafort, del ignoto autor (seguramente clérigo) del *Cantar del mio Cid,* de Rodrigo Jiménez de Rada, Gonzalo de Berceo, Ramón Llull, Alvaro Pelayo, Alfonso Vargas de Toledo, Gil de Albornoz, el Arcipreste de Hita y el de Talavera, San Vicente Ferrer, Pablo de Santa María «el Burgense» y Alfonso de Cartagena, Rodrigo Sánchez de Arévalo, Juan de Segovia, Juan de Torquemada, Alfonso Tostado de Madrigal, Juan de Carvajal, Juan de la Encina, Jiménez de Cisneros..., y habréis apagado de un soplo las luces que iluminaban nuestro Medioevo, dejándonos casi a oscuras. Y si al mismo tiempo suprimimos el arte románico de tantas iglesias y monasterios, el soberbio gótico de nuestras catedrales (León, Burgos, Toledo, Sevilla) y la opulencia barroca de incontables templos, capillas, retablos, custodias y otras mil obras de arte ejecutadas o mandadas ejecutar por eclesiásticos, ¡qué pobre, triste y desolada se nos quedaría España!

De nuestra edad de oro, mejor es no hablar, a fin de no incurrir en tópicos manidos. Mas no quiero privar al lector de un párrafo de Américo Castro, cuyo testimonio es irrecusable. Sin renunciar a su concepto de la «contextura vital» con preeminencia de lo árabe y judío, se siente impulsado a magnificar la aportación de los eclesiásticos a la historia cultural de España.

Dice así: «Algunas de las más importantes creaciones de la civilización española durante los siglos XVI y XVII, e incluso durante el XVIII, son meros aspectos de la singularísima religiosidad de ese pueblo. Lo más visible son los bellísimos templos y obras religiosas de arte en España y en lo que fue su imperio, bastantes por sí solos para dignificar una cultura. Frailes, monjas o clérigos fueron muchas de las figuras universales de las letras españolas: Fernando de Herrera, Juan de Avila..., Juan de la Cruz, Teresa de Jesús, Luis de Granada, Luis de León, Francisco de Vitoria, Francisco Suárez, Juan de Mariana, Lope de Vega, Calderón, Tirso de Molina, Gracián, sor Juana Inés de la Cruz, Feijoo. La historia hispana es, en lo esencial, la historia de una creencia y de una sensibilidad religiosas, y, a la vez, de la grandeza, de la miseria y de la parálisis provocadas por ellas» (p.240).

Si tachamos este último desplante, que no puede lanzarse en forma tan absoluta y sin pruebas, tendríamos que Castro casi viene a coincidir con la aserción ponderativa del joven autor de los *Heterodoxos*: «La Iglesia es el eje de oro de nuestra cultura» (I, Ed. Nac., 35.237).

Dejando a un lado las frases retóricas, lo innegable es que la Iglesia se halla presente de una manera activa y se hace sentir en todas las palpitaciones de la vida cultural y religiosa, política y social de España, aunque, naturalmente, es preciso reconocer una preponderancia siempre creciente de los laicos desde el siglo XVI en adelante. Pero, incluso en los tiempos modernos —que no son áureos—, la aportación de la Iglesia a nuestra cultura no es de menospreciar, como se verá claramente en un capítulo de nuestro volumen V.

Mirando al pasado y expresándome en forma esquemática, me atrevo a sugerir esta reflexión: he pensado muchas veces que de los cuatro o cinco títulos nobiliarios con que España puede aspirar a la estima y respeto del mundo internacional, por lo menos tres se los debe a la Iglesia. Son, en mi concepto, los siguientes: *la España teológica, la España mística y la España misionera,* que ningún extranjero, amigo o enemigo de España, se atreverá seriamente a negarle.

1) *La España teológica* llevó al concilio de Trento los dos pilares de aquella ecuménica asamblea: *la nueva teología* (neoescolástica), representada en las discusiones conciliares por los dos Sotos, Cano, Carranza, Laínez, Carvajal, Castro, Vega, Pérez de Ayala, etc., y, paralelamente, la más seria y fundamental *reforma eclesiástica,* que puede llamarse tan española como tridentina, porque en España se ejecutó medio siglo antes de ser proclamada en Trento y porque en el concilio fueron los españoles sus más ardientes propugnadores. Sabido es que, cuando el humanismo renacentista estrellaba inútilmente la espuma de sus olas contra los muros universitarios de la Sorbona y de otras facultades teológicas de Europa, la teología española se dejaba fecundar por las nuevas corrientes, y del connubio de humanismo y tomismo nacía la teología reformada en Salamanca y Alcalá. Erasmo había lanzado su grito en los prefacios al Nuevo Testamento: «Vuelta a las fuentes»; todo teólogo *in primis et potissimum versetur in fontibus.* Recomendación que repite en sus *Adagios,* repudiando la ciencia de segunda o tercera mano, bebida en lagunas y arroyuelos: *Fontes... unde omnia manant, videre.* Es lo que nuestro Melchor Cano formuló de un modo científico y axiomáticamente en el *De locis theologicis,* en pos de su maestro Vitoria. Siguiendo la estela teológica del gran Francisco de Vitoria, que, además de renovador de la teología, es considerado como el fundador del derecho internacional, navegan buques de alto bordo, que llevan los nombres de Domingo de Soto, Luis de Molina, Domingo Báñez, Francisco de Toledo, Francisco Suárez, «el Doctor Eximio», y una flota interminable, cuyos apelativos agobian el *Nomenclátor* de Hurter. (Confesemos entre paréntesis que, pasada la edad de oro, cuando se produjo la decadencia general de la nación, también la ciencia sagrada empezó a aridecer.)

2) *La España mística* produjo en el siglo XVI las más sublimes almas contemplativas y los escritores que mejor describieron las vías del espíritu; eran maestros universales de vida de perfección y directores de humilde vida cristiana, al par que volaban por las altas esferas del pensamiento religioso y psicológico. ¿Qué otra nación puede presentar constelaciones tan luminosas y brillantes de héroes de la santidad canonizados por la Iglesia, cuyos nombres esmaltan los santorales y martirologios? En cuanto a litera-

tura ascético-mística, baste decir que nuestros autores espirituales, traducidos a muchas lenguas, siguen siendo objeto de estudio y de lectura atenta lo mismo para los que anhelan piedad y devoción que para los que buscan novedad de ideas y belleza de estilo. Díganlo en Francia Francisco de Sales y Pierre de Bérulle; en España, Miguel de Unamuno y Azorín. En aquel que Menéndez Pidal llamó «período de los grandes místicos», vemos que en torno a las dos más altas y colosales cumbres —Santa Teresa y San Juan de la Cruz— hacen coro armonioso un sinfín de voces variadísimas, representantes de todas las escuelas de espiritualidad: el benedictino García de Cisneros, el jerónimo Hernando de Talavera, el franciscano Francisco de Osuna, el sacerdote secular Juan de Avila, el dominico Luis de Granada, el agustino Luis de León, el jesuita Luis de la Puente, el cartujo Andrés Molina, el clérigo santiaguista Benito Arias Montano, el carmelita Jerónimo Gracián, la monja brígida Marina de Escobar, la concepcionista María de Agreda...

3) *La España misionera,* cuya figura más relampagueante y espectacular es, para muchos, San Francisco Javier, «apóstol de la India y el Japón»; esa España evangelizadora de medio mundo desplegó sus fervores apostólicos, más que en Asia y en Africa, en las dilatadas misiones americanas. Cuando el protestantismo arrebataba a la Iglesia romana gran parte de las naciones del centro y norte de Europa, la España fiel a Roma, obedeciendo al vicario de Cristo, que por la bula *Inter caetera* (1493) le encomendaba la evangelización de los pueblos descubiertos por Colón, se puso a conquistar para el catolicismo territorios ilimitados y poblaciones innúmeras, que más tarde formarían más de veinte naciones católicas. No tiene España otra obra nacional de mayor envergadura religiosa y civilizadora. Cabe a los reyes indudablemente, y a no pocos virreyes y gobernadores y al pueblo entero, una buena cuota en aquel portentoso parto de más de veinte Españas; pero también es cierto que la proporción mayor, con mucho, le toca al clero regular y secular, frailes misioneros y clérigos doctrineros, los cuales anualmente durante siglos venían a desbordarse sobre el Nuevo Mundo desde California hasta Patagonia y desde las islas del mar Caribe hasta las Filipinas, en interminable riada de apóstoles. Ellos diseminaban el Evangelio con su palabra y regaban la tierra, fecundándola, con sus sudores y no pocas veces con su sangre, hasta lograr la más vasta conquista espiritual que registran los anales del cristianismo. Y téngase presente que esa gran empresa cristianizadora no se acabó con la emancipación política de aquellos países, sino que se perpetúa en

los siglos XIX y XX con la presencia ininterrumpida de nuestros frailes y sacerdotes, misioneros y educadores, que siguen afanándose celosamente tanto en las parroquias y escuelas de las ciudades como en los bohíos indios del interior.

He apuntado unas pocas facetas claras y luminosas a fin de hacer pensar a los que modernamente se complacen en pintar una Iglesia española oscurantista y retrógrada. Que en la historia eclesiástica se han dado épocas oscuras y decadentes, es un hecho palmario y evidente, como se han dado grandes altibajos en la historia política y civil. La Iglesia, como integrada por hombres, no puede menos de seguir el vaivén de la sociedad en que vive. En las épocas áureas de cada nación, la Iglesia esplende y produce grandes hombres y fecundas instituciones, que ayudan a la gloria y prosperidad nacional; en las épocas de derrota y de triste postración, también la Iglesia con sus jerarcas languidece en tal forma, que hasta en la predicación indefectible del mensaje evangélico pierde juventud, fuerza y novedad circunstancial, dejándose arrastrar por la rutina. Epocas áureas y épocas de decadencia entretejen la historia de cualquier institución. Nosotros hemos intentado aquí estudiar, comprender y presentar lo plausible y lo censurable del elemento humano de nuestra historia eclesiástica. Dictar sobre los hombres y los hechos un juicio definitivo será a menudo dificilísimo; a veces se dejará al lector el juicio, variable según los diversos puntos de vista. Es nuestro propósito ser siempre sinceros y objetivos.

Hubo épocas, como la del seiscientos, en que nuestra historiografía se llenó de fábulas absurdas y de piadosas leyendas por culpa de los «falsos cronicones», inventados para lisonjear a ciertas familias poderosas con el recuento de nobles antigüedades en su linaje, o para decorar con santos imaginarios y con sucesos milagrosos la historia antigua de ciertas provincias o ciudades.

«Esta es la moneda falsa de la historia —escribía indignado hace más de un siglo D. Vicente de la Fuente—; hay que impedir su curso a todo trance». Y añadía: «Tergiversar los hechos sería ofender a Dios, que es la Verdad por esencia... Los hechos que no han pasado a nuestro gusto han acontecido por permisión de Dios. A éste no se le da culto por la mentira. Ocultarlos es otra especie de engaño, es quitar las sombras del cuadro que Dios pintó... Hay alguno que al escribir una historia quisiera que en ella solamente se pusiera lo bueno y se omitiera lo desfavorable. ¡Soberbia infernal que suele encubrirse con el pretexto de adhesión a la Iglesia o a la patria! (I, *Pról.*).

IV. TEMATICA DE NUESTRA HISTORIA. PERIODIZACION Y DIRECTRICES

Abordar el estudio de la historia de la Iglesia en España significa buscar en las fuentes históricas, documentales o narrativas, y en las disquisiciones críticas que de ellas se han ocupado un conocimiento el más profundo y exacto que sea posible de la religión de Cristo en nuestra Patria, prestando atención al clero y al pueblo, a las instituciones eclesiásticas con todas sus ramificaciones y actividades, a lo jerárquico, a lo sacramental, a lo litúrgico y canónico; dando también a conocer la vida cristiana de los fieles, su instrucción religiosa o su ignorancia, sus fervores y tibiezas y los eventuales conatos de reforma ensayados por sus pastores.

Será la nuestra una historia esencialmente religiosa, aunque no una historia de la religiosidad; esta última presentaría, indudablemente, gran interés y atractivo, pero tendría por fuerza un connotado más popular y etnológico, lindante con lo folklorístico y ajeno a nuestros propósitos.

La historia general de la nación la estudiaremos solamente en sus implicaciones —que serán múltiples y graves— de lo civil con lo eclesiástico y con lo religioso. Deberán privilegiarse los temas relativos al crecimiento vital y paulatino de la Iglesia en la nación mediante la continua transmisión del mensaje evangélico; la estructuración de las diócesis y provincias eclesiásticas; el magisterio de los obispos en sus concilios y sínodos; la liturgia, predicación parroquial y catequesis; el influjo de las órdenes religiosas en la masa popular, que se logra con el ejemplo, con la palabra y con variadas asociaciones y cofradías; las relaciones de la jerarquía con el Gobierno nacional y de éste —mediante los nuncios y diplomáticos— con el pontífice romano (roces, acuerdos y concordatos). No habrá que olvidar la formación del clero en los seminarios y universidades, la espiritualidad de los cultos o ilustrados y la devoción popular, el gran ejemplo de la virtud heroica y de la acción caritativa y benéfica que resplandece en las excelsas figuras de los santos y en las fundaciones asistenciales; ni se podrán soslayar, en determinadas épocas, los aspectos sociales y económicos, el sistema beneficial con que se sustentó el clero durante largos siglos y las alteraciones introducidas posteriormente. Ciertos estudios particularizados y concretos de sociología religiosa, vida parroquial, práctica sacramental, moralidad familiar, etc., no abundan tanto en la historiografía española como para extraer de ellos una síntesis clara y segura.

Una *periodización histórica* propiamente dicha no la encontrará el lector en esta obra, como no sea la división de los cinco volúmenes con sus respectivos títulos. De las muchas posibles, más o menos arbitrarias, no hemos querido adoptar ninguna por dificultades intrínsecas. Nos han guiado normas puramente pragmáticas. Fernando de Castro († 1874), en su discurso de entrada en la Academia de la Historia, distinguía en nuestra historia eclesiástica cuatro caracteres o unidades históricas: «Unidad de fe, bajo un carácter absoluto, durante la *monarquía visigoda;* de disciplina, como símbolo de nuestra nacionalidad, durante la *Edad Media;* de vida cristiana, mediante la reforma de las costumbres, al comienzo de los *tiempos modernos;* de relaciones entre la Iglesia y el Estado, hasta los tiempos novísimos». Son cuatro unidades mal caracterizadas y peor divididas en cuatro épocas, tomadas de cualquier manual escolar.

La periodización histórica sólo puede alcanzar verdadero valor en una *historia universal* de gran envergadura, que supone una gran concepción sintética de la historia; pero, aun entonces, la periodización está sujeta a muchos subjetivismos y convencionalismos.

El polaco Jerzy Topolski, en su *Metodología de la investigación histórica* (Varsovia 1973, trad. ital. 1975), distingue tres periodizaciones: a) *cíclicas,* que comprenden largos períodos y están ligadas a concepciones difícilmente aceptables, como la de E. Huntington, para quien el pulso del progreso histórico sigue las curvas de una sinusoide, o la J. B. Vico con sus tres ciclos (teocrático, heroico, humano), que retornan sin cesar, pero en espiral ascendente; b) *direccionales,* en las que el curso histórico va dirigido y orientado hacia un punto fijo de llegada, avanzando en progreso constante, tal vez en forma parabólica, como podría ser la división agustiniana de las *seis edades* del mundo (la sexta se extiende desde la primera venida de Cristo hasta la segunda para el juicio final), o la de Orosio y otros en *cuatro imperios* (asirio, macedonio, cartaginés y romano); y, finalmente c) *periodizaciones irregulares,* que procuran acomodarse a la realidad compleja y variante de la historia y que presenta mil formas diversas. Ninguna de estas periodizaciones suele tener muchos adeptos entre los puros historiadores.

Fue un modesto erudito alemán del siglo XVIII, Cristóbal Keller (Cellarius; † 1707), quien introdujo en los manuales de historia la división de tres edades *(Historia antiqua, Historia medii aevi, Historia nova),* que dura hasta nuestros días, cada vez más desautorizada. Cuándo termina la Edad Antigua y empieza la Edad Media, los especialistas lo discuten y no se ponen de acuerdo, pues hay mucha discrepancia de la historia de una nación a la de otra. Más arduo aún es determinar cuándo acaba la Edad Media y empieza la Edad Moderna. Algunos añaden la Edad Contemporánea, que nadie sabe cuándo empieza, porque ¿quién se dirá hoy día contemporáneo de Napoleón, Pío VII o Metternich? Y además, ¿pertenece lo contemporáneo a la historia, o solamente a la crónica intranscendente y al periodismo? La crónica, por bien informada que esté, y el periodismo, aun el más agudo y testimonial, a mi entender no alcanzan estatura histórica, aunque sean muy útiles para la futura historia científica.

Si la periodización tropieza con grandes dificultades tratándose de la historia universal, no son menores las que encuentra en la historia general de Iglesia, que tiene caracteres peculiarísimos, y cuyos apogeos y decadencias son imposibles de sincronizar con los eventos de la historia profana. Y si de la historia eclesiástica general bajamos a la historia de la Iglesia en cada país, tenemos que cambiar forzosamente de nomenclatura y de rótulos, porque los azares de la Iglesia en una nación tienen muy poco de común con los de otra. En definitiva: ninguna periodización es aceptable a todos, y cualquier periodización es buena, a condición de que sea útil y práctica.

Fortuitamente, el volumen I de nuestra HISTORIA se ajusta, en sus límites cronológicos, a la tradicional periodización escolar usada en los manuales españoles. Los volúmenes siguientes llevan una andadura más libre. Teniendo que dividir en cinco volúmenes, por deseo de la editorial, los casi veinte siglos de cristianismo que han rodado sobre la piel geográfica de nuestro toro ibérico, la distribución más práctica nos pareció la siguiente:

I.   Epoca romana y visigótica (desde los orígenes cristianos hasta la invasión islámica en 711).

II. La Iglesia española desde comienzos de la Reconquista hasta finales del gran cisma de Occidente.

III. Reformas eclesiásticas y edad de oro (siglos XV y XVI).

IV. La Iglesia bajo los últimos Austrias y los primeros Borbones (siglos XVII y XVIII).

V. Desde las Cortes de Cádiz (1810) hasta nuestros días.

Pensábamos en un tiempo dedicar todo un volumen a la inmensa obra de la evangelización española en el Nuevo Mundo. Después renunciamos a ello, contentándonos con una vista panorámica que contemple, en el volumen III, los orígenes y las líneas esenciales de la cristianización americana, con los problemas que se le plantearon a la Iglesia. Motivo de tal renuncia fue que ya la BAC ha publicado dos importantes volúmenes sobre la *Historia de la Iglesia en la América española* (1965-66), escrito el primero por L. Lopetegui y F. Zubillaga; el segundo, por A. Egaña, especialistas los tres en la materia.

Yo concibo los cinco volúmenes de nuestra HISTORIA como cinco plantas de un gran edificio. No ha habido un maestro mayor que trazase los planos al detalle. El arte y la disposición de cada planta se ha dejado a la libertad de un grupo de estudiosos, que se han repartido las estancias —quiero decir, los capítulos— para configurarlas debidamente, iluminarlas, decorarlas con sobriedad y método científico, conforme a ciertas normas generales. Subir de un piso al otro es cambiar de estilo, de paisaje, de tiempo. Las estancias de arriba y las de abajo no se corresponden ni tienen igualdad geométrica. Cada uno de los autores ha sido libre para instalar y amueblar a placer su mansión, ajustándose al tema y a los documentos disponibles. Habrá capítulos de linearidad perfectamente clásica; algunos, de líneas más barrocas y retorcidas, y otros, de dibujo más moderno. En unos predominará lo puramente eclesiástico; en otros, lo institucional y político, o bien lo cultural, lo sociológico y económico.

Preguntábase Unamuno en un *Ensayo* de 1902 quién hace la historia, quiénes son sus protagonistas: ¿los grandes hombres o las muchedumbres? Y respondía: «En realidad la hacen los hombres todos, grandes y chicos, en mayor proporción unos que otros». En nuestro caso, yo diría que en esta nuestra HISTORIA DE LA IGLESIA ESPAÑOLA, los protagonistas son todos los católicos españoles: altos y bajos, clero y pueblo fiel, monjes y políticos, según las circunstancias. En ocasiones serán los prelados actuando de consuno; tal vez, un personaje destacado, una institución nueva, o bien la coordinación de todas las fuerzas vivas.

Habrá lagunas, no lo dudo, ocasionadas por la urgencia del tiempo. Quizás el conjunto les parezca a ciertos críticos un cuerpo mal vertebrado o poco orgánico. No nos dolerá el reproche, casi inevitable tratándose de una obra de muchos autores. Lo importante es que se haya estudiado cada problema a fondo, con ponderada crítica, con serena objetividad, subrayando su verdadera significación histórica.

Fijar crítica y documentalmente los hechos; interpretarlos sabiamente en su momento histórico y en su ambiente propio; seguirlos en su génesis y evolución, cuando sea posible, atendiendo a sus raíces y consectarios; narrarlos serenamente con orden, método, luz y concisión, sin distraerse más de lo justo con el anecdotismo pintoresco o dramático y sin volar vanamente con alas filosóficas: tal será nuestro ideal.

Si la absoluta imparcialidad en el juicio —siempre difícil, por no decir imposible de conseguir— debe ser aspiración constante de cualquier historiador, la vigilante precaución, para no dejarse llevar de los prejuicios que acompañan a todo hombre, será tanto mayor cuanto más próxima sea la época que nos toca historiar. «En los acontecimientos contemporáneos —vuelvo a citar a La Fuente— necesita ser muy parco el que escriba la historia general, pues difícilmente podrá ser tan imparcial como en la historia de los tiempos pasados. El afecto y el odio impulsan la pluma sin sentir» (VI, *Prelim.*).

Entre la historia científica y la historia artística —cuestión abstracta que discutían nuestros abuelos— no nos decidimos ni por una ni por otra; más bien, nos inclinamos hacia la primera, mas no queremos excluir un mínimo de arte constructivo y grata claridad expositiva.

Escrita por especialistas, no se endereza nuestra historia tan sólo a los especialistas e historiadores de profesión; atendemos a un público más amplio y numeroso: el de todos los aficionados a la historia —civil o eclesiástica— de España, mucho mejor si son de nivel universitario. Este deseo de interesar a todas las personas cultas ha movido a escribir una historia de fácil lectura, evitando tecnicismos impertinentes y economizando notas eruditas y prolijas.

No tratándose, pues, de una obra de estricta investigación, las fuentes de más frecuente uso serán las ya publicadas; esto no empece que en ocasiones se utilicen también las inéditas y que al final de cada volumen figure un apéndice documental, cuya extensión nos hemos visto forzados a reducir más de lo que pensábamos al principio. Nuestra voluntad hubiera sido imitar a V. de la Fuente no sólo en esto, sino en la transcripción de las listas episcopales de todas las diócesis (corregidas las fechas, etc.); pero nos ahorra este trabajo el *Diccionario de historia eclesiástica de España»* (CSIC, Madrid 1972-75), que dentro de su brevedad, ha logrado completar y perfeccionar todos los episcopologios existentes.

Para rematar esta ya larga Introducción, me permito formular un deseo: que todos los españoles cultos —y también los extranjeros— aprendan a conocer a la Iglesia española en el contexto de la historia general y que los más intelectuales —aunque sean tan sabios y poetas como J. Wolfgang Goethe— no se dejen seducir por el «Idolo de Weimar», que miraba con desdén la historia eclesiástica, como si en ella no salieran a plaza más que bagatelas de la clerigalla y altercados o logomaquias con los herejes:

> «Sag', was enthält die Kirchengeschichte?
> Sie wird mir in Gedanken zu nichte...
>
> Mit Kirchengeschichte was hab'ich zu schaffen?
> Ich sehe weiter nichts als Paffen...

Lo publicó entre sus poesías epigramáticas *(Zähme Xenien* IX) y lo podríamos traducir al español:

> «Dime: ¿qué contiene la historia de la Iglesia?
> Ella, en mi pensamiento, se reduce a nada...
>
> ¿Qué tengo yo que ver con la historia eclesiástica?
> No veo en ella más que curas...», etc.

No, la historia de la Iglesia —sea general o nacional— es algo más que cosa de curas y disputas con los herejes; es algo tan sublime y transcendente, que el paganizante tudesco, en los días de la Enciclopedia y la Ilustración *(Aufklärung),* con todo su talento, no acertó a descubrir y valorar.

Que tengan más suerte nuestros lectores repasando una y otra vez la obra histórica que aquí les ofrecemos. Encontrarán en ella imperfecciones, descuidos y lagunas. ¡Ojalá, por lo menos, sean de poca cuenta los errores positivos! De una cosa estamos seguros, y de ello nos regocijamos sinceramente: los que mañana tomen a pechos una obra semejante a la nuestra, siguiendo el camino arduo que nosotros hemos despedregado y roturado, podrán elaborar una historia más cabal y menos imperfecta que la presente.

NOTA BIBLIOGRAFICA

Por R. G. VILLOSLADA y V. CÁRCEL ORTÍ

Creemos que será de utilidad y provecho a todos los historiadores de la Iglesia española un breve elenco de las fuentes capitales, colecciones de documentos más importantes y otras obras fundamentales, juntamente con las revistas, diccionarios y otros subsidios bibliográficos directa o indirectamente pertinentes a la Historia de la Iglesia en España.

I. Repertorios bibliográficos

Revue d'Histoire Ecclésiastique (Lovaina 1900ss). Es el repertorio más universal de Historia eclesiástica, ordenado sistemáticamente por materias, épocas y naciones. De España suele reunir lo más selecto. En 1978 llega al tomo 73.

Archivum Historiae Pontificiae (Univ. Greg. Roma 1963ss). Recoge cada año todos los libros que se publiquen en cualquier lengua y, en lo posible, todos los artículos de las revistas científicas que se refieran a la Historia de los papas. Sigue el orden cronológico, desde San Pedro hasta el actual (compilador, P. Arató).

Analecta Sacra Tarraconensia. Comenzó a publicar en Barcelona (1928) una *Bibliografía hispánica de Ciencias histórico-eclesiásticas*, a cargo de un equipo dirigido por J. Vives. La revista sigue, pero la Bibliografía cesó en 1954, coincidiendo prácticamente con la aparición del *Indice Histórico Español*, fundado en 1953 por J. Vicens Vives y redactado hasta hoy por el Centro de Estudios Históricos Intern. de la Universidad de Barcelona (cuatrimestral, con varios años de retraso).

Bibliotheca Hispana (CSIC, Madrid 1943-1966). Revista de información y orientación bibliográfica, hoy suprimida.

Bibliografía de la Historia de la Iglesia 1940-1974. Artículos de revista (Valencia-Córdoba 1976). Iniciada por J. M. Cuenca Toribio y J. Longares Alonso, debería prolongarse en el tiempo y ampliarse en el contenido.

II. Actas y documentos pontificios

Bullarium Romanum, por C. COCQUELINES (Roma 1739-1744), 14 vols.; Edic. *Taurinensis,* por A. TOMASSETTI (Turín 1857-1872), 24 vols. Continuada desde Benedicto XIV (1740-1758) hasta Pío VIII (1829-1830) (Prato 1843-1867), 10 vols. Segunda continuación, desde Clemente XIII (1758-1769) hasta Gregorio XVI (1831-1846), por A. BARBERI (Roma 1835-1857), 19 vols.

Magnum bullarium Romanum. Bullarum privilegiorum ac diplomatum Romanorum Pontificum amplissima collectio. Reimpresión de las colecciones anteriores por la Akademische Druck-U. Verlagsanstalt (Graz 1964-66), 16 vols.

Pontificum Romanorum... epistolae, hasta el papa Sixto III († 440), por P. COUS-

TANT (París 1721); desde San Hilario (461-468) hasta Pelagio II (579-590), por A. THIEL (Braunsberg 1867).

G. H. PERTZ-RODENBERG, *Epistolae Romanorum Pontificum saeculi XIII* (Berlín 1887-1894), 3 vols.

F. JAFFÉ-A. POTTHAST, *Regesta Pontificum Romanorum;* desde el principio de la Iglesia hasta el año 1198, por Jaffé; 2.ª ed. por F. KALTENBRUNNER (Leipzig 1885-1888), 7 vols.; desde 1198 hasta 1304, por Potthast (Berlín 1874-1875), 2 vols. Complemento a la obra de Jaffé por J. VON PLUNK-HARTUNG, *Acta Pontificum Romanorum* (Tubinga-Stuttgart 1880-1886), 3 vols.

P. Fr. KEHR, *Regesta Pontificum Romanorum* (Berlín 1910-13), 11 vols.

J. Fr. KEHR, *Papsturkunden in Spanien. Vorarbeiten zur Hispania Pontificia.* I: *Cataluña* (Berlín 1926). II: *Navarra y Aragón* (Berlín 1928).

D. MANSILLA, *La documentación pontificia hasta Inocencio III, 965-1216* (= Monumenta Hispania Vaticana: Registros, 1) (Roma 1953).

J. ZUNZUNEGUI, *Bulas y cartas secretas de Inocencio VI (1352-62) referentes a España (1970).*

Collectio Avellana. Epistolae imperatorum, pontificum, aliorum inde ab anno 367 usque ad 1543 datae, por GUENTHER (= Corpus Scriptorum Eccl. Latinorum) (Viena 1895-98).

Los *Registros* de los papas de los siglos XIII y XIV los está publicando la «Bibliothèque des Ecoles françaises d'Athènes et de Rome» (París 1884ss) con muchos documentos referentes a las Iglesias españolas.

A. THEINER, *Corpus diplomaticum dominii temporalis S. Sedis* (Vaticano 1861-62), 3 vols. Reimpresión (Frankfurt 1963).

K. MIRBT, *Quellen zur Geschichte des Papstums und des röm. Katholizismus,* 6.ª ed. (Tubinga 1967-72). Esta última edición, preparada por K. ALAND en 3 vols., está enormemente acrecentada.

Las actas de los papas de los siglos XIX-XX pueden verse en la *Introducción bibliográfica* al volumen V de esta *Historia.* Existen, además, *Bularios* de todas y cada una de las Ordenes religiosas.

III. Concilios ecuménicos y provinciales

a) Actas, Decretos, Epístolas

Collectio regia. Conciliorum omnium... collecto regia (París 1644ss), 37 vols.

J. HARDOUIN, *Acta conciliorum et epistolae decretales ac constitutiones Romanorum Pontificum usque ad annum 1714* (París 1714-1715), 12 vols.

F. LABBE-G. GOSSART, *Sacrosancta concilia ad regiam editionem exacta* (París 1667ss), 17 vols. Complemento de E. BALUZE, *Collectio conciliorum* (París 1682), 4 vols.

J. D. MANSI, *Sacrorum conciliorum nova et amplissima collectio* (llega hasta 1439) (Florencia-Venecia 1759-98), 31 vols. Existe una edición fotomecánica con el complemento de J. B. MARTÍN y L. PETIT.

Collectio conciliorum recentiorum Ecclesiae universae (París Lipsia-Arnheim 1901-1907), con un total de 53 vols. (Graz 1960-62).

Collectio Lacensis. Acta et decreta conciliorum recentiorum usque ad annum 1870 (Friburgo de Brisgovia 1870-90), 7 vols.

E. SWARTZ-J. STRAUB, *Acta conciliorum oecumenicorum.* I: *Concilium Universale Ephesinum* (Berlín 1922-29), 5 vols. II: *Concilium Universale Chalcedonense* (Berlín 1932-38), 6 vols.; III: *Collectio sabaitica contra acephalos et origenistas destinata* (Berlín 1940); IV: *Concilium Universale Constantinopolitanum sub Justiniano habitum*

(Estrasburgo-Berlín 1914-1971), 2 vols. SCHIEFFER, *Index generalis tomorum I-IV, pars prima: Indices codicum et auctorum* (Berlín 1974).

PONTIFICIUM INSTITUTUM ORIENTALIUM STUDIORUM, *Concilium Florentinum. Documenta et scriptores* (Roma 1935ss). Han salido 7 vols.

Ae. L. RICHTER-F. SCHULTE, *Canones et decreta concilii Tridentini cum declarationibus Concilii Tridentini interpretum* (Lipsiae 1853).

I. Th. GHILARDI, *Canones et decreta Concilii Tridentini* (Monreale 1869).

SOCIETAS GOERRESIANA, *Concilium Tridentinum: diariorum, actorum, epistolarum, tractatuum nova collectio* (Friburgo de Brisgovia 1901ss). Han aparecido hasta ahora 3 vols. de diarios, 6 vols. de actas conciliares, 2 vols. de cartas y 2 vols. de tratados.

Conciliorum oecumenicorum decreta, curantibus J. ALBERIGO et aliis, 3.ª ed. (Bologna 1973).

M. MOLLAT-P. TOMBEUR, *Les conciles oecuméniques médiévaux:* tomo I.: *Les conciles Latran I (1123) à Latran IV (1215). Concordance, index verborum, listes de fréquences, tables comparatives* (Lovaina 1974); tomo II: *Les conciles Lyon I (1245) et Lyon II (1274). Concordance...* (ibid., 1974); tomo III: *Le concile de Vienne (1311-1312). Concordance...* (ibid., 1978); tomo IV: *Le concile de Constance (1414-1418), Bâle, Ferrare, Florence et Rome (1431-1445). Concordance...;* tomo V. *Le concile Latran V (1512-1527). Concordance...;* tomo VI: *Index indicum des conciles médiévaux.* Los tomos IV, V y VI aparecerán próximamente.

R. AUBERT-M. GUERET-P. TOMBEUR, *Concilium Vaticanum I (1869-1870). Concordance...* (Lovaina 1977).

Ph. DELHAYE-M. GUERET-P. TOMBEUR, *Concilium Vaticanum II (1962-1965). Concordance...* (Lovaina 1974).

Otra bibliografía sobre los concilios Vaticano I y II puede verse en la *Introducción bibliográfica* del volumen V de la presente *Historia de la Iglesia en España.*

b) **Historias**

A. FAVALE, *I concili ecumenici nella storia della Chiesa* (Turín 1962).

Ch. J. HEFELE, *Histoire des conciles d'après les documents originaux,* continuada por J. HERGENROETHER. Trad. del alemán y aumentada por H. LECLERCQ (París 1907-1921), 8 vols., en 16 tomos; vol.IX, 1 y 2 por P. RICHARD (París 1930); vol.X, 1, por MICHEL (París 1938).

Histoire des Conciles oecuméniques. Publiée sous la direction de G. Dumeige (París 1963ss). Hasta ahora 9 vols.

H. JEDIN, *Breve historia de los Concilios* (Barcelona 1961).

c) **Concilios españoles**

GARCÍA DE LOAYSA, *Collectio conciliorum Hispaniae* (Madrid 1593).

J. SÁENZ DE AGUIRRE, *Collectio maxima conciliorum omnium Hispaniae et Novi Orbis, epistulamque decretalium celebriorum...* Ed. altera... novis addictionibus aucta... auctore S. Catalano (Roma 1753-1755), 6 vols.

—*Notitia conciliorum Hispaniae atque Novi Orbis* (Salamanca 1686).

F. E. GONZÁLEZ, *Collectio canonum Ecclesiae Hispanae* (Madrid 1809). Existe también versión castellana.

J. TEJADA Y RAMIRO, *Colección de cánones de la Iglesia española,* publicada en latín por don F. E. González, traducida al castellano con notas e ilustraciones por don... (Madrid 1859-1862), 6 vols.

IV. Libros litúrgicos

Ordines Romani, en PL 78. Sobre sus manuscritos, cf. M. ANDRIEU, *Les «Ordines Romani» du haut moyen-âge* (Città del Vaticano 1938-41), 4 vols.

A. Lesiley, *Missale mixtum* (mozarabum), en PL 85.

F. de Lorenzana, *Breviarium gothicum*, en PL 86.

G. Morin, *Liber comicus* [Toletanae Ecclesiae] *sive lectionarius Missae* (Maredsous 1893).

M. Férotin, *Le «Liber Ordinum»* en usage dans l'Église wisigothique et mozarabe *d'Espagne* (París 1904).

—Le *«Liber mozarabicus sacramentorum»* et les manuscrits mozarabes (París 1912).

J. P. Gilson, *The Mozarabic Psalter* (Londres 1905).

[Monjes de Silos], *«Antipohonarium mozarabicum»* de la Catedral de León (León 1928).

J. Vives, *Oracional visigótico* (Madrid 1946).

J. Pérez de Urbel-A. González, *Liber Comicus* (Madrid 1950).

A. Fábrega Grau, *Pasionario hispánico s.VII-XI* (Barcelona 1953).

A. Olivar, *Sacramentarium Rivipullense* (Madrid-Barcelona 1964).

F. Arévalo, *Himnodia hispanica* (Roma 1786).

G. M. Dreves-C. Blume, *Analecta hymnica medii aevi* (Leipzig 1886-1922), 53 tomos; el 17 contiene *Himnodia iberica*, Oficios rítmicos del Breviario español y *Carmina Compostellana*.

J. A. Assemani, *Codex liturgicus Ecclesiae universalis* (Roma 1749-1766), reimpr. (París 1922ss), 12 vols.

Monumenta Hispaniae sacra. Serie litúrgica (Barcelona 1946ss).

V. Colecciones de símbolos de la Iglesia primitiva

A. Hahn, *Bibliotek der Symbole und Glaubensregeln* (Breslau 1897).

H. Lietzmann, *Ausgewählte Symbole der alten Kirchen* (Berlín 1931).

F. Cavallera, *Thesaurus doctrinae catholicae ex documentis magisterii ecclesiastici* (París 1937).

F. Kattenbusch, *Das apostolische Symbol* (Leipzig 1894-1900), 2 vols.

J. de Ghellinck, *Patristique et Moyen Âge*, I: *Les recherches depuis cinq siècles sur les origines du symbole des Apôtres* (Bruselas 1949).

VI. Historias de los dogmas

Handbuch der Dogmengeschichte, dirigido por M. Schmaus, L. Scheffczyk, A. Grillmeier (Friburgo de Br. 1956), en curso de publicación; han salido 5 vols. (católico). Existe versión castellana (BAC 1973).

A. Adam, *Lehrbuch der Dogmengeschichte* (Gütersloh 1965-1968), 2 vols. (protestante).

A. Harnack, *Lehrbuch der Dogmengeschichte* (Tubinga 1931-1932) (protestante).

F. Loofs, *Leitfaden zum Studium der Dogmengeschichte* (Tubinga 1968) (protestante).

A. M. Landgraf, *Dogmengeschichte der Frühscholastik* (Ratisbona 1952-56), 8 vols. (católico).

R. Seeberg, *Lehrbuch der Dogmengeschichte*, reimpresión (Graz 1965-68) (protestante).

J. Tixeront, *Histoire des dogmes* (París 1930), 3 vols. (católico).

VII. Fuentes hagiográficas

Acta sanctorum, iniciada por J. Bollandus en 1643, en Amberes, y continuada por los jesuitas (Amberes-Bruselas 1643-1925), 65 vols.

Bibliotheca hagiographica latina (Bruselas 1898-1901), reimpresión (Bruselas 1949), 2 vols.

Bibliotheca hagiographica graeca (Bruselas 1957), 3 vols.
P. BEDJAN, *Acta sanctorum et martyrum syriace* (Leipzig 1890-1897), 7 vols.
H. DELEHAYE, *Synaxarium ecclesiae Constantinopolitanae* (Bruselas 1902).
A. EHRHARD-J. M. HOECK, *Überlieferung und Bestand der hagiogr. und homil.
Literatur der griech. Kirche* (Leipzig 1937-1952), 3 vols.
R. KNOFF-C. KRÜGER, *Ausgewälthe Märtyrerakten* (Tubinga 1929).
H. QUINTIN, *Les martyrologes historiques du Moyen-Âge* (París 1906).
H. QUINTIN-H. DELEHAYE, *Martyrologium Hierosolymitanum* (Bruselas 1931).
Th. RUINART, *Acta martyrum sincera* (Ratisbona 1859).
D. RUIZ BUENO, *Actas de los mártires* (BAC 75) (Madrid 1963).

VIII. Colecciones de Santos Padres y patrologías

J. P. MIGNE, *Patrologiae cursus completus*. I: *Series graeca* (París 1844-1864),
161 vols. II: *Series latina* (ibid., 1844-1864), 221 vols. III: *Patrologia graeca latina*,
85 vols.

Corpus christianorum, seu nova Patrum collectio (Turnhout-París 1953ss), en
curso de publicación.

Corpus Scriptorum Ecclesiasticorum Latinorum (Viena 1890ss), en curso de publicación.

Monumenta Germaniae Historica. Auctores antiquissimi (Berlín 1877-1898),
13 vols.

Sources chrétiennes, dirigidos por MONDÉSERT y otros. (París 1941ss), en curso
de publicación.

F. DE LORENZANA, *Collectio Sanctorum Patrum Ecclesiae Toletanae* (Madrid
1772), 3 vols.

A. VON HARNACK, *Geschichte der altchristlichen Literatur* (Leipzig 1893-1904),
reimpr. por K. ALAND (ibid., 1958), 3 vols.

J. QUASTEN, *Patrología* (BAC 206 y 217) (Madrid 1961-1962), 2 vols.

B. ALTANER, *Patrología* (Barcelona 1960).

M. MANITIUS, *Geschichte der lateinischen Literatur des Mittelalters* (Munich 1911),
reimpr. (Graz 1959).

O. BARDENHEWER, *Geschichte der altkirchlichen Literatur* (Friburgo de Br.
1913-1932), 2 vols.

IX. Colecciones de concordatos

V. NUSSI, *L. Conventiones de rebus ecclesiasticis inter S. Sedem et Civilem potestaten
variis formis initae in XXV titulos digestae per...* (Roma, Typ. Sacri Palatii Apostolici,
1869).

Raccolta di concordati su materie ecclesiastiche tra la Santa Sede e le autorità civili, a
cura di A. Mercati (Roma 1919); el vol.II comprende desde 1915 hasta 1954
(Tip. Poliglotta Vaticana, 1954).

A. GIANNINI, *I concordati postbellici* (Milano, Soc. Éd. «Vita e Pensiero», 1929-
1936), 2 vols.

J. M. RESTREPO, *Concordata regnante SS.D.Pio PP. XI* (Roma 1934).

A. PERUGINI, *Concordata vigentia* (Roma 1934), reimpr. 1950.

M. NASALLI-ROCCA DI CORNELIANO, *Concordatorum Pii XI. P.M. concordantiae,*
2.ª ed. (Romae, Marietti, 1951).

I concordati di Pio IX, a cura di P. Ciprotti (Milano, Giuffrè, 1975).

I concordati di Leone XIII e di Pio X, a cura di P. Ciprotti (Milano, Giuffrè,
1975).

I concordati di Pio XI, a cura di P. Ciprotti, ed E. Zampetti (Milano, Giuffrè,
1975).

I concordati di Pio XII (1939-1958), a cura di P. Ciprotti, ed A. Talamanca
(Milano, Giuffrè, 1976).

I concordati di Giovanni XXIII e dei primi anni di Paolo VI, a cura di P. Ciprotti ed E. Zampetti (Milano, Giuffrè, 1976).

J. TEJADA Y RAMIRO, *Colección completa de concordatos españoles* (Madrid, Imp. P. Montero, 1862). Es el vol. VII de la *Colección de cánones de todos los concilios de la Iglesia de España y de América (en latín y castellano) con notas e ilustraciones* por el mismo autor (Madrid, Imp. P. Montero, 1859), 6 vols.

X. Colecciones de documentos de los dicasterios de la Curia romana

a) S. C. DE LA INQUISICIÓN (después Santo Oficio; hoy, Doctrina de la Fe).

No existe una colección oficial ni completa de los documentos de este dicasterio, cuyos archivos siguen secretos. Sin embargo, algunas decisiones importantes de la misma pueden verse en la *Collectanea S. C. de Propaganda Fide* 2.ª ed. (Roma 1907), en *Sylloge... ad usum missionariorum* (Roma 1939) y en P. GASPARRI, *Codicis Iuris Canonici fontes* t.IV (Roma 1926) p.I-566.

b) S. C. DEL INDICE (después Santo Oficio; hoy Doctrina de la Fe).

Existen ediciones del *Index librorum prohibitorum* de 1900, 1938 y 1948. Esta última se titula *Index librorum prohibitorum SS.mi D. N. Pii P.P. XII iussu editus* (Tip. Poligl. Vat., 1948).

c) S. C. DEL CONCILIO (hoy, para el Clero).

La edición oficial de sus actas se titula *Thesaurus resolutionum S. Congreg. Concilii ab anno 1718* (Roma 1739-1908), 167 vols. Pero existen otras colecciones privadas hechas por varios autores:

J. F. ZAMBONI, *Collectio declarationum cardinalium Sacri Concilii Tridentini interpretum* (Roma 1838 y Arras 1867-68), 8 vols.

S. PALLOTINI, *Collectio omnium conclusionum et resolutionum S. Congreg. Concilii ab anno 1564 ad annum 1860* (Roma 1867-1893), 17 vols.

W. MUHLBAUER, *Thesaurus resolutionum S. Congreg. Concilii* (Munich 1867-1875), 7 vols.

A. D. GUMBERTINI, *Resolutiones selectae S. Congreg. Concilii in causis propositis per summaria precum annis 1823-1825* (Civita-Vecchia 1842).

CH. LINGEN Y P. A. REUSS, *Causae selectae in S. Congregatione cardinalium Concilii Tridentini interpretum propositae per summaria precum ab anno 1823 usque ad annum 1869* (Ratisbona, Pustet, 1871).

SCHULTE Y RICHTER, *Canones et decreta concilii Tridentini. Accedunt S. Congreg. cardinalium Concilii Tridentini interpretum declarationes ac resolutiones* (Leipzig 1853).

d) S. C. DE RITOS.

Existen varias colecciones auténticas:

A. GARDELLINI, *Decreta authentica Congregationis Sacrorum Rituum ex actis eiusdem collecta* (Roma 1824), 3.ª ed. (Roma 1956-58), 8 vols.

Decretorum authenticorum synopsis (Roma 1853).

A. GARDELLINI-W. MUHLBAUER, *Decreta authentica Congregationis Rituum* (Munich 1865-1867), 4 vols. (Munich 1873-1877), 7 vols.

Decreta authentica Congregationis Sacrorum Rituum (Roma 1898), 5 vols., más dos apéndices (Roma 1912-1927).

e) S. C. DE OBISPOS Y REGULARES (hoy suprimida; su competencia ha sido dividida entre la antigua S. C. Consistorial [hoy para los Obispos] y la S. C. para los Religiosos y los Institutos Seculares).

Collectanea in usum S. Congreg. Episcoporum et Regularium (Roma 1836).

A. BIZZARRI, *Collectanea in usum Secretariae S. C. Episcoporum et Regularium* (Roma 1863-1885).

f) S. C. PARA LOS REGULARES (suprimida, hoy S. C. para los Religiosos y los Institutos Seculares).

A. BIZZARRI, *Acta S. Congreg. super statu Regularium ab archiepiscopo Philippensi collecta* (Roma 1862).

g) S. C. DE INDULGENCIAS Y RELIQUIAS (suprimida).

Tienen carácter auténtico las siguientes colecciones:

Decreta authentica Sacrae Congregationis Indulgentiis Sacrisque Reliquiis praepositae ab anno 1668 ad annum 1882 edita iussu et auctoritate S.mi D. N. Leonis P.P. XIII (Ratisbona, Pustet, 1883).

L. PRINZIVALLI, *Decreta authentica Congregationis Indulgentiarum et Reliquiarum (1668-1861)* (Roma-Bruselas 1862).

J. B. FALISE, *S. Congr. Indulgentiarum resolutiones authenticae* (Lovaina 1862).

Raccolta di orazioni e pie opere per le quali sono state concesse dai sommi pontefici le sacre indulgenze. Hay varias ediciones: Galli (Roma 1807), Prinzivalli (Roma 1885) y otra de 1898.

Indulgenze concesse a tutti i fedeli dal S. P. Leone XIII e dal S. P. Pio X dal gennaio 1889 al luglio 1909 (Roma 1910).

Preces et pia opera in favorem omnium christifidelium vel quorumdan coetuum personarum indulgentiis ditata et opportune recognita (Tip. Poligl. Vaticana, 1938).

Hay además una colección privada hecha por J. SCHNEIDER, *Rescripta authentica S. C. Indulgentiis, Sacrisque Reliquiis praepositae necnon summaria indulgentiarum* (Ratisbona, Pustet, 1885).

h) S. C. DE PROPAGANDA FIDE.

Bullarium pontificium Sacrae Congregationis de Propaganda Fide (Roma 1839-1858), 6 vols., más 2 apéndices.

Collectanea constitutionum, decretorum, indultorum ac instructionum Sanctae Sedis ad usum operariorum apostolicorum Societatis Missionum ad exteros, cura moderatorum seminarii parisiensis (París 1880), 2.ª ed. (Hong-Kong 1905).

Collectanea S. Congregat. de Propaganda Fide seu decreta, instructiones, praescripta pro apostolicis missionibus ex tabulario eiusdem sacrae congregationis deprompta (Roma 1893), 2.ª ed., en 2 vols. (Roma 1907) (colección auténtica).

Sylloge praecipuorum documentorum recentium Summorum Pontificum et S. Congregationis de Propaganda Fide (Roma 1939).

R. DE MARTINIS, *Ius Pontificium de Propaganda Fide.* I (Roma 1888-1898), 7 vols. II (Roma 1909).

E. LEMMENS, *Acta S. Congregrationis de Propaganda Fide pro Terra Sancta* (Quaracchi 1921-1922), 2 vols.

XI. Otras colecciones eclesiásticas

Codex Iuris Canonici, Pii X iussu digestus, Benedicti XV auctoritate promulgatus. Ed. oficial en AAS, vol. 9 (Roma 1917). Una edición española, comentada por Miguélez, Alonso y Cabreros, con un tomo complementario de legislación posterior, ha sido publicada por la BAC (n.7 y 7b).

Codicis Iuris Canonici fontes (Romae 1937-39), 9 vols.

F. CAVALLERA, *Thesaurus doctrinae catholicae ex documentis magisterii ecclesiastici ordine methodico dispositus,* 2.ª ed. (París 1937).

Enchiridion de statibus perfectionis. I. *Documenta Ecclesiae sodalibus instituendis* (Roma 1949) (= Collectanea S. C. de Religiosis).

SACRA PAENITENTIARIA APOSTOLICA, *Enchiridion Indulgentiarum* (Roma, Tip. Poligl. Vat. 1968).

H. DENZINGER-A. SCHÖNMETZER, S. I., *Enchiridion symbolorum, definitionum et declarationum de rebus fidei et morum,* ed. 36.ª (Barcinone, Herder, 1976).

SACRA CONGREGATIO PRO INSTITUTIONE CATHOLICA, *Enchiridion clericorum. Documenta Ecclesiae futuris sacerdotibus formo idis,* 2.ª ed. (Typis Polyglottis Vaticanis, 1975).

R. Kaczynski, *Enchiridion documentorum instaurationis liturgicae. I (1963-1973)* (Torino, Marietti, 1976).

Sacra Congregatio pro Causis Sanctorum, *Index ac status causarum Beatificationis Servorum Dei et Canonizationis Sanctorum* (Roma, Tip. Guerra e Belli, 1975).

Kirch, *Enchiridion fontium historiae ecclesiasticae antiquae* 9.ª ed. (Barcelona 1965).

S. Sipos, *Enchiridion iuris canonici* 7.ª ed. (Roma 1965).

D. Casagrande, *Enchiridion Marianum biblicum patristicum* (Roma 1974).

M. J. Rouët de Journel, *Enchiridion patristicum* 24.ª ed. (Friburgo-Barcelona, 1974).

Enchiridion Vaticanum, ed. Centro Edit. Dehoniano, 10.ª ed. (Bolonia 1976), 3 vols.

XII. Colecciones generales de fuentes para la Historia de España

España sagrada. Theatro geográfico-histórico de las Iglesias de España, iniciada por E. Flórez (tomos I-XXIX) y continuada por P. Risco (tomos XXX-XLII), A. Merino, J. de la Canal, P. Sainz de Baranda, V. de la Fuente y hasta nuestros días por la R. Ac. de la Historia. Han aparecido 52 vols. con muchos documentos y crónicas medievales.

J. Villanueva, *Viaje literario a las Iglesias de España* (Madrid 1803-52), 22 tomos.

Colección de crónicas y memorias de los reyes de Castilla (Madrid 1779-1787), iniciada por E. de Llaguno y Amirola (tomos I-III), F. Cerda y Rico (tomos IV y VI) y J. M. de Flores (tomos V y VII).

Colección de documentos inéditos para la Historia de España (Madrid 1842-1895), 112 vols., publicados por M. Fernández de Navarrete, M. Salva, P. Sainz de Baranda, M. de Pidal, M. de Miraflores, M. de la Fuensanta del Valle, J. Sancho Rayón, F. de Zabálburu. Existe un índice de los tomos I-CII de esta colección (Madrid 1891).

Nueva colección de documentos inéditos para la Historia de España y de sus Indias, por F. de Zabálburu y J. Sancho Rayón (Madrid 1892-1926), 6 vols.

Colección de documentos inéditos relativos al descubrimiento, conquista y organización de las antiguas posesiones de América y Oceanía, publicada por la R. Ac. de la Historia, que edita también:

Colección de documentos inéditos relativos al descubrimiento, conquista y colonización de las antiguas posesiones de Ultramar (Madrid 1885), 18 vols.

Colección de documentos inéditos del Archivo general de la corona de Aragón, por P. de Bofarrull (Madrid 1847-1910), 41 vols.

Colección de fueros municipales y cartas pueblas, por F. Muñoz y Romero (Madrid 1847).

A. Millares Carlo, *Documentos pontificios en papiro de archivos catalanes. Estudio paleográfico y diplomático* (Madrid 1918).

M. C. Díaz y Díaz, *Index scriptorum latinorum medii aevi hispanorum* (Madrid 1959), desde el s.VI al XIV.

B. Llorca, *Bulario pontificio de la Inquisición española en su período institucional, 1478-1525* (Roma 1949).

L. Serrano, *Cartularios. Fuentes para la historia de Castilla* (Madrid 1906-1924), 4 vols. Reúne diversos cartularios castellanos, aumentados posteriormente con los del monasterio de Vega (Madrid 1927), San Vicente de Oviedo —781-1206— (Madrid 1929) y San Millán de la Cogolla (Madrid 1930).

XIII. Historias de la Iglesia

a) Universales

Hemos de lamentar que las grandes Historias de la Iglesia, tanto las antiguas como las más recientes, dediquen escasa atención a la Iglesia española, ignorando a veces cuestiones y personajes que objetivamente la merecen. Existen, sin embargo, dos excepciones. Con respecto a las antiguas es obligado citar la traducción castellana de la *Historia general de la Iglesia,* por F. MOURRET, anotada por el P. Bernardo de Echalar, O.F.M. Cap. (Madrid 1918-1927), 14 vols. Puede decirse que es una verdadera Historia de la Iglesia en España. Lo mismo ocurre con la *Historia de la Iglesia católica,* de B. LLORCA, R. G. VILLOSLADA y F. J. MONTALBÁN (BAC 54, 76, 104, 199) (Madrid 1976), que ha llegado ya a la 5.ª edición. Llorca y Villoslada se extienden debidamente sobre la Iglesia española.

La reciente traducción castellana de la clásica *Histoire de l'Église* de A. FLICHE y V. MARTIN (París 1946-1964), 21 vols., dirigida por J. M. Javierre, ha querido llenar en parte el vacío existente en nuestra historiografía eclesiástica. Cada tomo lleva varias colaboraciones originales de autores españoles sobre aspectos diversos de la historia de la Iglesia en España. La versión castellana, a punto de terminarse, tendrá 30 vols. Se edita en Valencia (Edicep, 1975ss).

Más parcas en referencias a la Iglesia española son las recientes *Nueva historia de la Iglesia,* dirigida por L. J. ROGIER, R. AUBERT y M. D. KNOWLES (Madrid, Cristiandad, 1964-1977), 5 vols., y el *Manual de Historia de la Iglesia,* dirigido por H. JEDIN (Barcelona, Herder, 1966-1978), 8 vols. Escasa es también en estas dos obras la bibliografía sobre temas eclesiásticos españoles, que en los últimos años ha tenido un sensible incremento cuantitativo y cualitativo.

b) De España

V. DE LA FUENTE, *Historia eclesiástica de España, o adiciones a la Historia general de la Iglesia,* escrita por Alzog (Barcelona 1855), 3 vols.

R. BULDU, *Historia de la Iglesia en España desde la predicación de los apóstoles hasta el año 1856* (Barcelona 1856-57), 2 vols.

V. DE LA FUENTE, *Historia eclesiástica de España* (Madrid 1873-75), 6 vols.

P. B. GAMS, *Die Kirchengeschichte von Spanien* (Regensburg 1880-1882), 3 vols.

F. DE UNCILLA ARROITA-JÁUREGUI, *Compendio de Historia eclesiástica de España* (Madrid 18).

L. ARIAS PRIETO, *Compendio de Historia eclesiástica de España* (Valladolid 1916). Del mismo autor es la *Síntesis de Historia eclesiástica de España y general* (Torrelavega 1926).

Z. GARCÍA VILLADA, *Historia eclesiástica de España* (Madrid 1929-36), 4 vols.

XIV. Historias y biografías de los papas

PLATINA, *Liber de vita Christi et vitis summorum pontificum romanorum* (Venecia 1479). Ed. por O. PANVINIO (Colina 1562).

A. CIACCONIUS (Chacón), *Vitae et res gestae Pontificum Romanorum et R. R. E. Cardinalium... ab A. Oldoino recognitae* (Roma 1677-87), 4 vols.

WATTERICH, *Vitae pontificum romanorum ab ex. saec. IX usque ad fin. saec. XIII* (Leipzig 1862), 2 vols.

Liber Pontificalis, ed. L. DUCHESNE, 2.ª ed. (París 1907-15), 2 vols. Ed. por C. VOGEL (París 1955-57), 3 vols. Ed. por J. M. MARCH, *Liber Pontificalis prout exstat in codice Dertusensi* (Barcelona 1925).

M. ARAGONÉS VIRGILI, *Historia del pontificado* (Barcelona 1945), 3 vols.

ARTAUD DE MONTOR, *Historia de los soberanos pontífices romanos.* Traducción del francés por E. Sánchez del Corral (Madrid-Barcelona 1858-60), 9 vols.

E. CASPAR, *Geschichte des Papstums* (Tubinga 1930-34), 2 vols.

I. HALLER, *Das Papstum. Idee und Wirklichkeit* (Basilea-Stuttgart 1950-53), 5 vols.

F. HAYWARD, *Histoire des papes* (París 1953).

T. G. JALLAND, *The Church and the Papacy. A historical study* (Londres 1944).

H. KUHNER, *Lexicon der Päpste. Von Petrus bis Pius XII* (Stuttgart 1956).

P. DE LUZ, *Histoire des Papes* (París 1960), 2 vols.

C. MARCORA, *Storia dei Papi da S. Pietro a Giovanni XXIII* (Milán 1961).

A. MERCATI, *Serie dei Sommi Pontefici* (Città del Vaticano 1947).

P. PASCHINI-V. MONACHINO, *I papi nella storia* (Roma 1961), 2 vols.

L. VON PASTOR, *Historia de los papas desde fines de la Edad Media.* Trad. castellana por R. Ruiz Amado y otros (Barcelona 1910-61), 39 vols.

A. SABA-CASTIGLIONI, *Historia de los papas.* Trad. del italiano (Barcelona 1964), 2 vols.

F. J. SEPPELT, *Geschichte der Päpste* (Munich 1954-55), 5 vols.

J. WITTIG, *Das Papstum. Seine weltgeschichtliche Entwicklung und Bedeutung* (Hamburgo 1913).

G. CASTELLA, *Historia de los papas.* Trad. del francés por V. Peral Rodríguez (Madrid 1970), 3 vols.

XV. Episcopologios

a) Universales

C. EUBEL, *Hierarchia catholica medii et recentioris aevi:* I (1198-1431), 2.ª ed. (Monasterii 1913; reimpresión, Padua 1960); II (1431-1503), 2.ª ed. (Monasterii 1914; reimpr. Padua 1960); III (1503-1592), por G. VAN GULIK y C. EUBEL, 2.ª ed. por L. SCHMITZ-KALLENBERG (Monasterii 1923, reimpr. Padua 1960); IV (1592-1667), por K. GAUCHAT (Monasterii 1935, reimpr. Padua 1960).

R. RITZLER-P. SEFRIN, *Hierarchia catholica medii et recentioris aevi,* V (1667-1730) (Patavii 1952); VI (1730-1799) (ibid., 1958); VII (1800-1846) (ibid., 1968).

P. B. GAMS, *Series episcoporum Ecclesiae catholicae* (desde San Pedro hasta fines del siglo XIX), reimpr. (Graz 1957).

b) España

C. R. FORT PAZOS, *Los obispos titulares de iglesias «in partibus infidelium», o auxiliares en las de España,* obra póstuma... coordinada y aumentada por V. de la Fuente (= *España sagrada,* cont. por la R. Acad. de la Historia: 51) (Madrid 1879).

En la *Historia eclesiástica* de V. DE LA FUENTE, al final de cada tomo, y en el *Diccionario de Historia Eclesiástica de España* pueden verse las relaciones completas de obispos españoles, por orden alfabético de diócesis.

c) Diocesanos e historias de las diócesis

Almería: B. CARPENTÉ, *Breves apuntes para la historia eclesiástica de Almería:* «Rev. de la soc. de est. almerienses» IX, 97-188; XI, 195-258; XII, 75-130.

Astorga: P. RODRÍGUEZ LÓPEZ, *Episcopologio asturicense* (Astorga 1906-10), 4 vols.; P. AINGO DE EZPOLETA, *Fundación de la santa y catedral iglesia de Astorga, vida, predicación y martirio de su primer obispo San Efrén* (Madrid 1604); A. QUINTANA PRIETO, *El obispado de Astorga en el siglo IX. Restauración y episcopologio:* «Hispania sacra» 18 (1965) 159-202; ID., *El obispado de Astorga en los siglos IX y X* (Astorga 1968).

Avila: A. DE CIANCA, *Historia... de San Segundo... y recopilación de los obispos sucesores suyos...* (Madrid 1595); J. MARTÍN CARRAMOLINO, *Historia de Avila, su* *provincia y obispado* (Madrid 1872-73), 3 vols.; J. GRANDE MARTÍN, *Reportaje de los obispos de Avila* (Avila 1963).

Badajoz: J. SOLANO DE FIGUEROA, *Historia eclesiástica de la ciudad y obispado de Badajoz* (Badajoz 1929), 7 vols. Hay una continuación, correspondiente a los siglos XVII y XVIII (Badajoz 1945), 2 vols.

Barbastro: S. LÓPEZ NOVOA, *Historia de la ciudad de Barbastro y descripción geográfico-histórica de su diócesis* (Barcelona 1861); P. SAINZ DE BARANDA, *La santa iglesia de Barbastro en sus estados antiguo y moderno* (= *España sagrada:* 48) (Madrid 1862).

Barcelona: M. AYMERIC: *Nomina et acta episcoporum Barcinonensium* (Barcelona 1760); S. PUIG Y PUIG, *Episcopologio de la sede barcinonense* (Barcelona 1929); J. MAS, *Notes historiques del bisbat de Barcelona* (Barcelona 1906), 13 vols.; P. M. CARBONELL, *Episcopologio de la Santa iglesia de Barcelona:* «España sagrada» XXIX, 359-365; J. CORBELLO, *Episcopologium barcinonense* (Barcelona 1673).

Burgos: M. MARTÍNEZ SANZ, *Episcopologio de Burgos* (Burgos 1875); L. SERRANO, *El obispado de Burgos y Castilla primitiva desde el siglo V al XIII* (Madrid 1935-36), 3 vols.; D. MANSILLA, *Episcopologio de Burgos (s. XIII):* «Hispania sacra» 4 (1951) 1-21.

Cádiz: M. LEÓN Y DOMÍNGUEZ, *Recuerdos gaditanos* (Cádiz 1897); D. MANSILLA, *Creación de los obispados de Cádiz y Algeciras:* «Hispania sacra» 10 (1957) 243-271.

Calahorra y La Calzada-Logroño: F. BUJANDA, *Episcopologio calagurritano desde la conquista de la sede en 1045* (Logroño 1944); ID., *La diócesis de Calahorra y La Calzada* (Logroño 1944).

Canarias: J. DE VIERA Y CLAVIJO, *Historia general de las islas Canarias* (La Laguna de Tenerife 1952).

Cartagena: P. DÍAZ CASSOU, *Serie de los obispos de Cartagena* (Madrid 1895) (reimpr. Murcia 1976); J. TORRES FONTES, *El obispado de Cartagena en el siglo XIII* (Madrid 1953); J. GONZÁLEZ HUÁRQUEZ, *El obispado de Cartagena* (Cartagena 1882), 4 vols.

Ceuta: J. XIQUES, *Episcopologio de Ceuta:* «Bol. de la R. Ac. de la Historia» 18 (1891) 422-423.

Ciudad Real: J. JIMÉNEZ MANZANARES, *La diócesis cluniense y su episcopologio:* «Cuad. de Est. Manchegos» 6 (1953) 41-69; P. M. TORRECILLA Y NAVALÓN, *El nuevo priorato de las Ordenes Militares. Memoria* (Ciudad Real 1879); F. DE HERMOSA DE SANTIAGO, *El nuevo priorato de las Ordenes Militares* (Madrid 1880).

Ciudad Rodrigo: M. HERNÁNDEZ VEGAS, *Ciudad Rodrigo. La catedral y la ciudad* (Salamanca 1935), 2 vols.; ID., *Informe histórico de la S.I.C. de Ciudad Rodrigo... con una ligera reseña de las glorias pontificias y militares de esta plaza* (Madrid 1857).

Córdoba: J. GÓMEZ BRAVO, *Catálogo de los obispos de Córdoba* (Córdoba 1771). 2 vols.

Coria-Cáceres: M. A. ORTÍ BELMONTE, *Episcopologio cauriense* (Cáceres 1958).

Cuenca: M. LÓPEZ, *Memorias históricas de Cuenca y su obispado* (Madrid 1949-53), 2 vols.; G. GONZÁLEZ DÁVILA, *Teatro de la S.I. de Cuenca. Vidas de sus obispos y cosas memorables de su sede y obispado.* I (Madrid 1654); T. MUÑOZ SOLIVA, *Noticias de todos los Ilmos. Srs. obispos que han regido la diócesis de Cuenca* (Cuenca 1860).

Gerona: E. CANADELL, *Episcopologio de la sede gerundense:* «Bol. Of. Ecl. de Gerona» 2 (1926) 22-40; E. GIRBAL, *Obispos de Gerona. Cuadro cronológico de los que han ocupado esta silla de Gerona* (Gerona 1882).

Granada: J. ANTOLÍNEZ, *Historia eclesiástica de Granada* (Granada 1611); BERMÚDEZ DE PEDRAZA, *Historia eclesiástica de Granada* (Granada 1638).

Guadix: P. SUÁREZ, *Historia del obispado de Guadix y Baza* (Madrid 1696), 2.ª ed. (Madrid 1948); T. TARRAGÓ y J. TORRES LÓPEZ, *Historia de Guadix, Baza y pueblos del obispado* (Guadix 1854).

Huesca: V. CATALINA, *Episcopologio de la diócesis de Huesca* (Huesca 1891); A. DURÁN GUDIOL, *Los obispados de Huesca y Roda en la primera mitad del siglo XII:* «Anthologica annua» 13 (1965) 35-134.

Ibiza: I. MACABICH LLOBET, *Historia de Ibiza* (Palma de Mallorca 1957-66), 2 vols.

Jaca: A. DURÁN GUDIOL, *Geografía medieval de los obispados de Jaca y Huesca* (Huesca 1962).

Jaén: M. XIMENA JURADO, *Catálogo de los obispos de las iglesias de Jaén y Baeza y anales eclesiásticos de este obispado* (Madrid 1654); F. DE RUS PUERTA, *Historia eclesiástica del reino y obispado de Jaén* (Jaén 1634); R. RODRÍGUEZ DE GÁLVEZ, *Apuntes históricos sobre el movimiento de la sede episcopal de Jaén, serie correlativa de sus obispos* (Jaén 1873).

León: J. DE D. POSADILLA, *Episcopologio legionense* (León 1899), 2 vols.; A. PALOMEQUE, *Episcopologio de las sedes del reino de León* (León 1965).

Lérida: P. SAINZ DE BARANDA, *De la santa iglesia de Lérida, en su estado moderno* (= *España sagrada:* 47) (Madrid 1850); L. BORRÁS PERELLÓ, *Efemérides del obispado de Lérida* (Lérida 1911).

Lugo: M. R. PAZOS, *El episcopado gallego a la luz de los documentos romanos* (Madrid 1946).

Málaga: *Episcopologio de la diócesis de Málaga* (Málaga 1947).

Mallorca: A. FURIÓ, *Episcopologio de la S. I. de Mallorca* (Palma 1852); ID., *Memorias para servir a la historia eclesiástica general del reino de Mallorca* (Palma 1820); L. PÉREZ, *Resumen histórico de la diócesis mallorquina* (Palma 1959).

Menorca: S. VIVES, *Episcopologio de la Santa Iglesia de Menorca* (Ciudadela 1903).

Mondoñedo-El Ferrol: M. R. PAZOS, *El episcopado gallego a la luz de los documentos romanos,* III (Madrid 1946); E. SÁEZ SÁNCHEZ, *Notas al episcopologio mindaniense del siglo X:* «Hispania» 6 (1946) 3-79.

Orense: M. R. PAZOS, *El episcopado gallego* (Madrid 1946); B. FERNÁNDEZ ALONSO, *Crónica de los obispos de Orense* (Orense 1897).

Orihuela-Alicante: I. ALBERT BERENGUER, *Bibliografía de la diócesis de Orihuela* (Alicante 1957); G. VIDAL TUR, *Un obispado español: el de Orihuela-Alicante* (Alicante 1961), 2 vols.

Osma: J. LOPERRÁEZ CORVALÁN, *Descripción histórica del obispado de Osma* (Madrid 1788), 3 vols.; V. NÚÑEZ MARQUÉS, *Guía de la catedral del Burgo de Osma y breve historia del obispado de Osma* (Madrid 1949).

Oviedo: A. PALOMEQUE TORRES, *Episcopologio de la sede de Oviedo durante el siglo décimo:* «Hispania sacra» 1 (1948) 4-61.

Palencia: A. ALVAREZ REYERO, *Crónicas episcopales palentinas* (Palencia 1898); P. FERNÁNDEZ DEL PULGAR, *Historia secular y eclesiástica de Palencia* (Madrid 1679-80), 4 vols.

Pamplona: G. FERNÁNDEZ PÉREZ, *Historia de la iglesia y obispos de Pamplona* (Madrid 1820), 3 vols.; J. GOÑI GAZTAMBIDE, *Los obispos de Pamplona. Siglos XII-XV* (Pamplona 1978).

Plasencia: A. FERNÁNDEZ, *Historia y anales de la ciudad y obispado de Plasencia* (Madrid 1627); F. FERNÁNDEZ SERRANO, *Obispos auxiliares de Plasencia:* «Hispania sacra» 24 (1971) 5-44; *Otras noticias sobre ob. aux. de Plasencia:* Ibid., 25 (1972) 351-378.

Salamanca: J. A. VICENTE BAJO, *Episcopologio salmantino* (Salamanca 1901).

Santander: S. CÓRDOBA Y OÑA, *Santander, su catedral y sus obispos* (Santander 1929).

Santiago de Compostela: A. LÓPEZ FERREIRO, *Historia de la S. A. M. I. de Santiago de Compostela* (Santiago 1898-1911), 11 vols.; M. PAZOS, *El episcopado gallego,* I (Madrid 1946).

Segorbe-Castellón de la Plana: F. DE A. AGUILAR SERRAT, *Noticias de Segorbe y de su obispado* (Segorbe 1890), 2 vols.; P. L. LLORÉNS RAGA, *Episcopologio de la diócesis de Segorbe-Castellón* (Madrid 1973).

Segovia: D. DE COLMENARES, *Historia de Segovia* (Segovia 1846-47), 3 vols.

Sevilla: J. ALONSO MORGADO, *Prelados sevillanos* (Sevilla 1906); J. MATUTE Y GAVIRIA, *Memorias de los obispos de Marruecos y demás auxiliares de Sevilla, o que en ella han ejercido funciones episcopales* (Sevilla 1886).

Sigüenza-Guadalajara: T. MINGÜELLA ARNEDO, *Historia de la diócesis de Sigüenza y de sus obispos* (Madrid 1910), 3 vols.

Solsona: D. COSTA Y BOFARULL, *Memorias de la ciudad de Solsona y su Iglesia* (Barcelona 1959); *La diócesis de Solsona* (Barcelona 1904).

Tarazona: V. DE LA FUENTE, *La santa iglesia de Tarazona en sus estados antiguo y moderno* (= *España sagrada:* 49) (Madrid 1965).

Tarragona: J. BLANCH, *Arxiepiscopologi de la santa esglesia metropolitana i primada de Tarragona* (Tarragona 1951), 2 vols.

Teruel: M. EIXARCH, *Los obispos de Teruel. Apuntes biográficos* (Teruel 1893).

Toledo: E. FLÓREZ, *España sagrada* vol.V y VI.

Tortosa: R. O'CALLAGHAN, *Episcopologio de la santa iglesia de Tortosa* (Tortosa 1928).

Tudela: V. DE LA FUENTE, *Las santas iglesias de Tarazona y Tudela en sus estados antiguo y moderno* (= *España sagrada:* 50) (Madrid 1866).

Tuy-Vigo: P. SANDOVAL, *De la iglesia y de los obispos de Tuy* (Braga 1610); M. R. PAZOS, *El episcopado gallego,* II (Madrid 1946).

Valencia: R. CHABAS, *Episcopologio valentino* (Valencia 1909), 2 vols.; J. SANCHIS SIVERA, *La diócesis valentina* (Valencia 1920), 2 vols.; E. OLMOS CANALDA, *Los prelados valentinos* (Valencia 1949).

Valladolid: M. DE CASTRO ALONSO, *Episcopologio vallisoletano* (Valladolid 1904).

Vich: J. GUÍU Y CASADESÚS, *Guía descriptiva del obispado de Vich* (Vich 1898); J. L. DE MONCADA-L. B. NADAL, *Episcopologio de Vich* (Vich 1891-1904), 3 vols.

Vitoria: A. E. DE MAÑARICUA-D. MANSILLA-J. PÉREZ ALHAMA, *Obispados de Alava, Guipúzcoa y Vizcaya hasta la creación de la diócesis de Vitoria* (Vitoria 1964); J. J. DE LANDÁZURI, *Historia eclesiástica de la provincia de Alava* (Vitoria 1928).

Zamora: M. ZATARAIN FERNÁNDEZ, *Apuntes de historia eclesiástica de Zamora y su diócesis* (Zamora 1898); C. FERNÁNDEZ DURO, *Memorias históricas de la ciudad de Zamora, su provincia y su obispado* (Madrid 1883).

Zaragoza: L. DÍEZ DE AUX, *Catálogo de los obispos y arzobispos de Zaragoza y su estado histórico y cronológico* (Zaragoza 1593); M. CARRILLO, *Cathalogus antistitum Caesaraugustanorum... usque ad annum 1611* (Cagliari 1611).

XVI.   Ordenes y Congregaciones religiosas

a)   **Obras generales**

L. HOLSTENIUS, *Codex regularum monasticarum et canonicarum* (París 1663), 3 vols.

S. AZNAR, *Ordenes monásticas. Institutos misioneros* (Madrid 1913).

M. HEIMBUCHER, *Die Orden und Kongregationen der Katholischen Kirche,* 3.ª ed. (Paderborn 1933-34), 3 vols.

P. HELYOT, *Histoire des ordres monastiques et militaires* (París 1714ss), 8 vols. —*Dictionnaire des ordres religieux* (París 1858ss), 5 vols.

M. R. HENRION, *Histoire des ordres religieux* (París 1835ss), 8 vols.

E. MAIRE, *Histoire des instituts religieux et missionnaires* (París 1930).

M. ESCOBAR, *Ordini e Congregazioni religiose* (Turín 1951-53), 2 vols.

b)   **Particulares**

Agustinos

Historia general de la Orden de Recoletos de San Agustín, 1588-1836 (Madrid-Zaragoza 1663-1962).

D. DE SANTA TERESA, *Historia general de los religiosos descalzos del orden de ermitaños del gran padre y doctor de la Iglesia San Agustín* (Madrid 1664).

P. FABO, *Historia general de agustinos recoletos* (Barcelona 1927).

J. JORDÁN, *Historia de la provincia agustiniana de la corona de Aragón* (Valencia 1704), 3 vols.

V. MATURANA, *Historia de la orden agustiniana* (Santiago de Chile 1912).

A. SANZ PASCUAL, *Historia de los agustinos españoles* (Madrid 1948).

Benedictinos

G. DE ARGAIZ, *La soledad laureada por San Benito y sus hijos, y teatro monástico* (Madrid 1671-75), 7 vols.

A. CLAVEL, *Antigüedad de la religión y regla de San Benito Magno* (Madrid 1645).

M. GÓMEZ, *Los benedictinos españoles en el siglo XIX* (Roma 1929).

L. SECO, *Los benedictinos españoles en el siglo XX* (Burgos 1931).

A. DE YEPES, *Crónica general de la orden de San Benito* (Valencia-Pamplona 1613-1621), 7 vols.

PH. SCHMITZ, *Histoire de l'Ordre de Saint Benoit* (Maredsous 1942-56), 7 vols.

J. PÉREZ DE URBEL, *Historia de la Orden Benedictina* (Madrid 1941).

Cartujos

R. AUSSELL, *Notice historique sur la Chartreuse d'Espagne* (Parkminster 1910).

C. LE COUTEULX, *Annales ordinis cartusiensis* (Monstrolium 1888-91).

A. M. HOSPITAL, *La cartuja, San Bruno y sus hijos* (Bilbao 1915).

F. A. LEFÊVRE, *Saint Bruno et l'ordre des chartreux* (París 1883), 2 vols.

N. MOLIN, *Historia cartusiana* (Tournai 1903-06), 3 vols.

B. TARÍN Y JUANEDA, *Monasterios de la orden de la cartuja en España* (Burgos 1899).

J. VALLES, *Primer instituto de la sagrada religión de la cartuxa. Fundaciones de los conventos de toda España*, 2.ª ed. (Barcelona 1792).

Carmelitas

I. A S. JOSEPH y P. A S. ANDREA, *Historia generalis fratrum discalceatorum ordinis B.V.M. de Monte Carmelo congr. S. Eliae* (Roma 1668), 2 vols.

J. DE SAN JOSÉ, *Historia del Carmen descalzo* (Madrid 1637).

H. PELTIER, *Histoire du Carmel* (París 1958).

S. DE SANTA TERESA, *Historia del Carmen descalzo en España, Portugal y América* (Burgos 1935-52), 15 vols.

O. STEGGINK, *La reforma del Carmelo español* (Roma 1964).

B. ZIMMERMAN, *Monumenta Hist. Carmelitana* (Lerins 1905-07).

Capuchinos

B. RABANAL DE CARROCERA, *La provincia de frailes menores capuchinos de Castilla* (Madrid 1949).

C. DE AÑORBE, *La antigua provincia capuchina de Navarra-Cantabria* (Pamplona 1951).

M. DE POBLADURA, *Historia generalis ordinis fratrum capuccinorum* (Roma 1947-48), 2 vols.

—*Los frailes menores capuchinos en Castilla* (Madrid 1946).

A. DE VALENCIA, *Reseña histórica de la provincia capuchina de Andalucía* (Sevilla 1906), 5 vols.

Cistercienses

L. JANAUSCHEK, *Originum cisterciensium* (Viena 1877).

A. MANRIQUE, *Annales cistercienses* (Lyón 1642), 4 vols.

E. MARTÍN, *Los bernardos españoles* (Palencia 1953).

B. DE MONTALVO, *Crónica de la orden del Císter* (Madrid 1602).

R. MUÑIZ, *Medulla historica cisterciensium* (Valladolid 1781-89), 8 vols.

—*Biblioteca cisterciense española* (Burgos 1793).

J. J. PIQUER I JOVER, *Catalunya cistercenca* (Barcelona 1967).

Dominicos

Monumenta historica S. P. N. Dominici (Roma 1935).
Monumenta ordinis fratrum praedicatorum historica (Roma 1896).
Reseña histórica de la provincia de España, Orden de Predicadores, desde el año 1899 hasta nuestros días (Vergara 1912).
R. ADUARTE, *Historia de la provincia del Santísimo Rosario de Filipinas* (Zaragoza 1693).
V. M. BERNADOT, *La Orden de Predicadores* (Bogotá 1948).
H. DEL CASTILLO, *Historia general de Santo Domingo y su Orden de Predicadores* (Valencia 1592-1621), 5 vols.
P. DIAGO, *Historia de la provincia de Aragón de la Orden de Predicadores* (Barcelona 1599).
J. FERRANDO, *Historia de los dominicos de las islas Filipinas y sus misiones de Japón* (Madrid 1870-72).
M. MEDRANO, *Historia de la provincia de España de la Orden de Predicadores* (Madrid 1725).
S. DE OLMEDA, *Chronica ordinis praedicatorum* (París 1719-21).
S. TOMÁS MIGUEL, *Historia de la orden de Santo Domingo de Guzmán* (Valencia 1696).
A. WALZ, *Compendium hist. ordinis praedicatorum* (Roma 1948).

Escolapios

C. BAU, *Historia de las Escuelas Pías en Cataluña* (Barcelona 1917).
C. LASALDE, *Historia literaria y bibliográfica de las Escuelas Pías en España* (Madrid 1925).
M. PÉREZ, *Corona calasancia* (Madrid 1865), 4 vols.
C. RABAZA, *Historia de las Escuelas Pías en España* (Valencia 1917), 4 vols.

Franciscanos

L. DE ASPURZ, *Manual de historia franciscana* (Murcia 1958).
J. SAN ANTONIO, *Bibliotheca universal franciscana* (Madrid 1732), 2 vols.
P. M. SVESI, *L'ordini dei fratri minori* (Milán 1942).
J. TURRUBIA, *Chronica seraphica* (Roma 1756).

Hospitalarios

J. C. GÓMEZ, *Historia de la orden hospitalaria de San Juan de Dios* (Granada 1963).
J. SANTOS, *Chrónica de la orden de San Juan de Dios* (Madrid 1715).

Jerónimos

P. DE LA VEGA, *Chronicorum fratrum Hieronymitani ordinis libri tres* (Alcalá 1539).
H. SAN PABLO, *Origen y continuación del instituto y religión geronimiana* (Madrid 1669).
F. DE LOS SANTOS, *Quarta parte de la historia de la orden de San Gerónimo* (Madrid 1680).
J. DE SIGÜENZA, *Historia de la orden de San Jerónimo* (Madrid 1907-09), 2 vols.

Jesuitas

Monumenta historica Societatis Iesu (Madrid 1894-1928, Roma desde 1932). Son 117 volúmenes de importancia para toda la historia religiosa del siglo XVI.
A. ASTRÁIN, *Historia de la Compañía de Jesús en la Asistencia de España* (Madrid 1902-25), 7 vols.
L. FRÍAS, *Historia de la Compañía de Jesús en la Asistencia moderna de España* (Madrid 1923-44), 2 vols.
F. SACCHINI, *Historia Societatis Iesu* (Roma 1649).
R. GARCÍA VILLOSLADA, *Manual de historia de la Compañía de Jesús* (Madrid 1954).

J. Crétineau-Joly, *Histoire religieuse, politique et littéraire de la Compagnie de Jésus* (París 1844-46), 6 vols.

Mercedarios

J. A. Gari y Siumell, *La orden redentora de la Merced* (Barcelona 1873).
F. Gazulla, *La orden de Nuestra Señora de la Merced* (Barcelona 1934), 2 vols.
P. Guimeran, *Breve historia de la orden de Nuestra Señora de la Merced* (Valencia 1591).
F. Ledesma, *Historia de la orden de la Merced* (Madrid 1709).
A. Remón, *Historia general de la orden de Nuestra Señora de la Merced* (Madrid 1618), 2 vols.
G. Vázquez, *Manual de Historia de la orden de Nuestra Señora de la Merced* (Toledo 1936), 2 vols.

Mínimos

L. Dony D'Attiy, *Histoire générale de l'ordre sacré des Minimes* (París 1626).
F. de la Noüe, *Chronicon generale ordinis minimorum* (París 1935).
L. Montoya, *Crónica general de la orden de los mínimos* (Madrid 1619).

Premonstratenses

N. Backmund, *Monasticon praemonstratense* (Straubing 1956-59), 3 vols.
M. Illana, *Historia del gran padre y patriarca San Norberto* (Salamanca 1753).

Teatinos

G. B. del Tufo, *Historia della religione dei padri chierici regolari* (Roma 1609).
F. Andreu, *I teatini* (Roma 1956).
P. A. Rullán, *Semblanza de la orden de clérigos regulares* (Palma de Mallorca 1945).

Trinitarios

A. de la Madre de Dios, *Crónica de los descalzos de la Santísima Trinidad* (Alcalá-Madrid 1906-07), 2 vols.
P. Deslandres, *L'ordre des trinitaires* (Toulouse 1903).
P. López de Altuna, *Crónica general de la orden de la SS. Trinidad* (Segovia 1637).
L. de la Purificación, *Crónica de los descalzos de la SS. Trinidad* (Granada 1732).

XVII.   Historias de las misiones

B. Arens, *Manuel des missions catholiques*. Trad. del alemán (Lovaina 1925).
S. Delacroix, *Histoire universelle des missions catholiques* (París 1956-1959), 4 vols.
B. Descamps, *Histoire comparée des missions* (París-Bruselas 1932).
P. M. de Mondreganes, *Manual de Misionología* (Madrid 1942).
F. J. Montalbán, *Manual de historia de las misiones*, 2.ª ed., por L. Lopetegui (Bilbao 1952).
S. Paventi, *La Chiesa missionaria. I. Manuale di missiologia dottrinale* (Roma 1949).
A. Santos Hernández, *Misionología. Problemas introductorios y ciencias auxiliares* (Santander 1961).
J. Schmidlin, *Katholische Missionsgeschichte* (Steyl 1925).
A. V. Seaumois, *Introduction à la missionologie* (Schöneck-Beclenried 1952).
A. da Silva Rego, *Curso de missionologia* (Lisboa 1956).
B. de Vaulx, *Les missions, leur histoire, des origines à Benoit XV (1914)* (París 1960).

A. SANTOS HERNÁNDEZ, *Las misiones católicas* (= *Historia de la Iglesia* de Fliche-Martin, edición castellana: 29) (Valencia 1978).
SACRAE CONGREGATIONIS DE PROPAGANDA FIDE, *Memoria rerum. 350 anni a servizio delle missioni. 1622-1972* (Roma 1971-1976), 5 vols.

XVIII. Ciencias auxiliares de la Historia

a) Paleografía y Diplomática

J. MUÑOZ Y RIVERO, *Manual de paleografía diplomática española de los siglos XII al XVII* (Madrid 1880), 2.ª ed. (Madrid 1917).
Z. GARCÍA VILLADA, *Paleografía española* (Madrid 1923), 2 vols.
A. MILLARES CARLO, *Paleografía española* (Barcelona 1930), 2 vols.
A. C. FLORIANO, *Curso general de paleografía y diplomática españolas* (Oviedo 1946).
J. PÉREZ, *Dissertationes ecclesiasticae de re diplomatica* (Salamanca 1688).
P. A. ANDRÉS, *Proyecto de una diplomática española en el siglo XVIII* (Madrid 1942).
J. MUÑOZ RIVERO, *Nociones de diplomática española* (Madrid 1881).
E. SARRABLO AGUARELES, *Nociones de diplomática, según las obras de Giry, Bouard, Muñoz Rivero, etc.* (Madrid 1941).

b) Epigrafía

R. CAGNAT, *Cours d'Epigraphie latine* (París 1914).
O. MARUCCHI, *Epigrafia cristiana* (Milán 1910).
E. HÜBNER, *Monumenta linguae ibericae* (Berlín 1883).
J. CEJADOR, *Ibérica I. Alfabeto e inscripciones ibéricas:* «Butll. de l'Assoc. Catalana d'Antropologia» 4 (1926) 30-225.
—*Ibérica II. El alfabeto ibérico y las inscripciones neolíticas* (Madrid 1928).
J. VIVES, *Inscripciones cristianas de la España romana y visigoda* (Barcelona 1942). Complemento (ibid., 1942).
J. M. ROLDÁN HERVÁS, *Repertorio de epigrafía y numismática latinas* (Salamanca 1969).

c) Cronología

M. DE ULLOA, *Tratado de cronología para la historia de España* (Madrid 1853).
C. DE CERRAGERIA, *Apuntes de cronología e historia de España en sus relaciones con las de Portugal, Francia e Inglaterra* (Madrid 1922).
E. JUSUÉ, *Tablas para la comprobación de fechas en documentos históricos* (Madrid 1911); ID., *Tablas abreviadas para la reducción del cómputo árabe y del hebraico al cristiano, y viceversa* (Madrid 1918).
J. AGUSTÍ-VOLVES-VIVES, *Manual de cronología española y universal* (Madrid 1953). Obra bien concebida y utilísima, pero convendría que alguien la rehiciese, corrigiendo sus no pocos errores.

d) Antigüedades y arqueología

A. DE MORALES, *Las antigüedades de las ciudades de España* (1575).
J. DE D. DE LA RADA Y DELGADO, *Museo español de antigüedades* (Madrid 1872-80), 10 vols.
G. CALLEJO, *Indice general bibliográfico de la obra intitulada «Museo español de antigüedades»* (Madrid 1895).
E. HÜBNER, *La arqueología en España* (Barcelona 1889).
J. R. MELIDA, *Arqueología española* (Barcelona 1929).

e) **Numismática**

A. CAMPANER, *Indicador manual de la numismática española* (Madrid-Barcelona 1891).

N. SENTENACH, *Estudios sobre numismática española* (Madrid 1909).

A. VIVES Y ESCUDERO, *La moneda hispánica* (Madrid 1926), 2 vols.

I. CALVO-C. M. DE RIVERO, *Catálogo sumario del Museo Arqueológico Nacional. Guía del salón de numismática* (Madrid 1926).

f) **Geografía histórica, toponimia y cartografía**

T. LÓPEZ, *Geografía histórica de España* (Madrid 1802), 2 vols.

M. CORTÉS, *Diccionario geográfico-histórico de la España antigua, Tarraconense, Bética y Lusitana* (Madrid 1835), 2 vols.

P. MADOZ, *Diccionario geográfico-estadístico-histórico de España y de sus posesiones de Ultramar* (Madrid 1845-50), 16 vols.

E. CHAO, *Cuadros de la geografía histórica de España desde los primeros tiempos históricos* (Madrid 1849).

T. B. SOLER, *Descripción geográfico-histórica de España* (Madrid 1844-46).

J. B. CARRASCO, *Geografía general de España comparada con la primitiva, antigua y moderna, según sus monumentos* (Madrid 1861), 2 vols.

M. GUTIÉRREZ DEL CAÑO, *Notas para la geografía histórica de España* (Valladolid 1891).

R. DEL CASTILLO, *Gran diccionario geográfico, estadístico e histórico de España* (Barcelona 1890-92).

A. MELÓN Y RUIZ DE GORDEJUELA, *Geografía histórica española* (Madrid 1928).

G. SACHS, *Die germanischen Ortsnamen in Spanien und Portugal* (Jena 1932).

M. ASÍN PALACIOS, *Contribución a la toponimia árabe de España* (Madrid-Granada 1940).

E. GAMILLSCHEG, *Historia lingüística de los Visigodos:* «Rev. de Filología española» 19 (1932) 117-150.

P. C. E. DESCHAMPS, *Dictionnaire de géographie ancienne et moderne* (Berlín 1922). Contiene los nombres geográficos también en latín.

A. BLÁZQUEZ, *Estudio acerca de la cartografía española en la Edad Media:* «Bol. de la R. Soc. Geográfica» 3 (1906) 190ss.

—*Noticias de los mapas de España de los siglos XVI al XVIII:* Ibid., 20 (1923) 96-109.

g) **Filología**

C. DU FRESNE DU CANGE, *Glossarium ad scriptores mediae et infimae latinitatis* (París 1882-87), 10 vols.

R. MENÉNDEZ PIDAL, *Manual de gramática histórica española* (Madrid 1941).

—*Orígenes del español. Estado lingüístico de la península Ibérica hasta el siglo XI* (Madrid 1919).

—*Documentos lingüísticos de España. I. Reino de Castilla* (Madrid 1919).

F. HANSSEN, *Gramática histórica de la lengua castellana* (Halle a S. 1913).

J. ALEMANY Y BOLUFER, *Estudio elemental de gramática histórica de la lengua castellana* (Madrid 1921).

E. DE ONÍS, *Contribución al estudio del dialecto leonés* (Madrid 1909).

E. STAAF, *Étude sur l'ancien dialecte leonais d'après des chartes du XIIIe siècle* (Upsala 1907).

W. MEYER-LUBKE, *Das Katalanische. Seine Stellung zum Spanischen und Provenzalischen* (Heidelberg 1925).

A. DE LOS RÍOS, *Ensayo histórico-etimológico y filológico sobre los apellidos españoles desde el siglo X hasta nuestra edad* (Madrid 1871).

J. GODOY ALCÁNTARA, *Ensayo histórico etimológico-filológico sobre los apellidos castellanos* (Madrid 1871). Reimpresión fotomec. (Barcelona 1975).

REAL ACADEMIA ESPAÑOLA, *Diccionario histórico de la lengua española* (1965ss) en curso de publicación.

Glossarium mediae latinitatis Cataloniae. Voces latinas y romances documentados en fuentes catalanas del año 800 al 1100, dirigido por M. BASSOLS DE CLIMENT y otros (Barcelona 1964ss), en curso de publicación.

J. L. COMENGE GERPE, *La gran marcha ibérica. Ensayo sobre la geografía y las lenguas ibéricas* (Madrid 1967).

B. SCHLIEBEN-LANGE, *Okzitanisch und Katalanisch. Ein Beitrag zur Soziolinguistik zweir romanischer Sprachen* (Tubinga 1971).

h) Criptografía

M. ALCOCER, *Criptografía española:* «Rev. Histórica» (Valladolid 1918) 46-50.

—*Criptografía española:* «Bol. de la R. Ac. de la Historia» 105 (1934) 336-460.

XIX. Atlas de historia y geografía eclesiásticas

O. WERNER, *Katholischer Kirchen-Atlas* (Freiburg i.B., Herder, 1888).

—*Orbis terrarum catholicus, sive totius Ecclesiae Catholicae et occidentis et orientis conspectus geographicus et statisticus* (Freiburg i.B., Herder, 1890).

E. MC CLURE, *Historical Church Atlas* (Londres 1897).

K. HEUSSI-MULERT, *Atlas zur Kirchengeschichte*, 2.ª ed. (1919).

L. GRAMMATICA, *Testo e atlante di geografia ecclesiastica* (Bergamo 1928).

C. STREIT, *Atlas Hierarchicus. Descriptio geographica et statistica Sanctae Romanae Ecclesiae tum occidentalis, tum Orientis, iuxta statum praesentem*, 2.ª ed. (1929).

J. NEUHAUSLER, *Atlas der katholischen Missionen* (1932).

J. THAUREN, *Atlas der katholischen Missionsgeschichte* (1932).

A. BOUCHER, *Petit atlas des missions catholiques* (París 1933).

G. MONTICONE, *Atlante delle missioni catholiche dipendenti dalla Sacra Congregazione «de Propaganda Fide»* (Roma 1948).

B. LLORCA, *Atlas y cuadros sincrónicos de historia eclesiástica* (Barcelona, Labor, 1950).

P. H. EMMERICH, *Atlas hierarchicus. Descriptio geographica et statistica Ecclesiae Catholicae tum Occidentis tum Orientis* (Mödling bei Wien, St. Gabriel-Verlag, 1968); 2.ª ed. ampliada (ibid., 1976).

H. JEDIN, K. S. LATOURETTE, J. MARTIN, *Atlas zur Kirchengeschichte Die christlichen Kirche in Geschichte und Gegenwart* (Freibur i.B., Herder, 1970).

Estos dos últimos son los más útiles para el historiador.

G. MENÉNDEZ PIDAL, *Atlas histórico español* (Madrid 1941).

F. CONDEMINAS-VISINTIN, *Atlas histórico de España* (Novara 1926).

XX. Enciclopedias y diccionarios eclesiásticos

a) Universales

Enciclopedia cattolica (Città del Vaticano 1949-1954), 12 vols. Hay además un volumen complementario dedicado al concilio Vaticano II.

Enciclopedia de la religión católica (Barcelona, Dalmau y Jover, 1950-1956), 7 vols.

Lexikon der christlichen Ikonographie, dirigido por W. BRAUNFELS (Friburgo de Br. 1969-1975), 8 vols.

New Catholic Encyclopedia. Editada por la Univ. Cat. de Washington (New York 1967), 15 vols.

Catholicisme hier, aujourd'hui, demain. Encyclopédie publiée sous la direction du Centre Interdisciplinaire des Facultés Catholiques de Lille (París, Letouzey et Ané, 1948ss).

Encyclopédie des sciences ecclésiastiques. Comenzó a publicarse en Francia a finales del siglo XIX, pero debe citarse por cada uno de los cinco grandes diccionarios que la integran. Estos son: *Dictionnaire de la Bible,* dirigido por F. Vigouroux (París, Letouzey et Ané, 1895-1912), 5 vols, y el *Supplément,* dirigido por L. Pirot, A. Robert, H. Cazelles y A. Feuillet (París 1928ss).

Dictionnaire de Théologie catholique, dirigido por A. Vacant, E. Mangenot y E. Amann (París, Letouzey et Ané, 1902-1950), 30 vols.

Dictionnaire d'Arquéologie chrétienne et de Liturgie, dirigido por F. Cabril, H. Leclerq y H. Marrou (París, Letouzey et Ané, 1903-1953), 30 vols.

Dictionnaire d'Histoire et de Géographie ecclésiastiques, dirigido por A. Baudrillart, A. Vogt, U. Rouziès, R. Aubert (París, Letouzey et Ané, 1912ss).

Dictionnaire de Droit Canonique, dirigido por R. Naz (París, Letouzey et Ané, 1935-1965), 7 vols.

No forma parte del *Encyclopédie des sciences ecclésiastiques* el *Dictionnaire de Spiritualité ascétique et mystique,* dirigido por M. Viller, F. Cavallera y J. de Guibert (París, Beauchesne et Fils, 1937ss). A. Rayez, A. Derville y A. Solignac.

Dictionnaire Apologétique de la Foi Catholique, dirigido por A. D'Alès y B. Loth (París, Beauchesne, 1911-1931), 5 vols.

Lexikon für Theologie und Kirche, dirigido por M. Buchberger, J. Höfer, K. Rahner (Freiburg i. B. 1930-1938), 2.ª ed. (ibid., 1957-1967), 11 vols., más otros 3 (ibid., 1867-68) sobre el Vaticano II.

Bibliotheca Sanctorum (Roma, Ist. Giovanni XXIII nella Pont. Univ. Lateranense, 1961-1970), 13 vols.

Dizionario degli Istituti di Perfezione, dirigido por G. Pelliccia y G. Rocca (Roma, Ed. Paoline, 1974ss).

Aunque no tienen el rigor científico de los anteriormente indicados, merecen citarse el *Dizionario di erudizione storico-ecclesiastica* de G. Moroni (Venezia, Ti. Emiliana, 1840-1861), 103 vols., más otros 6 de Indices (Venezia 1878-1879). *Encyclopédie théologique ou série de Dictionnaires sur toutes les parties de la science religieuse* (París 1844-1859), 52 vols., y la *Nouvelle Encyclopédie Théologique* (París 1859-1881), 53 vols. Estas dos dirigidas por J. P. Migne, y la *Enciclopedia Ecclesiastica,* dirigida por P. Pianton (Venezia, G. Tasso, 1854-1862), 8 vols.

b) **España**

Diccionario de Historia Eclesiástica de España, dirigido por Q. Aldea, T. Marín y J. Vives (Madrid, Inst. «E. Flórez» del C.S.I.C., 1972-1975), 4 vols. Excelente instrumento de trabajo del que carecían los historiadores de la Iglesia en España. Con las limitaciones propias de este tipo de obras, es una muestra de la vitalidad que han adquirido en los últimos años las investigaciones en el campo de la historia eclesiástica española.

Diccionario geográfico-estadístico-histórico de España y sus posesiones de Ultramar, de P. Madoz, 3.ª ed. (Madrid 1848-1850), 16 vols., que contiene datos abundantes de historia eclesiástica.

Menos valor tiene en nuestros días el *Diccionario de Ciencias Eclesiásticas,* dirigido por N. Alonso Perujo y J. Pérez Angulo (Barcelona, Subirana, 1883-1890), 10 vols.

I

La Iglesia en la España romana y visigoda
(siglos I-VIII)

BIBLIOGRAFIA GENERAL

Dado el carácter fragmentario y disperso de los datos y noticias que han llegado hasta nosotros como fuentes para la época histórica que estudiamos en este volumen, nos ha parecido conveniente reseñar la bibliografía más importante en cada capítulo, recogiendo aquí, al principio, solamente aquellas obras que pueden ser consideradas como verdaderamente generales, en cuanto que abarcan toda la época romano-visigoda o al menos buena parte de ella, o varios temas conjuntamente. De este modo tratamos de evitar inútiles repeticiones o prolijas listas de obras que en muchos casos solamente se refieren a aspectos muy particulares que se estudian en los capítulos correspondientes.

FUENTES

1. Repertorios de fuentes y datos bibliográficos

1. J. AGUSTÍ-P. VOLTES-J. VIVES, *Manual de cronología española y universal:* CSIC (Madrid 1953).
2. E. DEKKERS, *Clavis Patrum Latinorum:* Sacris Erudiri 3 (Steenbrugge ² 1961).
3. M. C. DÍAZ Y DÍAZ, *Index Scriptorum Latinorum Medii Aevi Hispanorum:* CSIC (Madrid 1959).
4. R. GROSSE, *Las fuentes desde César hasta el siglo V d. de J.C.:* Fontes Hispaniae Antiquae VIII. Facultad de Filosofía y Letras de Barcelona (Barcelona 1959).
5. R. GROSSE, *Las fuentes de la época visigoda y bizantina:* Fontes Hispaniae Antiquae IX (Barcelona 1947).
6. B. SÁNCHEZ ALONSO, *Fuentes de la historia española e hispanoamericana* (Madrid ³ 1952).
7. *Enciclopedia de Orientación Bibliográfica* (Dir. T. Zamarriego) II (Barcelona 1964) p.82-100.
8. *Indice Histórico Español:* Centro de estudios históricos internacionales. Facultad de Filosofía y Letras de Barcelona (Barcelona).

2. Ediciones generales de fuentes

1. *Acta Sanctorum:* Edic. PP. Bolandistas (Amberes, Bruselas, París).
2. *Codex Theodosianus:* Edic. Th. Mommsen-P. M. Meyer (Berlín 1905. Repr. 1954).
3. *Corpus Christi norum* (Turnhout).
4. *Corpus Scriptorum Ecclesiasticorum Latinorum:* Academia Vindobonensis (Viena) = CSEL.
5. *Die Griechischen Christlichen Schriftsteller* (Leipzig) = GCS.

6. J. P. Migne, *Patrologia Latina* (París) = ML.
    —*Patrologia Graeca* (París) = MG.
7. *Monumenta Germaniae Historica* (Berlín):
    Auctores Antiquissimi.
    Legum sectio.
    Epistolae.
    Scriptores rerum Merovingicarum.
8. *Monumenta Hispaniae Sacra:* CSIC (Madrid-Barcelona).
9. *Scriptores Ecclesiastici Hispano-latini Veteris et Medii Aevi:* Edic. A. C. Vega:
    Monasterio de El Escorial (Madrid).
10. *Sources Chrétiennes* (París).

3. Algunas ediciones particulares modernas

1. J. Campos, *Juan de Biclaro, obispo de Gerona. Su vida y su obra* (Madrid 1960).
2. C. Codoñer, *El «De viris illustribus» de Isidoro de Sevilla*. Estudio y edición crítica: Theses et studia philologica salmantic. 12 (Salamanca 1964).
3. J. N. Garvin, *The «Vitae sanctorum patrum Emeritensium»*. Text and translation (Washington 1946).
4. W. M. Lindsay, *S. Isidoro. Etimologías*. Edición crítica (Oxford 1911).
5. J. Madoz, *Epistolario de S. Braulio*. Edición crítica (Madrid 1941).
6. L. Riesco Terrero, *Epistolario de S. Braulio*. Introducción, edición crítica y traducción (Sevilla 1975).
7. C. Rodríguez Alonso, *Isidoro de Sevilla. Historia Gothorum, Wandalorum, Sueborum*. Edición y traducción (León 1975).
8. L. Rubio Fernández, *San Paciano. Obras*. Edición y traducción (Barcelona 1958).
9. G. Seguí Vidal, *La carta-encíclica del obispo Severo*. Edición y traducción (Palma de Mallorca 1937).
10. M. Simonetti, *Gregorio di Elvira. La fede*. Edic. crítica y traducción al italiano (Turín 1975).
11. A. Tranoy, *Hydace. Chronique*. Edición y traducción francesa: Sources Chrétiennes 218 y 219 (París 1974).
Nota.—Algunas ediciones particulares no críticas y traducciones españolas se citan en los correspondientes capítulos.

4. Inscripciones

1. Ae. Hübner, *Inscriptiones Hispaniae Christianae* (Berlín 1871).
2. Ae. Hübner, *Inscriptionum Hispaniae Christianarum Supplementum* (Berlín 1900).
3. J. Vives, *Inscripciones cristianas de la España romana y visigoda* (Barcelona ² 1969).

5. Ediciones de Concilios

1. J. D. Mansi, *Sacrorum Conciliorum nova et amplissima collectio* (Florencia, Venecia, París, Leipzig).
2. F. A. González, *Collectio canonum Ecclesiae Hispaniae* (Madrid 1808).
3. G. Martínez Díez, *Hacia la edición crítica de la Hispana:* Miscelánea Comillas 41 (1964) 377-397.
4. J. Vives-T. Marín-G. Martínez, *Concilios visigóticos e hispano-romanos*. Texto latino y traducción (Barcelona-Madrid 1963).

LITERATURA

1.   Q. ALDEA-T. MARÍN-J. VIVES, *Diccionario de Historia Eclesiástica de España* (Madrid 1972-1975).
2.   B. ALTANER-E. CUEVAS-U. DOMÍNGUEZ DEL VAL, *Patrología* (Madrid ⁵1962).
3.   J. FERNÁNDEZ ALONSO, *La cura pastoral en la España romanovisigoda* (Roma 1955).
4.   E. FLÓREZ y otros, *España Sagrada* (Madrid 1747-1961).
5.   V. DE LA FUENTE, *Historia Eclesiástica de España* (Madrid ²1873-1875).
6.   P. B. GAMS, *Die Kirchengeschichte von Spanien* (Regensburg 1862-1879; Repr. Graz 1956).
7.   Z. GARCÍA VILLADA, *Historia Eclesiástica de España* (Madrid 1929-1936).
8.   H. LECLERCQ, *L'Espagne chrétienne* (París 1906).
9.   M. MENÉNDEZ PELAYO, *Historia de los Heteredoxos españoles:* BAC 150 y 151 (Madrid ²1978).
10.   R. MENÉNDEZ PIDAL, *Historia de España* II y III (Madrid 1935 y 1940).
11.   J. ORLANDIS, *La Iglesia en la España visigótica y medieval* (Pamplona 1976).
12.   J. ORLANDIS, *Historia social y económica de la España visigoda* (Madrid 1975).
13.   E. PÉREZ PUJOL, *Historia de las instituciones sociales de la España goda* (Valencia 1896).
14.   K. SCHÄFERDIEK, *Die Kirche in den Reichen der Westgoten und Suewen bis zur Errichtung der westgotischen katholischen Staatskirche* (Berlín 1967).
15.   J. L. VILLANUEVA, *Viaje literario a las iglesias de España* (Madrid 1803-1852).
16.   A. K. ZIEGLER, *Church and State in Visigothic Spain* (Washington 1930).

PRIMERA PARTE

LA IGLESIA EN LA ESPAÑA ROMANA

Por MANUEL SOTOMAYOR Y MURO

CAPÍTULO I

LA IGLESIA Y LA ESPAÑA ROMANA

CONSIDERACIONES INTRODUCTORIAS

BIBLIOGRAFIA

Iglesia: P. BATIFFOL, *Cathedra Petri:* Unam Sanctam 4 (París 1938); H. MA-ROT, *Descentralización estructural y primado en la Iglesia antigua:* Concilium 7 (1965) 16-30; ID., *Unidad de la Iglesia y diversidad geográfica en los primeros siglos;* Y. M.-J. CONGAR y B. D. DUPUY, *El episcopado y la Iglesia universal* (Barcelona 1966) p.515-36; C. VOGEL, *Unidad de la Iglesia y pluralidad de formas históricas de organización eclesiástica desde el siglo III al V:* ibid., 537-79; G. DE VRIES, *La Santa Sede ed i patriarchi cattolici d'Oriente:* OrChristPer 27(1961)313-61; ID., *Die Entstehung der Patriarchate des Ostens und ihr Verhältnis zur päpstlichen Vollgewalt:* Scholastik 37 (1962)341-69; M. SOTOMAYOR, *Conciencia de colegialidad episcopal en el Oriente antes de la separación,* en *Colegio Episcopal* I (Madrid 1964) p.333-48; A. HARNACK, *Die Mission und Ausbreitung des Christentums* I (Leipzig ⁴1924); K. HOLL, *Die Missionsmethode der alten und die der mittelalterlichen Kirchen,* en *Kirchengeschichte als Missionsgeschichte* I (Munich 1974) p.3-17; H. VON SODEN, *Die christliche Mission in Altertum und Gegenwart,* en *Kirchengeschichte als Missionsgeschichte* I (Munich 1974) p.18-31.

Imperio romano: J. GAUDEMET, *Institutions de l'Antiquité* (París 1967); ID., *L'Église dans l'empire romain* (París 1958); P. GRIMAL, *La civilisation romaine,* en *Les grandes civilisations* (París 1974); M. ROSTOVTZEFF, *Historia social y económica del imperio romano* (Madrid 1937); J. GAGÉ, *Les classes sociales dans l'empire romain* (París ²1971); J. CARCOPINO, *La vie quotidienne à Rome à l'apogée de l'empire* (París 1972); J. GUILLÉN, *Urbs Roma. Vida y costumbre de los romanos.* I. «La vida privada» (Salamanca 1977); U. E. PAOLI, *La vida en la Roma antigua* (Barcelona 1944); A. CALDERINI, *I Severi. La crisi dell'impero nell III secolo* (Bolonia 1949); R. RÉMONDON, *La crisis del imperio romano de Marco Aurelio a Anastasio* (Barcelona 1967); O. ROBLEDA, *II diritto degli schiavi nell'antica Roma* (Roma 1976); J. MANGAS MANJARES, *Esclavos y libertos en la España romana* (Salamanca 1971); véase la recensión de esta obra por R. Étienne en ArchEspArq 49 (1976 [1798]) 211-24; J. TOUTAIN, *Les cultes païens dans l'Empire romain* (Roma ²1967); G. WISSOWA, *Religion und Kultus der Römer* (Munich 1912); J. BEAUJEU, *La religion romaine à l'apogée de l'empire* I (París 1955); ID., *Cultes locaux et culte d'empire dans les provinces d'Occident aux trois premiers siècles de notre ère: Assimilation et résistance.* VI

Congr. Inter. Ét. Class., Madrid 1974 (Bucarest-París 1976) p.433-43; F. CU-
MONT, *Les religions orientales dans le paganisme romain* (París 1929); ID., *Lux perpe-
tua* (París 1949); V. SAXER, *Mort et culte des morts à partir de l'archèologie et de la
liturgie d'Afrique dans l'oeuvre de Saint Augustin:* Augustinianum 18 (1978) 219-28;
A. ÁLVAREZ DE MIRANDA, *Las religiones mistéricas* (Madrid 1961); J. HIRSCHBER-
GER, *Historia de la filosofía* I (Barcelona 1959); J. LEIPOLDT-W. GRUNDMANN, *El
mundo del Nuevo Testamento* (Madrid 1973); L. HOMO, *De la Rome païenne à la
Rome chrétienne* (París 1950); *Römisches Weltreich und Christentum: Historia Mundi 4*
(Berna 1956); J.-R. PALANQUE, *Antiquité et Christianisme:* XII Congr. Intern.
Sciences Historiques (Viena 1965) p.93-101; S. PEZZELLA, *Cristianesimo e paganes-
imo* (Bari 1972); H.-I. MARROU, *Décadence romaine ou antiquité tardive? III-IV
siècle* (París 1977); E. R. DODDS, *Paganos y cristianos en una época de angustia*
(Madrid 1975); M. GUERRA y GÓMEZ, *Los sacerdotes cristianos y el sacerdocio de las
religiones no cristianas;* Communio 13 (Roma 1972) p. 659-938.

España romana: A. TOVAR-J. M. BLÁZQUEZ, *Forschungsbericht zur Geschichte
des römischen Hispanien,* en *Aufstieg und Niedergang der römischen Welt* (Berlín
1975) p.428-51; L. G. de VALDEAVELLANO, *Curso de historia de las instituciones
españolas:* Biblioteca de Ciencias Históricas Revista de Occidente (Madrid 1973);
A. GARCÍA y BELLIDO, *Las colonias romanas de Hispania:* AnHistDerEsp (1959)
508; C. SÁNCHEZ ALBORNOZ, *Panorama general de la romanización de España:* Miscelánea de Estudios Históricos (León 1970) p.147-86; ID., *Proceso de la romanización de España desde los Escipiones hasta Augusto:* ibid., p.17-56; P. DE PALOL, *Etapas de la romanización* (Pamplona 1960) p.319-62; A. UBIETO ARTETA, *Atlas histórico. Cómo se formó España* (Valencia ²1970); A. BALIL, *Indígenas y colonizadores,*
en *Historia económica y social de España* I (Madrid 1973) p.113-241; ID., *El imperio
romano hasta la crisis del siglo III:* ibid., p.245-328; ID., *De Marco Aurelio a Constantino:* Hispania 27 (1967) 245-341; ID., *Tres aspectos de las relaciones hispano-
africanas en época romana:* Actas I Congr. Arq. Marr. Esp. (Tetuán 1954) p.387-
404; *Comunicaciones a la I Reunión de Historia de la Economía Antigua de la Península Ibérica* (Valencia 1968); *Actas de la I Reunión de Historia de la Economía Antigua de la Península Ibérica* (Valencia 1971); A. GARCÍA Y BELLIDO, *Los «mercato-
res», «negotiatores» y «publicani» como vehículos de romanización en la España romana
preimperial:* Hispania 26 (1966) 497-512; J. M. BLÁZQUEZ, *Problemas en torno a las
raíces de España:* Hispania 29 (1969) 245-86; ID., *Causas de la romanización de
Hispania:* Hispania 24 (1964) 5-26, 165-84, 325-47, 485-508; ID., *Hispanien unter
den Antoninen und Severern,* en *Aufstieg und Niedergang der römischen Welt* II 3
(Berlín 1975) p.452-522; I. A. ARIAS, *Materiales numismáticos para el estudio de los
desplazamientos y viajes de los españoles en la España romana:* CuadHistEsp 18
(1952) 22-49; ID., *Factores de unión entre los antiguos hispanos:* CuadHistEsp 27
(1958) 67-98; R. THOUVENOT, *Essai sur la province romaine de Bétique* (París
1940); ID., *Supplément* (París 1973); C. CASTILLO GARCÍA, *Städte und Personen der
Baetica,* en *Aufstieg und Niedergang der römischen Welt* II 3 (Berlín 1975) p.601-54;
J. M. BLÁZQUEZ, *Estructura económica de la Bética al final de la república romana y a
comienzos del imperio:* Hispania 27 (1967) 7-62; M. VIGIL-A. BARBERO, *Sobre los
orígenes sociales de la reconquista:* BolRealAcHist 156 (1965) 271-339; A. GARCÍA Y
BELLIDO, *Les religions orientales dans l'Espagne romaine* (Leiden 1967); J. M.
BLÁZQUEZ, *Imagen y mito. Estudios sobre religiones mediterráneas e ibéricas* (Madrid
1977); ID., *Diccionario de las religiones prerromanas de Hispania* (Madrid 1975); ID.,
Ultimas aportaciones al estudio de las religiones primitivas de Hispania: Homenaje a
A. Tovar (Madrid 1972) p.81-90; ID., *Religiones primitivas de Hispania* (Roma
1962); ID., *Las religiones indígenas del área noroeste de la península Ibérica en relación
con Roma:* Legio VII Gemina (León 1970) p.63-76; R. ETIENNE, *Le culte impérial
dans la péninsule Ibérique d'Auguste à Dioclétien* (París 1958); ID., *Le syncrétisme
religieux dans le péninsule Ibérique,* en *Le syncrétisme dans les religions grecque et romaine* (París 1973) p.153-63; M. PASTOR MUÑOZ, *La religión romana en el conventus Asturum:* Hispania 36 (1976) 489-524.

Persecuciones: K. BAUS, *Manual de historia de la Iglesia,* dir. H. Jedin (Barcelona 1966); J. DANIÉLOU, *Nueva historia de la Iglesia* I (Madrid 1964); J. ZEIL-

LER, *Historia de la Iglesia,* dir. A. Fliche-V. Martin, II (Valencia 1976); B. LLORCA, *Historia de Iglesia católica* I: BAC 54 (Madrid 1950) p.283-353; V. MO-NACHINO, *Le persecuzioni e la polemica pagano-cristiana* (Roma 1974); H. GRÉ-GOIRE, *Les persécutions dans l'empire romain* (Bruselas ²1964); J. MOREAU, *Les persécutions dans l'empire romain* (París 1956); P. BREZZI, *Cristianesimo e impero romano* (Roma ²1944); P. ALLARD, *Histoire des persécutions pendant les deux premiers siècles* (París ⁴1911-24); A. EHRHARD, *Die Kirche der Märtyrer* (Munich 1932); E. GRIFFE, *Les persécutions contre les chrétiens aux I et II siècles* (París 1967); M. SORDI, *Il cristianesimo e Roma* (Bolonia 1965).

Quien desee conocer los orígenes históricos y primer desarrollo de la Iglesia en España tendrá que comenzar revisando sus propios conceptos sobre ambas realidades: Iglesia y España. Son muchos siglos los que nos separan de aquellos momentos iniciales, y falsearíamos su historia si pretendiésemos construir la imagen del pasado sobre la base de nuestros conceptos e imágenes actuales. El uso constante de una misma expresión a través de los tiempos parece invitarnos a considerar el concepto expresado como algo unívoco e invariable; la historia precisamente nos enseña que no es así; con una misma palabra se significa, a lo largo de la historia, realidades notablemente diversas en muchas de sus determinaciones, y con frecuencia, realidades diferentes.

Para los hombres del siglo XX, y sobre todo los occidentales, la palabra *Iglesia* va unida a una concepción que es fruto de muchos siglos de historia y lleva consigo una serie de determinaciones imposibles de aplicar a la misma realidad de los siglos primeros. Nuestra imagen de la Iglesia responde a la de una sociedad rígidamente estructurada, fuertemente jerarquizada, gobernada con directa y frecuente intervención desde Roma y de una universalidad culturalmente uniforme. Tales características son propias de la Iglesia occidental en el siglo XX, pero los rasgos de la Iglesia universal son muy diferentes en los primeros siglos.

IGLESIAS LOCALES

Las iglesias —hay que habituarse al plural, si se quiere entender la historia— son las diversas comunidades locales que van surgiendo en las ciudades como consecuencia de la predicación de la fe en Jesús y en su mensaje del Reino de Dios. La iglesia asamblea o comunidad de hermanos, es un conjunto de personas más o menos abigarrado (diversidad de sexo, de edades, de condición social) que creen en Jesús y se deciden por El, optando contra la codicia, la ambición y la opresión, que son las normas supremas de la sociedad en que viven. Los cristianos agrupados en comunidad creen en la igualdad fraternal de todos los humanos, confían en el advenimiento de un mundo justo en el que va a reinar la paz y la amistad, y de todo ello están seguros porque se fían de Jesús, que es el enviado del Padre, de quien todos dependen totalmente como hijos y del que han recibido la promesa de la resurrección. El vínculo fundamental que les mantiene unidos es esa fe y esa esperanza, que supera incluso las barreras de la muerte; su unión social se ve reforzada por una autoridad jerárquica —el presbítero o el obispo—, cuyo servicio a la comunidad consiste en crear y mantener la unión de todos y presidir la Eucaristía, causa y manifestación por antonomasia de la unidad de los cristianos.

Ni el exiguo número de los miembros de cada comunidad, ni la autonomía práctica de cada ciudad en aquellos tiempos, ni las dificultades de intercomunicación favorecían un contacto efectivo y continuo entre las diversas comunidades; eran conscientes y se sentían parte de una gran comunidad de fe universal llamada a ser levadura de la humanidad entera; pero su vida cotidiana de ciudadanos y de cristianos raramente transcendía las fronteras de su propia localidad. En el contacto con las demás comunidades existía, lógicamente, una gradual jerarquización, impuesta, sobre todo, por circunstancias geopolíticas: relaciones de buena vecindad con los núcleos urbanos de igual categoría más próximos; ayuda y protección por parte de las ciudades más potentes y sus correspondientes comunidades más nutridas y ricas en personas, bienes materiales y cultura; dependencia de alguna comunidad «madre» por parte de sus comunidades «hijas»; agrupación progresiva de las comunidades de una región alrededor de la que residía en la capital regional.

Tenían que surgir dificultades o conflictos de gran transcendencia para que el contacto efectivo superase los límites regionales; una vez superado el conflicto, la vida volvía a sus cauces normales. La vida cristiana seguía desarrollándose a nivel local o regional, estructurándose progresivamente en su liturgia, su práctica ascética, su arte, sus leyes y costumbres, su pensamiento teológico, según las formas y la mentalidad propias de cada cultura autóctona, propia, sobre todo, de aquellas grandes y principales comunidades que terminaron por ser las metrópolis y las sedes patriarcales, verdaderos centros alrededor de los cuales giraban las grandes «encarnaciones» del Cristianismo.

En el Oriente cristiano, región de antiguas civilizaciones y zona de máxima concentración cristiana, surgieron varias de estas sedes centrales: Alejandría, Antioquía, Jerusalén, Constantinopla... En Occidente, la importancia indudable de Cartago quedaba en cierto modo ensombrecida por el esplendor y la categoría excepcional de la sede romana.

EL OBISPO DE ROMA

A propósito del papel desarrollado por el obispo de Roma en la Iglesia de los primeros siglos, se distinguen tres funciones, correspondientes a tres zonas distintas de influencia [1]. En Italia, en toda la región sometida al *vicarius urbis* (región suburbicaria), el obispo de Roma era el metropolita; como tal, ejercía en todas esas comunidades las funciones

---

[1] Cf. C. Vogel, *Unidad de la Iglesia y pluralidad de formas históricas* p.572-79.

propias del metropolita, que eran muchas y eficaces en aquellos tiempos: presidía de hecho la comunión de todos los obispos sufragáneos e incluso aprobaba el nombramiento de cada uno de ellos. La segunda zona comprendía el resto de Italia —la región sometida al *vicarius Italiae,* con sede en Milán— y todo el Occidente, sin olvidar que el norte de Africa con Cartago significaba una situación especial más cercana casi a la de la tercera zona, que veremos. En la segunda zona, el obispo de Roma ejercitaba la función que más tarde se llamará de patriarca; la misma que ejercían en sus respectivas zonas los obispos de Alejandría, Antioquía, Jerusalén y Constantinopla. En todo el territorio de su patriarcado se podría decir que cada una de estas sedes, igual que la de Roma, eran como la última instancia para todos los asuntos ordinarios. El obispo de Roma no intervenía nunca directamente ante los obispos dependientes de los demás patriarcas, a menos que mediasen graves circunstancias o apelación. La aprobación de los nombramientos de obispos, su deposición y excomunión a veces, la creación de nuevas diócesis, la liturgia, la disciplina del clero, la legislación matrimonial, etc., era competencia de la jerarquía regional, presidida por su patriarca. En todo el primer milenio de la historia de la Iglesia no hay, además, un solo nombramiento de patriarca por parte del papa [2].

Precisamente esta zona formada por todos los patriarcados orientales [3] es la que constituye la tercera zona de influencia del obispo de Roma. En ella, el obispo de Roma ejerce únicamente su función estrictamente primacial. Por esta razón interviene allí muy raramente: sólo en los casos extremos, en los que la instancia patriarcal no es suficiente, sobre todo cuando se trata de problemas relacionados con la fe. W. de Vries [4] ha contado 4.335 documentos de papas dirigidos a obispos de la Iglesia universal durante todo el primer milenio. De ellos solamente 300 van dirigidos a obispos no pertenecientes a su patriarcado occidental, es decir, solamente un 7 por 100, mientras que los escritos para obispos de Occidente constituyen el 93 por 100 restante. En materia disciplinar, la proporción de intervenciones papales en Oriente se reduce a un 2 por 100, y esta exigua cifra no es suficiente para dar una idea real de la casi total autonomía disciplinar de cada patriarcado si no se advierte contemporáneamente que esas escasas intervenciones del papa hay que concentrarlas en dos o tres momentos fuertes de especial tensión, debidos a roturas o cismas más o menos momentáneos.

PROPAGACIÓN DEL CRISTIANISMO

Otra corrección importante en nuestra imagen actual de la Iglesia se refiere a su forma de propagación y expansión. De una actividad pro-

---

[2] Cf. G. DE VRIES, obras citadas en la bibliografía.
[3] Y otras zonas que no tuvieron un patriarca propiamente dicho, pero sí una primerísima sede metropolitana, que desempeñaba un papel equivalente.
[4] Véase bibliografía.

piamente «misional» en los primeros tiempos —en nuestro sentido actual— tenemos noticias casi exclusivamente por Pablo. De los demás apóstoles no conocemos nada semejante. Pablo aspiraba a dar al mensaje de Jesús la máxima expansión posible en el imperio. Sus frecuentes viajes tenían como meta las principales ciudades de cada provincia. Una vez fundada y consolidada cada comunidad, pasaba a la siguiente. Misioneros innominados secundaron, sin duda, su acción a juzgar por los resultados: a mediados del siglo III existían comunidades en todas las principales ciudades de cada provincia [5].

La existencia misma de esta propagación, junto a la ausencia casi total de grandes figuras misioneras —que tanto abundaron en tiempos posteriores—, nos hace comprender que la expansión del cristianismo en los primeros siglos fue principalmente obra de muchos cristianos anónimos, cuya adscripción a la Iglesia no tenía más razón de ser que un convencimiento vivo de la importancia y la necesidad de ser cristiano. Gracias a esta circunstancia —y sin que hayamos de exaltar por ello exageradamente la «santidad» de los primeros fieles—, el cristiano se daba a conocer fácilmente como tal por sus propios hechos.

Tres importantes circunstancias favorecieron además la propaganda del cristianismo: las persecuciones, con sus procesos y condenas, que suponían verdaderos acontecimientos públicos de gran impacto informativo; la natural curiosidad de toda la población del imperio en una época en que la creciente intranquilidad e insatisfacción interior hacían volverse a muchos con interés hacia cualquier nueva religión que pudiese ofrecer remedio a sus problemas y el nuevo sentido religioso que dominaba en el Bajo Imperio, con un nuevo concepto de Dios y de la importancia del «más allá» [6].

Conocer la historia de la Iglesia es conocer la vida de la comunidad cristiana que la constituye. No hay comunidad cristiana que no sea comunidad de personas humanas. Y como no hay personas humanas que no estén configuradas según una serie compleja de condicionamientos socioculturales, tratar de estudiar el fenómeno cristiano sin encuadrarlo plenamente en su contexto sociocultural es deformarlo radicalmente y renunciar a toda posibilidad de comprenderlo.

El mensaje de salvación que es el cristianismo no es una cultura; el que lo recibe lo entiende y lo desarrolla en sí y en los demás poco a poco, conforme a sus propios presupuestos socioculturales, algunos de los cuales irán modificándose con el correr del tiempo y el avance progresivo de la reflexión. Cuando se trata de la historia de los primeros siglos del cristianismo, hemos de partir, pues, de un supuesto: el poco tiempo transcurrido tiene que haber dejado todavía intactas o casi intactas muchas ideas, convicciones, imágenes, costumbres, gustos y maneras de ser que, al cabo de muchas reflexiones, experiencias y luchas contra lo que se lleva profundamente arraigado y flota en el ambiente, termi-

[5] Para estas y las siguientes consideraciones sobre la primera propagación véase K. HOLL, *Die Missionsmethode der alten und die der mittelalterlichen Kirchen* p.3-17.

[6] Cf. H.-I. MARROU, *Décadence romaine ou antiquité tardive?* (París 1977).

namos deduciendo que no está, del todo o en parte, de acuerdo con las últimas consecuencias del mensaje de Cristo. Aparte de estos aspectos que tarde o temprano se han de corregir, hay otras muchas peculiaridades socioculturales que por no ser contrarias al espíritu del Evangelio permanecen siempre en las comunidades cristianas y configuran su variedad dentro de la unidad en la fe.

Los cristianos que aceptaban la fe en Jesús tenían ya previamente sus ideas arraigadas —propias de su cultura— sobre la presencia de espíritus buenos y malos en este mundo sublunar, sobre la vida en el más allá, sobre la supervivencia después de la muerte en diversas formas, que llevaban consigo una buena serie de creencias y prácticas con respecto a los difuntos; tenían una manera concreta de concebir la familia, de valorar el papel de la mujer en la sociedad; vivían habituados a una sociedad esclavista y a un concepto muy peyorativo del «bárbaro» o extranjero, etc. Aceptar el bautismo, y con ello ingresar en el grupo cristiano, no llevaba consigo, sin más, el olvido de todos estos presupuestos y su sustitución por otros nuevos que nadie había elaborado todavía. Hay que tener esto muy en cuenta para no caer en el anacronismo de pensar o incluso afirmar, p.ej., que la Iglesia permitía ciertas prácticas o consentía determinadas costumbres en vista de la dificultad que encontraba para desarraigarlas. Esa Iglesia mera espectadora, ajena y como externa a la historia, que contempla los hechos desde fuera, no existe ni ha existido nunca. Los hombres que forman la Iglesia —en todos sus diversos grados jerárquicos— pertenecen también a una cultura y a un tiempo determinados y están configurados, como todos sus contemporáneos y compatriotas, por las estructuras de su tiempo y de su región. Son ellos mismos —la Iglesia— los que piensan, imaginan, acostumbran y ven las cosas como los demás, y solamente la reflexión lenta les irá haciendo abandonar, al pasar de los siglos, todo lo que vayan descubriendo que no está de acuerdo con su nuevo compromiso de fe.

Esta consideración, elemental desde el punto de vista del historiador, es igualmente necesaria y eficaz para excluir lo mismo una falsa y simplista tendencia apologética que una vulgar pseudocrítica sin valor científico alguno.

La Iglesia en España no hay que considerarla como una Iglesia importada desde fuera, como algo ya definido y hecho, sino como una comunión de iglesias o comunidades que van surgiendo y desarrollándose a partir de una múltiple predicación y ejemplo de diversos elementos cristianos que van llegando a los puntos más diversos de la Península.

En nuestro caso además habrá que evitar ante todo un concepto equívoco que podría afectar la visión global del campo de acción del cristianismo en nuestra patria. Hablamos de la Iglesia en España, y podemos hacerlo a condición de que sepamos ver con claridad que en los primeros siglos de nuestra era no existía propiamente lo que ahora concebimos bajo el concepto de España. Nuestra Península albergaba entonces un conjunto de tribus y pueblos encuadrados en varias provincias del imperio romano. Sería, pues, más exacto hablar de la Iglesia en las provincias romanas de la península Ibérica, y ése es el único sentido histórico que puede darse al concepto de España en nuestra época. Sobre todo si se tiene en cuenta que ni siquiera bajo el dominio romano llegaron a alcanzar los pueblos de la Península el grado suficiente de unidad que les permitiera tomar conciencia de formar una sola patria.

Otro aspecto que hay que resaltar es que el cristianismo no se extiende por todas las regiones de España y Portugal, independientemente del hecho que esas regiones estén o no sometidas a Roma. En la península Ibérica, al igual que en otras regiones del imperio, el cristianismo avanza con la romanización. Durante varios siglos llega solamente a aquellas regiones peninsulares a donde ha llegado el poder y la cultura romana. Las comunidades cristianas van surgiendo en los núcleos urbanos romanos o romanizados de la Península, lo que significa que durante siglos existen extensas zonas que conservan sus religiones paganas, y a las que no se puede aplicar en ningún modo el calificativo de regiones cristianas.

Por todo lo dicho, antes de comenzar a estudiar los primeros pasos del cristianismo en Hispania será necesario detenernos, aunque sea brevemente, en la consideración del ambiente humano y la situación histórica de esta parte del imperio. Previamente, sin embargo, quisiéramos resumir algunas de las ideas desarrolladas o implícitas en todo cuanto llevamos dicho hasta ahora:

1. El cristianismo no tuvo que ser predicado necesariamente en nuestra Península por algún apóstol o por determinados misioneros más o menos célebres. Este sistema de propagación es el menos frecuente en la historia conocida de la Iglesia.

2. De entre los muchos militares, comerciantes, colonos, esclavos, etcétera, que llegaban o volvían a la Península, algunos fueron indudablemente cristianos y, como tales, suponían un foco de irradiación en las localidades en que se hallaban.

3. Lo que va naciendo y creciendo en la Península, como en otras provincias del imperio romano, no es una Iglesia ya plenamente constituida, formada y centralizada, sino comunidades locales que participan todas de una misma fe, pero que viven a veces bastante incomunicadas entre sí, se bastan a sí mismas y se van haciendo y desarrollando poco a poco [7].

4. Este desarrollo y crecimiento progresivo de la Iglesia en cada región es una evolución que se produce dentro de las mismas comunidades y a partir de las propias realidades socioculturales de cada una de ellas.

5. Los contactos e interdependencias progresivas de unas iglesias con otras en los primeros siglos en nuestra Península no llegan a centrarse alrededor de una sede principal para todas las provincias, como sí sucedió, en cambio, en otras regiones del imperio.

---

[7] Cf. H. VON SODEN, *Die christliche Mission in Altertum und Gegenwart* p.18-31.

LOS ROMANOS EN LA PENÍNSULA

En el año 218 a.C., el ejército romano pone pie en la Península mientras Aníbal marchaba sobre Roma. La resistencia de los cartagineses, la gran variedad de pueblos hispanos y la accidentada orografía peninsular hicieron lenta y difícil la victoria militar de los romanos, y más aún la subsiguiente romanización de los territorios conquistados.

La conquista militar se considera fundamentalmente acabada en el año 19, cuando los cántabros y astures quedaron sometidos por Augusto. Pero la romanización fue mucho más lenta y desigual. Era muy desigual el territorio conquistado desde el punto de vista étnico. Dentro de unos límites geográficamente muy bien definidos por unos mares y unos Pirineos que convertían prácticamente nuestras tierras en una isla, no existía una nación, sino un mosaico de tribus y poblaciones con los más diferentes caracteres y organizaciones. No sólo las grandes divisiones de celtas, celtíberos e iberos, sino otras muchas más que han quedado difuminadas en estas grandes denominaciones, comportaban diversidad de cultura, de lengua, de religión, de organización social y política, y por consiguiente suponían diversos grados de capacidad de asimilación de todos los cambios que una verdadera romanización llevaba consigo.

El pueblo más culto de la Península era el de los turdetanos o tartesios, que ocupaban fundamentalmente el valle del Guadalquivir y sus zonas limítrofes. En estas regiones del Sur predominaba la organización política de la ciudad-Estado, como es propio de unos pueblos que se mueven en el ambiente ideológico del mundo mediterráneo. En las regiones del Norte, la Hispania céltica y celtibérica, había sobre todo Estados tribales. No muy diferente debía de ser la situación de los iberos propiamente dichos, que ocupaban las regiones del Sudeste y Este.

El desarrollo económico de las diversas regiones era también muy diverso. Las zonas más ricas eran el Sur y el Levante, mientras que las mesetas eran realmente pobres.

Los avances del ejército romano llevaban consigo una progresiva unificación, aunque hay que tener en cuenta que el proceder de Roma era con frecuencia muy diferente en las diversas poblaciones que iba conquistando, y solía admitir que los pueblos conquistados siguiesen gozando en gran parte de sus propias instituciones. Desde el punto de vista étnico, la colonización romana supone la aportación de un elemento racial nuevo, pero no tampoco unificado, ya que tanto en los ejércitos como en los colonos que llegaban a la Península existían representantes no sólo de Roma, sino también de los demás pueblos itálicos [8].

---

[8] Cf. J. M. BLÁZQUEZ, *Problemas en torno a las raíces de España:* Hispania 29 (1969) 245-86. Es una buena síntesis del estado actual de la cuestión. Véase asimismo A. TOVAR-J. M. BLÁZQUEZ, *Historia de la Hispania romana* (Madrid 1975); L. GARCÍA DE VALDEAVELLANO, *Historia de las instituciones españolas* (Madrid 1973).

LAS PROVINCIAS HISPANAS [9]

Desde el año 197 a.C., una línea diagonal —muy ondulante y quebrada— que arrancaba algo al sur de Cartagena y terminaba al sur de Braga dividía la Península en dos provincias romanas: la que quedaba al NE. de esa línea era la Hispania Citerior; la que quedaba al SO., la Hispania Ulterior. En los tiempos en que el cristianismo nacía en Palestina, la situación era algo diferente, porque el emperador Augusto en el año 27 a.C. había dividido en dos la Hispania Ulterior: la Bética y la Lusitana; y en los años 12 y 17 había agregado parte de la Bética a la Citerior o Tarraconense. La Lusitana comprendía, prácticamente, el actual Portugal, pero con capital en Mérida y sin las regiones del Norte, que seguían perteneciendo a la Citerior, con capital en Tarragona. La Bética —capital en Córdoba— se extendía algo más hacia el norte que la actual Andalucía, pero no comprendía ya la región oriental de la actual provincia de Granada: Acci (Guadix), Cástulo (Cazlona, junto a Linares), Salaria (Ubeda), Basti (Baza), pertenecían a la Tarraconense. Esta división territorial estaría en vigor durante todo el tiempo de la primera expansión del cristianismo en nuestras regiones hasta la gran reforma de Diocleciano a fines del siglo III, que afecta sobre todo a la antigua Hispania Citerior; ésta queda dividida en tres provincias: la Cartaginense —con capital en Cartagena—, la Tarraconense —con capital en Tarragona— y la Galecia, con capital en Braga. Las cinco provincias romanas de la Península formaban la diócesis de Hispania, en la que quedaba incluida también la provincia de Mauritania Tingitana. La diócesis de Hispania estaba gobernada por un *vicarius,* cuya residencia se discute si fue Sevilla o Mérida.

A partir de Constantino, la diócesis de Hispania, a su vez, constituía, con otras dos diócesis, la prefectura de las Galias. El prefecto de las Galias residió primero en Tréveris y después en Arlés.

Las islas Baleares parece que quedaron adscritas por Diocleciano a la provincia Cartaginense. Entre 369 y 385 debieron de constituirse en provincia, cuya metrópoli debía de ser Palma de Mallorca; durante la dominación vándala (desde el año 424 ó 425) y la bizantina (desde el 554), las Baleares estuvieron directamente relacionadas con Africa [10].

Las diócesis creadas por Diocleciano pretendían conseguir una estructuración superior que unificase la administración de las provincias. Antes de aparecer esta institución de la diócesis, en algunas regiones existía, al menos, una cierta centralización, basada en el predominio de una de las capitales. No es éste nuestro caso; ni Mérida, ni Córdoba, ni siquiera Tarragona prevalece en los primeros siglos como capital efectiva que unifique, en cierto modo, la administración romana de toda la

---

[9] Cf. L. García de Valdeavellano, o.c. en la nota anterior; A. Ubieto Arteta, *Atlas histórico. Cómo se formó España* (Valencia ² 1970); E. Albertini, *Les divisions administratives de l'Espagne romaine* (París 1923).

[10] Cf. G. Seguí Vidal, *La carta encíclica del obispo Severo* (Palma de Mallorca 1937) p.102-103. Este autor opina que en todo este tiempo debieron de seguir dependiendo eclesiásticamente de Cartagena.

Península. El pretor de cada provincia la gobierna, en nombre de Roma, con independencia de los demás pretores de Hispania, con los que tiene solamente relaciones de vecindad, que se acentúan sobre todo en los aspectos militares de conquistas o represión de rebeliones, etcétera. En estas ocasiones se da a veces la figura del cónsul o prócosul, que unifica el mando; pero no es éste el modo estable del régimen provincial.

Cada provincia romana no es tampoco en sí misma una rígida administración unitaria. La población indígena y colonizadora se distribuye en pueblos y ciudades de diverso rango y situación; hay ciudades que ni siquiera estaban sometidas al pretor romano: las ciudades libres. Algunas de éstas estaban obligadas a pagar tributo a Roma; otras, ni siquiera eso. Las ciudades llamadas estipendiarias estaban sometidas al pretor, pero gozaban de cierta autonomía. Los municipios gozaban del derecho itálico, y las colonias romanas, por último, eran fundaciones nuevas, consideradas como verdaderos trasplantes de Roma, que enjambraba así a las regiones conquistadas [11].

LA ESTRUCTURA SOCIAL

Las intenciones puramente estratégicas que trajeron a España a los primeros romanos se convirtieron después en intenciones colonizadoras. Hispania era un nuevo territorio que añadir al imperio, y, por tanto, un nuevo territorio que explotar para provecho de Roma. La península Ibérica ofrecía grandes posibilidades agrícolas, pesqueras, mineras, etc., y constituía así un buen campo para la inversión del abundante capital que las grandes conquistas habían ido acumulando en la Urbe. Si la administración romana en tiempos de la república se puede considerar como una actividad principalmente depredatoria, con las reorganizaciones operadas por los emperadores se consigue una clara prosperidad en las provincias, que va logrando una progresiva compenetración y fusión hasta llegar a formar una población hispano-romana que conoce su mejor esplendor en el siglo II de nuestra era [12].

En un principio, las provincias eran meros territorios de explotación pero con el tiempo, y gracias al elevado nivel cultural de los colonizadores y a su habilidad y tolerancia, fueron asimilando la nueva cultura y aceptándola libremente, participando ampliamente en la vida cultural y política del imperio; en el caso de Hispania bástenos recordar nombres como Séneca, Quintiliano, Lucano, Marcial, Prudencio, y emperadores como Trajano, Adriano y Teodosio.

[11] Cf. J. GAUDEMET, *Institutions de l'antiquité* (París 1967); L. GARCÍA DE VALDEAVELLANO, o.c.
[12] Para todos estos temas véase A. BALIL, *De Marco Aurelio a Constantino:* Hispania 27 (1967) 245-341; J. CARCOPINO, *La vie quotidienne à Rome* (París 1972); M. ROSTOVTZEFF, *Historia social y económica del imperio romano* (Madrid 1937); J. GAGÉ, *Les classes sociales dans l'empire romain* (París 1964); J. GAUDEMET, *Institutions de l'antiquité* (París 1967), y demás obras citadas en la bibliografía.

La sociedad romana era una sociedad esclavista y profundamente clasista. Además de la enorme masa de los esclavos, de los que nos ocuparemos después, la población considerada libre se escalonaba en diversos grados. El criterio fundamental para la asignación del grado a cada individuo o familia era el dinero y tenía decisivas consecuencias en todos los aspectos de la vida. En el grado inferior se hallaban los más, y constituían la plebe, los *humiliores;* eran aquellos ciudadanos que no poseían capital, que podían ser pequeños propietarios agrícolas, colonos que vivían muchas veces en condiciones precarias; o habitantes de la ciudad, con frecuencia sin medios propios de vida, pues el trabajo se hallaba sobre todo en manos de los esclavos. Estos ciudadanos libres, desheredados de la fortuna, vivían a expensas de la sociedad, dependientes de las distribuciones gratuitas de alimentos. Aunque jurídicamente eran libres, eran también objeto de discriminación jurídica: no podían ejercer cargos municipales y, en cambio, podían sufrir penas infamantes que no se podían infligir a los demás ciudadanos romanos, como el trabajo forzado en las minas o el ser arrojados a las fieras en el anfiteatro. En contraposición a los *humiliores* estaban los *honestiores,* que, a su vez, comprendían todavía tres grados; en el primero o inferior se hallaban aquellos cuya renta alcanzaba un mínimo de 5.000 sestercios. Estaba formado este grupo principalmente por hábiles comerciantes que habían ido enriqueciéndose y multiplicándose hasta llegar a formar la gran clase media burguesa; en las provincias sobre todo habían casi acaparado los puestos de la administración municipal y en muchos casos se habían convertido en los grandes mecenas de sus respectivos municipios. Seguía después, en la escala ascendente, el *ordo equestris,* los caballeros, cuya renta debía alcanzar un mínimo de 400.000 sestercios; también eran en su mayor parte comerciantes enriquecidos, grandes terratenientes a veces, detentores de puestos administrativos de importancia, que podían aspirar incluso al ascenso a la categoría suprema. Gozaban de distinciones oficiales según los puestos que alcanzaban, y recibían títulos de *egregii, perfectissimi* o *eminentissimi;* todos tenían derecho a vestir la túnica adornada de *clavi,* aunque más estrechos que los de la categoría superior.

En la cumbre de la escala se hallaba la nobleza, los senadores. En tiempos antiguos había sido esta clase privilegiada la verdadera clase directora de la república. Su importancia había disminuido en los siglos I y II al concentrar los poderes el emperador cada vez más; pero seguían siendo muy ricos y contaban con grandes posesiones y grandes cantidades de esclavos. Su censo tenía que alcanzar el millón de sestercios. Senadores eran los jefes de las grandes legiones, los legados imperiales, los procónsules, los sacerdotes principales: eran los *viri clarissimi,* y vestían túnica adornada por *laticlavi.* En las provincias, los senadores solían proceder de familias de origen romano y estaban obligados, desde Trajano, a invertir en Italia una buena parte de su fortuna.

Los esclavos constituyeron la base principal del trabajo, sobre todo en los dos primeros siglos, cuando todavía no se habían hecho sentir con toda su fuerza las consecuencias de la extinción de la principal fuente esclavista que eran las guerras de conquista, terminadas prácticamente con Trajano [13]. Efectivamente, las conquistas romanas proporcionaban muchos centenares de miles de esclavos; las otras fuentes, los nacimientos y las compras, no llegaron nunca a igualarla en importancia. Primitivamente, la consideración del esclavo era totalmente equiparable a la de una mera cosa o instrumento: no tenía ningún derecho; el amo podía hacer de él lo que quisiese; ante la ley, ni los malos tratos, ni la venta, ni la misma muerte entraba en la categoría de delito. El esclavo, no siendo sujeto de derechos, no podía tampoco contraer matrimonio, ni formar una familia, ni ejercer patria potestad alguna sobre sus hijos, que pertenecían al amo. Sin embargo, ni la condición de todos los esclavos era la misma, ni las primitivas condiciones generales se mantuvieron inmutables en el discurrir del tiempo. La diferencia de trato de unos y otros se basaba, entre otras circunstancias, en las grandes diferencias que podía haber de esclavo a esclavo; entre los capturados o adquiridos existía gente de las más variadas condiciones y cualidades; es fácil suponer que la situación de un esclavo empleado exclusivamente como pura mano de obra no era la misma que la del esclavo médico o la del literato o maestro. Según el talante de los amos, también podía variar mucho la vida de los esclavos; no faltan anécdotas que nos cuentan cómo algunos esclavos estaban bastante incorporados a la familia e incluso identificados sentimentalmente con ella. Pero esos casos podemos suponer que fuesen más bien excepción.

A lo largo del tiempo, los emperadores fueron emanando algunas disposiciones que limitaban, en cierto modo, la omnímoda potestad del amo sobre la vida de sus siervos. Los mismos dueños se vieron obligados a mejorar sus condiciones de vida. Cuando, acabadas las guerras, comenzaron a escasear, tuvieron que preocuparse de aumentar la natalidad, prodigando cuidados a las esclavas de mayor fecundidad; les tuvo que preocupar algo más la salud de sus siervos y el mantenerlos en forma para que les resultasen más útiles en su trabajo. Por supuesto, el trabajo de los esclavos no fue en general un modelo de rendimiento, como es fácil comprender. Para estimular un poco su interés y para no limitarse a aprovechar sus fuerzas meramente físicas, se procedió a concederles una pequeña participación en el dominio de algunos bienes; era el *peculio*, que no llevaba consigo el derecho de propiedad, que pertenecía íntegramente al amo, pero sí la administración, con alguna independencia de una parte del terreno o de los negocios, sobre todo en las tierras lejanas.

La emancipación de los esclavos hace crecer el número de los *libertos*. Constituyen otra clase social: libres en su nueva condición, toman el apellido de sus antiguos amos y siguen obligados a prestarles algunos

[13] Sobre la esclavitud véase, además de las obras citadas en la bibliografía de O. Robleda y J. Mangas Manjares: H. Bellen, *Studien zur Sklavenflucht im römischen Kaiserzeit* (Wiesbaden 1971); H. Güzlzow, *Christentum und Sklaverei in den ersten drei Jahrhunderten* (Bonn 1969).

servicios, algunos días de trabajo y el derecho de tutela. Solamente la tercera generación llega a alcanzar plenos derechos políticos. Pero son muchos los libertos que logran enriquecerse y algunos consiguen escalar importantes puestos e incluso emparentar con la nobleza.

Un sistema económico basado en el trabajo de los esclavos no se prestaba, desde luego, a un avance técnico y a un verdadero progreso en la producción. Sin embargo, en estos dos primeros siglos de nuestra era no se puede negar que en las provincias occidentales del imperio romano se verifica una auténtica expansión comercial. Las buenas vías de comunicación y la pacificación de las tierras y los mares del imperio propician una gran amplitud de mercados y una crecida facilidad de intercambios; este aumento de la demanda y la consiguiente competencia llevan a una visible mejora en la calidad de los productos y una mejor organización y distribución del trabajo para conseguirla. Un ejemplo de este esplendor nos lo ofrece la producción de la vajilla de cerámica fina de barniz rojo conocida como *terra sigillata:* comienza produciéndose en Arezzo y en otras ciudades de Italia, y pronto se exporta a todo el occidente europeo; se fabrica después en el sur de las Galias, donde a mediados del siglo I a.C. alcanza un alto nivel de calidad y de belleza; los productos cerámicos sudgálicos llegan a inundar materialmente nuestra Península, no existiendo yacimiento arqueológico romano de esa época que no conserve todavía abundantes fragmentos de esta *sigillata*. A mediados del mismo siglo I se produce en Hispania la misma cerámica de barniz rojo. No suele alcanzar la perfección de la del sur de Francia, pero se va imponiendo en la Península, desplazando a aquélla, y se exporta con abundancia al norte de Africa, a la Mauritania. Se progresa en otras producciones, como la de los vidrios, los objetos de lujo en metales preciosos, etc. El comercio de materias primas aumenta también, como es el caso de la gran expansión del aceite andaluz, que se exporta a Italia y a Roma en abundancia, al centro de Europa y a las islas Británicas. Otras exportaciones célebres de Hispania son el vino y los salazones de pescado. Todavía sigue teniendo importancia la minería. También hay progresos en la arquitectura y en la técnica hidráulica: acueductos, pantanos, puentes y otras grandes obras se multiplican en la Península, y aun en nuestros días se conservan magníficas muestras.

Pero esta prosperidad no dura mucho. A partir del siglo III, las conmociones del imperio y sus renovadas guerras precipitan la crisis ya anteriormente iniciada. Aumenta la estatificación, crecen los impuestos, se desata la inflación y la vida urbana va perdiendo cada vez más sus atractivos. Es la época de las grandes villas rurales, donde residen los grandes propietarios en lujosas viviendas, construidas junto a los almacenes y casas de labor. Como consecuencia, el poder efectivo se desplaza de la ciudad al campo. El empobrecimiento de las masas aumenta. Junto al esclavo, cada vez más escaso, trabaja en el campo el pequeño colono que, al aumentar la crisis y la presión fiscal, tiene que ponerse en manos del señor, que ejerce un dominio no oficial, pero más eficaz que el de los gobernantes urbanos. En la segunda mitad del siglo III hay que tener en cuenta que nuestra Península conoce, además, la catástrofe de las invasiones franco-alamanas, pasajeras, pero que llevan consigo la destrucción y el saqueo de numerosas ciudades precisamente de las regiones más ricas, como eran las de Levante y Andalucía; perturbaciones estas que se sumaban a la invasión de la Bética por los mauritanos, los desórdenes en la Lusitana, las diversas correrías y bandidajes y las epidemias [14].

Durante el Bajo Imperio, las condiciones de vida en la Península presentan un aspecto bastante diferente del de los siglos I y II; por una parte, se pasa de una sociedad urbana a otra principalmente rural, de grandes latifundios, de economía agraria; por otra, si en los primeros siglos las regiones ricas eran Andalucía y Levante, ahora el centro se desplaza al área limitada por los ríos Duero y Tajo [15].

Desde los tiempos de Augusto hasta final de siglo II de nuestra era, la población del imperio fue creciendo gracias sobre todo a la paz y a las buenas condiciones en que se desarrolló la vida. Si al principio del siglo I la población total del imperio puede calcularse alrededor de los 60 millones (36 millones en Oriente y 25 millones en Occidente, de los que corresponderían unos 6 millones a España), en tiempos de Marco Aurelio parece que podrían contarse alrededor de los 80 millones, igualmente repartidos en Oriente y Occidente, habiendo ascendido los españoles a unos 9 millones. A partir del siglo III comienza la decadencia: la población en los siglos III-IV parece que llega a reducirse a unos 50 millones para todo el imperio. Para Hispania habría que contar probablemente con menos de 7 millones. Aunque estas cifras solamente pueden aceptarse como meramente indicativas, conviene tenerlas en cuenta para encuadrar cuantitativamente las proporciones de todo el acontecer histórico en la época que nos ocupa.

La familia

En los tiempos del imperio, la condición de la mujer y de los hijos en la familia romana fue mejorando poco a poco. La antigua *patria potestas,* que había sido absoluta —derecho de vida y de muerte—, y que se extendía a los hijos y a la esposa, se fue mitigando a veces notablemente, aunque la autoridad del marido y, sobre todo, del padre permaneció largo tiempo fuertemente acentuada.

Al matrimonio romano precedían los desposorios, con carácter consensual y acompañado de diversas ceremonias, entre ellas la entrega del

---

[14] Cf. A. Balil, *De Marco Aurelio a Constantino:* Hispania 27 (1967) 245-341; Id., *Hispania en los años 260 a 300 d.C.:* Emerita 27,2 (1959) 269-95; R. Remond, *La crisis del imperio romano de Marco Aurelio a Anastasio* (Barcelona 1967).

[15] P. de Palol ha insistido en esta idea en varios de sus trabajos. Son frecuentes los hallazgos de villas del Bajo Imperio en esas regiones cuyos pavimentos están adornados con ricos mosaicos, mientras que en las zonas del Sur y Levante no abundan éstos o son de muy inferior calidad.

anillo. En la época que nos atañe, el matrimonio se celebra con ceremonias que en gran parte han permanecido en los matrimonios cristianos de Occidente. Esencialmente, el matrimonio romano consiste también en un contrato, siendo el mutuo consentimiento el elemento fundamental. Para ser reconocido como legítimo, el matrimonio debía atenerse a las condiciones fijadas por el derecho. El derecho romano prohibía el matrimonio entre todos los parientes en línea directa y el de los primos hermanos o tíos y sobrinas en la colateral. Igualmente estaba prohibida la unión matrimonial con los parientes del cónyuge en línea directa. También se prohibía contraer matrimonio a la mujer adúltera.

Es difícil trazar un cuadro que represente con fidelidad lo que era la vida familiar en el mundo romano. Se pueden recoger testimonios de esposas modelos y de hogares unidos y alegres. Pero estos testimonios nos ilustran sobre algunos casos especiales que se refieren solamente a una parte mínima y selecta de la sociedad. La *patria potestas* seguía pesando excesivamente sobre los hijos, aunque los restos más crueles de la antigua legislación se mantenían, sobre todo, con respecto a los recién nacidos. Hasta el año 374 d.C. se permitía todavía a los padres abandonar al recién nacido para que muriese de hambre y frío si alguien no lo recogía.

La estabilidad familiar no era grande, debido a la facilidad con que podía disolverse el vínculo matrimonial por la sola voluntad de uno de los cónyuges.

Por preocupaciones demográficas, Augusto dictó leyes contra los célibes y los matrimonios sin hijos. No perduró mucho tiempo en vigor esta legislación, y parece además que la familia romana del imperio solía contar más bien con muy escasa prole.

Ya indicamos al hablar de los esclavos que éstos, al no ser sujetos de derecho, no tenían acceso al matrimonio. Sus uniones eran puras uniones de hecho, «contubernios», sin ningún efecto legal. La situación de los esclavos casados —la propiedad mejor dicho— dependía de sus amos, y, en caso de diversidad de éstos, de su mutuo acuerdo.

Una originalidad del derecho romano consistía en la institución del *concubinato*. Es un concepto con resonancia peyorativa para nosotros desde el punto de vista moral, que no la tenía siempre para los romanos. Se trataba de una unión legítima, fundada, como el matrimonio, en el consentimiento mutuo, aunque fuese una unión que por diversas causas no llegase al rango máximo de matrimonio. También los cristianos podían unirse en concubinato, con tal que ambos contrayentes estuviesen libres de matrimonio y lo considerasen de hecho como tal. El concubinato debió de ser una forma frecuente de unión conyugal en las clases pobres [16].

[16] Cf. J. GUILLÉN, *Urbs Roma* I (Salamanca 1977) p.111-202; J. CARCOPINO, *La vie quotidienne à Rome à l'apogée de l'empire* (París 1972) p.97-124; J. GAUDEMET, *L'Église dans l'empire romain* (París 1958) p.538-39.

LA RELIGIÓN

Como muy bien resume H.-I. Marrou [17], en la antigüedad clásica se distinguen, en líneas generales, tres grandes períodos en lo que se refiere a la religiosidad.

El primer período se extiende hasta las Guerras Púnicas y se caracteriza por una religiosidad profunda. La idea de la divinidad está presente en todas partes, en diversas formas y manifestaciones. El culto común es un elemento esencial en la familia y en la sociedad.

Sucede después un segundo período helenístico, en el que se debilita la importancia de la ciudad y aumenta el interés por los problemas del hombre, de la persona humana. Dura este período desde el siglo II a.C. hasta el siglo III d.C. Durante él tiene lugar una auténtica desacralización de la vida, imponiéndose como suprema aspiración la felicidad en este mundo; felicidad que se interpreta y se apetece en diversos grados y calidades según el refinamiento conseguido por cada individuo, siendo la cultura la máxima aspiración de las clases más refinadas. En este período aparece en Roma el culto al emperador. Ya a Julio César había decretado el Senado honores superiores a los concedidos a simples hombres. Se dio su nombre a un mes del año, se determinó que su imagen acompañase a la de los dioses en las procesiones. Pero el verdadero culto al emperador comienza cuando algunas provincias que habían seguido a Antonio quieren mostrarse obsequiosas con el vencedor Augusto y le piden permiso para consagrarle templos. Augusto lo permite fuera de Roma, con tal que en los actos de culto no participen los ciudadanos romanos y que a su culto se asocie el de Roma. Se trataba de un acto político más con vistas a la unidad del imperio, porque lo que realmente se pretendía que se venerase era la misma dignidad imperial.

En Hispania, el nuevo culto romano al emperador encontraba campo bien abonado por la *devotio iberica*. Los pueblos autóctonos eran pueblos guerreros en los que la fidelidad personal al jefe vencedor presente revestía las características de un culto fanático desde antiguo [18]. La presencia del emperador Augusto en Tarragona en los tiempos de los comienzos del culto al emperador debió de contribuir notablemente a su propagación y enraizamiento. A su muerte, los de Tarragona piden permiso para dedicarle un templo. Tiberio consiente, y sanciona así oficialmente el culto. Una preocupación seria del fundador del imperio y de los que le siguieron fue la de solucionar en algún modo el problema de la continuidad. El culto al emperador venía a consolidar la sucesión dinástica. En Hispania, el culto, a su vez, se vio favorecido en el siglo II por una dinastía que procedía, en parte, de Itálica. En el siglo III, en

---

[17] H.-I. MARROU, *Décadence romaine ou antiquité tardive?* (París 1977) p.43-53. Sobre la religión romana véase asimismo J. BEAUJEU, *La religion romaine à l'apogée de l'empire* (París 1955); J. TOUTAIN, *Les cultes païens dans l'empire romaine* (Roma ²1967).

[18] Cf. R. ETIENNE, *Le culte impérial dans la péninsule Ibérique d'Auguste à Dioclétien* (París 1958).

cambio, disminuyen los testimonios de este culto en nuestras provincias. El culto a los emperadores se ha convertido en una serie de ceremonias oficiales impuestas desde Roma, sin el apoyo emocional primitivo de la *devotio* y la *fides* de los hispanos; los *flamines* se convertirán de hecho en detentores de un cargo honorífico que incluso a principios del siglo IV veremos que algunos pretenden compaginar con su condición de cristianos.

En el Bajo Imperio, una nueva religiosidad se impone, con una nueva idea de un Dios personal que se interesa por el hombre, por cada persona. A este nuevo concepto de Dios corresponde una nueva aspiración a una felicidad que está más allá de este mundo visible, y es la salvación definitiva la que constituye la suprema aspiración de los fieles prosélitos de las diversas religiones orientales, entre ellas el cristianismo.

En la época que ahora nos interesa se da en el imperio romano una verdadera invasión de *cultos orientales*. Con razón insiste Cumont [19] en que esta gran invasión de religiones orientales ha de encontrar explicación en causas que no sean meramente extrínsecas. Circunstancias que favorecieron esa enorme propagación fueron el frecuente contacto con Egipto, de cuyo trigo se abastecía principalmente Roma; el continuo ir y venir de soldados por las regiones orientales; la afluencia a Roma de siervos y trabajadores orientales, etc. Sobre todo en los tiempos de crisis, que llevan a lo que conocemos como final de la época clásica; tiempos de inseguridad, de insatisfacción, de ansias de salvación, los cultos orientales tenían mucho que ofrecer, abrían un horizonte lleno de promesas para después de la muerte. Para conseguirlas y sentirse ya desde aquí unidos a la divinidad salvadora, se les ofrecía, en primer lugar, un nuevo concepto de la divinidad: los dioses orientales eran más humanos y sensibles que los romanos, más amables, más asequibles. Las ceremonias del culto, mucho más aptas para excitar la devoción personal: cantos, procesiones, ceremonias misteriosas de iniciación, música, exaltación mística, entusiasmo. Todas las religiones orientales pretendían ofrecer a cada uno de sus adeptos el medio necesario para su salvación.

Ni la religión oficial romana ni las orientales importadas —excepto el judaísmo y el cristianismo— eran exclusivistas. Todas podían convivir con las demás y ninguna de ellas exigía a sus fieles que dejasen de rendir culto a otros dioses. Esta peculiaridad explica el que, aun en tiempos de restauración romana, se pudiese permitir la introducción de dioses extranjeros. Es más, por causas diversas, a veces alguno de esos nuevos cultos llegó a gozar de la protección oficial de Roma.

Cibeles y Atis

Hasta que no llegaron a producirse las diversas circunstancias favorables del tiempo de la decadencia, el culto frigio de Cibeles y Atis no

---

[19] E. CUMONT, *Les religions orientales dans le paganisme romain* (París 1929).

llegó a penetrar en la masa del pueblo romano. A pesar de haber sido introducido en Roma desde muy antiguo, el culto de Cibeles quedó relegado por mucho tiempo a su templo del Palatino. Y, a pesar de haber sido la única religión oriental que fue traída a Roma oficialmente —se consideraba a Cibeles como no extranjera por ser la diosa de los troyanos, antepasados de los romanos—, por mucho tiempo también fue prohibido a los ciudadanos romanos formar parte de su sacerdocio y aun participar en sus orgías sagradas.

El culto de Cibeles, partiendo de unos orígenes muy primitivos y rudos que en algún caso se remontan a la Edad de Piedra, pasa por un lento proceso de purificación, aunque sin perder nunca del todo su característica exaltación y sus salvajes manifestaciones. En sus concepciones y aun en sus ceremonias se puede siempre reconocer algunos trazos de aquella religión primitiva naturalista que daba culto a los árboles, a las piedras y a los animales. Cibeles es la Gran Madre, la diosa de la fecundidad, que recuerda el culto a la tierra, productora de los bienes que sustentan al hombre. A su lado, Atis, muerto prematuramente y resucitado después, nos hace pensar en el culto temeroso de los primitivos a las fuerzas de la naturaleza, a la divinidad de los altos bosques, cuya voz y cuyas manifestaciones creen adivinar en los ruidos del viento poderoso de las cumbres o en el rumor de las cascadas. La muerte del dios se conmemoraba todos los años con tristes cortejos y cantos; los sacerdotes frigios danzaban hasta el paroxismo, y en medio del entusiasmo místico se herían ferozmente a sí mismos, bebían su propia sangre y rociaban con ella a los presentes. Los neófitos realizaban entonces la autocastración. Después seguía la conmemoración de la resurrección del dios con cantos y danzas de alegría. Este histerismo y exaltación brutal que acompañaba a sus fiestas no estaban de acuerdo con el carácter práctico y equilibrado de los romanos. Sin embargo, llegó un momento, y precisamente en tiempos del emperador Claudio (41-54), en que, a pesar de todas esas repugnancias, el culto de Cibeles obtuvo pleno favor oficial: fueron abolidas todas las restricciones que sobre él pesaban y aun sus fiestas principales encontraron un puesto en el calendario oficial. Gracias a este favor sobre todo consiguió afianzarse y extenderse por todo el imperio como ninguna otra religión, hasta lograr un verdadero apogeo. Varios cultos extranjeros se acogieron a su protección para poder subsistir y prosperar, y los nuevos dioses se agregan humildemente en sus procesiones como divinidades secundarias, que comparten con la Gran Madre sus leyendas y sus ceremonias, hasta el punto de fundirlas en algunos casos.

Las procesiones de Cibeles llamaron siempre la atención; era exótica y significativa la música oriental que las acompañaba; interesaba el rico atuendo de los sacerdotes y el entusiasmo de sus fieles. La religión frigia ofrecía además una esperanza de resurrección que atraía fuertemente. También Atis había muerto como el hombre y después había recobrado la vida. La unión con Atis por medio de sus ritos suponía la vida eterna. Cuando la religión persa de Mitra comienza su expansión, ejerce su influencia en la de Cibeles e introduce en ella la práctica del taurobolio como rito de purificación y de iniciación. Un nuevo motivo para satisfacer los deseos de limpieza moral y de salvación.

Doctrina moral propiamente dicha no hay que buscarla entre los adoradores de Atis y Cibeles. Es una religión que no aporta grandes novedades en la ideología; es una ascesis ruidosa y simple al mismo tiempo, pero sin bases dogmáticas ni concepciones profundas que expliquen el porqué de ella. La aceptación de su culto podemos decir que contribuyó a aumentar en los pueblos del imperio el sentido religioso y la preocupación por un acercamiento personal a la divinidad.

A juzgar, sobre todo, por los testimonios epigráficos llegados en la actualidad hasta nosotros, el culto a Cibeles es con el de Isis, del que trataremos en seguida, el más extendido de los cultos orientales en nuestra Península. A. García y Bellido afirma [20] que, si se tienen en cuenta juntamente los testimonios de culto a Atis, ocupa sin duda el primer lugar, aunque de hecho Cibeles y Atis no figuran juntos en Hispania —con una sola excepción— y sus respectivas inscripciones se encuentran en regiones diversas: Cibeles aparece sobre todo en Lusitania y en la región NO. de la Tarraconense, que son todas regiones de las menos romanizadas; en cambio, las representaciones e inscripciones de Atis se encuentran sobre todo en Andalucía y la Tarraconense. Los testimonios recogidos por García y Bellido abarcan desde finales del siglo I hasta casi mediados del III.

Isis y Osiris (Serapis)

El emperador Calígula (37-41) fue quien protegió oficialmente a esta religión procedente de Egipto. Como culto egipcio que era, contaba con un contenido más profundo que la religión frigia, sobre todo por lo que toca al ultratumba, preocupación antiquísima de los pueblos del Nilo. Isis y Osiris llegan a Roma cuando su culto ha sufrido ya un cierto proceso de occidentalización por obra de Ptolomeo, quien helenizó en gran parte una religión de antigua tradición egipcia. Las obscenidades que acompañaban en un principio este culto fueron disminuyendo con el tiempo, a medida que las prescripciones morales, que en un principio eran meramente rituales, se fueron entendiendo en un sentido cada vez más interior y elevado. El principio de una retribución después de la muerte y la promesa clara de una vida eternamente feliz constituyeron una base seria para una conducta verdaderamente religiosa, alimentada además por una serie de actos de oración y silenciosa adoración cotidiana, de las que no había ni sombras en la religión oficial romana. No quiere decir esto que los seguidores del culto egipcio fuesen ejemplo de moralidad; no obstante esas innegables elevaciones, nunca llegaron a prescindir por completo de misteriosas y equívocas actividades que en

---

[20] A. GARCÍA Y BELLIDO, *Les religions orientales dans l'Espagne romaine* (Leiden 1967).

algún caso llegaron a constituir público escándalo. Si en la moral hubo contradicciones, mayor fue la contradicción y la mezcla extraña en lo dogmático. Antiquísimas creencias egipcias de diversa procedencia se unían con innumerables doctrinas religiosas y filosóficas que se habían ido añadiendo con el correr de los tiempos. Este mismo sincretismo le favoreció en una época tan sincretística como fue la de los siglos II y III.

La misma leyenda de Isis y Osiris era ya, desde antiguo, una fusión de dos leyendas independientes. Osiris era el dios de los muertos. Había sido asesinado por su hermano Set, y, cortado en trozos, su cadáver fue arrojado al Nilo. Después Osiris tuvo carácter también cósmico, siendo identificado con la luna. Isis, en cambio, personificaba en un principio al cielo. Al ser introducida en la leyenda de Osiris, ocupó el puesto de esposa que recoge amorosamente los trozos dispersos del cadáver de su marido y, convertida en pájaro, le devuelve con su aleteo la vida.

Las ceremonias con que se conmemoraban estos hechos recuerdan las de los adoradores de Cibeles y Atis, aunque sin el brutal fanatismo de éstos.

También los templos de Isis y Osiris se multiplican rápidamente en el imperio romano a partir del momento en que Calígula les consagra uno grandioso en el Campo de Marte, en Roma.

Ya dijimos que el culto de Isis comparte, con el de Cibeles, el primer puesto en extensión peninsular de todos los cultos orientales. Al igual que sucedía con el culto a Atis, el de Isis está testimoniado sobre todo en las regiones más romanizadas, y especialmente en la Bética. El culto de Isis tenía especial relación con el gremio de los alfareros; eso explica que figuras ligadas a este culto, como son también la de Anubis, sean frecuentes en lucernas romanas y en vasos de cerámica *sigillata*. Según García y Bellido, el culto de Isis debía de estar extendido en España, sobre todo, entre las clases más acomodadas.

Mitra

Conocido en Roma desde los tiempos de Pompeyo, el culto de Mitra echó hondas raíces en el Occidente y fue un serio competidor del cristianismo en el siglo III. Sin embargo, las provincias de Hispania constituyen en esto una excepción; al menos la proporción de testimonios conservados (representaciones e inscripciones) es notablemente menor que en otras regiones del imperio. Quizá este hecho, como indica García y Bellido, se deba a que el culto a Mitra se transmitió principalmente por los soldados, y las provincias hispanas en esta época no tenían grandes guarniciones ni mucho movimiento de tropas que lo favoreciese.

Es difícil reconstruir la leyenda de Mitra, de la que quedan pocos documentos escritos. Es necesario recurrir a la arqueología y epigrafía, y así sabemos que Mitra nace de una roca, lucha, domina y sacrifica un toro, hace brotar agua de la piedra con un flechazo, se une en pacto con el sol, en cuyo carro monta para dirigirse al dios supremo. La escena del sacrificio del toro es la central, a juzgar por la frecuencia con que se presenta y el lugar preeminente que ocupa sobre todo en las aras o altares. El sentido de la escena parece ser el siguiente: Mitra fecunda la tierra con la sangre del toro, dando vida a plantas y animales. Mitra es, por tanto, la luz que brota de la mañana tras las montañas (nacimiento de una roca), guía al sol dando claridad y calor al mundo: es el dador de la vida. La religión de Mitra provenía del Asia Menor. De aquellas regiones precisamente que fueron colonizadas por el otro gran imperio contrincante del imperio romano: Persia. También llevaba consigo una fuerte dosis de concepciones babilónicas cósmicas y astrales. Pero la verdadera novedad que traía a Occidente la religión de Mitra era el dualismo, que constituía la base de su teología dogmática y de su doctrina moral. La existencia de un principio bueno y otro malo y la divinización de ambos (Ormuz y Arimán) suponía una explicación teórica que interesaba a las generaciones agitadas de la decadencia romana. Y tal doctrina tenía una repercusión en la conducta moral; los hombres tienen que entrar en la lucha entre los dos principios: el fiel seguidor de Mitra debe luchar en su compañía contra el principio malo para cooperar en el triunfo definitivo de Ormuz.

Es fácil explicarse que una religión concebida en términos tan guerreros complaciese en modo especial a los militares. El dualismo así concebido llevaba consigo una moral exigente, de la que conocemos solamente algunas de las características. La que más resalta es la fidelidad a la palabra empeñada. Mitra es el dios de la verdad. La mentira es obra de Arimán, el dios malo. El juramento por Mitra era garantía firme de cumplimiento y honradez. Mitra es también modelo de castidad. Las diversas purificaciones prescritas parece que tenían un sentido elevado que superaba la mera santidad ritual. La fraternidad era también predicada y simbólicamente representada en los banquetes rituales.

El culto de Mitra en Occidente llegó a ser un serio competidor del cristianismo en el siglo III. Si no hubiese sido por éste, probablemente hubiera llegado a eclipsar a las demás religiones y aun a desplazarlas. Sobre todo desde que Aureliano (270-75) convirtió en religión oficial del imperio el culto del Sol, ya para entonces identificado con el culto a Mitra.

La gran variedad de cultos aportada por los romanos a la Península incidía sobre una variedad todavía mayor de cultos autóctonos, que perduraron durante mucho tiempo, sobre todo en las regiones del Duero y del NO. [21], o entraron también en el gran sincretismo propio de los siglos II y III, como fue el caso principalmente de los antiguos

---

[21] Cf. J. M. BLÁZQUEZ, *Religiones primitivas de Hispania* (Roma 1962); ID., *Las religiones indígenas del área noroeste de la península Ibérica en relación con Roma:* Legio VII Gemina (León 1970) p.63-76; ID., *Imagen y mito* (Madrid 1977); R. ETIENNE, *Les syncrétismes religieux dans la péninsule Ibérique à l'époque impérial,* en *Le syncrétisme dans les religions grecque et romaine* (París 1973) p.153-63.

cultos de origen púnico y fenicio, los cuales encontraban en las religiones orientales importadas por los romanos hondas semejanzas de origen que facilitaban su asimilación [22]. Recordemos al menos los nombres de algunas divinidades que tuvieron culto en nuestra Península, y cuyo culto, más o menos asimilado a las divinidades romanas, perduró algún tiempo ya dentro de nuestra era: el dios fenicio Melkart, el Hércules gaditano, originalmente dios de la vegetación, cuya pasión, muerte y resurrección suponía una concepción salvífica y cuyo culto perduró en la Península hasta la caída del imperio romano; la diosa Tanit y su última versión cartaginesa la Dea Caelestis, convertida, a veces, en la Juno romana; Astarté, la diosa madre, asimilada a Minerva en Cádiz, a Kypris y a Salambo, de cuyo culto en Hispania es un testimonio excepcional la *Passio* de las mártires sevillanas Justa y Rufina; Mâ-Bellona, de cuyo culto existen testimonios epigráficos encontrados en una pequeñísima zona alrededor de Trujillo, etc.

Muchos de los cultos enumerados encontraron sus fieles sobre todo entre la clase media y alta. Pero hay, en cambio, otros aspectos de la vida religiosa de los pueblos antiguos cuya transcendencia numérica y temporal es mucho mayor: la astrología y sobre todo las ideas e imaginaciones sobre la vida de ultratumba fueron cuestiones que afectaron a la gran masa de la población; y tuvieron un arraigo tan profundo, que han sobrevivido a veces hasta nuestros días [23].

El más allá

En el mundo romano coexistían, de manera anárquica y confusa, tres antiguas tradiciones diversas y contradictorias sobre la vida de ultratumba, más las aportaciones que supusieron en un segundo momento las ideas propias de los cultos orientales, que acentuaban el concepto de retribución en la otra vida.

La más antigua de las tradiciones era aquella según la cual el difunto continuaba viviendo en el sepulcro o relacionado, al menos, estrechamente con él. Esta tradición explica el interés por convertir el sepulcro en una habitación confortable, el depositar junto al cadáver objetos útiles o queridos, las ofrendas y libaciones de alimentos, la colocación de los sepulcros junto a las vías de comunicación con el fin de que el ir y venir de viajeros los entretuviese, el acudir en días determinados a sentarse junto a la tumba para celebrar el banquete fúnebre o para hacerle compañía e invocar su nombre. Algunos de estos ritos debían realizarse en días muy determinados, cuya fijación estaba ligada a tradiciones antiguas que aseguraban que el espíritu se separaba del cadáver progresivamente según que avanzaba la corrupción de éste; los días claves eran el tercero, el noveno y el cuadragésimo (descomposición del rostro, del cuerpo entero menos el corazón, y de este último respecti-

[22] Cf. R. ETIENNE, o.c; A. GARCÍA Y BELLIDO, *Les religions orientales.*
[23] Cf. F. CUMONT, *Lux perpetua* (París 1949).

vamente). Quedar insepultos era como quedar sin residencia fija: los espíritus o manes se veían obligados a vagar tristemente sin fin. No recibir sepultura en su propia patria significaba quedar privado de las oblaciones de sus familiares y amigos. Los jardines y las flores, coronas o guirnaldas, además del simbolismo, tenían como misión agradar a los manes ligados a los sepulcros; lo mismo se diga de los aromas y perfumes junto a las tumbas. Las tinieblas eran propicias para el vagar libre de los malos espíritus. La aurora, en cambio, los ahuyentaba, y también la luz artificial. De ahí las velas y las lámparas de aceite junto al cadáver y las tumbas, con el fin de apartar de ellos esos malos espíritus que podrían turbarlos. De ahí también el mismo carácter apotropaico del gallo —que todavía se ve en alguna veleta sobre nuestros campanarios—, que con su canto anuncia la llegada de la aurora, que espanta a los espíritus.

F. Cumont aclara que todos estos cuidados prodigados a los difuntos tan minuciosamente, más que por verdadera piedad hacia ellos, se realizaban por temor a las terribles consecuencias que podrían acarrear la ira y el despecho de los antepasados, ofendidos por el descuido, el desinterés o el olvido de sus familiares.

Otra tradición coexistente y mezclada inexplicablemente con ésta era la que imaginaba a los difuntos habitando en los infiernos, como masas impersonales que llevaban una vida casi inconsciente en las cavernas tenebrosas del interior de la Tierra. Para poder acceder al hades, los difuntos debían ser recibidos por sus antepasados. En un principio no se hacía distinción entre buenos y malos; en época posterior aparece la idea de la retribución, y en los infiernos se hallan jueces incorruptibles que separan los buenos de los malos.

La tercera tradición concebía una inmortalidad celestial, una vida de ultratumba situada en los cielos. Diversos medios permitían a los espíritus salvar la gran distancia entre la tierra y la demora de los dioses celestiales: escala, barca, caballo, carro, ave, vientos. Pero el camino estaba lleno de peligros y asechanzas, provenientes de los innumerables espíritus que poblaban los aires. Afortunadamente existían también buenos espíritus, que ayudaban a los difuntos en su ascensión. Hermes y Helios o Mitra fueron los más significados *psychopómpoi* o conductores buenos de las almas en su viaje astral.

Hay que tener en cuenta que hasta Copérnico y Galileo, la cosmología vigente fue básicamente la de Platón-Aristóteles: todo el universo estaba constituido por una serie de esferas concéntricas; en el centro estaba nuestra Tierra; desde la Tierra hasta la esfera de la Luna estaba el aire o la atmósfera, y era todo ello el pobre mundo sublunar, imperfecto, caprichoso, sometido a la ley de la muerte; a partir de la esfera de la Luna se sucedían las esferas del Sol y de los cinco planetas, las esferas inmutables y esplendorosas; y todavía más allá, la octava esfera, lo más exquisito del mundo material, la esfera del éter. El alma liberada del cuerpo debía emprender la ascensión por todas esas esferas y atravesar los espacios, plagados de «demonios» y espíritus.

En los momentos en que el cristianismo se propaga por el imperio romano, todas estas tradiciones sobre el más allá de las almas se vivían mezcladas entre sí. Los escritores clásicos habían combatido bastantes de sus diversos y contradictorios aspectos. Lo mismo hicieron después los predicadores y los escritores cristianos. Pero todas ellas, mezcladas, seguían impresionando profundamente la imaginación de las masas populares y dejaron su profunda huella hasta nuestros días.

LA ASTROLOGÍA

La decadencia de la religión romana llevaba consigo también igual decadencia de una de las prácticas propias de ella: los auspicios para conocer el futuro. El escepticismo imperaba en este campo entre las clases cultivadas [24], hasta el punto que sabemos de augures que, si se miraban durante la ceremonia, no podían contener la risa. Para el pueblo, en cambio, siempre inclinado a un cierto fatalismo, no era tan absurdo intentar conocer lo que iba a suceder.

La penetración de las ideas religiosas orientales en el imperio romano contribuiría decididamente a un asombroso florecimiento de una ciencia del futuro revestida de auténticas características de verdadera ciencia: la astrología. En los tiempos antiguos no se habían deslindado todavía con claridad los campos propios de la astronomía, por un lado, y la astrología, por otro. Existía una avanzada ciencia que tenía como fin la observación y el estudio de los astros; se había observado la influencia de éstos en la Tierra: el sol, que hace nacer y crecer las plantas; la influencia de la Luna en las mareas, etc. Además se habían llegado a descubrir algunas leyes fijas que regían sus variaciones y movimientos y permitían predecirlos. No era difícil deducir que se pudiesen conocer las leyes fijas que permitiesen conocer con antelación los influjos de esos astros en la Tierra y en los hombres. En todo caso, la astrología llegó a invadir toda la vida y la actividad humanas. La consulta del astrólogo era frecuente para las grandes acciones del Estado (guerras, fundación de ciudades, etc.), y para la pequeña actividad cotidiana de los individuos (casamientos, convites, viajes, etc.). Por eso, la astrología ha dejado tan honda huella incluso en nuestro lenguaje: días de la semana (lunes, martes, miércoles...); «desastre», «influencia», «marcial», «jovial», etc., son algunos de los muchos términos relacionados con dicha ciencia.

LA FILOSOFÍA

Los ciudadanos cultos del imperio que habían de recibir y elaborar su cristianismo habían estructurado sus esquemas mentales a base prin-

---

[24] Para este apartado cf. L. HOMO, *De la Rome païenne à la Rome chrétienne* (París 1950); F. CUMONT, *Les religions orientales dans le paganisme romain* (París 1929); J. GAGÉ, *«Basileia». Les césars, les rois d'Orient et les «mages»* (París 1968).

cipalmente de tres escuelas filosóficas: el estoicismo, el epicureísmo y el neopitagorismo-neoplatonismo [25].

Estoicismo

El estoicismo comienza con Zenón de Citio en Atenas hacia el año 312 antes de nuestra era. Crisipo fue su sistematizador. La Stoa posterior es el período de máximo florecimiento, y sus principales figuras son Epicteto, Séneca y el emperador Marco Aurelio.

Los estoicos profesan un materialismo radical; no existe realidad que no sea cuerpo. Toda realidad se reduce, en último término, al fuego, que es la única substancia. En la escala de los seres hay ciertamente diferencias, pero son diferencias solamente de grado. Tenemos alma, pero también el alma es fuego y aire; como lo es igualmente el alma de un mundo eterno e infinito, movido indefectiblemente por una fuerza intrínseca al mundo, que es su ley, su razón y su destino (= dios). Los estoicos hablan de Dios, y se expresan a veces en términos de sentida religiosidad; pero hay que comprender que ese Dios es la misma ley del universo, material como él, difuso y compenetrado en un verdadero panteísmo.

Los estoicos participan del concepto típicamente griego de la historia: un concepto espacial con una sucesión periódica de los mismos ciclos, que se repiten indefinida y fatalmente. Los estoicos hablan de libertad, pero su fatalismo absoluto la contradice de hecho y la hace imposible.

El sabio tiene y sigue una única norma de conducta: conformarse, identificarse con la ley inexorable del destino; conformar su razón con la razón universal que en todo caso se impone. La ética estoica, tantas veces asumida por los autores cristianos, es radicalmente opuesta a la humilde postura que enseña el Evangelio. El estoicismo pone su énfasis en el poder absoluto de la voluntad. El hombre puede y debe por sí mismo hacerse totalmente indiferente a todos los bienes y los males; puede y debe aguantar y renunciar, acatar el deber por el deber, acomodarse plenamente al destino y aceptarlo de grado, subyugar sus afectos, mantenerse impasible; debe entregarse a su actividad social y cosmopolita, no individual y aislada. Esta es la virtud para el estoico, y en la virtud consiste, para él, la verdadera felicidad.

Hay un aspecto muy positivo del estoicismo que tuvo benéfica influencia ya en la sociedad del imperio romano: su concepto de hermandad universal de los hombres. Era la consecuencia de su difuso panteísmo. La ley o destino que rige al mundo es la razón universal, de la que todos los seres racionales participan; por tanto, todos los seres racionales son fundamentalmente iguales y todos participan de los mismos derechos. Esta doctrina estaba en patente contradicción con la práctica y la legislación de una sociedad esclavista como era la romana.

[25] Cf. J. HIRSCHBERGER, *Historia de la filosofía* I (Barcelona 1959).

Por eso, el pensamiento estoico contribuyó a mitigar las injusticias y a mejorar las condiciones jurídicas y reales de los esclavos.

Epicureísmo

Fundado en Atenas en el 306 a.C. por Epicuro de Samos, el epicureísmo es una enseñanza de carácter dogmático. Los discípulos aprendían de memoria las verdades descubiertas por el maestro. El epicureísmo representa una tendencia y una actitud ante la vida diametralmente opuesta a la de los estoicos. Son, como ellos, materialistas, aunque su física se aparta del monismo estoico y concibe la realidad toda compuesta de átomos que se mueven en un espacio ilimitado. El mundo es eterno, y en él no hay más que cuerpos o átomos que se agrupan de manera diversa. Todo cambio en el mundo no es más que una diferente combinación de estos átomos, y la ley que rige las diversas combinaciones es el propio peso o impulso de los átomos.

No existe el destino implacable, que tan decididamente defienden los estoicos. Toda la creación se pone en marcha por una colisión casual de átomos. El hombre es libre, no existe una ley inflexible a la que tenga que someterse sin remedio. También es libre el hombre con respecto a unos dioses que existen y viven felices para sí mismos, sin preocuparse de la humanidad; los dioses son perfectamente superfluos en la filosofía epicúrea, basada en su materialismo atomista.

El hombre, por tanto, no tiene que acatar una ley fatalista para ser feliz. Es el placer lo que mueve al hombre en todas sus acciones; tiende a lo bueno y huye de lo malo; es decir: por su propia naturaleza, el hombre va tras lo que le agrada y rehúsa lo que le molesta. La verdadera sabiduría consiste en considerar lo agradable en toda su profundidad, sin dejarse engañar por inclinaciones momentáneas o sólo aparentes, sabiendo sopesar el placer auténtico, teniendo en cuenta no el momento pasajero, sino la vida entera. El verdadero placer, el bien, consiste en la ausencia de dolor en el cuerpo y de turbación en el alma. La suprema virtud de la prudencia enseñará a moderar los deseos y a saber administrarlos.

La actitud epicúrea es mucho más humana y humilde que la estoica. Puede entenderse mal —y algunos de sus seguidores así lo entendieron—, como un hedonismo puramente sensual que convierte el vientre en dios. En realidad es una visión práctica de la vida fundamentalmente optimista, más íntima, más realista que la del estoicismo; se desentiende de los problemas graves, capaces de enturbiar el goce de vivir, y busca en la interioridad y en la moderación la satisfacción de los deseos de felicidad propia y de los allegados y amigos.

El neoplatonismo

A un movimiento neopitagórico, e influido por él y por otras corrientes contemporáneas, sucede una escuela filosófica de base platónica, que es, al mismo tiempo, un movimiento religioso-místico que responde no sólo a una inquietud de curiosidad intelectual, sino a una verdadera ansia de salvación, de la que participa también una extensa zona de la población, sobre todo en el siglo III d.C., que es cuando desarrolla su actividad el gran epígono del neoplatonismo, Plotino. Hay en el neoplatonismo una clara tendencia al monismo panteísta; pero, habiendo heredado del neopitagorismo el concepto de una radical distancia y separación entre los dos mundos del espíritu y de la materia, le es necesario conciliar ambos extremos, y procura hacerlo por medio del escalonamiento de los seres, por la emanación, de modo que aun los seres más inferiores sean derivación progresiva del ser supremo, que está incluso más allá del mismo ser: el *uno,* que es pura abstracción y del que proviene el ser; el segundo puesto en la escala lo ocupa el *nous,* que es inteligencia, causa, demiurgo; en tercer lugar viene el *alma,* que tiene ya dos partes en sí misma para servir de puente entre el mundo y Dios; también la *materia,* última degeneración del ser, es «no-ser».

La ética de Plotino corresponde, en sentido inverso, a ese concepto de la degeneración del ser; la ascética plotiniana es un ascenso desde la materia al uno, hasta llegar a la unidad, con pérdida de la propia identidad y conciencia. El neoplatonismo no se libera de un dualismo profundo ni de un marcado intelectualismo que pone el acento de su ética en la contemplación y el alejamiento de la materia.

Antes de terminar este capítulo habría que dedicar buena atención al problema general de las relaciones del cristianismo con las autoridades del imperio. Los problemas que plantean al historiador las persecuciones contra los cristianos son muchos y difíciles, pero son también generalmente más conocidos, y por eso podemos prescindir ahora de un intento de síntesis sobre ellos, que debería ser necesariamente demasiado escueta. En el capítulo siguiente, a propósito de las actas de los mártires, dedicaremos algunas líneas a aquellas persecuciones que afectaron a nuestra Península, en cuanto nos es dado conocer por medio de los documentos conservados.

CAPÍTULO II

LOS TESTIMONIOS HISTORICOS MAS ANTIGUOS DEL CRISTIANISMO HISPANO

BIBLIOGRAFIA

Sobre los *aspectos generales* del primitivo cristianismo hispano véase J. FERNÁNDEZ ALONSO, *Espagne:* DictHist GéogrEccl 15 (París 1963) col.892-901, con muy abundante bibliografía; J. VIVES, *Evangelización:* DiccHistEclEsp 2 (Madrid 1972) p.887; A. FERRUA, *Agli albori del cristianesimo nella Spagna:* CivCatt 91 (1940) IV p.422-31; M. C. DÍAZ y DÍAZ, *En torno a los orígenes del cristianismo hispánico,* en *Las raíces de España* (Madrid 1967) p.423-43.

Algunas breves monografías sobre los *orígenes del cristianismo en regiones determinadas de Hispania:* M. C. DÍAZ y DÍAZ, *Orígenes cristianos de Lugo:* Actas CollntBimLugo (Lugo 1977) p.237-50; J. GONZÁLEZ ECHEGARAY, *Orígenes del cristianismo en Cantabria* (Santander 1969); J. M. LACARRA, *La cristianización del País Vasco:* EstHistNav. (Pamplona 1971) p.1-31; E. A. LLOBREGAT, *La primitiva cristiandat valenciana* (Valencia 1977); P. DE PALOL, *Algunos aspectos históricos y arqueológicos del cristianismo en la Tarraconense y en las Galias:* Caesaraugusta 6 (1955) 141-67; M. RIBAS I BERTRÀN, *El Maresme en els primers segles del cristianismo* (Mataró 1975); A. QUINTANA, *Primeros siglos del cristianismo en el convento jurídico asturicense:* Legio VII Gemina (León 1970) p.441-74; R. THOUVENOT, *Essai sur la province de Bétique* c.5. Le christianisme en Bétique (París 1940) p.303-61; ID., *Supplément* (París 1973) p.792-94; L. PÉREZ, *Mallorca cristiana,* en *Historia de Mallorca* (Coord. J. Mascaró Pasarins) I (Palma de Mallorca 1971) p.545-76; C. VENY, *Aportaciones a la romanización de Mallorca,* en *Historia de Mallorca* I p.513-44.

Sobre el *texto de Ireneo:* IRENEO, *Adv. haer.,* ed. W. W. Harvey (Cambridge 1857); EUSEBIO, *Hist. ecl.,* ed. E. Schwartz: GCS 9 (Berlín 1903-1909) = ed. G. Bardy: SourChrét 31.41.55.73 (París 1952-60), con traducción francesa = ed. A. Velasco Delgado: BAC 349-50 (Madrid 1973), con traducción en castellano. Nuevas hipótesis sobre San Ireneo en J. COLIN, *L'empire des Antonins et les martyres gaulois de 177:* Antiquitas 10 (Bonn 1964).

Sobre *Tertuliano:* TERTULIANO, *Adv. Iud.,* ed. Kroymann: CorpChr. 2 p.1339-96 = ML 2,633-82.

Carta de San Cipriano: CIPRIANO, *Epist. 67,* ed. G. Hartel: CSEL III 2 (Viena 1871) p.735-43 = ed. L. BAYARD, *Saint Cyprien. Correspondence* II (París ²1961) 227-34 = ed. J. Campos: BAC 241 (Madrid 1964) p.631-40, con trad. al castellano. Para la cronología de las cartas véase L. DUQUENNE, *Chronologie des lettres de S. Cyprien:* SubsHag 54 (Bruselas 1972). Véase asimismo, Ch. SAUMAGNE, *Saint Cyprien, évêque de Carthage, «pape» d'Afrique* (París 1975); A. d'ALÉS, *La théologie de Saint Cyprien* (París 1922) p.173-79.

Sobre las *persecuciones* véase la bibliografía en el capítulo anterior. Como fuentes principales: EUSEBIO, *Hist. ecl:* GCS 9 (Berlín 1903-1909) = SourChrét 31.41.55.76 (París 1952-60) = BAC 349-50 (Madrid 1973); ID., *De martyribus Palestinae,* ed. E. G lletier (París 1949-52); LACTANCIO, *De mortibus persecutorum,* ed. J. Moreau: Sou¹Chrét 39 (París 1954).

Sobre *hagiografía en general* véanse, sobre todo, las obras de H. DELEHAYE, *Les légendes hagiographiques* (Bruselas 1927); ID., *Cinq leçons sur la méthode hagiographique* (Bruselas 1934); ID., *Les origines du culte des martyres* (Bruselas 1933);

ID., *Sanctus* (Bruselas 1927); ID., *Les passions des martyres et les genres littéraires* (Bruselas 1921).

Para bibliografía sobre la *hagiografía hispana* véase el boletín bibliográfico de J. VIVES, *Boletín de hagiografía hispánica:* HispSacra 1 (1948) 229-43 y las importantes crónicas que publica frecuentemente B. DE GAIFFIER, *Hispana et Lusitana:* Analecta Bollandiana.

J. VIVES, *Hagiografía:* DiccHistEclEsp 2 (Madrid 1972) p.1073-75; ID., *La hagiografía hispana antigua y el culto a los patronos de Iglesias:* XXVII Semana Española de Teología (Madrid 1970) p.37-43; C. GARCÍA RODRÍGUEZ, *El culto de los santos en la España romana y visigoda* (Madrid 1966); A. FÁBREGA GRAU, *Pasionario Hispánico:* Monumenta Hispaniae Sacra, Ser. Lit. VI (Madrid-Barcelona 1953); J. VIVES-A. FÁBREGA, *Calendarios hispánicos anteriores al siglo XII:* HispSacra 2 (1949) 119-46.339-80; 3 (1950) 145-61; F. LASHERAS, *Mártires españoles en el Bajo Imperio:* Actas III CongrEspEstClás II (Madrid 1968) p.143-52; B. de GAIFFIER, *Les notices hispaniques dans le Martyrologe d'Usuard:* AnBoll 55 (1937) 268-83; ID., *La lecture des actes de martyres dans la prière liturgique en Occident: A propos du passionnaire hispanique:* AnBoll 72 (1954) 134-66; ID., *Sub Daciano praeside. Étude de quelques passions espagnoles:* AnBoll 72 (1954) 378-96; *Bibliotheca Sanctorum* (Roma 1961-70); *Enciclopedia de orientación bibliográfica* (T. Zamarriego) II. c.13 s.v. *Hagiografía* (Barcelona 1964) p.315-74.

Sobre *San Fructuoso: Actas;* ed. crítica de P. FRANCHI DE'CAVALIERI, *Gli atti di S. Fruttuoso di Tarragona:* Studi e Testi 65 fasc. 8 (Città del Vaticano 1935) p.129-99, con comentario; A. FÁBREGA GRAU, *Pasionario hispánico* II p.183-86; D. RUIZ BUENO, *Actas de los mártires:* BAC 75 (Madrid 1951) p.780-94, con intr. y trad. al castellano. Incomprensiblemente, el texto de las actas no es el texto crítico de P. Franchi de'Cavalieri. Véase asimismo AGUSTÍN, *Sermo* 273: ML 38,1247-52; PRUDENCIO, *Peristeph.* VI: CorpChr 126 p.314-20 = BAC 58 (Madrid 1950) p.586-97; *Acta SS. Jun.* II (París 1863) p.339-41; J. VIVES, *Inscripciones cristianas de la España romana y visigoda* (Barcelona ² 1969) n.304.321.326.328 y 333; E. FLÓREZ, *EspSagr* 25 (Madrid 1770) p.9-30.183-86; A. FÁBREGA GRAU, *Pasionario hispánico* I p.86-92; Z. GARCÍA VILLADA, *HistEclEsp.* I-1 p.251-62; J. VIVES, *Fructuoso, Augurio y Eulogio:* DiccHistEclEsp 2 (Madrid 1972) p.962-63; J. FERNÁNDEZ ALONSO, *Fruttuoso, Augurio ed Eulogio:* BiblSant 5 (Roma 1964) col.1296-97; C. GARCÍA RODRÍGUEZ, *El culto de los santos en la España romana y visigoda* (Madrid 1966) p.316-24; J. SERRA-VILARÓ, *Excavaciones en la necrópolis romano-cristiana de Tarragona:* MemJuntSupExcArq 93 (1928); 104 (1929) y 111 (1930); ID., *Fructuós, Auguri i Eulogi, mártirs Sants de Tarragona* (Tarragona 1967); P. de PALOL, *Arqueología cristiana de la España romana* (Madrid 1967) p.51-62 y 278-80; J. VIVES, *Una inscripció histórica dels mártirs de Tarragona:* AnSacrTarr 9 (1953) 247-51; ID., *La necrópolis romano-cristiana de Tarragona. Su datación:* AnSacrTarr 13 (1937-40) 47-60; S. VENTURA SOLSONA, *Noticia de las excavaciones en curso en el anfiteatro de Tarragona:* ArchEspArq 28 (1954) 259-80.

Sobre *San Marcelo:* H. DELEHAYE, *Les actes de S. Marcel le Centurion:* AnBoll 41 (1923) 257-287; Z. GARCÍA-VILLADA, *HistEclEsp.* I 1 p.377-79 (trad. y comentario en p.265-68); D. RUIZ BUENO, *Actas de los mártires:* BAC 75 (Madrid 1951) p.952-57; M. RISCO, *EspSagr.* 34 (Madrid 1784) p.334-36.390-400; B. DE GAIFFIER, *S. Marcel de Tánger ou de León?:* AnBoll 61 (1943) 116-39; ID., *L'élogium dans la Passion de Marcel le Centurion:* Études critiques d'hagiographie et d'iconologie (Bruselas 1967) p.81-90; ID., *A propos de St. Marcel le Centurion:* ArchLeón 23 (1969) 13-23; A. FÁBREGA GRAU, *Pasionario hispánico* I p.221-22; C. GARCÍA RODRÍGUEZ, *El culto de los santos* p.182-83; J. M.ª FERNÁNDEZ CATÓN, *Marcello:* BiblSanct 8 (Roma 1967) col.665-68; TH. HAUSCHILD, *La iglesia martirial de Marialba:* BolRealAcHist 163 (1968) 243-49; ID., *Die Märtyrer-Kirche von Marialba bei León:* Legio VII Gemina (León 1970) p.511-21; A. VIÑAYO, *Las tumbas del ábside del templo paleocristiano de Marialba y el martirologio leonés:* ibid., p.549-68.

Sobre las santas *Justa y Rufina:* A. FÁBREGA GRAU, *Pasionario hispánico* II p.296-99; ID., *Pasionario hispánico* I p.131-36; *Acta SS. Jul.* IV (Venecia 1748) p.583-86; E. FLÓREZ, *EspSagr* 9 (Madrid 1752) p.276-81.339-43; F. CUMONT, *Les syriens en Espagne et les Adonies à Seville:* Syria 8 (1927) 330-41; A. GARCÍA Y BELLIDO, *Dioses sirios en el panteón hispano-romano:* Zephyrus 13 (1962) 67-74; ID., *Les religions orientales dans l'Espagne romaine* (Leiden 1967) p.99 y 102-103; J. VIVES, *Inscripciones cristianas* n.307b.309.310; Z. GARCÍA VILLADA, *HistEclEsp* I 1 p.268-71; C. GARCÍA RODRÍGUEZ, *El culto de los santos* p.231-34; J. VIVES, *Justa y Rufina:* DiccHistEclEsp 2 (Madrid 1972) p.1261; M. SOTOMAYOR, *Giusta e Rufina:* BiblSanct 6 (Roma 1965) col.1339-40.

Sobre los *mártires de Zaragoza:* PRUDENCIO, *Peristeph.* IV: CorpChr 126 p.286-93 = BAC 58 (Madrid 1950) p.538-51; EUGENIO DE TOLEDO, *De Basilica Sanctorum decem et octo martyrum:* MonGerHist. AA. XIV 239-40; A. FÁBREGA GRAU, *Pasionario hispánico* II p.371-78; ID., *Pasionario hispánico* I p.168-74; *Acta SS. Apr.* II (Venecia 1738) p.410-12: *Nov.* I (París 1887) p.637-50; M. RISCO, *EspSagr* 30 (Madrid 1775) p.244-17; Z. GARCÍA VILLADA, *HistEclEsp* I 1 p.271-75; C. GARCÍA RODRÍGUEZ, *El culto de los santos* p.324-34; I. M. GÓMEZ, *Engracia ou Encratide:* DictHistGéogrEcl 15 (París 1963) col. 497-500; J. FERNÁNDEZ ALONSO, *Engracia:* BiblSanct 4 (Roma 1964) col.1213-14; M. SOTOMAYOR, *Datos históricos sobre los sarcófagos romano-cristianos de España* (Granada 1973) p.42-50.

Sobre *San Vicente:* A. FÁBREGA GRAU, *Pasionario hispánico* II p.187-96; PRUDENCIO, *Peristeph.* V: CorpChr 126 p.294-313 = BAC 58 (Madrid 1950) p.553-85; ID., IV 77-104: CorpChr. 126 p.288-89 = BAC 58 p.544-47; SAN AGUSTÍN, *Serm.* 274-77: ML 38,1252-68; J. VIVES, *Inscripciones cristianas* n.67.279.305.316a.319.333b; E. FLÓREZ, *EspSagr* 8 (Madrid 1752) p.179-95.231-60; M. RISCO, *EspSagr* 30 (Madrid 1775) p.248-52; D. RUIZ BUENO, *Actas de los mártires:* BAC 75 (Madrid 1951) p.995-1023; A. FÁBREGA GRAU, *Pasionario hispánico* I p.92-107; P. FRANCHI DE'CAVALIERI, *A proposito della «Passio S. Vincentii levitae». Note agiografiche:* Studi e Testi 65 (Città del Vaticano 1935) p.117-25; B. DE GAIFFIER, *Sermons latins en l'honneur de S. Vincent antérieures au x siècle:* Mélanges Paul Peeters: AnBoll 67 (1949) 267-86; ID., *Le prétendu sermon de S. Léon sur S. Vincent mentionné dans le martyrologe romain:* Études critiques d'hagiografíe et d'iconologie (Bruselas 1967) p.103-107; ID., *Sub Daciano praeside:* AnBoll 72 (1954) 378-96; L. LACGER, *Saint Vincent de Saragosse:* RevHistEglFran 13 (1927) 307-58; Z. GARCÍA VILLADA, *HistEclEsp* I 1 p.279-82; C. GARCÍA RODRÍGUEZ, *El culto de los santos* p.257-78; T. MORAL, *Vincenzo, diacono di Saragossa:* BiblSanct 12 (Roma 1969) col.1149-55, con abundante bibliografía; E. LLOBREGAT, *San Vicente Mártir y Justiniano de Valencia:* Homenaje a Fr. Justo Pérez de Urbel, II (Silos 1977); ID., *La primitiva cristiandat valenciana* (Valencia 1977); M. SOTOMAYOR, *Datos históricos sobre los sarcófagos romano-cristianos de España* (Granada 1973); ID., *Sarcófagos romano-cristianos de España. Estudio iconográfico* (Granada 1975).

Sobre los santos *Emeterio y Celedonio:* PRUDENCIO, *Peristeph.* I, VIII y IV 31-32: CorpChr 126 p.251-56.325.287 = BAC 58 p.474-85.607-609.542-43; A. FÁBREGA GRAU, *Pasionario hispánico* I p.120-25; ID., II p.238-43; *Acta SS. Mart.* I (Venecia 1735) p.228-34; M. RISCO, *EspSagr* 30 (Madrid 1775) p.268; ibid. (Madrid 1907) p.272-330.426-38; Z. GARCÍA VILLADA, *HistEclEsp.* I 1 p.262-65; G. GARCÍA RODRÍGUEZ, *El culto de los santos* p.321-24; J. VIVES, *Emeterio y Celedonio:* DiccHistEclEsp 2 (1972) p.787; A. AMORE, *Emiterio e Cheledonio:* BiblSanct 4 (Roma 1964) col.1195-97.

Sobre *San Félix de Gerona:* PRUDENCIO, *Peristeph.* IV 29-30: CorpChr 126 p.287 = BAC 58 p.542-43; *Acta SS. Aug.* I (Venecia 1750) p.22-29; A. FÁBREGA GRAU, *Pasionario hispánico* II p.320-28; ID., I p.144-50; J. VIVES, *Inscripciones cristianas* n.307b.333b; P. SAINZ DE BARANDA, *EspSagr* 43 (Madrid 1818) p.279-95, 507-12; B. DE GAIFFIER, *Sub Daciano praeside:* AnBoll 72 (1954) 378-96 n.3 p.387; M. BRUNSÓ, *San Félix el gerundense:* AnInstEstGer 19 (1968-69) 247-68; C. GARCÍA RODRÍGUEZ, *El culto de los santos* p.304-12; J. VIVES, *Félix:* DiccHist-EclEsp 2 (1972) p.911; F. MARTÍN HERNÁNDEZ, *Felice:* BiblSanct 5 (Roma 1964) col.544-46; A. OLIVAR, *Félix, martyr de Gérone en Catalogne:* Dict-

HistGéogrEccl 16 (París 1967) col.880-81; J. M. PLA CARGOL, *Santos mártires de Gerona* (Gerona 1955); M. SOTOMAYOR, *Datos históricos sobre los sarcófagos romano-cristianos de España* (Granada 1973) p.37-41.

Sobre *San Cucufate:* PRUDENCIO, *Peristeph.* IV 33-34: CorpChr 126 p.287 = BAC 58 p.542-43; A. FÁBREGA GRAU, *Pasionario hispánico* II p.309-14; ID., I p.137-43; *Acta SS. Jul.* VI (París 1868) p.149-62; E. FLÓREZ, *EspSagr* 29 (Madrid 1775) p.322-55.500-17; C. GARCÍA RODRÍGUEZ, *El culto de los santos* p.312-16; G. M. FUSCONI, *Cucufate:* BiblSanct 4 (Roma 1964) p.384-88; P. de PALOL, *Arqueología cristiana de la España romana* (Madrid 1967) p.43-44; X. BARRAL I ALTET, *La basilique paléochrétienne et visigothique de Saint Cugat del Vallés:* MélEcFran-Rome 86 (1974) II p.891-928.

Sobre *S. Acisclo:* PRUDENCIO, *Peristeph.* IV 19: CorpChr 126 p.286 = BAC 58 p.540; A. FÁBREGA GRAU, *Pasionario hispánico* II p.12-18; ID., I p.58-63; E. FLÓREZ, *EspSagr* 10 (Madrid 1753) p.288-304.485-91; B. DE GAIFFIER, *La source littéraire de la Passion des SS. Aciscle et Victoria:* AnSacrTarr 38 (1965) 205-209; R. JIMÉNEZ PEDRAJAS, *Los mártires de Córdoba de las persecuciones romanas:* RevEspTeol 37 (1977) 3-32; J. VIVES, *Inscripciones cristianas* n.304.316.324.328.330 y 331; ID., *Acisclo:* DiccHistEclEsp 1 (Madrid 1972) p.6; A. FÁBREGA GRAU, *Acisclo e Vittoria:* BiblSanct 1 (Roma 1961) col.160-61; C. GARCÍA RODRÍGUEZ, *El culto de los santos* p.219-25; M. SOTOMAYOR, *El sarcófago paleocristiano de la ermita de los Mártires, de Córdoba:* ArchEspArq 37 (1964) 88-105.

Sobre *otros mártires cordobeses:* PRUDENCIO, *Peristeph.* IV 19-20: CorpChr 126 p.286 = BAC 58 p.540-41; E. FLÓREZ, *EspSagr* 10 (Madrid 1753) p.304-33.491-507; A. FÁBREGA GRAU, *Pasionario hispánico* II p.346-49,379-81; ID., I p.156-61.238; B. DE GAIFFIER, *L'inventio et translatio de S. Zoile de Cordoue:* AnBoll 56 (1938) 361-69; R. JIMÉNEZ PEDRAJA, *Los mártires de Córdoba de las persecuciones romanas:* RevEspTeol 37(1977)3-32; J. VIVES, *Inscripciones cristianas* n.304.313.316.324.326.327; J. VIVES, *Zoilo:* DiccHistEclEsp 2 (1972) p.906; ID., *Fausto, Jenaro y Marcial:* ibid., p.1261; C. GARCÍA RODRÍGUEZ, *El culto de los santos* p.225-31; T. MORAL, *Zoilo:* BiblSanct. 12 (Roma 1969) col.1487-89; P. BURCHI, *Fausto, Gennaro e Marziale:* BiblSanct 5 (1964) col.500; A. OLIVAR, *Fauste, Janvier et Martial:* DictHistGéogrEccl. J. VIVES, *Inscripciones cristianas* n.304.307.313.316.324.327.

Sobre *los santos Justo y Pastor:* PAULINO DE NOLA, *Carm.* XXXI, 603-10: CSEL 30 p.328-29; PRUDENCIO, *Peristeph.* IV 41-44: CorpChr 126 p.287 = BAC 58 p.542-43; J. VIVES, *Inscripciones cristianas* n.304 y 307b.311; ILDEFONSO DE TOLEDO, *De viris illustribus:* C. Codoñer Merino (Salamanca 1972) p.116-18; *Acta SS. Aug.* II (Venecia 1751) p.143-55; E. FLÓREZ, *EspSagr* 7 (Madrid 1751) p.171-80.305-13; A. FÁBREGA GRAU, *Pasionario hispánico* II p.328-31; ID., I p.150-56; J. VIVES, *Justo y Pastor:* DiccHistEclEsp 2 (1972) p.1261; C. GARCÍA RODRÍGUEZ, *El culto de los santos* p.253-57; M. SOTOMAYOR, *Giusto e Pastore:* BiblSanct 7 (Roma 1966) col.53-54.

Sobre *Santa Eulalia de Mérida:* PRUDENCIO, *Peristeph.* III; IV 37-40; XI 237-38: CorChr 126 p.278-85.287.377.78 = BAC 58 p.523-37.542-43. 704-705; J. VIVES, *Inscripciones cristianas* n.306b.307b.316.328.348; *Acta SS. Febr.* II (Venecia 1735) p.576-80; E. FLÓREZ, *EspSagr* 13 (Madrid 1756) p.266-301.398-410; A. FÁBREGA GRAU, *Pasionario hispánico* II p.68-78; ID., I p.78-86; Z. GARCÍA VILLADA, *HistEclEsp* I 1 p.282-91; C. GARCÍA RODRÍGUEZ, *El culto de los santos* p.284-303. V. NAVARRO DEL CASTILLO, *Santa Eulalia de Mérida:* RevEstExtr 27 (1971) 397-459; J. VIVES, *Eulalia de Mérida:* DiccHistEclEsp 2 (1972) 883; M. SOTOMAYOR, *Eulalia:* BiblSanct 5 (Roma 1964) col.204-209.

Sobre *Claudio, Luperco y Victorico:* *Acta SS. Oct.* XIII (París 1883) p.286-96; M. RISCO, *EspSagr* 34 (Madrid 1784) p.353-60.407-17; C. GARCÍA RODRÍGUEZ, *El culto de los santos* p.242-45; G. M. FUSCONI, *Claudio, Luperco e Vittorico:* BiblSanct 4 (Roma 1964) col.20-21.

Sobre *Vicente, Sabina y Cristeta:* *Acta SS. Oct.* XII (Bruselas 1857) p.193-206; E. FLÓREZ, *EspSagr* 14 (Madrid 1758) p.27-35; A. FÁBREGA GRAU, *Pasionario hispánico* II p.358-63; ID., I p.165-67; C. GARCÍA RODRÍGUEZ, *El culto de los santos* p.281-84; J. VIVES, *Vicente, Sabina y Cristeta:* DiccHistEclEsp 4 (1975) p.2750; T. MORAL, *Vincenzo, Sabina e Cristeta:* BiblSanct 12 (Roma 1969) col.1187-90, con abundante bibliografía.

Sobre *Santa Leocadia de Toledo:* E. FLÓREZ, *EspSagr* 6 (Madrid 1751) p.303-308 y 313-18; C. GARCÍA RODRÍGUEZ, *El culto de los santos* p.245-53; A. FÁBREGA GRAU, *Pasionario hispánico* II p.65-67; ID., I p.67-78; J. VIVES, *Leocadia:* DiccHistEclEsp 2 (1972) p.1278; J. F. RIVERA RECIO, *Leocadia di Toledo:* Bibl-Sanct 7 (Roma 1966) col.1187-88.

Sobre los santos *Servando y Germán: Acta SS. Oct.* X (Bruselas 1841) p.25-31; E. FLÓREZ, *EspSagr* 13 (Madrid 1756) p.307-17.410-13; A. FÁBREGA GRAU, *Pasionario hispánico* II p.353-57; ID., I p.161-64; C. GARCÍA RODRÍGUEZ, *El culto de los santos* p.236-39; J. VIVES, *Servando y Germano:* DiccHistEclEsp 4 (1975) col.2443-44; J. FERNÁNDEZ ALONSO, *Servando e Germano:* BiblSanct 11 (Roma 1968) col.888-89; J. VIVES, *Inscripciones cristianas* n.309 y 310.

Sobre *San Félix de Sevilla:* E. FLÓREZ, *EspSagr* 9 (Madrid 1752) p.307; J. VIVES, *Inscripciones cristianas* n.333; C. GARCÍA RODRÍGUEZ, *El culto de los santos* p.234-35; *Acta SS. Mai* I (París 1866) p.188-89; I. DE VILLAPADIERNA, *Felice di Siviglia:* BiblSanct 5 (Roma 1964) col.563; A. OLIVAR, *Felix martyr à Seville (?):* DictHistGéogrEccl 16 (París 1967) col.875-76.

Sobre *San Crispín:* J. VIVES, *Inscripciones cristianas* n.333b; E. FLÓREZ, *EspSagr* 10 (Madrid 1753) p.84-86.472-76; C. GARCÍA RODRÍGUEZ, *El culto de los santos* p.239-40; J. VIVES, *Crispín:* DiccHistEclEsp 1 (Madrid 1972) p.639; I. DANIELE, *Crispino:* Bibl. Sanct 4 (Roma 1964) col.311-12.

Sobre *Sta. Treptes:* J. VIVES, *Inscripciones cristianas* n.333b; ID., *Treptes o Treptetis:* DiccHistEclEsp 4(1975) p.2593; C. GARCÍA RODRÍGUEZ, *El culto de los santos* p.240-41; R. JIMÉNEZ PEDRAJAS, *Treptes:* BiblSanct 12 (Roma 1969) col.648.

Sobre los santos *Verísimo, Máxima y Julia: Acta SS. Oct.* I (París 1866) p.26-29; E. FLÓREZ, *EspSagr* 14 (Madrid 1758) p.190-93; J. VIVES, *Inscripciones cristianas* n.328; C. GARCÍA RODRÍGUEZ, *El culto de los santos* p.279-81; R. JIMÉNEZ PEDRA-JAS, *Verissimo, Massimo e Giulia:* BiblSanct 12 (Roma 1969) col.1035-37.

Sobre *Santa Eulalia de Barcelona:* M. RISCO, *EspSagr* 29 (Madrid 1775) p.287-322.371-90; A. FÁBREGA GRAU, *Pasionario hispánico* II p.233-37; ID., I p.108-20; ID., *Santa Eulalia de Barcelona* (Roma 1958); E. FLÓREZ, *EspSagr* 29 (Madrid 1775) p.187-92.287-322; F. FITA, *Santa Eulalia de Barcelona. Una de sus basílicas en el siglo IV:* BolRealAcHist 43 (1903) 250-55; H. MORETUS, *Les Saints Eulalie:* RevQuestHist 89 (1911) 85-119; J. MÚNERA, *Síntesis de la historicidad de Santa Eulalia de Barcelona:* EstEcl 33 (1959) 223-26; Z. GARCÍA VILLADA, *Hist-EclEsp* I 1 p.291-300; C. GARCÍA RODRÍGUEZ, *El culto de los santos* p.289-303; J. VIVES, *Eulalia (Barcelona):* DiccHistEclEsp 2 (1972) p.883.

SAN IRENEO

El documento histórico más antiguo en que se hace mención de la existencia de cristianos en Iberia es un texto de San Ireneo en su tratado *Contra los herejes,* escrito entre los años 182-88. Explica en él que el depósito de la fe se transmite el mismo a todo el mundo, a pesar de la diversidad de gentes y de lenguas con que el mensaje ha llegado:

> «Aunque las lenguas son innumerables en el mundo, el poder de la tradición es uno y el mismo; ni las iglesias fundadas entre los germanos creen ni transmiten otra cosa, *ni las de las Iberias,* ni las de los celtas, ni las de Oriente, ni en Egipto ni en Libia, ni las fundadas en medio del mundo...» [1]

---

[1] IRENEO, *Adv. haer.* I 3: W. W. Harvey (Cambridge 1857) p.92-93.

Es solamente una alusión genérica a las iglesias establecidas en «las Iberias». En provincias del imperio tan romanizadas —sobre todo si pensamos en la Bética— no se requiere ningún testimonio escrito para aceptar como un hecho cierto la existencia, al menos, de pequeños grupos cristianos en algunas de sus ciudades desde los primeros momentos de la expansión del cristianismo. El testimonio de San Ireneo, más que una noticia, sería solamente una confirmación de este presupuesto lógico. Si el obispo de la Galia puede hablar hacia los años 182-88 de iglesias establecidas en la Península, el origen de estas comunidades se remonta, al menos, a principios del siglo II e incluso a fines del I y suponen para su momento una considerable expansión. Datos, por otra parte, que quedarán confirmados con testimonios posteriores que examinaremos.

El historiador Eusebio es quien recoge y transmite las principales noticias sobre San Ireneo y su comunidad. Según Eusebio, de Lyón y de Vienne, ciudades ambas a orillas del Ródano, provienen los mártires que dieron testimonio de su fe bajo Marco Aurelio y Cómodo, y de cuya carta a las iglesias de Asia y Frigia nos ha conservado extensos párrafos. Por el mismo Eusebio sabemos que Ireneo fue discípulo de Policarpo en Esmirna, que fue portador de la carta al papa Eleuterio cuando era ya presbítero de Lyón y que sucedió en esa sede a Potino [2].

Tanto San Ireneo como no pocos de los mártires de Lyón son asiáticos o de origen asiático. La carta de los mártires está dirigida a las comunidades de Asia y Frigia. Según las noticias transmitidas por Eusebio y las que nos proporcionan sus mismas obras, San Ireneo se ocupa de temas de máxima actualidad y efervescencia en Asia, como son el montanismo, el gnosticismo y la cuestión pascual. Sobre el gnosticismo especialmente muestra un conocimiento y una familiaridad más propia de quien habita en aquellas regiones donde los movimientos gnósticos se multiplican y extienden más, que son también las regiones de Asia. Todas estas circunstancias producen una cierta perplejidad con respecto a San Ireneo y su comunidad; aparecen como un enclave oriental en la cuenca del Ródano, como un grupo aislado de intensa vida cristiana en medio del «desierto» occidental; desierto, al menos, de noticias sobre el cristianismo.

Sin ignorar estas perplejidades, las noticias tan explícitas de Eusebio han sido admitidas generalmente como buenas hasta que J. Colin publicó en 1964 una obra en que defendía una tesis totalmente nueva: Eusebio ha entendido mal las noticias de los manuscritos por él consultados. En vez de galos occidentales, se trataba de galos orientales, los de la Galacia; en vez de las Iberias de la península Ibérica, la Iberia del Cáucaso, de la Georgia; en vez de Lyón de Francia (colonia Claudia), la Neoclaudiópolis asiática; en vez de Vienne (colonia Julia Augusta), Sebastópolis (cuya traducción sería también colonia o ciudad augusta). La tesis de J. Colin no se basa solamente en una conjetura apoyada en todas esas semejanzas aptas para inducir a error; éstas servirían sola-

---

[2] EUSEBIO, *Hist. ecl.* V 1-5: BAC 349 (Madrid 1973) p.265-92.

mente para explicar el *lapsus* del gran historiador eclesiástico, no exento por otra parte de algunos errores geográficos de bulto. La argumentación de Colin es prolija y seria, pero no hace ahora al caso. Nos interesa solamente señalar aquí que su interpretación del texto de Eusebio despeja las perplejidades sobre las múltiples afinidades asiáticas del grupo de Lyón. De ser cierta, elimina el testimonio histórico más antiguo de nuestro cristianismo.

Generalmente, la crítica no ha sido favorable a la nueva tesis. Se alaba más en ella el ingenio del autor que el valor demostrativo de sus argumentos y, aunque se reconoce que su interpretación resolvería muchas dificultades, se afirma con razón que en todo caso crea otras de mayor entidad con argumentos que en ningún caso llegan a ser concluyentes.

Parece, pues, que no se puede atribuir en este caso a Eusebio un error tan grande y que hay que seguir admitiendo su testimonio como válido. Como consecuencia, admitimos también la aplicación a nuestra Península de las frases de San Ireneo [3].

TERTULIANO

Tan genérico como el de San Ireneo es el testimonio de Tertuliano. En los primeros años del siglo III escribe Tertuliano su escrito apologético contra los judíos [4]. Trata de probar que el Cristo anunciado ya ha venido, y uno de sus argumentos es que todos los pueblos creen ya en El. En la larga enumeración incluye a nuestra Península:

> «... y los demás pueblos, como los varios pueblos de los gétulos, amplios confines de los mauros, *todas las fronteras de las Hispanias,* las diversas naciones de las Galias, las regiones de los británicos no alcanzadas por los romanos, pero sometidos a Cristo; y de los sármatas y dacios, y germanos y escitas, y de muchos otros pueblos recónditos y provincias e islas desconocidas para nosotros que ni siquiera podemos enumerar. En todos estos sitios es adorado el nombre de Cristo...» [5]

Es el párrafo una típica amplificación retórica a la que no hay que dar el valor de una puntual comprobación de la realidad existente. Pero el mismo valor del argumento quedaría anulado si la enumeración no correspondiese a un hecho comprobable en líneas generales. Hay que

---

[3] Cf. J. COLIN, *L'empire des Antonins et les martyres gaulois de 177* (Bonn 1964). Véanse, p.ej., las recensiones de J. DUBOIS: RevHistEglFran 50 (1964) 138-42; G. JOUASSARD: RevEtAug 11 (1965) 1-8; J. DANIÉLOU: RechSciencRel 57 (1969) 84-86. J. M. Blázquez (*Posible origen africano del cristianismo español:* ArchEspArq 40 [1967] 30-31) concede «bastantes visos de probabilidad» a la hipótesis de J. Colin, y cita varios autores que la rechazan. Hay que tener en cuenta las observaciones de M. C. Díaz y Díaz (RevEspTeol 14 [1954] 393-95) sobre el hecho de la conservación del pasaje de Ireneo solamente en la versión latina, que supone elaborada en la segunda mitad del siglo IV, fundándose en el uso de las palabras *graecitas* y *latinitas*.

[4] La genuinidad de este tratado no es universalmente admitida. Cf. E. DEKKERS, *Clavis Patrum lat.:* Sacris Eruditi 3 (²1961) p.6.

[5] TERTULIANO, *Adv. Iud.* VII 4-5: CorpChr 2 p.1354-55.

admitir, por tanto, que a principios del siglo III podía afirmarse que el cristianismo tenía ya adeptos por toda la Hispania romana.

CIPRIANO

Semejante afirmación queda plenamente confirmada por el tercer documento histórico que ha llegado hasta nosotros. Este nuevo documento es mucho más explícito y concreto que los anteriores y nos proporciona ya diversas noticias sobre las iglesias de Hispania. Se trata de una carta sinodal procedente de Cartago, firmada por San Cipriano y otros 36 obispos y dirigida al presbítero Félix y fieles de León y Astorga y al diácono Elio y fieles de Mérida.

El concilio y la carta se datan el año 254 o primera mitad del 255 [6]. Los obispos africanos, con San Cipriano a la cabeza, responden a una carta que les habían escrito las iglesias de León-Astorga y Mérida y les habían llevado en mano los obispos hispanos Félix y Sabino. Como esta última carta no se ha conservado, su contenido y motivo lo deducimos solamente de la respuesta de Cartago. Vamos, pues, a examinar la célebre carta 67 de San Cipriano y demás obispos africanos, reproduciendo todos sus párrafos que aportan alguna noticia de interés y suprimiendo tan sólo, en razón de la brevedad, aquellos otros que están dedicados a pura argumentación bíblica o teológica.

> «Cipriano, Cecilio, Primo, Policarpo, etc., al presbítero Félix y a los fieles de León y Astorga; asimismo, a Elio, diácono, y al pueblo de Mérida. Salud en el Señor.
> I. Queridísimos hermanos: nos hemos reunido en asamblea y hemos leído la carta que, de acuerdo con la integridad de vuestra fe y vuestro temor de Dios, nos habéis enviado por medio de Félix y Sabino, obispos como nosotros. Nos decís que no está bien que Basílides y Marcial ejerzan el episcopado y administren el sacerdocio de Dios, siendo así que ambos se han contaminado con el certificado de idolatría y tienen su conciencia llena de crímenes nefandos. Deseáis contestación y que nuestra opinión os sirva de consuelo y apoyo en vuestra inevitable y justa preocupación.
> A este deseo vuestro responden no tanto nuestros consejos cuanto los divinos preceptos: ya desde antiguo, la voz del cielo y la ley de Dios prescriben quiénes son y qué cualidades deben tener los que sirven al altar y celebran los divinos sacrificios... [7]
> II. Todo esto es evidente, y no hay más que obedecer a lo mandado por Dios, sin acepción de personas. Donde hay por medio una ley de Dios, no puede haber indulgencia humana para nadie. No debemos olvidarnos de lo que dijo Dios a los judíos por medio del profeta Isaías, increpándoles indignado por haber despreciado los preceptos divinos y haber seguido doctrinas humanas: 'Este pueblo —dice— me honra con los labios, pero su corazón está muy alejado de mí. Inútilmente me dan culto mientras enseñan doctrinas de los hombres' (Is 29,13). Lo mismo

---

[6] CF. G. HARTEL: CSEL III 2 p.735-43; L. BAYARD, *Saint Cyprien. Correspondance* p.227-34. Ep.67: BAC 241 (Madrid 1964) p.631-40. Para la cronología cf. L. DUQUENNE, *Chronologie des lettres de S. Cyprien* (Bruselas 1972).

[7] Se aducen a continuación varios textos bíblicos sobre la pureza y santidad requerida en los sacerdotes.

repite el Señor en el Evangelio: 'Rechazáis el mandamiento de Dios para implantar una tradición vuestra' (Mt 7,9). Hay que tener todo esto ante los ojos, considerarlo con diligencia y devoción, y en las ordenaciones de los obispos elegir solamente prelados íntegros e intachables que ofrezcan a Dios sacrificios digna y santamente y puedan ser oídos en las oraciones que hacen por la incolumidad del pueblo del Señor, pues está escrito: 'Dios no oye al pecador, sino al que le honra y cumple su voluntad' (Jn 9,4). Por eso hay que elegir para el episcopado de Dios, con toda diligencia y sincero examen, a los que conste que son oídos por Dios.

III. Que no se engañe el pueblo y se considere libre del contagio del delito si permanece en comunión con un obispo pecador, prestando su consentimiento a su injusto e ilícito episcopado. La censura de Dios le advierte por medio del profeta Oseas: 'Los sacrificios de éstos serán como pan de duelo; todos los que lo coman se contaminarán' (Os 9,4)... [8] Por eso, el pueblo se debe apartar del obispo prevaricador y no debe participar en los sacrificios del sacerdote sacrílego, sobre todo teniendo la potestad de elegir obispos o recusar a los indignos.

IV. Vemos que viene de la autoridad divina el que el obispo se elija en presencia del pueblo y a la vista de todos, para que se compruebe si es idóneo con testimonio y juicio público... [9] Manda Dios que se constituya sacerdote ante toda la sinagoga; es decir, enseña y muestra que las ordenaciones episcopales se han de hacer con el conocimiento del pueblo que asiste, para que, estando presente el pueblo, se descubran los crímenes de los malos o se hagan públicos los méritos de los buenos, y la ordenación sea justa y legítima por haberse hecho con el voto y juicio de todos... [10]

V. Hay que observar diligentemente lo que es tradición divina y práctica apostólica y mantener lo que mantenemos nosotros y se mantiene en casi todas las provincias; a saber: para celebrar las ordenaciones rectamente, los obispos vecinos de la provincia acuden al pueblo en que se ordena un nuevo obispo; éste se elige en presencia del pueblo, que conoce a fondo la vida de cada uno de sus miembros y sabe de su conducta porque los ha tratado.

Ya vemos que así lo habéis hecho vosotros en la ordenación de Sabino, colega nuestro: se le confirió el episcopado y se le impusieron las manos, en sustitución de Basílides, con el voto de toda la fraternidad y el juicio de los obispos presentes y de los que os escribieron sobre él. No anula esta ordenación, perfectamente lícita, el hecho de que Basílides, después de descubrirse sus crímenes y confesarlos él mismo, haya marchado a Roma y haya engañado a Esteban, colega nuestro, distante del lugar de los hechos y desconocedor de lo que ha sucedido verdaderamente, intrigando para ser repuesto injustamente en el episcopado, del que había sido depuesto con toda justicia. Con esto, lo único que ha conseguido Basílides es que sus delitos, en vez de quedar borrados, se han aumentado, añadiéndose a sus anteriores pecados el crimen de la mentira y el engaño [11]. No es tan culpable el que se ha dejado engañar negligentemente cuanto execrable el que engañó a sabiendas. Pero si Basílides ha podido engañar a los hombres, a Dios no puede, como está escrito: 'Con Dios no se juega' (Gál 6,7). Tampoco a Marcial puede aprovechar el engaño, porque es reo, lo mismo, de graves delitos y no debe retener el episcopado, como advierte el Apóstol: 'El obispo tiene que ser intachable, como administrador de Dios que es' (Tit 1,7).

[8] Se citan otros textos bíblicos.
[9] Sigue el texto de Núm 20,25-26, donde Dios manda a Moisés que tome a Aarón y Eleazar, suba al monte con ellos ante toda la asamblea, etc.
[10] A continuación siguen diversas citas bíblicas.
[11] San Cipriano y los demás obispos africanos no conceden ningún valor jurídico a la reposición de Basílides por parte del papa Esteban, estimando que éste ha sido engañado. Siguen considerando como depuestos a los dos obispos *libeláticos*.

VI.   Como escribís, queridísimos hermanos; como lo afirman también Félix y Sabino, colegas nuestros, y lo indica en su carta otro Félix de Zaragoza, hombre de fe y defensor de la verdad, Basílides y Marcial se contaminaron con el nefando certificado de idolatría. Basílides, además de lo del certificado, blasfemó de Dios cuando estaba enfermo en la cama, confesó que había blasfemado y por remordimiento renunció espontáneamente al episcopado, entregándose a la penitencia y a la oración. Se daba por satisfecho si se le admitía a comulgar entre los simples fieles. Por lo que a Marcial se refiere, ha asistido con frecuencia a suculentos y vergonzosos banquetes en una asociación pagana; ha enterrado a sus hijos en la misma asociación funeraria, en sepulcros profanos, según las costumbres de los no cristianos y entre ellos. Ante el procurador ducenario y con actas públicas ha afirmado haber obedecido a la idolatría y haber negado a Cristo [12]. Basílides y Marcial están implicados además en otros muchos y graves delitos. Inútilmente pretenden usurpar el episcopado, siendo evidente que tales personas no pueden presidir la iglesia de Cristo ni ofrecer sacrificios a Dios. Precisamente hace ya tiempo, nuestro colega Cornelio, obispo pacífico, justo y honrado además con el martirio por dignación de Dios, juntamente con nosotros y con todos los obispos del mundo, decretó que tales hombres pueden ser admitidos a penitencia, pero quedan excluidos del clero y de la dignidad episcopal.

VII.   Hermanos queridísimos: no os extrañe que en los últimos tiempos vacile la fe endeble de algunos o su irreligioso temor de Dios, ni que decaiga la pacífica concordia. Está anunciado que van a suceder estas cosas al fin del mundo. La palabra del Señor y el testimonio de los apóstoles han predicho que, al decaer el mundo y acercarse la venida del anticristo, decaerá el bien y aumentará el mal y la adversidad... [13]

IX.   Aunque haya habido algunos de nuestros colegas, queridísimos hermanos, que piensen se pueda descuidar la disciplina divina y hayan cometido la temeridad de entrar en comunión con Basílides y Marcial, este hecho no debe perturbar nuestra fe, porque el Espíritu Santo los amenaza en los Salmos con estas palabras: 'Has odiado la disciplina y te has echado a las espaldas mis palabras'... (Ps 49,17-18) [14].

Por eso, queridísimos hermanos, alabamos y aprobamos la religiosa solicitud de vuestra fe íntegra y, en cuanto está en nuestras manos, os exhortamos en nuestra carta a que no os mezcléis en comunión sacrílega con esos obispos profanos y manchados, sino que mantengáis con religioso temor la firmeza íntegra y sincera de vuestra fe. Os deseamos, queridísimos hermanos, que gocéis siempre de buena salud».

Gracias a esta carta, tenemos la posibilidad de establecer varios rasgos de nuestro cristianismo históricamente válidos, al menos, para la primera mitad del siglo III.

La carta 67 es el primer testimonio explícito de la existencia en Hispania de comunidades plenamente organizadas, con diáconos, presbíteros y obispos. En la carta se citan expresamente tres comunidades: Zaragoza, León-Astorga y Mérida. De Zaragoza es «un hombre de fe y defensor de la verdad» llamado Félix, que también había escrito a los

---

[12]   Marcial obtuvo su certificado afirmando haber sacrificado en sesión pública y levantándose acta ante el procurador ducenario, es decir, con derecho a sueldo de 200.000 sestercios.
[13]   Suprimimos todo el párrafo octavo, en el que no se da noticia alguna referente a nuestra Península. En él se habla de que, a pesar de hallarnos en los últimos tiempos, las defecciones no han sido totales ni mucho menos, ilustrándose con ejemplos de fieles judíos que no prevaricaron en los peores tiempos de Israel.
[14]   Cita de Pablo (Rom 1,30-32).

obispos africanos. Los dos protagonistas principales, Basílides y Marcial, habían sido obispos de León-Astorga y de Mérida, y a estas dos sedes pertenecían también los obispos Félix y Sabino, que fueron sus sucesores y los portadores de la carta a la que responden San Cipriano y sus colegas.

No es posible saber a cuál de las dos sedes citadas pertenecen cada uno de estos cuatro obispos. Muchos autores suelen hablar de Basílides (y, por tanto, de Sabino, su sucesor) como obispo de León-Astorga, y de Marcial, como obispo de Mérida. Pero en la carta, que es la única fuente histórica, no hay indicios que permitan semejante atribución. El único argumento sería el orden en que en la carta se citan León-Astorga primero y Mérida después, e igualmente Basílides siempre primero y Marcial después [15]. Pero el mero orden no lleva consigo verdadera correlación. En la misma carta se enumera a Félix y Sabino, y a continuación a Basílides y Marcial. Aplicando a este caso el mismo argumento, deberíamos deducir que Félix sucedió a Basílides y Sabino a Marcial, cuando nos consta por la carta que fue al contrario [16].

Además de las sedes nombradas expresamente, la carta hace mención de otras varias sedes existentes en Hispania cuando asegura que la ordenación de Sabino ha sido perfectamente lícita, porque se hizo «con el voto de toda la comunidad y el juicio de los obispos presentes y de los que escribieron sobre él». No cabe duda de que, si a mediados del siglo III había ya bastantes comunidades organizadas, las primeras formaciones de tales comunidades se han de situar al menos en los tiempos a los que aluden los textos anteriormente citados de Tertuliano y San Ireneo.

Las sedes a cuyos obispos aluden los africanos eran, sin duda, sedes vecinas a la de Sabino, las de su misma provincia civil. De la existencia de no pocas iglesias en regiones situadas en el interior de la Península, es lícito deducir la existencia de otras tantas, o, mejor, de más y más antiguas comunidades en otras provincias mucho más romanizadas y más accesibles, como son la Tarraconense y la Bética. La existencia, pues, del cristianismo en la Península está totalmente asegurada para todo el siglo II por lo menos.

El episodio de la apostasía de Basílides y Marcial es el testimonio más antiguo de persecuciones en Hispania.

A fines del año 249 o primeros días del 250, el emperador Decio promulgó un edicto en el que se imponía a todos los habitantes del imperio la obligación de hacer un acto de acatamiento a la religión oficial participando en los sacrificios y obteniendo un certificado *(libelo)* de haber cumplido el rito. Todo esto debía efectuarse dentro de un plazo determinado. Con esta disposición, totalmente nueva en la historia del imperio, todos los cristianos se encontraron de repente ante la disyuntiva de apostatar públicamente o de afrontar ineludiblemente los castigos y la muerte. Fueron numerosos los mártires que dieron la vida en

---

[15] Cf. Z. García Villada, *HistEclEsp* I-1 p.191-93.
[16] Cf. A. Ferrua, *Agli albori del cristianesimo nella Spagna:* CivCatt 91 (1940) IV 422-31.

esta ocasión por mantenerse fieles a su compromiso con Cristo. Uno de ellos fue, p.ej., Pionio de Esmirna, cuyas actas, rehechas en tiempos posteriores, encierran un amplio núcleo original y auténtico. En ellas vemos descritas algunas de las prácticas que se exigían a los súbditos, y, por tanto, también a los cristianos:

> «A la fuerza intentaban ponerle en la cabeza a Pionio las coronas que solían llevar los sacrílegos; se deshizo él de ellas, y quedaron desparramadas ante las mismas aras que debían adornar. Se acercó un sacerdote como para darle a Pionio las asaduras [de las víctimas de los sacrificios] aún calientes en el asador; pero, arrepentido de repente, no se atrevió a acercarse a ninguno [de los mártires] y comió él solo, delante de todos, los funestos dones» [17].

El ofrecimiento de libaciones, así como el comer la carne de las víctimas ofrecidas, eran formas de sacrificar a los dioses y demostrar que se acataba la religión oficial. Los cristianos que cedieron a la presión y consintieron en estas ceremonias fueron llamados *sacrificati*, es decir, los que habían ofrecido sacrificios. Un caso particular de *sacrificati* podía ser el de los que habían ofrecido incienso ante el altar, por lo que se les llamaba *turificati* [18].

La persecución de Decio sorprendió y creó un clima de terror al que no pocos sucumbieron. San Cipriano describe con tanto dolor como realismo el triste cuadro de esta gran apostasía [19]. Semejante es la descripción que hace Dionisio de Alejandría en carta a Fabio de Antioquía:

> «... todos estaban aterrados, y muchos de los más conspicuos, unos comparecían en seguida, muertos de miedo; otros con cargos públicos se veían llevados por sus propias funciones y otros eran arrastrados por los amigos. Llamados por su nombre, se acercaban a los impíos y profanos sacrificios, pálidos unos y temblorosos, como si no fuesen a sacrificar, sino a ser ellos mismos sacrificios y víctimas para los ídolos; tanto que el numeroso público que les rodeaba se mofaba de ellos, pues era evidente que para todos resultaban unos cobardes para morir y para sacrificar» [20].

Una vez cumplidas las ceremonias, los que habían participado en algún modo en los sacrificios, recibían el certificado (libelo) de haber cumplido con los mandatos del edicto del emperador. Algunos cristianos creyeron hallar un camino intermedio para salvar sus vidas y las de los suyos sin llegar a ofrecer sacrificios: por amistades o por dinero conseguían de las autoridades el certificado o libelo de haber sacrificado sin haberlo hecho; a éstos les llamaron *libeláticos*.

San Cipriano, al igual que el papa Cornelio, supieron mantener el equilibrio entre la firmeza necesaria y la debida compasión para los que

---

[17] *Actas de S. Pionio:* BAC 75 (Madrid 1951) p.634.
[18] San Cipriano escribe al obispo númida Antoniano, contestando a la pregunta de éste «por qué Cornelio había concedido su comunión a Trófimo y a los *turificati*» (CIPRIANO, *Epist.* 55 II 1: BAC 241 [Madrid 1964] p.521).
[19] CIPRIANO, *De lapsis* 4-11: BAC 241 (Madrid 1964) p.171-78.
[20] EUSEBIO, *His. ecl.* VI 41,11. Traduc. de A. Velasco Delgado: BAC 350 (Madrid 1973) p.413-14.

caían en la persecución por debilidad y después se arrepentían de su caída. A veces, el arrepentimiento sucedía ya durante la misma persecución. Ante el peligro de un nuevo embate, los obispos resolvieron que a los *libeláticos* arrepentidos se les admitiese provisionalmente a la comunión, y a los que habían sacrificado realmente, se les concediese el perdón a la hora de la muerte, remitiendo el procedimiento definitivo para cuando terminase la persecución y se pudiese reunir un sínodo. San Cipriano distinguía muy bien diversos grados de culpabilidad, asegurando que, aunque para los filósofos estoicos todos los pecados eran igualmente graves, para los cristianos no era así:

> «No pienses —escribe a Antoniano [21]— que, como algunos creen, lo mismo son los *libeláticos* que los *sacrificati,* cuando en realidad, aun entre los *sacrificati,* hay mucha diferencia de situaciones y de causas. No se pueden medir por el mismo rasero el que se presentó en seguida a sacrificar voluntariamente y el que solamente lo hizo forzado y asediado, después de larga resistencia; ni el que se entregó a sí mismo y entregó además a todos los suyos, con el que se expuso él solo al peligro por todos y protegió con su propia acción a su mujer, a sus hijos y a toda su casa. Tampoco es lo mismo el que impulsó al delito a sus inquilinos y amigos y el que, por el contrario, les ahorró el peligro a éstos y además ofreció hospitalidad en su casa a muchos hermanos que huían prófugos y desterrados, presentando al Señor muchas almas vivas e incólumes que rogasen por una sola alma herida».

Terminada la persecución, tanto en Roma como en Cartago se aprobó conceder el perdón a los caídos en la persecución, examinando previamente las diversas circunstancias de cada uno y exigiéndoles arrepentimiento y penitencia. Los clérigos arrepentidos volvían a ser readmitidos a la comunión, pero no al ejercicio de sus respectivos ministerios.

En las comunidades de León-Astorga y de Mérida fueron los mismos obispos los que cedieron al temor. No parece, por otra parte, que ninguno de los dos se hallase muy preparado para soportar las duras pruebas. Las figuras de Basílides y Marcial no confirman precisamente la imagen romántica del cristianismo primitivo, que presenta a los cristianos de los primeros siglos como convencidos y fieles seguidores de la pureza del Evangelio. Estos dos obispos no solamente fueron débiles en la persecución, obteniendo el certificado de haber sacrificado. Dejan también que desear en otros aspectos. Marcial aparece retratado en la carta como un obispo que no había renunciado a sus costumbres no cristianas, manteniéndose en contacto con sus amigos y consocios de un colegio funerario, con los que celebraba alegres banquetes y en cuyo gremio seguía las prácticas funerarias paganas, incluso con sus propios hijos difuntos, en una época en la que ya —como se deduce del reproche— los cristianos contaban con cementerios propios independientes. San Cipriano consideraba la persecución, con sus terribles consecuen-

---

[21] BAC 241 (Madrid 1964) p.529-30.

cias, como un castigo de Dios por los pecados de los cristianos de su época:

> «No había en los sacerdotes devoción religiosa, ni una fe íntegra en los ministerios, ni misericordia en las obras, ni disciplina en las costumbres...» [22]

No sabemos por cuánto tiempo hubieron de soportar tales actitudes las comunidades respectivas. En cambio, sabemos que, significativamente, lo que dichas comunidades no consintieron fue que Basílides y Marcial continuasen en sus puestos jerárquicos después de haber claudicado en la persecución. Siguiendo la costumbre todavía vigente en aquellos tiempos, y que Cipriano con los obispos africanos llama «lo que es tradición divina y práctica apostólica, lo que mantenemos nosotros y se mantiene en casi todas las provincias», acudieron «los obispos vecinos de la provincia» y, en presencia del pueblo, «que conoce a fondo la vida de cada uno de sus miembros y sabe de su conducta porque los ha tratado», se eligieron, con el voto de toda la comunidad, los sucesores.

Esta reacción enérgica de las comunidades que se niegan a seguir admitiendo como obispos suyos a dos *libeláticos,* supone que, en una buena parte, los fieles debieron de mantenerse firmes y limpios de toda abdicación [23]; firmeza que se manifiesta además en su negativa a aceptar la reposición de los apóstatas como consecuencia del viaje a Roma de Basílides. Los fieles hispanos habían cumplido con exactitud lo que advertían los obispos africanos en la carta: «El pueblo se debe apartar del obispo prevaricador y no debe participar en los sacrificios del sacerdote sacrílego, sobre todo teniendo la potestad de elegir dignos obispos o recusar los indignos».

La carta alude a la existencia de otros obispos que habían entrado en comunión con Basílides y Marcial. No se especifica cuándo, pero se puede suponer que esa actitud conciliatoria de algunos obispos fue la consecuencia del veredicto romano, según el cual el papa Esteban reponía a Basílides en su sede.

A través de la trama de todos estos hechos, nos es dado penetrar algo más a fondo en la postura y la manera de ser de estas primeras comunidades conocidas. Las sorprendemos en un momento en que debían ya contar con un número no demasiado exiguo de fieles. Como tales comunidades cristianas, están estructuradas jerárquicamente. Pero el protagonista principal y activo de su historia no es la jerarquía aislada, sino el conjunto de toda la comunidad de fieles; una comunidad consciente de sus posibilidades, que en su conjunto ha sabido superar la prueba de la persecución y que no está dispuesta a consentir pasivamente la permanencia en sus puestos de obispos indignos.

La defección de sus obispos, su mala conducta, su necesaria deposición y consiguiente elección de sucesores produjeron en estas comuni-

---

[22] CIPRIANO, *De lapsis* 5: BAC 241 (Madrid 1964) p.173.
[23] Cf. V. MONACHINO, *Le persecuzioni e la polemica pagano-cristiana* (Roma 1974) p.188-207.

dades una «inevitable y justa preocupación». Pero esta frase de los obispos africanos se refiere directamente, sin duda, a la preocupación y al malestar creado por la vuelta de Basílides con la pretensión de ser admitido como titular de la sede cuando ya estaba nombrado su sucesor Sabino, pretensión que apoyaba en una resolución del obispo de Roma, Esteban. Este último problema es el que impulsa a las iglesias de León-Astorga y de Mérida a escribir a San Cipriano y a enviarle a sus nuevos obispos pidiendo que examine el caso y les responda. En la respuesta, según expresión de la carta, buscaban «consuelo y apoyo». De hecho, el apoyo fue total y la respuesta plenamente positiva. Es una aprobación sin reservas de la actitud de las comunidades cristianas hispanas y termina incluso con una exhortación a éstas para que perseveren en su postura y no consientan en la readmisión de los prevaricadores.

El conflicto de los obispos *libeláticos* nos depara así dos ejemplos de relaciones intereclesiales que superan las fronteras de las propias provincias. Algunos autores han querido ver en este episodio una muestra de que en Hispania se reconocía universalmente la supremacía primacial de Roma sobre las iglesias particulares [24]. Otros descubren en el recurso de las comunidades hispanas a Cartago indicios de una posible dependencia de origen [25]. El único documento histórico que poseemos, que es la carta, creemos que no permite concluir ni lo uno ni lo otro. De ello nos ocupamos detenidamente en el capítulo IV, al tratar de esta carta de San Cipriano como testimonio de las relaciones eclesiásticas entre Hispania y Africa.

Sobre esta misma época del siglo III poseemos afortunadamente un documento digno de la mayor estima tanto desde el punto de vista histórico como desde el de la literatura hagiográfica: las actas de los mártires Fructuoso, Augurio y Eulogio.

LAS ACTAS DE SAN FRUCTUOSO, AUGURIO Y EULOGIO

La muerte del obispo y los dos diáconos de Tarragona fue consecuencia de la persecución de Valeriano.

Tanto Treboniano Galo como el mismo Valeriano en sus primeros años supusieron una tregua de paz para los cristianos, que bien la necesitaban después del duro quebranto sufrido en la persecución de Decio. Sin embargo, la persecución del 250, tan cruenta, tan generalizada y técnicamente tan estudiada, no había logrado, ni mucho menos, sus objetivos. Ni siquiera iglesias como las de León-Astorga y Mérida, cuyos pastores habían claudicado, se podían considerar como desarticuladas y

---

[24] Cf. Z. GARCÍA VILLADA, *HistEclEsp* I-1 p.215-18.
[25] Cf. M. C. DÍAZ Y DÍAZ, *En torno a los orígenes del cristianismo hispánico*, en *Las raíces de España* (Madrid 1967) p.435-36; J. M. BLÁZQUEZ, *Posible origen africano del cristianismo español:* ArchEspArq 40 (1967) 31-32.

en peligro de desaparecer. Ya hemos visto que en seguida se congregan de nuevo, convocan a los obispos vecinos, se reúnen en asamblea, rehacen sus cuadros y establecen contactos con otras iglesias lejanas.

En el año 257, Valeriano promulgó un primer edicto persecutorio, que no tuvo tan graves consecuencias como el que le siguió después en el 258. Por un escrito de Dionisio, obispo de Alejandría [26], y las actas de San Cipriano, sabemos que Valeriano prescribía en el primer edicto que los obispos y presbíteros que no aceptasen dar culto a los dioses fuesen desterrados; prohibía también las reuniones y clausuraba los cementerios cristianos [27].

Sobre el segundo edicto, del año 258, estamos perfectamente informados por el mismo San Cipriano en su carta 80, a Suceso, escrita en agosto de ese mismo año [28]:

> «Sabed que han vuelto los que envié a la Urbe para que averiguasen qué era lo que se había decretado sobre nosotros, porque se decían muchas cosas diversas e inciertas.. Esto es lo que hay: Valeriano ha enviado un rescripto al Senado en el que se manda que los obispos, presbíteros y diáconos sean ejecutados sin más; los senadores, altos cargos y caballeros romanos queden privados de su dignidad y desposeídos de sus bienes, y si después de esto siguen confesándose cristianos, que sean decapitados; las matronas, despojadas de sus bienes y exiliadas; por último, todos los cesarianos (funcionarios imperiales) que antes o ahora se confiesen (cristianos), que se les confisquen los bienes y sean arrestados y distribuidos por las posesiones imperiales».

Como consecuencia de este segundo edicto morirían mártires, entre otros, San Cipriano en Cartago y San Fructuoso y sus diáconos en Tarragona.

Las actas de los mártires Fructuoso, Augurio y Eulogio no entran plenamente en la categoría de actas proconsulares [29], que, por ser copias del proceso verbal oficial, son las de máxima garantía histórica, puesto que las preguntas y respuestas del proceso se recogían taquigráficamente al pie de la letra. Pero son ciertamente actas auténticas, escritas por un testigo ocular —que incluso pudo servirse de las actas proconsulares— que conoce perfectamente los hechos y da testimonio de ellos con la mayor exactitud, sencillez y fidelidad. Parece que el autor de las actas era un militar, según el conocimiento que demuestra de algunos términos militares y la seguridad con que cita los nombres de todos los soldados que fueron a detener a los mártires [30]. San Agustín las conoció y las citó en un sermón tenido en la fiesta de estos mártires [31], y Prudencio las siguió en la relación de su himno VI del *Peristéfanon* [32].

---

[26] Se conserva en Eusebio, *Hist. ecl.* VII 11: BAC 350 (Madrid 1973) p.448-55.
[27] Cf. D. Ruiz Bueno, *Actas de los mártires:* BAC 75 (Madrid 1951) p.756-58.
[28] CSEL III 1 p.839-940; L. Bayard, *Saint Cyprien. Correspondance* III (París 1961) p.319-21: BAC 241 (Madrid 1964) p.737-38.
[29] Cf. H. Delehaye, *Les légendes hagiographiques* (Bruselas 1905).
[30] Cf. P. Franchi de'Cavalieri, *Gli atti di S. Fruttuoso di Tarragona* p.122-99; para la traducción de las actas, que ofrecemos más adelante, nos hemos servido de este texto crítico; A. Fábrega Grau, *Pasionario hispánico* I p.86-92; Z. García Villada, *HistEclEsp* I-1 p.257-59.
[31] Agustín, *Serm.* 273: ML 38,1247-52.
[32] CorpChr 126 p.314-20 = BAC 58 (1950) p.588-98.

El autor de las actas da con toda precisión los datos cronológicos: el arresto sucedió un domingo 16 de enero, cuando eran emperadores Valeriano y Galieno, y cónsules Emiliano y Baso. Es decir, en el año 259.

Por economía de espacio, omitimos los últimos párrafos de las actas, considerados además como añadiduras posteriores por algunos y, en todo caso, sin interés histórico. Damos nuestra propia traducción:

«Pasión de los santos mártires Fructuoso, obispo; Augurio y Eulogio, diáconos, que padecieron en Tarragona el 16 de enero bajo los emperadores Valeriano y Galieno.

I. Siendo Emiliano y Baso cónsules, el 17 de las calendas de febrero [16 de enero], domingo, fueron detenidos el obispo Fructuoso y los diáconos Augurio y Eulogio.

Fructuoso estaba en su cuarto cuando se acercaron a su casa los beneficiarios [33] Aurelio, Festucio, Elio, Polencio, Donato y Máximo. Al oír el ruido de sus pasos, se levantó en seguida y salió a su encuentro en sandalias. Los soldados le dijeron:

—Ven. El presidente [34] te requiere a ti y a tus diáconos.

El obispo Fructuoso les dijo:

—Vamos. Pero, si me lo permitís, me pongo los zapatos.

Le respondieron los soldados:

—Póntelos si quieres.

En cuanto llegaron, los metieron en la cárcel.

Fructuoso, seguro y alegre porque se veía llamado a recibir la corona del Señor, oraba sin interrupción. Toda la fraternidad [35] estaba con él, asistiéndolo y rogándole que se acordara de ellos.

II. Al otro día bautizó en la cárcel a un hermano nuestro llamado Rogaciano.

Pasaron seis días en la cárcel. El 12 de las calendas de febrero [36], viernes, los llevaron al tribunal y los interrogaron. El presidente Emiliano dijo:

—Haced pasar a Fructuoso, Augurio y Eulogio.

Dijeron los oficiales:

—Aquí están.

El presidente Emiliano dijo al obispo Fructuoso:

—¿Has oído lo que han mandado los emperadores?

El obispo Fructuoso dijo:

—No sé lo que han mandado. Pero yo soy cristiano.

El presidente Emiliano dijo:

—Han mandado dar culto a los dioses.

El obispo Fructuoso dijo:

—Yo doy culto a un solo Dios, que hizo el cielo y la tierra, el mar y todo cuanto en ellos hay.

Dijo Emiliano:

—¿Sabes que hay dioses?

El obispo Fructuoso dijo:

—No lo sé.

Emiliano dijo:

—Lo sabrás después.

Fructuoso dirigió su mirada al Señor y empezó a orar en su interior.

El presidente Emiliano dijo:

[33] Se trata de soldados-policías.
[34] O sea, el gobernador de la provincia.
[35] Así designa a la comunidad de los fieles.
[36] Corresponde al día 21 de enero.

—¡A éstos se obedece, a éstos se respeta, a éstos se adora, cuando no se da culto a los dioses ni se adoran las imágenes de los emperadores!

El presidente Emiliano dijo al diácono Augurio:

—No hagas caso a Fructuoso.

El diácono Augurio dijo:

—Yo doy culto a Dios omnipotente.

El presidente Emiliano dijo al diácono Eulogio:

—¿También tú das culto a Fructuoso?

El diácono Eulogio dijo:

—Yo no doy culto a Fructuoso; yo doy culto al mismo que Fructuoso.

El presidente Emiliano dijo al obispo Fructuoso:

—¿Eres obispo?

El obispo Fructuoso dijo:

—Lo soy.

Emiliano dijo:

—Lo fuiste.

Y mandó que los quemaran vivos.

III.   Cuando llevaban al anfiteatro al obispo Fructuoso y a sus diáconos, empezó el pueblo a condolerse con él, porque se había hecho querer no sólo de los hermanos, sino de los paganos también. Es que era tal como debe ser, según lo describe el Espíritu Santo por boca del bienaventurado apóstol Pablo, vaso de elección, doctor de los gentiles. Por eso, incluso los soldados, que sabían marchaba hacia una gloria tan grande, en vez de entristecerse, se alegraban.

Muchos de los fieles ofrecían copas de vino preparado. Pero él les dice:

—Todavía no es hora de romper el ayuno. Porque era la hora cuarta [37]. En la cárcel habían celebrado solemnemente la estación del miércoles; el viernes iba deprisa, alegre y seguro, para acabarla con los mártires y los profetas en el paraíso que el Señor ha preparado a los que lo aman.

Llegado al anfiteatro, se le acercó en seguida su lector, Augustal, y le pidió llorando que le dejase descalzarlo. El bienaventurado mártir le respondió así:

—Déjalo, hijo; yo mismo me descalzaré; estoy fuerte y alegre y cierto de la promesa divina.

Cuando se descalzó, se le acercó Félix, camarada de milicia y hermano nuestro; le cogió la mano derecha y le pidió que se acordase de él. Con voz clara que le oyeron todos, le respondió el santo Fructuoso:

—Tengo que acordarme de la Iglesia católica desde Oriente a Occidente.

IV.   En la puerta del anfiteatro, a punto ya, más que de sufrir la pena, de alcanzar la corona imperecedera, y aunque le observaban los oficiales beneficiarios cuyos nombres dimos más arriba, el obispo Fructuoso, por persuasión y dictado del Espíritu Santo, dijo de manera que lo oyesen ellos y nuestros hermanos:

—No os faltará pastor, ni puede faltar la caridad y la promesa del Señor ni ahora ni nunca. Esto que veis es enfermedad de una hora.

Consoló así a la fraternidad y pasaron a la salvación; felices en el mismo martirio y dignos de sentir el fruto de la promesa de las sagradas Escrituras. Fueron semejantes a Ananías, Azarías y Misael, de tal manera que también en ellos se viese la trinidad divina. Colocados ya en la hoguera, no faltó el Padre, asistió el Hijo y el Espíritu Santo caminó en medio del fuego.

Cuando se quemaron las cuerdas que le ataban las manos, Fructuoso, acordándose de la oración divina y de la costumbre habitual, se puso de

[37] Es decir, las diez de la mañana.

rodillas, alegre y seguro de la resurrección, y, adoptando la figura del trofeo del Señor, oraba a Dios.

V. Después no faltaron los acostumbrados prodigios del Señor y se abrió el cielo; lo vieron nuestros hermanos Babilón y Migdonio, de la casa del presidente Emiliano, quienes mostraron a la hija del mismo Emiliano, su señora carnal, cómo el obispo Fructuoso con los diáconos ascendían coronados al cielo cuando todavía estaban allí los palos a los que habían sido atados.

Llamaron a Emiliano y le dijeron:

—Ven y ve a los que has condenado hoy cómo son devueltos a su cielo y a su esperanza.

Fue a ver Emiliano, pero no fue digno de verlos.

VI. Los hermanos, como abandonados sin pastor, soportaban tristes su pena; no porque compadeciesen a Fructuoso, sino porque lo envidiaban, pensando cada uno en su fe y en su combate.

Llegada la noche fueron en seguida al anfiteatro con vino para apagar los cuerpos semicalcinados. Lo hicieron así, recogieron las cenizas de los dichos mártires y se quedó cada uno con lo que pudo.

Tampoco aquí faltaron los prodigios de nuestro Señor y Salvador, para que aumentase la fe de los creyentes y se diese ejemplo a los pequeños.

Era conveniente que el mártir Fructuoso confirmase en su pasión y resurrección lo que en nuestro Señor y Salvador había prometido con su enseñanza en este siglo por la misericordia de Dios.

Después de su pasión se apareció a los hermanos y les advirtió que restituyesen sin tardanza lo que cada uno se había apropiado de las cenizas y se encargasen de reunirlas en un solo sitio».

Entre la carta 67 de San Cipriano y las actas de San Fructuoso solamente median cuatro o cinco años. Se refieren estos documentos a episodios surgidos de dos persecuciones que sólo distan entre sí nueve años. Sin embargo, reflejan situaciones muy diferentes. Por eso, ambos escritos constituyen una importante contribución para un conocimiento menos parcial y unívoco de la vida cristiana en la Península y una advertencia contra la tentación de querer generalizar y extender a todas las iglesias lo que solamente conocemos de una o algunas de ellas.

Las figuras del obispo Fructuoso y de sus diáconos ofrecen un reconfortante contraste con respecto a los obispos *libeláticos* de Mérida y de León-Astorga. Los mártires tarraconenses son un ejemplo de la auténtica actitud cristiana ante la persecución. Impresiona su sencillez, su naturalidad, su entereza sin arrogancia, la ausencia de todo fanatismo en la firmeza de sus convicciones y la fuerza de su fe, serena y llena de segura esperanza. En Fructuoso pueden sintetizarse los rasgos característicos del obispo de una comunidad consciente de su condición cristiana; hombre de fe clarividente, Fructuoso no pierde la paz ni la serenidad ante los que vienen a llevarle a una muerte segura. En la cárcel continúa ejerciendo su ministerio: bautiza y preside la celebración litúrgica. Responde al juez con humilde nitidez, que recuerda aquellas palabras de Cristo: «Que vuestro 'sí' sea un 'sí' y vuestro 'no' un 'no'» [38]. El obispo recurre en todo momento a la oración. Sus respuestas a los que

---

[38] Mt 5,37; trad. de J. MATEOS-J. ALONSO, *Nueva Biblia española* (Ediciones Cristiandad).

se le acercan en su camino al martirio reflejan un ánimo paternal, más preocupado del consuelo y la paz de sus fieles que de su propia situación trágica.

San Fructuoso es consciente de la universalidad de la Iglesia. Lo muestra su célebre frase, ya comentada por San Agustín, cuando Félix le pide que se acuerde de él en sus oraciones: «Tengo que acordarme de la Iglesia católica, extendida desde Oriente a Occidente».

Las circunstancias extraordinarias que son siempre la ejecución de unos mártires, provocan indudablemente una actitud especialmente heroica y de sublimación que no se puede extender, sin más, a la vida normal y cotidiana. Pero en las actas hay algunas indicaciones que se refieren a tiempos anteriores a los del martirio. Una de estas indicaciones es la siguiente:

«Cuando llevaban al anfiteatro al obispo Fructuoso y a sus diáconos, empezó el pueblo a condolerse con él, porque se había hecho querer no sólo de los hermanos, sino de los paganos también».

A través de todo el texto de las actas, pero muy especialmente gracias a esta frase, se nos descubre que la comunidad cristiana de Tarragona vivía en paz y en buenas relaciones con sus conciudadanos y parientes no cristianos. El obispo Fructuoso se había hecho querer también de los paganos; y a todo lo largo del proceso y ejecución de los mártires no se ve el más mínimo indicio de esa animadversión de los no cristianos, que en otras ciudades a veces llegó a ser verdadero odio y furor contra sus conciudadanos fieles de la Iglesia. Baste recordar las palabras del obispo de Alejandría Dionisio, quien a propósito de la persecución de Decio dice: «Entre nosotros, la persecución no comenzó por el edicto imperial, sino que se anticipó un año entero...» Narra varios de los martirios realizados tumultuariamente y continúa: «Y luego todos a una se lanzaron contra las casas de los fieles, y cayendo sobre los que cada uno conocía, vecinos suyos, se los llevaban y se entregaban al saqueo y al pillaje. Apartando para sí los objetos más valiosos y arrojando los más vulgares y hechos de madera para quemarlos en las calles, ofrecían el espectáculo de una ciudad tomada por enemigos» [39].

Las circunstancias, pues, eran muy diversas en Tarragona. En la misma casa del gobernador había cristianos. Dos de éstos, Babilón y Migdonio, después de la ejecución de la sentencia, no tenían reparo en hablar con su señor, el gobernador, e invitarle a contemplar la visión de los tres que él había condenado «devueltos a su cielo y a su esperanza».

No sabemos si el cristianismo para esta época se había extendido ya por todas las capas sociales en Hispania. En Roma o en otras partes del imperio sí era así, cuando en el edicto de Valeriano se dictan disposiciones especialmente dirigidas, como hemos visto, a los senadores, altos cargos, caballeros, matronas y cesarianos.

En las actas de San Fructuoso queda patente la actitud serena de las autoridades, bien lejana del sadismo que se les atribuye normalmente

---

[39] Eusebio, *Hist. ecl.* VI 41,1 y 5; trad. A. Velasco Delgado: BAC 350 (Madrid 1973) p.411-12.

en la prolífica literatura hagiográfica apócrifa. Los soldados que van a detenerle acceden sin dificultad al deseo del obispo de retirarse un momento para calzarse debidamente. En la cárcel pueden seguir celebrando la *statio;* no se impide el acceso a los mártires de los que por devoción y cariño quieren acercarse a ellos y ofrecerles su ayuda o su consuelo; los fieles del pueblo se muestran abiertamente como seguidores de la misma fe cristiana, sin que por eso sean molestados, de acuerdo con los términos del edicto, que solamente mandaba ejecutar a los diáconos, presbíteros y obispos y a los fieles de las clases elevadas. El gobernador se atiene al interrogatorio preciso para dar cumplimiento a lo mandado. La sinceridad de su postura y de su convencimiento se refleja tanto en la pregunta: «¿Sabes que hay dioses?», como, sobre todo, en la reflexión en voz alta que le sigue poco después: «¡A éstos se obedece, a éstos se respeta, a éstos se adora, cuando no se da culto a los dioses ni se adoran las imágenes de los emperadores!» Para él, la actitud de aquellos ciudadanos, además de incomprensible, era subversiva de los valores indiscutibles de la sociedad. Trata de disuadir primero a San Fructuoso; cuando ve que no lo logra, procura que el diácono Augurio no siga el ejemplo de su obispo. Sin hacer más presión, dicta la sentencia de muerte; aunque el haber elegido precisamente el *vivicomburium* para la ejecución muestra una especial dureza en sus métodos.

Nos dan algunas noticias las actas de la vida litúrgica de la comunidad. Los miércoles y viernes celebraban la *statio.* Los mártires de Tarragona fueron detenidos un domingo; el miércoles «habían celebrado solemnemente la *statio* en la cárcel»; el viernes, cuando los fieles le ofrecen bebidas en su camino hacia el martirio, San Fructuoso no las acepta, alegando que «todavía no es hora de romper la *statio*», porque eran solamente las diez de la mañana, y, como explica el autor de las actas, «era viernes y marchaba deprisa, alegre y seguro, para acabar la *statio* con los mártires y profetas en el paraíso que el Señor tiene preparado a los que le aman». La palabra *statio* es ya aquí un término técnico cristiano. Significa principalmente el ayuno; pero un ayuno que va acompañado siempre de oraciones; es decir, de una función litúrgica muy probablemente heredada, en parte, del mundo judío. De este término técnico dice la gran conocedora del latín cristiano Chr. Mohrmann: «*Statio* es una de las primeras palabras de la latinidad cristiana de que nos queda testimonio; en un momento en que una literatura cristiana de lengua latina no había nacido todavía, Hermas emplea esta palabra latina en su *Pastor*» [40].

Sobre el significado del martirio para los cristianos de Tarragona de mediados del siglo III, podemos saber por las actas lo siguiente:

1. Para San Fructuoso y para el pueblo, la perspectiva inmediata

---

[40] CHR. MOHRMANN, *Études sur le latin des chrétiens* III (Roma 1965) p.307-30. El lugar citado de Hermas es *Sim.* 5,1,1. En otro lugar dice la misma autora: «Este pasaje prueba que hacia mediados del siglo II se hablaba ya de *statio* en la comunidad cristiana de Roma»; y en el sentido de ayuno cf. o.c., p.76. La descripción de la *statio* como se celebraba en Africa se encuentra en Tertuliano, como puede verse con detenido estudio en la misma o.c. de Chr. Mohrmann.

del martirio era motivo de seguridad y de alegría, porque el martirio era una gran gloria y la corona del Señor, prometida en las sagradas Escrituras.

2. Los padecimientos y la muerte ante esa corona heredada y esperada no eran más que «enfermedad de una hora».

3. Los mártires eran objeto de envidia más que de compasión.

4. Como toda esta concepción del martirio se apoyaba en la fe, los mártires oraban todo el tiempo. De San Fructuoso se dice que en la cárcel «oraba sin interrupción»; en el juicio, en cuanto terminó de confesar su fe ante el gobernador, «el obispo Fructuoso dirigió su mirada al Señor y empezó a orar en su interior». Una vez en la hoguera, cuando sus manos por el mismo fuego quedaron libres de las ataduras, cayeron de rodillas y, puestos en cruz, «rezaban hasta que juntos expiraron».

5. Las actas son, por fin, el testimonio más antiguo de la veneración en la Península de las reliquias de los mártires. Los fieles apagaron con vino sus cuerpos semicalcinados y recogieron y conservaron sus restos. Las reliquias de los mártires fueron después reunidas —según las actas— por admonición sobrenatural del mismo San Fructuoso.

En 1924 se descubrió en Tarragona una gran necrópolis (fábrica de tabacos) romana que ciertamente existía desde el siglo III y que debió de perdurar hasta el VI o el VII. En esta necrópolis han aparecido inscripciones con formulario cristiano y numerosos sepulcros que desde un momento determinado parecen haber sido colocados en las cercanías de una venerada memoria de mártires, convertida más tarde (siglos IV-V) en basílica, de la que aparecieron algunos restos en las excavaciones, aunque no sea ya posible reconstruir con seguridad su planta. Entre los fragmentos de inscripciones hay una del siglo V, de especial interés por el hecho de conservarse en él parte del nombre de Fructuoso y la primera letra de Augurio. Es un fragmento moldurado que, según J. Vives, perteneció a la mesa de altar o a la memoria de la necrópolis de Tarragona. A un mármol con una cavidad en la que se guardan las cenizas de los mártires tarraconenses alude, a principios del siglo V, Prudencio en su himno VI del *Peristéfanon* [41].

En el año 1953 se descubrió otra basílica, construida en el siglo VI, en la arena del anfiteatro de Tarragona, escenario del martirio de los santos Fructuoso, Augurio y Eulogio [42].

Aunque hayan de leerse con las reservas que impone el estilo retórico con que están escritas, las palabras de Eusebio en su introducción a

[41] Cf. J. SERRA-VILARÓ, *Excavaciones en la necrópolis romano-cristiana de Tarragona:* MemJuntSupExcArq 93 (1928), 104 (1929) y 111 (1930); ID., *Fructuós, Auguri i Eulogi, màrtirs Sants de Tarragona* (Tarragona 1936); P. DE PALOL, *Arqueología cristiana de la España romana* (Madrid-Valladolid 1967) p.51-59 y 278-80; J. VIVES, *Una inscripció histórica dels màrtirs de Tarragona:* AnSacrTarr 9 (1953) 247-51; ID., *La necrópolis romano-cristiana de Tarragona. Su datación:* AnSacrTarr 13 (1937-40) 47-60; ID., *Inscripciones cristianas de la España romana y visigoda* (Barcelona ²1969) n.321. Véase asimismo n.304.326 y 328.

[42] S. VENTURA SOLSONA, *Noticia de las excavaciones en curso en el anfiteatro de Tarragona:* ArchEspArq 28 (1954) 259-80; P. DE PALOL, o.c., p.59-62.

la persecución de Diocleciano suponen un progreso evidente en la extensión y penetración del cristianismo en todas las capas de la sociedad del imperio. Se palpan en ellas también los resultados de una situación de tolerancia y de paz —en líneas generales—, que puede decirse dura desde los edictos de Galieno hasta los primeros momentos de la última gran persecución, vivida ya por Eusebio como testigo plenamente consciente.

De la paz concedida a la Iglesia por Galieno, el hijo y sucesor de Valeriano, en el 260, nos dice Eusebio [43] que inmediatamente Galieno, por medio de edictos, puso fin a la persecución iniciada por su padre. A la consulta del obispo Dionisio de Alejandría y otros más, responde Galieno con un rescripto en el que les asegura que ha dado órdenes de que se les restituyan los lugares sagrados y que nadie los moleste; y a otros obispos respondió también permitiéndoles la recuperación de los cementerios.

A tenor de estas noticias, los obispos escriben y reciben respuesta del emperador como representantes reconocidos de sus respectivas iglesias. Pocos años después, los obispos recurrían al emperador Aureliano para que interviniese en favor de los que habían depuesto al obispo hereje Paulo de Samosata. Se negaba éste a abandonar y entregar la *domus ecclesiae* [44], y el emperador determina que se entregue el edificio a aquellos con quienes estuviesen en comunión los obispos cristianos de Italia y de Roma [45].

El emperador Aureliano —seguramente a causa de sus intentos de reforma religiosa— trató de perseguir después a los cristianos, pero su muerte violenta impidió que la persecución se generalizara [46].

En esta situación de calma, Eusebio describe los avances de la fe cristiana por todas las regiones y por todos los estratos sociales: los emperadores acogían a los cristianos, encomendándoles incluso a algunos el gobierno de las provincias, con dispensa de las obligaciones que iban contra su conciencia, como la de sacrificar a los dioses; había cristianos en los palacios del emperador y de los grandes dignatarios, les permitían vivir abiertamente su fe cristiana y aun los estimaban más que a los no cristianos; los procuradores y gobernadores concedían favores a los obispos; en los lugares de asamblea, los cristianos se concentraban por millares, hasta el punto que se levantaron nuevas iglesias más capaces para poder albergarlos en las celebraciones litúrgicas [47].

En los años cercanos al cambio de siglo, la población cristiana había aumentado mucho en todo el imperio. Para esa época, según A. Harnack [48], hay regiones del imperio en las que los cristianos son ya, más o

---

[43] EUSEBIO, *Hist. ecl.* VII 13: BAC 350 (Madrid 1973) p.457-59.
[44] El edificio o casa de la iglesia solía comprender varias dependencias; entre ellas, el aula destinada al culto.
[45] EUSEBIO, *Hist. ecl.* VII 30,19: BAC 350 (Madrid 1973) p.492.
[46] EUSEBIO, ibid., 30,20-21: BAC 350 (Madrid 1973) p.492-93.
[47] EUSEBIO, *Hist. ecl.* VIII 1-6.
[48] A. HARNACK, *Die Mission und Ausbreitung des Christentums* II (Leipzig ⁴1924) p.949-55.

menos, la mitad de la población total y constituyen el grupo religioso mayoritario; tales regiones son toda la actual Asia Menor (que llega a alcanzar, en gran parte, casi una total cristianización a principios del siglo IV), Tracia, Armenia (en la que el cristianismo es religión oficial) y Chipre. En otras provincias, según el mismo autor, los cristianos, sin llegar a mayoría, suponían ya una importante minoría con influencia también en los ambientes de la cultura y de la política. Esto sucedía, p.ej., en las grandes ciudades como Antioquía, Alejandría, Roma, Cartago, y en regiones como la Italia meridional y central, norte de Africa, sur de las Galias, algunas otras zonas de Oriente y nuestras provincias hispanas, al menos las del sur.

Para nuestra Península, el documento básico para estas apreciaciones correspondientes a final del siglo III y principio del IV es el concilio de Elvira, el cual analizaremos pronto con detención. Era conveniente recordar aquí estos datos y condiciones del cristianismo en la segunda mitad del siglo III y hasta la paz de Constantino para que la necesaria recopilación de las noticias conservadas sobre los mártires de las persecuciones no deje grabada en nosotros la falsa imagen de una época toda ella marcada exclusivamente por los martirios, como si éstos se hubiesen sucedido unos a otros sin interrupción y no hubiesen existido buenas temporadas, a veces de muchos años, en las que los cristianos podían vivir en paz su fe y extenderla a muchos de sus conciudadanos, con la anuencia incluso y a veces el apoyo de las autoridades civiles.

LA PERSECUCIÓN DE DIOCLECIANO

La situación de paz general no cambió cuando tuvieron lugar las grandes transformaciones que condujeron a la implantación de la tetrarquía. Como es sabido, Diocleciano reformó a fondo la estructura del imperio con el fin de acabar decididamente con la gran decadencia que se venía arrastrando a lo largo del siglo III por muy diversas causas internas, por las rebeliones y por las amenazas, cada vez más apremiantes, en las fronteras. Para una buena y directa administración de la cosa pública y para poder ejercer una vigilancia próxima y eficaz de las fronteras, Diocleciano pensó que era necesario dividir la responsabilidad del poder y situar estratégicamente las respectivas residencias. Desde el año 293 quedó constituida la primera tetrarquía: Diocleciano, augusto, residente en Nicomedia, ocupaba la cumbre de la jerarquía; con su césar Galerio, que residía en Sirmio, se ocupaba directamente del Oriente. El otro augusto, Maximiano, establecía su capital en Milán, y su césar Constancio, en Tréveris; ambos gobernaban el Occidente. Diocleciano pretendía renovar también la religión oficial y tradicional romana [49]. En el año 297 promulgó un edicto contra los maniqueos; en sus considerandos entraba, como principal razón para la eliminación de esta secta, el

---

[49] Cf. V. MONACHINO, *Le persecuzioni e la polemica pagano-cristiana* (Roma 1974).

hecho de que era una religión nueva y contraria a la tradicional de Roma. Era este motivo, sin duda, un precedente para la persecución de los cristianos [50].

Como vimos anteriormente, los cristianos eran muy numerosos ya, mayoría incluso en Asia Menor, y llegaban a ocupar puestos importantes, encontrándose no pocos incluso entre los familiares y servidores de los césares y augustos. Por un testimonio del procónsul Dión en el proceso contra el soldado cristiano Maximiliano, nos consta expresamente que «en el séquito sagrado de nuestros señores Diocleciano, Maximiano, Constancio y Máximo hay soldados cristianos» [51]. Lo cierto es que Diocleciano mandó eliminar de los palacios imperiales y del ejército a todos los que no se aviniesen a dar culto a los dioses romanos. Pero la situación se agravaría notablemente en el año 303, principalmente a causa de las instigaciones del césar Galerio, que, según Eusebio y Lactancio, era el gran enemigo de los cristianos [52].

En el año 303 se promulgan tres edictos contra los cristianos. En el primero se manda destruir las iglesias y quemar todos los libros, destituir de sus cargos a todos los cristianos, rebajar al ínfimo grado social a los que ocupaban rango superior y prohibir toda posibilidad de emancipación a los esclavos que perseverasen en el cristianismo. Este primer edicto, de suyo, no tenía que producir mártires, puesto que no se imponía la pena de muerte. Pero fue, en cambio, catastrófico para la historia de la Iglesia, puesto que significó la destrucción masiva de los archivos y bibliotecas cristianas. Los clérigos que espontáneamente entregaron los libros para su destrucción fueron tildados después con el calificativo de *traditores*.

El segundo edicto ordenaba encarcelar a los jefes de las iglesias, entendiendo como tales todos los grados del clero.

El tercero inauguraba ya abiertamente una nueva serie de suplicios y martirios: ordenaba liberar a los presos cristianos que sacrificaran a los dioses y atormentar a los que se resistiesen.

Por fin, con el cuarto edicto se imponía la voluntad de Galerio sobre la tendencia de Diocleciano, que había querido evitar en lo posible todo derramamiento de sangre. Se promulgó en el año 304 e imponía la obligación generalizada de ofrecer públicamente sacrificios y libaciones a los dioses. Con él se iniciaba lo que sería la más terrible y cruel persecución de todas las que hubieron de padecer los miembros cristianos del imperio romano. Solamente en las regiones dependientes directamente de Constancio Cloro, en las que no quedaba comprendida nuestra Península, la persecución quedó muy mitigada por la buena disposición de dicho césar.

La persecución en Occidente duró hasta el advenimiento de la segunda tetrarquía, cuando el 1.º de mayo del año 305 renunció Diocle-

---

[50] Las fuentes principales en EUSEBIO, *Hist. ecl.* VIII y IX y en LACTANCIO, *De mort. persecut.*

[51] *Actas de S. Maximiliano:* BAC 75 (Madrid 1951) p.949-50.

[52] EUSEBIO, *Hist. ecl.* VIII apénd.: BAC 350 (Madrid 1973) p.550; LACTANCIO, *De mort. persecut.* 11.14.21.22: SourcChrét 39 (París 1954).

ciano a su cargo, se retiró definitivamente del gobierno del imperio e hizo renunciar también a Maximiliano. Constantino, césar de Occidente desde la muerte de su padre Constancio en el 306, continuó la política benévola de su padre, hasta llegar en el 313 al famoso edicto de Milán, que inaugura ya del todo una nueva época.

EL MÁRTIR MARCELO

Uno de los mártires militares de finales del siglo III es el centurión Marcelo, del que se conservan unas actas con bastantes rasgos de historicidad [53].

El proceso del centurión Marcelo se desarrolla en dos momentos, correspondientes a un primer juicio ante el presidente o gobernador Fortunato, y un segundo y definitivo en Tánger, ante Aurelio Agricolano, «agentem vicem prefectorum pretorio» [54]. El primer juicio tiene lugar el 28 de julio del año 298 [55]; el segundo, el 30 de octubre del mismo año [56]. En el *elogium* con que Fortunato envía a Marcelo para que lo juzgue Agricolano [57], los hechos principales se narran así:

«Manilio Fortunato a Agricolano, su (señor), salud. En el felicísimo día en que en todo el orbe celebramos solemnemente el cumpleaños de nuestros señores augustos y césares, señor Aurelio Agricolano, Marcelo, centurión ordinario, como si se hubiese vuelto loco, se quitó espontáneamente el cinto militar y arrojó la espada y el bastón de centurión delante de las tropas de nuestros señores».

Fortunato lo llamó en seguida a sí, y Marcelo le explicó su actitud diciendo que era cristiano y no podía militar en más ejército que en el de Jesucristo, hijo de Dios omnipotente.

Fortunato, ante un hecho de tanta gravedad, creyó necesario notificarlo a los emperadores y césares y enviar a Marcelo para que lo juzgase su superior, el viceprefecto Agricolano. En Tánger, y ante Agrico-

---

[53] El P. Delehaye publicó un primer intento de edición crítica en AnBoll 41 (1923) 257-87; Z. García Villada publicó después un ms. inédito, del siglo X, de la Bibl. Nacional de Madrid, n.494, antiguo A-76, en *HistEclEsp* I-1 p.377-79, con trad. y coment. en p.265-68; B. de Gaiffier *(S. Marcel de Tánger ou de León?:* AnBoll 61 [1943] 116-39; ID., *L'«elogium» dans la Passion de Marcel de Centurion:* Études critiques d'hagiographie et d'iconologie [Bruselas 1967] p.81-90) considera este ms. de Madrid como el más cercano al texto original. Cf. B. DE GAFFIER, *À propos de St. Marcel le Centurion:* ArchLeón 23 (1969) 13-23. En el primero de sus escritos citados, este autor reproduce a tres columnas los textos de los mss. París 17002, Madrid A-76 y El Escorial B.I 4; el de París 17002 lo considera una recensión simplificada de la *Passio,* pero no interpolada. El ms. de El Escorial, en cambio, representa una versión mutilada e interpolada.
[54] Ms. París 17002; cf. B. DE GAIFFIER, *San Marcel de Tánger ou de León?* p.118.
[55] «Fausto et Gallo consulibus, die quinta kalendarum augustarum».
[56] «Tertio die kalendarum novembrium».
[57] Como explica B. de Gaiffier, el *elogium* es el resumen del acta de acusación redactado por un funcionario para información de la jurisdicción superior, y es muy verosímil que su texto original en nuestro caso se haya conservado fielmente en el contenido en el ms. de Madrid A-76, ya que contiene una serie de expresiones y términos técnicos muy exactos.

lano, se lee a Marcelo el acta de acusación, que él confirma y acepta, por lo que es condenado a la decapitación.

En los manuscritos que más fielmente parecen reflejar el texto original, no hay ninguna noticia que permita determinar a qué legión pertenecía Marcelo ni en qué ciudad se tuvo el primer juicio. Sin embargo, suele atribuírsele la Legio VII Gemina y algunos sitúan el hecho que provocó el arresto en la ciudad de León [58]. Estas atribuciones carecen de fundamento histórico y se basan únicamente en manifiestas añadiduras de documentos posteriores. Según B. de Gaiffier, Marcelo pudo estar en España cuando cometió el delito, pero nada seguro sabemos sobre su relación con nuestra Península y su culto no es conocido en la liturgia hispánica hasta la segunda mitad del siglo X [59].

Posteriormente, la historia de San Marcelo tuvo ulteriores desarrollos. El más conocido de éstos es la leyenda según la cual San Marcelo fue padre de doce hijos, todos ellos militares y mártires. Los santos Claudio, Lupercio y Victorio, Facundo y Primitivo, Emeterio y Celedonio [60], Servando y Germán, Fausto, Januario y Marcial, procedentes de los más diversos lugares de la Península, fueron reunidos alrededor del centurión Marcelo, convertido ya en leonés, y hechos miembros de su familia, hijos suyos.

Semejante invención fantasiosa no merecería ser recordada aquí si no fuese por una circunstancia curiosa que nos han revelado las excavaciones del Instituto Arqueológico Alemán de Madrid, realizadas en los años 1967-69 en las ruinas de un edificio cristiano situado en Marialba, a siete kilómetros al sur de León. Después de dichas excavaciones, dirigidas por H. Schlunk y Th. Hauschild, sabemos que en Marialba se construyó en el siglo IV una gran aula rectangular de 23,44 metros de largo por 13,60 metros de ancho, con ábside de herradura de 9,55 metros de diámetro. Antes de terminarse del todo esta construcción, se modificó notablemente su estructura, construyéndose en una segunda fase, a principios del siglo V, cuatro hornacinas laterales en los extremos del aula, con cuatro grandes pilastras que permitían alzar una gran cúpula central. Al mismo tiempo, en el ábside se adosaban también tres grandes hornacinas, se alzaba su pavimento, y bajo este pavimento se construían tres series paralelas de sepulturas, con cinco sepulcros en la serie central y cuatro en cada una de las laterales. A esta fase pertenece también el revestimiento de mármol de las paredes. Es manifiesto, por tanto, que el edificio adquirió desde entonces la forma de una gran *martyrium* o basílica martirial, y que este nuevo carácter está relacionado

[58] Cf. M. C. DÍAZ Y DÍAZ, *En torno a los orígenes del cristianismo hispánico* p.437-48. Dice de Marcelo que militaba en la legión VII, y añade: «Aunque la supuesta relación con España no está clara, se esconde en este culto una vieja relación hispano-africana que sería inútil discutir». Sin embargo, si la relación con España no está clara, quizá no sea tan inútil discutirla. J. M. Blázquez (*Posible origen africano del cristianismo español* p.34-35) lo considera centurión de la Legio VII Gemina y natural de Tánger, y lo aduce como argumento en favor del origen africano del cristianismo hispano.

[59] Cf. B. DE GAIFFIER: AnBoll 61 (1943) 116-39; A. FÁBREGA GRAU, *Pasionario hispánico* I (Madrid-Barcelona 1953) p.221-22.

[60] Citados estos dos últimos por Prudencio como mártires de Calahorra en *Perist.* I.

con las trece sepulturas colocadas ordenada y contemporáneamente en el lugar prominente del ábside [61].

Llama la atención la coincidencia del número trece de sepulturas con una de ellas destacada, con el número igual de mártires que forman el centurión Marcelo y sus «doce hijos». A. Viñayo ha dedicado un estudio a este tema [62], concluyendo naturalmente que las tumbas del siglo IV no pueden ser los sepulcros de los trece mártires citados, grupo legendario que no aparece antes del siglo XIII y está compuesto por mártires de diversos lugares de la Península. Curiosamente existe otro grupo leonés de trece mártires, el prior Ramiro y doce monjes anónimos, martirizados, según la leyenda, por los arrianos. Más bien cabría pensar, pues, que precisamente la existencia de las trece tumbas de Marialba fue la que dio origen a estas diversas leyendas. Esta explicación plausible no nos aclara, sin embargo, el destino de los trece sepulcros, problema que queda abierto hasta que nuevos datos puedan ofrecer una solución satisfactoria [63].

SANTAS JUSTA Y RUFINA

En los tiempos de Diocleciano murieron en Sevilla dos vendedoras de cerámica popular; las santas Justa y Rufina. Sus actas, tal como las conocemos actualmente, no son la obra de un testigo ocular de los hechos narrados, pero sí una recensión de un texto escrito hacia los siglos VI-VII por alguien que debía de tener delante un documento contemporáneo del martirio [64]. Hay varios indicios que garantizan el valor histórico del documento primitivo, conservado fundamentalmente en los manuscritos de nuestro *Pasionario:* la sobriedad de su estilo, la presencia del obispo hispalense Sabino, que a principios del siglo IV participaba en el concilio de Elvira como tal obispo de Sevilla, y la exacta descripción de las *adonías* o fiestas en honor de las divinidades sirias Adonis-Salambó, cuyas fechas y manifestaciones pudo comprobar F. Cumont que coincidían exactamente con las de la misma fiesta tal como se celebraba en Siria y Alejandría [65].

Puesto que el obispo Sabino fue —según las actas— quien dio sepultura al cuerpo de Justa, el martirio habrá que situarlo en los primeros

[61] Cf. TH. HAUSCHILD, *La iglesia martirial de Marialba (León):* BolRealAcHist 163 (1968) 243-49; ID., *Die Märtyrer-Kirche von Marialba bei León:* Legio VII Gemina (León 1970) p.511-21.

[62] A. VIÑAYO, *Las tumbas del ábside del templo paleocristiano de Marialba y el martirologio leonés:* Legio VII Gemina (León 1970) p.549-68.

[63] Cf. A. Viñayo (o.c.) sobre la agrupación de doce más uno en el panteón celta y el sepulcro de Constantino en Constantinopla entre los doce cenotafios de los apóstoles, situados sobre un lugar donde posiblemente se dio culto a doce divinidades griegas.

[64] Cf. A. FÁBREGA GRAU, *Pasionario hispánico* I p.131-36.

[65] F. CUMONT, *Les syriens en Espagne et les Adonies à Seville:* Syria 8 (1927) 330-41; A. GARCÍA Y BELLIDO, *Dioses sirios en el panteón hispano-romano:* Zephyrus 13 (1962) 67-74; ID., *Les religions orientales dans l'Espagne romaine* (Leiden 1967) p.99 y 102-103.

años del siglo IV. Un antiguo breviario hispalense da el año 287 como fecha, pero no existen argumentos válidos para garantizarla [66].

En contra de lo que pensaron dom Quentin y García Villada, hoy día hay que considerar como mejor recensión la del *Pasionario hispánico*, no la abreviada del Cerratense, del siglo XIII [67]:

«Justa y Rufina, frágiles como mujeres que eran y muy sencillas por su relativa pobreza, llevaban adelante su casa con paciencia, casta y religiosamente, como necesitadas que todo lo poseen.

Solían vender vasijas de barro. Con la venta ayudaban a los pobres, y guardaban para sí solamente lo suficiente para cubrir sus gastos cotidianos de comida y vestido. Se ocupaban también de hacer oración cada día...

Un día, cuando estaban vendiendo sus vasijas, se les presenta no sé qué monstruo inmenso, al que la turba de los gentiles llaman Salambó, pidiéndoles que le den un donativo. Ellas resisten y se niegan a dar nada, diciendo: 'Nosotras damos culto a Dios, no a este ídolo fabricado, que no tiene ojos, ni manos, ni pies, ni vida ninguna propia. A no ser que necesite una limosna o padezca necesidad, nosotras no le damos'.

El que, vestido de Zábulo, llevaba sobre sus hombros al ídolo, arremetió tan ferozmente, que rompió y destrozó totalmente todos los cacharros que tenían para vender las santísimas mujeres Justa y Rufina. Entonces estas religiosas y nobles mujeres, no por el daño de la pobreza, sino para destruir el mal de tan gran indecencia, empujaron el ídolo, y éste cayó por tierra, haciéndose pedazos. Se tomó esto como un sacrilegio, y corría en boca de los gentiles y proclamaban que eran reas de un gran crimen y dignas de muerte.

En aquel tiempo era presidente Diogeniano, practicante de los ritos y observancias gentiles. Llegó en seguida a sus oídos la noticia de lo sucedido; rápidamente mandó que encerrasen a las devotísimas mujeres en la oscuridad de la cárcel y que las condujesen a Sevilla bien y abundantemente custodiadas. Una vez llegadas a dicha ciudad, manda que las sometan a suplicios bajo el miedo de las torturas. Comparecen, pues, las devotas mujeres consagradas a Dios ante el crudelísimo juez Diogeniano. Como el leño penal de los reos no había llegado todavía, manda que traigan unos telares para que no se enfriase con la espera la crueldad de aquel gran furor. En seguida son colgadas, no para pena, sino para gloria; y manda que las desgarren con uñas. Se humedecían sus entrañas con la sangre purpúrea, pero prometían el martirio. El interrogatorio del juez proclamaba el sacrilegio cometido, pero la confesión de las santas mártires no invocaba nada más que a Cristo, Señor de todas las cosas.

Viéndolas Diogeniano con cara risueña y exultantes, llenas de alegría como si no sintiesen ningún dolor, dice: 'Atormentadlas todavía con mayor oscuridad, encierro de cárcel y hambre'.

Después de algunos días, Diogeniano dispuso que se fuese a los montes Marianos y mandó que las santas mujeres les acompañasen a pie y descalzas por aquellos parajes ásperos y pedregosos...

Se acercaba ya el tiempo de merecer la victoria. No podía demorarse la digna y debida corona de Dios a tantos padecimientos. La santísima Justa, encomendando a Dios su puro espíritu consagrado, entregó su alma en la cárcel. El guardián de la cárcel comunicó la noticia al presidente Diogeniano, y éste ordenó que arrojasen el cuerpo en un profundí-

[66] Cf. Z. García Villada, *HistEclEsp* I-1 p.268. Pudieron morir mártires no en una persecución general, sino como caso aislado.

[67] Cf. A. Fábrega Grau, l.c. De la edición de este autor (II p.296-99) damos aquí nuestra propia traducción de los párrafos de mayor interés.

simo pozo. Se enteró de esto el que era entonces religioso varón y obispo Sabino, y mandó que se sacase del pozo el cuerpo de Santa Justa y se colocase honoríficamente en el cementerio hispalense.

A la bienaventurada Rufina, que seguía en la cárcel, le cortaron la cabeza por orden del presidente Diogeniano y entregó a Dios su devoto espíritu. Mandó que llevasen el cuerpo al anfiteatro, donde fue entregado a atroces llamas. Pero el cuerpo, aunque quemado, como consagrado a Dios que estaba, fue sepultado con el mismo honor...»

La muerte de Justa y Rufina sucedió —según las actas— después de las fiestas de Adonis-Salambó. Sin embargo, la fiesta que la conmemora quedó fijada en todos los libros litúrgicos más antiguos en el día 17 de julio, el día precisamente en que comenzaban las fiestas de las adonías. Según F. Cumont, estas fiestas religiosas comenzaban en Oriente con una procesión de danzantes que llevaban a hombros la imagen de Salambó y recogían donativos. Se plantaban después pequeños «jardines de Adonais» en macetas, que bien podrían ser el donativo concreto que pretendían obtener de Justa y Rufina. El gobernador presidía una especie de romería, en la que muchos fieles recorrían descalzos los campos y que terminaba en una gruta, arrojándose, finalmente, las imágenes de Adonis al mar o a un pozo. Estas últimas ceremonias quedan reflejadas también en las actas de Justa y Rufina, aunque de manera confusa. Se ve que el hagiógrafo que escribía en el siglo VI o VII, cuando ya hacía mucho tiempo que no se celebraban las adonías, no entendió bien el texto que tenía delante y traspasó al cuerpo de Justa lo que se refería a este último acto de arrojar al pozo las imágenes de Adonais, simulando o recordando su muerte.

Como en el caso de los mártires de Tarragona, las reliquias de las santas sevillanas fueron recogidas y sepultadas con veneración. Prudencio no las conmemora en los himnos de su *Peristéfanon*. Su culto tiene mucha difusión, sobre todo por la Bética, pero los testimonios, tanto epigráficos como litúrgicos, son del siglo VII en adelante [68]. Este carácter tardío de los testimonios ha hecho pensar que en un principio se negó el culto a estas santas por ser su martirio la consecuencia de un acto que podríamos llamar de provocación al destruir violentamente la imagen de Salambó. La suposición no es gratuita, porque el concilio de Elvira dispone en su canon 60 que, «si alguien destruye los ídolos y le matan como consecuencia allí mismo, como en los evangelios no está escrito ni se sabe que se hiciera nunca nada semejante en tiempo de los apóstoles, pareció bien que no se les considere como mártires» [69]. Para J. Tejada [70] debió de ser precisamente la acción de las santas sevillanas

---

[68] Cf. Z. GARCÍA VILLADA, *HistEclEsp* I-1 p.271: «De ahí que ya desde el siglo V se las ponga en los calendarios españoles entre los mártires». Esta datación de los calendarios no puede admitirse hoy día. Cf. J. VIVES, *Santoral visigodo en calendarios e inscripciones:* An-SacrTarr 14 (1941) 31-58; ID., *Calendarios litúrgicos,* bajo la voz *Liturgia:* DiccHistEclEsp 2 (Madrid 1972) p.1324-26. La mención probablemente más antigua es del siglo VI, en el martirologio jeronimiano, en el día 19 de julio. Cf. C. GARCÍA RODRÍGUEZ, *El culto de los santos en la España romana y visigoda* (Madrid 1966) p.231.

[69] Cf. J. VIVES, *Concilios visigóticos e hispano-romanos* (Barcelona-Madrid 1963) p.12.

[70] J. TEJADA, *Colección de cánones de la Iglesia española* II (Madrid 1850) p.87-88.

la que movió al concilio de Elvira, «con objeto de que otros, valiéndose de su ejemplo, no destruyeran los ídolos de los gentiles», a decretar que «nadie los tocara, para que no tomaran de aquí pretexto para encarnizarse con nuestros templos y contra las personas». Otros autores, como Gams y García Villada [71], rechazan la opinión de Tejada, objetando que el canon no contempla exactamente el caso de las santas Justa y Rufina, puesto que éstas no destruyeron la imagen por mera provocación, ni tampoco murieron allí mismo, sino que sufrieron después cárcel y padecimientos, en los que tuvieron ocasión de confesar la fe.

Es posible que el caso de estas dos mujeres diese pie para la disposición emanada por el concilio de Elvira. Pero no hay que olvidar la presencia en el concilio del obispo de Sevilla Sabino, que fue quien recogió con veneración las reliquias de las santas —si en esto las actas reflejan fielmente lo acaecido—, ni las circunstancias que acabamos de mencionar, y que difieren bastante de las contempladas en el canon 60.

La persecución de Diocleciano se dejó sentir fuertemente en las provincias romanas de la península Ibérica, bajo la jurisdicción de Maximiano. Hay noticias de otros muchos mártires a los que se dio culto como tales, pero de los que, desgraciadamente, en la mayoría de los casos sólo conocemos su nombre. Las «pasiones» o actas que nos transmiten sus padecimientos y muerte son invenciones tardías que pertenecen casi todas a ese género literario tan en boga durante siglos, especie de novelas históricas, o incluso de pura imaginación, escritas con la intención de procurar lectura espiritual y edificante al pueblo sencillo, ávido de conocer los más mínimos detalles de las hazañas heroicas de unos prototipos de santidad de los que históricamente sólo eran conocidos con frecuencia el nombre, la fecha y el lugar de su martirio o de su sepultura [72].

LOS MÁRTIRES DE ZARAGOZA

En Zaragoza existía ya una basílica a fines del siglo IV en honor de dieciocho mártires, todos ellos, lo mismo que la basílica en su honor, testimoniados por Prudencio, que les dedica el himno IV del *Peristéfanon* [73]. De los dieciocho mártires, Prudencio da los nombres de catorce; de los otros cuatro dice que se resiste el metro a incluirlos en el verso y que la tradición los llama los Saturninos. Los nombres que da Prudencio son: Optato, Luperco, Suceso, Marcial, Urbano, Quintiliano, Julia, Publio, Frontón, Félix, Ceciliano, Evencio, Primitivo y Apodemo. Cita además a Santa Engracia y a dos confesores, Cayo y Clemente. Por lo

---

[71] P. B. GAMS, *Die Kirchengeschichte von Spanien* I (Regensburgo 1862) p.284-88; Z. GARCÍA VILLADA, *HistEclEsp* I-1 p.271.
[72] Cf. H. DELEHAYE, *Les légendes hagiographiques* (Bruselas 1927); ID., *Cinq leçons sur la méthode hagiographique* (Bruselas 1934).
[73] Cf. BAC 58 (1950) p.540-51.

que respecta a los «Saturninos», el martirologio jeronimiano cita estos cuatro nombres: Casiano, Matutino, Fausto y Januario. También se leen sus nombres en la composición de San Eugenio de Toledo sobre la basílica de los dieciocho mártires [74].

En tiempos de Prudencio no debía de existir ninguna noticia más sobre los dieciocho mártires, puesto que nada más dice de ellos, y sabido es que, cuando conocía las actas, las glosaba en sus composiciones poéticas en honor de los mártires; habitando en Zaragoza y siendo tan entusiasta de sus glorias, no hubiera nunca omitido nada de cuanto a sus mártires se refiriese. De Santa Engracia, en cambio, dice que sobrevivió a los tormentos; el verdugo había dilacerado su costado y sus miembros y había cortado sus pechos; pero «la espada envidiosa del perseguidor le negó el golpe supremo», convirtiendo así el Señor a Zaragoza en un templo dedicado a una mártir viva, que hubo de padecer todavía largo espacio de tiempo, sufriendo con sus heridas infectadas y ardientes.

Esto es cuanto históricamente podemos saber de los «innumerables mártires de Zaragoza» [75].

De los «innumerables mártires zaragozanos» trata la *Passio* que ha llegado hasta nosotros, escrita probablemente en los primeros años del siglo VII, y cuyo contenido no es necesario recordar aquí, pues no contiene ninguna otra noticia de valor histórico.

En la cripta de la actual iglesia zaragozana de Santa Engracia existen en la actualidad dos sarcófagos romano-cristianos decorados con escenas bíblicas y simbólicas; uno de ellos, datable hacia el año 340, pasó a llamarse el «sarcófago de los dieciocho mártires»; el otro, de procedencia romana también y de fecha cercana al primero (340-50) como era de esperar, fue atribuido a Santa Engracia. Sin contar con que ambos sarcófagos fueron fabricados muchos años después de los martirios, las atribuciones a los mártires zaragozanos son muy tardías y sin ningún fundamento [76].

SAN VICENTE

Entre las glorias de Zaragoza incluye Prudencio al mártir Vicente en su himno IV: «Nuestro, aunque sufriese el martirio lejos, en ciudad desconocida y diese la gloria de su sepulcro por casualidad a la gran Sagunto, junto a la costa». A él dedica, además, todo el himno V del *Peristéfanon*, con abundantes pormenores de su martirio. Como en el caso de los mártires tarraconenses Fructuoso, Augurio y Eulogio, Pru-

---

[74] Cf. *Acta SS. Nov.* II, pars post. 22 de enero, p.55-56; EUGENIO DE TOLEDO, *De Basilica Sanctorum decem et octo martyrum:* MonGerHist AA 14 p.239-40.

[75] Según A. Fábrega Grau (*Pasionario hispánico* I p.168), el origen de la leyenda de los «innumerables» se halla en los versos 57-58 del himno IV del *Peristéfanon*, de Prudencio, en los que se refiere a la especial gloria de Zaragoza, que puede presentar más mártires que todas las demás ciudades.

[76] Cf. mi trabajo *Datos históricos sobre los sarcófagos romano-cristianos de España* (Granada 1973) p.42-50.

dencio sigue muy de cerca la narración de unas actas, aunque adornando con amplias licencias poéticas su versión particular. Desgraciadamente, las actas de San Vicente que tuvo delante Prudencio no eran del mismo valor histórico que las de San Fructuoso. También San Agustín [77] conoció las mismas actas, que se leían en su iglesia en la fiesta de San Vicente, el 22 de enero, y sobre las que pronunció varios sermones, de los que conocemos cuatro. Según A. Fábrega Grau, las actas en cuestión se conservan fundamentalmente en la versión recogida por el *Pasionario hispánico* y reflejan un texto compuesto con toda probabilidad a finales del siglo IV. El mismo autor de las actas confiesa que no cuenta con documentos escritos originales, destruidos por orden del perseguidor, y que se basa tan sólo en narraciones orales. El hagiógrafo no cabe duda que es un buen escritor y que ha sabido dar viveza y brillantez a sus descripciones. Con toda razón dice el mismo Fábrega [78] que el autor de las actas tomó por *leit motiv* de su composición el tema de la victoria, que naturalmente le sugirió el mismo nombre de su protagonista Vicente, y con este tema central fue fingiendo las escenas de los repetidos asaltos del juez y los verdugos para vencerle, de una parte, y, de otra, las consiguientes victorias del mártir y confesión de derrota de sus enemigos, que vienen a constituir la trama sobre la que está concebida toda la *Passio*.

Como composición literaria que es y desconectada de cualquier documento contemporáneo de los hechos, las actas que hoy conocemos, y que conocieron Prudencio y San Agustín, no ofrecen garantía histórica ninguna. Nos guardaremos bien de caer en el defecto que tan acertadamente reprende H. Delehaye [79] cuando habla de los que, ante las narraciones legendarias, recurren a «uno de esos expedientes que una sana crítica reprueba, y que consiste en expurgar una narración de todo lo que puede ofrecer de chocante, recortarle los anacronismos, atenuar las maravillas teatrales, y después presentar el residuo como un texto histórico». Esto no quiere decir que en las actas de San Vicente no puedan haber quedado incluidos algunos datos verdaderos; lo único que queremos afirmar es que, tal como fueron escritas, nos es imposible detectarlos, y, en todo caso, el criterio para discernirlos no puede ser el de la mera verosimilitud o posible conveniencia.

L. Lacger [80] hace un detenido análisis de los innumerables lugares comunes con que el hagiógrafo construyó su leyenda. Uno de estos lugares comunes es el del cuerpo arrojado al mar con todos los requisitos para que desaparezca totalmente, y que, no obstante, aparece y se conserva. Por esta razón, no creo que logren el merecido resultado positivo las eruditas consideraciones de E. Llobregat, quien trata de poner en relación ese episodio con ciertos datos aportados por una inscripción del

[77] AGUSTÍN, *Serm.* 274-77: ML 38,1252-68.
[78] A. FÁBREGA GRAU, *Pasionario hispánico* I p.105.
[79] H. DELEHAYE, *Cinq leçons sur la méthode hagiographique* (Bruselas 1934) p.20-21.
[80] L. LACGER, *Saint Vincent de Saragosse*: RevHistEgFran 13 (1927) 307-58.

siglo VI del obispo Justiniano y unos restos arqueológicos excavados en Cullera [81].

La existencia de un culto a San Vicente muy antiguo y extraordinariamente extendido por todo el imperio romano está garantizado por abundantes testimonios literarios, epigráficos y arqueológicos. Además de figurar en el martirologio jeronimiano y en el calendario de Cartago, San Agustín, como hemos dicho, predicó varios sermones en su honor, y dijo de él que no había región ni provincia a las que se extendiese el imperio romano o el nombre cristiano y que no celebrase su fiesta [82]. Lo exalta también San Paulino de Nola [83], San Avito, Venancio Fortunato, Gregorio de Tours, etc. Las basílicas en honor de San Vicente se fueron multiplicando por la Península y fuera de ella; Toledo, Sevilla, Córdoba, Granada, Ensérune, París, Porto, Tívoli, etc. [84] Son innumerables también las noticias de inscripciones y reliquias del mismo santo. Es muy posible que, como dicen L. Lacger y A. Fábrega Grau, la razón principal de tanta popularidad y tanta fama sea precisamente la *Passio*, con sus indiscutibles cualidades literarias y el atractivo de sus vívidas narraciones, llenas de dramatismo y de fuerza. Este atractivo lo ejerció también desde muy pronto en otros hagiógrafos, que se inspiraron abundantemente en las actas de San Vicente para redactar la de sus respectivos mártires. Inmediatamente o por medio de una *Passio de communi*, las actas de San Vicente influyeron muy directamente en la redacción de las de los santos hispánicos Félix de Gerona, Cucufate de Barcelona, Eulalia de Barcelona, Innumerables de Zaragoza, Justo y Pastor de Alcalá de Henares, Leocadia de Toledo y Vicente, Sabina y Cristeta de Avila [85]. El presidente Daciano, que fue el juez de San Vicente —según sus actas—, se convirtió en el símbolo del perseguidor romano en España, y los hagiógrafos se apresuraron a incluirle en sus respectivas narraciones de martirios.

Reducida a sus capítulos principales, la narración del martirio de San Vicente, que tanta celebridad adquirió, puede resumirse así:

El obispo de Zaragoza Valerio eligió a Vicente como diácono, encargándolo de la predicación. Llegó a Zaragoza el gobernador Daciano, encargado de perseguir a los cristianos, y ordenó detener a todos los clérigos. Daciano hizo conducir después a Valencia al obispo Valerio [86] y

---

[81] E. LLOBREGAT, *San Vicente Mártir y Justiniano de Valencia:* Homenaje a Fr. Justo Pérez de Urbel, II (Silos 1977); ID., *La primitiva cristiandat valenciana* (Valencia 1977).

[82] AGUSTÍN, *Serm* 276: ML 38,1257; cf. B. DE GAIFFIER, *Sermons latins en l'honeur de S. Vincent antérieurs au Xeme siècle:* Mélanges Paul Peeters: AnBoll 67 (1949) 267-86. Por error se afirmó más tarde que también León Magno tuvo un sermón en honor de San Vicente; pero este sermón atribuido a San León fue obra de un autor hispano. Véase asimismo: B. DE GAIFFIER. *Le prétendu sermon de S. Léon sur S. Vincent mentionné dans le martyrologe romain:* Études critiques d'hagiogr. (Bruselas 1967) p.103-107.

[83] *Carmen* XIX 154: CSEL 30 p.123.

[84] Cf. C. GARCÍA RODRÍGUEZ, o.c., p.257-78.

[85] Cf. A. FÁBREGA GRAU, o.c., I p.68-75; B. DE GAIFFIER, *Sub Daciano praeside:* AnBoll 72 (1954) 378-96.

[86] Efectivamente, en el concilio de Granada (Elvira) estuvo presente un obispo Valerio de Zaragoza.

al diácono Vicente. En Valencia se celebra el juicio, y aquí la *Passio* nos presenta un modelo típico de interrogatorio retórico y ampuloso, lleno de preguntas y respuestas largas, sentenciosas, arrogantes y artificiales, que ya a simple vista se diferencian radicalmente de los auténticos procesos recogidos en las actas históricas. Daciano manda que retiren al obispo Valerio y decide seguir torturando a Vicente. Se le somete al potro y desgarran su cuerpo. San Vicente responde a estos tormentos con un verdadero discurso, en el que, entre otras cosas, responde al juez: «No ceses, diablo, en la crueldad que respiras...; no quiero que ceses; levántate, diablo, y entrégate a la orgía con todo el espíritu de tu maldad. No disminuyas mi gloria, no perjudiques mi alabanza...» Indignado Daciano, comenzó a castigar a los mismos verdugos, mientras el mártir lo increpaba: «¿Qué dices ahora, Daciano? ¡Ya me estoy vengando de tus esbirros; tú mismo me has vengado castigándolos!» Después de una dramática descripción, en la que tanto Daciano como los verdugos aparecen extenuados y pálidos, el gobernador se lamenta de que no consiguen hacer callar a Vicente. Este, sonriente, le exhorta a que continúe torturándolo para poder seguir dando testimonio de la verdad.

La contemplación del cuerpo del mártir, sangrante, destrozado hasta el punto de verse sus entrañas, con sus miembros descoyuntados, obliga a Daciano a pronunciar las únicas frases humanitarias que le concede el hagiógrafo: «Ten compasión de ti —dijo Daciano a Vicente—; no pierdas la flor de tu edad de primavera; eres joven todavía, no acortes una vida que puede ser larga; deja ya tus suplicios y, aunque algo tarde, ahórrate los tormentos que todavía te quedan». Pero San Vicente responde con el tono de siempre: «¡Oh lengua viperina del diablo!, ¿qué no harás en mí, tú que has querido tentar a mi Dios y Señor? No temo tus suplicios, cualesquiera que en tu ira quieras infligirme; lo que más me asusta es que finjas querer compadecerme... Vengan todos los sufrimientos...; no ceses en los suplicios, para que tengas que confesarte vencido en todos». Entonces es flagelado, apaleado, quemado; se le aplican al pecho láminas incandescentes, se acumulan los tormentos sobre los tormentos. Vencido de nuevo Daciano, manda encerrar a Vicente en una cárcel profunda y obscura, sembrando antes el suelo de cascotes cortantes para que no tenga reposo posible. Allí recibe San Vicente la visita luminosa de los ángeles, que convierten las asperezas del suelo en un lecho blando. San Vicente une su voz a la melodía angélica. Daciano manda que se procure al mártir un lecho cómodo, en la esperanza de que se reponga y pueda ser atormentado de nuevo. Pero también en esta ocasión quedó vencido el tirano, porque el mártir, en vez de reponerse, entregó su alma al Señor. Ante la noticia de su muerte, Daciano exclama: «Si no he podido vencerlo en vida, lo castigaré aun muerto; ya no hay espíritu que resista ni un alma que pueda vencer». Pero también en la muerte vencería Vicente. Su cuerpo, expuesto a los perros y a las aves de rapiña, permanece incólume. Metido en saco cosido y con una piedra como lastre, es arrojado en alta mar; las olas lo traen a la orilla antes incluso de que llegase a ella la barca que lo había llevado lejos de la costa.

El espíritu del Santo se aparece a cierto varón y le indica el lugar donde yace su cuerpo. Ante la indecisión de éste, de nuevo un sueño avisa a una santa anciana viuda, que encuentra efectivamente los restos mortales del mártir sepultados en la orilla por el mismo mar, que lo había cubierto con un túmulo de arena. De allí se traslada el cuerpo a la basílica, a la «iglesia madre» [87].

En el Museo de Bellas Artes de Valencia se conserva un sarcófago romano-cristiano importado de Roma, donde debió de ser esculpido entre los años 390-400. Es un sarcófago estrigilado, con pilastras en los extremos y un campo central decorado con la representación simbólica conocida por el nombre de *crux invicta* o *anástasis* (cruz latina, gemada, con corona de laurel y monograma de Cristo inscrito en ella). En 1865 se hallaba en el patio de la ciudadela de Valencia, de donde fue recogido por la Comisión Provincial de Monumentos, sin que nada se sepa de su procedencia anterior. Diversos autores valencianos, sobre todo J. Martínez Aloy, no dudaron en atribuir este sarcófago a San Vicente, y con tal nombre es conocido todavía. No hay que decir que la atribución es totalmente gratuita. El sarcófago en cuestión es uno de los muchos que usaron en el siglo IV los cristianos pudientes para conservar sus restos mortales [88].

SANTOS EMETERIO Y CELEDONIO

La primera noticia que tenemos de estos dos mártires es la que nos da Prudencio en su *Peristéfanon*. Además de mencionarlos en el himno IV, dedicado a los mártires de Zaragoza, les dedica todo el himno I, más una pequeña composición, el himno VIII, dedicado a un baptisterio que parece se construyó en Calahorra en el lugar del martirio. Prudencio confiesa honestamente que no contaba en su tiempo con ningún documento escrito sobre el martirio [89]. Efectivamente, en vez de comentar libremente unas actas ya existentes, como en el caso de los santos de Tarragona y en el de San Vicente, Prudencio, a falta de noticias sobre Emeterio y Celedonio, se dedica a describir genéricamente los horrores de la persecución. Además de esto, inserta en su composición poética los pocos datos conocidos por tradición oral. Por esta última parte de su poema podemos saber que se tenía entonces a estos mártires por hermanos y militares ambos, que en Calahorra se veneraba el lugar de su martirio y que acudían a él muchos fieles para obtener curaciones; que,

[87] En este resumen hemos seguido el texto de la versión del *Pasionario hispánico*. Cf. A. FÁBREGA GRAU, o.c., II p.187-96. Esta versión parece reflejar el texto primitivo más fielmente que la publicada y traducida por D. RUIZ BUENO, *Actas de los mártires:* BAC 75 (Madrid 1951) p.999-1017, mucho más ampulosa todavía.

[88] Cf. M. SOTOMAYOR, *Datos históricos sobre los sarcófagos romano-cristianos de España* (Granada 1973); ID., *Sarcófagos romano-cristianos de España. Estudio iconográfico* (Granada 1975).

[89] *Perist.* I 73-81.

probablemente, en ese mismo lugar se construyó un baptisterio junto a una anterior basílica, en la que se celebraba la fiesta de los Santos, fiesta para la que parece estar compuesto el himno I del *Peristéfanon*. Por último, corría en su tiempo la fama del milagro acaecido en el martirio: el anillo de uno y el pañuelo del otro suben resplandecientes al cielo como signo del triunfo de sus almas, ante la admiración del público y la del mismo verdugo, que por un momento se detiene, pero que al fin asesta a los mártires el golpe mortal de la espada [90].

La *Passio* que hoy se conserva es creación muy tardía y sin ningún valor histórico.

El culto debió de mantenerse bastante tiempo en un nivel local o regional muy restringido. Posteriormente se hicieron conocer en Hispania y fuera de ella, celebrándose su fiesta el día 3 de marzo, como consta también en el martirologio jeronimiano. En época desconocida comenzó a designarse a los mártires Emeterio y Celedonio expresamente como militares pertenecientes a la Legio VII Gemina y residentes en León. Es muy probable que pertenecieran a la legión VII, como soldados destacados en Calahorra. Ya vimos, al tratar del centurión Marcelo, que los mártires calagurritanos pasaron a formar parte de la legendaria serie de los doce hijos del mártir tangerino.

SAN FÉLIX DE GERONA

Prudencio se limita a nombrar a Félix de Gerona como gloria de dicha ciudad: «La pequeña Gerona, rica en miembros santos, exhibirá la gloria de Félix» [91]. Es ésta la más antigua noticia conservada sobre el mártir gerundés y la única noticia histórica que tenemos. Los testimonios de su culto son antiguos; consta, al menos, de una basílica dedicada a su memoria en Narbona, en tiempos del obispo Rústico, en el año 455. A partir de ahí son varios los testimonios de su culto; entre ellos, la conocida inscripción de Guadix, en la que se enumeran las reliquias guardadas en una iglesia que se consagró en mayo del año 652 [92].

Fuera de la existencia y del hecho del martirio, nada sabemos sobre este mártir, como nada se sabía en tiempos de Prudencio ni en la época en que se componían las oraciones en su honor contenidas en el oracional de Tarragona (siglos VII-VIII) [93]. Todo cuanto de él se narra después tiene su fundamento en la tardía *Passio,* escrita probablemente a fines del siglo VI o principios del VII, sin ningún dato histórico a la vista

---

[90] Prudencio considera el prodigio como un motivo de credibilidad, e increpa así a los paganos:

> «Iamne credis, bruta quondam Vasconum gentilitas,
> quam sacrum crudelis error inmolarit sanguinem?
> credis in Deum relatos hostiarum spiritus?»

[91] *Perist.* IV 29-30.
[92] Cf. J. VIVES, *Inscripciones cristianas de la España romana y visigoda* (Barcelona ²1969) n.307.
[93] Cf. A. FÁBREGA GRAU, o.c., I p.144-50.

y a base de una caprichosa selección de temas y aun de frases de pasiones anteriores, sobre todo de la célebre *Passio* de San Vicente. Con frecuencia se habla del origen africano de San Félix, pero esta afirmación es totalmente gratuita, porque es solamente una de tantas invenciones del hagiógrafo, que lo hace natural de Scilium, una verosímil reminiscencia africana de San Félix de Thibiuca, como dice B. de Gaiffier [94].

En la actualidad existe en Gerona una iglesia dedicada a San Félix. Se encuentra en la parte norte de la ciudad, fuera de las murallas de la antigua ciudad romana, junto a la puerta correspondiente al *decumanus*. Por su situación podría ser la sucesora de una antigua basílica martirial que se construyese allí mismo sobre el sepulcro del mártir. Los conocimientos actuales que de tal posible basílica tenemos no nos permiten afirmar nada cierto sobre ella. La más antigua alusión al sepulcro gerundés de San Félix es muy tardía: San Ildefonso de Toledo alaba la devoción que a dicho sepulcro profesaba el obispo de Gerona Nonito (c.633) [95]. Un indicio no definitivo ni mucho menos, pero digno de tenerse en cuenta, es el de la existencia en la actual iglesia de San Félix de Gerona de una serie de sarcófagos romanos, seis de ellos cristianos, de los primeros años del siglo IV. Los sarcófagos están empotrados en la pared del presbiterio; probablemente, desde el tiempo de su misma construcción. Todo hace suponer que los sarcófagos fueron hallados en aquel mismo lugar, y por eso incorporados a la obra de la iglesia como elementos decorativos de sus muros. Si así fuese, la existencia de una importante necrópolis paleocristiana estaría asegurada y, con ella, la probabilidad de la existencia en aquel mismo lugar del sepulcro del mártir. Uno de los seis sarcófagos paleocristianos estuvo durante algún tiempo en el altar principal. Parece que se usó en la Edad Media como relicario a partir de un supuesto hallazgo y traslado de reliquias que se atribuye a Mirón, conde de Besalú y obispo de Gerona (970-84 c.) [96]. En el año 1943, el citado sarcófago fue limpiado de la pintura que desfiguraba sus esculturas y restituido a su primitivo emplazamiento, en la pared del presbiterio, completando la serie de los otros, que nunca fueron removidos de allí. Las peripecias particulares de este sarcófago le han merecido el título de «sarcófago de San Félix», aunque no hay que decir que nada tiene que ver con el mártir gerundés.

SAN CUCUFATE

Si no fuese por Prudencio, nada sabríamos del mártir Cucufate hasta el siglo VII. Prudencio lo nombra en el himno IV del *Peristéfanon*, donde dice: «Surgirá Barcelona, confiada en el ilustre Cucufate». Todas las noticias posteriores dependen ya de la *Passio*, que es también del siglo VII y posterior a la de San Félix, puesto que su autor conoce esta

---

[94] B. DE GAIFFIER, *Sub Daciano praeside*: AnBoll 72 (1954) 378-96 nt.3 de la p.387.
[95] Cf. A. FÁBREGA GRAU, l.c.; véase asimismo mi obra *Datos históricos* p.37-41.
[96] *EspSagr* 45 p.63-71.

última y une a ambos mártires, haciendo a Cucufate originario igualmente de Scilium, en Africa; amigo y compañero de estudios de Félix, con el que viaja a la Península, permaneciendo Cucufate en el lugar de desembarco, Barcelona, mientras Félix continúa viaje hacia Gerona.

En las actas de San Cucufate no es Daciano el perseguidor, sino su lugarteniente Rufino; más tarde se introduce a Daciano en la leyenda.

Aunque parece que el nombre de Cucufate puede proceder de raíz púnica, este indicio es demasiado leve para justificar la hipótesis de una auténtica tradición oral que hubiese llegado hasta el hagiógrafo del siglo VII, sobre el origen africano del mártir barcelonés. La total ausencia de noticias en tiempos de Prudencio y durante siglos después, priva de valor histórico a todas las afirmaciones de la *Passio*. Una pequeña observación de B. de Gaiffier, que ha pasado bastante inadvertida, puede que sea la clave para la recta interpretación de estos «africanismos» de los santos catalanes. Dice este autor a propósito de la *Passio* de San Félix: «Notemos de paso que sería interesante confrontar metódicamente las *Passiones* africanas y las *Passiones* hispánicas» y cita a continuación otros dos casos de muy probable relación en las actas de Santa Crispina de Theveste y Santa Eulalia de Mérida, por una parte, y de Santa Salsa de Tipasa y Santa Leocadia de Toledo, por otra [97]. Es muy posible, por tanto, que el «africanismo» de los santos hispanos, del que no hay ninguna documentación histórica seria, haya que trasladarlo simplemente a los siglos en que se redactaron las leyendas hagiográficas en regiones de España —como Tarragona— en las que había habido un estrecho contacto con la Iglesia africana y donde podían contar para inspirarse, como consecuencia, con *Passiones* y otros documentos de esta última Iglesia.

Para cuando se redactaba la *Passio* de San Cucufate, ya debía de existir el culto localizado en lo que se pensaba era su sepulcro, y que había dado lugar, al menos en el siglo IX, a un monasterio dedicado a los Santos Cucufate y Félix [98], y, posteriormente, a lo que hoy es San Cugat del Vallés. En la *Passio* se dice que, una vez pronunciada la sentencia, sacaron al mártir de la ciudad, como se había mandado, y lo llevaron *ad locum hunc Obtiano,* situado en el octavo miliario de Barcelona. A 20 kilómetros de Barcelona se suele colocar efectivamente el antiguo *castrum Octavianum,* y allí se encuentra el monasterio de San Cugat del Vallés. En el claustro de este monasterio se realizaron excavaciones arqueológicas en los años treinta de nuestro siglo. Desgraciadamente, estas excavaciones quedaron interrumpidas por la guerra española de 1936, y sus resultados inéditos, fuera de algunas breves noticias no suficientes para aclarar debidamente los muchos problemas que presentan a primera vista los restos hallados, que además fueron tapados de nuevo en gran parte. De todas maneras, es evidente que en el lugar que hoy ocupa el monasterio existieron construcciones anteriores

[97] Cf. B. DE GAIFFIER, *Sub Daciano praeside:* AnBoll 72 (1954) n.3 p.387-88.
[98] Cf. C. GARCÍA RODRÍGUEZ, *El culto de los santos en la España romana y visigoda* p.315.

que remontan a la época romana [99]. Hay restos de un miliario romano reempleado, que data de los años 41-54 d.C., y se encontró también un sarcófago y un capitel que pueden datarse en el siglo III de nuestra era. Pero lo más interesante es la interpretación de los restos arquitectónicos aparecidos. Según X. Barral, existió primero un pequeño edificio funerario casi cuadrado, especialmente estimado a juzgar por el hecho que fue respetado cuidadosamente cuando en un segundo momento se construyó, junto a él, un aula rectangular o basílica, conservándolo adosado en el ángulo oeste de ésta. En la basílica se ha hallado una buena cantidad de sepulturas que van de los siglos V al VII, algunas de ellas cubiertas con mosaicos semejantes a otros varios conocidos en la Tarraconense. La basílica primitiva sufrió después diversas modificaciones, entre las que basta mencionar aquí la añadidura del ábside y de capillas laterales en tiempos visigóticos. El mismo autor señala los diversos paralelismos africanos que existen para la evolución descrita en las construcciones de San Cugat.

Lo expuesto no basta para relacionar con certeza los restos arqueológicos de San Cugat con el mismo mártir; pero no cabe duda de que pueden constituir un argumento serio para pensar que efectivamente su sepultura se veneró en aquel lugar desde muy antiguo. Solamente nuevas excavaciones sistemáticas podrían quizá dilucidar el problema, hoy por hoy todavía abierto.

SAN ACISCLO DE CÓRDOBA

Otro de los mártires que cita Prudencio en su himno IV del *Peristéfanon* es Acisclo: «Córdoba —dice— (presentará ante Cristo) a Acisclo, Zoilo y tres coronas». Además de este testimonio, San Acisclo cuenta con el del martirologio jeronimiano, que lo menciona el 18 de noviembre; los calendarios mozárabes y demás libros litúrgicos, etc. También hay textos epigráficos que mencionan reliquias suyas [100], y sobre todo hay noticias de la existencia de una basílica en Córdoba dedicada a él, a la que se refiere San Isidoro, quien relata que fue profanada en el año 545 por el rey godo Agila [101]. A la misma basílica aluden también escritores árabes con motivo de la primera conquista. La nombra repetidamente San Eulogio en el siglo IX. La basílica de San Acisclo estuvo en el

---

[99] Cf. P. DE PALOL, *Arqueología cristiana de la España romana* p.43-44. Este autor se muestra muy prudente en la datación y apreciación de los restos arqueológicos conocidos, dada la imposibilidad de contar con datos precisos de las excavaciones. Posteriormente, X. Barral i Altet (*La basilique paléochrétienne et visigothique de Saint Cugat del Vallès:* MélEcFran-Rome 86 [1974] 2 p.891-928) ha podido estudiar más a fondo las excavaciones cotejando los planos conservados con unas 200 fotografías realizadas durante las campañas de excavación y no usadas hasta ahora, con lo que sus conclusiones se apoyan sobre bases más firmes.

[100] Cf. J. VIVES, *Inscripciones cristianas de la España romana y visigoda* (Barcelona ² 1969) n.304.316.324.328.330 y 331.

[101] *Hist. Goth.* 45; cf. A. FÁBREGA GRAU, o.c., y C. GARCÍA RODRÍGUEZ, o.c. Para San Acisclo y demás mártires cordobeses cf. R. JIMÉNEZ PEDRAJAS, *Los mártires de Córdoba de las persecuciones romanas:* RevEspTeol 37 (1977) 3-32.

lado oeste de la ciudad de Córdoba, extramuros, como es de esperar en una basílica martirial, no lejos de la puerta llamada de Sevilla en tiempos de la dominación árabe [102]; probablemente, en un cerro al sur del actual cementerio de la Salud, donde en diversas ocasiones han aparecido enterramientos de época romana y visigoda, o algo más al norte, donde también han aparecido numerosos restos arqueológicos significativos, como un sarcófago visigodo, un epitafio con las palabras «Acisclus Fa...», fragmentos de columnas y capiteles, etc., de los que a su tiempo dio cuenta D. Samuel de los Santos [103].

La existencia de una basílica en tiempos tan antiguos es buena confirmación de un culto que está también suficientemente testimoniado por otros caminos, como hemos visto. Actualmente se conserva en Córdoba un sarcófago romano-cristiano estrigilado y con escenas de San Pedro que durante algún tiempo se consideró como el sarcófago de San Acisclo. El sarcófago procede de Roma y es de los años 330-35 aproximadamente. Se desconoce el lugar exacto de su procedencia, y actualmente se encuentra en una pequeña ermita llamada ermita de los Mártires, situada en el paseo de la Ribera. La leyenda que atribuye este sarcófago a San Acisclo no consta que remonte más allá del siglo XIX. En el siglo X, la fiesta de San Acisclo, además de celebrarse en su basílica martirial, se conmemoraba en una iglesia «de los pergamineros» [104]. Destruida la basílica martirial primitiva, probablemente ya en los siglos XII y XIII se perdió su memoria, fijándose poco a poco la tradición de la existencia del cuerpo de San Acisclo, juntamente con el de Santa Victoria, en el lugar llamado iglesia de los Mártires, en el extremo sudeste de la ciudad, correspondiente al barrio «de los pergamineros». La iglesia de los Mártires fue derribada en los años 1861-63. Posteriormente se construyó en el solar resultante la actual ermita, donde se guarda el sarcófago [105].

De finales del siglo VIII o primeros años del IX es el martirologio lionés, que es la primera fuente que nombra a Santa Victoria como compañera de martirio de San Acisclo; con el agravante de que en Córdoba, lugar de su supuesto martirio, era totalmente desconocida por autores de los siglos IX y X como San Eulogio y Recemundo, que se ocupan cumplidamente del culto a San Acisclo. H. Delehaye, en su comentario al *Martirologio romano*, recuerda que el martirologio jeronimiano conmemora una Victoria africana en la misma fecha del 17 de noviembre, que quizá fue la que se convirtió más tarde en cordobesa [106]. Sin excluir esta hipótesis, A. Fábrega Grau propone como posi-

[102] Cf. AJBAR MACHMUÁ, *Crónica*, ed. y trad. de D. Emilio Lafuente y Alcántara, *Colección de obras arábigas de historia y geografía* I (Madrid 1867) p.24-25; AL-MAKKARI, ibid., apénd.2 p.181-83.
[103] *Memorias de las Excavaciones del Plan Nacional* n.31 p.25-39.
[104] Cf. calendario del obispo Recemundo, del año 961; M. FÉROTIN, *Liber ordinum* (París 1904) col.487; BolRealAcCórd 3 (1924) 266.
[105] Cf. mi trabajo *El sarcófago paleocristiano de la ermita de los Mártires, de Córdoba:* ArchEspArq 37 (1964) 88-105; ID., *Datos históricos* p.67-74; ID., *Sarcófagos romano-cristianos* p.117-27.
[106] *Acta SS. Prop. Dec.* p.528.

ble origen de la apócrifa hermana de San Acisclo una mala interpretación del autor del martirologio lionés, que personalizó *la victoria* del martirio, de la que habla el prólogo de la misa del sacramentario [107]. Si los orígenes de la invención quedan en todo caso oscuros, la inexistencia de todo culto a Santa Victoria en Córdoba es clara para los diez primeros siglos.

Bien diferente es el caso de San Acisclo, como hemos visto, ya que no es razonable dudar de su existencia y culto. Pero de él no sabemos tampoco nada más. Su *Passio,* que ya es *Passio* de los Santos Acisclo y Victoria, fue redactada en época muy tardía, y con tan total ignorancia de los hechos, que el hagiógrafo se limitó a copiar casi literalmente la *Passio* de Santa Cristina, como ha demostrado B. de Gaiffier [108].

OTROS MÁRTIRES CORDOBESES

Aunque se trata de un mártir cordobés testimoniado por Prudencio, y cuya fiesta, el 27 de junio, se conmemora en el martirologio jeronimiano y en los calendarios mozárabes, nada sabemos sobre el martirio de San Zoilo y ni siquiera se ha conservado de él ninguna *Passio* tardía.

Las «tres coronas» a que alude Prudencio en el mismo lugar, se piensa generalmente que se refieren a los mártires Fausto, Jenaro y Marcial, conmemorados en el martirologio jeronimiano varias veces y sobre todo el 28 de septiembre. Hay inscripciones de iglesias de la Bética en las que se citan reliquias de ellos. La *Passio* es muy tardía (siglo IX?). Estos tres mártires cordobeses pasaron después a ser hijos de San Marcelo en la leyenda ya citada de este último santo.

SANTOS JUSTO Y PASTOR

Sobre los mártires de Alcalá de Henares hay numerosas noticias. El testimonio más antiguo es el de San Paulino de Nola, quien a fines del siglo IV enterró a su hijo, muerto recién nacido, junto a las tumbas de unos anónimos mártires complutenses [109]. Prudencio cita como gloria de Complutum a los santos Justo y Pastor, mencionando la existencia de los dos sepulcros [110]. Hay también testimonios de reliquias de estos santos en iglesias de Medina Sidonia (año 630) y Guadix (año 652) [111]. De su culto, generalizado por toda la Península, son prueba segura los numerosos textos litúrgicos conservados: martirologio jeronimiano, calendarios mozárabes (fiesta el 6 de agosto), oracional de Tarragona, etc.

---

[107] A. FÁBREGA GRAU, o.c., p.61. No está de acuerdo R. JIMÉNEZ PEDRAJAS, RevEsp-Teol 37 (1977) 29-30.

[108] B. DE GAIFFIER, *La source littéraire de la Passion des SS. Aciscle et Victoria:* AnSacr-Tarr 38 (1956) 105-209.

[109] PAULINO DE NOLA, *Carmen* XXXI: CSEL 30 p.328-29.

[110] *Perist.* IV 41-44.

[111] Cf. J. VIVES, *Inscripciones cristianas de la España romana y visigoda* n.304 y 307.

La *Passio* debió de ser redactada en el siglo VII y sin ningún antecedente histórico [112].

En el siglo VII hay un texto en el *De viris illustribus,* de San Ildefonso de Toledo, que se refiere a mártires de Alcalá, sin dar nombres concretos. A pesar de no nombrarlos, todos los autores están de acuerdo en referir el texto a los santos Justo y Pastor, puesto que no se habla nunca de otros. El texto de San Ildefonso crea algunos problemas. Dice del obispo Asturio:

> «Fue bienaventurado en su episcopado y digno de un milagro, porque mereció encontrar en su sepulcro terreno los cuerpos de aquellos a quienes iba a unirse en el cielo. En efecto, cuando desempeñaba el obispado de su sede, se cuenta que fue advertido por revelación divina para que indagase sobre unos mártires sepultados en el municipio complutense que está situado a casi sesenta millas de su ciudad. Acudió rápidamente y encontró ocultos, bajo el peso del túmulo y el olvido del tiempo, a aquellos que merecían la luz y la gloria de ser conocidos en la tierra. Una vez descubiertos, no quiso volver a su sede. Dedicado al servicio y devoción de los santos, terminó sus días. No obstante, mientras vivió, nadie ocupó su sede. Por eso, según la tradición, se le considera como el noveno obispo de Toledo y primero de Complutum [113].

El obispo Asturio, como obispo de Toledo, firma las actas del concilio de Toledo del 400. Por eso, el supuesto hallazgo del sepulcro de los mártires es doblemente inquietante. En primer lugar, porque resulta extraño que a tan corto plazo del martirio hubiese caído ya en el olvido total el sepulcro de unos mártires cuyo culto, si existía, tenía que estar estrechamente ligado precisamente a sus sepulturas. En segundo lugar porque la invención de las reliquias por admonición sobrenatural sucede en una época en que estas revelaciones son frecuentes a partir de la que permitió a San Ambrosio de Milán hallar los cuerpos de los mártires Gervasio y Protasio.

A. Fábrega Grau insinúa que el culto a los mártires de Alcalá pudiera tener su origen en este hallazgo de los sepulcros atribuido al obispo Asturio. Cronológicamente, sería posible y bastaría además para justificar la existencia de todos los testimonios posteriores. No se trata más que de una hipótesis, que ciertamente respondería satisfactoriamente a los dos interrogantes que plantea el texto de San Ildefonso. Pero para convertir la hipótesis en certeza sería necesario algún argumento positivo que no existe por el momento.

Según los datos sin posible confirmación histórica, los santos Justo y Pastor fueron dos niños hermanos, hijos de padres cristianos, víctimas de la crueldad de Daciano, quien mandó decapitarlos «in Campo laudabili», donde fueron sepultados por los fieles y sobre cuya sepultura fue construida una basílica.

[112] Cf. A. Fábrega Grau, o.c., I p.150-56.
[113] Para el texto latino cf. C. Codoñer Merino, *El «De viris illustribus», de San Ildefonso de Toledo.* Estudio crítico y ed. crítica (Salamanca 1972) p.116-18.

SANTA EULALIA

El culto en Mérida a la mártir Santa Eulalia está testimoniado con toda garantía. Prudencio se refiere a Santa Eulalia en el himno IV del *Peristéfanon,* en el XI y, sobre todo, en el III, dedicado enteramente a ella. En este último describe además su sepulcro y el esplendor de su basílica martirial, revestida de mármoles, con techos dorados y el pavimento embellecido por los variados colores de sus piedras [114]. Por la *Crónica* de Hidacio, de mediados del siglo V, sabemos que la basílica de Santa Eulalia de Mérida fue profanada por el rey suevo Heremigario [115].

Hay también numerosas inscripciones con referencia a Santa Eulalia: en Mérida, Loja, Salpensa, Guadix [116]. Santa Eulalia mereció también formar parte de la teoría de vírgenes en los mosaicos que decoran el lado izquierdo de la nave central de la basílica ravennate de San Apolinar Nuevo, del siglo VI.

En cuanto nos apartamos del mero hecho de su martirio y culto, toda seguridad desaparece, porque nada más de cuanto de ella y de su martirio ha llegado hasta nosotros ofrece garantías serias.

Como ya hemos dicho, Prudencio le dedica un himno entero, en el que ensalza las glorias de su martirio, que describe con detención. No es posible decidir si la descripción es obra suya o se inspira, como en otras ocasiones, en alguna pasión de la mártir, anterior a su composición poética. Pero en todo caso no es digna de crédito por diversas razones.

Según Prudencio, Eulalia nació en Mérida y en el momento de la persecución contaba doce años. Sus padres la llevan al campo, lejos de la ciudad, para que no se ofrezca espontáneamente al martirio. Pero la niña se escapa de noche y por la mañana se presenta ante el juez y los magistrados y los increpa, diciéndoles entre otras cosas: «¿Buscáis, caterva miserable, a los cristianos? Heme aquí; yo soy enemiga de las imágenes demoníacas, pisoteo los ídolos y confieso a Dios con el corazón y con la boca. Isis, Apolo, Venus, no son nada. Maximiano tampoco es nada. Aquéllos no son nada, porque están hechos con las manos; éste, porque da culto a lo hecho con las manos...» Los exhorta después a que la torturen, asegurándoles que resistirá. El juez trata de disuadirla con diversas consideraciones y argumentos. Pero «la mártir no responde; gime y escupe a los ojos del tirano». Se suceden entonces los tormentos: le arrancan los pechos, desgarran su cuerpo con garfios, le acercan teas encendidas, arde también su cabellera, con la que cubría su desnudez. A su muerte sale una paloma de su boca. Su cuerpo inánime queda cubierto por la nieve.

No hay que decir que el tono y la actitud de la mártir, según la describe Prudencio, dista bastante del ejemplar comportamiento de los mártires cristianos tal como lo conocemos por las actas auténticas. Pero,

---

[114] *Perist.* III 186-200.
[115] HIDACIO, *Crónica* n.90; cf. Ed. A. Tranoy: SourcChrét 218 (París 1974) p.129-30.
[116] Cf. J. VIVES, *Inscripciones cristianas* n.348.316.306.307.

además, Prudencio, o el autor del documento que él tuvo delante —si existió, como es fácil suponer—, tomó varias de sus descripciones de otros escritos que nada tenían que ver con Santa Eulalia. Baste transcribir aquí las palabras de Z. García Villada:

«El Sr. Franchi de' Cavalieri ha notado en él algunas reminiscencias virgilianas, y sobre todo una coincidencia demasiado literal entre algunos datos recogidos por Prudencio y los que se atribuyen a Santa Inés en el epigrama de San Dámaso y en un himno que se cree escrito por San Ambrosio. También Inés era de doce años cuando sufrió el martirio, y fue escondida en el campo por sus padres, y se presentó espontáneamente al tirano burlando la vigilancia materna, y murió quemada por las hachas encendidas, mientras sus cabellos cubrían su cuerpo desnudo. Hay, pues, en todo esto, si no una dependencia mutua, por lo menos una misma concepción del martirio de una doncella virgen.

El relato que hace el poeta de la huida de Eulalia durante la noche de su casa paterna, de la larga distancia que tuvo que recorrer, de lo temprano que se presentó a los tribunales, que parece la estaban esperando, y de la conducta impropia que allí observó, insultando al presidente y escupiéndole en la cara, es un cuadro recargado del que hay que borrar varias tintas, quedándose con el hecho escueto de que Eulalia se ofreció intrépida y espontáneamente al martirio. Otro dato también sospechoso es el de que, al morir Eulalia, se dejó ver su alma en forma de paloma y voló al cielo. Esto mismo se cuenta de San Potito, San Quintín, Santa Reparata, Santa Devota y otros varios...»[117].

García Villada aplica a este documento, como suele, el sistema, reprendido tan justamente por Delehaye, de depurarlo de lo malsonante y considerar el residuo como un texto histórico[118]. Las razones aducidas son suficientes para comprender que la descripción de Prudencio o la de su antecesor es una creación literaria en la que, si se han incluido datos históricos, han quedado tan mezclados con los de imaginación, que no basta ya para discernirlos el solo hecho de su verosimilitud.

Cuanto queda dicho se aplica con creces a la versión conservada de la *Passio,* más prolija todavía y escrita probablemente a finales del siglo VII. En ella se asocia a Eulalia una Santa Julia, nacida de una falsa lectura de un manuscrito del martirologio jeronimiano. A. Fábrega Grau piensa que existió una versión primitiva de la pasión, que, juntamente con el himno III del *Peristéfanon,* constituyeron las fuentes para los más antiguos textos litúrgicos, si es que dicha versión de la pasión no fue, a su vez, la fuente en que se inspiró Prudencio[119].

Sin el valor ya de testimonios históricos más o menos seguros, conviene que recordemos aquí someramente los nombres de algunos otros

---

[117] Z. García Villada, *HistEclEsp.* I-1 p.284-85.
[118] Cf. nuestra p.67.
[119] A. Fábrega Grau, o.c., I p.82-83; cf. V. Navarro del Castillo, *Santa Eulalia de Mérida:* RevEstExtr 27 (1971) 397-459.

santos cuyo culto surgió en diversas épocas, pero que se suponen mártires de las persecuciones de época romana.

Los santos Claudio, Lupercio y Victorico se conmemoran como mártires leoneses desde el siglo VI o VII; también hay indicios de culto desde el siglo VII de los santos leoneses Facundo y Primitivo. No hay tampoco testimonios antiguos suficientes en lo que se refiere a los santos abulenses Vicente, Sabina y Cristeta, originarios, según las noticias tardías, de Evora de Portugal o de Talavera. Mucha difusión tuvo el culto a Santa Leocadia de Toledo, de la que tampoco tenemos noticias seguras; parece que las primeras que se refieren a su culto son del siglo VI, y la célebre basílica en la que se celebraron varios concilios toledanos no consta que existiese desde antes del siglo VII. Los santos Servando y Germán son venerados como mártires procedentes de Mérida, pero martirizados en Cádiz. Son mencionados en los calendarios mozárabes y hay textos epigráficos que conmemoran sus reliquias en Alcalá de los Gazules y Vejer; cuentan con una *Passio,* escrita probablemente en el siglo VII. En el calendario de Carmona se cita a San Félix, diácono de Sevilla. De Ecija se citan a San Crispín, quizá no como mártir, y a Santa Treptes. Testimonios muy tardíos hablan de los santos Verísimo, Máxima y Julia, de Lisboa. Desde un tiempo difícil de precisar, se menciona una Santa Eulalia de Barcelona; los primeros textos litúrgicos que podrían aducirse en su favor remontan, a lo más, al siglo VII. Se ha discutido mucho, y se sigue discutiendo, si se trata únicamente de un desdoblamiento de la Santa Eulalia de Mérida, que es lo más probable [120].

---

[120] Cf. H. MORETUS, *Les Saintes Eulalie:* RevQuestHist 89 (1911) 85-119; Z. GARCÍA VILLADA, o.c., I-1 p.291-300; A. FÁBREGA GRAU, o.c., I p.108-19; ID., *Santa Eulalia de Barcelona* (Roma 1958); C. GARCÍA RODRÍGUEZ, o.c., p.289-303.

CAPÍTULO III

EL CONCILIO DE GRANADA (ILIBERRI)

BIBLIOGRAFIA

Todavía no existe ninguna edición crítica de las actas. Hay muchas ediciones antiguas de poco valor. J. SÁENZ DE AGUIRRE, *Collectio maxima conciliorum omnium Hispaniae et novi orbis* I (Roma 1693); J. TEJADA Y RAMIRO, *Colección de cánones y de todos los concilios de la Iglesia de España y América* II (Madrid 1850) p.18-101; J. HARDUINUS, *Collectio maxima conciliorum* I (París 1715) col.247-58 (es la ed. de Sáenz de Aguirre, con algunas correcciones); J. D. MANSI, *Sacrorum conciliorum nova et amplissima collectio* II (Florencia 1759) col.1-19 el texto y col.17-396 comentario (sigue la ed. de J. Harduinus, pero omite la lista de los presbíteros asistentes); F. A. GONZÁLEZ, *Collectio canonum ecclesiae Hispaniae* (Madrid 1808) col.281-94 (es una ed. muy mejorada); H. TH. BRUNS, *Canones apostolorum et conciliorum* II (Berlín 1839) p.1-12; F. LAUCHERT, *Kanones der wichtigsten altkirchlichen Conzilien nebst den apostolischen Kanonen* (Friburgo 1896) p.13-26; CH. J. HEFELE, *Histoire des conciles* I (París 1907) p.212-64; A. C. VEGA, *España sagrada* 55 (Madrid 1957) p.203-222; J. VIVES, *Concilios visigóticos e hispano-romanos* (Barcelona-Madrid 1963) p.1-15.

Entre los muchos estudios generales, hay dos obras antiguas que conservan aún su interés:

F. DE MENDOZA, *De confirmando concilio illiberitano:* J. D. MANSI, o.c., col.397-406; E. FLÓREZ, *España sagrada* 12 (Madrid 1754) p.79-220.

Entre los más modernos véanse: J. GAUDEMET, *Elvire. II., Le concil d'Elvire:* DictHistGéogrEccl 15 (París 1963) col.317-48 (es el mejor estudio general en la actualidad); Z. GARCÍA VILLADA, *Historia eclesiástica de España* I-1 (Madrid 1929) p.301-25; P. B. GAMS, *Die Kirchengeschichte von Spanien* II (Regensburg 1864) p.3-136; V. C. DE CLERCQ, *Ossius of Cordova* (Washington 1954) p.85-147; A. FERRUA, *Agli albori del cristianesimo nella Spagna:* CivCatt 91 (1940) IV p.421-31; R. THOUVENOT, *Essai sur la province romaine de Bétique* (París 1940) p.325-31; J. FERNÁNDEZ ALONSO, *La cura pastoral en la España romano-visigoda* (Roma 1955); G. MARTÍNEZ DÍEZ, *Elvira:* DiccHistEclEsp 1 (Madrid 1972) p.544; H. LECLERCQ, *L'Espagne chrétienne* (París 1906) p.58-77; ID., *Elvire (Concil d'):* DictLitChrétArch 4 (París 1921) col.2687-94; A. C. VEGA, *España sagrada* 53-54 (Madrid 1961); M. MEIGNE, *Concile ou collection d'Elvire?:* RevHistEccl 70 (1975) 361-87.

Sobre temas y cánones determinados: P. BATIFFOL, *La «prima cathedra episcopatus» du concile d'Elvira:* JournTheolStud 23 (1922) 263-70; 26 (1925) 45-49; ID., *Le règlement des premiers conciles africains et le règlement du Sénat romain:* BullAncLittArchChrét (1913) 3-19; F. J. DÖLGER, *Der Ausschluss der Besessenen (Epileptiker) von Oblation und Kommunion nach der Synode von Elvira:* AntChrist 4 (1933) 110-129; ID., *Die Münze im Taufbecken und die Münzenfunde in Heilquellen der Antike:* AntChrist 3 (1931) 1-24; L. DUCHESNE, *Le concile d'Elvire et les flamines chrétiens:* Mélanges Rénier (París 1887) p.159-74; Z. GARCÍA VILLADA, *La administración del bautismo a la hora de la muerte según el concilio de Elvira:* RazFe 21 (1908) 168-74; J. GAUDEMET, *Notes sur les formes anciennes de l'excommunication:* RevSciencRel 23 (1949) 64-77; G. CERETI, *Divorzio, nuove nozze e penitenza nella Chiesa primitiva:* Studi e ricerche 26 (Bolonia 1977); S. GONZÁLEZ RIVAS,

Los castigos penitenciales del concilio de Elvira: Gregorianum 22 (1941) 191-214;
ID., *La penitencia en la primitiva Iglesia española* (Salamanca 1949); J. LOZANO
SEBASTIÁN, *La legislación canónica sobre la penitencia en la España romana y visigoda
(s. IV-VII):* Burgense 19 (1978) 399-439; F. GÖRRES, *Die synode von Elvira:* Zeit-
WissTheol 46 (1903) 352-61; E. GRIFFE, *Prima cathedra episcopatus:* BullLittEccl
62 (1961) 131-34; ID., *À propos du canon 33 du concile d'Elvire:* BullLittEccl 74
(1973) 142-45; ID., *Le «primatus» romain ecclésiastique:* BullLittEccl 64 (1963)
161-71; ID., *Le concile d'Elvire devant le remariage des femmes:* BullLittEccl 75
(1974) 210-14; ID., *Le concile d'Elvire et les origines du célibat ecclésiastique:* BullLitt-
Eccl 77 (1976) 123-27; F. X. FUNK, *Der Kanon 36 von Elvira:* TheolQuart 65
(1883) 271-78; A. JÜLICHER, *Die Synode von Elvira als Zeuge für den römischen
Primat:* ZeitKirch 42 (1923) 44-49; H. KOCH, *Bischofsstuhl und Priesterstühle:*
ZeitKirch 44 (1925) 170-84; D. LENAIN, *Le canon 36 du concile d'Elvire:* RevHist-
LittRel 6 (1901) 458-60; P. LOMBARDÍA, *Los matrimonios mixtos en el concilio de
Elvira:* AnHistDerEsp 24 (1954) 543-58; H. NOLTE, *Sur le Canon 36 du concile
d'Elvire:* RevSciencEccl ser. 4.ª 5 (1877) 482-84; A. SEGOVIA, *El domingo y el
antiguo derecho eclesiástico. Comentario al concilio de Elvira, canon 21:* EstEcl 29
(1955) 37-54; L. SYBEL, *Zur Synode von Elvira:* ZeitKirch 42 (1923) 243-47.

Sobre la localización de Iliberri son definitivos los trabajos de M. GÓMEZ
MORENO, *Monumentos romanos y visigóticos de Granada* (Granada 1889); ID., *De
Iliberri a Granada:* BolRealAcHist 46 (1905) 46-61; ID., *Monumentos arquitectónicos
de Granada. Iliberri:* Misceláneas (Madrid 1949) p.367-71; véase asimismo J. VI-
VES, *Elvire* I. *La ville et le diocèse:* DictHistGéogrEccl 15 (París 1963) col.312-17;
G. BAREILLE, *Elvire:* DictThéolCath 4 (París 1920) col.2378-97: J. GAUDEMET,
L'Église dans l'empire romain (París 1958); A. HARNACK, *Die Mission und Ausbrei-
tung des Christentums* II (Leipzig ⁴ 1924) p.922-27; ID., *Die Chronologie der altchristlichen Literatur bis Eusebius* II (Leipzig 1904) p.450-52; H. GRÉGOIRE, *Les persécu-
tions dans l'empire romain* II (Bruselas 1964); H. KOCH, *Die Zeit des Konzils von
Elvira:* ZeitNeutWiss 17 (1916) 61-67; C. LIGOTA, *Constantiniana:* JournWarb-
CourtInst 26 (1963) 178-92; A. PIGANIOL, *L'empereur Constantin* (París 1932)
p.79-83.

Sobre los judíos en España: L. GARCÍA IGLESIAS, *Los judíos en la España antigua*
(Madrid 1978); W. O. BOWERS, *Jewish communities in Spain in the time of Paul the
Apostle:* JournTheolStud. 26 (1975) 395-402; R. THOUVENOT, *Chrétiens et juifs à
Grenade au VI siècle après J.C.:* Hesperis 33 (1943) 201-211; Y. BAER, *A History of the
Jews in Christian Spain* I (Philadelphia 1966); H. BEINART, *Los comienzos del judaísmo
español* (Buenos Aires 1973); M. HALLER, *La question juive pendant le premier millé-
naire chrétienne:* RevHistPhilRel 15 (1935) 293-334; A. L. WILLIAMS, *The Jews.
Christian Apologists in early Spain:* ChurchQuartRev 100 (1925) 267-287; F. CAN-
TERA, *España medieval: Arqueología:* R. D. Barnett, The Sephardi Heritage I (Londres 1971) p.29-68; M. SIMON, *Verus Israel* (París 1948).

LAS ACTAS DEL CONCILIO

Las actas del concilio de Elvira constituyen un documento de excepcional importancia para la historia de la Iglesia en nuestras regiones.
Son las actas más antiguas que se han conservado en toda la Iglesia
universal de un concilio disciplinar. De su autenticidad no hay ninguna
duda y su texto se conserva en diversos códices que no presentan variantes de mucha transcendencia en líneas generales, por lo que podemos contar con un texto fundamentalmente bien garantizado, aunque
hayamos de lamentar que todavía no exista una edición crítica definitiva.

En tiempos recientes se ha afirmado que no todos los cánones del concilio de Elvira pertenecen realmente a éste [1]. El autor de esta tesis parte de una serie de dificultades que presentan las actas. Algunas son extrínsecas: las actas son ignoradas en las antiguas colecciones; San Martín de Braga compone una colección canónica a mediados del siglo VI, y recurre a una traducción de 84 fragmentos de decretos orientales, sin tener para nada en cuenta, en cambio, los cánones de Elvira; estos últimos aparecen solamente en la colección llamada Hispana, de mediados del siglo VI, y, en forma abreviada, en el llamado *Epítome*, del VI-VII. Otras dificultades son intrínsecas: el concilio surge bruscamente en la historia con 81 decretos, cifra que supone casi el triple de la que es frecuente en otros concilios de fecha próxima al de Elvira; parece como si resumiese de golpe la disciplina de un siglo; la lista de decisiones no observa orden lógico alguno; muchos de sus decretos tienen equivalentes en decisiones ulteriores de Oriente y Occidente; parece extraño que «bajo el sol andaluz» se tratasen todas las cuestiones disciplinares que en el resto de la cristiandad no aparecerán sino a lo largo de todo el siglo IV; el canon 33, sobre la continencia obligatoria del clero, es inexplicable a principios del siglo IV; hay cánones, como el 1 y el 59, que se contradicen, etc.

Existen, din duda, diversos problemas sobre el concilio de Elvira, y tales problemas constituyen otros tantos retos para el historiador. Pero sus cánones tuvieron repercusión en varios concilios posteriores, como el de Arlés, el de Sárdica y el de Nicea [2]. No se puede decir, por tanto, que fuese desconocido, aunque sí es chocante que sus actas no aparezcan en las colecciones más antiguas. Sencillamente, no sabemos por qué no tuvieron la buena fortuna de que gozaron otras actas de concilios posteriores, aunque las colecciones nunca fueron exhaustivas y su no inclusión en ellas no es un argumento fuerte en contra de su autenticidad. No es verdad que sus 81 cánones resuman toda la disciplina de un siglo, ni siquiera toda la disciplina vigente en los tiempos del concilio; en realidad, se concentra casi totalmente en tres o cuatro puntos principales. Tampoco hay que extrañarse de que muchas de sus decisiones tengan sus equivalentes en otros concilios posteriores de Oriente y Occidente; semejante constatación es la que lleva siempre en otros casos a hablar de influencias del más antiguo en el más moderno; por otro lado, es lógico que ante problemas semejantes se adopten soluciones parecidas. Si se nos permite una punta de ironía, diremos que no acertamos a comprender por qué el sol andaluz ha de constituir un impedimento para que a principios del siglo IV se traten cuestiones disciplinares que después irán siendo tratadas a lo largo del mismo siglo en concilios de otras iglesias.

---

[1] M. MEIGNE, *Concile ou collection d'Elvire?*: RevHistEccl 70 (1975) 361-87.

[2] En el concilio de Arlés, del 314, estuvieron presentes algunos de los asistentes al concilio de Granada. Los cán.4 5 6 7 9 11 12 14 16 y 22 de Arlés corresponden a los cán.62 (4 y 5) 39 56 25 15 20 73-75 53 y 46 de Granada. Los cán.1 13 14 y 16 del concilio de Sárdica corresponden a los cán.20 24 21 y 53 del de Granada. Quizá debido también a la presencia de Osio en Nicea, en los cán. 3, 5 y 17 de este primer concilio ecuménico puede verse un reflejo de los cán.27, 53 y 20 de Granada.

Nos llevaría muy lejos tratar ahora de las dificultades que se refieren a cánones concretos, y que son menos concluyentes todavía que los anteriores argumentos. Para encontrar solución a tanto problema, M. Meigne procede a un detenido examen de los cánones y los separa en tres grupos: el grupo A comprende los cánones 1-21, y son propiamente —según él— los cánones del concilio. El grupo B está formado por los cánones 63-75 y es una colección de disposiciones tomadas de concilios anteriores al de Nicea. El grupo C recoge los demás cánones: 22-62 y 76-81, y estaría inspirado en los concilios que van desde Arlés a Sárdica y aún más tarde, incluidos también los Cánones de los apóstoles. Los tres grupos reunidos debieron de formar la colección de una iglesia local; «verosímilmente, de una iglesia de Andalucía».

El trabajo realizado es arduo y paciente, pero creemos que los resultados no corresponden al mérito del esfuerzo. Para salvar unas dificultades objetivas se crean otras mayores con la formación, no exenta de arbitrariedad, de tres grupos de cánones, algunos de los cuales, solamente traducidos de una manera puramente literal, pero ciertamente inaceptable, se hacen coincidir con las supuestas fuentes [3].

Todos los cánones del concilio están bien testimoniados en los códices, y no hay motivos serios para seleccionar unos y rechazar otros.

EL LUGAR DE SU CELEBRACIÓN

Los muchos autores que desde antiguo se han ocupado de este importante concilio han discutido muy diversas cuestiones previas, algunas de las cuales todavía no han encontrado solución definitiva.

Nadie discute que de las dos ciudades que, según Plinio, llevaban el nombre de Ilíberis, una en la Galia Narbonense y la otra en la Bética, el concilio Iliberitano se celebró en la ciudad andaluza, ya que todos los obispos asistentes son hispanos y abundan los béticos. En el mapa puede verse cómo las sedes de los asistentes al concilio rodean materialmente la de Elvira. También hay que dar ya por terminada la larga y prolija discusión que en época pasada se mantuvo sobre la localización de la ciudad de Iliberri o Elvira. Muchos fueron los que creían debía situarse no en la Granada actual, sino a varios kilómetros al noroeste de ella, junto a Sierra Elvira. A tal afirmación les inducían diferentes argumentos. Siendo de todos conocido que el nombre de Iliberri había evolucionado en el de Elvira por obra de los árabes, uno de los argumentos era la misma denominación de Sierra Elvira. Otro, el conocimiento de que a los pies de esa sierra existió una ciudad árabe llamada Medina Elvira; la puerta de Elvira, que existe todavía en Granada, indicaba para estos autores una salida desde Granada con dirección a Elvira, que, según algunos autores árabes, distaba dos leguas.

Sin embargo, los restos arqueológicos hallados en la antigua alcazaba Cadima, hoy comprendida en el barrio granadino globalmente llamado

---

[3] Véase más adelante, a propósito de la vida del clero, el comentario al canon 33.

Albaicín, no dejan lugar a dudas de que fue en esta colina situada a la orilla derecha del Darro donde se halló la ciudad ibero-romana de Iliberri.

M. Gómez-Moreno, con toda razón, afirma tajantemente: «Ya hoy es una verdad comprobada perfectamente que Iliberri, población túrdula, que se llamó también Florencia, y cuya designación oficial bajo los romanos era de Municipio Florentino Iliberritano, existió en el mismo lugar de Granada, ocupando su barrio de la alcazaba vieja. El cascajo romano abundantísimo que allí se extrae prueba irrecusablemente su abolengo; pero además han aparecido vestigios grandiosos, sepulturas, estatuas y mármoles en los que muchas veces se consigna el nombre de dicha ciudad» [4].

En los años 1624, y posteriormente desde 1754 a 1758, se hicieron allí unas famosas excavaciones, que terminaron después con gran escándalo a causa de las muchas falsificaciones que se produjeron en ellas. Terminó todo con un proceso jurídico en 1774 y el enterramiento de cuanto se había excavado. De ahí el desprestigio en que cayeron y el poco uso o ninguno que se hizo de sus conclusiones. Pero no todo fue entonces falsificación. Quedan dibujos de varios estudiosos que vieron las ruinas halladas, y por ellos es fácil reconocer, como lo hace Gómez-Moreno, que los restos arquitectónicos que aparecieron junto a la placeta de las Minas «era un edificio público romano de gran amplitud y no mezquina fábrica, donde espaciábase a cielo descubierto un área enlosada de mármol, y sobre ella se distribuían estatuas con sus pedestales, que consignaban dedicaciones por el municipio de Iliberri en honor de los emperadores y patricios ilustres. Era, pues, el foro de la ciudad, y, efectivamente, un fragmento de dintel allí desenterrado contiene estas palabras, en elegantes caracteres del siglo II:

«... FORI ET BASILICAE ... BAECLIS ET POSTIBUS...» [5]

Algunos autores conocieron estos datos, pero seguían convencidos de que la Iliberri romana estuvo junto a Sierra Elvira, y explicaban la aparición de estas inscripciones tan decisivas en el Albaicín por un supuesto traslado de ellas desde la Elvira lejana por los árabes cuando esa ciudad fue destruida en el 1010. No hay que decir que carece de sentido semejante traslado, que además debería haber sido exhaustivo. Si en el Albaicín han aparecido varias inscripciones con el nombre del Municipio Florentino Iliberritano y en la ciudad junto a Sierra Elvira nunca ha aparecido nada semejante —mucho menos en el cerro de los Infantes, junto a Pinos Puente—, es claro que la ciudad romana que después se llamó Elvira, y en la que se celebró el célebre concilio, fue Granada, y, más en concreto, su antigua alcazaba Cadima.

Cuando la primera invasión, los árabes se establecieron en la ciudad

---

[4] Misceláneas (Madrid 1949) p.367.
[5] M. GÓMEZ-MORENO, o.c., p.368-69. Describe detalladamente estos restos arqueológicos. En su otra obra *Monumentos romanos y visigodos de Granada* recoge y describe numerosas inscripciones aparecidas en la alcazaba Cadima, alguna de las cuales se conserva en el Museo Arqueológico Provincial de Granada.

de Iliberri, que fue la capital de la provincia o «cora» del mismo nombre (en árabe «Ilbira»). Se trasladaron después a una nueva ciudad llamada Castella, junto a Sierra Elvira. Fue cobrando importancia la nueva capital de la «cora», de la que llegó a tomar incluso el nombre, quedando reducida poco a poco la importancia de la primitiva Iliberri, la cual, en cierto momento que ignoramos, comenzó a llamarse Garnata. La Medina Elvira —de la que se han conservado algunas piezas arqueológicas árabes de interés— fue destruida por los bereberes en el año 1010, y su población se trasladó a Granada, que recobró de nuevo y aumentó después su antigua importancia, hasta convertirse en la capital del reino nazarí [6].

La fecha

Si el lugar del concilio está ya aclarado, no se puede decir lo mismo de la fecha de su celebración. Lo peor es que sobre este tema se ha pensado y escrito tanto, se han dado tantas razones en pro y en contra de cada fecha posible, que en el momento presente pensamos que se ha dicho todo cuanto se puede decir sobre el particular, sin que se haya llegado a una aclaración definitiva del problema. Es lástima que así sea, porque para el conocimiento histórico de la Iglesia que los cánones del concilio de Granada pueden proporcionar, no es indiferente que su celebración se sitúe inmediatamente antes de la persecución de Diocleciano, inmediatamente después de ella o a raíz del edicto de Milán del 313.

La causa fundamental de la dificultad está en que en las actas del concilio no se da más dato cronológico que el del día 15 de mayo (*die iduum maiarum*) [7]. Como consecuencia, la única posibilidad que queda para averiguar la época de su celebración es el análisis interno del contenido.

Hubiera sido fácil interpretar el contenido una vez conocida la datación; pero, invertidos los términos del problema, todas las interpretaciones encuentran algún punto de apoyo, y así la solución escogida por los diversos autores queda con frecuencia condicionada por sus esquemas y disposiciones subjetivas.

Existen algunos datos importantes para encuadrar el concilio dentro de unos límites suficientemente determinados:

1. La celebración de un concilio nacional como es el de Elvira supone un mínimo de libertad de movimientos y de reunión, impropio de una época de plena persecución.

2. La presencia en el concilio del obispo de Córdoba Osio, que comenzó el episcopado hacia el año 295, ofrece, por un lado, este término *a quo*. La actividad de Osio junto a Constantino desde los primeros años de su imperio puede ser también un término *ante quem*.

3. Otro término *ante quem* indiscutible es el año 314, fecha de la

---

[6] Cf. M. Gómez-Moreno, *De Iliberri a Granada*.
[7] En algunos códices se indica al principio que se celebró el concilio en tiempos de Constantino y del concilio de Nicea, pero se trata de añadiduras posteriores.

celebración del concilio de Arlés, al que asisten varios clérigos hispanos, entre ellos el obispo Liberius de Mérida y el presbítero Natalis de Urso (Osuna), que estuvieron también presentes en el concilio de Elvira. Es manifiesta la influencia del concilio de Elvira en algunos cánones del concilio de Arlés [8]. Nótese que tanto la influencia de Elvira en Arlés como la presencia en ambos de unos mismos personajes exige, por un lado, una anterioridad de Elvira y, por otro, una relativa proximidad. Solamente proximidad relativa, que puede comprender sin dificultad varios años.

Tenidos en cuenta estos datos y prescindiendo de otras disquisiciones que hoy día hay que considerar como superadas, la discusión se puede reducir, como dice bien Gaudemet, a dos posiciones fundamentales:

1. El concilio tuvo lugar en el período de paz que va desde el 295 hasta el comienzo de la persecución de Diocleciano (año 303).

2. El concilio se celebró entre el año 306 —después de la abdicación de Diocleciano y Maximiano— y el 314, fecha del concilio de Arlés.

La base de la argumentación para una u otra posición está constituida por los datos que pueden espigarse en los cánones, y que reflejan un ambiente propio de un período anterior o posterior a una gran persecución.

En defensa de la primera posición hay dos argumentos principales: 1) En los cánones aparecen una serie de prescripciones que presuponen un ambiente en el que los cristianos viven muy mezclados con sus connacionales paganos, manteniendo incluso relaciones religioso-sociales con ellos. Un ambiente, pues, impropio de una época inmediatamente posterior a una persecución. Existían flámines catecúmenos y bautizados (can. 2-4); había cristianos que daban sus hijas en matrimonio a sacerdotes paganos (can.17), etc. [9] 2) En la persecución e inmediatamente después de ella surgió en toda la Iglesia el problema de los *lapsi,* los que apostataron por miedo al martirio. Fue éste un problema que se trató en los concilios africanos y en el de Arlés del 314, cuyo canon 14 trata de los *traditores,* los que entregaron las sagradas Escrituras, los vasos sagrados o los nombres de sus hermanos. La misma preocupación debería de existir en el concilio de Elvira, y, sin embargo, no es así. Es verdad que hay en el concilio varios cánones que se refieren a la apostasía; pero, como muy bien dicen Harnack y Duchesne, no son cánones que puedan referirse a apóstatas de una persecución: «Estos cánones —dice Harnack [10]— se refieren a esa gente frívola y ligera que esporádicamente siempre se encuentra en tiempos de paz. Muy justamente observa Duchesne, después de reunir las correspondientes disposiciones del sínodo (can.1 59 57 40 41 56 2 3 4 60): 'No comprendo cómo puede verse en estas disposiciones una especie de liquidación de situación después de una persecución violenta. En ninguna de esas disposi-

[8] Cf. J. GAUDEMET, *Elvire* col.339-40.
[9] Cf. L. DUCHESNE, *Le concile d'Elvire et les flamines chrétiens.*
[10] A. HARNACK, *Die Chronologie der altchristlichen Litteratur* II (Leipzig 1904) p.451-52.

ciones aparece la apostasía como cometida por obedecer a la autoridad...'»

Si en Arlés se habla expresamente de los *traditores,* con mayor razón deberían reflejarse los efectos de la persecución de Diocleciano en las provincias hispánicas, en la que Maximiano hizo que la persecución se llevase a cabo, como lo atestigua la existencia de mártires, mientras que las Galias estaban bajo la jurisdicción de Constancio Cloro, que fue muy benigno para los cristianos [11].

Parece lógico concluir, por tanto, que el concilio de Granada tuvo lugar en una época de paz como la descrita por Eusebio en los años que median entre los emperadores Galieno y Diocleciano. Quizá aún mejor en los últimos años de esa época, en momentos en que amenaza ya la posibilidad de una nueva persecución, que obliga a una rigurosa puesta a punto en medio de los peligros que suponían las peligrosas condescendencias con las costumbres y modos de vivir en los no cristianos.

El canon 36, en que se prohíbe pintar en las paredes de las iglesias «lo que se venera y adora», podría ser un indicio en favor de una datación anterior a la persecución de Diocleciano, quien ordenó expresamente la demolición de los edificios de culto cristianos; aunque no es argumento definitivo, porque cabría pensar también que los legisladores del concilio desean dar esta norma para las iglesias que se reconstruyan [12].

A. C. Vega añade otro argumento: la presencia en Granada del obispo Melancio de Toledo, «el cual no figura en la lista de obispos que nos da el códice Emilianense, que empieza con la paz de Constantino» [13].

Los que defienden que el concilio se celebró después de la persecución, aducen varios cánones que parecen suponer una persecución ya pasada: el canon 25 se refiere a algunos que usurpan el título de confesor; el canon 73 va contra los cristianos delatores; el canon 60 prohíbe contar en el número de los mártires a quienes destruyan públicamente las imágenes de los dioses [14].

Hay también algunos autores que se apoyan en otros argumentos, y dan como fechas el 313 [15] o el 309 [16]. Su argumentación se basa en el hecho de que no asiste al concilio ningún representante de las comunidades cristianas de la Mauritania Tingitana, siendo así que esa provincia desde Diocleciano pertenecía a la diócesis de España. Luego el concilio se celebró en una época en que no había comunicaciones entre la Pe-

---

[11] Hoy día parece claro que nuestras provincias quedaron bajo el mando de Maximiano al menos hasta el 305; cf. V. C. DE CLERCQ, *Ossius of Cordova* p.120-23; A. BALIL, *Hispania en los años 260 a 300 d.J.C.;* ID., *De Marco Aurelio a Constantino;* K. F. STROHEKER, *Spanien im Spätrömischen Reich* p.589-90.

[12] La datación alrededor del año 300 la defendían algunos autores antiguos como Mendoza, Aguirre y otros. Además de Duchesne y Harnack, la defienden Leclercq, Görres y V. C. de Clercq.

[13] *EspSagr* 53 y 54 p.335. Añade el del obispo Valerio de Zaragoza.

[14] Así Mansi, Hefele, Koch, etc.

[15] A. PIGANIOL, *L'Empereur Constantin* p.81; por cierta semejanza de la legislación del concilio con la de Constantino en el 313. El argumento no nos parece tener fuerza.

[16] H. GRÉGOIRE, *Les persécutions dans l'Empire romain* p.78.

nínsula y Mauritania, o sea, entre el 308 y el 310 o entre el 311 y el 312. En el año 309 cayó en domingo el 15 de mayo, día de la inauguración. Esta argumentación es ingeniosa, pero no nos parece que sea tan decisiva como la cree su autor, porque de la pertenencia de la Mauritania a la diócesis de Hispania no se sigue que los obispos de aquella provincia tuviesen necesariamente que asistir al concilio.

Es innegable que las disposiciones de los cánones 25, 73 y 60 ofrecen una seria dificultad para datar con certeza el concilio en época anterior a la persecución de Diocleciano. Sin embargo, quizá resulte más fácil explicarse esas disposiciones en una fecha cercana al año 300 que prescindir de los argumentos recordados de Duchesne y Harnack. Las penas contra los que usurpan el título de confesor, contra los delatores y contra los que destruyen públicamente las imágenes de los dioses podrían entenderse como referidas a algún caso aislado o a reliquias de la persecución de Decio, todavía no tan lejana.

No obstante la crítica a Duchesne de H. Koch, creemos que sus argumentos siguen siendo válidos, y, como consecuencia, nos inclinamos por una datación entre los años 300 y 302 más o menos.

COMUNIDADES CRISTIANAS REPRESENTADAS

Firman las actas del concilio 19 obispos y 24 presbíteros [17]. Algunos de los presbíteros acompañan a sus respectivos obispos; en concreto, los de Iliberri, Eliocroca, Urci, Tucci, Cástulo y Córdoba [18], pero los 18 restantes eran los únicos representantes de sus respectivas comunidades. Obispos y presbíteros se sientan en el concilio, mientras que los diáconos y el pueblo asisten de pie. Dieciocho comunidades están representadas por un presbítero. Alguno de éstos puede que deba su representación a una delegación del propio obispo, impedido de asistir por cualquier razón. Pero es claro que otros muchos, la mayoría, representan a sus respectivas comunidades porque éstas no tienen un obispo a su frente, sino solamente un presbítero. Precisamente la mayor parte, por no decir la totalidad de los presbíteros presentes, proceden de localidades próximas a la sede de la reunión; a localidades, por consiguiente, cuyos presuntos obispos menos dificultad tendrían para asistir personalmente. Además, el mismo concilio nos confirma la existencia de comunidades regidas por un presbítero e incluso a veces por un diácono. El canon 77 dice así: «Si algún diácono rige una comunidad sin obispo o presbítero y bautiza a algunos, un obispo deberá completar la acción con su bendición».

---

[17] Sin embargo, hay que tener en cuenta que la lista de los presbíteros no se halla en todos los códices. A. C. VEGA, o.c., p.203-204, dice: «Sólo se hallan los nombres de los presbíteros y su ciudad en los códices Urgelense y Gerundense, y aun éstos muy corrompidos». La omisión de los nombres de los presbíteros en algunos códices debe de ser obra del autor de la Colección Hispana, quien, sin embargo, deja indicado que, además de los obispos, asisten 26 presbíteros. Cf. A. C. VEGA, *EspSagr* 54 p.334.

[18] Es de suponer que Eucharius, de Municipio, sea presbítero de Iliberri.

Las actas nos permiten conocer, por tanto, la existencia de 37 comunidades cristianas organizadas en la Hispania de finales del siglo III. No de todas las localidades citadas en este documento se puede conocer con el mismo grado de certeza su exacta situación de entonces y su correspondencia con los lugares actualmente habitados. Según el orden con que se citan en la casi totalidad de las ediciones que se han hecho de las actas, las sedes son las siguientes:

1. Acci: Colonia Julia Gemella Acci, pertenenciente a la provincia Cartaginense en los tiempos del concilio; anteriormente había pertenecido a la Tarraconense, y, antes todavía, a la Ulterior o Bética. Es la actual Guadix (Granada). Su obispo era Felix.

2. Corduba: colonia Patricia Corduba, capital de la provincia Bética. Coincide su emplazamiento con la Córdoba actual. Su obispo en el concilio es Osius. Asiste también el presbítero Iulianus.

3. Hispalis: colonia Julia Romula Hispalis; provincia Bética. La actual Sevilla. Asiste su obispo Sabinus.

4. Tucci: colonia Augusta Gemella Tucci, de la provincia Bética. Es la actual Martos (Jaén). Su obispo era Camerinnus. Asiste, además, el presbítero Leo.

5. Epagra: de difícil localización. Parece que debe situarse en la actual Aguilar de la Frontera (Córdoba); pertenecería, pues, a la provincia Bética [19]. Su obispo era Sinagius.

6. Castulo: Provincia Cartaginense; anteriormente, Tarraconense y Bética. En Cazlona, cerca de Linares (Jaén). Su obispo: Secundinus. Asiste, además, el presbítero Turrinus.

7. Mentesa Bastitanorum: provincia Cartaginense (anteriormente, Tarraconense y Bética); en La Guardia (Jaén). Su obispo: Pardus.

8. Iliberri: Municipium Florentinum Illiberritanum. Provincia Bética. Actualmente, la ciudad de Granada. Fue la sede del concilio. Su obispo era entonces Flavianus, y firma también el presbítero Eucharius.

9. Ursi: en la provincia Bética, en los límites con la Cartaginense. Puede situarse, con bastante probabilidad, en las cercanías de la actual Pechina (Almería); quizá en el Chuche [20]. Asisten al concilio su obispo Cantonius y el presbítero Ianuarius.

10. Emerita Augusta: capital de la provincia Lusitana. Actualmente, Mérida. Su obispo es Liberius.

11. Caesar Augusta: provincia Tarraconense. La actual Zaragoza. Su obispo: Valerius.

12. Legio VII Gemina: en la provincia de Galecia; antiguamente, Tarraconense. Es la actual León. Probablemente formaba en este

---

[19] Epagrum o Ipagrum. Cf. Z. García Villada, *HistEclEsp* I/1 p.173-74. Por lo que se refiere a las localidades de la Bética y de la Lusitania, véase ante todo: A. Tovar, *Iberische Landeskunde* II (Baden-Baden 1974-1976) (2 vol.) Véase asimismo H. Galsterer, *Untersuchungen zum römischen Städtewesen auf iberischen Halbinsel:* MadrForsch 8 (Berlín 1971).

[20] Z. García Villada, o.c., p.160, sitúa Urci en la «Torre de Villaricos», cerca de Vera (Almería); así también J. A. Ceán Bermúdez, *Sumario de las antigüedades romanas* (Madrid 1832) p.70.

tiempo una sola sede con Astorga (Asturica Augusta). Su obispo en el concilio fue Decentius.

13.   Toletum (Toledo): en la provincia Cartaginense; anteriormente, Tarraconense. Su obispo: Melantius.

14.   Fiblaria o Fibularia: podría tratarse de la Calagurris Fibularensis de que habla Plinio [21], que puede situarse en las proximidades de Jaca (Huesca). Provincia Tarraconense. Su obispo era Ianuarius.

15.   Ossonoba; provincia Lusitana (Estoi, junto a Faro, en el sur de Portugal). Su obispo era Vincentius.

16.   Ebora: Municipium Liberalitas Julia Ebora. Provincia Lusitana. Actualmente Evora, en el SE. de Portugal. Su obispo: Quintianus [22].

17.   Eliocroca; en la provincia Cartaginense (antes Tarraconense). En las cercanías de la actual Lorca (Murcia). Su obispo era Succesus. Asiste también el presbítero Liberalis.

18.   Basti: en la provincia Cartaginense. Anteriormente perteneció a la Tarraconense y antes a la Bética. Es la actual Baza. Su obispo era Eutytianus.

19.   Malaca: Municipium Flavium Malacitanum, en la provincia Bética. La actual Málaga. Firma en las Actas su obispo Patricius.

20.   Epora: municipio de la provincia Bética. Montoro (Córdoba). Representada en el concilio por el presbítero Restitutus.

21.   Urso: colonia Genetiva Julia Urbanorum Urso, en la provincia Bética. Osuna (Sevilla). Firma en el concilio el presbítero Natalis.

22.   Illiturgi: en la provincia Bética. En las cercanías de Mengíbar probablemente (provincia de Jaén). Presbítero: Maurus.

23.   Carbula o Carula: en la provincia Bética. Probablemente en Almodóvar del Río (Córdoba). Presbítero: Lamponianus.

24.   Astigi: Colonia Astigi Augusta Firma. Capital de «conventus». Provincia Bética. La actual Ecija (Sevilla). Presbítero: Barbatus.

25.   Ategua: provincia Bética. Pocos kilómetros al N. de Espejo (Córdoba), en la loma de Teba. Presbítero: Felicissimus.

26.   Acinipo: provincia Bética. A unos siete kilómetros de Setenil (Cádiz), pero en la provincia de Málaga. Se le llama «Ronda la Vieja», aunque dista unos 20 kilómetros de Ronda. Asiste al concilio su presbítero Leo.

27.   Lauro: provincia Bética. Quizá sea Iluro, que se sitúa en Alora (Málaga). Otras atribuciones (Alhaurín) carecen de fundamento suficiente. Presbítero: Ianuarius.

28.   Barba: provincia Bética. Nos inclinamos por Barba Singilia, en el cortijo de *El Castillón*, entre Bobadilla y Antequera (Málaga) [23]. Presbítero: Ianuarianus.

---

[21]   Plinio, *Nat.Hist.* III 3.24.

[22]   En las actas se habla de Elbora. Algunos autores la identifican con Talavera de la Reina. Cf. D. Mansilla, *Obispados y metrópolis:* BracAug 22(1968)26. Véase asimismo A. Tovar, o.c. II p.218.

[23]   J. A. Ceán-Bermúdez, o.c., cita también Barba, en La Pedrera y Barbi cerca de Martos (Jaén). Cf. A. Tovar, o.c. I, p.124-25.

29.   Egabrum: provincia Bética. Cabra (Córdoba). Presbítero: Victorinus.

30.   Iune o Aiune, quizá Arjona (Jaén). Presbítero: Totus.

31.   Segalvinia, quizá la Selambina de Ptolomeo: provincia Bética. Es posible que se trate de la actual Salobreña (Granada). Presbítero: Silvanus.

32.   Ulia: Municipium Ulia Fidentia. Provincia Bética. Montemayor (Córdoba). Presbítero: Victor.

33.   Drona. Desconocida. Quizá Brona o Brana, que era ciudad estipendiaria perteneciente al «conventus» de Cádiz, según Plinio [24]. No la señalamos en el mapa. Asiste al concilio un presbítero llamado Luxurius.

34.   Baria: provincia Cartaginense (anteriormente perteneció a la Bética). Vera (Almería). Presbítero: Emeritus.

35.   Solia: provincia Bética. Quizá Alcaracejos, al NO. de Córdoba. Presbítero: Eumantius.

36.   Ossigi: provincia Bética. Quizá Mancha Real (Jaén). Presbítero: Clementianus.

37.   Carthago Nova: colonia Urbs Julia Nova Carthago. Capital de la provincia Cartaginense. Cartagena (Murcia). Presbítero: Eutiches.

La mera enumeración de estas comunidades, y más aún su contemplación en el mapa de la Península, nos hace caer en la cuenta, en primer lugar, del carácter en cierto modo nacional del concilio, por la asistencia a él de representantes de las cinco provincias peninsulares. En segundo lugar queda patente la gran densidad cristiana en el sudeste, en las zonas que circundan la sede de la asamblea.

La provincia Bética es la que tiene más representantes: siete comunidades representadas por su obispo correspondiente, y dieciséis comunidades representadas por un presbítero; le sigue la provincia Cartaginense, con seis localidades con obispo y dos con presbítero; Lusitania envía tres obispos; la provincia Tarraconense, dos (uno es de localización incierta); Galecia solamente uno.

La mayor densidad de asistentes, procedentes de la Bética y su vecina Cartaginense, no parece que deba atribuirse solamente al hecho de que son las comunidades más cercanas al lugar donde se celebra el concilio. Es segura la mayor romanización de la Bética y su consecuente cristianización más intensa. Más bien hay que pensar, por tanto, que esta mayor densidad cristiana es la que ha podido inducir a la elección de Iliberri como sede de la asamblea, tanto más que dicha elección no parece justificada ni por la importancia civil de dicha población ni por su carácter eclesiástico de sede más antigua, pues no figura en los primeros lugares.

No sabemos si el orden en que figuran los obispos es el de antigüe-

---

[24] Cf. PLINIO, *Nat. Hist.* III 3. R. THOUVENOT, *Essai sur la province romaine de Bétique* p.321. Cf. A. TOVAR, o.c., I p.85. En la traducción que acompaña al texto del concilio de Granada, en la ed. de J. VIVES (*Concilios visigóticos e hispano-romanos* p.1) se interpreta Drona como Braga. Ignoramos la causa, si es que hay alguna. Véase asimismo M. C. DÍAZ Y DÍAZ, *Orígenes cristianos en Lugo* p.239.

dad de sus sedes, el de antigüedad de su ordenación episcopal o el de su edad. Por esta razón no se pueden hacer deducciones concluyentes en estos aspectos, aunque parece más probable que firmen por orden de antigüedad de ordenación episcopal. Además, mientras no exista una edición crítica definitiva de las actas, no se puede excluir otra versión de la lista con otro orden, contenida también en algunos manuscritos y adoptada, entre otros, por Mendoza y Flórez. La tomamos de este último y es como sigue:

1.	Félix, de Acci.	11.	Osio, de Córdoba.
2.	Sabino, de Sevilla.	12.	Camerino, de Tucci.
3.	Sinagio, de Epagro.	13.	Secundino, de Cástulo.
4.	Pardo, de Mentesa.	14.	Flaviano, de Eliberi.
5.	Cantonio, de Urci.	15.	Liberio, de Mérida.
6.	Valerio, de Zaragoza.	16.	Decencio, de León.
7.	Melancio, de Toledo.	17.	Januario, de Salaria o
8.	Vicente, de Ossonoba.		Fiblaria.
9.	Successo, de Eliocroca.	18.	Quintiano, de Ebora.
10.	Patricio, de Málaga.	19.	Eutiquiano, de Basti.

Flórez añade: «Estos nombres de obispos y de sedes resultan de los manuscritos que manejó Mendoza y de los que existen en El Escorial, en Toledo, en Gerona y Urgel» [25]. En otro lugar, Flórez defiende que éste es el orden verdadero. La lista que aparece en otros manuscritos —la que hemos dado al principio al tratar de localizar cada sede— es, para Flórez, la consecuencia de un malentendido de los copistas, que invirtieron el verdadero orden. «El motivo de aquella inversión consistió en que algún códice antiguo puso en dos columnas los nombres de los obispos, dando diez a la primera y nueve a la segunda... Otro copiante quiso ponerlos seguidos, y, tomando uno de cada columna, salió segundo el undécimo, que era el primero de la segunda...» [26] Realmente, si se observa la lista en dos columnas como la presentamos nosotros, no deja de llamar poderosamente la atención el hecho de que el orden de la otra lista corresponde exactamente y en su totalidad a la sucesión alternada de los obispos de cada columna. Es un hecho que difícilmente cabría explicar por una mera casualidad, que tendría que repetirse nueve veces. Si, como dice Flórez, los manuscritos de Gerona y Urgel también contienen este orden, habría que juzgarlo más verosímil. Precisamente estos dos manuscritos son los únicos que reproducen la lista de los presbíteros.

El único caso en que coinciden ambas listas es el de Félix de Acci, que encabeza la serie. Parece, por tanto, bastante seguro que fue este obispo el que presidió el concilio, seguramente por ser él el más antiguo

[25] *EspSagr.* 12 p.186. Mendoza dice que sigue en esto el orden de los códices editados y anota a veces las variantes de los códices mss. Lucense e Hispalense, que siguen el orden que hemos dado al principio.

[26] *EspSagr.* 10 p.162-63.

en el episcopado. Con esto queda dicho que no hay ningún motivo serio para pensar que el célebre obispo de Córdoba, Osio, fuese el presidente; y ni siquiera, como han querido algunos, que desempeñase un papel principal. Su puesto en esta segunda versión de la lista es el undécimo; si el orden es debido a la ancianidad o antigüedad del titular, esta situación de Osio estaría más de acuerdo con una datación no tardía del concilio, ya que se calcula el principio de su episcopado hacia el año 295.

LOS FIELES Y SUS CONCIUDADANOS NO CRISTIANOS

Las características generales más aparentes de la comunidad cristiana tal como aparece en el concilio de Granada, con respecto a sus relaciones con los cristianos, son las siguientes:

1. Los hispano-romanos que han aceptado la fe cristiana pertenecen a las más variadas clases sociales urbanas.

2. Son todavía minoría en medio de sus connacionales y participan con ellos en muchas de sus actividades y de muchas de sus creencias y opiniones. Es decir, asistimos a un claro proceso de encarnación del cristianismo en el mundo cultural romano de la Península; a una progresiva enculturación, con todo lo que esto significa de dificultades, tanteos, búsqueda, equivocaciones, pero también, y sobre todo, de verdadero enraizamiento. Veamos más en particular cada uno de los dos puntos señalados:

1. Los cánones 2, 3, 4 y 55 se refieren a flámines que han aceptado el cristianismo. Los flámines, como es sabido, son los sacerdotes del culto pagano; principalmente, en nuestro tiempo, los del culto imperial. Este oficio no es solamente religioso; es también un cargo civil, y en gran parte, y sobre todo, es un puesto de honor que puede llevar consigo un buen prestigio social. Es claro que el concilio no les consiente seguir ejerciendo después de bautizados; a los que osan sacrificar a los dioses los excluye de la comunión para siempre; a los que no llegan a ofrecer sacrificios, pero sí contribuyen con ofrendas, se les impone penitencia perpetua hasta la hora de la muerte. Pero hay entre los flámines cristianos quienes estiman tanto la distinción social que lleva consigo su cargo, que, aun habiendo renunciado al ejercicio de sus funciones religiosas, siguen llevando con orgullo la corona como distintivo. El concilio reprueba esta práctica, aunque la juzga mucho más benignamente y sólo les suspende la comunión por dos años.

El canon 56 testimonia la existencia de cristianos que ostentan el primer cargo municipal de duunviro [27].

Existían matronas cristianas con una posición económica suficientemente desahogada como para poder poseer esclavas (can.5). Igualmente, el concilio habla de cristianos que tienen que transigir con el culto doméstico pagano de sus siervos (can.41) y de propietarios cristianos que reciben cuentas de sus renteros (can.40).

---

[27] A partir de mediados del siglo III, las instituciones municipales pierden en gran parte su importancia real. Véase, p.ej., L. G. DE VALDEAVELLANO, *Curso de historia de las instituciones españolas* (Madrid ³1973) p.153-55.

El canon 49 se refiere a cristianos que cultivan las tierras. El canon 19 trata de los clérigos comerciantes; y el 20, de clérigos y laicos prestamistas.

Aurigas y cómicos debieron de ingresar también en la Iglesia, puesto que sobre ellos se legisla en los cánones 62 y 67.

Por último, el canon 80 se refiere a los cristianos libertos que pretenden ingresar en las filas del clero.

2. Los cristianos van desarrollando su nueva vida en medio de un mundo todavía no cristiano en su mayoría. Como consecuencia, están relacionados con sus connacionales paganos, y participan en muchos casos de sus mismos gustos, costumbres e ideas.

Las uniones matrimoniales con no cristianos debían de ser frecuentes: el canon 15 las prohíbe a pesar de «la abundancia de jóvenes cristianas». Se excluyen también (can.16) los matrimonios con judíos y herejes; expresamente se cita y se prohíbe con la más dura pena (can.17) el matrimonio con sacerdotes paganos.

Hay que citar el canon 41 también en este apartado: «Hemos creído conveniente advertir a los fieles que, *en cuanto les sea posible,* impidan que haya ídolos en sus casas. Si temen la violencia de sus siervos, que al menos ellos se conserven puros. Si no lo hiciesen así, considérense ajenos a la Iglesia». Por muy extraño que pueda parecernos la presencia de imágenes de culto pagano en casa de cristianos, la realidad es que en un ambiente todavía tan ajeno al cristianismo, el hecho se imponía tan naturalmente, que el riguroso concilio de Granada desea erradicarlo, pero mitiga su exigencia —«en cuanto les sea posible»—, y reconoce el peligro de revuelta y violencia que una supresión radical de las imágenes podía llevar consigo entre los esclavos de la casa, fieles adictos a su culto.

Sabemos que los espectáculos del circo y del teatro despertaban el entusiasmo de las masas. Sabemos también que, a pesar de sus aspectos tan negativos para los cristianos —sus posibles implicaciones idolátricas y su crueldad y falta de moral en muchos casos—, difícilmente se consiguió apartar de ellos a todos los fieles, ni abolirlos hasta muy avanzada la cristianización. En el concilio se reflejan, en algún modo, estas circunstancias al tratar de aurigas y cómicos [28].

El continuo contacto con la realidad pagana en que vivían podía llevar a algunos cristianos incluso a la más grave deserción, la idolatría, el «crimen capital, la maldad suma», como la califica el canon 1 del concilio. Otros por curiosidad, rutina o compromiso, aunque se abstuvieron del culto directo, no dejaron de participar en él en algún modo con su presencia, aunque pasiva; a ellos se refiere el canon 59 [29].

---

[28] Véanse los cánones 62 y 67, ya citados en el apartado anterior.

[29] La redacción del canon que ha llegado a nosotros es confusa; pero, dado que la penitencia es de diez años, no se puede tratar aquí de participación activa con sacrificio; de eso se ha tratado ya en el canon 1, y la pena es la negación de la comunión hasta la hora de la muerte. Creemos, por tanto, que el verdadero contenido del canon es éste: «Está prohibido a un cristiano acompañar a los gentiles que suben a sacrificar al Capitolio y presenciar el sacrificio; la sola asistencia es ya un pecado equiparable. Si estuviese bautizado, deberá hacer diez años de penitencia».

También consideran faltas muy graves las de aquellos que recurren a maleficios con la intención de matar a otros. El dato es interesante, sobre todo, porque demuestra que hay cristianos que creen que con maleficios pueden conseguir la muerte de alguien; y no sólo simples fieles cristianos, sino los mismos obispos y componentes del concilio, que afirman en el canon 6: «Si alguien mata a otro por medio de un maleficio, que se le niegue la comunión incluso al fin de su vida, porque tal crimen no ha podido realizarlo sin idolatría».

En tiempos pasados había historiadores que se escandalizaban de estas afirmaciones. Algunos católicos procuraban relegarlas al olvido o torturar el texto hasta privarlo de su sentido obvio. Otros no católicos encontraban en este y otros cánones motivos para hablar de un cristianismo ecléctico, desvirtuado, corrompido ya por el ambiente. Pero lo que hay es solamente lenta penetración de una incipiente concepción nueva de la vida, el mensaje de Cristo, que se va abriendo paso poco a poco en mentalidades configuradas durante siglos por una cultura todavía en pleno vigor. El primitivo mensaje no es un cuerpo teológico plenamente desarrollado, ni repercute instantáneamente en todos los campos del saber, de las costumbres y de las creencias. Solamente el paso de los años y de los siglos permitirá ir deduciendo todas sus consecuencias y excluyendo contemporáneamente cuanto a ellas se opone en la tradición cultural recibida de los antepasados y del propio ambiente.

Valen estas consideraciones para el canon 34: «Durante el día no se enciendan cirios en los cementerios, que no hay que inquietar los espíritus de los santos [de los fieles]. Los que lo hicieren sean excluidos de la comunión de la Iglesia».

Tres concepciones distintas del ultratumba se entrecruzaban en el mundo antiguo contemporáneo del concilio, como hemos recordado en el capítulo primero. Según la más antigua, el difunto mantenía una vida relacionada con su sepultura. Las tinieblas permitían una cierta libertad de acción a los espíritus, ligados al sepulcro mientras resplandecía la luz. Por eso, los cirios encendidos apartaban los espíritus malignos, que podían causar daño. En la mente de los súbditos del imperio romano cristianos o no, se mantenía viva, a fines del siglo III, la idea de que la luz de los cirios era fuente de inquietud y perturbación para los difuntos.

El canon 28 dice: «El nombre del energúmeno, es decir, del que está agitado por el espíritu del error, no debe recitarse en el altar con la ofrenda; tampoco se le ha de permitir que ayude en la iglesia con su propia mano». Prescripciones semejantes contra los epilépticos se encuentran en sínodos y autores cristianos contemporáneos y posteriores al concilio de Granada y en diversas regiones del imperio. Existía la creencia de que el epiléptico era poseído de un demonio, y, como tal, no se hallaba en condiciones de acceder a la eucaristía. Pero también existían otras razones tradicionales para apartar a los epilépticos del contacto con las ofrendas: en la antigüedad, la epilepsia se consideraba una enfermedad contagiosa, por lo que los epilépticos eran evitados como los leprosos; religiosamente, la epilepsia era una impureza cultual [30].

Casi una pequeña anécdota parece ofrecernos el canon 57; anécdota significativa en este contexto que ahora nos ocupa de la relación estrecha todavía entre cristianos y paganos: «Que las matronas o sus maridos no den sus vestiduras para ornamento de las procesiones mundanas. Si lo hiciesen, absténganse de la comunión por tres años».

LA ESCALA DE VALORES MORALES

Los cánones del concilio de Granada son casi una enumeración de faltas y defectos que hay que corregir; sobre todo, se trata de los tres grandes pecados capitales: homicidio, fornicación e idolatría. Las faltas, defectos y prescripciones van casi siempre acompañadas de las consiguientes penas con que se sancionan. Esto nos permite calibrar cuál es la escala de valores morales para la jerarquía de la Iglesia por lo que se refiere a los temas tratados.

No hay acuerdo en la interpretación de las penas que el concilio impone; su terminología es a veces ambigua, sobre todo porque la palabra «comunión» se puede referir a la comunión eucarística y a la comunión con la Iglesia, es decir, a la permanencia en su seno de comunidad viva.

Por lo que se refiere a la escala de valores, no hay ninguna duda cuando las penas impuestas son de diez, cinco, tres o dos años. Aun en estos casos hay que distinguir entre la negación de la comunión por unos años y la misma negación con la imposición, además, de la penitencia. Pero incluso en los casos más graves y que ofrecen dudas, casi siempre se podrá distinguir lo que es sólo excomunión aun perpetua en sentido eucarístico, de lo que en realidad supone una práctica expulsión de la Iglesia.

1. Para las penas más graves se reservan expresiones como «sean arrojados de la Iglesia», «ténganse por ajenos a la Iglesia», «sean arrojados totalmente fuera de la Iglesia».

Estas expresiones de total exclusión se aplican a los siguientes delitos, que hemos de estimar, por tanto, lo más grave para el concilio: a los usureros reincidentes (can.20), a los que dan culto en sus casas a los dioses paganos (can.41), a los propietarios agrícolas que hagan bendecir sus frutos por judíos (can.49), a los aurigas y cómicos que vuelven a sus oficios, a los que habían tenido que renunciar antes de bautizarse (can.62).

2. Siguen en segundo lugar de gravedad expresiones como «que no reciba la comunión ni aun al fin de su vida», «ni al fin de su vida se le ha de dar la comunión», «que no vuelva ya a jugar con la comunión de la paz». En estos casos, ¿es toda reconciliación con la Iglesia la que se

---

[30] Cf. Los artículos de F. J. DÖLGER en AntChrist 4 (1934) 110-29 y 130-37.

niega a estos cristianos aun en la hora de la muerte? A excepción de la última fórmula, que corresponde al canon 47, y a otra semejante que se emplea en el canon 3, y que son menos claras, las demás parecen indicar que se les niega la comunión eucarística aun en la hora de la muerte, pero no, quizá, su reconciliación con la Iglesia por medio de la penitencia [31].

Aun con esta interpretación benigna, la extrema dureza de la pena es evidente. Mucho más aún si se hubiese de admitir una ausencia total de toda reconciliación, en cuyo caso los delitos así penados quedarían incluidos en el apartado anterior.

He aquí los delitos que merecen al concilio estas expresiones: tres cánones que las usan se refieren a pecados de idolatría (can.1,2,6; este último acompañado de muerte que se sigue de un maleficio); nueve van contra los que en alguna u otra manera pecan contra el matrimonio (can.8 10 17 47 64 66 70 72 y 63, este último contra la mujer que da muerte al feto adúltero); cinco sancionan delitos de fornicación, como el canon 7 (el fiel que reincide en fornicación después de haber hecho penitencia por ese pecado), 12 (contra los que ejercen el lenocinio), 13 (vírgenes consagradas que quebrantan el voto), 18 (obispos, presbíteros y diáconos que fornicasen), 71 (estupro); dos van en defensa de la dignidad del clero, como el canon 65 (contra el clérigo que no expulsa de su casa a su mujer adúltera) y 75 (denunciante que no consigue probar sus acusaciones contra obispos, presbíteros y diáconos); el canon 73 se refiere al fiel cristiano delator de cuya denuncia se siguiese proscripción o muerte de otro.

3. Imponen penitencia de por vida, pero con reconciliación posible a la hora de la muerte, dos cánones: el canon 3, que contempla un caso de idolatría menor: el cristiano flamen que no ofrece ya sacrificios a los dioses, pero sí una ofrenda para su culto; y el canon 13, que impone esta penitencia a las vírgenes consagradas que violasen una sola vez su voto.

4. Diez años de penitencia se imponen: a los apóstatas que vuelven a la Iglesia de nuevo (can.22 y 46); al fiel que asiste solamente a sacrificios (can.59); a los que ofenden en menor grado la santidad del matrimonio (can. 64.70 y 72).

5. Aunque parezca extraño en medio de tanta severidad, se impone solamente siete años de penitencia a la señora cristiana que «encendida por el furor de la cólera, flagelase a su esclava con tal intensidad, que muriese ésta entre dolores en el término de tres días». Y esto sólo en el caso en que la muerte se haya pretendido voluntariamente (can.5).

6. Con cinco años de penitencia se castiga: el mismo delito anterior cuando la muerte se sigue como consecuencia del castigo, pero sin haberla pretendido; el adúltero por una sola vez (can.69); o con judía o

---

[31] Como hemos indicado más arriba, no es seguro que deba admitirse esta distinción, aunque tampoco se puede prescindir, sin más de la posibilidad. Cf. F. J. Dölger: Ant-Christ 4 (1934) 117-18; A. Segovia, *El domingo y el antiguo derecho eclesiástico* p.44-48.

gentil, si no se ha confesado el pecado espontáneamente (can.78); algunos casos de fornicación: canon 6 y canon 72 (viuda que fornica con alguno con el que se casa después); diácono que no confiesa espontáneamente algún pecado grave cometido antes de la ordenación (can.76): la penitencia es de tres años.

7. Cinco años de excomunión, pero sin penitencia, se impone: a los padres que casan a sus hijas con herejes o judíos (can.16); a los que se casan con la hermana cristiana de su mujer; a los propietarios que dan por bueno que sus renteros le descuenten el dinero ofrecido al culto pagano (can.40); denuncias y testimonios falsos (can.73 y 74).

8. Tres años de excomunión sin penitencia: a los que violan los esponsales (can.54); a los que prestan sus vestidos para adorno en las procesiones paganas (can.57).

9. Dos años de excomunión sin penitencia: a los sacerdotes que, siendo cristianos, siguen usando la corona como distintivo (can.55); testigo falso en materia leve y arrepentido (can.74).

10. Con un año de excomunión, sin penitencia: los que juegan a los dados (can.79); el magistrado durante el año en que ejerce el duunvirato (can.56); las vírgenes que caen en fornicación, pero se casan con aquel con el que han pecado (can.14).

11. Se habla de excomunión, pero sin determinar el tiempo: en el canon 21, referido a los que faltan a la iglesia tres domingos; en el canon 37, sobre los epilépticos o atormentados que, no obstante la prohibición, encienden las lucernas en la iglesia; en el canon 50, contra los que comen con los judíos; en el canon 66, contra las casadas con cómicos o comediantes.

A juzgar por todo lo que acabamos de ver, los tres grandes caballos de batalla de los hispano-romanos adscritos al cristianismo en tiempos del concilio eran éstos: 1) Una fe amenazada por el ambiente pagano; de ahí las abundantes condenas de diversas formas de idolatría; prohibición de ejercer oficios relacionados con actos idolátricos; conexiones y relaciones familiares con no cristianos. 2) La vida matrimonial y familiar, amenazada principalmente por el divorcio fácil y por el adulterio. 3) La fornicación.

En los cánones se condenan otros pecados; pero aparecen sólo esporádicamente y se les concede mucha menor importancia, fuera de la *usura*, que ocupa un lugar destacado entre los más graves. La misma muerte de una esclava por malos tratos no merece tanta atención [32].

El ambiente era, indudablemente, adverso para los cristianos. La mentalidad pagana y los cultos paganos lo impregnaban, constituyendo por sí mismo unas circunstancias que hacía difícil el desarrollo pacífico de la vida de los fieles. No era, además, el paganismo el único obstáculo para los cristianos. Hemos visto que el concilio de Granada se ocupa también, y en varias ocasiones, de los judíos. El canon 16 ordena que no se entreguen a judíos en matrimonio las doncellas cristianas; el ca-

---

[32] A partir, sobre todo, de Tertuliano, se consideran como los tres grandes pecados mortales la idolatría (o apostasía), el homicidio y el adulterio.

non 49 excluye de la iglesia a los cristianos que hagan bendecir los frutos de sus cosechas por judíos «como si la bendición cristiana fuese inútil o impotente»; el canon 50 prohíbe a clérigos y fieles comer con los judíos [33]; el canon 78 contempla el caso de adulterio con mujer judía o gentil.

Esta legislación presupone, ante todo, la existencia en Hispania de comunidades judías de una cierta entidad. Presupone también un cierto contacto de los cristianos con ellos; contacto que no es extraño si los judíos formaban una parte importante de la ciudadanía. Hay indicios en los cánones citados de un temor especial al proselitismo judío, que, en un ambiente dominado por el paganismo, debía de ser especialmente peligroso para los cristianos por su monoteísmo y sus múltiples afinidades. Este temor es suficiente para explicar la existencia de estas prescripciones, sin que sea necesario deducir de ellas una excesiva abundancia de judíos en nuestras regiones. De hecho, muy poco sabemos sobre el particular, como también es desconocida la historia de las primeras inmigraciones judías en la Península.

Después de examinar todos los datos históricos, arqueológicos y epigráficos conocidos hasta el momento, W. P. Bowers concluye que no hay indicios de comunidades judías en Hispania antes del año 70 de nuestra era. Debieron de establecerse a partir de los años 70-135, las dos grandes destrucciones de Jerusalén, que les obligaron a la dispersión [34]. Fueron los conversos de finales de la Edad Media los que, para librarse de las acusaciones de ser descendientes de los que condenaron a Jesús, intentaron apoyarse en falsas leyendas con las que pretendían demostrar que los judíos se habían establecido en Hispania con anterioridad a la venida de Cristo [35].

Por lo que se refiere a la provincia Bética, además del concilio de Granada, hay un testimonio arqueológico de la presencia de judíos: una inscripción sepulcral hallada en Abdera (Almería) y fechable en el siglo III: «Annia Salomónula, de un año, cuatro meses y un día, judía» [36].

Ya en pleno siglo IV es importante el testimonio de Gregorio de Granada, en cuyas homilías y sermones se observa una especial atención al problema de las relaciones entre judíos y cristianos, ocupándose repetidas veces de la circuncisión y de la observancia del sábado. Son significativas estas palabras suyas: «Puesto que con frecuencia tenemos que disputar con los judíos sobre la circuncisión...» [37]

---

[33] R. Thouvenot (*Chrétiens et juives à Grenade* p.205) opina que judíos y cristianos comen juntos porque ambos tienen que evitar las carnes de animales matados por los paganos. No parece que el texto permita tales deducciones.

[34] W. P. Bowers, *Jewish communities in Spain;* V.a.: L. García Iglesias, *Los judíos en la España antigua.* Esta obra ha llegado a mis manos cuando ya el texto estaba en la imprenta.

[35] Cf. Y. Baer, *A history of the Jews in Christian Spain* I.

[36] A. Ferrua, *Inscripciones griegas y judías:* J. Vives, *Inscripciones cristianas,* apénd.1 n.429.

[37] Gregorio de Granada, *Tract.Orig.IV:* CorpChr 69 p.27; V. C. de Clercq, *Ossius of Cordova* p.41-42. R. Thouvenot (*Chrétiens et juives à Grenade* p.206-10) examina con detención el testimonio de Gregorio de Granada sobre los judíos.

También debieron de complicar la vida de los fieles las herejías cristianas, a las que alude el concilio, sin especificar, en los cánones 16, 22 y 51. Solamente puede conjeturarse que estos movimientos heréticos debieron de ser principalmente de tipo gnóstico y maniqueo, por un lado, montanista y novacianista, por otro, y quizá también algo de sabelianismo [38].

Muchas eran, por tanto, las tentaciones y escollos de los cristianos hispanos de fines del siglo III. Especialmente la moral cristiana no encontraba en el ambiente pagano circunstancias propicias para su desarrollo, sobre todo por lo que se refiere a la fidelidad conyugal a ultranza.

Esta situación difícil se refleja claramente en las disposiciones del concilio. Pero hay algo en éstas que llama la atención: la dureza de las penas con que se enfrentan los obispos con estas circunstancias adversas. Tal actitud supone una seguridad en la fe que asombra. No hay en ella ni rastros de una condescendencia temerosa de exigir más de lo que se puede; ni de una acomodación más o menos resignada a la desagradable realidad. Para evitar que se sucumba a la presión ambiental, se amenaza a los cristianos con duras penitencias de varios años y aun de toda la vida, sin temor de que eso conduzca a la deserción o el abandono general. Nos consta además que no hubo tal deserción: las comunidades cristianas se mantuvieron fieles a su fe y se siguió su crecimiento y desarrollo. A pesar de todos sus defectos, que eran muchos, los cristianos, al menos en gran parte, eran gente convencida del valor de su fe. Mucho debían apreciarla; mucho debía suponer para ellos seguir perteneciendo a la Iglesia, cuando, con tal de mantenerse en ella, eran capaces de soportar, a veces, hasta la abierta persecución sangrienta y —lo que es quizá más difícil— habitualmente un ambiente opuesto a las exigencias de su fe y de su moral, y, en caso de caída, los más duros castigos por parte de su propia comunidad.

Cabría pensar en el hecho sociológico indudable del efecto endurecedor que la mayoría produce en las minorías mal vistas y mal acogidas en su seno. La reacción defensiva de estas minorías se traduce en firmeza e incluso en fanatismo. Pero el aspecto general de la comunidad cristiana, puesto de manifiesto en los cánones del concilio de Granada, no es precisamente el de un grupo fanáticamente fiel a los preceptos y costumbres de su secta.

Es posible que el asombroso interés por mantenerse en la Iglesia pueda tener también alguna explicación parcial en condicionamientos ambientales de la época. Las conmociones, inquietudes e inseguridades producidas por la crisis del imperio romano, sobre todo en el siglo III, hacían deseable la acogida de una comunidad con firmes convicciones capaces de dar seguridad, y, con ella, una base sólida para la aspiración a unos ideales que den sentido a la vida. Entre otras razones para explicar el éxito del cristianismo, E. R. Dodds propone una que está de acuerdo con las condiciones históricas de nuestro caso: el cristianismo

---

[38] Cf. V. C. DE CLERCQ, *Ossius of Cordova* p.38-41.

—dice— estaba abierto a todos. Acogía a todos en su seno, sin admitir la idea de «clases y diferencias en el servicio de Dios». Por otra parte, es también verdad, como dice el mismo autor, que en un momento de crisis del imperio, donde todo el orden temporal se tambaleaba, las grandes promesas cristianas para el otro mundo abrían un horizonte esperanzador que bien merecía los más grandes sacrificios [39].

EL COMPORTAMIENTO DE LOS CRISTIANOS

Ya hemos hablado de un importante rasgo positivo en la vida de los cristianos hispanos: el arraigo en la fe. Existían otros, sin duda. Si no, el cristianismo no hubiera ejercido un atractivo tan grande. Y que lo ejerció es evidente, puesto que a la comunidad cristiana concurrían las más diversas clases de la población. Para fines del siglo III, en las provincias romanas hispánicas no parece válido aquello de que el cristianismo era un «ejército de desheredados»; flámines, duunviros, propietarios, matronas, comerciantes, ocupan la atención de los obispos, juntamente con los demás fieles del pueblo sencillo.

En la situación social en que se hallaba el mundo romano, esta «promiscuidad» de clases en la comunidad cristiana era un benéfico fermento producido por la levadura evangélica. Desde la cumbre de la jerarquía se condena con el máximo rigor la usura, medida que se inserta plenamente en la línea positiva de la acción cristiana en el mundo. Los obispos contribuyen también positivamente a la santidad del matrimonio, y, con ello, a la promoción de los valores familiares.

El canon 69 expresa un concepto igualitario entre la mujer y el hombre por lo que se refiere al adulterio, que está plenamente de acuerdo con las grandes ideas de San Pablo. Dice así el canon 69: «Determinamos que el hombre casado que cae en pecado una vez, a no ser en caso de enfermedad que obligue a anticiparle la reconciliación, haga penitencia durante cinco años. Lo mismo se ha de observar con las mujeres». Pero no hay que exagerar el progreso hacia la igualdad. La legislación cristiana sigue siendo en el concilio discriminatoria contra la mujer. El adulterio por parte de la mujer lleva consigo la misma pena eclesiástica que el adulterio del hombre. Sin embargo, las consecuencias son mucho más graves para la esposa infiel. En varias ocasiones aparece en el concilio la práctica, habitual entonces, de que el marido consciente del adulterio de su esposa estaba obligado a su repudio inmediato; el canon 65 se refiere a la mujer de un clérigo: «Si cometiese adulterio la esposa de un clérigo y, sabiéndolo su marido, no la expulsase inmediatamente, que éste no reciba la comunión ni al fin de su vida, para que no enseñen maldad los que deben ser ejemplo de buena conducta». El canon 70, debidamente interpretado —según creemos—, dice así: «Si una esposa comete adulterio con conocimiento de su marido, que no se le dé a éste la comunión ni al fin de su vida a no ser que, después de

[39] E. R. DODDS, *Paganos y cristianos en una época de angustia* (Madrid 1975) p.173-79.

haberla retenido algún tiempo, la abandone; en este caso puede recibir la comunión después de diez años». En este aspecto se seguía viviendo de la práctica y de la legislación romana, que obligaba al marido a repudiar a la mujer adúltera en el término de dos meses.

A la mujer, en cambio, no se le urge la obligación de abandonar a su marido infiel; solamente se le recuerda que, si lo abandona, no puede casarse con otro [40]. Mayor aún es la discriminación entre hombre y mujer en lo que se refiere a la posibilidad de contraer nuevas nupcias después de haber repudiado al cónyuge adúltero. Efectivamente, mientras que en los cánones 8 y 9 se condena a la mujer separada que se casa de nuevo, no hay ninguna pena que castigue al varón que se vuelve a casar después de haber repudiado a la mujer adúltera [41].

El respeto a la vida se manifiesta, p.ej., en el canon 63: «Si alguna mujer, en ausencia de su marido, concibiese adúlteramente y matase después el fruto de su maldad, que no se le dé la comunión ni al fin de su vida, ya que cometió dos crímenes». El canon 68 condena también el adulterio y el consiguiente aborto. El denunciante de cuyo acto se siga la proscripción o la muerte de alguien, queda excluido de la comunión aun al fin de su vida.

Pero tampoco en este punto la jerarquía hispana estaba todavía en condiciones de superar plenamente las concepciones sociales de su época, como puede comprobarse en la relativa benignidad con que juzga a la matrona cristiana que mata a su esclava (can.5), caso ya referido al tratar de la escala de valores morales.

La situación jurídica del liberto, cuya emancipación podía ser revocada por su dueño, obligaba a los obispos a excluir del clero a esos cristianos mientras sus señores estuviesen vivos.

Si las penas y prohibiciones del concilio hubieran de suponer siempre hechos reales acaecidos además con una cierta frecuencia, habría que admitir que en la conducta de los cristianos existían notables deficiencias. No hay que pensar que así fuese siempre. En algún caso, los pecados condenados en los cánones pueden ser faltas esporádicas, aunque lo suficientemente graves como para requerir una condena radical. Podría quizá tratarse, en cierto momento, de prevenir solamente. Además, los aspectos positivos de la comunidad no son tenidos en cuenta en una legislación nacida para corregir defectos. Con todos estos atenuantes ante la vista, para no desfigurar la realidad, las actas del concilio de Granada indican que no debían de ser pocos los cristianos contemporizadores con los cultos paganos; quizá más numerosos aún los que seguían una vida demasiado semejante a la de sus connacionales no cristianos en el libertinaje sexual: simple fornicación; a veces, también del clero en cualquiera de sus grados; adulterios, abandonos del cónyuge y nuevo casamiento, ejercicio del lenocinio, algún incesto, violaciones del voto de castidad. Abusos mucho más esporádicos debieron de ser la práctica de la delación y las acusaciones más o menos graves, la coloca-

---

[40] Can.9. Véase también el can.47.
[41] Cf. G. Cereti, *Divorzio, nuove nozze e penitenza* p.187-202.

ción de libelos infamatorios en las iglesias, el juego de azar. Casos seguramente excepcionales los referidos en los cánones 5 y 6.

DATOS SOBRE LA VIDA INTERNA DE LAS IGLESIAS

El ingreso en la comunidad

Son pocos los casos considerados por el concilio como excluyentes del acceso a la comunidad: flámines o sacerdotes paganos en ejercicio (can.2); aurigas y comerciantes que no quieran renunciar a su trabajo (can.62). Una carta de San Cipriano al obispo Eucracio nos ilustra sobre las causas y las consecuencias de esta última exigencia. Eucracio había consultado a Cipriano sobre la admisión de un cómico que enseñaba a otros sus artes. He aquí lo que responde el obispo de Cartago [42]: «... has tenido a bien pedir mi parecer sobre un cierto comediante que tenéis con vosotros. Sigue ejerciendo su arte inconveniente y es maestro y doctor que pierde, en vez de enseñar, a los niños, transmitiendo a otros lo que él, desgraciadamente, aprendió. Me preguntas si debéis admitirlo a nuestra comunión. Pienso que no. No estaría de acuerdo ni con la majestad de Dios ni con las enseñanzas del Evangelio, contaminar con contagio tan torpe e infame el pudor y el honor de la Iglesia. La ley prohíbe a los hombres usar vestidos de mujer y los califica de malditos [43]. Mucho mayor será, pues, el crimen si se trata no sólo de ponerse vestidos femeninos, sino de imitar, además, con el gesto a los indecentes, blandos y afeminados, ejerciendo el magisterio de un arte impúdico. Que no se excuse diciendo que ya ha dejado el teatro, si sigue enseñándolo a otros. ¿Cómo va a decir que cesa quien se busca sustitutos y, en vez de él, deja a varios, enseñando y mostrando, contra lo dispuesto por Dios, el modo y manera de que el hombre se contonee como una mujer, y se cambie el sexo artificialmente, y se dé al diablo el gusto de estropear la obra de Dios por los delitos de un cuerpo corrompido y enervado? Si alega penuria y exigencias de la pobreza, que se le ayude en su necesidad como a tantos otros que sustenta la Iglesia, con tal de que se contente con una comida frugal y sencilla; y que no piense que es esto un salario para que deje el pecado, porque el favor se lo hace a sí mismo, no a nosotros».

A excepción de los flámines, aurigas y cómicos que no renuncian a sus oficios, no se excluye expresamente a nadie. Hay, en cambio, algunos casos especiales, que se citan en el concilio precisamente para hacer saber que se pueden admitir: sin ninguna dilación, a las prostitutas que, habiéndose alejado de la prostitución, hubiesen tomado después marido

---

[42] Cf. el texto latino y otra traducción al castellano en BAC 241 (Madrid 1964) ep.2 p.366-68.

[43] Dt 22,5: «La mujer que no lleve atuendo de hombre, ni el hombre use los de la mujer, porque el que así actúa es abominable para el Señor tu Dios».

(can.44) [44]: a la mujer que se casa con otro después de ser abandonada por un catecúmeno (can.10); igualmente, al catecúmeno o catecúmena cuyo cónyuge, del que se ha separado, se casa con otro u otra; sólo en peligro de muerte a los energúmenos: «a los que son atormentados por espíritus inmundos» (can.37). También se admiten al bautismo los paganos enfermos que lo soliciten, si son de vida honesta (can.39) [45].

Admitir a alguno suponía inscribirlo en el número de los catecúmenos. Como tales, los aspirantes al bautismo debían consagrar un tiempo más o menos largo a su instrucción e iniciación progresiva. En el concilio hay una norma general para los candidatos que «sean de buenas costumbres»: dos años de catecumenado (can.42). En el mismo canon se admite la abreviación del período en caso de enfermedad; incluso sin catecumenado puede bautizarse a los enfermos que lo pidan, si fuesen de vida honesta.

Se retrasa el bautismo hasta la última hora a la catecúmena que conciba adúlteramente y aborte (can.68). Se prolonga el catecumenado por cinco años a los delatores (can.73), y por tres a los flámines, supuesta la renuncia al ejercicio de su ministerio religioso (can.4).

Una vez cumplido el tiempo, el catecúmeno, debidamente instruido, debía ser admitido al bautismo. Aun en el caso, previsto en el canon 45, de que el catecúmeno, una vez cumplido su catecumenado, se ausentase de la iglesia por tiempo indefinido, con tal que algún miembro del clero pudiese testimoniar su comportamiento cristiano.

La administración del bautismo se debe hacer gratuitamente; y para que no pueda ni siquiera parecer «que el ministro da por precio lo que recibió gratis», el concilio prohíbe la costumbre establecida de que los bautizados echasen alguna moneda en la pila bautismal (can.48). Era una costumbre inveterada que provenía de ambientes y de tiempos no cristianos: echar monedas, como señal de agradecimiento por la curación, en las fuentes de aguas medicinales [46].

También acaba el concilio con otra costumbre: «No deben lavar los pies a los bautizados los obispos ni los clérigos» (en el mismo can.48). San Ambrosio habla de esta práctica, que continuaba ejercitándose en su iglesia de Milán y no se admitía, en cambio, en la de Roma: «No ignoramos que la Iglesia romana, cuyo modelo y forma seguimos en todo, no tiene esta costumbre; esta costumbre de lavar los pies no la tiene. Mira: quizá renunció a ella por la gran cantidad de bautizados... Hay quienes dicen en su excusa que no se debe hacer esto durante el

---

[44] A. Mostaza Rodríguez (*La Iglesia española y el concubinato:* AnthAnn 6 [1958] 198-99) considera que este canon 44, al hablar de *maritum*, prescinde del derecho —no podía haber matrimonio con una prostituta—, y por tanto, considera como matrimonio estable lo que, según la ley civil, sería sólo concubinato. Pero no parece que se pueda argumentar así por el solo uso de la palabra *maritum;* consta por la epigrafía que también los esclavos usaban, a veces, estos términos, aunque ellos no podían legalmente contraer matrimonio.

[45] Cf. Z. García Villada, *La administración del bautismo.*

[46] En el mismo concilio, refiriéndose al bautismo, se habla de «admitir a la fuente de purificación» (can.10). Este uso quizá recordaba demasiado a los obispos la práctica pagana de ofrecer dinero al ingresar en alguna comunidad de culto o gremial. Cf. F. J. Dölger, *Die Münze im Taufbecken.*

misterio, en el bautismo, en la regeneración, sino que se les debe lavar los pies como a huéspedes... En todo deseo seguir a la Iglesia romana; pero nosotros, como hombres que somos, también sabemos lo que hacemos; por eso preferimos conservar lo que más justamente se observa en otros sitios. Seguimos al mismo San Pedro, nos mantenemos devotos suyos. ¿Qué puede responder a esto la Iglesia romana? Ciertamente, el mismo apóstol Pedro, que fue obispo de la Iglesia romana, es para nosotros el autor de esta opinión. Pedro dice: 'Señor, no sólo los pies, sino también las manos y la cabeza'. Mira la fe. El resistirse anteriormente fue por humildad; el ofrecerse después, por devoción y fe...» [47] ¿Habrá sido por indicación de la Iglesia romana por lo que los obispos del concilio de Granada decidieron prohibir para adelante la costumbre? Lo cierto es que este canon 48 es recogido con plena fidelidad en el siglo XII por Graciano en su *Decreto,* quedando así incluido en el *Corpus Iuris Canonici.*

El bautismo, en caso de necesidad, puede ser administrado por un simple fiel: «Un fiel que no haya manchado su bautismo y no sea bígamo, puede bautizar, durante un viaje por mar cuando no hubiese cerca una iglesia, a un catecúmeno que se halle gravemente enfermo; pero, si éste sobrevive, llévelo ante un obispo para que complete el rito con la imposición de las manos» (can.38). El obispo debe completar también el rito en el caso de que alguien fuese bautizado por un diácono, aunque, en todo caso, la imposición de las manos por parte del obispo no se requiera para la justificación del neófito, si éste muriese antes (can.77).

La imposición de las manos por parte del obispo a continuación del bautismo aparece aquí como la primera manifestación del sacramento de la confirmación (véase asimismo can.38 y 39).

La penitencia

La penitencia es el sacramento de la reconciliación. Determinados pecados llevaban consigo la exclusión de la comunión eucarística, y, por tanto, en mayor o menor grado, la separación del pecador de su comunidad cristiana, a la que había quedado incorporado de pleno derecho por el bautismo. La reincorporación a la plena vida de la comunidad era solamente posible en muchos casos por el sacramento de la penitencia. La reconciliación oficial quiere el concilio que la otorgue el obispo, aunque, en su defecto, podrá también otorgarla un presbítero e incluso un diácono: «Si alguien cayese en ruina mortal por pecado grave, que no haga penitencia ante un presbítero, sino, más bien, ante un obispo. Pero en caso de grave enfermedad es necesario que el presbítero le conceda la comunión, e incluso un diácono, si se lo manda el obispo» (can.32). Es la misma práctica que propone San Cipriano en su carta 19:

---

[47] AMBROSIO, *De sacram.* III 1: ML 16,432-33.

«... si tuviesen algún impedimento o enfermedad grave, que no esperen mi presencia», etc. [48].

En el apartado que hemos dedicado a la escala de valores morales, hemos enumerado los diversos grados de penitencia que se imponían antes de obtener la reconciliación, según la diferente importancia de los pecados. A los clérigos, en caso de pecados graves, se les imponía la deposición y relajación al estado laical.

Se ha discutido sobre si pueden encontrarse indicios suficientes en el concilio de Granada sobre la existencia, ya entonces, de una penitencia privada [49]. J. Fernández Alonso opina que conviene distinguir tres clases de penitencia: 1) La penitencia pública estrictamente dicha, que sería la definida por el P. Galtier como la impuesta oficialmente por la Iglesia de un modo público, y que llevaba consigo el que los sometidos a ella pasasen a formar parte del «orden de los penitentes», en el que permanecían, más o menos tiempo, separados del resto de los fieles, imposibilitados de asistir y de participar en la eucaristía, aunque no privados de la asistencia a las lecturas y predicaciones hasta ser readmitidos de nuevo también pública y solemnemente. 2) La excomunión, que podía darse como castigo separado del ingreso en el «orden de los penitentes» y suponía mayor castigo aún, puesto que el excomulgado quedaba excluido de la «communio» e incluso del trato social, al menos por parte de los clérigos. No es posible considerar como penitencia privada esta pena de excomunión, puesto que implica una situación de pecador público y notorio, con efectos sociales y comunitarios. 3) En el canon 20 del concilio de Granada se dice que, si se prueba que un laico prestó dinero con usura, parece bien que se le conceda el perdón, con tal que se le reprenda y prometa que no lo volverá a hacer. Parece, por tanto, que en este caso no hay excomunión ni ingreso en el «orden de los penitentes», sino solamente amonestación, promesa de enmienda y absolución [50].

El canon 20 no es, sin embargo, argumento suficiente para hablar de una penitencia privada en el sentido en que esta expresión suele entenderse [51].

Las rigurosas penitencias que el concilio impone le han merecido un juicio adverso bastante extendido y que ha llegado incluso a calificarlo de herético. En otros concilios prácticamente contemporáneos se imponen también penitencias de muchos años: siete, diez, veinte y hasta treinta años. Las fórmulas diversas con que se impone en el concilio de Granada la excomunión perpetua, incluso en la hora de la muerte, son, en cambio, expresión de un rigor extremo, no exclusivo ciertamente de las iglesias hispanas, pero que, afortunadamente, se abandonó poste-

---

[48] CIPRIANO, *Epist.* 19: BAC 241 p.423.
[49] En sentido positivo cf. S. GONZÁLEZ RIVAS, *Los castigos penitenciales del concilio de Elvira.*
[50] Cf. J. FERNÁNDEZ ALONSO, *La cura pastoral* p.511-73. Cita también el canon 32 y el canon 47; pero creemos que estos dos cánones no plantean el mismo problema que el 20.
[51] S. GONZÁLEZ RIVAS (o.c.) cree poder encontrar más casos en el concilio de Granada, pero sus argumentos no parecen convincentes.

riormente en la Iglesia universal. Inocencio I, en su carta a Exuperio, obispo de Tolosa, con fecha 20 de febrero del 405, ilumina muchos aspectos de esta cuestión: «Se me pregunta qué se debe hacer con los que, después de bautizados, se dan en todo tiempo a los placeres de la incontinencia, y después, a la hora de la muerte, piden penitencia y reconciliación de comunión. Para éstos, la ley era antes más dura; después, por misericordia, se ha mitigado. Antes, la costumbre era que se les concediese la penitencia, pero se les negase la comunión. Es que entonces eran frecuentes las persecuciones; con razón se negaba la comunión, porque su concesión fácil podía dar una seguridad tal de obtener la reconciliación, que no se sintiesen inclinados a huir de la caída. Se concedía la penitencia para no negarles todo. Las circunstancias hicieron más dura la remisión. Pero después nuestro Señor devolvió la paz a sus iglesias; quedamos libres del temor y se decidió dar la comunión a los alejados, movidos por la misericordia de Dios y para no dar la impresión que adoptábamos la misma aspereza y dureza del hereje Novaciano. Concédase, pues, con la penitencia extrema, la comunión, para que tales personas en su hora suprema, permitiéndolo nuestro Salvador, se salven del exilio perpetuo» [52].

El uso reflejado en el concilio de Granada es considerado por Inocencio como la práctica común anterior: «La ley era antes más dura», «se les concedía la penitencia, pero se les negaba la comunión». Lo dice un siglo exacto después del concilio. Inocencio cree justificada la actitud rigorista de entonces por la necesidad de espolear a los cristianos amenazados por las frecuentes persecuciones, exigiéndoles mucho para que se mantengan firmes en su fe.

En tiempos anteriores, también en Africa se negaba definitivamente la comunión en algún caso. San Cipriano lo cuenta de algunos de sus antecesores [53]. Cipriano piensa que hay que admitir a los caídos a penitencia, porque es necesario reforzar su fe con la penitencia; no hay que lanzarlos a la desesperación, como sucedería si la Iglesia los apartase dura y cruelmente de sí, lanzándolos al paganismo, a la herejía o al cisma [54].

A pesar de la actitud de San Cipriano y de la que claramente adopta más tarde Inocencio I, el máximo rigor se sigue practicando después, al menos en algunas iglesias de las Galias. Lo atestigua el papa Celestino I, que escribe el 26 de julio de 428 a los obispos de las provincias Viennense y Narbonense lo que sigue: «Hemos sabido que se niega la penitencia a algunos moribundos y no se accede a su deseo cuando piden se les ayude con este remedio de sus almas en el momento de su muerte. Confieso que nos horroriza que pueda haber alguien tan impío que desespere de la piedad de Dios; como si no pudiese socorrer al que acude a El en cualquier tiempo y liberar al que peligra bajo el agobio de

---

[52] Inocencio I, *Epist.* 6: ML 20,498-99.
[53] Cipriano, *Epist.* 55: BAC 241 p.535.
[54] Cipriano, *Epist.* 55: BAC 241 p.533-34.

sus pecados, del peso de que desea ser descargado ¿Qué es eso sino añadir otra muerte al que está muriendo?... [55]

En el año 325, el concilio de Nicea determina que no se niegue a nadie la comunión en la hora de la muerte (can.13). Indica, además, el concilio de Nicea que ésta es una ley antigua y canónica. Dado que los obispos asistentes a Nicea son casi en su totalidad orientales, esta última afirmación se refiere, sin duda, a la tradición de las iglesias de Oriente y debió de sonar algo extrañamente en los oídos de Osio, presente en Nicea y unos años antes en Granada.

El concilio de Granada no es ningún caso aislado de rigorismo en la Iglesia. A mediados del siglo III coexisten las dos tendencias: la rigorista y la benigna. La primera recibió un gran impulso en Occidente por parte de Novaciano y fue seguida por algunos obispos, que no llegaron por eso a romper la comunión con la Iglesia católica. La tendencia benigna fue apoyada por el papa, por la Iglesia africana y por las iglesias de Oriente. En este sentido se puede hablar de novacianismo de los cánones del concilio de Granada y de los obispos galos, a los que hemos visto se dirigía el papa Celestino I, sin que esto tenga que merecerles la calificación de heréticos. Lo que sí es cierto es que mientras que el Oriente permanecía fiel a la tendencia benigna, el Occidente fue desarrollando posteriormente su práctica, en muchos aspectos, en el sentido más rigorista, llegando a concebir la penitencia con tal grado de dificultades incluso subsiguientes a la reconciliación, que se convirtió, cada vez más, en práctica solamente aceptable en casos extremos, hasta llegar a desaparecer y ser sustituida por la penitencia privada y fácilmente repetible [56].

La eucaristía y la comunión

Por el bautismo se entraba en la comunidad cristiana y con la penitencia se podía recuperar la paz con la Iglesia después de haberla perdido al cometer determinados pecados. La eucaristía era el alma de la vida comunitaria cristiana. En la antigüedad, la eucaristía se sentía y se vivía como el sacramento de la unión. Si la Iglesia era una *comunión* de todos los fieles entre sí y con Dios iniciada en el bautismo, la eucaristía era la causa que mantenía esa comunión y la manifestaba [57].

La palabra *communio* recurre innumerables veces en el concilio de Granada. No es fácil discernir cuándo se refiere a la comunión eucarística y cuándo a la eclesiástica. En algunos casos, dentro del mismo canon, se da la plena correspondencia entre las expresiones «ser reconciliados» y «recibir la comunión» (can.32 y 69); en otros se habla de «ser reconciliados a la comunión» (can. 72 y 79). En el canon 61 se corres-

[55] CELESTINO I, *Epist.* 4: ML 50,431-32.
[56] Cf. G. CERETI, *Divorzio, nuove nozze e penitenza.* V. a.: J. LOZANO SEBASTIÁN, *La legislación canónica sobre la penitencia:* Burgense 19 (1978) 399-439. Publicado cuando ya estaba en prensa el presente volumen, no ha podido ser tenido en cuenta en la redacción del texto.
[57] Cf. L. HERTLING, *Communio und Primat:* MischHistPont 7 (1943) 1-48.

ponden, igualmente, «abstenerse de la comunión» con «abstenerse de la paz». Se habla, a veces, de la «comunión de la Iglesia» (can.33); otras, de la «comunión del Señor» (can.3 y 78), y otra, de «la comunión de la paz». La comunión eucarística es siempre la culminación y la plenitud de la comunión eclesiástica. Parece ser, como hemos dicho, que la fórmula rigurosísima, según la cual el concilio niega con frecuencia la comunión aun en la hora de la muerte, puede referirse a la comunión eucarística; se podrá conceder la comunión con la Iglesia por medio de la reconciliación penitencial, pero se niega como máxima pena este último signo y plenitud de comunión que es la eucaristía.

El culto

La eucaristía es el centro del culto cristiano. En los primeros momentos del cristianismo, sabemos que el culto eucarístico —la «fracción del pan»— quedaba enmarcado en el cuadro de una cena, según el ritual judío [58]. Las ceremonias se reducían a una exhortación a elevar el espíritu a Dios y darle gracias; esta acción de gracias (= eucaristía) llevaba incluida la narración de la institución del sacramento por Cristo con las palabras sobre el pan y el vino. Otras oraciones se fueron añadiendo después. En el ambiente cultural no judío se separó pronto la eucaristía del banquete, mientras que a la «acción de gracias» se unió lo que antes era reunión independiente para leer las sagradas Escrituras, práctica heredada también de la Sinagoga.

Justino, hacia el año 150, hace un breve descripción de lo que era la celebración eucarística en la Roma de su tiempo [59]. A partir del núcleo inicial descrito por Justino, el culto eucarístico se fue desarrollando en las diferentes iglesias, enriqueciéndose con oraciones y ceremonias que iban conformando la celebración de acuerdo con las peculiaridades de cada cultura.

Las iglesias hispanas llegaron a tener también sus propias liturgias, y en la época en que tiene lugar el concilio de Granada se habría llegado, sin duda, a un grado bastante avanzado de evolución.

Los cánones del concilio proporcionan muy pocos datos sobre el particular. Por los cánones 28 y 29 sabemos que los participantes en la celebración eucarística aportaban sus ofrendas al que presidía y sus nombres se recitaban ante al altar. El día especialmente señalado para la eucaristía era el domingo. Justino explica el motivo de la elección de ese día: «Tenemos la asamblea en el día del Sol, por ser el primer día en el que Dios creó el mundo, transformando las tinieblas y la materia. Jesucristo nuestro salvador resucitó de los muertos en ese mismo día...» [60] Testimonios anteriores a Justino nos aseguran que la celebración del domingo es creación de la Iglesia primitiva, que remonta incluso a los años anteriores al año 50, aunque solamente a partir de Constantino

---

[58] Cf. J. A. JUNGMANN, *El sacrificio de la misa:* BAC 68 (Madrid ³1959).
[59] JUSTINO, *Apol.* I 67: BAC 116 (Madrid 1954) p.258-59.
[60] JUSTINO, *Apol.* I 67: BAC 116 p.259.

será el día sagrado oficial [61]. En el concilio de Granada, el canon 21 se refiere a la celebración del domingo y prescribe lo siguiente: «Si alguno de los que habitan en la ciudad no se llega a la iglesia en tres domingos, sea excluido por algún tiempo, para que se note que ha sido castigado» [62]. Se urge así la obligación de asistir los domingos a la asamblea eclesial.

De este canon tenemos una interpretación casi auténtica en las palabras de Osio, obispo de Córdoba y presente en el concilio de Granada. En el canon 14 del concilio de Sárdica (343-44), Osio se refiere expresamente al canon 21 de Granada: «Recuerdo que, en concilio anterior, nuestros hermanos dispusieron que, si un fiel que habita en la ciudad no celebra la asamblea por tres domingos, es decir, durante tres semanas, sea privado de la comunión». Queda claro que la obligación se refiere a los fieles que habitan en la ciudad y que no se les impone ninguna pena si no es que faltan durante tres domingos seguidos [63].

El canon 43 pretende corregir una mala costumbre, prescribiendo la celebración del día de Pentecostés. Es posible que con él se aluda a prácticas montanistas [64].

La práctica del ayuno dice el canon 23 que se observe cada mes, a excepción de los meses de julio y agosto, en los que se concede vacación. Por lo visto, no se solía ayunar los sábados; el concilio cambia en esto la práctica anterior y manda que en adelante sí se ayune en sábado (can.26).

Del canon 60 nos hemos ocupado al tratar de las mártires Justa y Rufina, en el capítulo II. Aquí baste solamente recordarlo, pues su texto es una confirmación de la existencia de un culto a los mártires regulado por los obispos, quienes prohíben expresamente un gesto de clara provocación como es el de romper públicamente las imágenes de los dioses.

Edificios de culto

Desde la segunda mitad del siglo III es posible que existan ya edificios totalmente adscritos a los necesidades del culto y acomodados en su misma concepción arquitectónica a las exigencias de unas ceremonias religiosas más desarrolladas. En diversas ocasiones, el concilio de Granada llama a estos edificios *iglesias*, como lo hacemos en los tiempos modernos. A. Ferrua observa a este propósito que, contemporáneamente, en Africa tales edificios se conocían con el nombre de basílicas, expresión usada también en nuestra Península en tiempos posteriores [65].

[61] Cf. A. GONZÁLEZ GALINDO, *Día del Señor y celebración del misterio eucarístico:* Victoriensia 33 (Vitoria 1974).
[62] Véase el buen comentario que hace de este canon A. SEGOVIA, *El domingo y el antiguo derecho eclesiástico:* EstEcl 29 (1955) 37-54.
[63] Véase asimismo A. GONZÁLEZ GALINDO, o.c., p.178-80.
[64] Cf. V. C. DE CLERCQ, *Ossius of Cordova* p.39.
[65] Cf. R. PUERTAS TRICAS, *Iglesias hispánicas* (Madrid 1975).

Un aspecto particular referente a estos edificios de culto es el abordado por el concilio de Granada en su célebre canon 36. Dice así: «Hemos decidido que en las iglesias no debe haber pinturas, para que no se reproduzca en las paredes lo que se venera y adora» [66]. Para muchos autores antiguos, este canon era motivo suficiente para considerar herético al concilio de Granada, es decir, iconoclasta *ante litteram*. Actualmente se conoce ya suficientemente la historia del cristianismo antiguo, y este conocimiento impide todo escándalo ante el canon 36 [67].

En la historia de la iconografía cristiana, el primer problema que se plantea es precisamente cómo se llegó a introducir la representación plástica habiéndose partido de las repetidas prohibiciones bíblicas, que suponían una tradición heredada por el cristianismo [68]. Además, los cristianos contraponían su espiritualidad al materialismo antropomórfico de las religiones paganas. Sentían y expresaban su rechazo a toda materialización de Dios y combatían las imágenes, que tan central función desempeñaban en los templos paganos.

Antes y después del concilio de Granada hay testimonios notables de oposición a tales representaciones, como puede verse en Tertuliano, Clemente, Orígenes, Eusebio y Epifanio [69]. Las representaciones simbólicas, las escenas didácticas y narrativas, fueron, sin duda, las primeras que se fueron abriendo camino. En los cementerios romanos, los fieles adornaban sus sepulcros, al menos desde principios del siglo III, con escenas del Antiguo y del Nuevo Testamento y con figuras simbólicas. No existe en esa época ningún indicio todavía de culto a las imágenes pintadas o esculpidas; es incluso impensable y anacrónico. De un verdadero culto apenas se podrá hablar hasta el siglo IV, y aun entonces sólo progresivamente bajo la influencia del culto a las reliquias y del ambiente propicio gracias a la ya aceptada reverencia a las imágenes de los emperadores [70].

Tampoco en el canon 36 de Granada se trata directamente del culto a las imágenes. El problema está en el mismo hecho de la existencia de pinturas. Los obispos hispanos son aquí un testimonio más —aunque quizá algo tardío— de la repugnancia con que en amplios sectores del cristianismo primitivo se veía todo intento de querer plasmar y hacer visible al Dios invisible que adoraban «en espíritu y en verdad», porque

---

[66] Según el texto adoptado por A. C. Vega (*EspSgr* 56 p.212), habría que traducir así la segunda parte: «y que no se pinte en las paredes lo que se venera y adora». Todo depende de que en el texto latino se introduzca la segunda oración con la partícula *ne* o con *nec*. Creemos que el testimonio de los diferentes mss. no aclara definitivamente la cuestión y que parece más lógica la primera interpretación.

[67] Véanse las opiniones de los autores aludidos en Z. García Villada, *HistEclEsp* I 1 p.307-13.

[68] Cf. Ex 20,4-5; Lev 26,1; Dt 4,15-19; 5,8.

[69] Cf. Th. Klauser, *Die Ausserungen der alten Kirche zur Kunst:* Atti VI CongIntArchCrist (Ravena 1965) p.223-42.

[70] Cf. E. Kitzinger, *The cult of Images in the age before Iconoclasm:* DumOaksPap 8 (1954) 83-150.

«Dios es espíritu. y los que lo adoran han de dar culto en espíritu y verdad»[71].

Virginidad y matrimonio

Hasta que el emperador Constantino no las suprimió en el año 320, en el imperio romano existían oficialmente unas penas contra los célibes y los que no tenían hijos. Esto no obstante, en el concilio de Granada se dan normas en defensa de la virginidad como institución no impuesta, pero sí tenida en gran honor por la Iglesia. Los cánones 13 y 27 suponen la existencia en Hispania de vírgenes consagradas a Dios y constituyen la más antigua noticia sobre la existencia de este grupo selecto[72]. De las vírgenes no consagradas trata el canon 14: la pérdida de la virginidad no consagrada se considera como un simple pecado de fornicación, que se castiga con un año de penitencia, si al pecado sigue el matrimonio con el cómplice. Porque en este último caso, el pecado consistió sólo en que «a la unión sexual no habían precedido las nupcias». A los estupradores de vírgenes se les castiga con excomunión incluso en la hora de la muerte (can.71).

A juzgar por estos cánones y por los que se consagran al matrimonio, en las iglesias hispánicas existía un pacífico equilibrio con respecto al binomio matrimonio-virginidad. No hay nada en ellos que haga sospechar la existencia de tensiones ni de doctrinas o prácticas que favorezcan desmesuradamente uno u otro estado y obliguen a una toma de posición, como es el caso en regiones o en momentos especiales.

Como es conocido, los cristianos en esta época se siguen rigiendo por las leyes y costumbres del imperio romano por lo que al matrimonio se refiere, a excepción de algunas modificaciones que su moral les exige.

Los esponsales romanos se conservan en la práctica cristiana, reforzados, quizá, por influencia de los esponsales judíos, de efectos más decisivos[73]. El canon 54 dice.«Si los padres faltasen a la promesa esponsalicia, absténganse [de la comunión] por tres años; pero, si el prometido o la prometida incurriesen en pecado grave, los padres quedarán libres. Si el pecado fuese entre ellos mismos, contaminándose mutuamente, manténgase la decisión anterior».

Los esponsales obligan, pues, a los padres, que no pueden romperlos sin causa.

El derecho romano conocía una serie de circunstancias que prohibían contraer matrimonio; p.ej.: estaba prohibido contraerlo al que ya estaba casado (poligamia); no estaba permitido casarse con parientes

---

[71] J. Arce Martínez (*Conflictos entre paganismo y cristianismo:* PrincViana 32[1971]251-52) ha visto bien que el canon 36 no supone heterodoxia ninguna en el concilio de Granada, pero no parece haber expresado acertadamente lo que tal disposición significa en el contexto histórico de los orígenes y desarrollo de la iconografía cristiana. Es de lamentar, además, que acepte y repita prejuicios «nórdicos» sobre el espíritu supersticioso «de las gentes del Sur».

[72] Cf. J. M. FERNÁNDEZ CATÓN, *Manifestaciones ascéticas* p.52-53.

[73] Cf. J. GAUDEMET, *L'Église dans l'empire romain* p.514-61.

cercanos (incesto). Los cristianos aceptaron tales prohibiciones, como era natural, y añadieron otras exigidas por su moral, más exigente que la pagana.

En el concilio de Granada, el canon 66 extiende el concepto de incesto al casamiento con la hija habida por su primera mujer en matrimonio anterior. También se prohíbe el matrimonio sucesivo con dos hermanas (can.61). Otros casos se consideran como inconvenientes para el matrimonio: la profesión o la vida ambigua del posible marido (can.67) y lo que ahora llamaríamos matrimonios mixtos, que se castigan cuando se trata de herejes, cismáticos y judíos (can.16: cinco años de excomunión para los padres que lo permiten) y se desaconseja en el caso de paganos (can.15), a no ser que éstos sean sacerdotes, que entonces la pena de excomunión es hasta en la hora de la muerte (can.17) [74].

Donde la exigencia cristiana va más allá de la meramente romana es en la fidelidad conyugal. Las prescripciones contra el adulterio en todas sus formas son muy frecuentes, y a ellas nos hemos referido más arriba.

En el canon 8 se aparta definitivamente de la comunión a «aquellas mujeres que, sin que preceda causa alguna, abandonen a sus maridos y se unan con otros». A primera vista, la expresión «sin que preceda causa alguna» podría hacer pensar que el concilio admite alguna causa que justifique el paso a nuevas nupcias de la mujer. No es así. Lo que el concilio admite es que puede haber mujeres que sin ninguna causa abandonen a su marido y se unan a otros. Pero que no admite excusa para el divorcio de la mujer, lo prueba el canon que sigue inmediatamente (can.9), donde se excluye expresamente la que podía ser causa principalísima para admitir la desaparición del vínculo: «La mujer cristiana que abandonase a su marido adúltero también cristiano y quisiese unirse a otro, prohíbasele que lo haga. Si lo hiciese, que no reciba la comunión hasta que no muera aquel a quien abandonó, a no ser que obligue a darle la comunión una grave enfermedad». Nótese, sin embargo, que, para prohibir tan terminantemente el divorcio, el concilio reduce el caso al matrimonio contraído entre dos cristianos. La razón, por tanto, de la indisolubilidad aun en caso de adulterio habría que buscarla no en un concepto de indisolubilidad de derecho natural, desconocido en la concepción romana de un vínculo matrimonial meramente consensual, sino en el carácter sagrado, de orden superior, del vínculo que une a la mujer cristiana con su esposo cristiano. Por esta razón, según el canon 10, si el que abandona a la mujer es catecúmeno, es decir, todavía no bautizado, la mujer abandonada, pagana o catecúmena, podrá ser admitida al bautismo aunque se haya vuelto a casar [75]. Sin embargo, no parece que el concilio excluya la posibilidad de nuevas nupcias de un varón que ha repudiado a su mujer adúltera.

---

[74] Cf. P. LOMBARDÍA, *Los matrimonios mixtos en el concilio de Elvira*.
[75] La segunda parte de este canon 10 es poco clara. Cf. E. GRIFFE, *Le concile d'Elvire devant le remariage des femmes*.

El clero

En los cánones del concilio de Granada se habla a veces, en general, de «los clérigos» y del «clero» (can.20 24 27 33 45 48 50 51 65 74 y 80). Se especifica en otras ocasiones: obispos (can.18 19 27 28 32 33 38 53 58 75 y 77), sacerdotes (equivalente a obispo, o de obispos y presbíteros, can.48), presbíteros (can.18 19 32 75 y 77), diáconos (can.18 19 32 33 75 76 y 77) y subdiáconos (can.30) [76].

Las prescripciones y normas que afectan de diversa manera a los clérigos son numerosas. Son testimonio de la existencia ya de una organización bastante desarrollada de la clase directiva de la comunidad cristiana. Esto no obsta para que en los mismos cánones haya también rasgos característicos de una «clase» que todavía no se ha diferenciado plenamente en sus costumbres y opiniones del resto de los fieles. Ya hemos visto más arriba cómo los obispos creían aún en la posibilidad de que alguien consiguiese asesinar a otro por medio de un maleficio (can.6). También participan de la creencia general sobre el efecto perturbador de la luz en los espíritus de los difuntos (can.34).

El concilio pretende mejorar la vida y el comportamiento moral de todos los clérigos, quienes «deben ser ejemplo de buena conducta» (canon 65). Pero parten de una situación en la que ese carácter especialmente ejemplar no se ha logrado todavía. Así parece indicarlo el canon 18, que se refiere a obispos, sacerdotes y diáconos; de ellos se dice que si, después de ordenados, se descubre que han fornicado, serán excomulgados incluso hasta la hora de la muerte, por el escándalo de tan profano crimen. En otros cánones, la vida de los clérigos parece todavía muy semejante a la de los demás fieles. El canon 19 exhorta a obispos, presbíteros y diáconos a que no salgan a negociar ni recorran las provincias en busca de ricas ganancias; si quieren negociar, que lo hagan dentro de los límites de la propia provincia. Si es para procurarse el sustento, que «envíen a un hijo, un liberto, un criado, un amigo o a cualquier otro» [77]. El canon 20 reúne a clérigos y laicos que practican el préstamo a alto interés. Y en el canon 50 se manda, lo mismo a clérigos que a laicos, que no se sienten a una misma mesa con los judíos.

Hay una serie de disposiciones que en la mente de los obispos legisladores en el concilio van dirigidas directamente a la consecución de un clero más decididamente consagrado a su ministerio. Algunas de éstas se refieren a la selección de los candidatos. En primer lugar se desea que el candidato sea bien conocido; por eso determinan no aceptar a aquellos que han sido bautizados en otras provincias, «porque sus vidas no son conocidas en absoluto» (can.24). No deben admitirse a la ordenación aquellos que en su adolescencia hubiesen fornicado, y manda incluso el concilio que, si alguno ya ha sido ordenado, sea removido

---

[76] Siendo ésta la única mención del subdiaconado y dada la construcción de la frase, cabe sospechar que se trate de una falsa lectura, y el canon se refiera a los diáconos.
[77] Cf. Ch. J. Hefele (*Hist.conc.* I p.232) explica este canon en un sentido que es el contrario del que tiene el texto. Se lo corrige en la nota 3 H. Leclercq.

(can.30 y 76). Tampoco se debe promover al clericato a los fieles convertidos de cualquier herejía, y también deben ser removidos los que ya hubiesen sido adscritos (can.51). Como ya expusimos más arriba, los libertos son también excluidos (can.80).

De manera especial, el concilio quiere reformar a los clérigos en su vida sexual. Además de los preceptos obvios y ya recordados contra la fornicación, los obispos desean que el clero adopte una actitud ante el sexo diferente de la de los seglares. Hasta el momento del concilio no parece que nuestra Península sea una excepción en la regla general de toda la Iglesia durante los tres primeros siglos: los diáconos, presbíteros y obispos debían acomodar su vida a las exigencias de las cartas pastorales: «El dirigente tiene que ser intachable, hombre de una sola mujer, sensato, moderado, bien educado, hospitalario, hábil para enseñar, no dado al vino ni violento, sino indulgente, pacífico y desinteresado. Que sepa gobernar bien en su casa y saber hacerse obedecer de sus hijos con dignidad. El que no sabe gobernar su casa, ¿cómo va a gobernar la iglesia de Dios?» (1 Tim 3,2-5). La expresión «hombre de una sola mujer», que en la mente del autor de la epístola significaba, probablemente, «hombre fiel a su mujer», se interpretó desde muy antiguo en el sentido de que no debía estar casado más que una sola vez, al menos —para muchos— después de su bautismo. Por eso, desde tiempos muy remotos no se ordenaban los viudos que hubieran contraído segundas nupcias o —por extensión de un precepto del Levítico— los fieles que se hubiesen casado con una viuda o no virgen. Esta era hasta este momento la única limitación obligatoria.

En el concilio de Granada se transparenta una situación en la que obispos, presbíteros y diáconos tenían mujer e hijos. La innovación es la del famoso canon 33: «Hemos decidido prohibir completamente a obispos, presbíteros y diáconos, es decir, a todos los clérigos consagrados al ministerio, tener relaciones con sus legítimas mujeres y engendrar hijos. El que lo hiciere sea totalmente excluido del honor del clericato».

La traducción que damos del canon 33 supone ya una opción entre las varias que permite el texto latino, cuya redacción ofrece varias dificultades. La prohibición del uso del matrimonio se extiende, según el concilio, *episcopis, presbyteris et diaconibus vel omnibus clericis positis in ministerio.* La posibilidad de varias interpretaciones nace de la partícula *vel* y del significado que se otorgue a la expresión *positis in ministerio.* No es éste el lugar apropiado para una larga disquisición lingüística. Baste señalar la posibilidad gramatical de que la obligación de continencia se extienda no sólo a obispos, presbíteros y diáconos, *sino también* a los demás clérigos. Pero la historia nos demuestra que no se pretendió extender esta obligación a los clérigos menores; y la partícula *vel* también puede entenderse perfectamente como explicativa: a todos los obispos, presbíteros y diáconos, *es decir,* a todos los clérigos *positis in ministerio;* o lo que es lo mismo, a todos aquellos clérigos que están consagrados al ministerio del altar. Este último sentido es el verdadero sentido de la especificación indicada y no el que algunos autores han querido darle, meramente temporal: «cuando ejercen el ministerio» [78].

El texto conservado del canon 33 dice: *Placuit in totum prohibere... abstinere se a coniugibus suis, et non generare filios.* Traducido a la letra, lo que el concilio hace es prohibir a los clérigos que se abstengan y que no engendren hijos. Pero el sentido es, con toda certeza, el contrario. Esta construcción extraña del verbo *prohibir* se da también en el canon 56 y en el canon 80 [79].

El canon 33 es el primer texto en toda la Iglesia universal que establece como obligatorio (en las iglesias hispánicas) no el celibato del clero —como tantas veces se repite sin atender al contenido del texto—, sino la abstención del uso del matrimonio. La ley del celibato que regirá en la Iglesia latina desde varios siglos después excluye de la ordenación al casado. Por mucho tiempo, ni el concilio de Granada ni la legislación occidental posterior excluye a los casados, que siguen siendo ordenados. El canon 33 tampoco prohíbe la cohabitación con la mujer legítima, como es evidente por el hecho de mandar el mismo concilio en el canon 65 que el clérigo debe expulsar de su casa a su mujer cuando ésta comete adulterio. El papa León Magno, más de siglo y medio después del concilio de Granada, entre los años 458-59, admite todavía la cohabitación: «Conviene que los ordenados no despidan a sus mujeres; que las tengan como si no las tuviesen para que así quede a salvo la caridad de los matrimonios y cese la obra de las nupcias» [80].

Nada sabemos sobre el origen de esta nueva exigencia impuesta a los clérigos de Hispania. Algunos autores piensan que para la época del concilio debía de ser ya práctica no infrecuente; el canon 33 solamente extendería la obligación a todos, eliminando excusas y excepciones. No creemos que esta opinión tenga suficiente apoyo en la frase latina del canon 33: *Placuit in totum prohibere,* como si *in totum* significase esa extensión a todos los casos [81]. El sentido obvio de la expresión es el de «prohibir completamente»,

La disposición del canon 33 se revela también como innovadora por la acogida escasa que debió de tener. El concilio de Arlés, del 314, que reproduce algunos de los cánones del concilio de Granada y que cuenta con la asistencia de varios de los participantes en este último concilio, no incluye ninguna prescripción semejante. El concilio de Nicea, en el 325, no acepta la introducción «de una nueva ley en la Iglesia: que los ordenados, es decir, los obispos, presbíteros y diáconos, no durmiesen

---

[78] Ver en este sentido H. Chadwick, *Priscillian of Avila* p.30. J. M. Fernández Catón *(Manifestaciones ascéticas* p.33-47) se muestra, a nuestro juicio, demasiado indeciso en la interpretación. Véase asimismo R. Gryson, *Les origines du célibat ecclésiastique* (Gembloux 1970) p.39-42.

[79] La tesis contraria, defendida por M. Meigne *(Concile ou collection d'Elvire),* es inaceptable. Cf. E. Griffe, *Le concile d'Elvire et les origines du célibat ecclésiastique.*

[80] León I, *A Rústico:* ML 54,1204. También permite la cohabitación el concilio de Arlés II, años 442-506 (CorpChr 148 p.114), y el papa Gregorio Magno, *Epist.* I 52: ML 77,515.

[81] Cf. R. Gryson, *Les origines du célibat* p.39; E. Griffe, *A propos du canon 33 du concile d'Elvire;* Id., *Le concile d'Elvire et les origines du célibat ecclésiastique.*

con sus mujeres, con las que se habían casado siendo laicos» [82]. En la segunda mitad del siglo IV, el papa Siricio responde al obispo Himerio de Tarragona, y de su respuesta se deduce que muchos del clero hispánico seguían usando del matrimonio y engendrando hijos [83].

El concilio de Granada no da ninguna razón para justificar su exigencia. Es frecuente que los cánones de los concilios se limiten a prescribir algo, sin exponer los motivos. Pero es lógico suponer que la razón o razones que poco más tarde esgrime el papa Siricio en favor de la misma exigencia sean las que movieron a los obispos hispanos a imponerla. Será mejor en todo caso que nos adentremos en este problema más adelante, a su tiempo, al ocuparnos del siglo IV, y, en concreto, de la carta del papa Siricio.

En la comunidad cristiana de nuestras provincias, el clérigo es testigo cualificado para testimoniar, cuando es necesario, del buen comportamiento de alguien (can.45); el clero se reúne para juzgar las acusaciones (can.74); las falsas acusaciones contra el clero son severamente castigadas (can.75).

Los presbíteros y aun los diáconos, en caso de necesidad, pueden conceder la comunión a los penitentes (can.32), pero el ministro ordinario de la penitencia es el obispo. Ningún obispo debe absolver al que ha sido excomulgado por otro obispo sin el consentimiento de este último (can.53).

No conviene terminar estas observaciones sobre la jerarquía eclesiástica sin detenernos antes por un momento en un canon del concilio que ha dado lugar a diversas interpretaciones. Es el canon 58. No puede ser traducido sin que la misma traducción suponga, ya por sí misma, una opción entre las dos interpretaciones más radicalmente distintas. He aquí, por tanto, nuestra opción:

«Hemos determinado que en todas partes, y especialmente allí donde hay constituida primera cátedra de episcopado, se interrogue a los que presentan cartas de comunión para saber si tienen todo en orden y confirmado con su testimonio».

La finalidad de la disposición no ofrece dudas: los obispos quieren que se ejerza una prudente vigilancia de los testimonios escritos que presentan los fieles procedentes de otras comunidades como garantía de su pertenencia a la comunión cristiana. También es claro que el concilio desea que en todas partes se lleve a cabo la vigilancia por medio de un interrogatorio con el que se pueda comprobar que el individuo en cuestión es realmente cristiano y se halla en condiciones de entrar en comunión con la comunidad local. Las dificultades de interpretación se refieren a la frase «especialmente allí donde hay constituida primera cátedra de episcopado». Si, como es el caso de las iglesias representadas en el concilio de Granada, existían comunidades regidas por obispos y otras por presbíteros, la expresión discutida puede querer indicar que el interrogatorio de los que se presentan con cartas de comunión debe

---

[82] SÓCRATES, *Hist.Ecl.* I. 11: MG 67,101-104.
[83] SIRICIO, *Epist. a Himerio:* ML 56,554-62; 13,1132-47.

hacerse en todas las comunidades, pero especialmente en aquellas donde hay constituida cátedra de episcopado, es decir, jerarquía principal de obispo. Una vez confirmadas las cartas por un obispo, no sería necesario repetir la prueba en las comunidades cercanas con sólo un presbítero al frente [84].

Si ésta es la verdadera interpretación, el canon 58 no proporciona ningún dato especial sobre la organización metropolitana de la Iglesia en nuestras provincias, dato que, en cambio, aparecería en el caso que la «primera cátedra de episcopado» se refiriese a una sede principal de cada provincia, que sería la sede metropolitana. No habiendo indicios, por otra parte, de que en la organización eclesiástica hispana se señalasen pronto como sedes fijas de los metropolitas las correspondientes metrópolis de cada provincia, es muy probable que el concilio de Granada se refiera a la sede del obispo más antiguo, que sería «la primera cátedra de episcopado». Tenemos el ejemplo de la Iglesia africana, donde se seguía este último sistema [85].

Difiere totalmente de todas las interpretaciones citadas la de aquellos autores que en la expresión dicha ven una alusión expresa a la sede romana. El gran defensor de esta última interpretación ha sido P. Batiffol [86], basándose, sobre todo, en una diversa traducción del texto latino, que quedaría así: «Ha parecido bien en todas partes, pero especialmente allí donde está la primera cátedra del episcopado, que se interrogue...» Es decir, el *placuit* no es aquí la fórmula con que en tantos otros cánones se indica que ha parecido bien a todos los reunidos en el concilio, que, por tanto, equivale a «hemos determinado» o «determinamos». En el canon 58, para Batiffol, la palabra *placuit* es solamente una constatación que hace el concilio de una norma que no imponen ellos ahora, sino que ya existía por todas partes, especialmente en Roma.

La opinión de Batiffol no ha tenido buena acogida, y con razón [87]. Su versión da al *placuit* un significado diferente del que tiene en los demás cánones y atribuye al canon 58 un sentido meramente narrativo totalmente ajeno al estilo conocido del concilio [88].

---

[84] A esta interpretación pueden reducirse las de autores como P. B. GAMS, *Die Kirchengeschichte von Spanien* II p.117; A. JÜLICHER, *Die Synode von Elvira als Zeuge für den römischen Primat*; V. C. DE CLERCQ, *Ossius of Cordova* p.114.

[85] Véanse E. FLÓREZ, *EspSagr* 1 (Madrid 1747) p.128; 4 (Madrid 1749) p.90-105; CH. J. HEFELE, *Hist. Conc.* I p.253-54; J. FERNÁNDEZ ALONSO, *La cura pastoral en la España romano-visigoda* p.229-31; J. GAUDEMET, *L'Église dan l'empire romain* p.388; D. MANSILLA, *Orígenes de la organización metropolitana en la Iglesia española: HispSacr* 12 (1959) 255-90.

[86] P. BATIFFOL, *La «prima cathedra episcopatus» du concile d'Elvira*; ID., *Cathedra Petri: Unam Sanctam* 4 (París 1938) p.105-21.

[87] La rechazó A. Jülicher (o.c. en nuestra n.84) y todos los autores posteriores citados.

[88] E. Griffe (*Prima cathedra Episcopatus*) apoya la tesis de Batiffol y se muestra sorprendido de la poca acogida que ha tenido.

CAPÍTULO IV

SOBRE LOS ORIGENES DEL CRISTIANISMO EN HISPANIA

I.   Las relaciones con el Africa cristiana

BIBLIOGRAFIA

El problema en general: M. C. DÍAZ y DÍAZ, *En torno a los orígenes del cristianismo hispánico,* en *Las raíces de España* (Madrid 1967) p.423-43; J. M. BLÁZQUEZ, *Posible origen africano del cristianismo español:* ArchEspArq 40 (1967) 30-50; ID., *Relaciones entre Hispania y Africa desde los tiempos de Alejandro Magno hasta la llegada de los árabes,* en F. ALTHEIM-R. STIEHL, *Die Araber in der Alten Welt* V 2 (Berlín 1969) p.470-98; ID., *Orígenes africanos del cristianismo español,* en *Imagen y Mito* (Madrid 1977) p.467-94; D. ITURGAIZ, *Entronque hispano-africano en la arquitectura paleocristiana:* Burgense 13 (1972) 509-43; L. GARCÍA IGLESIAS, *Origen africano del cristianismo hispánico,* en *Historia de España Antigua* II (Madrid 1978) p.667-71.

Sobre *Africa cristiana* pueden consultarse las siguientes obras: P. MONCEAUX, *Histoire littéraire de l'Afrique chrétienne* III (París 1905); J. MESNAGE, *Romanisation de l'Afrique* (Alger-París 1913); ID., *L'evangélisation de l'Afrique* (Alger-París 1914); ID., *Le christianisme en Afrique* (Alger-París 1914-15); H. LECLERCQ, *L'Afrique chrétienne* (París 1904); R. THOUVENOT, *Les origines chrétiennes en Maurétanie Tingitane:* RevSocGéogrArchOran 56 (1935) 305-15.

Sobre *el ejército romano en Hispania:* A. GARCÍA y BELLIDO, *El ejército romano en Hispania:* ArchEspArq 49 (1976 [1978]) 59-101; ID., *La Legio VII Gemina Pia Felix y los orígenes de la ciudad de León:* BolRealAcHist 127 (1950) 449-79; ID., *Nacimiento de la Legión VII Gemina:* Legio VII Gemina (León 1970) p.303-28; J. M. ROLDÁN, *Hispania y el ejército romano* (Salamanca 1974).

Sobre los *documentos literarios:* CH. MOHRMANN, *Études sur le latin des chrétiens* II: Storia e Letteratura 87 (Roma 1961) y III: Storia e Letteratura 103 (Roma 1965); ID., *Les dénominations de l'église en tant qu'édifice en grec et en latin au cours des premiers siècles chrétiens:* RevScRel 36 (1962) II p.155-74; F. J. DÖLGER, *«Kirche» als Name für den christlichen Kultbau:* AntChrist 6 (1940-50) 161-95; T. AYUSO MARACUELA, *La Vetus latina hispana.* I. *Prolegómenos* (Madrid 1953); M. S. GROS, *Estado actual de los estudios sobre la liturgia hispánica:* Phase 16 (1976) 227-41; J. PINELL, *La liturgia hispánica. Valor documental de sus textos para la historia de la teología:* RepHistCiencEclEsp II (Salamanca 1971) 29-68; ID., *Liturgia hispánica:* DiccHistEclEsp 2 (Madrid 1972) p.1303-20; J. M. MARTÍN PATINO, *Oficio catedralicio hispánico* (Comillas 1964).

Sobre la *arqueología paleocristiana hispánica:* R. LANTIER, *Les arts chrétiens de la péninsule Ibérique et de l'Afrique du Nord:* AnCuerpFacArchBiblArq (1935) 257-72; P. DE PALOL, *Una provincia occidental de arte paleocristiano:* Zephyrus 3 (1952) 41-48; ID., *La arqueología paleocristiana en España: estado de la cuestión:* Actas I ReunArqPaleocr (Vitoria 1966) p.17-25; ID., *Arqueología cristiana de la España romana* (Madrid-Valladolid 1967); ID., *Arqueología cristiana hispánica de tiempos romanos y visigodos:* RivArchCrist, Miscell. Josi, II (1967) 177-232; ID., *Arqueología cristiana:* DiccHistEclEsp 1 (Madrid 1972) p.96-113; ID., *Los monumentos de Hispania en la arqueología paleocristiana:* Actas VIII CongrIntArqCrist (Città del Vaticano-Barcelona 1972) p.167-85; ID., *Problemas de Cataluña paleocristiana y visigoda:* II SympPrehPen (Barcelona 1963) p.247-60; ID., *Basílicas paleocristianas* en la isla de Menorca, Baleares: Festschrift Friedrich Gerke (Baden-Baden 1962) p.39-53; P. DE PALOL-G. ROSELLÓ-G. ALOMAR-J. CAMPS, Notas sobre las basílicas de Manacor: BolSemArtArq 33 (1967) p.9-48; P. DE PALOL, Placas en cerámica decoradas paleocristianas y visigodas: Scritti di Storia dell'arte in onore di Mario Salmi (Roma 1961) p.131-53; R. PITA-P. DE PALOL, La basílica de Bobalá y su mobiliario litúrgico: Actas VIII CongrIntArqCrist (Città del Vaticano-Barcelona 1972) p.383-401; P. SANMARTÍN-P. DE PALOL, Necrópolis paleocristiana de Cartagena: ibid., p.447-58; X. BARRAL I ALTET, La basilique paléochrétienne et visigotique de Sant Cugat del Vallés (Barcelone): MélEcFrancRomeAnt 86 (1974) 2 p.891-928; R. PUERTAS, Notas sobre la iglesia de Cabeza del Griego (Cuenca): BolSemArtArq 33 (1967) 1-32; F. DE ALMEIDA-J. L. MARTINS DE MATOS, Notes sur quelques monuments paléochrétiens du Portugal: Actas VIII CongrIntArCrist (Città del Vaticano-Barcelona 1972) p.239-42; D. F. ALMEIDA, Torre de Palma (Portugal) la basílica páleocristâ e visigótica: ArchEspArq 45-47 (1972-74), Homenaje al Prof. H. Schlunk p.103-12; TH. HAUSCHILD, La iglesia martirial de Marialba (León): BolRealAcHist 163,2 (1968) 243-49; ID., Untersuchungen in der Märtyrerkirche von Marialba (prov. León) und im Mausoleum von Las Vegas de Puebla Nueva (prov. Toledo): Actas VIII CongrIntArqCrist (Città del Vaticano-Barcelona 1972) p.327-32; ID., Das Mausoleum bei Las Vegas de Puebla Nueva: MadrMitt 10 (1969) 296-16; ID., Das Martyrium von La Alberca (prov. Murcia): MadrMitt 12 (1971) 170-94; TH. HAUSCHILD-H. SCHLUNK, Vorbericht über die Arbeiten in Centcelles: MadrMitt 2 (1961) 119-82; T. HAUSCHILD, Vorbericht über die Arbeiten in Centcelles 3. Der spätantike Bau: MadrMitt 6 (1965) 127-38; A. GRABAR, Études antiques: CahArch 12 (1962) 394-95; W. HÜBENER, Zur chronologischen Gliederung des Gräberfeldes von San Pedro de Alcántara, Vega del Mar (prov. Málaga): MadrMitt 6 (1965) 195-214; TH. ULBERT, El Germo: MadrMitt 9 (1968) 329-98; J. M. NAVASCUÉS, La dedicación de la iglesia de Santa María y de todas las Vírgenes de Mérida: ArchEspArq 73 (1948) 309-59; D. ITURGAIZ, Baptisterios paleocristianos de Hispania: AnSacrTarr 40 (1967 [1969]) 209-95; 41 (1968 [1970]) 209-24; F. P. VERRIÉ, Le baptistère de Barcelone: Actas VIII CongrIntArqCrist (Città del Vaticano-Barcelona 1972) p.605-10; P. DE IBARRA, Antigua basílica de Elche: BolRealAcHist 49 (1906) 119-32; J. LAFUENTE VIDAL, La supuesta sinagoga de Elche: ArchEspArq 73 (1948) 392-99; F. CANTERA, Sinagogas españolas (Madrid 1955); A. RAMOS FOLQUES, Un cancel visigodo en la Alcudia de Elche: Pyrenae 8 (1972) 167-71; H. SCHLUNK-TH. HAUSCHILD, Die Denkmäler der frühchristlichen und westgotischen Zeit (Maguncia 1978); H. SCHLUNK, El arte de la época paleocristiana en el sudeste español. La sinagoga de Elche y el «martyrium» de La Alberca: Crón. II CongrArqSudesteEsp (Murcia 1947); ID., La sinagoga di Elche e il «martyrium» de La Alberca: RivArhCrist 28 (1952) 182-84; ID., Arte visigodo: ArsHispaniae II (Madrid 1947) p.225-323; ID., Bericht über die Arbeiten in der Mosaikkupel von Centcelles: Actas VIII CongrIntArqCrist (Città del Vaticano-Barcelona 1972) p.459-76; ID., Un taller de sarcófagos cristianos en Tarragona: ArchEspArq 24 (1951) 67-97; ID., Die Sarkophage von Ecija und Alcaudete: MadrMitt 3 (1962) 119-51; ID., Zu den frühchristlichen Sarkophagen aus der Bureba (prov. Burgos): MadrMitt 6 (1965) 139-66; ID., Der Sarkophag von Puebla Nueva (prov. Toledo): MadrMitt 7 (1966) 210-31; ID., Sarkophage aus christlichen Nekropolen in Karthago und Tarragona: MadrMitt 8 (1967) 230-58; ID., Bemerkungen über den Bethesdasarkophag von Tarragona: CuadArqHistCiud 12 (1968) 93-1000; ID., Ein Sarkophag aus Dume im Museum in Braga (Portugal): MadrMitt 9 (1968) 424-58; ID., Un relieve de sarcófago cristiano de Barba Singilia: ArchEspArq 42 (1969) 166-82; ID., Die frühchristlichen Denkmäler aus dem Nord-Westen der Iberischen Halbinsel: Legio VII Gemina (León 1970) 477-509; ID., Sarcófagos paleocristianos labrados en Hispania: Actas VIII CongrIntArqCrist (Città del Vaticano-Barcelona 1972) p.187-218; ID., Joseph der Erwählte?: MadrMitt 13 (1972) 196-210; ID., Los monumentos paleocristianos de «Gallaecia», especialmente los de la prov. de Lugo: Actas ColIntBimLugo (Lugo 1977) p.193-236; J. DELGADO GÓMEZ, Tapa de sarcófago paleocristiano en Santa María de Temes-Carballedo, Lugo (España): RivArqCrist 52 (1976) 303-24; A. RECIO, Tapas romanas de sarcófagos paleocristianos en «Hispania»: Actas VIII CongrIntArqCrist (Città del Vaticano-Barcelona 1972) p.409-30; M. SOTOMAYOR, *Datos históricos sobre los sarcófagos romano-cristianos de España* (Granada 1973); ID., *Sarcófagos romano-cristianos de España. Estudio iconográfico* (Granada 1975); N. DUVAL, *Observations sur l'origine, la technique et l'histoire de la mosaïque funéraire chrétienne en Afrique, La mosaïque gréco-romaine* II (París 1975) p.63-101; ID., *La mosaïque funéraire dans l'arte paléochrétien* (Ravena 1976).

ASPECTOS GENERALES

El conocimiento cada vez más profundo de los documentos de la antigüedad gracias a la especialización de las diversas ramas de la ciencia histórica, nos permite apreciar más claramente las estrechas relaciones que en muchos campos y en abundantes ocasiones ha habido entre las provincias del norte de Africa y las nuestras, hecho, por otra parte, nada extraño tratándose de partes de un mismo imperio romano y de partes próximas y bien relacionadas por ese amplio y cómodo camino que es el mar.

Si en todos los aspectos de la vida romana hubo frecuente contacto entre ambas regiones africana e hispana, no podía ser menor el habido entre el cristianismo de los dos continentes, que era un aspecto más de la misma vida del imperio.

La constatación de estas relaciones entre Africa e Hispania cristianas se refleja, cada vez con mayor énfasis, en todas las publicaciones monográficas o de síntesis que se ocupan del estudio de cualquiera de los aspectos de los primeros siglos de nuestra era, abarcando todas las ramas históricas: historia propiamente dicha, arqueología, epigrafía, liturgia, Biblia, lingüística, etc. Hoy día es un hecho adquirido para la historia de la Iglesia. El desarrollo histórico de las iglesias hispánicas no podrá estudiarse ya en su edad antigua prescindiendo de estas relaciones con las de Africa.

Todo este progreso en nuestro conocimiento del pasado ha sido en gran parte, como todo progreso, un descubrimiento. Y los descubrimientos suelen producir una cierta euforia, que a veces puede convertirse en obstáculo más o menos importante para la justa valoración de los resultados obtenidos y de sus consecuencias.

En los trabajos de síntesis que sobre el tema se han publicado en los últimos años, se han recogido ya, prácticamente, todos los argumentos que prueban las relaciones Africa-Hispania. Cada nuevo trabajo recoge los argumentos del anterior o de los anteriores y añade algunos nuevos, sobre todo extendiéndose en el tiempo o aumentando el número de ejemplos de algunos testimonios particulares. Si algo se echa de menos en toda esta erudita producción, es la presencia no de nuevos argumentos, sino de un nuevo examen y valoración de los que se repiten o se aducen.

La consecuencia de esta ausencia de crítica creemos que está llevando a la repetición de afirmaciones que pueden convertirse en *consen-*

sus de autores, sin que ello signifique que necesariamente deban aceptarse.

A pesar del título del presente capítulo, todavía no hemos mencionado la palabra *orígenes*. Es que una de las primeras puntualizaciones que queríamos hacer es ésta: hay infinidad de pruebas históricas de toda clase, que indican relación entre los cristianos de Africa y los de Hispania; pero son muy pocos los argumentos que pueden entrar en discusión cuando lo que se trata de saber es si esa relación es de origen. No todo contacto significa necesariamente procedencia del cristianismo hispano del de Africa, y esta diversa apreciación de los testimonios aducidos es necesario que quede bien clara en cada caso.

No se puede hablar de origen cuando la influencia o los contactos son de siglos ya avanzados, sobre todo si en ese mismo campo no puede demostrarse que tales influencias suponen una continuidad con tiempos anteriores.

Más adelante abordaremos algunos casos concretos que ilustrarán estas afirmaciones.

Otra observación genérica se refiere al concepto subyacente de Iglesia y España. A ello nos hemos referido ya en el primer capítulo introductorio, y a él nos remitimos para mayor explicación. No hay Iglesia hispánica uniforme en los primeros tiempos, porque las iglesias locales en esa época viven todavía en una amplia autonomía y porque no existe tampoco una plena unidad hispánica, dada la variedad de costumbres y orígenes de los diversos pueblos de la Península, encuadrados en varias provincias romanas. Conviene, por tanto, que evitemos el anacronismo de extender a todas las regiones y a todas las iglesias de Hispania cualquier consecuencia deducida de un documento que se refiere a una región, a una zona o a una iglesia o grupo de ellas en nuestro amplio territorio.

Por razones análogas, no es posible yuxtaponer o sumar testimonios tan diversos como son los que proceden de la *Mauritania Caesariensis* o del *Africa Proconsularis*, p.ej. —el Africa cristiana, a la que verdaderamente hemos de referirnos—, con los que son originarios de la *Mauritania Tingitana*, que, además de formar parte de la diócesis de Hispania a partir de Diocleciano, poco o casi ningún contacto tuvo con la *Proconsularis* [1].

Para los argumentos extraídos de los textos literarios, sobre todo de su léxico, creemos que deben tenerse muy en cuenta las advertencias de T. Ayuso a propósito de la *Vetus latina*: «Como de la Iglesia de Africa nos ha quedado una amplia literatura latina de aquella edad, la comparación con los autores africanos ha podido ser empresa fácil... Para poder hablar con certeza de *africanismo* o *africismo* en el sentido que suele hacerse, tomando como propias o exclusivas de Africa locuciones y frases que se hallan en la *Vetus latina,* haría falta comparar tales elementos no sólo con los autores africanos, sino con todas las demás fuentes que

---

[1] Cf. M. EUZENNAT, *Le limes de Volubilis:* Studien zu den Militärgrenzen Roms: VI Int LimKongrSüddeutsch (Colonia 1967) p.194-99.

nos hayan quedado de aquella época en las distintas provincias del imperio. Hoy por hoy no consta que hubiese un dialecto especial africano. El hecho de que ciertas modalidades se hallen en Tertuliano, p.ej., no acusan necesariamente un carácter local, ya que pudieron ser entonces comunes al latín de otras provincias, de las cuales apenas nos han quedado escritos que podamos sujetar a una comparación adecuada. De la misma manera, ciertas palabras, frases o giros de la *Vetus latina* que discrepan notablemente de los clásicos y que, por coincidir con documentos provenientes de Africa, se dan como característicos de esta tierra, puede muy bien suceder que sean expresiones populares de la lengua vulgar que se hablaba en la mayor parte del imperio» [2].

Pasemos ahora a los datos y documentos concretos que suelen aducirse para dilucidar el problema del origen de nuestro cristianismo.

EL CASO DE BASÍLIDES Y MARCIAL

En el capítulo II hemos reproducido la mayor parte de la carta sinodal [3] por la que conocemos el célebre caso de los obispos *libeláticos* de Mérida y Astorga-León, el recurso de Basílides a Roma, su reposición por parte del papa Esteban, el recurso a Cartago de los obispos hispanos sustitutos de los *libeláticos* y la respuesta de Cipriano y otros 36 obispos de Africa. Allí hemos comentado ampliamente este importante documento, pero aplazamos ya entonces para este capítulo el examen de cuanto él significa como testimonio de las relaciones intereclesiales de los cristianos de Hispania con otras iglesias de fuera de la Península.

El caso de Basílides y Marcial es una prueba evidente de relaciones estrechas entre iglesias hispanas e iglesias africanas. Hasta tal punto es evidente, que resulta ocioso insistir en ello. Sobre el hecho no puede existir ninguna duda, pero su interpretación y la valoración de su alcance sí admite diversidad de grados y posturas. El recurso de las iglesias de Mérida y Astorga-León a San Cipriano, ¿implica una relación de origen, de procedencia de las iglesias recurrentes? El hecho de recurrir a Cartago, ¿indica que la Iglesia africana fue la que dio origen al cristianismo hispano? M. Díaz y Díaz habla de la «probabilidad de que el fundamento de la apelación de estas comunidades hispanas a Cartago, o, más bien, al conjunto de iglesias africanas, cuyo principal exponente es a la sazón Cartago, sea el que estas iglesias africanas hayan jugado un papel definitivo en la expansión del cristianismo hispánico» [4]. J. M. Blázquez cita estas mismas palabras de Díaz y Díaz, corroborándolas con mayor énfasis: «Creemos —dice—, siguiendo a M. Díaz y Díaz, que las iglesias hispanas acuden a Africa porque proceden de allí» [5].

Con anterioridad y con mayor cautela manifestaba su parecer sobre

[2] T. AYUSO, La «Vetus latina hispana» I (Madrid 1953) p.179-80.
[3] CIPRIANO, Epist. 67.
[4] M. C. DÍAZ Y DÍAZ, En torno a los orígenes p.436.
[5] J. M. BLÁZQUEZ, Posible origen africano p.31.

el particular P. de Palol: «Basílides, al ser depuesto por los obispos hispanos, acude a la autoridad del papa Esteban, que le repone en la silla episcopal; por tanto, este hecho demuestra que nuestra Iglesia, ya en el siglo III, era romana; por el contrario, los demás obispos de las comunidades que se citan en la carta buscan su consejo en San Cipriano, que declara justa la deposición frente a lo dictado por el papa. Es decir, si se busca, por una parte, la decisión de Roma como autoridad suprema, la costumbre adquirida por el origen y por el prestigio hace acudir a la Iglesia española a sus primitivas fuentes africanas» [6]. Como dice bien P. de Palol, junto al recurso a Cartago está, y anteriormente, el recurso a Roma de Basílides [7]. Las iglesias de Mérida y Astorga-León acuden a Cartago después que el obispo de Roma ha resuelto en contra de ellas. Es conveniente, por tanto, que antes de insistir en el significado del recurso a Cartago nos paremos a considerar cuál es el valor del testimonio histórico del recurso de Basílides a Roma.

Z. García Villada, con otros autores, refieren tal recurso al ejercicio del primado romano sobre toda la Iglesia y a su explícito reconocimiento por parte del obispo depuesto [8]. Pero hay que tener en cuenta que el ejercicio de la función primacial quedaba reducido a casos más bien excepcionales, ya que el recurso a Roma, según las diversas regiones geopolíticas, podía revestir muy diversos caracteres según que se acudiese al obispo romano como a su propio metropolita, como a su «patriarca» o como al presidente supremo de la comunión eclesiástica [9]. En consecuencia, y siendo Hispania y las Galias parte del territorio «patriarcal» del obispo de Roma, no todo recurso a él se ha de entender como recurso a la última instancia de la Iglesia universal; basta con ver en ello un recurso a la última instancia de la propia iglesia, como los obispos de Siria recurrían al obispo de Antioquía o los de la región egipcia al de Alejandría. En el mismo sentido podrían incluso interpretarse recursos posteriores, como los de los obispos hispanos al papa Dámaso con ocasión del «caso Prisciliano» o los que dieron ocasión a la respuesta del papa Siricio al obispo Himerio de Tarragona en el 385, y de los cuales hemos de ocuparnos en otros capítulos. Lo que sí parece claro es que el recurso al centro del cristianismo occidental es cosa no infrecuente en Hispania, y ante este hecho no podemos dejar de pensar en las palabras de Inocencio I y el argumento con que pretendía imponer éste la uniformidad litúrgica en el Occidente:

«¿Quién hay que no sepa que todos deben observar lo que consignó a la iglesia romana Pedro, príncipe de los apóstoles, y que hasta ahora se ha conservado? Sobre todo siendo evidente que en Italia, Galia, Hispania, Africa, Sicilia e islas intermedias nadie fundó iglesias que no fuese sacer-

---

[6] P. DE PALOL, *Aspectos históricos* p.149-50; R. LANTIER (*Les arts chrétiens*) reúne ya en 1934 casi todos los argumentos que después se han aducido sobre el «africanismo» del cristianismo en Hispania, pero no habla expresamente de origen.
[7] Este recurso a Roma es considerado acertadamente un argumento en favor de orígenes romanos también por V. C. DE CLERCQ (*Ossius of Cordova* p.27).
[8] Cf. nuestro c.2.
[9] Véase lo dicho sobre la organización de la Iglesia en nuestro c.1.

dote enviado por el venerable apóstol Pedro o por sus sucesores. Que busquen en los libros y vean si son capaces de encontrar en estas provincias [de Occidente] otro apóstol que haya enseñado en ellas. Si no lo encuentran, que no lo van a encontrar, conviene que sigan lo que guarda la iglesia romana, de la cual no hay duda que todos ellos tuvieron origen» [10].

Basílides acudía, pues, a la superior instancia de su «patriarca», y con ello dejaba testimonio de la conciencia que existía en su ambiente sobre la dependencia de nuestras iglesias, como de las demás de Occidente, del sucesor del único apóstol en esta parte del imperio, y del que todas, más o menos directamente, «habían tenido origen».

No hay que olvidar tampoco que en la carta de San Cipriano y demás obispos africanos se dice que ha habido «algunos de nuestros colegas que... han cometido la temeridad de entrar en comunión con Basílides y Marcial...» Por otra parte, los que recurren a Cartago son solamente los propios interesados de las sedes de Mérida y Astorga-León, más «otro Félix de Zaragoza, hombre de fe y defensor de la verdad». Parece, por tanto, que fueron no pocos los obispos hispanos que acataron la decisión romana, y solamente tres acudieron contra ella a los obispos de Africa [11]. Es imposible, por tanto, mantener afirmaciones como éstas: «Los obispos libeláticos se dirigen a Roma no porque esta sede tenga ninguna autoridad sobre ellos, pues en la primitiva Iglesia todas las iglesias son independientes, sino porque Roma, tradicionalmente, era de una mayor tolerancia». Hay en esta frase una evidente confusión entre autonomía e independencia. Además, casos históricos de ejercicio de autoridad de unas sedes sobre otras abundan suficientemente. Baste recordar aquí el canon 6 del concilio de Nicea, que hace especialmente a nuestro caso: «Permanezca en vigor la *antigua costumbre,* vigente en Egipto, Libia y Pentápolis, de que el obispo de Alejandría tenga potestad sobre todos éstos, ya que también existe la misma costumbre con respecto al obispo de Roma. Igualmente queden en salvo las prerrogativas de antigüedad propias de Antioquía y de otras eparquías». En el año 325, en que se celebra el concilio, tal costumbre se considera ya como *antigua.*

El caso concreto del recurso de Basílides es también poco oportuno para tratar de oponer la «mayor tolerancia» de Roma a la supuesta rigidez de Africa, diferencia que se pretende proponer como explicación del recurso. Basta remitir a la carta 57 de Cipriano a Cornelio, del año 252, en la que se manifiesta la buena disposición y tolerancia de los obispos africanos para con los apóstatas. En la misma carta 67 hay unas frases que se refieren a la sanción que se impuso a Basílides y Marcial, impuesta en virtud de una ley que estaba en vigor en todas las iglesias y que había partido de Roma: «Precisamente hace ya tiempo *nuestro colega Cornelio,* obispo pacífico, justo y honrado además con el martirio por

---

[10] INOCENCIO I, *Epist. a Decencio, obispo de Gubio,* año 416: ML 20,552.
[11] E. CASPAR *(Geschichte des Papsttums* I [Tübingen 1930] p.87-89) afirma que los que no aceptaron la decisión romana fueron excepción.

dignación de Dios, *juntamente con nosotros y con todos los obispos del mundo*, decretó que tales hombres [12] pueden ser admitidos a penitencia, pero quedan excluidos del clero y de la dignidad episcopal». Esto se había determinado en Roma muy poco tiempo antes del viaje de Basílides. Y por eso, Cipriano supone que Esteban ha sido engañado por éste, ya que era imposible que el papa se apartase de una norma también romana y recentísima y que era la que se había aplicado en Hispania a Basílides y Marcial. Por la misma carta 67 sabemos que Basílides se había sometido espontáneamente en un principio a esa norma: «confesó que había blasfemado, y por remordimiento renunció espontáneamente al episcopado, entregándose a la penitencia y a la oración... Se daba por satisfecho si se le admitía a comulgar entre los simples fieles».

A mediados del siglo III, el hecho de que unas comunidades hispanas se dirijan a las de Africa, y en concreto a San Cipriano, para que «su opinión les sirva de consuelo y apoyo a su inevitable y justa preocupación», no tiene el mismo significado que podría tener varios siglos más tarde. En épocas posteriores de mucho mayor centralización jerárquica, semejante recurso resultaría extraño y obligaría a pensar en una apelación a la iglesia madre, única causa que podría explicar el que unas iglesias sometidas al primado romano osaran discutir una decisión de éste y se refugiasen en el dictamen de Cartago. Hacia el 254 es normal que las iglesias confronten su fe y sus prácticas unas con otras, que se consulten, y en los casos más graves y difíciles busquen el apoyo y la conformidad de las iglesias vecinas y de las principales por su importancia o prestigio. Entre estas últimas, Roma ocupa el primer lugar, pero no el único, y San Cipriano había elevado al máximo el prestigio de Cartago. Sin necesidad, pues, de suponer ninguna dependencia de origen, se comprende que las comunidades hispanas, decepcionadas por la resolución de Roma, acudiesen a las iglesias de Africa para sentirse confortadas en el mantenimiento de una ley y de una práctica que era la ley y la práctica común de todas las iglesias con respecto a los obispos caídos en la persecución. La respuesta que esperaban de San Cipriano no era una legitimación jurídica, que no creían necesitar, sino una garantía de comunión eclesiástica. Así lo entienden también los consultados cuando contestan que no «responden tanto sus consejos como los divinos preceptos».

El apoyo de San Cipriano lo buscan también los obispos de otras sedes que de ningún modo se pueden suponer relacionadas con las iglesias africanas por razón de origen. Una carta de San Cipriano del año 254 [13] nos hace saber que el obispo de Lyón le había escrito sobre el caso de Marciano, obispo de Arlés, que se había unido a Novaciano y se mostraba, como este último, inflexible con los fieles caídos en la persecución, excluyéndolos de la penitencia incluso a la hora de la muerte. Lo mismo que a San Cipriano, había escrito el obispo de Lyón al papa Esteban. A este último dirige su carta San Cipirano para pedirle que

---

[12] Es decir, los obispos apóstatas.
[13] Se trata de *Epist.* 68: CSEL III,I p.744-49 = BAC 241 (Madrid 1964) p.640-45.

intervenga él también, «ya que a nosotros nos toca ocuparnos de estos casos y remediarlos», porque «para eso, hermano queridísimo, existe un cuerpo copioso de obispos ensamblados por el aglutinante de la concordia mutua y el vínculo de la unidad: para que, si alguno de nuestro colegio cayese en herejía e intentase desgarrar y devastar la grey de Cristo, acudan en su ayuda los demás y, como pastores útiles y misericordiosos, congreguen las ovejas del Señor».

LAS ACTAS DE SAN FRUCTUOSO

Presentamos su traducción en el capítulo II, y hacemos allí un estudio de los datos históricos que nos proporcionan sobre la cristiandad hispana. Pero estas actas, según el parecer de algunos, son otro indicio más de relaciones con Africa, y aun de relaciones de origen. «La terminología muy arcaica que se recoge en las descripciones cristianas del ayuno, de los cargos eclesiásticos y las frases puestas en boca de San Fructuoso o de los restantes personajes, entronca directamente con usos africanos muy característicos y casi exclusivos; así, el empleo de *statio* con el significado de «ayuno»; *fraternitas*, «comunidad cristiana»; *refrigerare*, vocablo tan típico de los primeros escritores cristianos del Africa, y otros nos hacen pensar [sobre el autor de las actas] en un soldado africano o en un militar singularmente relacionado con comunidades cristianas de Africa» [14]. Sobre las mismas expresiones o términos técnicos insiste J. M. Blázquez, apoyado en P. Franchi de Cavalieri, añadiendo además que «el final del diálogo entre el obispo [Fructuoso] y Emiliano ofrece una afinidad sorprendente con el proceso de San Cipriano». Sus conclusiones son más tajantes: «todo lo cual prueba el origen africano del autor, su profesión militar y que la terminología de una serie de tecnicismos usados por la comunidad cristiana de Tarragona, para la que las actas fueron escritas, es africana, sin duda por proceder su cristianismo de esta región del imperio» [15]. Para D. Iturgaiz, «la confección de las actas contemporáneas del martirio de San Fructuoso, Augurio y Eulogio de Tarragona delatan un actuario que domina la lexicología africana» [16].

Nos remitimos, en primer lugar, a lo que hemos escrito en este mismo capítulo, recordando unas palabras de T. Ayuso que ponen en guardia contra el argumento en favor de nuestro «africanismo», deducido de la comparación de nuestros textos con los de autores africanos. Aquí, además, el caso es más evidente, porque los términos técnicos que se citan expresamente como típicos o casi exclusivos de las iglesias africanas se encuentran en otras iglesias que nada tienen que ver con el norte de Africa. La palabra *statio*, en su significado de ayuno, era conocida y empleada en la comunidad romana por lo menos desde media-

[14] M. C. Díaz y Díaz, *En torno a los orígenes* p.437.
[15] J. M. Blázquez, *Posible origen africano* p.32-33.
[16] D. Iturgaiz, *Entronque hispano-africano* p.516.

dos del siglo II [17]. Para indicar la comunidad de fieles, el clero de Roma usa también la expresión *fraternitatem* en una carta dirigida a San Cipriano a principios del año 250 [18]. Jerónimo, Rufino, Orígenes, Ambrosio y otros usan el verbo *refrigerare* en el mismo sentido de las actas, de consolar o ayudar [19].

La coincidencia postulada para el interrogatorio de Fructuoso y el de Cipriano ante sus respectivos jueces se funda en las siguientes frases:

Actas de San Cipriano	Actas de San Fructuoso
«—¿Eres Thascius Cyprianus?	«—¿Has oído lo que han mandado los emperadores?
—Yo soy.	—No sé lo que han mandado, pero soy cristiano.
—¿Te has convertido en *papa* de los sacrílegos?	—Han mandado dar culto a los dioses.
—Sí.	—Yo doy culto a un solo Dios, que hizo el cielo y la tierra, el mar y todo cuanto en ellos hay.
—Los sacratísmos emperadores han ordenado que sacrifiques.	—¿Sabes que hay dioses?
—No lo hago.	—No lo sé.
....	—Lo sabrás después.
—Mandamos que Thascius Cyprianus sea degollado».	....
	—¿Eres obispo?
	—Lo soy.
	—Lo fuiste.
	Y mandó que los quemaran vivos».

Una cierta semejanza existe, sin duda, entre los dos interrogatorios. No podía ser de otra manera, porque ambos mártires perecieron en la misma persecución y como consecuencia del mismo edicto imperial que prescribía que «los obispos, presbíteros y diáconos fuesen ejecutados sin más». Ambos jueces tenían que comprobar oficialmente el oficio pastoral de sus respectivos reos; por eso, uno y otro preguntan que si son obispos. La diferencia en la pregunta radica en que el juez africano le aplica el título de *papa*, tratamiento que más tarde se reservó para el obispo de Roma, pero que en la época de San Cipriano se usaba en Africa y en otras iglesias. En cambio, el juez hispano usa el término normal de *obispo*. No creo que haya que considerar como una coincidencia sorprendente el que ambos jueces repitan que los emperadores han mandado dar culto a los dioses [20].

Las actas de San Fructuoso eran conocidas y usadas por San Agustín en su iglesia. Esto sí es un hecho que demuestra intercambio entre la

[17] Cf. Chr. Mohrmann, *Études sur le latin des chrétiens* III (Roma 1965) p.76. Nos hemos ocupado de esta expresión al comentar las actas de San Fructuoso en el c.2.
[18] Cipriano, *Epist.* 8 II 2: BAC 214 (Madrid 1964) p.386.
[19] Cf. Chr. Mohrmann, o.c., II (Roma 1961) p.84-85. Véase, p.ej., Ambrosio, *Laps. virg.* 1: ML 16,367; *Epist.* 41, 20: ML 16,1118.
[20] La expresión *conmilito frater noster* usada en las actas no es en absoluto una expresión típica de Africa.

iglesia de Tarragona y la de Hipona. Estamos ya, sin embargo, en el siglo V. Para esa época, los contactos entre Africa e Hispania, como hemos dicho, son muchos y evidentes.

Sobre los mártires Marcelo, Emeterio y Celedonio, Félix de Gerona y Cucufate, véase lo dicho en nuestro capítulo II.

BIBLIA Y LITURGIA

Siguiendo a A. Allgeier, H. Schneider y J. M. Martín Patino, autores como M. C. Díaz y Díaz y J. M. Blázquez recuerdan el «origen africano básico» del texto de los Salmos y el de los cánticos bíblicos de la liturgia hispánica. J. M. Blázquez, citando a T. Ayuso, habla también de los numerosos africanismos que se hallan en la *Vetus hispana,* la versión latina anterior a la Vulgata de Jerónimo y propia de nuestras iglesias. Con respecto a estos testimonios históricos, cuyo examen detallado nos llevaría más allá de los límites prefijados para esta HISTORIA, nos limitamos a matizarlos aduciendo las siguientes afirmaciones de especialistas directamente implicados en ellos. J. M. Martín Patino afirma en sus conclusiones que «en el esquema del oficio descubrimos las mismas líneas determinantes de toda la Iglesia universal y en los textos se encuentra la típica línea hispánica de confluencia entre lo africano y lo itálico» [21]. T. Ayuso, a propósito de la *Vetus hispana,* se expresa así: «Por lo pronto, en esta obra se trata de una *Vetus latina* hispana. Creemos que por varios caminos se puede llegar a la conclusión de su existencia. Y, al examinar su texto, observamos que contiene muchos de los llamados africanismos. ¿Por influjo de la africana o de autores de aquel país? No negamos la posibilidad de este influjo. Sin embargo, en muchos casos tendremos la ocasión de poner de relieve la gran divergencia que existe entre la africana y la hispana. Luego el influjo no es tan decisivo como se cree. Así, pues, si existen esas coincidencias, tal vez sea preciso modificar la conclusión: no se trata de africanismos pasados a la hispana, sino de hispanismos también. O lo que es igual: ni africanismos ni hispanismos, sino, probablemente, modalidades de la lengua vulgar que existían lo mismo en Africa que en España. El color local ha de examinarse a través de este prisma» [22].

Los orígenes de la *Vetus hispana* son todavía oscuros. Tampoco están dilucidados todos los problemas de los orígenes de nuestra antigua liturgia, de la que uno de sus mejores conocedores escribe en 1972: «La estructura de la misa hispánica parece tener que explicarse por derivación remota de algún grupo de anáforas de tipo alejandrino... Del Africa latina se adoptaron ciertamente las primeras versiones bíblicas y el estilo eucológico de las primeras colectas de salmos. Las antífonas salmódicas más antiguas están compuestas también sobre las traduccio-

---

[21] J. M. MARTÍN PATINO, *Oficio catedralicio hispánico* (Comillas) p.91.
[22] T. AYUSO, *La «Vetus latina hispana»* I (Madrid 1953) p.180.

nes africanas del salterio. El sistema de lecturas hispánico está emparentado con el africano del tiempo de San Agustín. Antiquísimas relaciones con la liturgia de Milán se descubren principalmente en la ordenación de muchas perícopas bíblicas de la misa, en el mismo hecho de tener normalmente tres lecturas... en la adopción de un mismo texto arreglado en antífonas y responsorios... Las influencias recibidas de los libros eucológicos romanos y ciertas formas rituales bizantinas parecen ser de época bastante más avanzada»[23].

EL CONCILIO DE GRANADA (ILIBERRI O ELVIRA)

Muy pocos indicios sobre la procedencia de nuestro cristianismo ofrece el concilio de Elvira. Hay un dato significativo que recomienda por sí solo cautela en las deducciones y atención a la cronología. Para designar el edificio de culto, en el concilio de Elvira se usa la palabra *ecclesia,* mientras que, en esa misma época, en Africa se empleaba la palabra *basilica.* A finales del siglo IV empieza a usarse *basilica* en Hispania, pero se sigue usando con preferencia *ecclesia* hasta el siglo VII, que es cuando prevalece la otra denominación; al revés que en las demás comunidades[24].

Tratando del bautismo, y refiriéndose más concretamente a la última prescripción del canon 48 del concilio de Granada, indicábamos en el capítulo III que el concilio rompe expresamente con una costumbre que existía en Hispania y también en Milán: el lavatorio de pies después del bautismo. San Ambrosio dice que esta costumbre no la seguían en Roma; y allí nos hacíamos esta pregunta: ¿Habrá que ver en esta abolición de la costumbre, por parte de los obispos reunidos en Granada, la consecuencia de un deseo de seguir a la iglesia romana o incluso la ejecución de un mandato?

El concilio de Granada parece demostrar que algunas iglesias hispanas estaban regidas no por obispos, sino por presbíteros[25]. En este hecho se ha querido ver otro rasgo de africanismo, afirmándose que se trata de un uso conocido en ciertas zonas africanas y que parece muy poco frecuente en el resto de Occidente[26]. No se cita ningún caso concreto que justifique semejante afirmación, y debemos confesar que ignoramos la existencia de tal uso en Africa, a no ser que se quiera aludir a Egipto; si así fuese, es necesario recordar que Egipto representa otro mundo totalmente diferente al del norte de Africa, al que se refiere todo el problema de nuestros orígenes. Además, «debemos guardarnos

[23] J. M. PINELL, *Liturgia hispánica:* DiccHistEclEsp 2 (Madrid 1972) p.1303-20.
[24] Cf. R. PUERTAS TRICAS, *Iglesias hispánicas.* Véase, asimismo, lo dicho en el c.3 al tratar de los edificios de culto.
[25] Cf. c.3. Algunas incluso estaban regidas por diáconos, aunque excepcionalmente sin duda.
[26] Cf. M. C. DÍAZ Y DÍAZ, o.c., p.439-40; J. M. BLÁZQUEZ, o.c., p.37.

bien de sacar conclusiones de Egipto para aplicarlas a cualquier otra provincia romana» [27].

Por lo que se refiere al norte de Africa propiamente dicho, A. Harnack escribe a propósito de comunidades regidas por presbíteros: «En el norte de Africa, en época preconstantiniana, por lo que sé, no se conoce ningún ejemplo» [28].

Hay en el concilio de Granada algunas prescripciones semejantes a las conocidas en el Africa del Norte. Así, p.ej., el canon 32, en el que se precisa que la reconciliación después de la penitencia pertenece al obispo; pero que, en caso de urgencia, un presbítero, y aun un diácono, pueda dar la comunión [29]. También el canon 19, sobre el comercio de los clérigos [30]. Otros indicios pueden presuponer el conocimiento en Hispania de las obras de Tertuliano y de las disposiciones de San Cipriano y obispos africanos. También es posible, aunque indemostrable para esta época, que fuesen conocidas las doctrinas novacianas. De todo lo cual, en buena lógica, puede deducirse que había comunicación entre las iglesias de una y otra banda del Mediterráneo, como en todo caso cabría presuponer.

ROMANIZACIÓN Y CRISTIANISMO

Cuando se trata de la influencia del cristianismo africano en el de Hispania, se estudian diversos argumentos, en especial el de la influencia de las legiones romanas, que preferimos tratar en el cuadro más general de la romanización, por juzgar que solamente así se pueden apreciar sus verdaderas dimensiones.

Es conveniente, ante todo, tener en cuenta las consideraciones de M. Bénabou [31] a propósito del concepto de *romanización,* concepto que se refiere, al mismo tiempo, a un proceso y a un resultado. El proceso comienza con la conquista, continúa con la colonización y llega a su última fase con la romanización propiamente dicha. La conquista es un hecho militar por el cual los romanos se apoderan en nuestro caso de Hispania. Comienza en el año 218 con el primer desembarco de Escipión y se da por terminada con el final de las guerras cántabras en tiempos de Augusto, en el año 19 a.C. La colonización es la implantación de colonias de ciudadanos romanos o latinos. Comienza desde los primeros momentos de la conquista y se intensifica al máximo en los tiempos de César, sobre todo en la Bética, continuando bajo Augusto, tam-

[27] Es una advertencia de A. HARNACK, *Die Mission und Ausbreitung* I (Leipzig ⁴1924) p.480.
[28] A. HARNACK, o.c., p.479 n.3.
[29] Cf. S. GONZÁLEZ RIVAS, *La penitencia en la primitiva Iglesia española* p.43; J. GAUDEMET, *Elvire:* DictHistGéogrEccl 15 (París 1963) col.337; J. M. BLÁZQUEZ, o.c., p.37.
[30] Cf. V. C. DE CLERCQ, *Ossius of Cordova* p.76. También relaciona este autor el canon 65 con unas frases de la ep.4 de Cipriano; pero en este caso creemos que son semejanzas demasiado genéricas.
[31] M. BÉNABOU, *Résistence et romanisation en Afrique du Nord,* en *Assimilation et résistence à la culture gréco-romaine dans le mond ancien* (Bucarest-París 1976) p.367-75.

bién con preferencia en la misma provincia Ulterior [32]. La romanización propiamente dicha es un proceso de aculturación por el cual los habitantes de nuestra Península van asimilando la cultura romana: sus costumbres, su lengua, su religión, su organización jurídica.

La dificultad, el tiempo requerido y la extensión de la conquista son muy diferentes en las regiones de Hispania. Lo mismo se diga para la colonización y mucho más para la romanización propiamente dicha. Si, hablando en general, podemos afirmar con Mommsen que «son muchos los campos en los que poseemos testimonios de que la civilización romana penetró en España antes y con mayor fuerza que en ninguna otra provincia del imperio» y que «en España la romanización se produjo con seguridad mucho antes y con mayor fuerza que en Africa» [33], lo mismo podemos repetir de la Bética con respecto al resto de Hispania. Ya en tiempos de Augusto decía Estrabón que «los turdetanos, especialmente los del valle del Betis, han adoptado plenamente el modo de vivir romano, hasta el punto que ya ni recuerdan su propio dialecto. La mayoría son ya latinos, han recibido colonos romanos, de tal manera que falta poco para que todos sean romanos» [34].

Con la romanización se extendió también por Hispania la religión romana; y también aquí, como es natural, está demostrado que la implantación de los nuevos cultos fue mucho más intensa y extensa en la Bética que en las regiones del Norte, de acuerdo con las condiciones de la romanización general.

Cuando el cristianismo sale de las fronteras de la Palestina y se extiende por el imperio romano, su extensión en él está ligada también a la romanización. Hispania está recibiendo colonos, soldados y mercaderes de Roma y de todas las partes del imperio. Entre todas estas personas que van y vienen hay cristianos, y estos cristianos van propagando a su alrededor la nueva fe. Van surgiendo así pequeñas comunidades en los puntos más dispersos de Hispania, sobre todo en la Bética, la más romanizada. En la organización de cada una de estas comunidades habrá intervenido también alguno o algunos enviados de otras iglesias. La cuestión está en saber de dónde venían esos primeros propagadores. Y es seguro que no vinieron todos de una misma región. La mayoría tuvo que venir de donde venía la mayoría romanizadora: de Italia. Los demás, de todas las partes del imperio, especialmente de aquellas con las que más contacto tenía Hispania y que al mismo tiempo estuviesen ya suficientemente cristianizadas. Porque no hay que olvidar que Hispania y toda la Bética se romanizó muy pronto y su contacto directo con Roma fue siempre muy intenso. Si el cristianismo fue, en cierto modo, una consecuencia de la romanización y ésta vino y se mantuvo en contacto directo con Roma, no es consecuente buscar para sólo este aspecto

---

[32] Cf. J. M. BLÁZQUEZ, *Causas de la romanización;* ID., *Problemas en torno a las raíces de España.*
[33] J. M. BLÁZQUEZ, *Causas de la romanización* p.5-6; ID., *Problemas en torno a las raíces de España* p.267.
[34] ESTRABÓN, *Geografía de Hiberia* III 2,15: FontHisAnt 6 (Barcelona 1952) p.61; cf. A. GARCÍA Y BELLIDO, *La latinización de Hispania* p.11-12.

en Hispania un intermediario que no existió como elemento determinante en el resto del proceso.

A la luz de estas consideraciones, no comprendemos qué sentido pueda tener la afirmación de que «del hecho, significativo en sí mismo, de que la provincia más cristianizada es precisamente la Bética, encontramos altamente probable un origen inmediato de las iglesias españolas en las del Africa cristiana» [35].

Aunque no convenga exagerar indebidamente la influencia de los legionarios romanos en la propagación de la fe cristiana, no cabe duda que también ellos fueron vehículo de cristianismo [36]. Desgraciadamente, nuestros conocimientos en este punto son muy limitados, y, desde luego, el estudio de la presencia en Hispania de las legiones romanas y de sus movimientos en el interior y en el exterior de la Península no llega a proporcionarnos ningún dato importante sobre un origen único general de todo nuestro cristianismo que, por otra parte, como hemos indicado varias veces, no pudo existir.

Prescindiendo de la *Legio VI Victrix,* que salió de Hispania en los años 69-70 para no volver, conviene recordar que la *Legio X Gemina* salió de Hispania en el año 62, pero volvió probablemente, a fines del 68, estableciendo su campamento, probablemente, en la Bética. Mérida, Córdoba y Zaragoza recibieron colonos de esta Legión, que también salió entre el 69 y el 70. Otras tropas auxiliares procedentes de diversos puntos del imperio estuvieron en Hispania; p.ej., la *Cohors IV Thracum Syriaca equitata,* cuyo campamento quizá estuvo en Astorga; y la *Cohors I Gallica equitata civium Romanorum,* que debió de estar en la Península desde el siglo I hasta la caída del imperio [37].

Pero la legión hispana por excelencia es la *Legio VII Gemina,* cuyo campamento dio origen a la ciudad de León. Fue reclutada en Hispania por Galba cuando se alzó contra Nerón. Recibió sus águilas e insignias el 10 de junio del año 68. A fines de ese mismo año se encontraba en Roma. En octubre del 69 lucha en favor de Vespasiano. Hacia los años 73-74 se halla en Germania; a finales del 74 vuelve a España. En el 119, tropas de la Legio VII son enviadas por Adriano a Britania. En la época de Antonino Pío, con ocasión de la revuelta de los mauritanos, tropas de esta Legión están presentes en Lambaesis (Túnez). No sabemos qué unidades fueron; parece que sólo auxiliares. Del *Ala II Flavia hispanorum civium Romanorum* queda el testimonio de dos lápidas. A fines del

---

[35] M. C. Díaz y Díaz, *En torno a los orígenes* p.440. Un verdadero paroxismo africanista nos parecen estas otras palabras de D. Iturgaiz *(Entronque africano* p.517-18): «El enclave geográfico de la antigua Illíberis, la actual Granada, es fundamental en la dimensión religiosa de la Bética. Esta provincia es la más densamente cristianizada de todas las españolas durante el siglo IV. Casi todas sus ciudades atestiguan la presencia y el aliento del continente próximo africano...»

[36] El culto de Mitra fue una religión especialmente bien acogida por los militares. Por eso se explica que sus documentos se hallen sobre el *limes.* Los testimonios cristianos en Hispania se hallan, en cambio, muy dispersos o concentrados precisamente en zonas muy urbanizadas y romanizadas, que es lo menos relacionado que puede haber con la presencia de guarniciones militares.

[37] Cf. A. García y Bellido, *El «Exercitus hispanicus» desde Augusto a Vespasiano:* ArchEspArq 34 (1961) 114-60; J. M. Roldán, *Hispania y el ejército romano* (Salamanca 1974).

mismo siglo II, este Ala se hallaba de nuevo en la Península [38]. A. García y Bellido considera probable que acudiesen también contingentes de la Legio VII a las guerras párticas de Mesopotamia durante el reinado de Lucio Vero, y al Danubio en el 166 bajo Marco Aurelio. Cuando en el año 170 los mauritanos invaden las costas del sur de nuestra Península, la Legio VII se establece probablemente junto a Itálica. También es probable que la Legio VII participase en alguna manera, en el siglo III, en una campaña en Oriente.

Según los datos reunidos por A. García y Bellido [39], de los legionarios muertos fuera de Hispania, de los que se conocen entre 60 y 70 lápidas, casi la mitad yacen en Italia (doce en Roma), unos veinte en el norte de Africa, doce en Oriente e Ilírico, seis en la Galia Narbonense y seis en Germania. Entre los soldados extranjeros cuya nacionalidad es conocida, hay enterrados en España uno de Ventimiglia, otro de cerca de Colonia, otro del norte de Africa, otro de Narbona, otro de Nimes y otro, finalmente, de Montpellier.

J. M. Blázquez [40] reúne varios testimonios que señalan la presencia de siete cuerpos militares de origen hispánico en la Mauritania Tingitana; pero esta región no tenía conexión con la de Cartago y sí, en cambio, con la Bética, de la que dependía en muchos aspectos, y probablemente también en lo que se refiere al cristianismo. Todos los demás legionarios citados en esta larga enumeración y otros muchos más pudieron influir, propagando un cristianismo conocido en Roma, en el norte de Africa, en Siria, en la Tracia, en el Próximo Oriente o en el sur de las Galias.

A la Legio VII Gemina debieron de pertenecer los mártires calagurritanos Emeterio y Celedonio, sin que ello suponga ningún dato concreto sobre el origen de su cristianismo. La supuesta pertenencia a la Legio VII del mártir tingitano Marcelo carece de base histórica, lo mismo que la nacionalidad africana atribuida al mártir Félix de Gerona y Cucufate de Barcelona. De estos casos nos hemos ocupado en el capítulo II, y a él nos remitimos [41].

No es posible llegar a conclusiones más concretas si acudimos a los datos proporcionados por el intercambio comercial, otro vehículo indiscutible de romanización y cristianización. Pueden enumerarse muchos documentos que acreditan la existencia de un intercambio comercial intenso entre Hispania y Africa, lo cual inducirá sin duda a suponer un

---

[38] Cf. M. VIGIL, *Ala II Flavia:* ArchEspArq 34 (1961) 110.
[39] A. GARCÍA y BELLIDO, *La Legio VII Gemina Pia Felix y los orígenes de la ciudad de León* p.478-79.
[40] J. M. BLÁZQUEZ, *Posible origen africano* p.33-34.
[41] Victor Vitensis (*Hist. pers. Afr. Prov.* III 29: MonGermHist A.A III 1 p.47-48) refiere que los habitantes de Tipasa huyeron de la persecución de Himerico y se trasladaron en masa por mar a Hispania (año 484). Conocidos los restos de una basílica dedicada en Tipasa a Santa Salsa y ante el hecho de que en ella se encontraban dos sarcófagos superpuestos, se propuso la hipótesis de un traslado a Hispania de las reliquias, que, al volver a Tipasa, habrían ocupado el segundo sarcófago. Esta pura hipótesis (cf. P. MONCEAUX, *Histoire littéraire de l'Afrique chrétienne* III p.167) la convierten gratuitamente en hecho R. LANTIER, *Les arts chrétiens* p.259 y J. M. BLÁZQUEZ, *Relaciones entre Hispania y Africa* p.497.

intercambio también intenso entre los cristianos de ambas regiones del imperio. De la importancia excepcional de estos contactos cristianos con Cartago y su región, la arqueología nos ofrece testimonios inequívocos en los siglos V, VI, y VII. De ellos nos vamos a ocupar en seguida. Pero, por lo que toca al comercio y a los primeros siglos, nos consta que el comercio directo con Roma, Italia, las Galias y Britania, p.ej., era también intenso e importante. «Las relaciones marítimas y terrestres con Italia eran continuas». Estrabón «habla con frecuencia de los numerosos barcos de comercio que llegan a Turdetania, que traficaban con Italia y Roma» [42].

Los sarcófagos paleocristianos

Ningún testimonio arqueológico conocemos anterior al siglo IV.

Los documentos arqueológicos cristianos más antiguos conocidos en Hispania son los sarcófagos. Se conocen hasta el momento unos 32 ejemplares —entre sarcófagos enteros y fragmentos— pertenecientes a la época preconstantiniana y constantiniana; es decir, a los cuarenta primeros años del siglo IV. Han sido hallados en las siguientes localidades: en la provincia Galecia: Astorga y Temes (Lugo). En la provincia Tarraconense: Gerona, Rosas, Barcelona, Badalona y Zaragoza. En la provincia Cartaginense: Layos (Toledo), Toledo, Erustes (Toledo) y Denia. En la provincia Bética: Córdoba, Berja (Almería), Alcaudete (Jaén), Los Palacios (Sevilla), Itálica, Martos (Jaén) y Jerez (Cádiz). Fuera de alguna posible y rara excepción, en la que quizá haya que contar con producción local a imitación romana, todas son piezas procedentes de los talleres romanos. Se trata de una época en la que los talleres de Roma exportan sarcófagos cristianos a otras partes del imperio, sobre todo a las Galias, y especialmente a Arlés, donde después se continuará la tradición en una producción local importante.

La exportación de sarcófagos cristianos desde Roma a Hispania continúa durante todo el siglo IV. De mediados del siglo IV son los hallados en Toledo y Yecla (Murcia), en la Cartaginense; y en Castiliscar (Zaragoza) y Zaragoza, en la Tarraconense. Al último tercio del mismo siglo pertenecen piezas como el sarcófago de Hellín (Albacete) y el de Valencia, en la Cartaginense; un sarcófago y varios fragmentos de Tarragona, en la Tarraconense, y un fragmento de Jerez, en la Bética.

La importación de sarcófagos cristianos desde Roma es, pues, un fenómeno que se extiende por todo el siglo IV, aunque con mayor intensidad en su primera mitad, y por todas las provincias de la Península, a excepción de la Lusitania, en cuanto nos es dado conocer hasta el momento, correspondiendo, además, la máxima extensión a las provincias Tarraconense y Bética, las más romanizadas.

En el tercer cuarto del siglo IV existió un taller local de sarcófagos

---

[42] J. M. Blázquez, *Causas de la romanización* p.488-92. Véase también lo dicho en nuestro primer capítulo introductorio sobre el comercio.

paganos y cristianos muy localizados en la región burgalesa de la Bureba. Su producción, provinciana y ruda, supone una auténtica isla totalmente desconectada de todo el ambiente hispánico contemporáneo. Estos singulares sarcófagos poseen en su estructura, en parte de su decoración y en alguno de los recursos de su lenguaje iconográfico, características inconfundibles ligadas con el Oriente helenístico. Algunas de sus escenas —la de San José, en el sarcófago de Quintana— también parecen de procedencia oriental, mientras que otra —la central de este mismo sarcófago— es ciertamente africana al menos en su origen: la visión de la mártir Perpetua.

Este grupo de la Bureba, aunque pequeño y local, constituye un documento importante, sobre todo porque es un indicio más de la complejidad del problema que ahora nos ocupa, a saber, los orígenes y contactos de nuestras iglesias con el resto de la cristiandad en los primeros siglos. El grupo en sí es ya todo un enigma. Aun siendo tan homogéneo y tan peculiar, no ofrece datos suficientes para poder determinar su origen con seguridad, mucho menos para aclarar de modo definitivo el origen o contactos de la comunidad cristiana cuyos miembros adquirieron dichos sarcófagos. Los artífices pudieron ser artesanos venidos de fuera o discípulos locales de artesanos foráneos. La producción es ciertamente local, porque la piedra usada es de la región. ¿De dónde vinieron los artesanos? H. Schlunk se inclina por el norte de Africa, aunque en todo caso resalta las características orientales de la producción. La razón principal y casi única para pensar en tal origen sería la escena de la visión de Perpetua. Es ciertamente una razón muy seria y, por tanto, el origen africano de los artesanos es probable. Pero no es decisiva por varias razones: porque el culto de las mártires Felícitas y Perpetua fue uno de los primeros que transcendieron las fronteras locales y alcanzó a otras iglesias no africanas; entre otras, a Roma, donde además existe la otra única representación iconográfica conservada de la visión de Perpetua, en una pintura al fresco del cementerio de Domitila, como observa el mismo Schlunk; también porque las características griegas u orientales son tantas que, si bien pueden haber llegado a través de Africa, pueden también, y quizá con más probabilidad, proceder directamente de aquellas regiones. Aun en el caso de que se llegase alguna vez a comprender con claridad de dónde procedían los artesanos, quedaría por resolver la incógnita de su conexión con los fieles que adquirieron sus sarcófagos. ¿Procederían éstos de la misma región que los artesanos venidos de Africa o del Oriente? No hay que olvidar que el taller de la Bureba trabajaba para cristianos y paganos y que ignoramos las causas de su instalación en aquella región, que bien pudieron ser meramente comerciales y, por lo tanto, ajenas a cualquier motivo religioso. No tratándose de sarcófagos importados ni de sarcófagos sólo o principalmente cristianos y tratándose de un taller totalmente aislado, sus relaciones con las comunidades a las que sirvieron quedan envueltas, en todo caso, en la oscuridad.

Por otra parte, la existencia de un grupo tan peculiar y con características tan distintas a las de los talleres romanos en época dominada por los sarcófagos procedentes de la capital del imperio, es un aviso que nos pone una vez más en guardia contra las generalizaciones y la repetida pretensión de hacer válidas las mismas conclusiones para las diversas comunidades cristianas o iglesias de Hispania, como si de una sola y uniformada se tratase.

Al cambiar del siglo IV al V, cambia también el panorama ofrecido por los sarcófagos hispanos. No vuelven a encontrarse en Hispania sarcófagos cristianos romanos. No podía ser de otra manera, puesto que los talleres de Roma cesan en su producción a principios del siglo V, y justamente en el cambio de siglo comienzan a florecer los talleres locales en diversas provincias del imperio.

Mal conocemos los talleres hispanos de sarcófagos cristianos, aunque hay serias razones para sospechar que no existió ninguno que llegase a conocer momentos de un florecimiento comparable con los del norte de Italia, Ravena o sur de las Galias. En Hispania es conocido, sobre todo, el taller de la capital de la provincia Tarraconense, y éste con toda certeza no hereda la tradición romana, única conocida prácticamente en toda Hispania hasta ese momento, sino que nace impulsado por talleres africanos; más en concreto, nace en estricta dependencia de Cartago, como lo ha demostrado con toda evidencia H. Schlunk. Como acertadamente indica este autor, el período de más estrecho contacto entre Tarragona y Cartago en la producción de sarcófagos cristianos coincide, por una parte, con los años de máxima prosperidad de la región norteafricana, años 409-39, fecha esta última de la ocupación por parte de los vándalos; y, por otra, con el hecho de que, a principios del siglo V y hasta el año 472, Tarragona se había salvado de la invasión visigótica [43].

El taller de Tarragona es importante por la calidad y el número de su producción, aunque no por la dispersión de sus productos, que no salieron de su ámbito local, quizá por las mismas razones políticas que acabamos de indicar.

La importación primero de piezas labradas en Cartago y la producción local que siguió después, imitando muy de cerca modelos de la misma procedencia, manifiestan con toda evidencia un contacto estrecho y una dependencia del norte de Africa por parte de la comunidad tarraconense. Sería infundado querer deducir de aquí cualquier clase de argumento en favor de una relación de origen con respecto a Cartago. Tarragona importó sarcófagos romanos, paganos y cristianos, mientras que esto era posible. Cuando dejó de serlo, acudió a Cartago, que se hallaba entonces en su gran momento, mientras que Roma decaía a partir de su saqueo por Alarico en el 410.

En la provincia Bética también hay interrupción, como es natural, a partir del siglo V, por lo que a importación de sarcófagos romanos se refiere. Sin embargo, los pocos sarcófagos cristianos que conocemos de este siglo en esta provincia no proceden de los talleres tarraconenses ni

---

[43] H. SCHLUNK, *Sarkophage aus christlichen Nekropole* p.257.

de los de Cartago. Conocemos solamente tres piezas: el sarcófago de Ecija (Sevilla) y los fragmentos de Alcaudete (Jaén) y Antequera (Málaga). Cada uno de ellos presenta características propias, pero pueden y deben ponerse en relación entre sí, unidos como están por evidentes rasgos estilísticos comunes. El más antiguo y el de mejor calidad es el sarcófago de Ecija, con escenas del sacrificio de Abrahán e Isaac, el Buen Pastor y Daniel en la fosa de los leones. Cada una de estas tres escenas van acompañadas de su correspondiente inscripción aclaratoria en griego: Abrahán, Isaac, Pastor, Daniel. H. Schlunk ha explicado en repetidas ocasiones las características de este grupo y su vinculación también estilística con el Oriente, incorporando al mismo grupo un relieve profano hallado en la provincia de Córdoba, en la Chimorra. El fragmento de Alcaudete es el representante más tardío, y habrá que datarlo con toda probabilidad ya en el siglo VI; de todo lo cual deduce, consecuentemente, que «no se trata de trabajos de un mismo taller, sino que nos encontramos con creaciones de una tradición estilística regional que dominó en esta zona durante un período de tiempo bastante extenso» [44].

Tampoco de aquí podemos deducir conclusiones generales; solamente constatamos que en esta región existen contactos con ambientes bizantino-orientales, cuya importancia y significación ignoramos.

En el confuso siglo V hay que situar igualmente un fenómeno aislado de influencia constantinopolitana. Nos referimos al sarcófago cristiano con Cristo y los apóstoles conservado actualmente en el Museo Arqueológico Nacional de Madrid y procedente de un mausoleo situado en La Mina de Puebla Nueva (Toledo). El sarcófago procede de taller local, pero su estilo y la presencia simultánea de la entrega de la Ley a Pablo en vez de a Pedro y la del evangelio de Mateo a Bartolomé son pruebas evidentes de una imitación de modelos orientales pertenecientes al círculo de Constantinopla, como lo ha demostrado el citado autor H. Schlunk [45].

A juzgar por la importancia del monumento en el que fue colocado, el destinatario de este sarcófago debió de ser un personaje de alto rango; probablemente, uno de los hispanos presentes por algún tiempo en la corte del emperador, también hispano, Teodosio. Quede aquí este testimonio arqueológico como un elemento más, aunque muy solitario, de este cuadro abigarrado de influencias que ofrecen los sarcófagos hispanos a partir del momento en que se cierran los talleres de Roma que habían dominado la Península en el siglo anterior.

Contactos directos de la Galecia con Africa y con Oriente Próximo en los siglos IV-V existieron ciertamente, y nos consta de ello porque son conocidos varios personajes de esa provincia que viajaron al Africa, a Palestina y a Egipto: Orosio, Hidacio, Avito, Baquiario y otros. En el cuadro de estos contactos hay que enmarcar también piezas escultóricas

---

[44] H. Schlunk, *Sarcófagos paleocristianos labrados en Hispania* p.211-13.
[45] H. Schlunk, *Der Sarkophag von Puebla Nueva* p.210-31; Id., *Sarcófagos paleocristianos labrados en Hispania* p.204-208.

halladas en la Galecia, y cuyas dependencias de escuela todavía no han podido ser definitivamente aclaradas a pesar de los positivos logros conseguidos por el incansable investigador H. Schlunk. Tales son el sarcófago de Braga, decorado con *cantharos* central y roleos vegetales —y con crismón en uno de los lados menores—, y la tapa de sarcófago de Itacio, actualmente en Santa María de Oviedo, tapa a doble vertiente con chaflán en la parte superior, y decorada también en ambos lados con roleos y un crismón en el testero (finales del siglo V y primeros del VI). El tipo de decoración de estas dos piezas parece que permite enumerarlas entre los componentes de un grupo que, por otra parte, no es homogéneo ni fácil de situar en el tiempo ni en el espacio. Ni siquiera es seguro que formen realmente un grupo y no creaciones independientes entre sí. Para el de Braga podría pensarse en antecedentes africanos u orientales y para la tapa de Oviedo no hay modelos conocidos; debe de ser obra local y apenas pueden considerarse como antecedentes los sarcófagos del sur de Francia. Hacia el año 400 se data una pieza singular procedente de Quiroga (Lugo), que probablemente fue una mesa para dones [46], y cuyo crismón podría relacionarse con algunos semejantes de Constantinopla.

LOS MOSAICOS SEPULCRALES

En el campo general de los mosaicos pavimentales es sabido que el norte de Africa desempeña un importante papel, sobre todo en los siglos III y IV. Los mosaístas africanos crean una nueva concepción del mosaico pavimental, y sus hábiles técnicos trabajan en diversas regiones, creando verdadera escuela [47].

Sin que puedan considerarse seguramente como sus inventores, son, sin embargo, igualmente los africanos los grandes productores de una forma especial de mosaico pavimental destinado a servir de cubierta a una tumba: los mosaicos sepulcrales propiamente dichos. Existen mosaicos sepulcrales paganos, pero el mayor número de los conocidos es de mosaicos cristianos, que en Africa se emplean profusamente a lo largo de los siglos IV, V y VI, siendo la época comprendida entre mediados del siglo IV y mediados del V las de máximo florecimiento.

Según N. Duval [48], fuera de Africa se encuentra mosaicos sepulcrales en Sicilia (en Salemi) y Cerdeña (Porto Torres), cuyas relaciones con el norte de Africa en el Bajo Imperio fueron aún más estrechas que las de Hispania; al norte del Adriático, en Grado, Aquileya y Ravena; al este del Adriático, en Salona; y en el Oriente (Siria, Palestina). Pero, sobre todo, abundan en Hispania. A propósito de esta serie hispánica, dice el citado autor que se ha insistido sobre la influencia afri-

---

[46] H. SCHLUNK, *Los monumentos paleocristianos de «Gallaecia»;* ID., *Die frühchristlichen Denkmäler aus dem Nord-Westen der Iberischen Halbinsel.*
[47] Cf. R. BIANCHI BANDINELLI, *Roma. El fin del arte antiguo* (Madrid 1971).
[48] N. DUVAL, *Observations sur l'origine, la technique et l'histoire de la mosaïque funéraire chrétienne en Afrique;* ID., *La mosaïque funéraire dans l'art paléochrétien.*

cana en ella, y que evidentemente los lazos, tanto artísticos como políticos, entre Africa e Hispania son estrechos, particularmente con las Baleares, en la época vándala y bizantina. Sin embargo —añade—, los tipos bastante variados de Tarragona (personaje, animales, motivos geométricos) no son siempre semejantes a las composiciones más corrientes en Africa. Solamente la tumba de Baleria, en Mallorca, se asemeja con exactitud a ciertos mosaicos africanos del tipo tripartito. También manifiesta sus reservas, con respecto al «africanismo» de algunos mosaicos sepulcrales españoles, A. Balil, sobre todo por motivos cronológicos, puesto que algunos de los hispanos parecen ser más antiguos que los africanos [49].

No hace a nuestro propósito el citado mosaico sepulcral de Mallorca, porque pertenece a mediados del siglo VI, lo que equivale a decir que no puede entrar en consideración cuando nos ocupamos del cristianismo en Hispania. Poco después de 455, las Baleares se integran en el reino vándalo, y están, por tanto, incluidas en el ámbito del norte de Africa. La misma vinculación permanece cuando los bizantinos reconquistan Africa, y en el 534 las Baleares. Con estas islas en toda esa época y por siglos incluso después no hay que contar en todo cuanto se refiera a nuestra Península [50].

Los demás mosaicos sepulcrales han aparecido en su gran mayoría en la provincia Tarraconense: unos once en la necrópolis paleocristiana de Tarragona, varios en Monte Cillas (Huesca), uno en Barcelona, varios en San Cugat [51], otro en Tarrasa y otro en Alfaro (Logroño). Un solo ejemplar en la provincia Cartaginense: el de Denia (Alicante). Un fragmento de tapa de sarcófago en piedra, pero con mosaico embutido, ha aparecido en Frende, cerca de Baiâo (Portugal), en la provincia Galecia. Finalmente, dos mosaicos sepulcrales proceden de Itálica, en la Bética, pero no parece que sean cristianos.

Como dice bien P. de Palol, «se trata de una serie que demuestra una gran variedad de modelos y muy poca unidad entre ellos, de forma que hay que pensar en diversos cartones y talleres de elaboración» [52]. Esto no obstante, el mismo autor, con otros muchos, están firmemente persuadidos del origen africano, más o menos directo, de todos estos mosaicos sepulcrales. Partimos, pues, de este supuesto y dedicamos por un momento nuestra atención a su cronología. No es ésta fácil ni definitiva; pero podemos constatar que, en general, la gran mayoría pertenecen al siglo V. P. de Palol piensa que la lauda de Optimus, de Tarragona, pertenece a finales del siglo IV, mosaico que «no tiene paralelismo entre las piezas que conocemos. Su aire muchísimo menos provinciano nos acerca más a las realizaciones del *Spätantike* oficial, con modelos

---

[49] A. BALIL, *Las escuelas musivarias del conventus tarraconensis:* Actas VIII CongrNacArq (Zaragoza 1964) p.406-19; ID., *La mosaïque gréco-romain* I (París 1965) p.29-40.

[50] Cf. H. SCHLUNK, *Die frühchristlichen Denkmäler* p.487.

[51] Cf. X. BARRAL I ALTET, *La basilique paléochrétienne et visigotique de Saint Cugat del Vallés (Barcelona)* p.899. Otro inédito de Lérida cita H. SCHLUNK: MadrMitt 6(1965)166 n.59; y P. DE PALOL, *Arqueología cristiana* p.327 n.17.

[52] P. DE PALOL, *Arqueología cristiana* p.339.

muy romanos» [53]. También habría que datar a finales del mismo siglo el de Ursicinus, de Alfaro; al siglo V pertenecerían los demás de Tarragona, el de Ampelius y su gemelo el del Buen Pastor, el de Rufo de Monte Cillas y los demás de la misma procedencia [54]; igualmente, el de Barcelona, el de Tarrasa [55] y el único de San Cugat conocido [56]. A principios del V data el fragmento de Frende H. Schlunk [57]. El de Denia, en cambio, deberá datarse ya a finales del V o principios del VI.

El problema que presentan todos estos mosaicos sepulcrales no es idéntico al de los sarcófagos tarraconenses: el círculo de expansión de estos últimos es mucho más reducido, y su conexión con los talleres de Cartago, mucho más estrecha y uniforme. Pero en todo caso presenta bastantes semejanzas, ya que la máxima concentración se halla también en Tarragona; su área de expansión más intensa corresponde a la Tarraconense. Las diferencias con el caso de los sarcófagos se explicarían bien por la índole diferente del trabajo. Las maestranzas de mosaicistas son ambulantes, mientras que los talleres de sarcófagos son más fijos. En todo caso, la cronología unifica ambos fenómenos, que aparecen ligados a circunstancias muy particulares de finales del siglo IV y principios del V, sin conexión ninguna con los tiempos primeros de nuestro cristianismo.

Datos parecidos a los proporcionados por los mosaicos sepulcrales podrían proporcionar las tumbas con *mensae* superpuestas de ágape halladas en la necrópolis de Tarragona, y recientemente, en Cartagena y en Portugal, datadas en el siglo V y con paralelos también norteafricanos [58].

LOS EDIFICIOS CRISTIANOS

Si aplicamos ahora nuestra atención a los pocos edificios cristianos pertenecientes todavía al siglo IV que han llegado hasta nosotros, volvemos a constatar un predominio absoluto de influencias no africanas, en contraste manifiesto con las basílicas posteriores, cuyas plantas están ciertamente inspiradas por las del norte de Africa.

El mejor conservado de los edificios cristianos del siglo IV es indudablemente, el *mausoleo de Centcelles*. En una gran villa rústica del siglo IV; a mediados del mismo siglo, y antes de que su construcción estu-

---

[53] P. DE PALOL, o.c. p.339. Posteriormente es todavía más explícito: «También en el mosaico sepulcral está patente este africanismo que señalaba para los pavimentos baleáricos. Excepción es, sin duda alguna, la lauda de Optimus, de Tarragona, de finales del IV o principios del V, que últimamente ha estudiado Balil, considerándole anterior a lo africano. Quizá lo único que podamos afirmar para ella es un mayor 'clacisismo' y vinculación a otros pavimentos tardíos, ciertamente como el de Tossa del Mar» (P. DE PALOL, *La arqueología paleocristiana en España* p.23).

[54] Aunque de estos últimos dude si adelantarlos al siglo IV a causa de las monedas aparecidas en la zona.

[55] Véase asimismo X. BARRAL I ALTET, *Les mosaïques de Tarrassa;* en *La mosaïque greco-romain* II p.251-52.

[56] X. BARRAL I ALTET, *Un mosaico sepulcral paleocristiano inédito de San Cugat del Vallés (Barcelona):* BolSemEstArtArqVall 38(1972)476-85.

[57] H. SCHLUNK, *Die frühchristlichen Denkmäler* p.485-88; ID., *Los monumentos paleocristianos de Gallaecia* p.198-99.

[58] P. SANMARTÍN-P. DE PALOL, *Necrópolis paleocristiana de Cartagena.*

viese terminada, se cambió de destino uno de sus ambientes principales, destinándolo a mausoleo de un personaje de gran importancia, que podría ser Constante, hijo de Constantino, muerto el 350 [59]. El ambiente destinado a mausoleo conserva todavía su cúpula. De ésta dice H. Schlunk: «Esta cúpula se diferencia por su técnica constructiva de las demás cúpulas en la parte occidental del imperio. Al pie de la cúpula alternan capas de piedra con otras de ladrillo; después sigue una capa de toba, mientras que toda la parte superior se compone de ladrillos dispuestos radialmente. Este tipo de construcción tiene precedentes en la parte oriental del imperio. Analogías exactas encontramos en el palacio de Spalato, donde algunas de las cúpulas muestran en la parte inferior construcciones idénticas, con alternancia de capas de piedra y ladrillo, puesto que las cúpulas de esta época, en la parte occidental del imperio, siguen otro principio constructivo, ya que las soportan nervios de piedra o ladrillo · dispuestos· verticalmente, tenemos en Centcelles el primer ejemplo de este tipo de construcción en la parte occidental del imperio; aproximadamente, de la mitad del siglo IV» [60]. Los restos conservados del gran mosaico que revestía la cúpula hacen pensar en paralelos occidentales, aunque no es fácil dilucidar definitivamente sus relaciones de origen, que también pueden apuntar en algún modo hacia el Oriente. En todo caso, es claro, como afirma el mismo H. Schlunk [61], que «en Centcelles no se puede hablar de ninguna influencia de un modelo africano».

De la segunda mitad del siglo IV es el *mausoleo de La Alberca* (Murcia), del que desgraciadamente sólo se conserva el piso inferior. Se puede admitir como probable la hipótesis según la cual este edificio no debió de ser un simple mausoleo, sino un *martyrium* dedicado al culto de algún mártir. El edificio cuenta en la antigüedad con dos paralelos, por otra parte muy significativos, dada la estrecha semejanza: los *martyria* de Marusinac (Dalmacia) y Pécs (Panonia), datados ambos en el siglo IV. De él afirma Th. Hauschild: «Mientras que ningún nuevo monumento venga a aumentar nuestros conocimientos sobre el particular, no se puede aducir para nuestro edificio de La Alberca ningún otro paralelo seguro que no sean los edificios de Dalmacia y los Balcanes (Panonia). Puesto que tanto Marusinac como La Alberca están situados en las cercanías de la costa, no conviene desechar la idea de un influjo común exterior proveniente de la región mediterránea oriental» [62].

---

[59] H. Schlunk ha propuesto esta hipótesis, que consideramos bastante más fundada de lo que algunos parecen suponer.

[60] Conferencia inédita pronunciada en el XXIII Congreso Internacional de Historia del Arte, celebrado en Granada en 1973. Véase asimismo Th. Hauschild-H. Schlunk, *Vorbericht über die Arbeiten in Centcelles;* H. Schlunk, *Bericht über die Arbeiten in der Mosaikkupel von Centcelles.*

[61] H. Schlunk, *Bericht über die Arbeiten* p.475.

[62] Th. Hauschild, *Das Martyrium von La Alberca.* Véase asimismo H. Schlunk, *El arte de la época paleocristiana en el sudeste español.* P. de Palol (*Arqueología cristiana* p.106-16; Id., *Los monumentos de Hispania* p.176 y n.22) insiste sobre las conexiones africanas de este monumento. Recientemente se ha descubierto otro parecido en Chur (Suiza). Quizá aquí como en otros muchos campos, más que de influencias directas, habría que hablar de estilos o modas que se extienden en diversas épocas por la cuenca mediterránea.

Ya hemos hablado del sarcófago de Puebla Nueva (Toledo), hoy en el Museo Arqueológico Nacional de Madrid. De finales del siglo IV es el *mausoleo* levantado en *Puebla Nueva* para albergar dicho sarcófago. Pocos restos se nos han conservado de él, pero suficientes para saber que su planta era octogonal, con pilares en el octógono interior, rodeado de un pasillo exterior, cuyas analogías más próximas, según H. Schlunk, se hallan en el mausoleo de Diocleciano, en Spalato (Dalmacia). La técnica empleada en la construcción de sus muros y de su bóveda es la misma que se practicó en el Oriente. Es decir, al igual que el sarcófago que debía albergar, el mausoleo presenta conexiones con un ambiente relacionado con Bizancio [63].

La iglesia de *Marialba* (León), cuya primera fase hay que colocarla en el siglo IV, y la segunda en el paso del siglo IV al V, no presenta ninguna analogía con edificios eclesiásticos africanos, sino más bien con modelos constantinopolitanos, aunque esta segunda constatación exija todavía una mayor investigación, según afirma Th. Hauschild. Consiste en una gran sala con ábside en herradura construida con sillares pequeños y triples hiladas intercaladas de ladrillos. En un segundo momento, antes de quedar terminada en su primera fase, se cambió su concepción primitiva para convertirla en un edificio de planta central mediante la construcción de cuatro grandes pilares en la nave, destinados a sostener una bóveda; al mismo tiempo se reformaba el ábside, se elevaba el pavimento de éste y se construían en él trece tumbas. Th. Hauschild hace hincapié en un detalle técnico que pudiera ser importante: «la técnica de revoco del muro exterior con juntas resaltadas, como se observa también en las murallas de León —aunque allí aparece con otro sistema de construcción—...» Y con esta ocasión aporta una indicación que le fue hecha por H. Schlunk y R. Naumann: «un ejemplo de juntas pintadas de rojo y con motas blancas sobre ellas se ha conservado en la iglesia de Studion, en Estambul» [64].

El martyrium de La Cocosa (Badajoz) —si como tal ha de considerarse— pertenece también al siglo IV. Su planta central, interiormente trilobulada, y un nártex con pequeños ábsides contrapuestos, recuerda modelos principalmente itálicos y bizantinos. Desgraciadamente, su mal estado de conservación no permite conocer otros pormenores de técnica de su construcción [65].

La *pequeña iglesia de Elche* debe de ser un edificio de la segunda mitad del siglo IV. Excavada en 1905, tapada de nuevo después, volvió a descubrirse en 1948. Desgraciadamente, no contamos con una publicación definitiva de los planos ni de los objetos hallados. Esto hace muy

---

[63] Cf. H. SCHLUNK, *Der Sarkophag von Plueba Nueva;* TH. HAUSCHILD, *Das Mausoleum bei Las Vegas de Puebla Nueva.*

[64] TH. HAUSCHILD, *La iglesia martirial de Marialba;* ID., *Die Martyrer-Kirche von Marialba bei León.*

[65] J. SERRA RÁFOLS, *La «villa» romana de la dehesa de La Cocosa* (Badajoz 1952); P. DE PALOL, *Arqueología cristiana* p.140-45. Plano corregido en TH. HAUSCHILD: MadrMitt 12 (1971) 172 y fig.2c. Véase asimismo H. SCHLUNK-TH. HAUSCHILD, *Die Denkmäler der frühchristlichen und westgotischen Zeit* (Mainz 1978) p.11-12.

difícil la recta interpretación del carácter específico del edificio y de sus posibles paralelos. En las primeras noticias que se publicaron de su excavación, se interpretó de manera diferente; pero la interpretación que más fortuna tuvo fue la de una sinagoga, que después, en el siglo V, fue convertida en iglesia cristiana. Así lo defendió uno de sus excavadores, E. Albertini, y su postura se vio reforzada por la interpretación de las inscripciones fragmentarias en griego que se conservaban en sus mosaicos pavimentales, y que tanto Frey como Ferrua consideraron judías. Sin poder conocer directamente el monumento, en aquellos años enterrado, y apoyándose en las noticias publicadas, H. Schlunk tuvo una comunicación en el III Congreso Arqueológico del Sudeste Español en Murcia, el año 1947, en el que estudiaba detenidamente el edificio y aceptaba las conclusiones de los especialistas de la epigrafía, aceptando, por tanto, la interpretación como sinagoga. Pero muy poco después pudo visitar y conocer directamente los restos de las construcciones, y desde entonces vio «que, sin duda, se trataba de una basílica, no de una sinagoga». Vio también que «el plano es mucho más complicado de lo que hacen creer los dibujos conocidos»[66]. El mismo autor, en la comunicación que tuvo en Granada el año 1973 en el Congreso Internacional de Arte, se ratificó en la interpretación del edificio de Elche como basílica cristiana desde su primer momento, y de nuevo en su última publicación[67]. Consta de una sola aula, sin división en naves, con un ábside ligeramente apuntado, del que no puede saberse si estuvo flanqueado por otros ambientes pertenecientes a la basílica. El muro que en los planos publicados se ve tras el ábside es un muro estucado, perteneciente a construcciones anteriores, a las que se adosó la basílica. Para H. Schlunk, las inscripciones griegas pueden interpretarse perfectamente como propias de una iglesia cristiana. En el mosaico se observan restos de una representación marina muy mal conservada, pero en la que pueden verse restos de un pez, indicaciones del mar y el extremo de una gran vela. A esta representación corresponde el resto de una inscripción que habría que leer: «Que tengas buen viaje». Los restos de la gran vela corresponden a una gran nave, símbolo de la Iglesia. Los mosaicos pertenecen todavía al siglo IV.

La planta de esta iglesia, mal conocida, no ofrece datos suficientes para aventurar influencias posibles en su concepción; pero por supuesto, como era de esperar dada su datación, no pertenece al grupo de las basílicas de tipo africano con ábsides contrapuestos. Para los mosaicos de sus pavimentos hay algunos antecedentes en Elche mismo.

Las inscripciones en griego, que se suponen escritas para una comunidad que las entendía, no son indicio de relaciones con las iglesias del círculo de Cartago, sino, a lo más con las de la Cirenaica o Egipto, que

[66] Cf. RivArchCrist 28 (1952) 182-84. Esta nota no ha tenido mucha difusión, por lo que muchos autores han seguido atribuyendo a H. Schlunk su primera opinión.
[67] H. SCHLUNK-TH. HAUSCHILD, *Die Denkmäler der frühchristlichen und westgotischen Zeit* p.9 y 143-47.

pertenecen al mundo oriental, entendiendo como tal los ambientes relacionados con la herencia directa del helenismo [68].

Si del siglo IV damos un salto a los siglos VI y VII [69], nos encontramos con un grupo de basílicas con ábsides contrapuestos esparcidas por las provincias Lusitana y Bética: la de Casa Herrera, cerca de Mérida, parece de principios del siglo VI [70]; la de San Pedro de Alcántara (Málaga), del siglo VI [71]; la del Germo, en Espiel (Córdoba), del siglo VII [72], y la de Torre de Palma, del siglo VI, en el Alemtejo (Portugal) [73], todavía no estudiada, pero que presenta notables diferencias con respecto a las demás del grupo. A pesar de algunas peculiaridades que las distinguen, se admite la dependencia de sus plantas con respecto a basílicas norteafricanas [74].

En la segunda mitad del siglo VI y acaso principios del VII hay que situar otro grupo mucho mejor definido de basílicas: el de las islas Baleares. Ya hemos dicho que estas islas forman parte del Africa vándala y bizantina. A esta última época pertenecen sus basílicas paleocristianas: Santa María, Son Peretó y Sa Carrotxa, en Mallorca; Es Fornás de Torrelló, isleta del Rey y Son Bou, en Menorca. Las basílicas de este grupo no tienen ábsides contrapuestos, pero su estructura (en varios casos, cabeceras tripartitas) y, sobre todo, sus magníficos mosaicos pavimentales las encuadran, en gran parte, en el área norteafricana bizantina [75].

No pretendemos ahora hacer una enumeración exhaustiva de todos los edificios cristianos de los primeros siglos. Pretendemos tan sólo examinar aquellos datos que puedan facilitarnos una visión más o menos clara de las diversas influencias en nuestro cristianismo primitivo. Entre los grupos basilicales de clara influencia africana pertenecientes a los siglos VI y VII y los pocos edificios cristianos pertenecientes al siglo IV cuyo conocimiento ha llegado hasta nosotros y que no pueden adscribirse a las mismas influencias, existe una serie no despreciable de construcciones del siglo V, en gran parte mal conocidas y de las cuales no siempre se puede determinar con claridad su planta, sus funciones, su cronología y sus modelos o precedentes. Bástenos mencionar aquí los edificios de Rosas, Ampurias, La Cocosa, Barcelona, San Cugat, Tarrasa, Tarragona, y los del siglo VI de Bobalá (Lérida), Zorita de los

---

[68] Véase asimismo P. DE PALOL, o.c., p.201-10.

[69] La supuesta basílica de Mérida, del siglo IV, no es edificio de culto cristiano.

[70] Cf. L. CABALLERO-TH. ULBERT, *La basílica paleocristiana de Casa Herrera*: Excavaciones Arqueológicas en España 89 (Madrid 1976).

[71] Cf. P. DE PALOL, *Arqueología cristiana* p.71-75; W. HÜBENER, *Zur chronologischen Gliederung des Gräberfeldes von San Pedro de Alcántara, Vega del Mar (Prov. Málaga)*: MadrMitt 6 (1965) 195-214, con bosquejo de plano de Th. Hauschild, fig.3 p.200.

[72] Cf. TH. ULBERT, *El Germo*: MadrMitt 9 (1968) 329-98.

[73] Cf. P. DE PALOL, *Arqueología cristiana* p.79-82; F. DE ALMEIDA-J. L. MARTINS DE MATOS, *Notes sur quelques monuments paléochrétiens du Portugal*.

[74] Es imposible encuadrar en ningún grupo la basílica de Alconétar (Cáceres), dado su pésimo estado de conservación en el momento de su excavación; cf. L. CABALLERO, *Alconétar*: Excavaciones Arqueológicas en España 70 (Madrid 1970). La supuesta basílica de Bruñel, en Quesada (Jaén), no es un edificio de culto cristiano.

[75] Véanse los diversos trabajos sobre el particular de P. de Palol. Aquí habría que tener en cuenta también los dicho en la nota 62 sobre modas o estilos generalizados.

Canes (Guadalajara), Cabeza de Griego (Cuenca) y Aljezares (Murcia). También entre éstas hay algunas de influencia oriental-africana.

De los baptisterios paleocristianos se han ocupado ampliamente P. de Palol y D. Iturgaiz [76]. No es necesario enumerarlos de nuevo, porque, por lo que hace a nuestro tema, no aportan sino una confirmación de la influencia africana a partir del siglo V y, sobre todo, en el siglo VI. De todas maneras recordemos solamente con P. de Palol que «no toda la Península vive en la línea africana de una manera exclusiva. Los contactos de la región del nordeste de la Tarraconense con el mediodía de Francia, con la Provenza, lugar de expansión de las fórmulas creadas en Milán y en el norte de Italia, muchas veces gracias al impulso de San Ambrosio, son del todo evidentes. Los baptisterios de Santa María de Tarrasa y de la catedral de Barcelona creemos son muy explícitos en este sentido» [77].

Y para terminar con esta larga cita de testimonios arqueológicos, recordemos solamente la existencia de ladrillos con decoración en molde (con frecuencia, el crismón), especialmente abundantes en la Bética, cuya producción se prolongó ampliamente, pero que debió de florecer sobre todo en los siglos V y VI, y que siguen en parte modelos norteafricanos [78].

Resumen

Resumiendo los datos principales que hemos estudiado, nos parece que podemos dejar asentadas las siguientes conclusiones:

1. Si atendemos a los datos proporcionados por los restos arqueológicos conservados, es claro que, a partir quizá de finales del IV, se advierte una notable influencia norteafricana en la Tarraconense y costa levantina. Más tarde, y sobre todo en el siglo VI, también en la Bética y la Lusitana.

2. Los pocos restos arquitectónicos pertenecientes al siglo IV que han llegado hasta nosotros no dependen del Africa, sino más bien del Oriente y de Constantinopla.

3. Durante el siglo IV y sobre todo en su primera mitad, los sarcófagos importados de Roma se encuentran por toda la Península. Hay un pequeño grupo de sarcófagos no romanos en la Bureba, que forman como una pequeña isla de influencia no claramente definida, pero que puede considerarse oriental u oriental-africana.

4. En el siglo V, cuando el taller norteafricano de Tarragona está en el apogeo de su producción, en la Bética solamente se han hallado sarcófagos de influencia greco-oriental.

5. Por lo que se refiere, pues, a los datos arqueológicos cristianos,

---

[76] P. de Palol, *Arqueología cristiana* p.147-82, y en otros muchos de sus trabajos; D. Iturgaiz, *Baptisterios paleocristianos de Hispania;* Id., *Entronque hispano-africano* p.534-43.
[77] P. de Palol, *Los monumentos de Hispania* p.177. N. Duval, en la II Reunión de Arqueología Paleocristiana Hispánica, celebrada en Montserrat del 2 al 5 de noviembre de 1978, precisamente al recordar estos paralelos, advirtió la necesidad de tener en cuenta, más bien, un lenguaje común en el mundo mediterráneo.
[78] Cf. P. de Palol, *Arqueología cristiana* p.255-72.

no hay ningún motivo para sospechar un origen africano de nuestro cristianismo, sino todo lo contrario, puesto que el influjo africano es tardío y con anterioridad a él aparece el influjo romano y otros influjos orientales [79].

6. Creemos que ese vacío «africano» que hay entre finales del siglo IV y los orígenes del cristianismo hispano no es posible salvarlo por medio de noticias escritas conservadas, ya que los supuestos mártires africanos no consta que fuesen tales, las conexiones de léxico latino no tienen el valor probativo que se les ha querido dar, como tampoco el célebre episodio de los obispos libeláticos, con la intervención de San Cipriano y su sínodo. La temprana y profunda romanización de buena parte de Hispania, sobre todo de la Bética, y su ˙abundante e intenso contacto comercial y cultural directo con Italia, minimiza la importancia que para nuestro cristianismo haya podido tener la vecindad y contacto evidente con el Africa del Norte.

7. M. C. Díaz y Díaz [80] llega a la sorprendente conclusión de que «la necesidad de vincularse con Roma debió de sentirse muy poderosamente en el siglo V y sobre todo en el siglo VI; la ruptura con Africa que se va produciendo con lentitud se realiza de manera definitiva casi con el establecimiento allí del reino vándalo arriano, que tantas cosas destruyó de la rica herencia que habían dejado los siglos de esplendor de Cartago...» P. de Palol conoce y cita este texto de Díaz y Díaz [81], y añade: «Es evidente este hecho en el campo doctrinal, pero en lo arqueológico, como hemos visto, los contactos [con Africa] son cada vez más estrechos en estos siglos V y sobre todo VI». Si las conclusiones de Díaz y Díaz fuesen válidas, habría que admitir que los contactos crecientes, según la arqueología, con Africa en los siglos V y VI no sólo no son significativos de una mayor vinculación eclesiástica, sino que están en proporción inversa con ésta. En realidad, no creemos que exista esta contradicción, porque los testimonios de vinculación con Roma son anteriores a los siglos V y VI en lo doctrinal y disciplinar. Recuérdese el recurso de Basílides al papa Esteban a mediados del siglo III, la consulta de Himerio de Tarragona antes del 385 y la respuesta del papa Siricio sobre la disciplina de las iglesias hispanas, la carta del papa Dámaso, que se debió de tener en cuenta en el concilio de Zaragoza del año 380; el recurso de Prisciliano a Roma, etc.

8. En todo caso, cuando se trata de *orígenes*, hay que guardarse bien de generalizar indebidamente y perder de vista el hecho innegable de la diversidad de iglesias y comunidades que, aun habitando en una

---

[79] Con razón H. SCHLUNK (*Die frühchristilchen Denkmäler* p.506 n.121), a propósito de la argumentación de J. M. Blázquez, advierte que «nuestros conocimientos, al menos por lo que se refiere a los testimonios arqueológicos, están apenas en los comienzos y exigen todavía muchas y cuidadosas monografías antes de poder pensar en una verdadera síntesis». Pone a continuación algunos ejemplos de testimonios aducidos por Blázquez, de los que hay que prescindir por completo, como, por no citar más que uno, la famosa basílica cristiana de Lixus, de finales del siglo III o principios del IV, que ahora sabemos que es una mezquita del siglo XIV.

[80] M. C. DÍAZ Y DÍAZ, o.c., p.442-43.
[81] P. de PALOL, *Los monumentos de Hispania* p.177 n.24.

misma Península, pudieron recibir el cristianismo y ulteriores influencias de las más diversas regiones del imperio.

II. Antiguas tradiciones sobre los orígenes del cristianismo hispano

BIBLIOGRAFIA

Una *visión general*, con abundante bibliografía: J. FERNÁNDEZ ALONSO, *Espagne:* DictHisGéogrEccl 15 (París 1963) col.892-901; J. VIVES, *Evangelización de España:* DiccHistEclEsp 2 (Madrid 1972) p.887. Véase asimismo: A. FERRUA, *Agli albori del cristianesimo nella Spagna:* CivCatt 91 (1940) IV p.421-31; M. C. DÍAZ Y DÍAZ, *En torno a los orígenes del cristianismo hispánico,* en *Las raíces de España* (Madrid 1967) p.423-43.

Sobre *Santiago:* L. DUCHESNE, *Saint Jacques en Galice:* AnnMidi 12 (1900) 145-79; M. C. DÍAZ Y DÍAZ, *Die spanische Jakobus-Legende bei Isidor von Sevilla:* HistJahrb 77 (1958) 467-72; ID., *La literatura jacobea anterior al códice Calixtino:* Compostellanum 10 (1965) 287-90; J. FERNÁNDEZ ALONSO, *Giácomo il Maggiore. II. S. Giácomo in Spagna:* BiblSanct 4 (Roma 1965) col.364-88; B. DE GAIFFIER, *Hispana et Lusitana. Quelques études sur le problème de S. Jacques de Compostelle:* AnBoll 80 (1962) 395-409; ID., *Le Breviarium apostolorum:* AnBoll 81 (1963) 89-116; ID., *Notes sur quelques documents relatifs à la translation de Saint Jacques en Espagne:* AnBoll 89 (1971) 47-66; G. MALCHIODI, *La lettera di S. Innocenzo a Decenzio, vescovo di Gubbio* (Roma 1921); C. SÁNCHEZ ALBORNOZ, *El culto a Santiago no deriva del mito dioscórido:* MiscEstHist (León 1970) p.419-55; ID., *En los albores del culto jacobeo:* Compostellanum 16 (1971) 37-71; E. FLÓREZ, *España sagrada* 3 (Madrid 1748); A. LÓPEZ FERREIRO, *Historia de la santa A. M. Iglesia de Santiago de Compostela* (Santiago 1898-1909); F. FITA, *Santiago en Galicia. Nuevas impugnaciones y nueva defensa:* RazFe 1 (1901) 70-72.200-205.306-15; 2 (1902) 34-45.178-95; 3 (1902) 49-61.314-23.475-88; Z. GARCÍA VILLADA, *HistEclEsp* I (Madrid 1929) p.27-104; J. GUERRA CAMPOS, *Notas críticas sobre el origen del culto sepulcral a Santiago en Compostela:* CiencTom 88 (1961) 417-74.559-90; ID., *Bibliografía (1950-1969). Veinte años de estudios jacobeos:* Compostellanum 16 (1971) 575-736; ID., *Santiago:* DiccHistEclEsp 4 (Madrid 1975) p.2183-91, con amplia bibliografía; TH. D. KENNDRICK, *Saint James in Spain* (Londres 1960); B. LLORCA, *Historia de la Iglesia católica* I: BAC 54 (Madrid 1950) p.122-35; T. AYUSO, *Standum est pro Traditione,* en *Santiago en la historia, la literatura y el arte* I (Madrid 1954) p.85-126; ID., *¿Vino Santiago a España?* (Zaragoza 1954); P. PEDRET, *La venida de Santiago el Mayor a España,* en *Santiago en la historia, la literatura y el arte* I (Madrid 1954) p.77-82; S. PORTELA PAZOS, *Orígenes del culto al apóstol Santiago en España:* Arbor 25 (1953) 455-71; G. VELASCO GÓMEZ, *Santiago y España. Orígenes del cristianismo en la Península* (León 1948).

Sobre los *«varones apostólicos»:* J. VIVES, *Santoral visigodo en calendarios e inscripciones:* AnSacrTarr 14 (1941) 31-58; ID., *La «Vita Torquati et comitum»:* AnSacrTarr 20 (1947) 223-30; ID., *Las actas de los varones apostólicos:* Miscell. liturg. in honorem L. Cuniberti Mohlberg (Roma 1948) p.33-45; ID., *Tradición y leyenda en la hagiografía hispánica:* HispSacr 17 (1964) 495-508; ID., *Varones apostólicos:* DiccHistEclEsp 4 (Madrid 1975) p.2715; A. FÁBREGA GRAU, *Pasionario hispánico* I (Madrid-Barcelona 1953) p.125-30; II p.255-60; C. GARCÍA RODRÍGUEZ, *El culto de los santos en la España romana y visigoda* (Madrid 1966) p.347-51; E. FLÓREZ, *EspSagr* 3 (Madrid 1748); A. C. VEGA, *La venida de San Pablo a España y los varones apostólicos:* BolRealAcHist 154 1 (1964) 7-78; P. B. GAMS, *Die Kirchengeschichte von Spanien* I (Regensburg 1862) p.76-227; Z. GARCÍA VILLADA, *HistEclEsp* I 1 (Madrid 1929) p.147-68.

Sobre *San Pablo:* Z. GARCÍA VILLADA, *HistEclEsp* I 1 (Madrid 1929) p.105-45; P. B. GAMS, *Die Kirchengeschichte von Spanien* I (Regensburg 1862) p.1-75; F. SAVIO, *La realtà del viaggio di S. Paolo nella Spagna:* CivCatt 65 (1914) I p.424-43.560-73; C. SPICQ, *San Pablo vino a España:* CultBibl 23 (1966) 131-50; ID., *Saint Paul. Les épitres pastorales* I (París ⁴1969) p.121-46; R. THOUVENOT, *Essai sur la Province romaine de Bétique* (París 1940) p.356-61; A. C. VEGA, *La venida de San Pablo a España y los varones apostólicos:* BolRealAcHist 154,1 (1964) 7-78.

LA PREDICACIÓN DE SANTIAGO EN ESPAÑA

La tradición sobre el apostolado de Santiago en España aparece ya desarrollada en un documento de finales del siglo XIII o principios del XIV conservado en un códice del archivo de la basílica del Pilar, de Zaragoza [82]. Contiene este texto, además, la primera mención de la aparición de la Virgen a Santiago en cuerpo mortal. Según este documento, Santiago el Mayor, hermano de Juan, hijo del Zebedeo, recibió el mandato de Cristo de venir a España a predicar la palabra de Dios. Recibe previamente la bendición de la Virgen, quien le ordena que en la ciudad de España en que mayor número de hombres convirtiere a la fe le edifique una iglesia en su memoria. Partió Santiago para España, recorrió Asturias, convirtiendo a uno solo en Oviedo. Pasó a Galicia, predicando en Padrón. Se dirigió después a Castilla («la España mayor») y por fin a Aragón («la España menor»). Predica muchos días allí, pero sólo convierte a ocho hombres. Junto al Ebro tiene lugar la visita de la Virgen; se le aparece sobre una columna, entre millares de ángeles que cantan los maitines. La Virgen le ordena al Apóstol que edifique allí el altar y la capilla. Los ángeles devuelven a la Virgen a Jerusalén, mientras que Santiago comienza inmediatamente la construcción de la iglesia. A continuación ordena de presbítero a uno de los ocho convertidos y se vuelve a Judea.

Hasta aquí, en resumen, la legendaria narración del documento medieval. Pero la noticia escueta de la predicación de Santiago en España es mucho más antigua. La más antigua conocida hasta ahora parece ser la contenida en el *Breviarium apostolorum,* documento redactado, al parecer, hacia el año 600 [83]. La noticia del *Breviario* dice así: «Jacobo, que significa suplantador, hijo de Zebedeo, hermano de Juan; predica en España y regiones de Occidente; murió degollado por espada bajo Herodes y fue sepultado en *Achaia marmarica* el 25 de julio».

Varias veces y por diferentes autores se ha hecho notar, acertadamente, que el problema histórico de la predicación de Santiago en España es diferente e independiente del problema que plantea otra tradición jacobea: la de su sepulcro en Santiago de Compostela. Esta última tradición tuvo quizá mucha mayor resonancia e importancia histórica

---

[82] Z. GARCÍA VILLADA, *HistEclEsp* I 1 p.73-76. Texto latino en *EspSagr* 30 (Madrid 1775) p.426-29.
[83] Véase más adelante.

que la primera; pero ambas juntas fundaron durante siglos una devoción al Apóstol que transcendió ampliamente nuestras fronteras y cuyo gran influjo en la historia de Europa nadie ignora. El convencimiento de estar gozando de una especial protección de Santiago sostuvo muchas veces la moral de los cristianos hispanos en su guerra de reconquista contra los musulmanes y los llevó a la victoria. Las célebres peregrinaciones a Santiago de Compostela constituyeron uno de los más notables fenómenos sociales de la Edad Media: caminos, hospitales, monasterios y otras instituciones nacieron con el solo fin de fomentarlas y cooperar en ellas. Un dato indicativo, p.ej., es el del hospital de Ostabat, por el que alguna vez pasaron unos 5.000 peregrinos diarios [84].

Nuestro cometido no es ocuparnos ahora de todas esas grandes consecuencias históricas, de las que tanto se ha escrito; tampoco de la existencia en Compostela del sepulcro del Apóstol, que ha sido también motivo de controversias y estudios innumerables. Ambos temas, lo mismo que el origen de su culto, se estudiarán en otro volumen de esta historia. Aquí nos toca examinar qué garantías históricas tiene la tradición que atribuye España al apóstol Santiago como campo de evangelización [85].

El primer y principal estudio verdaderamente científico en el sentido moderno es el publicado por L. Duchesne en 1900 [86], que vamos a resumir ampliamente.

Para L. Duchesne, la predicación de Santiago en España es una tradición que se manifiesta tardíamente en los documentos escritos y rodeada de circunstancias poco aptas para acreditarla. Le preceden varios siglos de silencio, siendo así que

1.   Desde el siglo IV, la historia de la Iglesia en Hispania es bastante conocida.

2.   Prudencio, poeta hagiógrafo († p.405), que refiere nombres y tradiciones hagiográficas incluso secundarias, no hace ninguna mención de Santiago.

3.   Se conservan muchos escritos desde el siglo IV al VIII que no hacen ninguna mención tampoco.

4.   La historia de la región gallega precisamente es privilegiada en documentación, gracias, sobre todo, a la crisis del priscilianismo; se conserva una serie casi no interrumpida de documentos de los siglos IV-VI.

5.   En concreto: *a)* Orosio, presbítero de Braga, escribe a principios del siglo V una *Historia universal* que abarca desde los principios del mundo hasta su tiempo, y nada dice de Santiago.

b)   Hidacio, obispo de Aquae Flaviae (c.395-c.468), lugar cercano al actual Compostela, escribe, apenas medio siglo después, una *Crónica* de Galicia, también sin la más mínima alusión.

---

[84] Cf. L. VÁZQUEZ DE PARGA, *Las peregrinaciones a Santiago de Compostela.*
[85] Herodes hizo degollar a Santiago el Mayor (Act 12,1-3) entre los años 42-44. Creemos superflua la discusión sobre si tuvo tiempo para venir a España y volver a Palestina. El problema es si de hecho vino.
[86] L. DUCHESNE, *Saint Jacques en Galice.*

c) San Martín de Braga († h.580) nada dice tampoco en sus escritos [87].

d) En la época visigótica hubo en España muchos escritores eclesiásticos (Isidoro, Braulio, Tajón, Julián, Ildefonso, etc.), y tampoco reflejan la tradición, al menos en sus obras auténticas. Al lado de la literatura hispánica, la romana contemporánea es bien poca cosa (si prescindimos de la correspondencia epistolar de los papas), y, sin embargo, está llena de alusiones a Pedro y Pablo. Lo mismo se diga de los escritores egipcios sobre San Marcos, o en España misma a partir de la divulgación tardía de la tradición jacobea.

6. El mismo silencio sobre Santiago se observa en los vecinos escritores eclesiásticos galos, a pesar de que éstos muestran una cierta avidez por tales tradiciones:

a) En el martirologio jeronimiano, en su recensión gálica (Auxerre, año 595) y también en la primera (siglo v) [88], se advierte preocupación por todo lo que se refiere a los apóstoles. Sobre Santiago solamente se habla de Jerusalén.

b) Gregorio de Tours († 594), en el *De gloria martyrum,* nada dice, aunque conoce bien los santuarios de Hispania.

c) Venancio Fortunato († h.600), en el *De Virginibus,* enumera las regiones de cada apóstol. Designa a Palestina como la región de los dos Santiagos *(Carmen* VIII 3). Es más: en su carta a San Martín de Braga enumera expresamente varios apóstoles y sus respectivas regiones: Roma para San Pedro, Iliria para San Pablo, Etiopía para San Mateo, Persia para Santo Tomás, la India para San Bartolomé, Grecia para San Andrés; Francia debe la luz del Evangelio a Martín el Antiguo: Galicia, en cambio, la debe a Martín el Nuevo, es decir, a San Martín de Braga, a quien escribe *(Carmen* V 2) [89].

d) Del mismo tiempo es la colección de narraciones apócrifas sobre los apóstoles recopilada en las Galias, conocidas bajo el nombre del Pseudo-Abdías. Tampoco se hace ninguna mención de Santiago en España.

7. Los pocos textos que se aducen como testimonio de la tradición en estos primeros siglos son demasiado genéricos:

a) San Jerónimo [90] dice: «Viendo Jesús a los apóstoles a la orilla del mar de Genezaret remendando sus redes, los llamó y los envió más adentro para convertirlos, de pescadores de peces, en pescadores de hombres; y ellos predicaron el Evangelio desde Jerusalén al Ilírico y a las Españas, abarcando en breve tiempo incluso la misma potente urbe

---

[87] E. ELORDUY *(La cuestión jacobea en San Martín de Braga:* Publicações do XIII Congreso Luso-Espanhol [Coímbra 1957] p.5-54) trata de demostrar que San Martín de Braga consideraba Lugo como «sede apostólica», y que, por tanto, conocía la tradición jacobea. Véase la acertada crítica de B. DE GAIFFIER en AnBoll 80(1962)399-400.

[88] Así opinaba L. DUCHESNE aun sin contar con la edición de Quentin-Delehaye.

[89] Cf. E. ELORDUY, *De re jacobea:* BolRealAcHist 135(1954)323-60, y A. MORALEJO, *Sobre el sentido de unos versos de Venancio Fortunato:* Compostellanum 3 (1958) 341-48.

[90] JERÓNIMO, *Comm. in Is XII 42:* ML 24,440.

romana». Si valiese el argumento para Santiago en España, habría que admitir que San Andrés y San Juan predicaron en el Ilírico [91].

b) La única referencia escrita es la contenida en los llamados *Catálogos bizantinos* o *Catálogos apostólicos*. Los textos originales de éstos están escritos en griego, en los siglos V y VI, y todos colocan a Santiago en Palestina. Solamente en una posterior versión latina, del siglo VII, llamada *Breviarium apostolorum* se lee por fin que Santiago predicó en Hispania y lugares occidentales. Pero los mismos catálogos griegos carecen ya de todo valor histórico, puesto que están compuestos a base de escritos apócrifos y de imaginación. La versión latina introduce tres innovaciones: San Mateo en Macedonia, San Felipe en Francia y Santiago en España. Las tres innovaciones tienen el mismo valor. No sabemos de dónde provienen. Estos catálogos latinos son ignorados por Venancio Fortunato, Gregorio de Tours y el Pseudo-Abdías.

c) Aldhelmus, abad de Malmesbury (nacido h.639), habla ya de la predicación de Santiago en España [92], pero la noticia la toma del *Breviarium apostolorum* [93].

d) En la obra *De ortu et obitu Sanctorum Patrum,* que se atribuye a San Isidoro de Sevilla, se repiten las noticias del *Breviarium.* Pero la obra parece apócrifa.

8. Además de un silencio tan significativo existen algunas negaciones de la tradición:

a) Inocencio I Papa escribe en el año 416 una carta en la que afirma que en toda Italia, Francia, España, Africa, Sicilia e islas intermedias no ha constituido iglesias más que Pedro o sus discípulos [94].

b) San Julián de Toledo, primado de España desde el año 680, escribe en el 686 el *De sextae aetatis comprobatione.* En él se habla de la predicación de San Mateo en Macedonia, de donde se deduce que conoció el *Breviarium apostolorum;* sin embargo, corrige la noticia sobre Santiago, y dice: «de la misma manera, Santiago ilustra Jerusalén, Tomás la India y Mateo Macedonia».

9. La liturgia mozárabe, en cuanto podemos juzgar por los manuscritos anteriores al siglo XII, no muestra especial solicitud por Santiago. La fiesta se celebra en el mes de diciembre, junto a la de su hermano Juan o inmediatamente después, como en Oriente. La fiesta del 25 de julio consta en el siglo VI en el martirologio jeronimiano, pero en España se introduce más tarde. En muchos calendarios de los siglos X y XI falta todavía [95].

---

[91] Otros autores han recordado otros textos, igualmente genéricos e imprecisos, de Dídimo el Ciego y Teodoreto; cf. Z. GARCÍA VILLADA, *HistEclEsp* I 1 p.58-61.
[92] ML 89,293.
[93] Cf. E. ELORDUY, *De re jacobea.*
[94] Cf. el texto en nuestro capítulo anterior.
[95] El trabajo de L. Duchesne se extiende también al problema del sepulcro en Compostela. H. Delehaye, después de resumirlo, lo juzgó así: «Como se puede ver por este corto resumen, Mgr. Duchesne, con su perspicacia y seguridad acostumbrada, ha aclarado netamente el origen preciso de las tradiciones relativas al viaje y al sepulcro de Santiago en España. Su argumentación es irreprochable, y no hay manera de escapar a las conclusiones bien claras de sus investigaciones» (AnBoll 19[1900]353).

Desde la publicación de este artículo y sobre el mismo tema se han sucedido innumerables trabajos, algunos de los cuales han logrado puntualizar mejor uno u otro aspecto del problema, pero la situación actual de nuestros conocimientos se puede decir que es substancialmente la misma que nos legó Duchesne. A algunos autores eclesiásticos españoles no les parece que el vacío de testimonios durante los seis primeros siglos sea suficiente para poner en duda el valor histórico de la tradición. Z. García Villada trata de explicar casi uno por uno el caso de todos los autores que, según Duchesne, no hablan y deberían haber hablado; pero sus explicaciones no consiguen modificar el estado de la cuestión. Insiste además en la escasez de documentación, recordando que la persecución de Diocleciano había hecho desaparecer casi todos los escritos cristianos a principios del siglo IV. Tampoco de San Pablo hay documentación, y, sin embargo —dice—, es muy probable que predicase en España. T. Ayuso afirma [96] que esa ausencia de documentos sobre los propios asuntos es casi una peculiaridad de España, citando el caso de Osio, de las obras de Gregorio de Granada (Elvira), de Prisciliano, de la correspondencia epistolar con el exterior, de la que solamente conservamos las respuestas; de la escasez de actas de mártires, etc.

También arguye con el silencio sobre San Pablo. Este último argumento parece muy significativo a J. Vives [97], y para J. Guerra Campos es tan definitivo, que llega a afirmar: «el máximo argumento, tan minuciosamente analizado por Duchesne, del silencio de los escritores españoles antiguos se destruye de una vez con advertir que el mismo silencio, y aún mayor, afecta a la predicación de San Pablo» [98]. La seriedad y erudición de estos autores obligan a dejar constancia aquí de este contraargumento del silencio sobre la predicación de San Pablo en España. Por mi parte, no logro persuadirme de su valor; en primer lugar porque parte de un supuesto —la estancia en España de San Pablo— que no está probado y contra el que existe precisamente un fuerte argumento: el silencio de las fuentes españolas. Además, porque, si se diese por probado como hecho, no como mera expresión de un deseo, la prueba sería justamente la existencia de testimonios antiguos, no hispanos, que también faltan en el caso de Santiago.

El argumento del silencio, tal como lo presentó Duchesne, sigue siendo fundamental, y queda reforzado por otros argumentos positivos, como el del texto de Inocencio I, ya aludido, cuya fuerza probatoria sigue en pie a pesar de las atenuaciones que se ha intentado buscarle. Al argumento negativo de Duchesne pueden añadirse otros en la misma línea, como lo hace, p.ej., y en tiempos muy recientes, el eminente historiador C. Sánchez Albornoz, quien en primer lugar afirma que, «pese a todos los esfuerzos de la erudición de ayer y de hoy, no es posible, sin embargo, alegar en favor de la presencia de Santiago en

---

[96] T. Ayuso, *Standum est pro traditione*, en *Santiago en la historia, la literatura y el arte* I (Madrid 1954) p.85-126.

[97] J. Vives: HispSacra 8 (1955) 233-34.

[98] J. Guerra Campos, *Santiago:* DiccHistEclEsp 4 (Madrid 1975) p.2185.

España y de su traslado a ella una sola noticia remota, clara y autorizada. Un silencio de más de seis siglos rodea la conjetural e inverosímil llegada del apóstol a Occidente, y de uno a ocho siglos la no menos conjetural e inverosímil *translatio*. Sólo en el siglo VI surgió entre la cristiandad occidental la leyenda de la predicación de Santiago en España; pero ella no llegó a la Península hasta fines del siglo VII». Más adelante añade: «La Iglesia española no conservaba ninguna tradición sobre la cristianización de España por Santiago. Parecen acreditar esa ignorancia varios hechos, inexplicables si aquélla hubiese existido. De haber creído los peninsulares en la predicación jacobea en tierras hispanas, es seguro que Santiago no habría ocupado un lugar insignificante en la epigrafía paleocristiana, visigoda y mozárabe. Y sería incomprensible que no se hubiese celebrado la festividad del Apóstol en la liturgia hispano-visigoda ni en la mozárabe temprana» [99].

Como apuntaba más arriba, los numerosos trabajos publicados en los últimos años han logrado puntualizar mejor algún que otro aspecto del problema, aunque sin llegar por eso a cambiar nada substancialmente. Se trata, sobre todo, del momento y el entorno de la primera noticia alusiva a la predicación de Santiago en España. L. Duchesne la situaba en el *Breviarium apostolorum*, obra que considera una traducción de los catálogos griegos, de la que hacía depender, además, la misma o parecida noticia conservada en el *De ortu et obitu Sanctorum Patrum*, cuya paternidad isidoriana negaba. El *Breviarium apostolorum* no puede considerarse hoy día ya como una traducción de los catálogos griegos, a los que se hubiese añadido simplemente alguna noticia; entre ellas, las de Santiago en España. Según ha propuesto B. de Gaiffier, el *Breviarium* es una obra compuesta en Occidente hacia el año 600, testimoniada por innumerables manuscritos; los más antiguos, del siglo VIII, independientemente del *De ortu et obitu*, y procedente, quizá, de una fuente anterior común que actualmente no conocemos [100].

Varios autores se han ido inclinando en favor de la inclusión del *De ortu et obitu Sanctorum Patrum* entre las obras auténticas de San Isidoro [101], aunque últimamente Sánchez Albornoz sigue considerándolo apócrifo [102]. Si la obra no pertenece a San Isidoro o el pasaje relativo a Santiago está interpolado, entonces habrá que admitir que San Isidoro

[99] C. SÁNCHEZ ALBORNOZ, *En los albores del culto jacobeo:* Compostellanum 16 (1971) 37-71. A continuación de las frases citadas desarrolla el argumento en las p.45-52. Cf. A. FÁBREGA GRAU, *Pasionario hispánico* p.198: «El silencio del oracional tarraconense y la falta de otras memorias de reliquias y templos a él dedicados que no tuvo en España hasta finales del siglo IX, hacen muy sospechosa la tradición española de la evangelización apostólica por parte de Santiago de nuestra Península». También M. C. DÍAZ y DÍAZ, *En torno a los orígenes* p.426-27: «La narración de este apostolado de Santiago circuló como puro dato de erudición hasta que se abre camino popular a fines del siglo VIII de la España del Norte, y quiero subrayar lo de España cristiana del Norte porque entre los mozárabes... el culto a Santiago, que alcanza un relieve notable, no aparece nunca interferido por la noticia de su predicación hispánica».

[100] B. DE GAIFFIER, *Le «Breviarium apostolorum»:* AnBoll 81 (1963) 89-16.

[101] Cf. M. C. DÍAZ, Y DÍAZ, *Index scriptorum Medii Aevi Hispanorum* I (Salamanca 1958) n.103; ID., *La literatura jacobea anterior al Códice Calixtino:* Compostellanum 10 (1965) 287-90.

[102] Cf. C. SÁNCHEZ ALBORNOZ, o.c., p.42-44.

ignoraba la tradición [103]. En caso contrario, parece que dependería del mismo texto perdido del que parece depender el *Breviarium,* que sería el que introdujo en Occidente la leyenda. B. de Gaiffier propone exactamente esta hipótesis: «¿Sería demasiado audaz pensar que el autor de la compilación, de la que encontramos trazas en el *Breviarium* y en el *De ortu et obitu Sanctorum Patrum,* al constatar que en los catálogos griegos el Occidente se beneficiaba poco de la actividad de los doce, ha reservado a Santiago y a Felipe este campo de acción»? [104]

Los siete «Varones apostólicos»

Varios manuscritos del siglo X han conservado unas actas o vidas de los llamados posteriormente «varones apostólicos».

Los hechos que cuentan estas actas pueden resumirse así:

Torcuato, Tesifonte, Indalecio, Segundo, Eufrasio, Cecilio y Hesiquio son ordenados en Roma por «los santos apóstoles» y se dirigen a predicar la fe católica a España. Conducidos por Dios, llegan a Acci (Guadix). Descansaban cerca de la ciudad mientras que los paganos celebraban en ella las fiestas de Júpiter, Mercurio y Juno. Al ser reconocidos los discípulos cristianos enviados en busca de alimento, arremeten contra ellos, persiguiéndolos hasta el río, donde los perseguidores perecen en gran cantidad al romperse milagrosamente el puente. Sembró consternación el milagro, y una mujer nobilísima y virtuosa llamada Luparia los mandó llamar, interrogándolos a continuación sobre su procedencia. Confiesan los siete que habían sido enviados por los santos apóstoles para predicar el Reino de Dios y el Evangelio en España, le exponen brevemente el mensaje, y obtienen su conversión. Le mandan que antes de recibir el bautismo haga construir un baptisterio y una basílica. Así se hace: se consagra el altar a San Juan Bautista, se bautiza Luparia y se convierten los paganos. A continuación se dispersan los siete: Torcuato permanece en Acci, Tesifonte marcha a Bergi, Hesiquio a Carcere (?), Indalecio a Urci, Segundo a Abula, Eufrasio a Iliturgi y Cecilio a Iliberri.

En contra de lo que pensaron algunos autores [105], estas actas, conservadas en manuscritos del siglo X, transmiten un texto, probablemente redactado en los siglos VIII o IX, que constituye «la narración primitiva admitida oficialmente en los pasionarios o leccionarios visigóticos o mozárabes de todas las épocas»; y no ha existido ninguna recensión anterior sensiblemente diversa ni más sobria [106].

[103] Cf. M. C. Díaz y Díaz, *Die spanische Jakobus-Legende bei Isidor von Sevilla:* HistJahrb 77 (1958) 467-72; defendía aquí la interpolación, pero posteriormente acepta todo el texto como genuino; Id., *La literatura jacobea* p.287-90.
[104] B. de Gaiffier, o.c., p.110. A Felipe se le atribuyen las Galias.
[105] Cf. Z. García Villada (*HistEclEsp* I 1 p.152-55), que se inspira en unas consideraciones equivocadas de Quentin. Más recientemente, A. C. Vega (*La venida de San Pablo* p.25-63) se esfuerza en vano por mantener la misma tesis. Cf. J. Vives, *Tradición y leyenda* p.495-508.
[106] Cf. J. Vives, *La «Vita Torquati et comitum»;* Id., *Las actas de los varones apostólicos».*

Según la hipótesis propuesta por J. Vives, estas actas pudieron ser la «creación de un hagiógrafo mozárabe huido quizá de la Bética hacia el Norte en el siglo VII, tan fecundo en la producción de esta clase de textos literarios». Está de acuerdo A. Fábrega Grau, quien vuelve a afirmar también que estas actas «se redactarían a mediados del siglo VIII, por un hagiógrafo poco escrupuloso que, refugiado hacia el Norte, muy lejos de la Bética, donde nadie podía objetarle, fantaseó esta redacción...» [107]

La narración, pues, de las actas es sin duda una leyenda sin valor histórico; «una de tantas narraciones legendarias de la Alta Edad Media, tan pródiga en producciones parecidas» [108].

¿Queda alguna posibilidad a la crítica histórica de discernir un núcleo original de noticias verdaderas sobre los «varones apostólicos»?

Desgraciadamente, no. Además de las actas, existen otros documentos que contienen noticias sobre San Torcuato y sus compañeros. Estos documentos son los oracionales, los martirologios y los calendarios. En las recensiones posteriores al siglo VII se hace mención de la fiesta de los siete varones apostólicos, resumiéndose en estos libros, como siempre, las noticias de las actas. Pero en el oracional de Tarragona, conservado en manuscritos de los siglos VII-VIII, no hay formularios especiales para ellos. Los martirologios que hacen mención son todos del siglo IX; el más antiguo de los «martirologios históricos», que es de mediados del siglo VIII, no los conmemora, como tampoco el jeronimiano, del siglo VI. Las recensiones de los siglos X y XI de los calendarios mozárabes conmemoran la festividad de los varones apostólicos; el único que es de los siglos VI-VII, y precisamente de la Bética, el de la inscripción de Carmona, los omite [109].

Todavía algunos autores modernos consideran la leyenda de los siete varones apostólicos como una tradición que «en sus líneas generales es auténtica y descansa sobre sólidos fundamentos». Estas frases son de García Villada [110], en el que fundamentalmente se apoyan los demás, sin observar que las bases principales de sus razonamientos han perdido su consistencia al invertirse totalmente el orden cronológico que él suponía para los calendarios mozárabes, orden que se apoyaba en el convencimiento de que el calendario de Recemundo, del año 961, era el más moderno, cuando en realidad, como ha demostrado J. Vives, es precisamente el más antiguo [111].

Para toda la época anterior al siglo VIII hay otro argumento en contra de la posible existencia de un verdadero culto antiguo a los citados varones apostólicos: la existencia de varias inscripciones visigodas de dedicación de basílicas en la Bética, donde se citan nombres de santos a

---

[107] A. FÁBREGA GRAU, *Pasionario hispánico* p.125-30.
[108] J. VIVES, *Tradición y leyenda* p.506.
[109] Resumo el artículo de J. VIVES, *Tradición y leyenda*.
[110] Z. GARCÍA VILLADA, *HistEclEsp* I 1 p.168.
[111] J. VIVES, *Santoral visigodo en calendarios e inscripciones*. Representante destacado de la línea apologética es A. C. VEGA, *EspSagr* 53-54 (Madrid 1961) p.73-80; ID., *La venida de San Pablo a España y los varones apostólicos*: BolRealAcHist 154-155 (1964) 25-78.

quienes se dedican o de reliquias que se deponen con motivo de la dedicación; en ellas jamás aparecen mencionados los varones apostólicos, ni siquiera en la célebre inscripción de Guadix, del año 652, en la que se enumeran más de treinta reliquias [112].

El mismo hecho de que en los calendarios se conmemoren los siete en el mismo día de mayo es para Vives una prueba de que el culto es consecuencia de la leyenda, y no viceversa. La conmemoración litúrgica se hacía en el día aniversario de la muerte. No siendo mártires los siete varones, como es evidente por las actas, y habiéndose dispersado todos por diversas regiones de la Bética, no es fácil comprender cómo pudieron morir el mismo día. Es claro que, si se les conmemora juntos, es porque su noticia primera proviene de la leyenda, que los presenta como un grupo compacto que viene directamente de Roma para evangelizarnos [113].

Existen listas de obispos de Iliberri, Sevilla y Toledo, que se conservan en un códice procedente de San Millán, hoy en El Escorial (códice Emilianense), escrito el año 962. Estas listas merecen confianza en general, porque algunos de sus nombres se han podido confirmar por otras fuentes, aunque igualmente se ha comprobado que existen también en ellas algunos errores y transposiciones.

En la lista de los obispos de Iliberri figura en primer lugar Cecilio, que es también el nombre del «varón apostólico» que se asigna en la leyenda a la misma sede andaluza. A. C. Vega hace notar que la lista de Iliberri es una serie de 62 obispos, mientras que la de Toledo sólo cuenta con 45 (y la de Sevilla solamente 43). El mismo autor añade que no se trata del mismo número de años, «si se tiene en cuenta que Iliberri empieza con San Cecilio en el año 65, y Toledo y Sevilla empiezan a figurar con obispos sólo a fines del siglo III y principios del IV» [114]. Esta argumentación, sin embargo, no aporta ningún nuevo dato en favor de la leyenda. En primer lugar, dar por supuesto que San Cecilio tiene que ser el «varón apostólico», y, por tanto, del siglo I —no digamos del año 65—, es dar por probado lo que se pretende probar; que en una sede haya 45 obispos mientras que en otra, en el mismo tiempo o en unos años más, pueda haber 62, no es nada extraño; baste recordar que en un período de siglo y medio, desde el año 901 al año 1054, mientras que en Constantinopla se sucedieron solamente 15 obispos en la sede patriarcal, en la de Roma hubo 40 papas [115]. Por otro lado, y siguiendo a Vives [116], debemos notar que, si las otras dos listas del códice Emilianense comienzan a finales del siglo III, el principio de la de Iliberri no tiene que distar mucho de esas fechas, lo cual puede también deducirse

---

[112] J. VIVES, art. cit.

[113] C. SÁNCHEZ ALBORNOZ (*Orígenes de la nación española* I [Oviedo 1972] p.28) concede verosimilitud a los varones apostólicos por razones que no convencen.

[114] A. C. VEGA, *EspSagr* 53-54 (Madrid 1961) p.75-77.

[115] Se trataba, sin duda, de circunstancias muy especiales; pero la diferencia fue también extraordinaria: casi dos tercios más en Roma que en Constantinopla y en un espacio bastante corto de tiempo.

[116] J. VIVES, *Tradición y leyenda* p.504-506.

del puesto que ocupa el obispo Flaviano, el que figura en primer lugar en el concilio de Elvira, hacia el año 300. Si Flaviano es el décimo, Cecilio difícilmente podrá haber ocupado la sede en el siglo I [117].

«Es muy verosímil y aun probable —concluye, acertadamente, J. Vives— que el autor de la leyenda tomara para su narración algunos elementos reales, según costumbre; en nuestro caso, los nombres de los obispos y de las sedes que les asigna; si no de todas, a lo menos de muchas. Estos nombres los pudo tomar el hagiógrafo de listas como las que conocemos por el códice Emilianense para Elvira, Sevilla y Toledo. En ellas los obispos no tienen asignada datación alguna; sólo indican que eran obispos antiguos, los primeros conocidos de cada una de las respectivas diócesis. Le era así fácil al autor asignarles la fecha que les conviniera, que fue la de los tiempos apostólicos, ya que verdaderamente se podía creer, y nosotros creemos firmemente, que existieron unos verdaderos varones apostólicos en España de nombre desconocido, y que simbólicamente podían ser personificados en unos nombres elegidos entre los de la antigüedad».

En un momento determinado, después de la localización del sepulcro de Santiago de Compostela, algún escritor del siglo IX llegó a fundir, en parte, las dos tradiciones de predicación apostólica en España: la de Santiago y la de los siete varones apostólicos. En la célebre *Translatio S. Iacobi in Hispaniam* [118] se dice que los discípulos de Santiago que recogieron su cuerpo en Jerusalén y lo trajeron a España eran siete. Al llegar a Galicia con la preciada reliquia se encuentran también allí con una mujer llamada Luparia, quien tenía un gran edificio dedicado a sus ídolos; los siete discípulos acuden a ella para pedirle que les ceda ese edificio para mausoleo del Apóstol. Los remite ella al rey, y éste, indignado, manda perseguirlos; se refugian ellos esta vez en una fuente construida con fuertes muros de piedra que formaban una cripta; escapan después de allí, y, al entrar en ella el rey con los suyos, se derrumba, pereciendo todos. Siguen algunos otros prodigios, hasta que por fin Luparia se convierte, se bautiza y manda destruir los ídolos y purificar el edificio, colocándose allí el cuerpo del Apóstol. Tres de los discípulos permanecieron en aquel mismo lugar, y allí fueron después sepultados junto a Santiago. Los nombres de los tres discípulos eran Torcuato, Tesifonte y Anastasio.

SAN PABLO Y SU PROYECTO DE VIAJE A ESPAÑA

Es un hecho bien conocido por los historiadores que se han ocupado de la hagiografía que, con frecuencia, los santos más populares son aquellos a los que la suerte les deparó unas actas llenas de fantásticos prodigios y de las más llamativas muestras de poderes excepcionales; y

[117] Véase asimismo J. VIVES, *Elvire:* DictHistGéogrEccl 15 (París 1963) col.314-15.
[118] Cf. Z. GARCÍA VILLADA, *HistEclEsp* I 1 docum.15 p.371-73.

todo esto independientemente, por supuesto, del valor histórico de la narración y, a veces, incluso de su mi. :a existencia real.

La popularidad está en proporción directa con el grado de imaginación contenida en la leyenda, a igualdad de difusión básica. Por lo que se refiere al «origen apostólico de nuestro cristianismo» [119], ocurre otro tanto. Las narraciones legendarias medievales popularizaron las tradiciones de los varones apostólicos, y mucho más las que se referían a la predicación de Santiago en España y el traslado de su cuerpo a Compostela. En cambio, los datos históricos escuetos que relacionan a San Pablo con nuestra Península apenas han logrado interesar a nadie a nivel popular, salvo a algunos eruditos que, sobre todo en tiempos recientes, se han ocupado del tema.

Sobre San Pablo y España hay un primer dato absolutamente cierto: San Pablo concibió el propósito de venir a España para predicar el Evangelio. Lo dice él mismo en su carta a los Romanos:

> «... dando la vuelta desde Jerusalén hasta el Ilírico, he completado el anuncio de la buena noticia del Mesías, poniendo así, además, todo mi ahínco en anunciarla donde aún no se había pronunciado su nombre; no quería construir sobre cimiento ajeno, sino atenerme a la Escritura: 'Los que no tenían noticia lo verán, los que nunca habían oído comprenderán'. Las más de las veces ha sido eso precisamente lo que me ha impedido ir a visitaros; ahora, en cambio, no tengo ya campo de acción en esas regiones, y como hace muchos años que siento muchas ganas de haceros una visita, de paso para España..., porque espero veros al pasar y que vosotros me facilitéis el viaje; aunque primero tengo que disfrutar de vuestra compañía. Por el momento me dirijo a Jerusalén... Concluido este asunto y entregado el producto de la colecta, saldré para España, pasando por vuestra ciudad, y sé que mi ida ahí cuenta con la plena bendición de Cristo» [120].

San Pablo, indudablemente, tenía presente las palabras proféticas del salmo 18: «A toda la tierra alcanzó su pregón, y hasta los límites del orbe su lenguaje» [121], y sabía bien, además, que «los límites» occidentales del orbe eran las provincias hispánicas [122]. Su deseo, por tanto, era la lógica consecuencia de su propósito ferviente de evangelización del mundo conocido. Conociendo su ímpetu misionero, bien se puede afirmar que San Pablo debió de cumplir su propósito, a no ser que la prisión o la muerte se lo impidiese o circunstancias nuevas e imprevistas le hiciesen cambiar sus planes.

La carta a los Romanos, en la que San Pablo expresa su deseo de venir a España, fue escrita, según la opinión común de los escrituristas, en los años 57-58. En ella, como hemos visto, anunciaba el Apóstol un

[119] El lector que haya tenido la paciencia de hojear los capítulos precedentes comprenderá bien la razón de las comillas; no tiene sentido hablar de origen único, apostólico o no, africano o romano de nuestro cristianismo.

[120] Rom 15,19-29. Texto castellano tomado del Nuevo Testamento, trad. J. MATEOS (edic. Cristiandad, Madrid 1975) p.411-12.

[121] Cf. Rom 10,18.

[122] Cf. C. SPICQ, *San Pablo vino a España*: CultBíbl 23 (1966) 131-50; especialmente p.132-37.

viaje previo a Jerusalén, que tuvo lugar efectivamente, pero que iba a modificar radicalmente su programa. Efectivamente, en Jerusalén fue detenido y enviado a Cesarea, permaneciendo en esta situación por dos años (años 57-59 ó 59-60). Al cabo de estos dos años iba a viajar a Roma; pero no para visitar a esta comunidad de paso para España, como había sido su deseo dos años antes, sino conducido como procesado que había apelado al emperador, en calidad de ciudadano romano. San Lucas, que cuenta todos estos acontecimientos [123], nos hace saber que San Pablo estuvo en Roma bajo vigilancia, aunque gozando de amplia libertad, durante dos años enteros, «recibiendo a todos los que acudían, predicándoles el Reino de Dios y enseñando lo que se refiere al Señor Jesús Mesías con toda libertad, sin estorbos». La estancia, pues, de San Pablo en Roma debió de abarcar los años 60-62 ó 63, aunque conviene recordar que la cronología de estos últimos años no es un dato histórico que pueda considerarse como definitivamente adquirido.

San Lucas dice que estuvo en Roma dos años enteros. De ahí parece deducirse, aunque no de una manera decisiva, que después de esos dos años quedó libre. Las condiciones de amplia libertad de acción con que se nos describe el cautiverio de Roma favorecen también la hipótesis de un final feliz. San Pablo mismo habla de su cautividad en algunas de sus cartas, como las dirigidas a los Colosenses o a Filemón; también la carta a los Efesios. Pero las dos primeras no sabemos si están escritas desde la cautividad de Roma o desde la de Cesarea; para algunos, la carta de los Efesios no es de San Pablo y se supone escrita entre los años 90 y 100. Ultimamente, Robinson admite su autenticidad, pero la considera escrita al final del verano del año 58, y, por tanto, en Palestina. En la carta a los Filipenses, San Pablo expresa también su convicción de que continuará vivo y podrá ir a visitarlos [124]. Z. García Villada llama la atención «sobre la fuerza que estas cartas tienen para probar que San Pablo fue puesto en libertad el año 63»; pero parte del supuesto que la carta a los Filipenses, p.ej., está escrita en el año 63; hoy en día, más bien se la data entre los años 54-57; Robinson, últimamente, en la primavera del 58. Lo menos que se puede deducir de estas vacilaciones en la datación es que no pueden servir esos textos como prueba de su liberación romana, porque no consta que se refieren a esta última prisión.

En las cartas pastorales, San Pablo habla de nuevo de su prisión, pero en un tono mucho más sombrío.

Del conjunto de todos estos datos, lo más que se puede deducir en el estado actual de nuestros conocimientos es que San Pablo probablemente quedó libre en Roma en el año 62 ó 63, para después ser apresado de nuevo y ejecutado, bajo Nerón, entre los años 64-67. En ese espacio de tiempo pudo venir a España, como había sido su propósito cuatro años antes.

Fuera de Hispania son abundantes los testimonios escritos antiguos

---

[123] Act 21-28.
[124] Flp 1,25-26; 2,24.

que afirman que San Pablo vino a nuestra Península. Son textos de Clemente Romano, del *Fragmento muratoriano,* de las actas apócrifas de Pedro y Pablo, de San Jerónimo, San Atanasio, San Cirilo de Jerusalén, San Epifanio, San Juan Crisóstomo y Teodoreto. Para algunos autores, como F. Savio [125], Z. García Villada [126], B. Llorca [127], T. Ayuso [128], A. C. Vega [129], C. Spicq [130] y otros, la venida de San Pablo a España debe considerarse como históricamente cierta ante estos testimonios. Otros autores, en cambio, no creen que los textos aducidos sean tan decisivos, y prefieren mantener una actitud de prudente reserva. Así, p.ej., A. Ferrua: después de citar el texto de la carta a los Romanos en que San Pablo expresa su propósito de viajar a España, añade: «Pero después sucedieron a San Pablo muchas cosas que no había nunca pensado, las cuales pudieron ciertamente hacerle cambiar de plan. De hecho, no sabemos con certeza si llegó alguna vez a realizarlo, p.ej., entre la primera y la segunda prisión. Ya los antiguos tenían ideas poco determinadas sobre este punto, y quizá sacadas únicamente de aquel texto de la carta de los Romanos. Sin embargo, el conjunto de sus testimonios ha inducido a muchos y graves historiadores modernos a la afirmativa» [131].

El texto más antiguo es el de Clemente Romano:

> «Por el celo y la emulación consiguió Pablo el premio de la paciencia. Soportó siete veces las cadenas; desterrado, lapidado, predicó en Oriente y en Occidente y obtuvo la fama ilustre de su fe. Enseñó a todo el mundo la justicia y llegó hasta el extremo del Occidente; dando testimonio ante las autoridades, salió de este mundo y se fue al lugar santo, ejemplo grande de paciencia» [132].

A fines del siglo II o principios del III se suele colocar el texto conservado en los fragmentos llamados muratonianos [133]:

> «Lucas resume al óptimo Teófilo los hechos de todos los apóstoles, porque todo sucedía en su presencia, como lo demuestra evidentemente la omisión de la pasión de Pedro y del viaje de Pablo desde la Urbe a España».

Probablemente son del siglo III una serie de actas apócrifas de los apóstoles Pedro y Pablo, en las que la imaginación ha suplido con creces

[125] CivCatt 65 (1914)I 424-43.
[126] O.c., p.118-43.
[127] *Historia de la Iglesia Católica* I: BAC 54 (Madrid 1950) p.135-39.
[128] *La «Vetus latina hispana»* I (Madrid 1953) p.320-21.
[129] BolRealAcHist 154 (1964) 15-20.
[130] CulBíbl 23 (1966) 140-43; ID., *Saint Paul. Les épitres pastorales* I (París ⁴1969) c.6.
[131] A. FERRUA, *Agli albori del cristianesimo nella Spagna* p.422. Una actitud semejante adopta M. C. DÍAZ Y DÍAZ, *En torno a los orígenes* p.428-31.
[132] CLEMENTE, I *Cor* 5,5-7: F. X. FUNK, *Patres Apostolici* I (Tübingen 1901) p.104-106; D. RUIZ BUENO, *Padres Apostólicos:* BAC 65 (Madrid ²1967) p.182. La fecha generalmente propuesta para los textos de Clemente suele ser la última década del siglo I.
[133] Cf. S. RITTER, *Il frammento Muratoriano:* RivArchCrist 3 (1926) 215-67. J. CAMPOS (*Epoca del «Fragmento muratoriano»:* Helmantica 11[1960]485-96) defiende que el texto latino es de principios del siglo V, pero es versión de un texto griego anterior. A. C. SUNDBERG (*«Canon Muratori»: a fourth-century List:* HarwTheolRev 66[1973]1-41) lo considera compuesto en el siglo IV. No parece que su tesis obtenga gran acogida.

la falta de datos abundantes. En algunas de ellas se habla también del viaje de San Pablo a España:

> «Habiendo llegado a Roma San Pablo procedente de las Españas, le salieron al encuentro todos los judíos...» [134]
> «Ayunó tres días, y oró Pablo al Señor para que le mostrase lo que debía hacer, y vio una visión en la que le decía el Señor: 'Pablo, levántate y con tu presencia corporal sé el médico de los que están en España'» [135].

Todos estos testimonios pueden representar, sin duda, una tradición viva todavía, transmitida por testigos presenciales de los hechos; sobre todo, el texto de Clemente, el más antiguo. En él es difícil no reconocer a nuestra Península en la expresión «el extremo del Occidente». Pero, si se parte de la duda metódica y no de un interés expreso por defender la venida, queda siempre la incertidumbre ya expresada más arriba: puede tratarse simplemente de una ilación del deseo de venir expresado por el mismo Pablo y de la creencia de que la segunda carta a Timoteo la escribió Pablo en la cárcel de Roma, en un segundo cautiverio poco antes del martirio. En esta carta se dice: «En mi primera defensa, ninguno se presentó en mi favor, todos me abandonaron... Pero el Señor estuvo a mi lado y me dio fuerzas; quería anunciar íntegro el Mensaje por mi medio y que lo oyera todo el mundo pagano».

De hecho, una buena parte de los textos posteriores acrecientan esta incertidumbre, y algunos llegan a convertirla en fundada sospecha. P.ej., San Jerónimo:

> «Pablo fue puesto en libertad por Nerón para que predicase el Evangelio de Cristo también en las regiones occidentales, como él escribe en la segunda carta a Timoteo cuando padecía en la cárcel, desde donde dictaba la carta...» [136]. «[Pablo] viajó, llevado en naves extranjeras, por Panfilia, Asia, Macedonia y Acaya, por diversas islas y provincias; hasta Italia también, y, *como él mismo lo escribe, hasta España*» [137].

San Jerónimo tiene presente la carta a los Romanos en su otro texto:

> «Pablo, llamado por el Señor, se desbordó sobre la haz de toda la tierra para predicar el Evangelio desde Jerusalén hasta el Ilírico y no edificar sobre cimiento ajeno donde ya se había predicado; y para extenderse hasta España desde el mar Rojo, incluso desde océano a océano, imitando a su Señor, Sol de justicia, del que leemos: 'Asoma por un extremo del cielo y su órbita llega hasta el otro extremo'; de tal manera que le faltase antes el espacio que el deseo de predicar» [138].

---

[134] *Passio Sanctorum Apostolorum Petri et Pauli*: R. A. LIPSIUS-M. BONNET, *Acta Apostolorum Apocrypha* I (Leipzig 1891)p.118.
[135] *Actus Petri Apostoli* c.1-3: L. VOUAUX, *Les Actes de Pierre* (París 1922) p.230. El texto original puede ser de los años 180-90. El texto continúa con la despedida de Pablo, que marcha por mar hacia las provincias hispánicas.
[136] Cita el texto de 2 Tim 4,16-17; *De vir. ill.* 5: ML 23,647.
[137] *Comm. in Is* l.4 c.11: ML 24,154.
[138] *Comm. in Amos* l.2 c.5: ML 25,1094.

La misma carta a los Romanos está en la mente de una serie de escritores griegos:

San Atanasio en su carta a Draconcio:

> «Por esto, ese ardor de santos de ir a predicar hasta el Ilírico y el no dudar de marchar hasta Roma y embarcarse hasta España, trabajando al máximo para alcanzar mejor recompensa» [139].

San Cirilo de Jerusalén:

> «Llevó el Evangelio desde Jerusalén hasta el Ilírico, catequizando incluso la Roma imperial y extendiendo hasta España el deseo de predicar» [140].

San Juan Crisóstomo dice de San Pablo:

> «No está quieto en un lugar, sino que va desde Jerusalén hasta el Ilírico, y marcha a España y por todo el mundo como llevado por alas» [141].
> «Después de estar en Roma, de nuevo se fue a España» [142].
> «Dos años estuvo preso en Roma; después fue puesto en libertad. Después marchó a España y bajó a la Judea, donde visitó a los judíos. Y entonces de nuevo marchó a Roma, donde pereció bajo Nerón» [143].

San Epifanio dice solamente:

> «Pablo llegó a España; Pedro recorrió muchas veces el Ponto y la Bitinia» [144].

Teodoreto de Ciro se remite igualmente al mismo Pablo y a los Hechos:

> «Y se cumplió lo predicho; escapó primero de la ira de Nerón, como lo expresó en la carta a Timoteo; dice así... (2 Tim 4,16-17). Y la historia de los Hechos nos enseña que primero estuvo en Roma dos años, habitando en su casa alquilada; y de allí marchó a España, transmitiendo el divino Evangelio a los de allí; volvió, y entonces fue decapitado. Habiendo narrado esto de sí mismo, pasa a hacer la exhortación» [145].

Admitido, pues, que la venida a España de San Pablo no es históricamente cierta, pero sí posible, su influencia en la fundación de iglesias en nuestra Península debió de ser, en todo caso, mínima. Como dice muy bien M. C. Díaz y Díaz, «curiosamente, ninguna iglesia local ha conservado la menor huella de esta actividad paulina ni el recuerdo de esta evangelización, ni ha reclamado jamás este noble origen, al contra-

---

[139] *Carta a Dracon.* 4: MG 25,528.
[140] *Cateq.* 17,26: MG 33,997.
[141] *Com. 1 Cor* homil.13: MG 61,111.
[142] *Com. 2 Tim 4* homil.10: MG 62,659.
[143] *Com. Hebr* pref.: MG 63,11.
[144] *Panar.* I,II haer. 27: MG 41,373.
[145] *Com. Flp* I 25-26: MG 82,565-68. En su *Com. 2 Tim* 4,17: MG 82,856 dice: «Apeló y fue enviado a Roma, bajo Festo; defendido, resultó absuelto y marchó a España; y, pasando a otros pueblos, les llevó la luz de la enseñanza».

rio de lo que ha sucedido con tantas otras del ámbito griego... Si en realidad vino Pablo a España, se produjo una discontinuidad entre su predicación y la vida eclesiástica posterior; sus fundaciones, si las llegó a haber, no pervivieron; ninguna iglesia podría con derecho llamarse paulina, porque sus orígenes no presentan continuidad con las comunidades posteriores...» [146] El silencio de los escritores eclesiásticos hispanos es absoluto.

Por último, y aunque se trate de un testimonio aislado, no se puede ignorar un hecho: a finales del siglo V, el papa Gelasio estaba persuadido de que San Pablo había cambiado de opinión, y, aunque tuvo tiempo, no vino a España:

> «Algunas veces se dice que se va a hacer lo que después, por diversas causas, no se hace; como el bienaventurado Apóstol, que prometió ir a España a causa de su misión evangelizadora, y que, sin embargo, no fue, por cierta disposición divina» [147].

> «Así, p.ej., no hay que pensar que el bienaventurado apóstol Pablo nos engañó —Dios nos libre— o se contradijo, porque prometió ir a España y después no pudo cumplirlo, impedido por causas mayores. En cuanto tocaba a su voluntad, dijo lo que realmente quería hacer; después tuvo que abandonar el propósito movido por disposición de arriba, ya que él, como hombre, aunque lleno del espíritu de Dios, no pudo conocer todos los secretos de las divinas disposiciones...» [148].

Para otros muchos, en cambio, parece que, si San Pablo había prometido llegar a España, se debía dar por supuesto que cumplió su promesa, movido quizá también por lo que España significaba como «último confín de la tierra», hasta donde los apóstoles debían llevar el Evangelio [149].

[146] M. C. Díaz y Díaz, *En torno a los orígenes* p.430.
[147] *Epist.* 97,67: CSEL 35 I p.427.
[148] *Epist.* 103,24 (Concilio Romano del 495): CSEL 35 I p.483. Cf. A. Ferrua, *Agli albori del cristianesimo* p.422.
[149] Por otra parte, consta que San Pablo cambió alguna vez sus planes a pesar de sus promesas: cf. 2 Cor 1,15-22 y 2,12-13.

CAPÍTULO V

LA IGLESIA HISPANA EN EL IMPERIO ROMANO DEL SIGLO IV

BIBLIOGRAFIA

R. RÉMONDON, *La crisis del imperio romano de Marco Aurelio a Anastasio* (Barcelona 1967); M. ROSTOVTZEFF, *Historia social y económica del imperio romano* (Madrid 1937); A. BALIL, *La España del Bajo Imperio; problemas y perspectivas de estudio ante una nueva etapa de investigación:* Actas III CongrEspEstClás I (Madrid 1968) p.175-207; ID., *Aspectos sociales del Bajo Imperio (VI-VII):* Latomus 24 (1965) 886-904; ID., *De Marco Aurelio a Constantino:* Hispania 27 (1967) 245-341; ID., *La defensa de Hispania en el Bajo Imperio. Amenaza exterior e inquietud interna:* Legio VII Gemina (León 1970) p.601-20; J. M. BLÁZQUEZ, *El imperio y las invasiones desde la crisis del siglo III al año 500,* en *Historia económica y social de España* I (Madrid 1973) p.332-450; ID., *Rechazo y asimilación de la cultura romana en Hispania,* en *Assimilation et resistence:* IV CongrIntEtClass (Bucarest-París 1976) p.63-94; G. LACHICA, *La estructura económica de Hispania en el Bajo Imperio:* Zephyrus 12 (1961) 55-169; P. DE PALOL, *Demografia y arqueología hispánicas de los siglos IV al VIII. Ensayo de cartografía* (Valladolid 1966); ID., *Castilla la Vieja entre el imperio romano y el reino visigodo en relación a la ciudad de Lugo:* Actas ColIntBimLugo (Lugo 1977) p.157-74; K. FR. STROHEKER, *Spanien im spätrömischen Reich (284-475):* ArchEspArq 45-47 (1972-74). Homenaje al Prof. H. Schlunk, p. 587-606; J. GAUDEMET, *L'Église dans l'empire romain* (París 1958); ID., *La législation religieuse de Constantin:* RevHistEglFran 33 (1947) 25-61; ID., *La condamnation des pratiques païennes en 391;* Epektasis. Mélanges Card. Jean Daniélou (París 1972) p.597-602; K. L. NOETHLICHS, *Zur Einflussnahme des Staates auf die Entwiklung eines christlichen Klerikerstandes:* JahrbAntChrist 15 (1972) 136-53; V. DE CLERCQ, *Ossius of Cordova* (Wáshington 1954); G. KRÜGER, *Die Rechtsstellung der vorkonstantinischen Kirchen* (Stuttgart 1935); J. GAGÉ, *Les classes sociales dans l'empire romain* (París [2]1971); H. GÜZLLOW, *Christentum und Sklaverei in den ersten drei Jahrhunderten* (Bonn 1969); P. ALLARD, *Los esclavos cristianos desde los primeros tiempos de la Iglesia hasta el ocaso de la dominación romana en Occidente* (Madrid 1900); R. GAYER, *Die Stellung des Sklaven in den paulinischen Gemeinden und bei Paulus* (Berna-Frankfurt 1976); J. IMBERT, *Reflexions sur le christianisme et l'esclavage en droit romain:* RevIntDroitAnt 2 (1949) 445-76; J. DUTILLEUL, *Esclavage:* DictThéolCath 5 (París 1913) col.457-520; A. RASTOUL, *Affranchissement:* DictHistGéogrEccl 1 (París 1912) col.681-84; J. MANGAS, *Esclavos y libertos en la España romana* (Salamanca 1971); A. E. DE MAÑARICÚA, *El matrimonio de los esclavos:* AnGreg 23 (Roma 1940).

Las reformas de Diocleciano y los cambios operados en el imperio por Constantino y sus sucesores transformaron tan profundamente las condiciones de vida y las relaciones oficiales con la Iglesia, que, al ocuparnos de la historia de esta última en el siglo IV, es imprescindible resumir, en algún modo, las vicisitudes más notables de la vida política y social del imperio.

EL CUADRO POLÍTICO DEL IMPERIO

El paso del siglo III al IV tiene lugar en el imperio romano bajo el signo de la tetrarquía.

El ilirio Diocles ejercía un alto cargo en la corte del emperador Caro. Muerto este último, el año 283, y también su hijo Numeriano un año después, Diocles fue proclamado emperador por el ejército en septiembre del año 284, llamándose desde entonces DIOCLECIANO. Se asocia como césar al también ilirio Maximiano, quien en el año 286 combate y reduce en las Galias el movimiento revolucionario de los bagaudas. En el año 287 son ya augustos ambos ilirios, aunque, para marcar una cierta jerarquía, el primero se titula DIOCLECIANO JOVEO, y el segundo MAXIMIANO HERCÚLEO. En el año 293 cristaliza al fin la llamada *primera tetrarquía.* Cada augusto se asocia un césar. Para Oriente, el augusto DIOCLECIANO, que reside en Nicomedia, cuenta con la ayuda del césar GALERIO, sin que exista una división territorial clara entre ambos. En Occidente, el augusto MAXIMIANO, que reside en Aquileya o en Milán, gobierna directamente en Italia, Africa e Hispania, mientras que su césar CONSTANCIO CLORO reside normalmente en Tréveris y se encarga de la Britania y las Galias [1]. El imperio sigue siendo uno solo, pero esta distribución territorial tiende a hacer más eficaz la reforma fiscal y a reforzar la defensa militar. La existencia de un césar junto a cada augusto asegura también la sucesión, aunque privilegiando a los hijos adoptivos, los césares, contra los hijos naturales, en contra de las inclinaciones del ejército, lo que conducirá a serias dificultades desde la primera ocasión de sucesión, que se da con motivo de la abdicación de los augustos.

En tiempos de esta primera tetrarquía se da la última de las persecuciones generales en el imperio romano: la conocida como persecución de Diocleciano, y cuya aplicación se llevó a cabo con muy diversos grados de rigor, según la actitud hacia el cristianismo propia de cada uno de los tetrarcas, y aun, en muchos casos, de los diversos presidentes o gobernadores de las provincias. De ella nos hemos ocupado en el capítulo II al tratar del testimonio histórico de las actas de los mártires hispanos.

La persecución terminó en Occidente con la abdicación de Diocleciano y Maximiano, que tuvo lugar el día 1.º de mayo del 305. A partir de ese momento, GALERIO es el augusto de Oriente; MAXIMINO DAIA es su césar. En el Occidente, funcionando también la mecánica prevista en la sucesión tetrárquica, CONSTANCIO CLORO es el nuevo augusto, y SEVERO su césar. En la *segunda tetrarquía,* las provincias de la diócesis de Hispania pasan a depender del augusto Constancio desde este momento [2]. El césar Severo se encarga de Italia, Africa, quizás también de Hispania, una vez muerto Constancio Cloro en el 306, aunque parece

---

[1] Cf. A. BALIL, *De Marco Aurelio a Constantino:* Hispania 27 (1967) 245-341.
[2] Cf. A. BALIL, o.c., p.285 n.101 y p.332. Hasta este momento habían estado bajo el mando directo de Maximiano.

más probable que la Península pasase directamente al dominio de Constantino.

A la muerte de Constancio Cloro comienza a derrumbarse el sistema previsto para la sucesión. El hijo de Constancio, CONSTANTINO, fue aclamado por las tropas de su padre. Ante la imposibilidad de evitarlo, se transige, nombrándolo oficialmente césar y confirmando a SEVERO como augusto sucesor de Constancio. Comienza así la *tercera tetrarquía;* pero poco después, el hijo de Maximiano, MAJENCIO, se proclama emperador y busca el apoyo de su padre, que había abdicado de mala gana y ahora acepta el título de augusto efectivo. Severo es derrotado y muerto. Maximiano se encuentra con Constantino para buscar una solución negociada. Acepta éste el título de augusto y la mano de Fausta, hija de Maximiano. Majencio queda dueño de Italia y quizá de Hispania. Pero por poco tiempo. Rompe Maximiano con su hijo, acude de nuevo a Constantino, pero conspira contra él y muere (310). LICINIO es el augusto oficial de Occidente; en el Oriente, Maximino Daia fue proclamado augusto el 310, y fue reconocido como tal por Constantino a la muerte de Galerio en el 311. Por fin, Constantino se enfrenta con Majencio, venciéndolo, junto al Ponte Milvio, en la famosa batalla del 28 de octubre del 312.

La persecución, que había cesado en Occidente con la abdicación de los primeros augustos, continuaba en el Oriente bajo Galerio y Maximino Daia. Sin embargo, y sin que sepamos las causas de tal cambio, Galerio, poco antes de morir, exactamente el 30 de abril del año 311, promulgó un edicto en nombre de los cuatro emperadores, en su calidad de *senior,* por el que se reconocía y toleraba el cristianismo. Maximino Daia hizo caso omiso del edicto y continuó persiguiendo a los cristianos, hasta que en el 313 fue vencido y muerto por Licinio.

Pero era Constantino el que iba a transformar totalmente las relaciones oficiales del imperio con los cristianos. En una conferencia entre Constantino y Licinio celebrada en Milán a fines del año 312 o principios del 313, se llegó a un acuerdo para garantizar la libertad de culto, acuerdo que se refleja en el documento promulgado por Licinio en Nicomedia el 13 de junio del año 313, y que ha pasado a la historia con el nombre de *edicto de Milán.* De él nos ocuparemos más adelante. A pesar del acuerdo, Licinio no veía con buenos ojos el cristianismo y persiguió a los cristianos. La persecución terminaría por fin en todo el imperio al desaparecer de la escena Licinio, vencido por Constantino en el 324.

Nos hemos detenido algo en la enumeración de todos estos hechos porque corresponden a una época decisiva para la historia de la Iglesia en el imperio romano. Puede decirse que con el advenimiento de Constantino se inicia una nueva época de características sumamente diferentes de las que acompañaron la vida de los fieles y la marcha de la organización eclesiástica en los tres primeros siglos. No es, por supuesto, el siglo IV una época homogénea ni estática en la vida de la Iglesia en el imperio; pero los diferentes acontecimientos que tuvieron lugar en su transcurso se pueden considerar como altibajos y evolución de la línea emprendida por Constantino desde sus primeros años de gobierno. Por esta razón, en este párrafo, que se refiere solamente al cuadro político del imperio, es suficiente presentar sinópticamente el esquema de los emperadores que le sucedieron. A la muerte de Constantino en el 337, de nuevo se divide el mando, esta vez entre sus hijos Constante, Constancio y Constantino. Hispania queda bajo el mando de Constantino II, pero éste muere en el 340, pasando desde entonces a Constante, que, a su vez, muere en el 350 a manos del usurpador Magnencio [3]. Hispania quedó bajo el mando de Magnencio, que muere en el 353. Desde la muerte de Constante, Constancio II quedó como único emperador, hasta su muerte en el 361.

A la muerte de Constancio se produce un cambio notable: le sucede Juliano el Apóstata, que pretende restaurar el culto pagano y se muestra adversario decidido del cristianismo. Pero sus planes quedan frustrados por su pronta muerte en el 363. Se restaura la línea cristiana con Joviano (363) y con la dinastía valentiniana: Valente, Valentiniano I, Graciano, Valentiniano II y Teodosio I, emparentado con la familia por su matrimonio con Gala, hija de Valentiniano I y de Justina.

Tres eran los augustos desde el 379 al 383: Graciano, Valentiniano II y Teodosio. En el 383, el usurpador Magno Máximo derrota y elimina a Graciano, apoderándose de toda la prefectura de las Galias, en la cual está comprendida Hispania. Teodosio lo reconoce como augusto. Máximo tendrá una decisiva intervención en el problema hispánico del priscilianismo. Mientras tanto, desde Milán gobierna Italia, bajo la tutela de su madre Justina, Valentiniano II; en su territorio, y bajo su mando, hay un cierto resurgir del paganismo, aunque efímero, porque Máximo en el 387 desposee a Valentiniano II, para quedar definitivamente derrotado por Teodosio en el año siguiente.

En el 392, Valentiniano II aparece ahorcado en Vienne. En las Galias queda proclamado emperador el usurpador Eugenio, que contaba con las simpatías de la nobleza pagana de Roma. También ahora Hispania quedaba bajo el dominio del usurpador. Teodosio lo vence en el año 394.

El 17 de enero del 395 moría Teodosio I. Le suceden sus dos hijos de su primer matrimonio con Aelia Flaccilla: Arcadio en Oriente (395-408) y Honorio en Occidente (395-423), bajo la regencia del vándalo Estilicón (asesinado en el 408). Bajo el reinado de Honorio tendrán lugar las grandes invasiones, que llevarán consigo otro gran giro en la historia de Occidente.

En Hispania, el siglo IV es, sin embargo, un siglo bastante pacífico. Mientras que en tantas provincias del imperio se lucha denodadamente contra los enemigos externos y se agitan interiormente por los alzamientos de los usurpadores, la península Ibérica, situada en zona interior, «en el fin del mundo», se mantiene alejada de amenazas externas.

---

[3] Constantino muere en Elna, en los Pirineos. A él pudo pertenecer el mausoleo de Centcelles (Tarragona), como ha propuesto H. Schlunk.

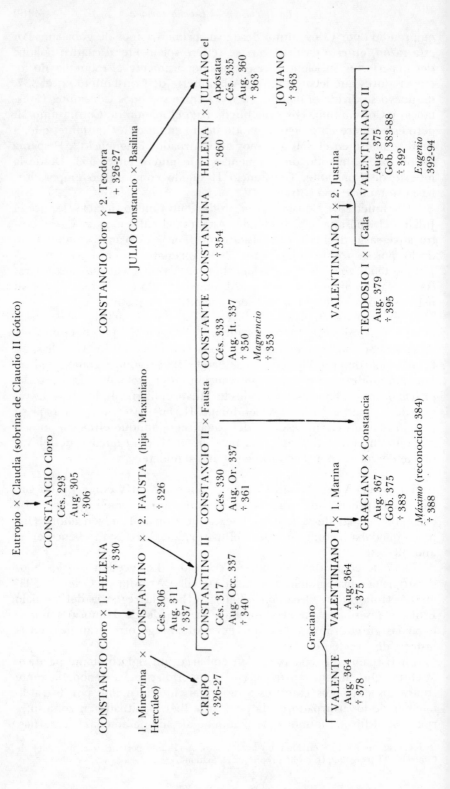

Eutropio × Claudia (sobrina de Claudio II Gótico)

CONSTANCIO Cloro
Cés. 293
Aug. 305
✝ 306

CONSTANCIO Cloro × 2. Teodora
✝ 326-27

JULIO Constancio × Basilina

CONSTANCIO Cloro × 1. HELENA
✝ 330

1. Minervina × CONSTANTINO × 2. FAUSTA (hija Maximiano
Hercúleo)   ✝ 326

CRISPO
✝ 326-27

CONSTANTINO II
Cés. 317
Aug. Occ. 337
✝ 340

CONSTANCIO II × Fausta
Cés. 330
Aug. Or. 337
✝ 361

CONSTANTE
Cés. 333
Aug. It. 337
✝ 350

Magnencio
✝ 353

CONSTANTINA
✝ 354

HELENA × JULIANO el
✝ 360   Apóstata
             Cés. 335
             Aug. 360
             ✝ 363

JOVIANO
✝ 363

Graciano

VALENTE
Aug. 364
✝ 378

VALENTINIANO I × 1. Marina
Aug. 364
✝ 375

VALENTINIANO I × 2. Justina

GRACIANO × Constancia
Aug. 367
Gob. 375
✝ 383

Máximo (reconocido 384)
✝ 388

TEODOSIO I × Gala
Aug. 379
✝ 395

VALENTINIANO II
Aug. 375
Gob. 383-88
✝ 392

Eugenio
392-94

Por eso, su guarnición militar es mínima en esta época. Es verdad que esta última circunstancia le acarreó el sometimiento a todos los usurpadores que se establecían en las Galias y dominaban la prefectura con su poderoso ejército. Pero ese mismo sometimiento sin resistencia posible evitó las luchas internas y contribuyó a mantener el clima de paz prácticamente durante todo el siglo.

En el siglo IV, el paganismo, no eliminado todavía en la Península y especialmente arraigado en ciertas zonas del Norte, perdió, sin embargo, importancia. Una prueba de ello es que todos los hombres ilustres conocidos son cristianos —entre ellos hay que recordar a Iuvencus, uno de los primeros poetas latinos cristianos, y a Acilio Severo, el primer *praefectus Urbis* cristiano—. No hay tampoco ningún indicio en Hispania de reacción pagana, a pesar de los esfuerzos realizados en este sentido por Juliano el Apóstata y no obstante la favorable actitud mostrada por el usurpador Eugenio.

A fines ya del siglo, un español llegará a ser emperador: Teodosio I. No pocos hispanos le siguen a su corte de Constantinopla. A uno de éstos debe corresponder el mausoleo de Puebla Nueva (Toledo) y su correspondiente sarcófago, que se expone hoy en el Museo Arqueológico Nacional de Madrid. También era español su prefecto del pretorio, Maternus Cynegius. Pero Teodosio y sus sucesores se hallaban muy lejos de Hispania y muy ocupados en graves problemas, que le hicieron perder toda conexión directa con nuestra Península [4].

EL AMBIENTE SOCIOECONÓMICO

Constantino siguió las grandes líneas de la reforma de Diocleciano, dirigidas a la salvación de un imperio que se tambaleaba desde hacía mucho tiempo. La «anarquía militar», las luchas internas, las invasiones de francos y alamanos, las continuas amenazas en las fronteras, habían debilitado la población, esquilmado los recursos y sembrado el descontento y la inseguridad. Era necesario, entre otras cosas, disciplinar y reforzar el ejército y reconstruir las ciudades. Para ello había que sanear las finanzas, frenar la inflación y reformar el fisco.

Diocleciano, Constantino y sus sucesores pusieron todo el empeño en la organización de una burocracia que asegurase una recaudación eficaz. Y la presión tributaria llegó a ser realmente no sólo eficaz, sino en muchos casos insostenible. No tenemos una información clara y precisa que permita conclusiones generales seguras en todo caso. Pero parece cierto que en la reforma se procuró simplificar el modo de tributar con ventaja para la administración, pero con daño del contribuyente [5]. Partiendo de un deseo muchas veces manifestado de repartición equita-

---

[4] Cf. K. F. STROHEKER, *Spanien im spätrömischen Reich:* ArchEspArq 45-47 (1972-74) 587-606.
[5] Cf. M. ROSTOVTZEFF, *Historia social y económica del imperio romano* II (Madrid 1937) p.447-94.

tiva de las cargas, se aplicó para el censo agrario una unidad de valor equivalente —el *iugum*—, unidad a tenor del valor real diferente de cada tierra o producto, combinado además con la otra unidad, también de valor equivalente —el *caput*—, unidad tributaria por personas y animales. Efectivamente, para que una determinada extensión de tierra cultivable produjese una riqueza imponible determinada, no sólo era imprescindible valorar la calidad de la tierra, sus condiciones de cultivo, etcétera —todo lo cual queda valorado con la extensión variable del *iugum*—; también había que saber la cantidad de labradores necesarios para su explotación. Así, los propietarios debían tributar según los *iuga* que poseían y según los *capita* o labradores que eran necesarios. Solamente después de fijados y estimados ambos extremos podía distribuirse cada año el presupuesto global entre todos los contribuyentes.

Varios inconvenientes graves se siguieron de este sistema. En primer lugar, la imposibilidad de prever de antemano cuál sería la carga fiscal de cada año, pues ésta dependía de cuáles fuesen los gastos del Estado. En teoría, además, la *iugatio* se cobraba en especie, y la *capitatio* en metálico. Pero el proceso de creciente devaluación de la moneda inclinó a la administración a preferir una recaudación en especie que se unió a la *annona*, convertida ya en institución permanente. Con la devaluación, salarios y precios quedaron cada vez más desequilibrados, lo mismo que los ingresos, con respecto a los gastos, o a la producción, con respecto al consumo, «y la pérdida de la capacidad de compra por parte de los *humiliores* se tradujo en un aumento de beneficios por parte de los perceptores de rentas variables, singularmente los pertenecientes al grupo de los *potentiores*» [6]. Aumentó la concentración de la propiedad agraria, y los pequeños *possessores* y los colonos no encontraban otra salida para librarse de la presión tributaria que refugiarse bajo la protección de un gran señor [7].

El sistema combinado puesto en vigor hacía responsable al *possessor* de sus tierras y de sus colonos, que formaban con ellas una sola unidad. Los colonos, pues, aun no siendo esclavos, eran auténticos siervos de la tierra, vinculados de por vida y hereditariamente al campo de su señor, sin ninguna posibilidad de cambiar su situación y estado.

Por otra parte, las condiciones, sobre todo de los *humiliores,* en la ciudad no eran diferentes, porque los no exentos de los cargos, oficios y trabajos públicos estaban también obligados a permanecer en ellos, lo mismo que los militares y sus hijos.

Se había pretendido superar la gran crisis con una gran planificación estatal, con tendencia en principio igualitaria, a base de una gran burocracia y de un ejército fuerte que ejercía una rígida función policial. Se fortificó así el Estado a expensas de la antigua autonomía municipal, de la libertad y del libre comercio [8], mientras que los colonos, los artesanos y los curiales, al quedar vinculados a su lugar y oficio, se

---

[6] A. Balil, *De Marco Aurelio a Constantino* p.321.
[7] Cf. J. M. Blázquez, *El imperio y las invasiones* p.378.
[8] Cf. V. C. de Clercq, *Ossius of Cordova* p.3-5.

convertían en verdaderas castas. Como siempre, en condiciones semejantes, el sistema logró en un principio poner un cierto orden en el caos económico, consiguiendo una primera mejora de las condiciones de vida. Los ingresos del Estado aumentaron sensiblemente, como también los de los *potentiores.* Es verdad que la crisis exigía una contención en el gasto público. No la hubo, lo que supuso otra nueva desventaja en orden a una posible solución. Pero los grandes edificios públicos que surgieron, las obras de defensa que se emprendieron y las magníficas villas que se hicieron construir los poderosos contribuyeron a crear una cierta sensación de seguridad y de prosperidad externa, de la que numerosos hallazgos arqueológicos dan testimonio.

Sin embargo, no hay que dejarse engañar. Aunque convenga abstenerse de afirmaciones demasiado concretas y seguras que no se apoyan en una documentación suficiente, puede decirse que, en general, el resultado fue un progresivo empobrecimiento de los más débiles. M. Rostovtzeff describe así el sombrío panorama:

«Los tributos opresivos e inicuos, basados en la esclavización de los agricultores en el campo y de los artesanos en la ciudad; la parálisis de la vida económica, cuyo libre curso impedían las cadenas que aprisionaban a cada individuo [...] no podían por menos de producir su efecto natural. El espíritu de la población siguió tan deprimido como durante la guerra civil [...]. Era inútil luchar [...]. Este estado de ánimo era inevitable, pues todo esfuerzo honrado se hallaba de antemano condenado al fracaso; y cuanto más producía un individuo con su trabajo, más le quitaba el Estado [...]. El colono de un gran terrateniente se daba por contento con cumplir sus obligaciones para con él y gozar, en cambio, de la protección —y de la opresión— de su patrono: la suerte de su vecino, el campesino libre, no era tal que pudiera inducirle a esfuerzo alguno encaminado a compartirla. Y lo mismo sucedía a los artesanos de la ciudad y a los desgraciados curiales [...].
El rasgo más saliente de la vida económica del período final del imperio romano fue el empobrecimiento progresivo. Cuanto más pobre iba siendo el pueblo, más primitiva se hacía la vida económica del imperio. El comercio decayó no sólo a causa de la piratería y de las invasiones bárbaras, sino, sobre todo, la falta de clientes...» [9]

Refiriéndose a la etapa inaugurada con el triunfo de Constantino sobre Majencio, A. Balil, como buen conocedor de la materia y prudente historiador, escribe que es «una etapa en la cual las noticias y los datos referentes a las provincias de Hispania parecen rarificarse y en la cual toda valoración requiere una prudencia y un propósito de análisis que no siempre han abundado» [10]. Según el mismo autor [11], no sabemos «cuáles fueran nuestro *caput* y nuestro *iugum,* o si los habitantes de las ciudades gozaban de privilegios análogos a los de sus congéneres en las Galias y Africa...»

Como en otras muchas zonas del imperio, puede comprobarse en Hispania que, no obstante la riqueza y esplendor manifiestos en no po-

[9] M. Rostovtzeff, *Historia social y económica* II p.470-71.
[10] A. Balil, o.c. p.341.
[11] A. Balil, *La España del Bajo Imperio* p.175-207.

cos hallazgos de villas y residencias de privilegiados *potentiores*, la gran masa del pueblo, clase media y baja, se halla cerca de la ruina o sumergida en ella. Como varias veces se ha señalado, especialmente por parte de P. de Palol y A. Balil —ya aludimos a esto en el capítulo primero—, en el Bajo Imperio, la Bética y, en general, el sur de la Península pierde su puesto preeminente, desplazándose éste hacia el Norte, a cuyas ciudades secundarias pertenecen los nombres relevantes y en cuyas *villae rusticae* aparecen los más ricos mosaicos pavimentales, con temas clásicos estos últimos, que muestran, además, un cierto cultivo intelectual de sus poseedores [12].

Los grandes poseedores de latifundios llegaron a formar auténticas unidades autárquicas que competían ventajosamente con las ciudades. En este aspecto como en tantos otros hay que guardarse, sin embargo, de medir por el mismo rasero todas las provincias hispanas. Algunas ciudades, sobre todo del Sur, experimentan una verdadera recuperación a lo largo del siglo IV. Según J. M. Blázquez [13], en la Bética y en el sur de la Lusitana había una gran concentración de ciudades, mientras que en el Centro y Norte había pocas y muy distantes unas de otras.

Más allá de estas consideraciones, bastante genéricas, poco podemos saber de las condiciones de vida de los pueblos de Hispania en el siglo IV. Los datos proporcionados por las necrópolis señalan un buen desnivel entre aquellos que pueden permitirse el lujo de importar un rico sarcófago de mármol labrado para su sepultura y aquellos otros, la gran masa, que solamente puede contar con una *forma* cavada en la tierra, cubierto el cadáver tan sólo por unas tégulas o unas ánforas. Pero son datos muy escasos para juzgar las diferentes condiciones de vida. No consta que en esta época se diesen en Hispania movimientos bagáudicos como los de las Galias, y, aunque es probable que existiesen, poco o nada sabemos de su importancia y exacta significación [14]. También se ha exagerado al querer dar un carácter casi exclusivamente social al movimiento religioso del priscilianismo, único movimiento que perturbó seriamente la paz de Hispania en la segunda mitad del siglo IV y más adelante, del que nos vamos a ocupar en un próximo capítulo. Antes hay que prestar atención de nuevo al imperio para hacer un breve recorrido de la legislación que va surgiendo a lo largo del siglo, y que se refiere ya directamente a la Iglesia.

---

[12] Desgraciadamente, la enorme riqueza arqueológica de Andalucía está en gran parte por estudiar. No hay que excluir que, si algún día se procede a excavarla y estudiarla antes de su desaparición, los nuevos datos revelados por el estudio sistemático cambien, en algún modo, la apreciación general hasta ahora dominante.

[13] J. M. BLÁZQUEZ, *El imperio y las invasiones* p.346.

[14] En el concilio de Granada, en contra de lo que se ha afirmado, no existe el menor eco de estas revueltas de carácter social. El canon 41, al que se ha aludido en este sentido, no se refiere a ninguna revuelta de carácter social, sino a la irritación que podría producir en los siervos esclavos la supresión de los altares o estatuas paganas por parte del amo cristiano.

LEGISLACIÓN ROMANA E IGLESIA

Dos documentos fundamentales que cambiaron radicalmente la situación de los cristianos en el imperio son, como ya hemos recordado, el edicto de Galerio del 30 de abril del 311 y el llamado *edicto de Milán*, de Constantino y Licinio, del 313. El primero no muestra ninguna especial simpatía hacia los cristianos. Galerio recuerda las anteriores disposiciones de persecución, justificándolas por el deseo de restablecer el orden público con la restauración de las antiguas leyes y costumbres romanas; pero, dada la «terquedad y la insensatez» de los cristianos, decide extender a ellos «su bien dispuesta indulgencia, disponiendo que de nuevo pueda haber cristianos y puedan reconstruir sus lugares de reunión, con tal que no perturben el orden» [15].

El llamado *edicto de Milán* es un rescripto que aplica el edicto de Galerio, reflejando la nueva actitud adoptada por Constantino, todavía de mera libertad religiosa, pero con desaparición ya de toda prevención contra los cristianos, a los que se trata, por el contrario, con favorable disposición. El texto que ha llegado hasta nosotros es el que Licinio publicó en Nicomedia el 13 de junio del 313, transmitido igualmente por Lactancio y Eusebio. Se alude en él al encuentro de Milán entre Constantino y Licinio, «donde tratamos —dicen— de todo lo referente al bien y a la seguridad pública, creyendo oportuno empezar, ante todo, por reglamentar, entre otras muchas cosas que habrían de asegurar el bien de la mayoría, aquellas en cuya base estaba la reverencia a la divinidad: dar a los cristianos y a todos plena libertad de seguir la religión que cada uno quisiese, a fin de que todo cuanto haya de divino en el cielo nos sea benigno y propicio a nosotros y a todos los que están bajo nuestra autoridad. Por eso, hemos creído bueno y justo tomar esta determinación: que a nadie en absoluto, ya sea que haya optado por la religión de los cristianos o por la que cada uno haya creído que es la mejor para él, se le niegue esa posibilidad, para que la divinidad suprema, que veneramos en libertad, nos conceda en todo su habitual favor y benevolencia». Se insiste varias veces en estos mismos conceptos y se repite que «hemos concedido a los cristianos libre y absoluta potestad de practicar su religión» y «también hemos concedido la misma posibilidad de observar su religión abierta y libremente a los demás, como conviene a la paz de nuestro tiempo, de manera que cada uno tenga plena libertad de dar culto a quien crea que debe darlo». Siguen después algunas disposiciones que se refieren solamente a los cristianos, a saber, que los edificios donde solían reunirse les sean devueltos gratis y sin indemnización por parte de los cristianos a aquellos que pretendan haberlos comprado al fisco o a cualquier otro intermediario, sin ninguna clase de escapatoria o ambigüedad. Si alguna reclamación de indemnización quieren hacer, que lo hagan al vicario del emperador. Y puesto que poseían también edificios, propiedad no de los individuos,

---

[15] LACTANCIO, *De mortibus persecutorum* 34: SourcChrét 39 p.117-18; véase asimismo EUSEBIO, *Hist. ecl.* 8,17: BAC 350 (Madrid 1973) p.546-49.

sino de la comunidad como tal, se manda que se restituyan éstos a la iglesia, igualmente sin indemnización por parte de ésta, aunque sí puedan esperarla del emperador [16].

Sin detenerse a leer el documento —de otra manera no se explica—, ha habido autores que han hablado del edicto de Milán como del documento que declaraba el cristianismo religión de Estado. Nada más lejos de la realidad, como se ha visto. Constantino y Licinio proclaman aquí la libertad de cultos, aunque es verdad que en el ánimo de Constantino había ya algo más que un sentimiento de equidad e igualdad para todos. Su opción fundamental estaba hecha y era en favor de los cristianos, a los que trataría de favorecer cada vez más.

Después de asegurar la total restitución de sus bienes a las iglesias o comunidades, «huertos, casas o cualesquiera otra cosa» [17], Constantino se muestra sumamente generoso con ellas [18]. Concede subvenciones al clero [19] ya desde el mismo año 313, si no antes. Sabemos también de su mecenazgo por lo que a construcción de nuevas basílicas se refiere. En el año 321, Constantino reconoce a las comunidades cristianas locales católicas la capacidad de heredar, de modo que cualquiera al morir podía dejarles en herencia cuantos bienes muebles o inmuebles desease; capacidad que no se reconoce a las comunidades judías ni a las cristianas heréticas o cismáticas [20].

El clero católico, hasta hacía muy pocos años objetivo principal de todas las persecuciones, comienza a verse especialmente favorecido desde el primer momento. Probablemente, desde el 312 y aun antes, con toda seguridad desde el 313, Osio, obispo de Córdoba, estaba junto a Constantino como consejero [21]. En los años 313 y 319 se dispone la exención del clero de los *munera,* es decir, de toda función pública civil, para que pueda dedicarse plenamente a sus obligaciones eclesiásticas [22].

San Pablo consideraba vergonzoso, y como tal lo reprochaba a los corintios [23], que los cristianos acudiesen a dirimir sus litigios ante los jueces no cristianos, y los exhortaba a que lo hiciesen ante algún entendido de la comunidad que hiciese de árbitro. Constantino va mucho más lejos, y constituye al obispo en juez de cualquier causa y para cualquier sujeto [24].

Con respecto a la religión pagana, Constantino se mantuvo fundamentalmente fiel al propósito inicial de garantizar la libertad de culto.

---

[16] Cf. LACTANCIO, *De mort. pers.* 48: SourcChrét 39 p.131-35; EUSEBIO, *Hist. ecl.* 10,5,1-14: BAC 350 p.622-26.
[17] Véase la orden al gobernador del Africa, Anulino, en EUSEBIO, *Hist. ecl.* 10,5,15-17: BAC 350 p.627.
[18] Para todo este tema cf. J. GAUDEMET, *La législation religieuse de Constantin:* RevHistÉglFran 33 (1947) 25-61; ID., *L'Église dans l'empire romain.*
[19] EUSEBIO, *Hist. ecl.* 10,6,1-3: BAC 350 p.631-32.
[20] *Cod. Theod.* 16,2,4: ed. Mommsen, p.836.
[21] Cf. V. C. DE CLERCQ, *Ossius of Cordova* p.149-60.
[22] *Cod. Theod.* 16,2,1 y 16,2,2: ed. Mommsen, p.835. Véase asimismo EUSEBIO, *Hist. ecl.* 10,7,1-2: BAC 350 p.633-34. Cf. K. L. NOETHLICHS, *Zur Einflussnahme des Staates auf die Entwicklung eines christlichen Klerikerstandes:* JahrbAntChrist 15 (1972) 136-53.
[23] 1 Cor 6,1-8.
[24] Cf. J. GAUDEMET, *L'Église dans l'empire romain* p.231-33.

Con los herejes, en cambio, se mostró más duro a veces; pero, en general, la discriminación con respecto a éstos y a los cismáticos se redujo a no hacerles partícipes de los beneficios dispensados a los católicos.

Por lo que toca a la jurisdición civil de los obispos, los sucesores de Constantino hubieron de dar marcha atrás, reservando las causas criminales al tribunal civil, y más tarde todos los asuntos civiles o penales. En cambio, se desarrolla la figura de la exención del clero de los tribunales civiles. Constancio en el 355 exime a los obispos de toda compare cencia ante el tribunal civil, no permitiendo que sean juzgados sino por un tribunal de obispos [25]. Constancio exime al clero de los impuestos sobre el comercio; la exención fue ampliándose, hasta el punto que parece que hubo comerciantes que se hicieron clérigos para evitar el impuesto. La razón que se da para la exención es ésta: «porque es cierto que la ganancia que obtienen de sus ventas y negocios va en beneficio de los pobres» [26].

En la segunda mitad del siglo IV se creó el cargo del *defensor civitatis,* cuya misión en cada ciudad era la de «hacer las veces de padre de la plebe», saliendo al paso de la insolencia de los oficiales, de la procacidad de los jueces y tratando de evitar toda clase de abusos contra los *humiliores* [27]. La persona que había de ostentar este importante cargo ciudadano era designada al principio por el prefecto del pretorio [28]; más tarde, por elección del pueblo [29], y, a partir del año 409, por los obispos, clérigos, *honestiores* y curiales [30].

Fue en la actitud frente a los no cristianos donde se dio una evolución más rápida y decidida. En el año 341, el emperador Constancio prohíbe los sacrificios [31]. Siguen después diversas alternativas; la más importante fue la breve reacción pagana bajo el emperador Juliano (361-63) y algunos rasgos de tolerancia de Valentiniano I y de Graciano. Pero este último emperador cambió radicalmente de actitud; como gesto sumamente significativo, Graciano rechazó el primero su título de *pontifex maximus.* En el 382 desaparece el altar de la Victoria, hasta entonces presente en el Senado, y se confiscan los templos. Bajo Teodosio, la asistencia a los sacrificios se castiga con el exilio [32]. El 8 de noviembre del 392 se firma el famoso *edicto de Constantinopla,* por el que se prohíbe toda práctica pagana bajo pena de confiscación [33]. Posteriormente cesan las fiestas paganas, se destruyen los templos, o al menos las imágenes y los altares. Aunque dirigido no contra los paganos, sino contra los herejes, el *edicto de Tesalónica,* del 28 de febrero del 380,

---

[25] *Cod. Theod.* 16,2,12: ed. Mommsen, p.838.
[26] *Cod. Theod.* 16,2,10: ed. Mommsen, p.838.
[27] *Cod. Iust.* 1,55,4, del año 385: CIC II p.90.
[28] *Cod. Theod.* 1,29,1, del año 364: ed. Mommsen, I 2 p.63.
[29] *Cod. Theod.* 1,29,6, del año 387: ibid. p.65.
[30] *Cod. Iust.* 1,55,8: CIC II p.91.
[31] *Cod. Theod.* 16,10,2: ed. Mommsen, p.897.
[32] *Cod. Theod.* 16,10,7: ed. Mommsen, p.899.
[33] *Cod. Theod.* 16,10,12: ed. Mommsen, p.900-901. En el 391 se habían promulgado ya dos importantes constituciones contra el paganismo: cf. J. GAUDEMET, *La condamnation des pratiques païennes en 391.*

había convertido realmente el cristianismo ortodoxo en religión de Estado: «Queremos —se dice en él— que todos los pueblos regidos por nuestra clemencia y templanza profesen la religión que el divino apóstol Pedro enseñó a los romanos, como lo declara la religión que él mismo introdujo y es la que profesa el pontífice Dámaso y Pedro de Alejandría, obispo de apostólica santidad. Mandamos que los que siguen esta ley tomen el nombre de cristianos católicos. Los demás son unos dementes y unos malvados, y mandamos que soporten la infamia de la herejía, que sus conciliábulos no reciban el nombre de iglesias y sean alcanzados por la venganza divina primero, y después también por nuestra acción vindicativa, que hemos emprendido por determinación del cielo» [34]. A este edicto siguen numerosas disposiciones legales contra los herejes [35].

En menos de un siglo, el panorama había cambiado por completo. En los primeros siglos, ser cristiano había supuesto un riesgo; a fines del siglo IV, el riesgo consistía en seguir siendo pagano o al menos empeñarse en mostrarlo. Durante toda esta época no hay que extrañarse de que el número de los oficialmente adscritos al cristianismo creciese con ritmo acelerado, sin que necesariamente ni la convicción profunda ni la fe fuesen los motivos principales para solicitar el bautismo.

El cambio desde Constantino fue tan brusco, que indudablemente en los cristianos, al menos en algunos de sus obispos, se produjo un auténtico deslumbramiento. La victoria era total. El gran cambio «lo obró desde el cielo el gran Emperador —escribe Eusebio, contemporáneo del gran acontecimiento— trayendo a su siervo, soldado invicto. Los otros [los perseguidores] eran muchos, muchísimos, como amigos que eran de los demonios. Mejor dicho, ni siquiera eran, como de hecho ya no son. Este [Constantino], único emperador, procedente del Unico, es imagen del único Emperador de todos. Ellos, de ánimo impío, suprimieron a hombres piadosos con cruentos suplicios. Este, imitando a su Salvador, salvó a los mismos impíos, dando una lección de piedad. El Salvador de todos había vencido invisiblemente a las potencias invisibles. [Constantino], como vicario del gran Emperador, persiguió a los vencidos, despojando a los que estaban muertos y consumidos, distribuyendo el botín con generosidad a los soldados del Vencedor» [36]. De repente, el emperador romano, que era el símbolo y encarnación de la enemistad y de la persecución, se convierte nada menos que en el vicario de Dios. Las leyes opresoras desaparecen, para dar paso a toda clase de disposiciones en favor de la Iglesia. La estructura política del Estado se pone al servicio de la comunidad cristiana y de su jerarquía. ¿No significaba todo esto que el Reino de Dios ya había llegado? El imperio romano había unido y pacificado a los pueblos; ahora aceptaba a Cristo. De nuevo es el obispo de Cesarea, Eusebio, quien expresa en su grandilocuencia el gran sentimiento de fervor:

[34] *Cod. Theod.* 16,1,2: ed. Mommsen, p.833.
[35] Cf. J. GAUDEMET, *L'Église dans l'empire romain.*
[36] EUSEBIO, *Laus Constantini* 7: MG 20,1357.

Todo el género humano se hallaba dividido en múltiples naciones, regiones, principados, etc. Y de ahí las continuas guerras, luchas, devastaciones, cautiverios... La causa de todo esto hay que buscarla en la multiplicidad de los dioses. Pero, cuando se alzó en la cruz el cuerpo de Cristo «como trofeo victorioso de los males antiguos, conjurador de demonios, desaparecieron inmediatamente todas las obras de los demonios. Y cesaron poderes, principados, tiranías, democracias y consecuentes devastaciones de ciudades y campos. Se predicó, en cambio, a todos un solo Dios, y juntamente floreció para todos el imperio romano. Y desapareció de un golpe el antiguo odio implacable de los pueblos. *Lo mismo que fue dado a todos los hombres conocimiento de un solo Dios y una sola religión, la doctrina salvadora de Cristo Salvador, juntamente quedó constituido un solo emperador en todo el imperio romano y dominó en todo el orbe una paz profunda.* Así, en el mismo momento, por el asentimiento del único Dios, *brotaron para los hombres dos retoños de bienes: el imperio romano y la doctrina de la piedad...* Lo predicho y escrito en hebreo hace muchos siglos [las profecías del reino del Mesías], *visto ahora por nosotros ya realizado,* garantizan la verdad de las viejas predicciones»[37].

De este inesperado y entusiástico encuentro entre Iglesia e imperio se siguieron pronto graves dificultades para la misma Iglesia, sobre todo porque los emperadores —casi siempre invocados por obispos— impusieron su voluntad en materia de disciplina estrictamente eclesiástica e intervinieron con fuerza en materia de fe, como es manifiesto, p.ej., en el caso del arrianismo y de todos los grandes conflictos que a su cuenta se siguieron después del concilio de Nicea. De ello nos hemos de ocupar más adelante.

LA COMUNIDAD CRISTIANA EN LA NUEVA SITUACIÓN

Ya antes de la nueva época inaugurada por Constantino, las comunidades cristianas poseían bienes propios de la comunidad[38]. Hay que tener en cuenta que la comunidad primitiva se consideraba obligada a mantener a sus fieles desprovistos de recursos, como eran las viudas, los huérfanos, los desposeídos y los enfermos. Antes de Constantino, la fuente casi única de sus recursos eran las donaciones de los fieles. La generosidad privada siguió siendo, con mucha diferencia, la fuente principal de ingresos incluso en el siglo IV, cuando ya se podía contar, además, con las liberalidades imperiales[39]. Algunas iglesias establecidas en ciudades ricas e importantes llegaron a poseer abundantes bienes muebles e inmuebles. Tan cierto como esto es, por otro lado, que muchas comunidades, en cambio, poseían muy poco. Nos consta de la variedad y nuestros conocimientos son demasiado reducidos sobre la situación económica de las iglesias de Hispania como para poder arriesgar un juicio global, que estaría falto de todo fundamento. Hablar de riqueza o pobreza de la Iglesia es referirse a unos bienes que están en

---

[37] EUSEBIO, ibid., 16: MG 20,1421-29.
[38] Cf. G. KRÜGER, *Die Rechtsstellung der vorkonstantinischen Kirchen* (Stuttgart 1935).
[39] Cf. J. GAUDEMET, *L'Église dans l'empire romain* p.288-315.

posesión y al servicio de toda la comunidad, o, en todo caso, de sus administradores, si éstos no fuesen fieles. Pero no es lícito mezclar con este tema otro muy diferente como es el de los bienes poseídos por los cristianos en propiedad privada. Así, p.ej., en el concilio de Granada, varios cánones nos hacen saber, como ya hemos visto, que existían cristianos ricos que poseían *fundi* y servidumbre de esclavos. Pero no hay un solo canon que indique absolutamente nada sobre la riqueza de la Iglesia como corporación, a no ser la insignificante alusión a las ofrendas de los fieles contenida en los cánones 28, 29 y 48 [40].

En el siglo IV, únicamente sabemos que alguna que otra iglesia de Hispania contaba con un edificio de culto de una cierta suntuosidad, ateniéndonos a las descripciones poéticas de Prudencio, que se refieren a las basílicas de Santa Eulalia, en Mérida, y de San Fructuoso, en Tarragona. Evidentemente, semejantes edificios se debían a liberalidades probablemente oficiales, y en todo caso eran consecuencia del gran florecimiento del culto a los mártires que tiene lugar en la segunda mitad del siglo IV. Son bienes inmuebles de la comunidad, considerados como tesoros preciados e intocables de todos y cada uno; pero no constituyen una riqueza capaz de influir en el tenor de vida de los fieles.

En un documento del siglo IV —el *Libellus precum*— se dice que el obispo Potamio de Lisboa, defensor primeramente de la fe nicena, pasó al arrianismo, comprado por el emperador Constancio, del que obtuvo en recompensa una finca pública que ambicionaba. Según el mismo documento, no llegó a gozar de la finca, porque murió repentinamente cuando se dirigía hacia ella [41]. Si se hubiese de admitir el testimonio, tendríamos una prueba de la ambición de un obispo de mediados del siglo IV. No hay que olvidar, sin embargo, que el *Libellus precum* es un escrito polémico del 384 en el que se describen supuestos castigos de Dios, como muerte repentina de Potamio, Osio y Florencio, obispos que habían cedido al final a las presiones arrianizantes del emperador Constancio. Se trata, pues, de un testimonio que puede quizá aportar algunos datos reales, pero que en general es poco digno de fe [42].

Ni los datos de la arqueología ni los de los documentos escritos ofrecen base ninguna para opinar sobre el grado de riqueza de las iglesias de Hispania en el siglo IV.

Existen datos, en cambio, para afirmar que los cristianos, lo mismo que sus otros conciudadanos, pertenecían a diversas clases sociales; así se deduce de las actas de los mártires y de las necrópolis paleocristianas, donde existen sepulturas que responden a todos los niveles económicos. Desgraciadamente, los *humiliores* dejaban poco rastro en la historia antigua; y en la arqueología, los monumentos ricos e importantes son casi los únicos que han podido dejar constancia de sí mismo a través de los

---

[40] Lo contrario afirma, no sabemos por qué, J. M. Blázquez, *El imperio y las invasiones* p.441. V. C. de Clercq (*Ossius of Cordova* p.60) se expresa en nuestro mismo sentido, que, por otra parte, es obvio con la sola lectura de los cánones.

[41] *Libellus precum* 9 y 11: CSEL 35 p.14-15 y 17 = CorpChr 69 p.368 y 370.

[42] Cf. V. C. de Clercq, *Ossius of Cordova* p.485-86; Véase asimismo A. Montes Moreira, *Potamius de Lisbonne* p.88-94. Más adelante nos ocupamos de Potamio.

siglos. Del siglo IV poseemos, p.ej., los mausoleos de Centcelles y Puebla Nueva, que evidentemente fueron construidos para albergar los restos de grandes señores cristianos. También hay que suponer que son cristianos bien situados los destinatarios de los sarcófagos de mármol, sobre todo los importados de Roma, de los que hicimos mención en nuestro capítulo IV.

Los fieles que forman la comunidad de Barcelona en la segunda mitad del siglo IV pertenecen sobre todo a la clase modesta; lo dice expresamente su obispo Paciano en el sermón con que les exhorta a la penitencia: «Menos mal que somos de clase modesta [43]; si no, haríamos lo que no se avergüenzan de hacer algunas y algunos más opulentos: habitaríamos palacios de mármol, iríamos cargados de oro...» Las ampliaciones retóricas que preceden y siguen a estas palabras de Paciano es inútil reproducirlas aquí; poco pueden servirnos como dato histórico para conocer el nivel de vida de los barceloneses, puesto que, además de retóricas, son enumeraciones tomadas —muchas expresiones al pie de la letra— del tratado sobre la penitencia de Tertuliano [44].

La diversidad de clases sociales que se da en la comunidad cristiana se refleja igualmente en el clero, del que forman parte algunos personajes ricos, aunque la mayoría estaba constituida por gente humilde del mismo pueblo. Entre otras razones, Constantino urgió que se aceptasen como clérigos solamente aquellos «que no sean ricos y que no estén obligados al desempeño de cargos civiles» [45]. Valentiniano I, en el 364, dispone que se excluya «absolutamente [del servicio] de la Iglesia a los plebeyos ricos» [46]. El reclutamiento principal, por tanto, no podía hacerse entre los más opulentos. Otro problema es cómo vivían los clérigos una vez constituidos como tales. La base de su sustentación era, indudablemente, el patrimonio eclesiástico. Constantino, al prohibir el ingreso de ricos en el clero, dice: «Conviene que los ricos provean a las necesidades del siglo; los pobres, en cambio, que se sustenten con el dinero de las iglesias» [47]. Por tanto, el nivel de vida de los clérigos tenía que ser muy diferente, como diferente era el patrimonio de cada comunidad, y diferentes eran también las obligaciones de los fieles y el trabajo o el comercio con que se ayudaban los clérigos para vivir. Hemos visto cómo en el canon del concilio de Granada aparece el comercio como una ocupación normal del clero; solamente se exige a diáconos, presbíteros y obispos que no descuiden sus obligaciones eclesiásticas emprendiendo largos viajes para comerciar, sino que se contenten con hacerlo dentro de los límites de la propia provincia; y si para procurarse el sustento fuese necesario comerciar a más amplio nivel, se les manda

---

[43] La frase latina es: «Bene quod mediocres sumus». La expresión *mediocris* corresponde en castellano a humilde, bajo, modesto, simple ciudadano.
[44] PACIANO, *Paraenesis ad paenit.* 10: ed. L. Rubio Fernández, p.152; véase asimismo p.31; TERTULIANO, *De paenit.* 11: ed. F. Oehler, p.662.
[45] *Cod. Theod.* 16,2,3: ed. Mommsen, p.835-36: «fortuna tenues». El documento es del 320. Se reitera la prohibición en el 326. Cf. *Cod. Theod.* 16,2,6: ibid., p.836-37.
[46] *Cod. Theod.* 16,2,17: ed. Mommsen, p.840. Cf. J. GAUDEMET, *L'Église dans l'empire romain* p.163-65.
[47] *Cod. Theod.* 16,2,6: ed. Mommsen, p.837.

que no viajen personalmente, sino que envíen a sus hijos, libertos, empleados o amigos [48].

Difícilmente se puede hablar de riqueza de las iglesias de Hispania durante el siglo IV, y es evidente que en el clero había de todo, pero abundaban, sin duda, los que vivían más bien modestamente. Sin embargo, los favores oficiales y el prestigio social que fueron adquiriendo, sobre todo los obispos, no cabe duda que los fueron convirtiendo en elementos influyentes en la sociedad. Ya hemos mencionado cómo los obispos ejercían también como jueces y nos hemos referido a los diversos privilegios que los emperadores fueron concediendo a la jerarquía eclesiástica. En muchos textos de la literatura patrística pueden encontrarse testimonios de que los obispos usaban con frecuencia su influencia para proteger a los débiles, vigilar la justicia y oponerse a los abusos de los poderosos. En el año 400, el concilio I de Toledo lanza la excomunión contra el cristiano potentado que «despoje a un clérigo o a cualquiera más pobre» [49]. Teodosio y Arcadio se ven obligados incluso a prohibir expresamente a los clérigos que intenten liberar por la fuerza a los condenados por graves crímenes [50].

Un testigo tan poco sospechoso de parcialidad en favor de los cristianos como es el emperador Juliano el Apóstata, no solamente se inspira para su reforma del sacerdocio pagano en la forma de ser y de vivir del clero cristiano de su época, sino que expresamente dice en el año 363: «La negligencia y la incuria de nuestros sacerdotes para con los pobres ha sugerido a los impíos galileos [cristianos] la idea de consagrarse a la beneficencia, y así han consolidado la peor de las empresas gracias a la apariencia de su comportamiento» [51].

Así como, en lo que se refiere a la lucha contra los herejes o contra el paganismo, la jerarquía eclesiástica en repetidas ocasiones se alió con el poder constituido que le era favorable y a veces incluso lo espoleó en el sentido de la represión, no existen testimonios históricos suficientes para afirmar que la Iglesia oficial se hallase identificada plenamente en el siglo IV con el imperio en el orden social y económico establecido ni aun en el caso de que por «Iglesia oficial» se entienda, indebidamente, la jerarquía. No hubo identificación plena, puesto que los obispos combatieron teóricamente con frecuencia algunos de sus fundamentos —como eran la ambición, el amor de la riqueza y el egoísmo— y en la práctica lucharon en defensa de los débiles en repetidas ocasiones. Sin embargo, la reflexión cristiana estaba todavía muy lejos de haber alcanzado en su evolución la madurez suficiente para superar los condicionamientos ambientales y hacerles concebir un propósito de cambio radical de esos mismos condicionamientos [52], algunos tan esencialmente in-

[48] J. M. BLÁZQUEZ (*El imperio y las invasiones* p.379) habla de libertos que, si son clérigos, los patronos los podían enviar a que les procurasen el sustento, según cánones del sínodo de Elvira. Indudablemente, se trata de un *lapsus* a propósito de este canon 19.

[49] Can.11. Cf. J. VIVES, *Concilios visigóticos e hispano-romanos* p.22.

[50] Cf. J. GAUDEMET, *L'empire dans l'Église* p.319.

[51] JULIANO, *Epist.* 89: ed. J. Bidez (París 1960) p.173.

[52] Es anacrónica la afirmación de A. BARBERO (*El priscilianismo, ¿herejía o movimiento*

justos como la esclavitud, ya se tratase de la estrictamente tal, ya de la que lo era, en efecto, en muchos aspectos, aunque oficialmente los que la sufrían quedasen clasificados en la categoría de colonos libres. La esclavitud como institución no se combate. Era parte de su mundo sociopolítico, y ni los Padres, ni los concilios, ni los papas podían razonar prescindiendo de concepciones entonces indiscutibles y evidentes, sobre la autoridad o sobre el orden y la estructura social.

Ya hemos visto que en el concilio de Granada se castiga la crueldad con los esclavos; pero la levedad relativa de la pena es una prueba más del referido condicionamiento [53].

El canon 80 del mismo concilio prohíbe que sean promovidos al clericato los libertos cuyos patronos viven todavía. Es evidente que, si los libertos no pueden ser aceptados como clérigos mientras viva su dueño, mucho menos lo pueden ser los esclavos, aunque no se crea necesario legislarlo expresamente. La causa de la prohibición es eminentemente práctica: los libertos, aunque ya no son esclavos, sin embargo, permanecen obligados a prestar determinados servicios a sus antiguos patronos, e incluso éstos pueden alguna vez revocar su decisión y hacerles volver al estado anterior. En estas condiciones se comprende que no pueden admitirse al servicio pleno de la Iglesia [54]. Como es frecuente en la legislación conciliar, la prescripción es escueta y no va acompañada de la razón por la que se impone. Las razones para no admitir a esclavos como clérigos se proponen, en cambio, en los escritos de los Padres y en las cartas de los papas. La principal es la razón práctica ya expuesta: los esclavos, según la legislación vigente, son propiedad de su señor, y están sometidos a su pleno dominio. Es imposible, por tanto, contar con ellos para el ejercicio de un oficio o ministerio que requiere la libre disposición de sí. Pero, además de esta razón, hay otras que muestran hasta qué punto la evolución de la humanidad es un proceso lento y laborioso. El principio de autoridad era algo intangible y sagrado. San Agustín dice que «algunas veces, gente injusta consigue honores del siglo; una vez que lo han conseguido y son ya jueces o reyes... no hay más remedio que rendirles el honor debido a su potestad, porque así ha ordenado Dios a su Iglesia, de manera que toda potestad ordenada en el siglo tenga su honor, y a veces por parte de los que son mejores...» Pero sucede que «la primera y cotidiana potestad del hombre sobre otro hombre es la del señor sobre el esclavo; casi todas las casas poseen semejante potestad». La esclavitud es un hecho cotidiano y normal. Así lo ha vivido siempre San Agustín y lo sigue viviendo. Su sentimiento cristiano le lleva a afirmar que «hay señores y hay esclavos; son nombres diferentes, mientras que hombres y hombres son nombres iguales...»

---

social? p.21): «Durante el siglo III se vio en el cristianismo la promesa de un nuevo orden social que se oponía al mantenido por el Estado. La secularización de la Iglesia y la conversión del Estado impidieron que el cristianismo siguiera desempeñando este papel».

[53] Can.5. Cf. nuestro c.3.

[54] El canon 10 del concilio de Toledo I (año 400) reitera la misma prohibición, repetida después en el concilio de Braga II (año 572), canon 46. Cf. J. Vives, *Concilios* p.22 y 29.

Esta igualdad fundamental hace que todos sean hijos de Dios y que todos reciban de Cristo el don de la fe y la salvación. Pero su visión de la sociedad y de la autoridad, que es la de todos sus contemporáneos, le hace afirmar lo que sigue: «[Cristo] no convirtió a los esclavos en libres; los convirtió de malos en buenos esclavos. ¡Cuánto deben los ricos a Cristo que les arregla su casa! Si antes tenían un esclavo infiel, que lo convierta Cristo, que no le dirá: 'Abandona a tu señor; ya has conocido al que es el verdadero Señor; él quizá sea impío o inicuo; tú, en cambio, eres ya fiel y justo; es indigno que el justo y fiel sirva al inicuo e infiel'. No es esto lo que le dirá, sino más bien: 'Sirve'. Y para confirmar al esclavo dice esto: 'Sirve siguiendo mi ejemplo, que primero serví a inicuos'...» [55]

Algunos papas del siglo V, sobre todo León Magno y Gelasio, se muestran plenamente hijos de su siglo y de su cultura cuando repiten sus prescripciones prohibiendo que se admitan en el clericato a esclavos o colonos jurídicamente ligados a sus señores. No hay más que acudir a la primera parte del *Decretum Gratiani,* distinción 54 [56]. En los años 494 y 495, el papa Gelasio expresó varias veces sus ideas sobre la esclavitud. De los que, siendo esclavos, habían sido ordenados subrepticiamente, manda que, si son presbíteros, permanezcan como tales, pero sean multados con la pérdida de su peculio; si diáconos, que aporten un substituto, o, en caso de no poder hacerlo, que sean devueltos ellos mismos a sus señores. «Los demás oficios sepan que ninguno que se pruebe que es esclavo puede quedar libre, de modo que, observándose este orden, no se perturben ni los derechos de los dueños ni los privilegios» [57]. Los derechos del señor sobre sus esclavos eran una parte del derecho de propiedad que todos reconocían. Por eso, ante el «abuso» de acoger a esclavos fugitivos en monasterios o al servicio de la Iglesia, Gelasio afirma categóricamente: «Hay que acabar absolutamente con esta práctica perniciosa, para que no parezca que la institución cristiana invade la propiedad ajena o resulta subversiva del orden público» [58]. Había quienes intentaban incitar a los esclavos a huir de sus dueños. A mediados del siglo IV, el concilio de Gangres prescribe en su canon 3 lo que sigue: «Si alguien, bajo pretexto de piedad, indujese al esclavo a despreciar a su patrono y abandonar su servicio en vez de sometérsele de buen grado y con toda reverencia, sea anatema» [59]. Se recoge este canon en el concilio II de Braga, del año 572, canon 47: «Si alguien por motivo religioso enseña a un esclavo ajeno a despreciar a su señor y apartarse de su servicio, sea reprendido durísimamente» [60]. Ya el papa León Magno en el año 443 consideraba imposible que un esclavo fuese admitido a las órdenes; y por dos razones: «doble reato hay en esto —escribe—: se mancha el ministerio sagrado con la vileza de semejante

[55] Agustín, *Enarr. in Ps.* 124,7: ML 37,1653-54 = BAC 264 p.314-15.
[56] Ed. Friedberg, I p.206ss.   [58] Ibid., 210; cf. ML 59,52.
[57] *Decr.* 54,9: ed. Friedberg, p.209.   [59] Bruns, I p.107.
[60] J. Vives, *Concilios* p.98; *Canones Martini* c.47: ML 84,581.

consorcio y se conculcan los derechos del dueño con temeraria e ilícita usurpación» [61].

Este es el condicionamiento histórico que es menester dejar asentado lo mismo contra vanos intentos de disimulo pseudoapologético que de manipulaciones demagógicas o escándalos farisaicos.

No obstante todo cuanto precede, la ley y la práctica cristiana obraban en favor de una progresiva concienciación en contra de la esclavitud. Los estoicos habían hecho hincapié en la igualdad fundamental de todos los hombres, basados en reflexiones puramente filosóficas. Las mismas reflexiones las vemos repetidas en autores cristianos como San Cipriano, p.ej., o Lactancio. Para San Juan Crisóstomo, la esclavitud nace de la avaricia, de la envidia, de la ambición [62]. Pero también abundan los argumentos propios de la revelación. San Ambrosio pide al dueño que «gobierne [a los esclavos] como a hijos, porque también es siervo de Dios y llama Padre al Señor del cielo, moderador de todas las potestades» [63]. San Gregorio de Nisa es más explícito aún: «A esclavitud condenas —dice— a un hombre cuya naturaleza es libre y autónoma. Y legislas contra Dios, dándole la vuelta a su ley natural. Al que nació para ser señor de la tierra, destinado por su Creador para mandar, lo sometes al yugo de la esclavitud, resistiendo y luchando contra la disposición divina» [64]. Las exhortaciones a los buenos tratos son numerosas. Ya en la *Didajé* se dice: «No mandes con aspereza a tu esclavo ni a tu esclava, que esperan en el mismo Dios que tú...» [65]. Y San Pedro Crisólogo: «A los esclavos dales la comida y el vestido necesarios, perdónales las culpas, atempera las amenazas, impón la disciplina y ten como hermanos por nacimiento del cielo a los que posees como súbditos por servidumbre de este mundo...» [66]

El aumento de las manumisiones contribuyó a la disminución del número de esclavos, y, como consecuencia, a convertir la esclavitud en fenómeno menos normal y frecuente. En la Iglesia se exhortó ampliamente a la manumisión, y Constantino en el año 321, en una constitución dirigida precisamente al obispo de Córdoba y consejero suyo Osio, dispone que el acto jurídico por el que el esclavo obtenía la libertad se realizara en la iglesia, ante el obispo, con todos los efectos civiles [67].

Aunque varios centenares de años después nos resulte difícil comprenderlo, en la época que ahora es objeto de nuestro estudio podían coexistir en los mismos sujetos, y coexistían, el sentimiento cristiano de la igualdad natural y sobrenatural de todos los hijos de Dios y la aceptación obvia de desigualdades sociales muy marcadas, concebidas como un mal; pero un mal inevitable, inherente a la misma sociedad e impo-

[61] LEÓN MAGNO, *Epist.* 4,1: ML 54,611.
[62] JUAN CRISÓSTOMO, *Hom.* 22 *epist. Ef* VI: MG 62,155-64.
[63] AMBROSIO, *Epist.* 2,31: ML 16,887-88.
[64] GREGORIO DE NISA, *Hom.* IV *Ecles:* MG 41,664.
[65] *Didajé* IV 10: BAC 65 (Madrid 1950) p.82. Trad. de D. Ruiz Bueno.
[66] PEDRO CRISÓLOGO, *Serm.* 26: ML 52,275.
[67] *Cod. Theod.* 4,7,1: ed. Mommsen, p.179; AGUSTÍN (*Serm.* 21,6: ML 38,145) describe la ceremonia de la manumisión de esclavos en la iglesia.

sible de ser cambiado radicalmente, aunque admitiesen mejorías circunstanciales que no era lícito soslayar. Esta era la mentalidad general, y los cristianos no eran excepción, tanto jerarquía como pueblo.

Las condiciones económicas y sociales adversas, que, como queda dicho, no mejoraron durante el siglo IV, sobre todo para los *humiliores,* llegaron a crear sentimientos de impotencia y desesperación en muchos, hasta el punto que, al irrumpir los pueblos nórdicos en el imperio a principios del siglo V o al presentarse en algunas regiones los movimientos bagáudicos, muchos preferían pasarse a ellos y abandonar su condición de romanos para quedar liberados de la temible presión fiscal, que les reducía cada vez más a la miseria [68].

Tales adversidades contribuían también a fomentar la esperanza en los bienes espirituales y en la promesa de una vida posterior más justa y feliz. Hay quienes creen poder explicar con esta sola causa la gran expansión de movimientos ascéticos cristianos, tan propia del siglo IV en diversas regiones del imperio. Las causas son, por supuesto, mucho más complejas, pero las circunstancias sociales crearon un ambiente propicio a esa explosión de ascetismo y de espiritualidad intimista y personal. Consecuencia de estas últimas características fue el carácter popular y en contra o al margen de la vida oficial o jerárquica de la Iglesia, sin que por ello sea lícito endosarles un sentido de lucha contra la clase opresora de los obispos, para lo cual sería necesario además falsear la imagen del episcopado del siglo IV, presentando a los obispos, sin ningún fundamento histórico, como procedentes exclusivamente del rango senatorial, identificados con el orden económico y social del imperio y que «se servían de su poder de decisión espiritual para atacar y destruir a los que eran solamente sus enemigos personales o amenazaban el orden material de la Iglesia» [69].

Un movimiento ascético surgió en Hispania avanzado ya el siglo IV, y fue, sin duda, el acontecimiento de mayor resonancia en las iglesias de nuestra Península, que con relativa tranquilidad superaron, en cambio, las grandes agitaciones que a partir del concilio de Nicea, en el 325, conmovieron durante muchos años a la Iglesia universal.

En el capítulo siguiente nos vamos a ocupar del arrianismo y de las varias personalidades hispanas que tuvieron relación con esa crisis. A continuación consagramos nuestra atención al movimiento ascético mencionado, el priscilianismo, fenómeno interno muy significativo y, sobre todo, muy discutido aún por los historiadores.

---

[68] Cf. Salviano, *De gubern. Dei* 5,5,22 y 23; véase asimismo, M. Vigil-A. Barbero, *Sobre los orígenes sociales de la Reconquista:* BolRealAcHist 156-57 (1965) 272-337. También Orosio habla en este sentido. Pero se exagera el valor de estos testimonios, porque no se tiene suficientemente en cuenta que estos autores escriben con miras apologéticas contra las acusaciones que los romanos paganos hacían contra el cristianismo como causante de la ruina del imperio y el triunfo de los bárbaros. Se ha dicho, con razón, que para Orosio cualquier tiempo pasado fue peor. Cf. J. Madoz, *Literatura latino-cristiana,* en *Historia general de la literatura hisp.* I (Barcelona 1949) p.108-109.

[69] Las últimas expresiones están tomadas de A. Barbero, *El priscilianismo, ¿herejía o movimiento social?* p.17. Toda esta página podrá leerla con creciente sorpresa cualquier iniciado en la historia antigua de la Iglesia. Véase asimismo M. Vigil-A. Barbero, o.c.

CAPÍTULO VI

EL DONATISMO Y LA CRISIS ARRIANA. OSIO DE CORDOBA, POTAMIO DE LISBOA Y GREGORIO DE GRANADA

BIBLIOGRAFIA

Sobre el *donatismo:* MONCEAUX, *Histoire littéraire de l'Afrique chrétienne* IV (París 1912); J. MESNAGE, *Le christianisme en Afrique,* I (Alger-París 1914); H. LE-CLERCQ, *L'Afrique chrétienne* I (París 1904); L. DUCHESNE, *Los seis primeros siglos de la Iglesia* II (Barcelona 1911); FLICHE-MARTIN, *Historia de la Iglesia* III (Valencia 1977); F. MARTROYE, *Une tentative de révolution sociale en Afrique:* RevQuestHist 76 (1904) 353-416; 77 (1905) 5-53; W. H. C. FREND, *The Donatist Church. A movement of Protest in Roman North Africa* (Oxford 1952); ID., *Martyrdom and Persecution in the Early Church* (Oxford 1965); ID., *Heresy and Schisme as Social and National Movements:* StudChurch Hist 9 (1972) 37-56. Véase C. ANDRESEN: Gnomon 45 (1973) 691-97; A. H. M. JONES, *Were ancient heresis national or social movements in disguise?:* JournTheolStud 10 (1959) 280-98; ID., *The Later Roman Empire 284-602* (Oxford 1964 [1973]); K. M. GIRARDET, *Kaisergericht und Bischofsgericht* (Brun 1975) p.6-51; E. TENGSTRÖM, *Donatisten und Katholiken* (Göteborg 1964); P. BROWN, *Religion and Society in the Age of Saint Augustine* (Londres 1972); V. MONACHINO, *Il primato nello scisma donatista:* ArchHistPont 2 (1964) 7-44.

Sobre el *arrianismo:* M. SIMONETTI, *La crisi ariana del IV secolo* (Roma 1975); E. BOULARAND, *L'hérésie d'Arius et la «foi» de Nicée* (París 1972); L. DUCHESNE, *Los seis primeros siglos de la Iglesia* II (Barcelona 1911); I. ORTIZ DE URBINA, *Nicea y Constantinopla* (Vitoria 1969); FLICHE-MARTIN, *Historia de la Iglesia* III (Valencia 1977); H.-I. MARROU, en *Nueva historia de la Iglesia* I (Madrid 1964); K. M. GIRARDET, *Kaisergericht und Bischofsgericht* (Brun 1975).

Sobre *Osio:* Fuentes: AGUSTÍN, *Contra epistolam Parmeniani* I 5,7: ML 43,38 = CSEL 51 p.26; I 5,10: ML 43,40-41 = CSEL 51 p.29-30; ATANASIO, *Historia arianorum* 15-16: MG 25,709-12.42-46.741-52; ID., *Apologia contra arianos* 74-75: MG 25,381-85.89-90.408-409; ID., *Apología a Constancio* 3: MG 25,597-600 = SourcChrét 56 (París 1958) p.90-91; 4: MG 25,600-601 = SourcChrét 56 (París 1958) p.92-93; 27: MG 25,629 = SourcChrét 56 p.118-20; ID., *Apologia de fuga sua* 5: MG 25,649 = SourcChrét 56 p.138; 9: MG 25,656 = SourcChrét 56 p.142-43; CASIODORO, *Historia tripartita* IV 24: ML 69,968-74; V 9: ML 69,992; *Concilio de Sárdica:* C. H. TURNER, *Ecclesiae occidentalis Monumenta Iuris Antiquissima* I (Oxford 1899) p.441-560; *Codex Theodosianus* IV 7,1: ed. Th. Mommsen p.179; EPIFANIO, *Panarion haereseon,* 73,14: MG 42,429-32; *De Trinitate* I: ML 62,244; EUSEBIO DE CESAREA, *Historia eclesiástica* X 6: MG 20,892-93 = BAC 350 p.631-33; ID., *De Vita Constantini* I 32: MG 20,948; I 42: MG 20,956-57; II 63-73: MG 20,1036-48; FEBADIO, *Liber contra arianos* 23: ML 20,30; FILOSTORGIO, *Historia eclesiástica* I 7: MG 65,464 = GSC 12,8-9; IV 3: MG 65,517-20 = GSC 21,60; HILARIO DE POITIERS, *De Synodis* 3: ML 10,482-83; 11: ML 10,486-89; 63: ML 10,522-23; 87: ML 10,539-40; ID., *Liber contra Constantium* 23: ML 10,598-99; ID., *Fragmenta historica* fragm. 6,1-3: ML 10,686 = CSEL 65 p.164-67; fragm.11,5: ML 10,713-14 = CSEL 65 p.46-47 = CorpChr 9 p.110; ISIDORO DE SEVILLA, *De vir.* III 1, ed. C. Cordoñer (Salamanca 1964) p.133-35, cf. 5 y 14: ML 83,1086-87 y 1090-91; *Libellus precum Fausti et Marcellini* IX-X: ML 13,89-91 = CSEL 35 p.14-18 = CorpChr 69 p.368-70; *Menologio griego, 27 agosto:* MG

117,608-609: H. DELEHAYE, _Synax. Eccl. Constant.:_ Acta SS. Nov. Propyl. (Bruselas 1902) col.929-30; SÓCRATES, _Historia eclesiástica_ I 7: MG 67,53-60; II 31: MG 67,292; II 7: MG 67,389-96; SOZOMENOS, _Historia eclesiástica_ I 16: MG 67,909-12; III 12: MG 67,1064-65; IV 6: MG 67,1120-24; IV 12: MG 67,1141-44; IV 15: MG 67,1149-53; SULPICIO SEVERO, _Chronica_ II 40: ML 20,151-52 = CSEL 1, p.93-94.

V. C. DE CLERCQ, _Ossius of Cordova_ (Wáshington 1954); ID., _Ossius (Hosius) of Cordova,_ en J. M. MARIQUE, _Leaders of Iberian christianity_ (Boston 1962) p.127-40; ID., _Osio de Córdoba y los orígenes del priscilianismo:_ BolRealAcaCórdoba 30 (1959) 303-308; E. FLÓREZ, _EspSagr_ 10 (Madrid 1753) p.159-208; Z. GARCÍA VILLADA, _HistEclEsp._ I 2 (Madrid 1929) p.11-43; U. DOMÍNGUEZ DEL VAL, _Osio de Córdoba:_ RevEspTeol 18 (1958) 141-65.261-81; ID., _La bibliografía de los últimos tiempos sobre Osio de Córdoba:_ CiudDios 171 (1958) 485-89; ID., _Herencia literaria de Padres y escritores españoles:_ RepHistCiencEclEsp I (Salamanca 1967) p.3-5; B. ALTANER-E. CUEVAS-U. DOMÍNGUEZ DEL VAL, _Patrología_ (Madrid ⁵1962) p.337-40; H. YABEN, _Osio de Córdoba_ (Barcelona 1945); B. LLORCA, _El problema de la caída de Osio de Córdoba:_ EstEcl 33 (1959) 39-56; reproducido en FLICHE-MARTIN, _Historia de la Iglesia_ III (Valencia 1977) p.593-608; H. CHADWICK, _Ossius of Cordova and the presidency of the council of Antioch 325:_ JournTheolStud 9 (1958) 292-304; M. AUBINEAU, _Recherches patristiques_ (Amsterdam 1974); BolRealAcCórdoba 39 (1959).

Sobre _Potamio:_ Obras y ediciones, en el texto. Fuentes principales: FEBADIO, _Liber contra arianos_ 3-5: ML 20,15-16; HILARIO, _De Synodis_ 3: ML 10,482-83; 11: ML 10,487-89; ID., _Fragmenta historica_ fragm.4.2: ML 10,681 = CSEL 65,155-56; _Liber precum Faustini et Marcellini_ IX y XI: ML 13,89 y 91 = CSEL 35 p.14-15 y 17-18 = CorpChr 69 p.368 y 370; ALCUINO, _Liber adversus Felicis haeresim_ 61: ML 101,113.

A. MONTES MOREIRA, _Potamius de Lisbonne et la controverse arienne_ (Lovaina 1969); Z. GARCÍA VILLADA, _HistEclEsp_ I 2 (Madrid 1929) p.45-52; J. MADOZ, _Potamio de Lisboa:_ RevEspTeol 7 (1947) 79-109; ID., _Segundo decenio de estudios sobre patrística española_ (1941-50): EstOn I,V (Madrid 1951) p.57-60; U. DOMÍNGUEZ DEL VAL, _Potamio de Lisboa:_ CiudDios 172 (1959) 237-58; ID., _Herencia literaria de Padres y escritores españoles:_ RepHistCiencEclEsp I (Salamanca 1967) p.5-6; B. ALTANER-E. CUEVAS-U. DOMÍNGUEZ DEL VAL, _Patrología_ (Madrid ⁵1962) p.352-53; S. GONZÁLEZ, _Las obras completas de S. Gregorio de Elvira. Un aspecto de su espiritualidad:_ RevEsp 6 (1947) 177-86.

Sobre _Gregorio de Granada:_ Obras y ediciones, en el texto. Fuentes principales: JERÓNIMO, _De vir. ill._ 105: ML 23,742; ID., _Altercatio luciferiani et ortodoxi:_ ML 23,163-92; ID., _Eusebii chronicorum_ II: GCS 24 p.246 = ML 27,506; _Libellus precum:_ CorpChr 69 p.361-92 = CSEL 35 p.5-46 = ML 13,83-108; HILARIO, _Fragm. hist._ XI 5: ML 10,713-14 = CSEL 65 p.46-47 = CorpChr 9 p.110; PRÓSPERO DE AQUITANIA, _Epit. Chron._ 1143: MonGermHist AA IX p.459 = ML 51,582; ISIDORO DE SEVILLA, _De vir. ill._ 1: ed. C. Codoñer (Salamanca 1964) p.133-35: cf. 14: ML 83,1090-91; _Martirologio de Usuardo, 24 de abril:_ ML 123,967-68; _Calendario de Recemundo, 24 de abril:_ M. FÉROTIN, _Le Liber ordinum_ (París 1904) p.463; CH. PELLAT, _Le calendrier de Cordoue_ (Leiden 1961) p.72.

J. COLLANTES, _Grégoire d'Elvire (saint):_ DictEspAscMyst VI (París 1967) col.923-27, con amplia bibliografía; Z. GARCÍA VILLADA, _HistEclEsp_ I 2 (Madrid 1929) p.53-73; F. J. BUCKLEY, _Gregory of Elvira:_ ClasFol 18 (1964) 3-23; J. MADOZ, _Segundo decenio de estudios sobre patrística española (1941-1950)_ (Madrid 1951) p.60-63; M. SIMONETTI, _Gregorio di Elvira. La fede_ (Torino 1975); U. DOMÍNGUEZ DE VAL, _Herencia literaria de Padres y escritores españoles:_ RepHistCiencEclEsp 1 (Salamanca 1967) p.6-12; B. ALTANER-E. CUEVAS-U. DOMÍNGUEZ DEL VAL, _Patrología_ (Madrid ⁵1962) p.345-48; A. C. VEGA, _Una gran figura literaria del siglo IV: Gregorio de Elvira:_ CiudDios 156 (1944) 205-58; E. MAZORRA ABASCAL, _Gregorio de Elvira_ (Granada 1967); E. FLÓREZ, _EspSagr_ 12 (Madrid 1754) p.113-38; M. SIMONETTI, _Alcune osservazioni a proposito di una professione di_ *fede attribuita a Gregorio di Elvira:* RivCulClassMed 2 (1960) 307-25; C. Vona, *Gregorio di Elvira.* I. *Tractatus de Libris Sacrarum Scripturarum. Fonti e sopravivenza medievale* (Roma 1970); A. Vaccari, *Uno scritto di Gregorio d'Elvira tra gli spurii di San Girolamo:* Biblica 3 (1922) 188-93; E. Mazorra, *Correcciones inéditas de Adolf Jülicher a la edición príncipe de los «Tractatus Origenis»:* EstEcl 41 (1966) 219-32; A. García Conde, *Los «Tractatus Origenis» y los origenistas gallegos:* CuadEstGall 4 (1949) 27-56; J. Collantes Lozano, *San Gregorio de Elvira. Estudio sobre su eclesiología* (Granada 1954); F. J. Buckley, *Christ and the Church according to Gregory of Elvira* (Roma 1964); L. Galmés, *La fe según Gregorio de Elvira:* TeolEsp 3 (1959) 275-83; F. Regina, *Il «De fide», di Gregorio di Elvira* (Nápoles 1942); S. González, *Las obras de San Gregorio de Elvira. Un aspecto de su espiritualidad:* RevEsp 6 (1947) 177-86; V. C. de Clercq, *Ossius of Cordova* (Wáshington 1954) p.483-85; T. Ayuso, *La «Vetus latina hispana»* (Madrid 1953) p.498-501; Id., *El salterio de Gregorio de Elvira y la «Vetus latina hispana»:* Biblica 40 (1959) 153-59; A. Barcala Muñoz, *Sobre las citas bíblicas de los «Tractatus Origenis»:* RevEspTeol 37 (1977) 147-51; L. Saltet, *La formation de la légende des papas Libère et Félix:* BullLittEccl (1905) 222-36; Id., *Fraudes littéraires des schismatiques luciferiens aux IVeme et Veme siècles:* BullLittEccl (1906) 300—26; A. Feder, *Studien zum Hilarius von Poitiers* I (Viena 1910); G. Bardy, *Faux et fraudes littéraires dans l'antiquité chrétienne:* RevHistEccl 32 (1936) 5-23.275-302; B. de Gaiffier, *Gregorius cordubensis Ecclesiae antistes:* SpanForschGörr 1 Reihe 21 (1963) 7-11.

Donatismo y arrianismo son dos escisiones que perturbaron la paz en la Iglesia durante todo el siglo IV. En las provincias hispano-romanas, el primero de estos movimientos no tuvo apenas repercusión ninguna, y el segundo tampoco tuvo mucha a nivel popular durante este siglo [1]. En todo caso, el donatismo y el arrianismo no solamente fueron acontecimientos de resonancia universal, sino que en ellos quedaron implicadas importantes personalidades de nuestras iglesias hispanas, de las cuales vamos a ocuparnos especialmente en este capítulo.

Osio de Córdoba

Los primeros datos sobre Osio

La figura de Osio, la más grande figura sin duda de la Iglesia hispana en todo el siglo IV y una de las primeras de su tiempo en la Iglesia universal, ha pasado a la historia cubierta de penumbra en sus comienzos y en su fin. Nada sabemos con certeza de la fecha ni del lugar de su nacimiento, como tampoco de su ordenación episcopal. Por cálculos aproximados, podemos suponer que nació alrededor del año 256. Se basan estos cálculos en afirmaciones de San Atanasio, Febadio de Agen, Sulpicio Severo y San Isidoro. Sobre algunos de estos testimonios pesa la duda de una posible interpolación. Aun los más seguros, los de Febadio y San Atanasio, son datos cronológicos solamente aproximados, porque son apreciaciones genéricas, de las que nunca se exige una exac-

---

[1] Hubo, sin embargo, arrianos y arrianizantes en la Hispania del siglo IV, ya que el papa Siricio en su carta a Himerio se refiere a «muchos que fueron bautizados por los impíos arrianos y ahora se apresuran a aceptar la fe católica» (ML 56,555).

titud total. Febadio dice que Osio pensó rectamente, ortodoxamente, durante noventa años. Como la fecha de su discutida firma de la fórmula arrianizante se sitúa en el 357 y el uso de razón suele ponerse a los siete años, se deduce que debió de nacer antes del 260. San Atanasio dice que Osio era de más de cien años cuando Constantino lo retenía en Sirmio en el 356 [2].

Todos los escritores antiguos hablan de Osio obispo de Córdoba, Osio de Hispania, Osio cordobés. Pero el mejor argumento para afirmar que Osio fue hispano de nación es que su gran amigo San Atanasio dice expresamente que, desde la corte de Constancio, Osio marchó «a su patria y a su iglesia» [3]. El testimonio aislado y tardío del historiador Zósimo [4], que se refiere a «un egipcio de Iberia venido a Roma» que influyó en la conversión de Constantino, a pesar de la acogida que ha tenido por parte de algunos historiadores, además de no referirse con seguridad a Osio, no merece crédito por varias razones, que expone bien V. C. de Clercq [5]. El mismo nombre de *Ossius* es de origen hispano.

Es de suponer que Osio, además de hispano, fuese cordobés. Así lo sugieren dos razones: la costumbre vigente en su época de elegir el clero principalmente de entre los mismos miembros de la comunidad o incluso entre los ciudadanos en general [6], y la misma relevancia de la persona de Osio, su cultura y sus dotes de hombre de consejo, cualidades que cuadran bien con un hombre formado y educado en la culta ciudad de Córdoba, capital de la provincia Bética.

El primer dato de su vida conocido con certeza es su participación en el concilio de Granada (Iliberri), hacia el año 300. Según la lista más comúnmente aceptada de los obispos participantes en este concilio, Osio ocupa en él el segundo puesto. Según el orden conservado en otros manuscritos, ocupa el puesto undécimo. Aunque es menos conocida esta segunda ordenación, me parece más probable, como dije al tratar del concilio en el capítulo III. Sabido es que el orden de precedencia de los obispos de un concilio era, normalmente, el de antigüedad en el episcopado. El lugar undécimo cuadraría mejor para Osio alrededor del año 300, si su ordenación episcopal se sitúa, como hay que situarla, allá por los años 290-95 [7].

La persecución de Diocleciano, en Hispania persecución de Maximiano, se debió de dejar sentir en nuestra Península sobre todo en el año 303. Sabemos que en Córdoba hubo mártires (Santos Acisclo, Zoilo, Fausto, Januari y Marcial), y sabemos también que ésta afectó directamente a Osio. Es el mismo Osio quien lo afirma en una carta al emperador Constancio, conservada y reproducida por San Atanasio en su

[2] Cf. V. C. DE CLERCQ, *Ossius of Cordova* p.49-52.
[3] ATANASIO, *Hist. ar.* 43: MG 25,744.
[4] *Hist. nueva* II 29,5.
[5] V. C. DE CLERCQ, o.c., p.52-56.
[6] G. BARDY (*Sur la patrie des évêques dans les premiers siècles:* RevHistEccl 35[1939]217-42) demuestra que hubo numerosas excepciones de esta regla.
[7] ATANASIO, *Hist. ar.* 42: MG 25,741.

Historia de los arrianos [8] : «Ya antes he confesado la fe, cuando comenzó la persecución bajo tu abuelo Maximiano y, si tú me persigues, también ahora estoy dispuesto a soportar todo lo que sea necesario.» Por estos sufrimientos, Osio mereció ser siempre considerado como confesor de la fe.

Restablecida la paz en Hispania con la abdicación de Diocleciano y Maximiano, nada volvemos a saber de Osio hasta que aparece ya acompañando a Constantino desde el año 312, es decir, con anterioridad al llamado *edicto de Milán,* que sancionaba definitivamente la libertad de los cristianos para vivir aun públicamente conforme a su fe.

Su primera aparición junto a Constantino sucede en relación con la sede de Cartago, conmovida desde tiempo antes por el cisma que desde poco después se conoció con el nombre de *donatismo.*

El donatismo en Africa

En el 311 moría el obispo de Cartago, Mensurio, en el viaje de vuelta a su sede, procedente de Roma. Fue elegido como sucesor suyo su diácono Ceciliano, contra quien desde hacía tiempo se había formado un grupo de descontentos, sobre todo por el rigor con que exigía el cumplimiento de la disciplina eclesiástica con respecto al culto y veneración de los mártires. Entre sus enemigos había una mujer, *Lucila,* «prepotente y adineradísima», según San Agustín; «poderosa, facciosa y confusa», según Optato de Milevi [9]. Su furor contra Ceciliano había nacido, al parecer, ya antes de la persecución de Diocleciano. Había llevado muy a mal que el diácono reprochase su costumbre de besar, antes de la comunión, el hueso de un difunto al que ella consideraba como mártir. Gracias a su riqueza y a su ira, Lucila desempeñó un papel muy importante en los primeros pasos del donatismo. Ella y los suyos se negaron, por lo pronto, a aceptar la comunión del nuevo obispo Ceciliano. Dio así consistencia al grupo cismático de Cartago, grupo que encontró pronto apoyo en los obispos de Numidia. Setenta obispos númidas, capitaneados por Segundo de Tigisis, se reunieron en Cartago para condenar y deponer a Ceciliano. Lucila repartió con generosidad su dinero a los obispos disidentes. En proceso judicial se probó más tarde que había repartido 400 *folles,* de los cuales nada había llegado a manos de los *humiliores,* como era obligado en esos casos [10]. Fue Lucila la que hizo que los obispos disidentes eligiesen como sucesor de Ceciliano, depuesto, al lector Mayorino, criado de Lucila.

La razón de haberme detenido a narrar la intervención de Lucila es que suele decirse que Lucila era española. Así lo dijeron los maurinos, lo repitió el conocido historiador del Africa cristiana P. Monceaux y se

---

[8] Ibid., 44: MG 25,744.
[9] AGUSTÍN, *Contra Cresc.* II 28: CSEL 52 p.438; OPTATO DE MILEVI, *Contra Parmen.* I 16: CSEL 26 p.18-20.
[10] *Gesta apud Zenophilum:* CSEL 26 p.196-97 y *passim.* Sobre la costumbre de besar la reliquia cf. F. J. DÖLGER, *Das Kultvergehen der Donatisten Lucilla von Karthago:* JahrbAntChrist 3 (1932) 245-52.

sigue repitiendo como un hecho conocido. La verdad es que las fuentes directas para la historia de los comienzos del donatismo, que son sobre todo Optato de Milevi, San Agustín y el *Proceso contra Silvano,* hablan repetidas veces de Lucila, y nunca dicen nada de su origen hispano. A juzgar por lo que de ella dice Optato, Lucila es miembro de la comunidad de Cartago desde siempre. San Agustín, en sus escritos polémicos contra los donatistas, arguye contra éstos diciendo que son solamente una secta y no la Iglesia católica y universal, porque el donatismo ha conseguido extenderse solamente en Africa. Fuera de Africa, lo único que han hecho —según San Agustín— es enviar un obispo a Roma para unos pocos africanos de allí, y otro «a Hispania, a la casa de una mujer» [11]. Una matrona hispana acogió, por tanto, a los pocos donatistas de que tenemos noticia en suelo hispano. Pero que esta matrona tenga algo que ver con la Lucila de Cartago es —en cuanto conozco— una mera suposición bien osada y sin ningún fundamento histórico. El mero hecho de ser una mujer es bien pobre indicio. En Hispania había suficientes mujeres como para que entre ellas se encontrase alguna que acogiese en su casa a un obispo venido de Africa. También en Africa había otras mujeres, además de Lucila, que se interesaban e intervenían en asuntos eclesiásticos, y concretamente en la vida del donatismo. Por el mismo San Agustín sabemos que así como, por Lucila, Mayorino fue ordenado obispo contra Ceciliano y éste fue condenado sin estar presente, de la misma manera Maximiano, donatista, por obra de otra mujer, se separó de la comunión de su correligionario Primiano, también condenado en ausencia [12].

El cisma donatista había surgido de la confluencia de tres causas según Optato de Milevi y San Agustín: la ira de Lucila, la ambición de los clérigos que aspiraban a suceder a Mensurio en la sede de Cartago y la avaricia de ciertos *seniores* a los que Mensurio había confiado los tesoros de la Iglesia con ocasión de su viaje a Roma y lo habían dilapidado en provecho propio [13]. Desde el principio, los donatistas se presentaban como «la iglesia de los mártires» y se negaban a comulgar con los obispos, que consideraban como apóstatas en la persecución o acogedores de apóstatas. Pronto quedó probado que entre los donatistas que se preciaban de puros e incontaminados abundaban los *traditores,* es decir, los que habían consentido en entregar a las autoridades civiles los libros y vasos sagrados, como había ordenado Diocleciano. Peores acusaciones contra algunos de ellos pudieron probarse también. Sin embargo, el cisma arraigó en Africa y llegó a extenderse amenazadoramente en aquellas provincias del imperio. Las causas del éxito debieron de ser múltiples y complicadas, como siempre. Entre ellas, sin duda, la situación socioeconómica, los motivos políticos, culturales, etc. W. H. Frend

---

[11] Agustín, *Contra epist. Petiliani* II 108,246: ML 43,346. En su *Epist. ad cath. de secta donatist.* 3,6: ML 43,395, usa el mismo argumento y dice: «en la casa o patrimonio de una mujer española».

[12] Agustín, *Epist.* 43,9,26: CSEL 34 p.108.

[13] Optato de Milevi, *Contra Parmen.* I 19: CSEL 26 p.20; Agustín, *Contra epist. Parm.* I 3,5: CSEL 51 p.24.

publicó en 1952 una importante monografía sobre la iglesia donatista. El subtítulo de su obra indica suficientemente la orientación fundamental de su tesis: «Un movimiento de protesta en el norte del Africa romana» [14]. Frend y otros que han seguido su misma línea han conseguido iluminar aspectos interesantes del donatismo. Pero la teoría del donatismo como movimiento fundamentalmente social y agrario ha ido recibiendo serias e importantes correcciones [15].

Desde el 312, Cartago contaba con dos obispos: Ceciliano y Mayorino. A los pocos meses moría este último y era sustituido por *Donato*, que fue el verdadero organizador de la iglesia separada.

Siguiendo a su historiador clásico, el citado P. Monceaux, la historia del donatismo suele dividirse en cuatro períodos: 1) desde sus orígenes hasta su condenación por parte del emperador Constantino (311-16); 2) desde la primera persecución que sufrió hasta la entrada en escena de San Agustín (317-92); 3) la lucha decisiva de las dos iglesias en tiempos de San Agustín (392-430); 4) la larga agonía del donatismo hasta su desaparición en el Africa vándala y bizantina. Solamente la primera época nos atañe, ya que casi toda la relación del donatismo con la historia de la Iglesia en nuestra Península se reduce al capítulo de las actividades de Osio junto a Constantino y a la participación de algunos obispos hispanos en el concilio de Arlés (314).

Osio y el donatismo

Pocas noticias se conocen sobre las acciones concretas emprendidas por Osio contra el donatismo o en favor de Ceciliano. Debieron de ser eficaces en todo caso, porque Parmeniano, el sucesor de Donato, decía que Osio prestó ayuda a Ceciliano, de tal modo que se unieron a su comunión muchos obispos [16]. Debió de ser su consejo el que inclinó a Constantino desde el principio en favor de Ceciliano. Probablemente del año 313 es una carta de Constantino a Ceciliano, conservada por Eusebio, en la que le dice: «Constantino augusto a Ceciliano, obispo de Cartago: Puesto que en todas las provincias, particularmente en las de Africa, las Numidias y las Mauritanias, me plugo que se otorgase algo para sus gastos a algunos ministros señalados de la legítima y santísima religión católica, he despachado una carta para el perfectísimo Urso, director general de las finanzas de Africa, indicándole que se las arregle para abonar a tu firmeza tres mil *folles*. Tú, por consiguiente, cuando acuses recibo de la indicada cantidad de dinero, manda que este dinero se reparta a todas las personas arriba mencionadas, *conforme*

---

[14] W. H. FREND, *The Donatist Church* (Oxford 1952).

[15] Cf. A. H. JONES, E. TENGSTRÖM, P. BROWN, obras citadas en la bibliografía. Véase asimismo P. A. FÉVRIER, *Toujours le donatisme. A quand l'Afrique?:* RivStorLettRel 2 (1966) 228-40; J. FONTAINE, *Société et culture chétienne sur l'aire circumpyrénéenne:* BullLitt-Eccl 75 (1974) 272-73; A. MANDOUZE, *Le donatisme représente-t-il la résistence à Rome de l'Afrique tardive?:* Assimilation et résistence (Bucarest-París 1976) p.357-66.

[16] AGUSTÍN, *Contra epist. Parm.* I 5,10: CSEL 51 p.29; ibid., p.26 y p.33, donde aparece clara la irritación de los donatistas contra Osio.

al documento que Osio te ha enviado... Y como quiera que tengo informes de que algunos hombres de inconstante pensamiento están queriendo apartar al pueblo de la santísima y católica Iglesia con perverso engaño, sabe que he dado órdenes parecidas al procónsul Anulino y también al vicario de los prefectos, Patricio, que se hallaban presentes, para que entre todo lo demás dediquen también a esto la debida preocupación y no se permitan el descuidar tal asunto. Por lo cual, si vieres que algunos hombres persisten en esta locura, acude sin la menor vacilación a los jueces antedichos y preséntales este asunto, para que ellos, como les mandé cuando estaban presentes, los conviertan al buen camino. Que la divinidad del gran Dios te guarde por muchos años» [17]. Los donatistas, como era de esperar, no se cruzaron de brazos ante esta clara actitud de Constantino. Sabían muy bien que, de perseverar en ella el emperador, su causa estaba perdida. Pusieron manos a la obra en seguida y presentaron un *libellus* contra Ceciliano al procónsul de Africa, Anullinus, quien lo remitió al emperador. En él los donatistas presentaban sus cargos contra Ceciliano y pedían al emperador que los juzgasen obispos de las Galias, donde, no habiendo habido persecución, no existían controversias sobre los apóstatas y podían juzgar con más ecuanimidad [18].

Constantino dispone efectivamente que comparezcan ambas partes ante un tribunal. Se celebra el juicio en Roma, con tres jueces galos bajo la presidencia del papa Melquiades, en octubre del año 313. Fallan en favor de Ceciliano. Los donatistas rechazan la sentencia, y Constantino decide que se vuelva a juzgar la causa por un concilio en Arlés.

El concilio de Arlés del 314

En agosto del 314 se reúne un concilio en Arlés para decidir de nuevo en la contienda entre Ceciliano y Donato. Osio no está presente. Algunos historiadores pensaron que Osio no figuró entre los componentes del concilio porque él mismo tuvo que comparecer ante el concilio como reo, acusado de no se sabe qué culpas por los donatistas y por sus propios colegas españoles. Pero esta hipótesis se basa en una interpretación dudosa de un oscuro pasaje de San Agustín, que en realidad debe de referirse a los últimos tiempos de Osio, no a la época que ahora nos ocupa [19]. La ausencia pudo deberse al hecho de que Osio acompañaba entonces a Constantino y éste estaba ausente [20]. También es posible que Constantino no lo enviase al concilio, porque conocía ya su juicio sobre el caso, y conocía también que los donatistas no deseaban encontrarlo entre los jueces.

El papa Silvestre no asistió. Envió a dos presbíteros y dos diáconos como representantes suyos. Asistieron representantes de iglesias de las

---

[17] EUSEBIO, *Hist.ecl.* X 6: BAC 350 p.631-33, trad. de A. Velasco.
[18] OPTATO DE MILEVI, *Contra Parm.* I 22: CSEL 26 p.25-26.
[19] Cf. V. C. DE CLERCQ, o.c., p.170-73.
[20] Así V. C. DE CLERCQ, ibid.

Galias, Italia, Dalmacia, Britania, Africa e Hispania. Presidió el obispo de Arlés, Marino. De nuestra Península firmaron los siguientes [21]:

Liberius, obispo de Mérida, provincia Lusitana, que había estado presente también en el concilio de Granada (Iliberri).

Florentius, su diácono.

Sabinus, presbítero «*de civitate Betica*». Se trata de una expresión extraña, en todo caso incorrecta, y por ello se presta a las más diversas interpretaciones. Para Z. García Villada, Sabino es presbítero de Beteca, ciudad de la Galecia que figura en la lista de sedes episcopales escritas hacia el 778 en un códice escurialense, y que vuelve a citarse en un códice de San Millán del 992. Según García Villada, la antigua Beteca podría identificarse con la actual Boticas, no lejos de Dumio, junto a Braga [22]. D. Mansilla no cree posible en la actualidad localizar el emplazamiento de la antigua Beteca, pero acepta y trata de confirmar la interpretación de García Villada [23]. Sin embargo, la existencia de una antigua Beteca que pudiese estar representada en el concilio de Arlés parece poco probable a A. Montes Moreira, ya que dicha sede no figura en la *Divisio Theodemiri* o *Parochiale Suevum,* del siglo VI; ni entre las diócesis representadas en los diversos concilios de la Hispania romana o concilios suevos y visigóticos [24]. Igualmente inverosímil parece esa hipótesis, «incluso a partir de los datos de los códices», a M. C. Díaz y Díaz, quien se inclina a pensar mejor en Beatia [25].

¿Cabría la posibilidad de una mala transcripción de los manuscritos, y que se tratase del obispo Sabino de Hispalis, en la provincia Bética, que asistió al concilio de Granada (Iliberri)? [26]

Natalis, presbítero de Urso (Osuna), provincia Bética, también presente en el concilio de Granada (Iliberri).

Citerius, diácono de la misma iglesia.

Probatius y *Castorius,* presbítero y diácono, respectivamente, de Tarragona, provincia Tarraconense.

Clementius, presbítero, y *Rufinus,* exorcista, de Caesaraugusta (Zaragoza), provincia Tarraconense.

Getnesius, presbítero, y *Victor,* lector, de Basti (Baza), provincia Cartaginense [27]:

Tampoco se resignan los donatistas ante la condenación de este concilio. Vuelven a apelar a Constantino, y éste en noviembre del año 316 realiza otra vez diversas diligencias para aclarar el problema, condenando, finalmente, a Donato y confirmando en su puesto a Ceciliano.

---

[21] CorpChr 148 p.14-22.
[22] Z. García Villada, *HistEclEsp* I 1 p.180-81.
[23] D. Mansilla, *Obispados y metrópolis del Occidente:* BracAug 22 (1968) 27-29.
[24] A. Montes Moreira, *Potamius de Lisbonne* p.47 n.22.
[25] M. C. Díaz y Díaz, *Orígenes cristianos en Lugo:* Actas CollIntBimLugo (Lugo 1977) p.239 n.9. C. Munier, el editor de los concilios de las Galias en el CorpChr 148 p.233, dice: «Beacia? vel poti is quaedam civ. suffrayanea Bethicae prov. cui Corduba praeponebatur».
[26] Cf. C. H. Turner, *Eccl. Occ. Mon.* I II (Oxford 1939) p.410.
[27] No de Astigi (Ecija), como alguno ha escrito.

Osio y el arrianismo

Es probable que Osio permaneciese habitualmente junto a Constantino en los años siguientes. Es bien posible que fuese su consejero principal en la legislación religiosa, que en esos años fue abundante y muy favorable al cristianismo. Es ésta una suposición basada en el aprecio que sabemos tenía Constantino a Osio y en algún caso concreto particular que ha llegado hasta nosotros, como es el de la constitución sobre la manumisión de esclavos en la Iglesia, a la que ya hemos aludido en el capítulo anterior y que está dirigida personalmente a Osio.

Cuando en el año 324 Constantino venció a Licinio, podía prometerse quizá una nueva época de tranquilidad y paz para el imperio y para la Iglesia. No fue así, porque en seguida le llegaron las primeras noticias de una nueva perturbación, procedente ahora de Alejandría, y que llegaría también a conmover Oriente y Occidente. El obispo de Alejandría, Alejandro, había condenado a un presbítero suyo llamado *Arrio* por ciertas divergencias doctrinales, que Constantino, por supuesto, no entendía y que consideraba de escasa importancia, seguramente mal informado por el obispo Eusebio de Nicomedia, decidido y decisivo protector de Arrio hasta su muerte.

En consecuencia, Constantino escribió a ambos contendientes exhortándolos a la concordia. Osio fue el portador de la misiva imperial y el encargado de conseguir la paz en Alejandría [28]. De esta manera, Osio toma contacto desde el primer momento con el nuevo conflicto y con sus principales protagonistas. Su información, hasta ahora muy incompleta o nula, será desde ahora de primera mano. En Alejandría llegó a comprender la transcendencia del problema y la importancia vital para la fe de una confirmación clara de la doctrina ortodoxa contra las opiniones de Arrio.

Como la reconciliación pretendida no había sido posible, Osio, y quizá Alejandro con él, debieron de concebir la idea de reunir un gran concilio para acabar con la herejía de Arrio.

La doctrina de Arrio

Cristo y el Dios único: ésos eran los dos puntales fundamentales de la fe católica. El Padre y el Hijo y sus relaciones entre sí. En el Oriente sobre todo, la gran mayoría en esta época recelaba de todo cuanto pudiera parecerse a la doctrina sabelianista. Sabelio, en la primera mitad del siglo III, había conformado de manera plenamente heterodoxa la antigua tendencia monarquiana modalista. El sabelianismo afirmaba que Padre e Hijo eran solamente nombres diferentes, dos modos de existir del mismo y único Dios, dos aspectos de una única naturaleza o substancia divina, que se manifiesta unas veces como Padre, otras como Hijo y otras como Espíritu Santo. De esta manera quedaba bien claro que Cristo era Dios y que no había dos ni tres dioses, sino uno solo.

---

[28] EUSEBIO, *Vita Const.* 2,68; SÓCRATES, *Hist. ecl.* I 7; SOZOMENOS, *Hist. ecl.* I 16.

La tendencia contraria se preocupaba, ante todo, por señalar la diferencia entre Cristo, el Hijo de Dios-hombre, y el Padre. No encontraba otra manera de salvar, al mismo tiempo, la verdad fundamental del único Dios sino distanciando del Padre, el Dios único, al Hijo, que sólo era Dios en segundo grado, subordinado al Padre o solamente adoptado como hijo por El (subordinacionismo o adopcionismo). A esta tendencia pertenecía el obispo de Antioquía Pablo de Samosata, condenado y depuesto en la segunda mitad del siglo III, y su seguidor Luciano. De Luciano se consideraba discípulo *Arrio,* aunque seguía también en esto ciertas corrientes subordinacionistas propias de Alejandría y de otros lugares, que se oponían tenazmente al peligro tan temido de caer en el sabelianismo, que negaba una distinción real de las personas divinas. Las tres afirmaciones heterodoxas clásicas de Arrio a propósito del Hijo eran éstas: 1) Ha sido creado de la nada. 2) Hubo un tiempo en el que no existía. 3) Es mutable.

Es obvio que con cualquiera de estas tres afirmaciones, mucho más con las tres, se niega en redondo la divinidad del Hijo y, por consiguiente, de Cristo. Con toda razón, pues, su obispo Alejandro había reunido un concilio y lo había condenado. El rechazo de semejantes doctrinas era fácil para una gran mayoría de los obispos tanto en Oriente como en Occidente. La dificultad estaba en encontrar una formulación positiva capaz no sólo de rechazar los errores arrianos, sino de dar además expresión cabal a la común convicción de que el Padre y el Hijo no eran uno mismo, pero tampoco eran dos dioses. Con esta intención se discutió primero y se formuló después el famoso símbolo de Nicea.

El concilio de Nicea

Con respecto a la actuación de Osio en el concilio de Nicea, podemos proponernos, con V. C. de Clercq, las siguientes cuestiones:

1. La idea de convocar el concilio, ¿fue iniciativa de Osio?
2. ¿Presidió Osio el concilio?
3. ¿Cuál fue su influencia en la confección del símbolo, y más en concreto, en la adopción del discutido término *homoúsios* (= consubstancial), aplicado al Hijo con respecto al Padre?
4. ¿Propuso Osio algunos de los cánones disciplinares? [29]

1. La primera interrogación es respondida diversamente por los diferentes autores antiguos y modernos. El concilio fue convocado indudablemente por el emperador Constantino. Este mismo hecho inclina ya a pensar que la idea nació o al menos fue promovida por su principal consejero eclesiástico, el obispo de Córdoba. Probablemente, era idea igualmente compartida y promovida por el obispo de Alejandría.

2. Si aplicamos al concilio de Nicea la norma común a todos los concilios, y no hay por qué no aplicarla, a la segunda pregunta hay que

---

[29] Para todo el problema del arrianismo ver, sobre todo, M. SIMONETTI, *La crisi ariana del IV secolo.*

responder que el presidente del concilio fue Osio, ya que en la lista de participantes aparece siempre en primer lugar. Con la atenuante que impone la presencia personal del emperador. Esta misma presencia hace más verosímil la hipótesis de que la causa de la presidencia de Osio fuese su carácter de consejero personal de Constantino y perito especial suyo en todo este complicado asunto.

3. Muy mal informados estamos sobre la redacción del símbolo. Existen testimonios antiguos no claros y a veces contradictorios, con los cuales es imposible reconstruir la historia de las deliberaciones que condujeron a la fórmula final. Parece que, cuando se trató de dar expresión a la fe ortodoxa, varios obispos presentaron los símbolos usados en sus respectivas iglesias. Uno de ellos fue, sin duda, Eusebio de Cesarea, como él mismo lo refiere. Ninguno de los símbolos presentados era suficientemente explícito en aquellos puntos en que era necesario excluir los errores arrianos. Como consecuencia, a base de alguna o algunas de esas fórmulas de fe precedentes, sobre todo la de Cesarea [30], se presentó a la asamblea y se aprobó un símbolo, reforzado, sobre todo, con tres expresiones directamente dirigidas contras las principales afirmaciones de Arrio. Estas expresiones son: «engendrado, no hecho», «de la substancia del Padre», «consubstancial *(homoúsios)* al Padre».

Sin poder determinar exactamente hasta qué grado Osio intervino en la introducción de todas esas expresiones, hay que admitir al menos su decisivo influjo en la aceptación de la última y más discutida: *homoúsios* (consubstancial), expresión que estaba destinada a ser caballo de batalla y piedra de escándalo durante muchos años.

La convicción de que Osio fue el principal artífice de las definiciones antiarrianas del concilio de Nicea está bien testificada precisamente por testimonios tan opuestos como son los de San Atanasio y los del historiador arriano Filostorgio [31]. Estos testimonios, unidos al empeño con que Constantino defendió dicha expresión, proporcionan garantías suficientes a los historiadores que atribuyen a Osio su paternidad con práctica unanimidad.

Si Osio aportaba la expresión tomándola de su acervo doctrinal occidental, en especial romano, o si lo hacía, más bien, familiarizado con él a causa de sus conversaciones con Alejandro de Alejandría, es ya un problema que cuenta con argumentos favorables y contrarios en ambos casos. San Ambrosio explica la introducción del «consubstancial» en el símbolo de Nicea de esta manera: Eusebio de Nicomedia, el gran protector de Arrio, afirmaba: «Si decimos que es verdadero Hijo y no creado, es como confesar que es consubstancial *(homoúsios)* con el Padre». Leída esta afirmación de Eusebio, los Padres del concilio —según San Ambrosio— pusieron esta palabra en el símbolo, al caer en la cuenta de que la temían los adversarios, «para cercenar la cabeza de su nefanda herejía con la espada que ellos mismos habían desenvai-

---

[30] Cf. J. Ortiz de Urbina, *Nicea y Constantinopla* (Vitoria 1969) p.69-92; V. C. de Clercq, o.c., p.250-66.

[31] Atanasio, *Hist. ar.* 42: MG 25,741-44; Filostorgio, *Hist.ecl.* I 7: GCS 21 p.8-9.

nado» [32]. Basándose en este testimonio de San Ambrosio y en el hecho que la expresión, aunque conocida, no era de uso siempre claramente admitido con anterioridad ni en Oriente ni en Occidente, V. C. de Clercq se inclina a pensar que fueron realmente los mismos arrianos los que dieron pie para que los Padres, y especialmente Osio, viesen en el *homoúsios* la expresión más indicada para eliminar radicalmente todos los subterfugios con que solían evitar los arrianos su condenación [33].

Efectivamente, la fórmula era plenamente eficaz en ese sentido. La doctrina arriana quedaba totalmente excluida, porque con ella se afirmaba directamente la plena divinidad del Hijo. Lamentablemente, en el contexto temporal en el que se incorporaba la fórmula al credo no era suficientemente clara como para no crear grandes dificultades a muchos que de ninguna manera comulgaban con las doctrinas arrianas. La expresión *homoúsios* (consubstancial) podía entenderse en sentido sabelianista, en cuanto que *usía* significaba entonces esencia o substancia común a todos los seres, pero también era sinónima de *hipóstasis,* es decir, substancia individual, término este último que más adelante serviría para designar las tres personas divinas. En este segundo caso, al afirmar que el Hijo era de la misma substancia o persona, parecía negarse su distinción del Padre.

Muchos obispos orientales que en las grandes controversias que siguieron al concilio se alinearon decididamente contra el *homoúsios,* sentían rectamente, y lo que pretendían era excluir esa interpretación sabelianista.

4. Sólo a título de conjetura, pero con serio fundamento, se puede hablar de influencia de Osio en la legislación disciplinar de Nicea. En general, se puede presumir *a priori* su intervención, dado su carácter de presidente de la asamblea y consejero del emperador. Pero la conjetura se basa, además, en indicios positivos: varios cánones de Nicea están inspirados en cánones anteriores del concilio de Granada (Iliberri) y del concilio de Arlés, del 314. En este último no estuvo presente Osio, pero con toda seguridad los conocía. En el de Granada tomó ciertamente parte [34].

Los cánones del futuro concilio de Sárdica son ciertamente obra principalmente de Osio, y en ellos pueden descubrirse orientaciones muy semejantes en algunos casos. Si la hipótesis de V. C. de Clercq fuese acertada, habría que añadir en este capítulo disciplinar otra intervención de Osio en Nicea, esta vez fallida. Se trata del intento de imponer la continencia a los obispos, presbíteros y diáconos, como se había impuesto en el concilio de Granada [35].

---

[32] AMBROSIO, *De fide* 3,15: ML 16,614.
[33] V. C. DE CLERCQ, o.c., p.265.
[34] Compárense los cánones 2 de Nicea con 24 de Granada; 3 de Nicea con 27 de Gran.; 5 de Nic. con 53 de Gran.; 9 y 10 de Nic. con 76 de Gran.; 17 de Nic. con 20 de Gran. El canon 5 de Nic. se relaciona con el 16 de Arlés; los cánones 15 y 16 de Nic. con los cánones 2 y 21 de Arlés; el 17 de Nic., con el 12 de Arlés.
[35] Cf. V. C. DE CLERCQ, o.c., p.278-80.

Después de Nicea

A pesar del apoyo decidido de Constantino en un principio, el concilio de Nicea no consiguió imponer la paz en las iglesias. El Occidente apenas había participado en la disputa y el mismo Osio parece que, al terminar el concilio o poco tiempo después, se reintegró a su sede de Córdoba y desapareció por una buena temporada del escenario. En Oriente, en cambio, la oposición al concilio fue tenaz y creciente. Vamos a resumir solamente los rasgos principales de estos conflictos, necesarios para encuadrar la subsiguiente participación de Osio.

Los partidarios de Arrio se movieron muy activamente desde muy pronto contra los principales campeones de la ortodoxia nicena. Con tácticas poco dignas, pero eficaces, consiguieron ya en el 330 que Eustato de Antioquía fuese depuesto. El año 328, Atanasio había sucedido en Alejandría a su obispo Alejandro. Atanasio, todavía diácono, había conocido a Osio con ocasión de la visita de este último a Alejandría en el 324 como enviado de Constantino. Ya entonces debió de comenzar la gran amistad entre ambos defensores de la ortodoxia antiarriana. La historia del episcopado de San Atanasio resume y concentra la de la lucha en pro y en contra de Nicea. El año 330 comienza ya la larga serie de sus destierros, condenaciones, amnistías y persecuciones. En el 335, obispos orientales reunidos en Tiro y en Jerusalén lo condenan a causa de algunas acusaciones calumniosas inventadas con el único fin de eliminar a tan poderoso enemigo. Mientras tanto admiten a su comunión a los arrianos. Constantino deporta a Tréveris a San Atanasio. Marcelo de Ancira es también depuesto y condenado como hereje.

El principal artífice de toda esta conjuración antinicena es Eusebio de Nicomedia, precisamente el obispo que bautizaría a Constantino en su lecho de muerte, acaecida el 22 de mayo de 337.

Los hijos de Constantino, al heredar el imperio, conceden una amnistía general, que permite a San Atanasio volver a su sede de Alejandría. Un sínodo de obispos egipcios repone oficialmente a Atanasio en su sede. Pero los enemigos de Nicea siguen aferrados a la sentencia del concilio de Tiro, y sólo reconocen como obispo de la capital egipcia al armenio Pistos. En el 338, estos obispos orientales envían una delegación al papa de Roma para que conceda su comunión a Pistos. Ch. Pietri [36] explica este nuevo interés de los obispos enemigos de San Atanasio por atraer al papa a su campo por las nuevas circunstancias del imperio después de la muerte de Constantino. Con la división del imperio existían ahora varios centros de influencia y de decisión. Efectivamente, escriben a los tres emperadores, haciéndoles ver que un obispo (Atanasio), después de un concilio (el de Tiro), no podía ser repuesto en su sede por decisión ajena. También llega a Roma una delegación de los cien obispos egipcios que habían repuesto a San Atanasio, con las pruebas, además, del arrianismo de Pistos.

Los obispos orientales pretenden entonces que se reúna un nuevo

---

[36] Ch. Pietri, *Roma christiana* I (Roma 1976) p.187ss.

concilio en Oriente para revisar la sentencia del concilio de Tiro. Efectivamente, en el 339 se reúne un concilio en Antioquía. Dada la preponderancia de los enemigos de San Atanasio, ni que decir tiene que el concilio de Antioquía vuelve a condenarlo, dándole un nuevo sucesor en la persona de Gregorio de Capadocia. San Atanasio tiene que huir de Alejandría, y se dirige esta vez a Roma.

El papa Julio convoca a las dos parte para que en un concilio en Roma se decida definitivamente el litigio. Los orientales no acuden, por lo que la reposición de San Atanasio y de Marcelo de Ancira, decretada por este sínodo romano del año 340, no se acepta en Oriente.

Hasta este nuevo interés de los orientales por asegurarse el apoyo de todos los emperadores, y, por tanto, también de Constante, que gobernaba en Occidente, los conflictos se habían desarrollado en el Oriente. Incluso Osio, el principal artífice de Nicea, había quedado excluido de todas estas intrigas. Los restantes obispos hispanos parece que tampoco tuvieron la más mínima participación en la contienda. En nuestras iglesias no se ven síntomas de preocupación por el arrianismo en estos quince primeros años.

Desde que los orientales acuden a Constante y al papa Julio, el Occidente empieza a quedar implicado en el problema. Cuando el Occidente queda implicado, la figura de Osio vuelve en seguida a la escena, ocupando el puesto preeminente que ya antes le había correspondido.

El emperador de Occidente, Constante, tenía suficiente poder como para imponer respeto también a los orientales. Acuden algunos de éstos a Tréveris para ganarse su apoyo. Parece que fue entonces el obispo Máximo de Tréveris el que consiguió que su misión fracasase ante Constante. Pronto intervino también ante el mismo emperador San Atanasio. Posiblemente avisado por este último, interviene por fin Osio. En el año 343, Máximo, San Atanasio y Osio se reúnen en Tréveris, y poco tiempo después se celebrará el concilio de Sárdica, convocado conjuntamente por los emperadores Constante y Constancio con el fin de reunir a los obispos de todo el imperio.

Osio y los obispos orientales en el concilio de Sárdica

Osio, anciano ya con más de ochenta años, fue encargado de presidir el concilio. Los ánimos estaban muy enconados, y el laudable propósito de los emperadores de reunir en un concilio a los obispos de uno y otro bando resultó impracticable, porque la minoría extremista de los obispos antinicenos, que, como siempre, manipulaba al resto de la masa amorfa, estaba decidida a no secundar en ningún modo la iniciativa. Se pusieron en marcha hacia Sárdica porque había por medio una orden de Constancio, y no tenían más remedio que obedecer. La epístola sinodal del concilio nos ha transmitido los nombres de estos instigadores, entre los cuales conviene retener dos occidentales, pero decididos enemigos de Nicea y que desempeñaron después un triste papel con respecto a Osio: Ursacio, obispo de Singidunum, en Mesia, y Valente, obispo de Mursa, en Panonia. En la misma epístola sinodal se refiere que el grupo mencionado «no permitía a los que habían venido con ellos que se fuesen al concilio ni que pasasen a la Iglesia de Dios. Cuando estaban para llegar a Sárdica iban organizando reuniones privadas en diversos lugares, y con amenazas conseguían que se comprometiesen a que, al llegar a Sárdica, no participarían de ningún modo en el juicio, ni siquiera irían al concilio. Sólo vinieron al sínodo para hacer acto de presencia y marcharse inmediatamente». Los escritores de la carta sinodal explican que todo esto lo sabían ellos directamente por Arrio de Palestina y Esteban de Arabia, los únicos que habían osado separarse de los orientales y despreciar sus amenazas [37]. Si ésta era la disposición de los orientales, pocas posibilidades le quedaban a Osio de conseguir que aceptasen el diálogo. Osio, sin embargo, dando muestras de notable flexibilidad, les exhortó a que presentasen todas cuantas acusaciones tuviesen contra Atanasio; les prometió por dos veces que se juzgaría con toda rectitud; les propuso que, si no querían hacerlo ante todo el sínodo, que le presentasen a él solo las denuncias; les volvió a prometer que, si se probaba la culpabilidad de Atanasio, sería completamente rechazado. Y aun llegó a proponerles que, si Atanasio era declarado inocente y ellos persistían en recusarlo, lo persuadiría para que marchase con él a Hispania, solución que había aceptado Atanasio en bien de paz [38]. Pocas veces la actitud de un hispano se habrá prestado tan poco a esos desahogos de desprecio o antipatía a que nos tienen acostumbrados algunos historiadores galos. Pues ni siquiera en esta ocasión hemos salido airosos. Ni siquiera la madurez de un historiador de la talla de Mons. Duchesne ha conseguido superar en esta ocasión esa debilidad. Para el historiador francés, «este padre de los concilios, como se llamaba a Osio, que había participado en Elvira ya antes de la persecución, que bajo Constantino había desempeñado el papel principal en el concilio de Nicea, no era, sin embargo, el hombre oportuno para presidir tales asambleas. Era un verdadero español, autoritario, duro, inflexible. En Nicea había impuesto el *homoúsios* sin tener en cuenta las repugnancias que esa fórmula, presentada sin correctivos, podía suscitar en Oriente; ahora había proporcionado a la oposición el pretexto que buscaban contra el concilio, dándoles pie para tomar la actitud de defensores de los procedimientos correctos e incluso de la ortodoxia» [39]. *Dixit*. Y estas frases las escribe Duchesne poco después de recoger el testimonio de la carta sinodal que ya hemos citado, en el que queda bien claro el propósito decidido de los orientales de no participar de ningún modo en el concilio. Como excusa para poder marcharse en seguida presentaron una exigencia a la que sabían que no iban a acce-

---

[37] *Epist. Synod. Sard.* 7: CSEL 65 p.119-21; ATANASIO, *Apol. contra ar.* 48: MG 25,333.
[38] Carta de Osio a Constancio: ATANASIO, *Hist. ar.* 44: MG 25,745.
[39] L. DUCHESNE, *Los seis primeros siglos de la Iglesia* II p.191-92.

der los occidentales, aunque no fuesen españoles: que rompiesen previamente la comunión con Atanasio y los otros condenados en Tiro[40].

El concilio de Sárdica, como consecuencia de la total deserción de los antiatanasianos, hubo de reducirse a una asamblea fundamentalmente occidental, aunque con predominio de los de lengua griega. No es posible saber con exactitud el número de asistentes a la asamblea presidida por Osio; puede estimarse alrededor de los noventa. Entre ellos, además de Osio, se encuentran los siguientes representantes de nuestras iglesias hispanas:

Anianus, obispo de Cástulo (Jaén), provincia Cartaginense.

Florentius, obispo de Mérida, provincia Lusitana, que había asistido como diácono al concilio de Arlés del 314.

Domitianus, obispo de Astorga, provincia de Galecia.

Castus, obispo de Caesaraugusta (Zaragoza), provincia Tarraconense.

Praetextatus, obispo de Barcelona, provincia Tarraconense[41].

Los representantes de la sede romana eran los presbíteros Archidamus y Philoxenus y el diácono León. Asistían también obispos de Italia, Galias, Africa, Panonia, Mesia, Dacia, Nórico, Siscia, Dardania, Macedonia, Tesalia, Acaya, Epiro, Tracia, Creta, alguno de Egipto y los dos obispos orientales mencionados: Arrio de Palestina y Esteban de Arabia.

El prestigio alcanzado para entonces por el obispo de Córdoba queda reflejado en las frases que le dedican los componentes del concilio en la carta sinodal dirigida a todas las iglesias: «[Los antiatanasianos] temieron venir al juicio. Invitados no una vez ni dos, sino varias veces, despreciaron las invitaciones del sínodo de todos nosotros los obispos que acudimos, y, sobre todo, despreciaron a Osio, venerable anciano, dignísimo de toda reverencia por su edad, su confesión, su fe, tan largamente probada por los grandes trabajos que ha soportado para utilidad de la Iglesia»[42].

Hay un documento que recoge el juicio emitido sobre Osio por los orientales que no quisieron participar en el concilio de Sárdica. Es el decreto emitido por ellos antes de retirarse, en el que condenan a Atanasio, Marcelo, Pablo, Asclepas, Julio, Protógenes, Máximo, Gaudencio y por supuesto a Osio: «A Osio también [lo condenamos] por la razón ya indicada[43], y por causa de Marco, de bienaventurada memoria, a quien causó siempre graves injurias y porque ha defendido con todas sus fuerzas a todos los malos, condenados justamente por sus crímenes y porque convivió en Oriente con delincuentes y perdidos... Osio, empedernido protector de delincuentes, se unió desde el principio a éstos y a otros semejantes, alineándose así contra la Iglesia y prestando apoyo invariablemente a los enemigos de Dios»[44]. Como puede verse, o conocían muy poco a Osio, o, si lo conocían, muy pocos defectos o crímenes

---

[40] Cf. SOZOMENOS, *Hist. ecl.* III 40: MG 67,1061.
[41] C. H. TURNER, *Eccl. Occ. Mon.* I II III (Oxford 1930) p.546-49.
[42] *Epist. Syn.* 2: CSEL 65 p.108; ATANASIO, *Apol. contra ar.* 44: MG 25,525.
[43] Por comulgar con Marcelo de Ancira y con Atanasio.
[44] *Decr.Syn.Or.a parte arian.* 27: CSEL 65 p.66.

personales tenían que reprocharle, a pesar de tratarse del jefe de sus adversarios [45].

La verdadera personalidad de Osio la podemos conocer a través del testimonio de San Atanasio, que sí lo conocía directa e íntimamente: «Del gran Osio, hombre verdaderamente santo [46], confesor, de feliz ancianidad, no es necesario que yo hable... No es un anciano innominado, sino el más y mejor conocido de todos. ¿Qué sínodo no dirigió? Hablando con propiedad persuadió a todos. ¿Qué iglesia hay que no tenga los más bellos recuerdos de su patrocinio? ¿Quién se le acercó entristecido que no se alejase de él reconfortado? ¿Qué necesitado le pidió algo y se fue sin conseguirlo?» [47]

Entre los muchos aciertos de V. C. de Clercq en su monografía sobre Osio, uno de los más notables ha sido el haber acudido a los cánones de Sárdica como fuente histórica para el conocimiento de la personalidad de Osio. La fuente es, efectivamente, de primera mano. San Isidoro de Sevilla dice que Osio «en el concilio de Sárdica fue autor de muchísimas conclusiones» [48]. Los mismos cánones han llegado a nosotros en su forma original de deliberación conciliar. Hay propuestas. razonamientos y explicaciones. Casi siempre es Osio quien propone y razona, preguntando después al sínodo si está de acuerdo. El documento, por tanto, nos permite oír hablar y razonar al mismo Osio [49]. V. C. de Clercq advierte en todas estas intervenciones de Osio una clara insistencia en la moderación y en la amabilidad, una constante solicitud por los pobres, los afligidos y los oprimidos, un acusado sentido de la justicia, un gran espíritu observador de la naturaleza humana.

La mayoría de los cánones tienden a organizar la disciplina eclesiástica en puntos determinados por las circunstancias concretas de la época: excesivos viajes de obispos a la corte imperial, traslados de obispos de una sede a otra, absentismo de la propia sede, ordenaciones, etc. Los más importantes de los cánones son el tercero y el cuarto, que tratan de los procesos eclesiásticos contra los obispos y de la apelación al obispo de Roma. He aquí el texto de las actas: «El obispo Osio dijo: ... También hay que prohibir esto: si en una provincia un obispo tiene pleito con un hermano suyo en el episcopado, que ninguno de los dos llame a obispos de otra provincia. Si algún obispo es juzgado en alguna causa y piensa que tiene buenas razones para que esa causa se revise, si os parece bien, honremos la memoria del santísimo apóstol Pedro: que escriban al obispo de Roma los que examinan la causa o los obispos de la provincia vecina. Si el obispo de Roma juzga que debe revisarse el juicio, que se revise y determine para ello los jueces. Si aprueba el juicio

---

[45] V. C. DE CLERCQ (*Osio de Córdoba y los orígenes del priscilianismo*: BolRealAcCórd 30[1959]303-308) propone la hipótesis de que este Marco «injuriado» por Osio sea el Marco maestro de Agape y Elpidio, maestros, a su vez, de Prisciliano.

[46] Atanasio juega con el significado del nombre griego Hosios = santo, aunque en realidad el nombre de Ossius nada tiene que ver con el griego *hosios*. Cf. V. C. DE CLERCQ, o.c., p.44-48.

[47] ATANASIO, *Apol. de fuga sua* 5: MG 25,649.

[48] *De vir. ill.* 4:ML 83,1086.

[49] Cf. C. H. TURNER, o.c., I II III p.452-86.

y no cree que deba revisarse, quedará confirmado. ¿Os parece bien así a todos? El sínodo respondió: 'Nos parece bien'. El obispo Gaudencio dijo: 'Si os parece bien, habrá que añadir a esta santa determinación lo que sigue: cuando algún obispo sea depuesto por los obispos de las sedes vecinas y alegue que va a tratar el asunto en Roma, que no se ordene otro en lugar del que ha apelado hasta que la causa sea sentenciada por el obispo de Roma...' El obispo Osio dijo: 'Parece bien que, en el caso que un obispo sea acusado, juzgado por el sínodo de los obispos de su región, depuesto de su grado y apele y acuda al obispo de Roma, si éste juzga que se debe revisar la causa, que se digne escribir a los obispos de la provincia limítrofe para que sean ellos los que examinen todo con su diligencia y decidan según la verdad. También podrá el obispo depuesto, si así lo prefiere, pedir al obispo de Roma que envíe un prebístero como legado suyo. El obispo de Roma podrá enviar, si quiere, legados con su autoridad, que estén presentes en la revisión del juicio por los obispos. Si creen que bastan los obispos para poder poner fin al asunto, hará lo que juzgase mejor en su sapientísmo juicio» [50].

La redacción de estos cánones no es precisamente un modelo de claridad y orden en un texto legislativo, pero refleja el carácter pragmatista de la determinación tomada un poco sobre la marcha y teniendo presente los acontecimientos de aquellos mismos años [51].

Hay otros cánones que debemos mencionar aquí; p.ej.: el canon quinto. Osio hace algunas consideraciones que son muy significativas en orden al conocimiento de su personalidad, hondamente humana y cristiana, y sirven también como ejemplo de la función social propia de los obispos: «El obispo Osio dijo: ...es honesto que el obispo preste su intercesión en favor de los oprimidos por alguna iniquidad, como p.ej., si una viuda sufre o un pupilo es expoliado... Con frecuencia acuden a la misericordia de la Iglesia las víctimas de la injusticia, y también los condenados con motivo al exilio o a otra pena cualquiera. A todos éstos hay que ayudarles y, sin duda, hay que interceder por ellos» [52].

También se determina en Sárdica que «no es lícito ordenar, sin más, un obispo en las aldeas o pequeñas ciudades donde es suficiente un solo presbítero. Porque no es necesario que haya allí un obispo, con descrédito del nombre y autoridad...» [53]

El concilio de Sárdica declaró inocentes a Atanasio y demás condenados por los antinicenos y condenó y depuso a los principales de estos últimos; entre ellos, a Ursacio de Singiduno, y a Valente de Mursa.

Osio de Córdoba, juntamente con Protógenes de Sárdica, propuso al concilio una nueva fórmula de fe. Lo dicen ellos mismos en una carta al papa Julio y explican por qué no han creído suficiente el símbolo de Nicea, que todos admiten y mantienen, pero que creen necesario completar y concretar dado el tiempo transcurrido y las nuevas circunstancias

---

[50] C. H. TURNER, o.c., p.455-62.
[51] Cf. CH. PIETRI, *Roma christiana* I p.220-31.
[52] C. H. TURNER, o.c., p.462-65.
[53] C. H. TURNER, o.c., p.501.

creadas por las intrigas de los arrianos. No es claro hasta qué punto esta nueva fórmula de fe pueda considerarse como documento propio del concilio [54]; más bien parece que no, dado el silencio de los documentos oficiales del mismo. Además, en el concilio de Alejandría del año 362, a quienes citaban ciertos pasajes del supuesto símbolo de Sárdica, responde San Atanasio que el concilio de Sárdica no promulgó ningún símbolo; que solamente algunos propusieron un texto, pero el concilio lo rechazó, no queriendo más símbolo que el de Nicea [55].

El concilio de Sárdica no fue admitido por los orientales. Ni tampoco dejó mucho rastro en el Occidente. Por esta razón, aunque el símbolo en cuestión hubiese sido aprobado oficialmente por el concilio, quizá no hubiese transcendido demasiado. De todas formas, la oposición de San Atanasio y, en general, del concilio contra la promulgación de una nueva fórmula fue providencial y contribuyó notablemente al progreso teológico que llevaría a las formulaciones finales sobre el misterio de la Trinidad. A estas formulaciones se llegó efectivamente gracias a los esfuerzos principalmente de San Atanasio, San Hilario y los Padres capadocios: San Basilio Magno, San Gregorio Nacianceno y San Gregorio de Nisa. El camino hacia la solución lo muestra ya San Atanasio con el citado sínodo de Alejandría del año 362. Los ortodoxos que todavía seguían pensando con la mentalidad de la época del concilio de Nicea continuaban considerando sinónimos la *usia* y la *hipóstasis* (esencia y sustancia). Entre éstos se contaba Osio, y por eso, en el símbolo que propuso en Sárdica, en su texto griego se afirma: «una sola *hipóstasis* (= una sola substancia) del Padre, del Hijo y del Espíritu Santo». Para muchos orientales, en cambio, que entendían ya la expresión *hipóstasis* como sinónimo de persona, semejante afirmación era sabelianismo puro, es decir, se negaba la distinción real entre el Padre, el Hijo y el Espíritu Santo, y por eso en el concilio de Antioquía del 341 habían expresado ya en su fórmula de fe que Padre, Hijo y Espíritu Santo eran tres en cuanto a la *hipóstasis* y uno solo en cuanto a la armonía. La labor de San Atanasio y los demás Padres citados fue hacer comprender a unos y a otros que la solución estaba en distinguir ambas expresiones y hablar de una sola *usia* (= esencia, substancia), compartida por tres *hipóstasis* o personas.

Las nuevas circunstancias después de Sárdica

Por lo que toca a la reposición de obispos ortodoxos y deposición de los arrianos o arrianizantes, el concilio de Sárdica no tuvo ningún efecto en el Oriente, donde Constancio favorecía descaradamente a los arrianos [56]. La muerte de Constante en el 350 y la consiguiente unifica-

---

[54] El texto griego del símbolo puede verse en Teodoreto, *Hist. ecl.* 2-8.37-52: MG 82,1012. El texto latino, junto con la carta de Osio y Protógenes a Julio Papa, *Sylloge Alex.*: C. H. Turner, o.c., p.644-53.

[55] Atanasio, *Tomus ad Ant.* 5: MG 26,800-801.

[56] R. Klein (*Constantius II und die christliche Kirche*, Darmstadt 1977) creemos se mueve por una excesiva simpatía hacia Constancio, que le hace despreciar claros testimonios his-

ción del imperio en manos de Constancio presagiaban nuevas y graves dificultades para los defensores de Nicea, dificultades que no se hicieron esperar, especialmente a partir del año 353, cuando Constancio logró desembarazarse del usurpador Magnencio.

En el año 351 se reunió un concilio en *Sirmio,* y en él se promulgó un símbolo de fe ortodoxo en sus expresiones, pero vago e impreciso, que omitía la expresión nicena *homoúsios.* Es la llamada primera fórmula de Sirmio.

San Atanasio había vuelto del exilio a su sede. Sus enemigos comienzan a maquinar de nuevo contra él. El papa Liberio pide a Constancio que reúna un concilio en Aquileya para tratar el asunto de Atanasio. Los legados del papa encuentran a Constancio en Arlés a fines del año 353 y ceden a las presiones del emperador, lo mismo que los obispos galos allí reunidos, condenando de nuevo a San Atanasio; solamente se resiste Paulino, obispo de Tréveris.

Desde que había terminado el concilio de Sárdica hasta este momento, unos diez años, Osio se encontraba instalado de nuevo en su sede cordobesa y en paz, anciano ya de más de noventa años. Tampoco parece que a los demás obispos hispanos hubiese llegado en toda esa época la perturbación que agitaba, sobre todo, a la Iglesia oriental.

Poco después de la defección de los obispos en Arlés bajo la presión de Constancio, el papa Liberio escribe a Osio, lamentándose de estas claudicaciones [57].

El papa Liberio no cedió a los malos tratos de los enviados del emperador, dirigidos a doblegarle para que firmase también la condenación de San Atanasio. Pidió Liberio a Constancio un nuevo concilio, que de hecho se celebró en Milán en el año 355. En esta ocasión vuelve Constancio a forzar a los obispos para que condenen a Atanasio, el cual tiene que huir otra vez de Alejandría en el 356. Los instigadores de la maniobra en el concilio de Milán son, sobre todo, Ursacio y Valente. Unicamente resisten Eusebio de Vercelli, Lucifer de Cagliari y Dionisio de Milán. Hilario de Poitiers, cabecilla de la resistencia en las Galias, es también deportado.

Constancio no se contenta con las firmas de los presentes. Manda legados por todas partes para exigir la adhesión de todos los obispos. A Liberio Papa lo hizo conducir por la fuerza a Milán, y, al no conseguir de él lo que quería, lo deportó a Berea, en Tracia.

Los últimos años de Osio

Osio andaba entonces ya por los cien años de edad. Ni esta circunstancia contuvo a Constancio, persuadido por los obispos arrianizantes de que era necesario arrancarle la condenación de San Atanasio. Para reconstruir los hechos que se sucedieron a partir de este momento, nada

---

tóricos que no le favorecen y aceptar, en cambio, algunos de mínima credibilidad, si están de acuerdo con su tesis.

[57] HILARIO, *Fragm.* VII 2,6: CSEL 65 p.167.

mejor que seguir la narración del mismo Atanasio [58]. San Atanasio expresa, una vez más, su amistad y veneración hacia Osio, quejándose de que sus enemigos «no respetasen al venerable anciano, al que era padre de los obispos y confesor de la fe; ni su antigüedad de más de setenta años como obispo». Con palabras retóricas prestadas a los instigadores, San Atanasio dice que ni el destierro de Liberio ni el de otros muchos obispos sería suficiente mientras Osio permaneciese inmune. «Mientras él permanezca entre los suyos, todos siguen en sus iglesias. Porque con su palabra y su fe es capaz de persuadir a todos contra nosotros. Preside sínodos y en todas partes se acomodan a sus instrucciones».

Constancio obliga a Osio a marchar hasta Milán y le pide que firme la condenación de Atanasio y entre en comunión con los arrianos. «El anciano, que soportaba con disgusto tener que oír tales cosas, apenado por el mero hecho de que se hubiese atrevido [Constancio] a hacerle tal proposición, se lo reprochó y consiguió persuadirlo, volviendo a su tierra y a su iglesia». Es de apreciar este gesto de Constancio en medio de tanto encarnizamiento. Pero los adversarios de Osio siguieron intrigando, y Constancio escribió varias cartas a Córdoba tratando de persuadir a Osio unas veces con adulaciones y otras con amenazas. En este momento, San Atanasio, como tantas otras veces, inserta en su narración un precioso documento histórico: una carta del centenario Osio a Constancio, en la que muestra entereza y dignidad, no quebrada todavía ni por los muchos sufrimientos ni por los muchos años [59]. He aquí algunos de sus párrafos:

«Ya antes he confesado la fe, cuando comenzó la persecución bajo tu abuelo Maximiano. Y si tú me persigues, también ahora estoy dispuesto a soportar todo lo que sea necesario o a verter mi sangre inocente para dar testimonio de la verdad. No comprendo cómo puedes escribir y amenazar así. No escribas más de esa manera, no apoyes las opiniones de Arrio, no hagas caso a los orientales ni creas a los de Ursacio y Valente. Lo que ellos hablan no lo dicen por causa de Atanasio, sino por su propia herejía. Créeme a mí, Constancio, que soy tu abuelo en edad. Estuve en el concilio de Sárdica cuando tú y tu hermano, de feliz memoria, nos reunisteis... ¿Por qué oyes de nuevo a los detractores de Atanasio? ¿Por qué soportas a Ursacio y Valente, si hicieron entonces penitencia y confesaron por escrito que lo habían calumniado? Y confesaron sin ser coaccionados con violencias, como dicen; sin soldados que les urgiesen, sin que nada supiese tu hermano, que con él no se usaban, ni mucho menos, estos métodos que se usan ahora. Marcharon a Roma espontáneamente y escribieron su confesión en presencia del obispo con sus presbíteros. Y antes habían escrito ya a Atanasio una carta amigable y pacífica. Arguyen de violencia y reconocen que la violencia es mala. Tú tampoco la apruebas. Pues entonces no la emplees, no envíes cartas

---

[58] ATANASIO, *Hist. ar.* 42-46: MG 25,741-52.
[59] R. KLEIN (o.c., p.132-35) pretende negar la genuinidad de esta carta, que considera, más bien, «un documento apologético del exiliado obispo egipcio [Atanasio] que un testimonio histórico fidedigno de un pastor occidental». Sus argumentos no nos parecen convincentes.

y legados, deja libres a los exiliados. Si no, reprochas la coacción y ellos la sufren mayor. ¿Cuándo obró así Constante? ¿Qué obispo tuvo que ir al exilio? ¿Cuándo se entrometió en un litigio eclesiástico? ¿Qué palatino suyo obligó nunca a nadie a firmar contra otro, para que digan semejante cosa los de Valente? Cesa ya, te lo ruego, y acuérdate de que eres hombre mortal. Teme al día del juicio. Consérvate limpio para esa ocasión. No te metas en los asuntos eclesiásticos. En este terreno no debes darnos órdenes, sino aprender de nosotros. A ti te ha dado Dios el imperio; los asuntos de la Iglesia nos los confió a nosotros. El que usurpa tu poder se opone a la disposición de Dios. Pero, si tú haces lo mismo con el de la Iglesia, eres culpable de gran crimen. Está escrito: 'Dad al césar lo que es del césar, y a Dios lo que es de Dios'. Ni a nosotros, por tanto, nos es lícito gobernar en lo terreno, ni tú, ¡oh emperador!, tienes potestad de ofrecer. Me estoy ocupando de tu salvación cuando escribo todo esto. Sobre lo que me has escrito, éste es mi pensamiento: yo no me uno a los arrianos y además anatematizo su herejía; ni voy a escribir contra Atanasio, declarado ya inocente por nosotros, por la iglesia de los romanos y por todo el sínodo. Tú mismo lo viste así, y, en consecuencia, lo llamaste y dispusiste que volviese con honor a su patria e iglesia... Cesa, pues, Constancio, te lo ruego; hazme caso, porque es esto lo que yo debo decirte, y lo que tú no debes despreciar».

Si nos atenemos a las narraciones de Atanasio, los hechos se sucedieron después así: Osio, «el anciano con la edad de Abrahán», no sólo se mantuvo firme en su postura, sino que escribía a otros obispos exhortándolos a dar la vida antes que traicionar la verdad. Les ponía delante el ejemplo de su buen amigo Atanasio, perseguido y en el exilio por amor a la verdad; de Liberio Papa, por la misma causa objeto de toda clase de insidias; y de otros muchos. Cuando Constancio supo que en Hispania había otros que pensaban como Osio, intentó que firmasen, pero no lo logró tampoco. Entonces llamó de nuevo a Osio. Lo hizo llevar hasta Sirmio, y allí lo retuvo como desterrado todo un año.

Los siguientes datos es mejor reproducirlos con las mismas palabras de San Atanasio: «Tanta fue la violencia que empleó con el anciano, tanto tiempo lo retuvo, que, abrumado, aceptó la comunión con los de Ursacio y Valente, aunque no aceptó nunca firmar contra Atanasio. Ni siquiera así se descuidó el anciano: cuando estaba ya para morir, a manera de testamento, declaró que había sufrido violencia, anatematizó la herejía arriana y pidió que nadie la aceptase» [60]. La biografía de Osio debería terminar con estas frases de San Atanasio. Nadie tuvo mayor interés que él en conocer los hechos de su gran amigo. Nadie ha tenido nunca y tendrá mejor disposición para comprender su vida y sus últimos pasos hasta su muerte, con más de cien años. Probablemente, lo

---

[60] Según R. KLEIN (o.c. p.136) es dudoso que en Sirmio se ejerciese presión sobre Osio. Reconoce que Hilario, Atanasio «y los que de él dependen» afirman que la hubo. Para este autor, el silencio de Febadio y el testimonio de *Libellus precum*, de tan escaso valor histórico en sus valoraciones, significan mucho más que esos otros testimonios explícitos.

que Atanasio de hecho nos ha transmitido, lo que ha querido que permanezca escrito de esos últimos momentos de humillación, es lo único que realmente sabremos y lo único que con justicia podremos afirmar de Osio. Pero no todos los autores antiguos ni modernos se han sentido obligados a mantener esa discreta reserva, llena de respeto, de que hace gala el obispo de Alejandría. Un Osio humillado, en comunión con los arrianos, era para muchos un triunfo inesperado. Para otros, una tristísima sorpresa y decepción. Por eso, la noticia debió de volar por todo el imperio [61].

Es difícil pensar que los «verdugos» no acrecentasen desmedidamente su victoria, propalando noticias no exactas, que hacían culpable a Osio de concesiones más graves y explícitas de las que narra San Atanasio. Por más que se quieran valorar todos los testimonios, nunca debería perderse de vista la posibilidad de que la fuente primera de todos esos últimos acontecimientos sea solamente la arriana, y que, como tal, esté viciada en parte o en todo. La historia ofrece varios ejemplos de esta facilidad para la calumnia en los adversarios de San Atanasio y de los defensores de Nicea. Lo que sí es cierto es que en seguida corrió la voz de que Osio había firmado también la fórmula de fe de Sirmio, la del concilio celebrado en esta ciudad en el verano del año 357 [62]. Es una fórmula claramente heterodoxa, en la que se rechaza expresamente el *homoúsios* (de igual esencia o substancia) y se afirma que el Padre es mayor que el Hijo [63].

No queremos detenernos ahora en la ya célebre y larga discusión sobre si Osio realmente firmó la fórmula II de Sirmio o no la firmó [64]. Creo que V. C. de Clercq está en lo cierto cuando dice que el conjunto de la documentación más bien favorece la tesis de los que piensan que Osio firmó efectivamente la fórmula. Pero no porque en ese momento hubiese llegado a la convicción de que era lo mejor para la paz de la Iglesia, ni mucho menos solamente para verse libre de la persecución, que tantas veces había desafiado. Simplemente, si firmó, firmó porque había llegado un momento en el que Osio no podía obrar ya libre y consecuentemente [65]. La historia de Osio termina acostumbrándonos a la imagen de un anciano de ochenta, de noventa, y de cien años, en quien el tiempo no parece hacer mella. Pero tuvo que llegar alguna vez el momento en que sus facultades tuvieron que fallar. Que un hombre con más de cien años exiliado, aislado, retenido a la fuerza y sometido a

---

[61] Cf. M. SIMONETTI, *La crisi ariana* p.234-35.

[62] HILARIO (*De Syn.* 3: ML 10,482-83; ibid., 11: ML 10,487) supone que Potamio y Osio fueron incluso los autores de la fórmula. En cambio, Febadio (*Contra ar.* 3: ML 20,15) nombra únicamente a Ursacio, Valente y Potamio. Hilario se retracta más tarde (HILARIO, *Liber contra Const.* 26: ML 10,601). Cf. A. MONTES MOREIRA, *Potamius de Lisbonne* p.140-49.

[63] Cf. HILARIO, *De Syn.* 11: ML 10,487-89. Texto griego en ATANASIO, *De Syn.* 28: MG 26,739-44.

[64] En V. C. DE CLERCQ (o.c., p.474-530) pueden verse reunidos los testimonios históricos sobre el particular.

[65] Atanasio explica así también en otros pasajes su caída; cf. *Apol. de fuga sua* 5: MG 25,649; *Apol. contra ar.* 89: MG 25,409.

despiadadas presiones termine por firmar lo que le pongan delante, sin saber ya lo que firma y sin poder controlar libremente sus acciones, es un hecho mucho más comprensible que el de una utópica resistencia a ultranza. La historia contemporánea nos ofrece, desgraciadamente, abundantes casos de «confesiones espontáneas», suficientes, desde luego, para poder entender el valor que hay que atribuirles.

Z. García Villada traduce y transcribe [66] los párrafos que se refieren a Osio en el *Libellus precum Faustini et Marcellini*. Ya nos hemos referido a este escrito lleno de deformaciones de la realidad y de invenciones, escrito por dos presbíteros luciferianos. Según éstos, Potamio, obispo de Lisboa, fue el que denunció a Osio ante Constancio y el causante del último destierro de éste [67]. Según el *Libellus*, Osio cedió por temor de los padecimientos y de perder sus riquezas. Y volvió a España nada menos que encargado por el emperador de castigar con el destierro a todos los que no cediesen como él. Osio no podía sufrir que Gregorio de Elvira [68] se mantuviese firme en la fe. Por eso lo llevó ante los tribunales. Preside Osio en el tribunal, sobre el juez. Confundido por los argumentos de Gregorio, pide al juez que deje las investigaciones y lo destierre. Pero el juez quiere que Osio primeramente lo despoje de su dignidad episcopal. Cuando Gregorio ve que Osio está dispuesto a hacerlo, pide a Dios que no lo permita. Como consecuencia de esta oración, Osio torció la boca, se dislocó la cerviz y cayó desde su estrado muerto, «o, como algunos dicen, quedó mudo».

La narración no sirve como testimonio histórico. Pero no por eso es insignificante. Su texto sirvió de fuente a otros escritores antiguos; entre ellos, a San Isidoro, que le dio difusión y prestigio.

Históricamente, no sabemos con exactitud dónde ni cuándo murió Osio. Quizá en Oriente, quizá de vuelta ya en Córdoba; probablemente, en el mismo año 357 o al principio del 358.

Es curioso y triste al mismo tiempo que, en Occidente precisamente, la memoria de Osio haya quedado marcada sobre todo por estas noticias confusas y negativas, debidas sin duda a las fuentes menos fidedignas y más cruelmente adversas al gran «padre de obispos». Hasta el punto que el nombre de Osio fue borrado de los dípticos de su iglesia de Córdoba [69] y ni un solo calendario hispánico hizo mención de él. Mientras tanto, en la Iglesia griega prevalecía la versión transmitida principalmente por su amigo San Atanasio y se valoraban, sobre todo, los méritos de su vida, conmemorándolo como santo sus calendarios el 27 de agosto [70].

[66] Z. García Villada, *HistEclEsp* I 2 p.40-42.
[67] Sobre Potamio volvemos en seguida en este mismo capítulo.
[68] Jefe de los luciferianos de Hispania; véase más adelante.
[69] C. H. Turner, o.c., p.541-43.
[70] Cf. H. Delehaye, *Synax.Eccl.Const.:* Acta SS.Nov. Propyl. (Bruselas 1902) col.929-30: «En el mismo día [conmemoración] de nuestro padre entre los santos Osio, obispo de Córdoba, en Hispania».

Potamio de Lisboa

Escasos son los datos históricos conocidos sobre otro personaje hispano implicado también en las controversias arrianas: Potamio. Nada se sabe sobre la fecha de su nacimiento ni sobre la de su ordenación episcopal. Tampoco se conoce la fecha de su muerte.

Los testimonios históricos sobre Potamio.
El «Libellus precum»

Los presbíteros luciferianos Marcelino y Faustino, en su escrito de súplica presentado al emperador Teodosio en el año 384, dicen de Potamio que era obispo de Lisboa, y con esto tenemos la primera mención expresa de comunidad cristiana en la actual capital de Portugal. Según los mencionados presbíteros, Potamio perteneció en un principio al grupo de obispos ortodoxos que defendían la fe de Nicea contra Arrio; pero en un cierto momento cambió de actitud, alineándose con los arrianos doblegado por el emperador Constancio, quien le concedió la propiedad de una finca pública ambicionada hacía tiempo por él. Los suplicantes del *Libellus* cuentan además que Osio de Córdoba escribió a las iglesias hispanas denunciando y condenando esta actitud de Potamio, y que este último, en revancha, acusó a Osio ante el emperador, lo que valió al obispo de Córdoba ser reclamado por Constancio, ante cuyas presiones cedió finalmente [71].

Si estas noticias son ciertas, este último dato sirve para situar el paso de Potamio al arrianismo en época anterior al último destierro de Osio, es decir, en una fecha no posterior al año 357, en que se celebró el concilio de Sirmio. Si tenemos en cuenta la sucesión de los hechos relatados por San Atanasio, la defección de Potamio es probable que sucediese antes. Según San Atanasio, después del concilio de Milán del 355, el emperador Constancio envió legados por todas las provincias con el fin de obtener de los obispos ausentes del concilio la adhesión a éste y la condenación de San Atanasio. Uno de los obispos ganados para la causa antinicena debió de ser Potamio. Osio fue obligado efectivamente a marchar a Milán, pero esta vez consiguió que Constancio desistiera de doblegarlo y volvió a Córdoba. Marcelino y Faustino funden quizá este viaje de Osio con el segundo, el que le condujo a Sirmio en el 357. El paso de Potamio al arrianismo podría situarse, en consecuencia, en los años 355 ó 356.

El *Libellus precum* de los presbíteros luciferianos contiene algunos datos más; p.ej., el motivo decisivo de la defección de Potamio, que sería la ambición de riqueza; la propiedad pública, que tanto había codiciado, y que al fin obtuvo del emperador como precio de su cambio de actitud. También se cuenta en el *Libellus* el castigo providencial de Potamio: su muerte repentina cuando todavía no había logrado disfrutar de

---

[71] *Libellus precum* IX 32: CorpChr 69 p.368.

la codiciada propiedad; es más, cuando se dirigía hacia ella, antes incluso de haberla ni siquiera visto [72].

Como fuente histórica, el *Libellus precum* es un documento de difícil utilización. Una primera evidencia se impone a la crítica: el escrito es un alegato apasionado y falto de objetividad. De manera artificial se han amañado los relatos de la muerte-castigo de Osio, Potamio y Florencio de Mérida, relatos carentes de valor histórico y que al mismo tiempo, por su descarada falsedad, ponen en entredicho todo el texto. La sospecha de invención interesada y fantasiosa se extiende principalmente a los aspectos negativos en los juicios de los personajes considerados como enemigos. Por esta razón, cuando se quiere explicar el cambio de actitud de Potamio por un motivo puramente materialista y de ambición, no hay forma de saber si se le juzga objetivamente o si se le injuria o calumnia sin reparos. Para algunos historiadores, la desconfianza producida por la evidente falsedad de algunos de los argumentos del *Libellus* es suficiente para excluirlo en su totalidad como documento válido. Pero esta actitud no parece que sea del todo justa. No hay que olvidar que el *Libellus* es un alegato presentado a Teodosio, y que, por cierto, surtió efecto, ya que el emperador después de su lectura ordenó que no se molestase más a los que comulgaban con Gregorio de Granada y con Heráclidas, los principales continuadores entonces del movimiento luciferiano [73].

En un alegato dirigido al emperador no hay por qué excluir datos falsos y argumentos inventados para fortalecer la propia visión de los hechos. Pero la ausencia en él de toda base objetiva lo reduciría demasiado a la categoría de panfleto sin valor y sin posibilidades. Los hechos que no suponen valoración personal, que no son expresión de una aversión no reprimida, pueden considerarse como datos aceptables en principio. En nuestro caso concreto, no se ve que deba rechazarse, p.ej., el dato de que Potamio fue obispo de Lisboa. También parece objetivo el hecho de su defección en la fe, prescindiendo de las razones que en el fondo le movieron al cambio, hecho además confirmado por otros testimonios. La denuncia de Potamio por parte de Osio a las demás iglesias hispanas es muy verosímil, lo mismo que la denuncia de Osio ante el emperador por parte de Potamio.

Con respecto al juicio sobre ortodoxia y heterodoxia de Potamio, nos encontramos con un caso parecido al que después veremos en Prisciliano. Actualmente se conocen varios escritos de Potamio, y todos ellos son suficientemente ortodoxos como para inclinar a muchos historiadores a negar valor a las afirmaciones de los contemporáneos, que las hay y varias, sobre su paso al arrianismo [74]. La diferencia esencial con Prisciliano está en que aquí es posible la distinción de los tiempos para concordar los datos, al parecer contradictorios. Cabe muy bien la posibilidad de que los escritos ortodoxos de Potamio pertenezcan a un mo-

---

[72] Ibid., XI 41-42: CorpChr 69 p.370.
[73] Véase más adelante, sobre Gregorio. Respuesta al *Libellus:* CorpChr. 69 p.391-92.
[74] Cf. J. MADOZ, *Potamio de Lisboa:* RevEspTeol 7(1947)79-109.

mento anterior o posterior a su época arrianizante. Esta parece la explicación más plausible, porque los testimonios históricos sobre su defección no admiten fácil réplica, si se quiere juzgar los hechos con ecuanimidad [75].

Febadio de Agen

Febadio, obispo de Agen (Francia), presente en el concilio de Zaragoza contra Prisciliano, fue uno de los autores que reaccionaron contra el concilio de Sirmio del 357 [76]. En su escrito contra los arrianos asocia a Potamio con Ursacio y Valente. De los tres conjuntamente dice que en sus escritos han usado con frecuencia la misma expresión de la fórmula de Sirmio sobre la existencia de un solo Dios, con lo que pretenden afirmar que sólo el Padre es Dios omnipotente, «como puede probarse con sus tratados» [77]. Febadio pretende denunciar el arrianismo disimulado de la fórmula de Sirmio apelando a los escritos más explícitos de autores arrianizantes, entre ellos Potamio. Es claro, por tanto, que el obispo de Lisboa es conocido como defensor de las doctrinas heterodoxas. Más adelante, Febadio se refiere directamente a una *Epistola Potamii*, difundida por toda la Iglesia, y cita una frase de ella: «La carne y el espíritu de Cristo, coagulados por la sangre de María y reducidos a un cuerpo, hacen a Dios pasible» [78]. Es una concepción cristológica de tipo apolinarista, en la que el Logos sustituye al alma; concepción asumida por los arrianos con intenciones bien diversas de los posteriores monofisitas, porque, como acertadamente observa A. Montes Moreira, estos últimos afirmaban esta confusión de naturalezas para salvar mejor la divinidad de Cristo, mientras que los arrianos lo hacían para atribuir al Logos las debilidades y limitaciones manifestadas por Cristo (tristeza, tentaciones, sufrimientos) y negar, en consecuencia, su estricta divinidad [79].

El escrito de Febadio es datable en los años 357 ó 358, por lo que parece justo concluir que, al menos en estos años, Potamio era ya arriano.

Hilario de Poitiers

Hay otros testimonios de su arrianismo. P.ej., el de Hilario de Poitiers, quien se refiere al arrianismo de Potamio en varias ocasiones. En una de ellas, Hilario cita a Osio y a Potamio, considerándolos como los más cualificados representantes de la doctrina defendida en Sirmio, cuya fórmula además reproduce más abajo con el título de «Ejemplo de la blasfemia escrita por Osio y Potamio» [80]. Deberíamos deducir de aquí

---

[75] J. MADOZ (o.c.) atribuye sus escritos ortodoxos a una época anterior a su arrianismo.
A. Montes Moreira (o.c.), más bien, al contrario.
[76] Véase más arriba, sobre los últimos años de Osio.
[77] FEBADIO, *Contra ar.3*: ML 20,13.
[78] Ibid., 5: col.16.
[79] Cf. A. MONTES MOREIRA, o.c., p.151-55; M. SIMONETTI, *La crisi ariana e l'inizio della riflessione teologica in Spagna*: AccNazLinc 371(1974)129-37.
[80] HILARIO, *De Syn.* 3 y 11: ML 10,482 y 487.

que Osio y Potamio fueron nada menos que los autores de la célebre fórmula segunda de Sirmio, pero ya dijimos al referirnos a Osio que no se puede aceptar esta paternidad de la fórmula. El mismo Hilario se desdice algún tiempo después cuando en el año 360 habla, en su *Libro contra el emperador Constancio,* de la misma fórmula, y la llama «blasfemia de Ursacio y Valente» [81]. En todo caso, parece que, para San Hilario, Potamio pertenecía a la facción antinicena. Aún hay otro texto suyo que vuelve a citarlo, ahora en compañía de Epicteto de Centumcellae [Civita Vecchia], conocido partidario de la facción arrianizante. El texto no es claro y ha dado motivo a diversas interpretaciones. Las palabras en cuestión van a renglón seguido de una carta del papa Liberio, que inserta Hilario en su *Historia,* y en la cual el papa hace saber a los obispos orientales que, por amor a la paz y la concordia de las iglesias, ha decidido entrar en comunión con ellos y rechazar la de San Atanasio. Esta carta fue escrita por Liberio a principios del año 357, cediendo a las presiones del emperador Constancio, que lo mantenía en el destierro. San Hilario a continuación comenta: «Potamio y Epicteto se complacen en condenar al obispo de Roma, como puede verse en el concilio de Rímini, y no quisieron saber nada de éste». La última frase se refiere, sin duda, al contenido de la carta de Liberio. La primera supone que en las actas del concilio de Rímini, del año 359, consta de alguna manera que Epicteto y Potamio condenaban a Liberio.

A. Montes Moreira enumera y examina detenidamente las diferentes interpretaciones que se ha intentado dar a estas expresiones, y propone finalmente la suya, que creemos la más aceptable. Epicteto y Potamio condenaban la actitud de Liberio porque la juzgaban insuficientemente arrianizante. Por eso no querían admitir su solución de compromiso, según la cual se contentaba tan sólo con rechazar a San Atanasio y aceptar la comunión con sus enemigos. Epicteto y Potamio querían más: deseaban que Liberio se decantase, en algún modo, doctrinalmente en su favor, pretensión esta a la que accedió más tarde el papa, hasta cierto punto, suscribiendo la fórmula primera de Sirmio, del año 351, que no era claramente heterodoxa, pero sí suficientemente ambigua como para admitir toda clase de interpretaciones.

Si ésta es su verdadera interpretación como parece, el texto de San Hilario confirmaría de nuevo que, a principios del año 357, Potamio era ya uno de los obispos activos en el grupo arrianizante [82].

Fragmento de la carta de San Atanasio

Todavía hay otro testimonio del arrianismo de Potamio. Es un fragmento de una carta de San Atanasio dirigida al obispo de Lisboa, conservada por Alcuino [83], y que J. Madoz supo valorar como se merece. La importancia del texto atanasiano para nuestro tema estriba en

---

[81] HILARIO, *Lib. contra Constant.* 26: ML 10,601.
[82] A. MONTES MOREIRA, o.c., p.96-106.
[83] ALCUINO, *Lib. adv. haer. Felicis* 61: ML 101,113.

una frase que se dirige a Potamio en estilo directo: «¿De qué manera se hizo carne de la Virgen aquel que tu consideras criatura?» La expresión es un inciso tanto más definitivo cuanto que, como tal, supone que se trata de una opinión conocida e indiscutible de Potamio y que es típicamente arriana.

No existe ningún argumento serio en contra de la autenticidad del fragmento aducido por Alcuino, ni se ha dado hasta la fecha ninguna razón válida para dudar de su historicidad [84]. J. Madoz lo considera, con razón, como una prueba cierta del arrianismo de Potamio; prueba que, por otra parte, no hace sino confirmar los otros testimonios que ya hemos recordado [85].

A lo largo de las prolongadas y acaloradas controversias suscitadas por el arrianismo y el concilio de Nicea, se dieron numerosos casos de defecciones, conversiones y reconversiones. En resumidas cuentas, cambios diversos de actitud por parte de no pocos que no eran capaces de resistir a las duras presiones del ambiente, del pueblo, de las autoridades civiles y eclesiásticas y aun del mismo emperador. San Atanasio, Eusebio de Vercelli, Paulino de Tréveris, Hilario de Poitiers y algunos otros supieron resistir incólumes todas las embestidas. También Osio de Córdoba hasta que sus más de cien años le privaron del pleno dominio de sí mismo. A todos éstos hay que enumerarlos con todo derecho entre los héroes históricos, que son siempre la excepción. La mayoría o al menos una gran parte de aquellos que no eran arrianos por convicción doctrinal seria, resistió hasta un cierto límite, cedió después, y volvió a su lugar primitivo al cesar la presión que les había hecho ceder. A este último grupo debió de pertenecer Potamio de Lisboa, y las pocas obras que de él se han conservado salieron, sin duda, de su pluma cuando todavía era ortodoxo o cuando lo volvió a ser, si es que existió esa última época suya nuevamente ortodoxa.

De Potamio ha dicho muy bien M. Simonetti que es una personalidad desconcertante en el plano humano, literario y doctrinal.

Su reflexión teológica en el campo trinitario representó un intento original de profundizar los términos de la cuestión con incertidumbres residuales, pero también con buenos resultados, sobre todo al delinear la interdependencia de las personas de la Trinidad y de su acción. Está por encima de la mediocridad que caracteriza buena parte de la literatura antiarriana latina [86].

Obras de Potamio

En el artículo citado de J. Madoz podrá encontrarse un breve y claro resumen de la historia de la identificación de las diversas obras de Potamio [87].

---

[84] Cf.. U. DOMÍNGUEZ DEL VAL, *Potamio de Lisboa* p.253-55.

[85] U. DOMÍNGUEZ DEL VAL (o.c., p.237-58) no acepta la argumentación de J. Madoz, pero no nos convencen sus razones. Tampoco a A. MONTES MOREIRA (o.c., p.165).

[86] Cf. M. SIMONETTI, *La crisi ariana e l'inizio della riflessione teologica in Spagna* p.136-37.

[87] J. MADOZ: RevEspTeol 7 (1947) 90-94. Más detenidamente en A. MONTES MOREIRA, o.c., p.219-300.

«*Carta a Atanasio*» [88].—Es un escrito fuertemente antiarriano. Trata de demostrar en él que la palabra *substantia* se encuentra empleada en la Biblia a propósito de la Trinidad e insiste en que el Padre y el Hijo son consubstanciales. Hay un pequeño dato de interés en este escrito de Potamio: la intitulación de la carta dice así: «*Domino fratri gloriosissimo ac beatissimo Athanasio episcopo, Potamius.*» El empleo de la palabra *fratri* indica que la carta está escrita, desde luego, cuando Potamio era ya obispo.

«*Carta sobre la substancia del Padre, y del Hijo, y del Espíritu Santo*» [89].—Corría como de San Jerónimo. Se discute si se trata de una homilía o de una verdadera carta. Amplía el mismo tema de la obra anterior, insistiendo en los argumentos bíblicos y en numerosas analogías con las que trata de aclarar el misterio de la consubstancialidad.

«*Tratado sobre Lázaro*» [90].—Es una homilía sobre la resurrección de Lázaro, en la que se emplea un lenguaje plenamente ortodoxo, pero no por eso incapaz de ser usado por un arriano. La cita San Agustín, creyéndola obra de San Juan Crisóstomo [91].

«*Sobre el martirio del profeta Isaías*» [92].—Suele considerarse también como una homilía no completa, en la que se narra el martirio del profeta Isaías, cuyo instrumento de suplicio fue la sierra, siguiendo el libro apócrifo conocido por el nombre de *La ascensión de Isaías,* escrito a finales del siglo I o primera mitad del siglo II.

Se ha escrito bastante sobre la datación de estos escritos, sin resultados prácticos, porque no hay datos para establecer su cronología.

De Potamio dice bien J. Madoz que «ocupa un puesto solitario e inconfundible, caracterizado por su extravagante énfasis y singular rareza de estilo». Es, sin duda, un gran observador, extraordinariamente realista en sus descripciones. Madoz habla de «un realismo colorista, genuinamente español, de la patria de Prudencio, de Ribera y de Valdés Leal. Porque Potamio habla a los oídos, a los ojos y al olfato» [93]. G. Verd pone como ejemplo, bien significativo por cierto, este párrafo de Potamio:

> «Yacía [Lázaro] con el rictus de las mandíbulas caído, los dientes arrancados en la boca, la boca maloliente; porque, en efecto, creado de la miseria terrena, se desharía como una gleba podrida, y el triste sepulcro condenaría a los haces de nervios, junto con la masa del cuerpo, al pus miserable. Con los miembros contraídos, la oscura piel se distiende entre las costillas secas, que se pueden contar, y un chorro de líquido que se desprende del remolino de las vísceras, convertido ya en una cloaca he-

---

[88] La mejor edición es la de A. WILMART: RevBén 30 (1913) 269.274-79 y 285. Véase asimismo A. C. VEGA, *Opuscula omnia Potamii* (El Escorial 1934) p.25-29: ML 8,1416-18.

[89] La mejor edición es la de A. C. Vega (o.c. p.37-54), reproducida en ML suppl.1 (París 1958) col.202-16.

[90] La mejor edición es la de A. WILMART: JournTheolStud 19 (1918) 289-304. Véase asimismo A. C. Vega, o.c., p.30-34: ML 8,1411-15.

[91] AGUSTÍN, *Contra Iul.* I 6,24: ML 44,656-57; ID., *Contra sec. Iul. resp.* VI 7: ML 45,1512-13.

[92] A. C. VEGA, o.c., p.35-36: ML 8,1415-16.

[93] J. MADOZ, *Potamio de Lisboa* p.100.

dionda, se desliza, negro y azulado, por el fondo del cadáver. ¡Ay!, después de cuatro días y cuatro noches, ¿cómo iba a poder reanimar el cadáver, aquellos ríos inmundos de hiel y humores que inundan la boca, aquellos respiraderos hediondos de los pulmones entre los miembros corrompidos? ¿Pues no es cierto que hasta la casta y hermosa rosa de hojas fragantes, que está tan preciosa en su propio perfume, si, por el contrario, es arrancada del rosal por la hoz del pulgar, empalidecería triste con lánguida muerte, hasta perder el color y el olor?» [94]

Potamio usa un lenguaje barroco, grandilocuente y enrevesado. La influencia de Tertuliano en Potamio no puede negarse, pero es digno de notarse también que el obispo de Lisboa posee un vocabulario propio, del que no se encuentran otros paralelos.

GREGORIO DE GRANADA (ELVIRA)

Gregorio debió de ser ordenado obispo de Granada pocos años antes de la muerte de Osio.

Muy poco conocemos de su vida. Y para entender lo poco que de ella sabemos es necesario encuadrarla en medio de los acontecimientos de la disputa antiarriana que siguieron a los ya narrados a propósito de las actividades de Osio y de Potamio.

Los arrianos, en vez de insistir sobre el Hijo criatura, como lo hacían en sus primeros tiempos, insistían ahora en que el Hijo era inferior al Padre, no semejante a El [95]. A esta postura radical se oponía una buena mayoría de los obispos orientales, cuyo grupo más importante, capitaneado por Basilio de Ancira, no solamente negaba el *anómoios* (= no semejante), sino que defendía que el Hijo era *homoiúsios* con el Padre, es decir, de esencia semejante, fórmula que en muchos casos no expresaba sino la misma idea del símbolo de Nicea, pero con una matización que pretendía excluir toda interpretación sabelianista.

Diversas circunstancias favorables permitieron a Basilio de Ancira adquirir nuevo prestigio. En el año 358, en un concilio reunido en Ancira promulgó su fórmula, introduciendo el *homoiúsios*. La fórmula iba en la línea de la de Antioquía del 341. Siguiendo la tradición oriental, se insistía en la distinción entre el Padre y el Hijo (contra el sabelianismo), pero también se tenía más en cuenta que hasta ahora el peligro opuesto del arrianismo, acercando más al Hijo y al Padre, aunque condenando expresamente el *homoúsios* de Nicea en su interpretación no ortodoxa de identidad.

Las circunstancias favorables para Basilio de Ancira le permitieron influir directamente en el ánimo del emperador Constancio y conseguir en Sirmio, en el mismo año 358, la firma de una fórmula de su gusto, llamada fórmula tercera de Sirmio, que también firmó el papa Liberio, pudiendo así por fin volver a Roma después de largo cautiverio.

---

[94] G. VERD, *La predicación patrística española:* EstEcl 47 (1972) 229-30.
[95] L. DUCHESNE, *Los seis primeros siglos de la Iglesia* II p.233-70.

Tanto Atanasio como Hilario de Poitiers aprobaron la actitud del papa Liberio, es decir, su apoyo a Basilio de Ancira.

Pero duró poco el triunfo de este último. Algunos obispos arrianos consiguieron insinuarse de nuevo ante Constancio. Lo que había sido un proyecto de Basilio, la reunión de un gran concilio en Rímini para conseguir definitivamente la paz de la Iglesia universal, se iba a convertir en la gran derrota de la ortodoxia. Los obispos arrianos consiguieron del emperador que, en vez de uno, se convocaran en el 359 dos concilios separadamente: uno en Rímini, de occidentales, y otro en Seleucia, de orientales.

De nuevo la intervención de Constancio iba a ser fatal para los no arrianos. La fórmula que iba a someterse a discusión en ambos concilios simultáneos se preparó en la corte imperial y a base de la aportación de quienes no querían admitir ni siquiera el *homoiúsios* de Basilio. En la fórmula preparada se excluía toda alusión a la esencia y se hablaba solamente del Hijo semejante al Padre, expresión que admitía una interpretación ortodoxa, pero no excluía en ningún modo la arriana, y que, a la altura en que se encontraba ya la controversia, era inadmisible y una auténtica carta de ciudadanía para el arrianismo. No obstante, la fórmula fue aceptada por todos de la manera más inesperada. Cada uno de los dos concilios, después de deliberar, debía enviar diez de sus miembros como legados al emperador para coordinar ante él los resultados. Los de Rímini enviaron sus legados, pero antes habían llegado algunos disidentes de su misma reunión capitaneados por los conocidos arrianos Ursacio y Valente. Lograron éstos convencer a los ortodoxos. Se aceptó la fórmula imperial.

En Seleucia, en cambio, había prevalecido Basilio de Ancira. Pero no sirvió para nada. Se le adelantó ante el emperador Acacio de Cesarea y además los delegados de los orientales se encontraron con la sorpresa de que los de Rímini no les apoyaban a ellos, como esperaban, porque ya habían cedido todos sin excepción a las presiones del emperador.

En enero del 360 se tuvo un sínodo en Constantinopla para ratificar el resultado conjunto de Rímini y de Seleucia. Lo dirigía Acacio de Cesarea y en él estaba presente el obispo *Ulfila,* el evangelizador de los godos, arriano convencido, principal causante del arrianismo que profesarán casi todos los invasores de la península Ibérica en el siglo V.

Se aprobó la fórmula de Rímini: el Hijo, *semejante* al Padre; y, juntamente, prohibición de usar *esencia* o *substancia.*

No fueron muchos los obispos que se resistieron a la firma del símbolo de Rímini-Constantinopla, que pasaba a ser la fórmula oficial en el imperio. Entre los que no se doblegaron hay que recordar, además de a San Atanasio y a San Hilario, a Eusebio de Vercelli, a Lucifer de Cagliari y a Gregorio de Granada [96].

En la crítica histórica no hay lugar para cábalas sobre futuribles. Por eso nada se puede afirmar sobre lo que hubiese ocurrido de haberse mantenido por largo tiempo la situación creada por la generalizada de-

---

[96] Muy probablemente no presente en Rímini.

fección de los obispos ante la fórmula de Rímini-Constantinopla, impuesta por Constancio. En el mismo año 360, Juliano era proclamado augusto por sus tropas, y en el 361, cuando marchaba hacia Occidente para enfrentarse con él, moría Constancio en el camino.

Desde que la rebelión de Juliano ponía en entredicho la autoridad de su primo, surgieron ya las primeras reacciones contra Rímini, como fue la del concilio de París del 360, con la presencia de San Hilario, quien hizo de «hombre bueno», consiguiendo de los obispos franceses ortodoxos una disposición benévola hacia los obispos orientales que habían claudicado, pero que en su sentir sincero eran fundamentalmente ortodoxos.

La misma actitud de comprensión adoptó el gran luchador ortodoxo San Atanasio. A principios del 362 había vuelto a Alejandría, beneficiándose de la amnistía general que había concedido Juliano el Apóstata, y en ese mismo año reunía un concilio en su sede, en el que participaban algunos constantes defensores de la fe de Nicea; entre otros, Eusebio de Vercelli; Lucifer de Cagliari estaba representado por dos diáconos.

Paradójicamente, la muerte del emperador cristiano Constancio y el advenimiento del apóstata habían supuesto el fin de la opresión doctrinal y la libertad para los ortodoxos. Una gran parte de los que habían cedido antes se incorporaban de nuevo a la ortodoxia nicena. Atanasio adopta en el concilio alejandrino una actitud semejante a la de Hilario de Poitiers: la condición para admitir a la comunión a los arrepentidos sería sólo que aceptasen el símbolo de Nicea y condenasen a los que por entonces afirmaban que el Espíritu Santo era una criatura. Los obispos y clérigos que cumpliesen estas condiciones podían conservar sus grados eclesiásticos, a excepción de los grandes dirigentes del arrianismo [97].

El concilio de Alejandría no llegó a estas conclusiones sin dificultades ni oposiciones de sus componentes más intransigentes. Estos últimos podían apoyar su actitud en la legislación eclesiástica anterior. En nuestro capítulo IV hemos recordado la práctica generalizada en la Iglesia en el siglo III, testimoniada por San Cipriano en su carta 67, en la que se dice: «Hace ya tiempo, nuestro colega Cornelio, obispo pacífico, justo y honrado además con el martirio por dignación de Dios, juntamente con nosotros y con todos los obispos del mundo, decretó que todos los hombres [los obispos apóstatas en la persecución] puedan ser admitidos a penitencia, pero quedan excluidos del clero y de la dignidad episcopal».

El canon 51 del concilio de Granada (Elvira) prescribía que los herejes convertidos no podían ser promovidos al clero, y, si eran clérigos anteriormente, debían ser depuestos sin ninguna duda.

La actitud abierta de Hilario y Atanasio suponía un avance en el sentido humano de la convivencia y en el sentido cristiano del amor

---

[97] Las conclusiones del concilio de Alejandría se han conservado en la carta sinodal, el *Tomus ad Antiochenos*, de Atanasio. Traducción en I. Ortiz de Urbina, *Nicea y Constantinopla* (Vitoria 1969) p.271-76.

fraternal. No todos supieron comprenderlo. Especialmente Lucifer de Cagliari se mostró reacio, y se negó a aceptar como colegas en el episcopado a los que habían cedido a las presiones que él había sabido superar.

La variedad de grupos y de tendencias existentes en Antioquía crea allí una situación anómala, a la que contribuyó en notable grado la inoportuna intervención del mismo Lucifer de Cagliari. Pero a partir del concilio de Alejandría del 362, y a pesar de las muchas vicisitudes por que todavía tendrán que pasar unos y otros, se comienza ya a caminar seriamente hacia la reconciliación. La reconciliación tendrá una expresión solemne en el segundo concilio ecuménico, el concilio de Constantinopla del 381.

Los «luciferianos» y Gregorio

No sabemos con certeza si el mismo Lucifer de Cagliari llegó a separarse de la comunión de la Iglesia. Sí es cierto que un pequeño grupo de seguidores suyos llegaron a constituir un verdadero cisma y sabemos bien que en Roma recibían el apodo de «luciferianos» y se les rechazaba decididamente [98]. Así lo cuentan con abundantes pormenores los citados presbíteros luciferianos Marcelino y Faustino en el *Libellus precum*. Acusan, sobre todo, al papa Dámaso de haber ordenado una auténtica persecución y caza de clérigos y fieles de la secta, citando concretamente al obispo luciferiano Aurelio. También se refieren a persecuciones que hubieron de sufrir los luciferianos en otras regiones y en Hispania, refiriéndose especialmente al presbítero *Vicente,* denunciado ante el consular de la Bética. Según Marcelino y Faustino, los fieles de Vicente fueron expulsados de la iglesia y maltratados, algunos de ellos muertos. Citan como enemigos especialmente destacados en la crueldad de la persecución a los obispos Lucioso e Higino [99].

En cambio, para Marcelino y Faustino, Gregorio es el «santo y constantísimo obispo de Granada», «defensor de la fe íntegra». De los miembros de la secta, como el presbítero Vicente, en la Bética, y el obispo Aurelio, de Roma, dicen que eran perseguidos «porque estaban en comunión con el beatísimo Gregorio». La importancia concedida por estos dos presbíteros luciferianos a Gregorio de Granada solamente es comparable con la que conceden más adelante a Heráclidas, obispo de Oxyryncho, en Egipto. Así lo comprendió bien el emperador. En su rescripto con que responde a la súplica del *Libellus,* Teodosio ordena que se permita vivir y actuar en paz a los luciferianos. No los llama, por supuesto, con ese apodo despectivo. Para designarlos habla de «los que están en comunión con el hispano Gregorio y el oriental Heráclidas, obispos santos ciertamente y dignos de alabanza». Y más adelante

---

[98] Noticias sobre ellos también en Jerónimo, *Altercatio luciferiani et ortodoxi:* ML 23,163-91. Véase asimismo Isidoro, *Etimol.* 8,5: ML 82,303. Cf. M. Simonetti, *La crisi ariana* p.443-45.

[99] Cf. A. C. Vega, *EspSagr* 53 y 54 (Madrid 1961) p.256-59.

vuelve a decir: «Gregorio y Heráclidas, obispos de la ley sagrada, y los demás obispos semejantes a ellos que siguen la misma observancia» [100].

No hay ninguna duda de que Marcelino y Faustino eran dos presbíteros luciferianos. Su escrito al emperador, como ya hemos dicho repetidas veces, contiene afirmaciones y argumentos muy poco dignos de crédito, porque son manifiestamente fantasías y exageraciones que se acumulan para desprestigiar a sus adversarios y dar mayor garantía a los principales directores y seguidores de su propia facción. Si entre los más favorecidos se encuentra y descuella Gregorio de Granada y además lo designan expresamente como suyo, no hay ninguna razón para dudar de la pertenencia de este último al grupo luciferiano y de su puesto destacado en él, puesto de jefe principal, juntamente con Heráclidas, como queda comprobado por el testimonio del rescripto del emperador [101].

Ya hemos visto que la causa del cisma iniciado por Lucifer de Cagliari fue la actitud adoptada por San Atanasio y otros en el concilio de Alejandría del 362. Lucifer y los que le siguieron no quisieron admitir que siguiesen en sus sedes como obispos los que de nuevo admitían la fe de Nicea, pero anteriormente la habían rechazado. Dijimos también que en esto pretendían seguir ateniéndose a la antigua disciplina, que admitía a los obispos apóstatas o herejes arrepentidos a la comunión, pero reducidos al estado de simples fieles. Gregorio debía de tener bien presente esta disciplina tradicional, renovada no hacía muchos años en su propia sede iliberitana. El ambiente que había respirado desde su misma infancia [102] era, más bien, rigorista e intransigente [103]. De su actitud plenamente ortodoxa, libre de todo compromiso con el arrianismo, nos habla expresamente San Jerónimo: «Muere Lucifer, obispo de Cagliari, quien, juntamente con Gregorio, obispo de las Hispanias, y Filón de Libia, nunca se mezcló con la maldad arriana» [104].

Uno de los escritos más importantes de Gregorio es el *De fide*, y está dirigido principalmente contra la fórmula de fe de Rímini-Constantinopla. En favor principalmente de los numerosos obispos que habían claudicado ante esta fórmula, se habían tomado las benignas disposiciones del concilio de Alejandría, piedra de escándalo de los luciferianos.

Parece, pues, que las pocas noticias e indicios conservados concuerdan en señalar en una misma dirección: Gregorio pertenecía al grupo rigorista de obispos ortodoxos que estaban en desacuerdo con una fácil reconciliación.

Sería un anacronismo deducir de todo esto que el obispo de Gra-

---

[100] *Libellus precum:* CorpChr 69 p.361-92.
[101] Cf. M. Simonetti, *Gregorio di Elvira. La fede* p.8.
[102] Probablemente era de Iliberri, ya que fue elegido obispo allí.
[103] Cf. J. Collantes, *San Gregorio de Elvira* p.17-18.
[104] Jerónimo, *Chron.* II: ML 27,506. Próspero de Aquitania (*Epit. Chron.* 1143: MongermHist, A A IX p.459 = ML 51,582) transcribe la noticia de Jerónimo y añade: «Pero, al no ceder [Lucifer] en el vigor de la justicia para con los que habían caído, él mismo se separó de la comunión de los suyos.» En E. Mazorra (*Gregorio de Elvira* p.19-53) pueden verse los diversos autores y sentencias sobre el «luciferianismo» de Gregorio.

nada formaba parte de una secta o de una iglesia aparte, separada por completo de la Iglesia católica. En una eclesiología de comunión como era la vigente entonces cabían muchos grados de unidad. No se concebía la unión de una manera meramente jurídica, según la cual o se pertenece o no se pertenece: no hay términos medios. Las iglesias locales eran la iglesia, y, por eso, todas eran una sola iglesia. Por eso también todas estaban obligadas a mantener la comunión entre sí, y principalmente con las iglesias que más garantías ofrecían de representar la comunión total, entre las que ocupaba el primer puesto la iglesia de Roma, presidida por el sucesor de Pedro. Con frecuencia surgían dificultades que conducían a la rotura de relaciones eclesiásticas oficiales; se rompía la comunión. Esa situación era considerada como anómala, y se hacían intentos para arreglarla. Mientras tanto, se seguía adelante, en lucha abierta o en ignorancia mutua a veces, hasta que llegaba el momento de la reconciliación. Solamente las roturas que se perpetuaron definitivamente constituyeron los cismas propiamente dichos, tal como hoy los conocemos.

En los mismos tiempos de Gregorio, y a causa de las mismas disputas posnicenas, se daba una situación curiosa en Antioquía, que ilustra de alguna manera cuanto acabamos de decir.

En la época de Juliano el Apóstata y sus sucesores, la comunidad cristiana antioquena estaba dividida en cuatro grupos que no comulgaban entre sí: 1) los *anomeos* o arrianos extremistas, enemigos totales de Nicea y aun de Rímini-Constantinopla; 2) el grupo oficial que había seguido las normas de Constancio y defendía precisamente esta última fórmula; 3) el grupo más numeroso, que había tenido dificultades con los occidentales, pero que poseía sentimientos ortodoxos, a cuya cabeza estaba el gran obispo Melecio; 4) un pequeño grupo ortodoxo que nunca había aceptado a ningún obispo no niceno, que podría muy bien haberse unido al final al grupo anterior si Lucifer de Cagliari no lo hubiera impedido, ordenando obispo al presbítero Paulino, que era quien lo mantenía como grupo aparte.

El papa Dámaso y San Atanasio de Alejandría estaban en comunión con este último pequeño grupo y con su obispo Paulino. San Basilio Magno, en cambio, no aceptaba a Paulino, sino a Melecio, lo que no impedía que, a su vez, estuviese en comunión con el papa Dámaso y con San Atanasio. Melecio, que nunca llegó a estar en comunión con Roma, presidió el segundo concilio ecuménico, el concilio de Constantinopla del 381 [105]. Murió durante su celebración, y el panegírico de sus solemnes funerales corrió a cargo de San Gregorio de Nisa. Sucedió a Melecio en Antioquía el obispo Flaviano, sin que ni Roma ni Alejandría lo aceptaran en su comunión. Melecio fue quien bautizó a San Juan Crisóstomo y lo ordenó diácono. Flaviano lo ordenó más tarde presbítero. Cuando San Juan Crisóstomo fue elevado a la sede episcopal de Cons-

---

[105] Cf. I. Ortiz de Urbina, *Nicea y Constantinopla;* Ch. Pietri, *Damase et Théodose:* Epéktasis (París 1972) p.627-34.

tantinopla, ya era célebre por su extraordinaria elocuencia. Aún no estaba en comunión con Roma.

A la muerte de Paulino de Antioquía, y a pesar de que había dejado sucesor, se llega a la comunión de Flaviano con Alejandría y Roma, y se llega así, por fin, a la solución de esas desavenencias y contradicciones.

En una época en que todo esto podía suceder, no es posible saber qué grado de aislamiento comportaba para Gregorio de Granada el puesto preeminente ocupado por él en el grupo de los llamados «luciferianos», ni tampoco se puede precisar cuál era la cohesión que existía entre él y los demás obispos no dispuestos a consentir que los que habían claudicado ante la fórmula de Rímini-Constantinopla permaneciesen en sus sedes.

Gregorio y Osio

Junto a estos datos proporcionados por el *Libellus precum* y dignos de tenerse en cuenta, hay otros sobre Gregorio en el mismo escrito difícilmente aceptables por la crítica histórica. Entre éstos hay que enumerar la detallada narración de una supuesta confrontación de Gregorio con Osio, seguida de la muerte repentina de este último. Al hablar del obispo de Córdoba, dejamos ya asentado que la muerte de Osio, lo mismo que la de Potamio y la de Florencio, todas ellas presentadas con caracteres de terrible «castigo por la prevaricación en la fe sagrada», tal como se narran, no merecen ninguna credibilidad.

Por lo que se refiere a Gregorio, la narración, bajo un ropaje fantasioso y retórico, oculta probablemente un hecho y con seguridad una clara intención. El hecho debe de ser que en algún modo tuvo que llegar a oídos de Gregorio la noticia de la defección final de Osio. Es lógico que si Gregorio no estuvo dispuesto más tarde a comulgar ni con los arrepentidos de Rímini-Constantinopla, mucho menos lo pudo estar a entrar en comunión con quien se decía que había firmado y mantenía una fórmula arriana de fe. Si esa lógica rotura de comunión con Osio llevó consigo un enfrentamiento verbal directo o solamente indirecto, no nos es posible saberlo. El confrontamiento directo es poco verosímil, aunque no del todo imposible. Todo depende de que la muerte de Osio sucediese en Oriente o en Hispania, de vuelta ya de su destierro. Es verosímil que Gregorio fuese conminado quizá también, como se narra, haciéndole presentarse en Córdoba, capital de la Bética, para que suscribiese la fórmula segunda de Sirmio, y que allí, en la sede de Osio, se resistiese y defendiese su postura oralmente o por escrito. Lo que sí es claro es que la escenificación del encuentro entre Osio y Gregorio es parte de un plan premeditado por los autores del *Libellus* en su deseo de prestigiar la figura del principal de sus sostenedores, presentándolo como amigo de los grandes campeones de la fe nicena y adversario irreductible de los que habían claudicado ante la herejía. En la narración se emplea la técnica del claroscuro, para que sobre el fondo negro de la maldad del adversario resalte la nítida blancura del héroe.

Según la fantástica narración del *Libellus*, cuando el vicario Clementino citó a Gregorio para que se presentase en Córdoba, se solían preguntar los cordobeses: «¿Quién es este Gregorio que se atreve a resistir a Osio?» Y añaden: «Muchos todavía ignoraban la prevaricación de Osio y no estaban muy enterados de quién era el santo Gregorio. Incluso para aquellos que ya lo habían conocido, Gregorio era todavía un obispo reciente, aunque ante Cristo no era reciente defensor de la fe, como lo demostraba su santidad». Mientras que Osio «se apoyaba en la autoridad de su edad», Gregorio lo hacía «en la de la verdad». Osio ponía su fe en el rey terreno, Gregorio en el sempiterno. El juez, aterrado por el castigo divino sufrido por Osio, no sólo no condenó a Gregorio, sino que le rogó de rodillas que le perdonase a él. «De ahí —continúa el *Libellus*— que Gregorio fuese el único de entre los defensores de la fe íntegra que no tuvo que huir ni sufrió destierro, porque todos temían volver a juzgarlo» [106].

Esta última noticia podemos considerarla válida. Gregorio, a pesar que nunca firmó ninguna fórmula de fe que no fuese claramente ortodoxa, no sufrió nunca ni destierro ni persecución por su actitud íntegra. De lo contrario, sus panegiristas luciferianos se hubieran mostrado bien ufanos de ello. En lo que lógicamente se puede deducir de toda la cronología relativa, también cuadra el que Gregorio fuese un obispo todavía reciente y poco conocido, cuando Osio estaba ya para morir. Suponiendo que para entonces Gregorio tuviese de treinta a treinta y cinco años y que Osio muriese alrededor del año 358, suele deducirse que Gregorio debió de nacer entre los años 320 y 323. Estas fechas pueden servir para situar aproximadamente en el tiempo la vida y la actividad de Gregorio de Granada, a condición, claro está, de que no hagamos demasiado hincapié en ellas, pues no se basan en datos históricos definitivos [107].

En favor de la existencia de una confrontación real entre Gregorio y Osio hay otro documento, además del *Libellus:* una carta de Eusebio de Vercelli a Gregorio en la que se leen las siguientes palabras: «He recibido carta tuya, por la que he sabido que, como conviene a un obispo y sacerdote de Dios, te has opuesto al transgresor Osio y has negado tu consentimiento a muchos de los que en Rímini claudicaron entrando en comunión con Valente y Ursacio y los demás a los que antes habían condenado porque conocían bien su criminal blasfemia. Has conservado la fe que promulgaron los Padres nicenos. Por lo cual te felicitamos y nos felicitamos, porque vives con esos propósitos, y manteniendo esta fe te has dignado acordarte de nosotros...» [108]

Se ha dudado mucho de la autenticidad de la carta de Eusebio a Gregorio. Saltet la consideró, sobre todo, una falsificación de autores luciferianos, movidos siempre por el deseo de prestigiar a sus jefes con

---

[106] *Libellus precum* IX y X: CorpChr 69 p.368-70.
[107] Cf. J. BUCKLEY, *Gregory of Elvira:* ClassFol 18 (1964) 8-13.
[108] EUSEBIO DE VERCELLI, Epist. 3: CorpChr 9 p.110. Ha entendido mal el texto R. Klein (o.c., p.136 y n.243).

testimonios de reconocidos defensores de la ortodoxia nicena [109]. Posteriormente, en cambio, a partir sobre todo de los trabajos de A. Feder [110], la crítica parece inclinarse en su favor [111].

Los argumentos aducidos por L. Saltet favorecen, sin embargo, la hipótesis de una ficción luciferiana y mantienen su vigor aun después de las defensas hechas en favor de la genuinidad. Con razón, según creemos, M. Simonetti afirma recientemente que «los hechos a que se alude en la carta están en estricta conexión con los narrados en el *Libellus precum*, y la carta, a mi entender, se debe considerar como una de las varias falsificaciones compuestas por estos cismáticos» [112].

Otra de las noticias sobre Gregorio contenidas en el *Libellus*, de las que no podemos saber si son verdadera noticia o interesada ficción, es la de la visita de Gregorio a Lucifer de Cagliari. La manera como se presenta el encuentro tiene todos los visos de una instrumentación para ensalzar la persona de Gregorio: «Llegó hasta éste [Lucifer de Cagliari] el santo Gregorio, y se admiró al ver sus grandes conocimientos de las Escrituras divinas y su misma vida casi celestial. ¡Qué grande tenía que ser Lucifer para que lo admirase tanto Gregorio, a quien todos admiran no sólo por su encuentro con Osio, sino también por las virtudes divinas con las que sigue la gracia del Espíritu Santo!» [113]

En medio de tantas incertidumbres, solamente unas palabras de San Jerónimo nos han conservado algunos datos sobre Gregorio de valor histórico sin sospechas: «Gregorio Bético, obispo de Iliberri, compuso, hasta edad muy avanzada, diversos tratados en estilo sencillo y un elegante libro sobre la fe. Se dice que vive todavía» [114].

Junto al testimonio del *Libellus*, el de San Jerónimo es también explícito sobre la sede granadina de Gregorio. No cabe duda, por tanto, sobre este particular. Se ha objetado en contra la lista de obispos de Granada contenida en el códice Emilianense, en la que solamente aparece un Gregorio en una posición imposible de compaginar cronológicamente con el que ahora nos ocupa. La sucesión de obispos en dicho catálogo es la siguiente: Cecilio, Leubesindo, Ameanto, Ascanio, Juliano, Agústulo, Marturio, *Gregorio*, Pedro, Fabiano, Honasterio, Optato, Petro, Zoilo, Juan, Valerio, Lusidio, Juan, Juan, Urso, Juan, Juan, Manto, Respecto, Caritono, Pedro, Vicente, Honorio, Esteban (589)...» [115]

A partir de Esteban, los obispos de la época visigoda corresponden exactamente a los que están bien testimoniados por otros documentos.

---

[109] L. SALTET, *La formation de la légende des papes Libère et Felix;* ID., *Fraudes littéraires.*

[110] A. FEDER, *Studien zum Hilarius* y CSEL 65 p.XX-LXI.

[111] Defienden su autenticidad Duchesne, Wilmart, Bardy, Dekkers y Bulhart, que la incluye entre las obras de Eusebio en su edición en CorpChr 9.

[112] M. SIMONETTI, *Gregorio di Elvira* p.7 n.4. Efectivamente, igual que en el *Libellus*, en la carta se alaba a Gregorio por su resistencia a Osio y porque nunca se contaminó con los herejes.

[113] *Libellus precum* XXV: CorpChr 69 p.381.

[114] JERÓNIMO, *De Vir. ill.* 105: ML 23,742.

[115] G. ANTOLÍN, *El códice emilianense de la Biblioteca de El Escorial:* CiudDios 74 (1907) 388; E. FLÓREZ, *EspSagr* 12 (Madrid 1754) p.103-104.

Para los de la época romana, en cambio, Flaviano es el único de cuya presencia en un concilio tenemos noticia; en concreto, en el concilio de Granada, alrededor del año 300. Si Fabiano ocupa en la lista su verdadero puesto, el Gregorio señalado en ella no puede ser el nuestro, porque es anterior a Fabiano. En el catálogo de San Millán, o hay, pues, un error o una omisión. También el segundo nombre del catálago, Leubesindo, es un nombre godo [116], lo que demuestra de nuevo la confusión e inseguridad de la lista por lo que se refiere a los siglos III-IV.

Según otro de los datos aportados por San Jerónimo, podemos afirmar que en el año 392, cuando escribía las frases citadas, todavía no había llegado a sus oídos noticia alguna sobre la muerte de Gregorio. Al contrario, se decía que seguía vivo, a pesar de que ya para entonces era «de edad muy avanzada».

Es seguro, por tanto, que Gregorio vivía durante las perturbaciones habidas en la península Ibérica con motivo del priscilianismo. Su ausencia en el concilio de Toledo del 400 no es argumento para probar que para entonces ya había muerto, dado que a ese concilio solamente asistieron 19 obispos de toda Hispania, y no consta que ninguno de esos 19 ocupase la sede granadina.

Hemos visto más arriba que el concilio de Toledo, como anteriormente lo había hecho el de Alejandría del 362, había permitido seguir en sus sedes a los obispos priscilianistas arrepentidos. Esta benigna disposición provocó la oposición de los intransigentes, contra los cuales escribió Inocencio I, comparando el caso con el de Lucifer de Cagliari y sus seguidores. Si Gregorio vivía para esas fechas, como es posible, no es difícil imaginarse que sería uno de los principales de esta oposición integrista.

Las obras de Gregorio de Granada

Por el mismo texto de San Jerónimo se sabía desde siempre que Gregorio «compuso diversos tratados en estilo sencillo y un elegante libro sobre la fe». Esto era lo único que se sabía durante siglos sobre el particular, hasta que, a partir de los últimos años del siglo pasado, comenzaron a conocerse, casi como por arte de magia, no pocos de sus escritos, rescatados por los eruditos para su verdadero autor de entre los que corrían bajo el nombre de Orígenes, San Ambrosio, San Agustín y San Gregorio Nacianceno.

Hay que decir en honor de la verdad que ya en el siglo XVII se le había atribuido el tratado *De fide* por P. Quesnel. Otros autores mantuvieron esta misma atribución que más tarde se volvió a olvidar [117].

En 1848, G. Heine descubría en España unos manuscritos que atribuían expresamente a Gregorio de Granada cinco homilías sobre el Cantar de los Cantares. En 1900, P. Batiffol y A. Wilmart publicaban

---

[116] J. VIVES, *Elvire:* DictHistGéogrEccl 15 (París 1963) col.314-15.
[117] Cf. M. SIMONETTI, *Gregorio di Elvira. La fede* p.27-28. Véase asimismo Z. GARCÍA VILLADA, *HistEclEsp* I 2 p.54-73; J. COLLANTES, *San Gregorio de Elvira* p.21-29.

una serie de 20 homilías atribuidas a Orígenes *(Tractatus Origenis)*, que muy pronto fueron identificadas como de Gregorio de Granada por G. Morin y por el mismo A. Wilmart, al mismo tiempo que se volvía a atribuir al autor bético el tratado *De fide*. Las semejanzas de estilo, de lengua y de pensamiento entre estas tres obras eran tan absolutas, que no dejaron ya dudas sobre la atribución a un solo e idéntico autor. Conocidas mejor las características literarias e ideológicas de Gregorio, pudieron reconocerse éstas en otros escritos atribuidos, indebidamente, a otros autores, enriqueciéndose así la lista de sus obras.

Existen varias ediciones de las obras de Gregorio. Desgraciadamente, aún no podemos decir que contemos con una buena edición crítica de todas ellas, a pesar de los intentos de A. C. Vega [118] y de V. Bulhart [119].

Siguiendo, en cierto modo, el orden cronológico propuesto por F. J. Buckley [120] como probable, las obras de Gregorio de Granada hoy día reconocidas como tales son las siguientes:

«De fide» [121].—Gregorio escribió dos veces este tratado. La primera redacción la dio a conocer anónima. En la segunda redacción aprovechó las críticas recibidas por la primera, corrigiendo y aquilatando mejor algunas expresiones que se habían prestado a sospechas de sabelianismo a causa de aparente insuficiencia de distinción entre el Padre y el Hijo. Explica todo esto él mismo en el prólogo a su segunda redacción, texto que creemos conveniente reproducir en parte aquí, no sólo como muestra de su estilo y forma de pensar, sino como ejemplo del resultado a que se había llegado en la concepción de la doctrina trinitaria después de tantas controversias:

«Movido —dice— por el amor de la fe católica, ya hace tiempo que había compuesto un libro contra los arrianos. Lo entregué a un amigo para que lo leyese; le gustó, y pensó que valía la pena que se publicase. Le rogué con insistencia que, manteniendo en silencio por el momento el nombre del autor, lo diese a leer a personas doctas y prudentes, para que, si les parecía que faltaba o sobraba algo, se pudiese mejorar con el consejo de muchos. Porque nadie puede arrogarse la plenitud de la doctrina celestial con tanta arrogancia que llegue a creer que ha entendido claramente todos los misterios...

Esto es lo que dicen que se podría criticar: donde he presentado la palabra de Dios en persona del Hijo, se puede pensar que yo entiendo 'palabra' en sentido gramatical, es decir, aire expulsado por el soplo de la boca, inteligible al oído. Pero yo profeso no la sabiduría de este mundo que será destruido, sino la que proviene de Dios, la cual enseña

---

[118] A.C. Vega, *EspSagr.* 55 y 56.
[119] CorpChr 69.
[120] F. J. Buckley, o.c. p.22.
[121] Ed. de M. Simonetti, *Gregorio di Elvira. La fede* (Turín 1975). Es la única obra que cuenta con una edición crítica de toda garantía. Va acompañada de traducción al italiano y un detenido comentario. Muy imperfectas son las ediciones de A. C. Vega (o.c., p.81-127) y de V. Bulhart (CorpChr 69 p.217-47), que descuidan los mss. y no distinguen las dos redacciones. Lo mismo se diga del texto publicado en ML 17,549-68; 20,31-50; 62,449-63; 466-68.

que la palabra de Dios es Dios cuando dice: 'En el principio era la palabra, y la palabra estaba en Dios, y Dios era la palabra. Todo ha sido creado por su medio y sin él nada se ha hecho'. Por eso me admiro de que se haya podido entender que yo niego la persona propia de la palabra, que es el Hijo, al que tantas veces he presentado como verdadero Hijo, nacido de verdadero Padre, no creado. Nadie designa solamente como palabra al que confiesa repetidas veces que existe en propia persona. ¿Cómo podría yo confesarlos verdadero Hijo y verdadero Padre si no defendiese la verdadera propiedad de las personas, tanto del Padre como del Hijo?

Porque usé la expresión de 'un solo Dios', se piensa que he negado las personas. Y esto porque escribí: 'Yo hablo de Padre y de Hijo, pero afirmando que en estas personas y nombres no hay más que un solo Dios'. Y también: 'El Padre y el Hijo, aunque se llaman con dos nombres, en razón y en substancia son una sola cosa. Y, cuando digo Padre e Hijo, afirmo la unidad del género'... Pero he dicho también que el Hijo de Dios no ha nacido sino del Padre y con toda propiedad todo de todo, íntegro de íntegro, perfecto de perfecto, potencia perfecta. ¿Cómo podría identificar a Padre e Hijo, y llamar así con dos nombres a la misma persona? Tanto más que en el mismo libro he condenado esta secta, es decir, la secta sabeliana, y escribí con todas sus palabras sobre la distinción de las personas...

¿Quién de entre los católicos ignora que el Padre es verdadero Padre, el Hijo es verdadero Hijo y el Espíritu Santo es verdadero Espíritu Santo? Como dice el mismo Señor a sus apóstoles: 'Id y bautizad a toda la gente en el nombre del Padre, y del Hijo, y del Espíritu Santo'. Esta es la perfecta Trinidad, fundada en la unidad, que por eso confieso de una sola substancia. No introduzco división en Dios como en los cuerpos, sino según la potencia de la naturaleza divina, que no es material. Por una parte, creo que existen realmente las personas designadas por los nombres, y, por otra, afirmo la unidad de la divinidad. No acepto que el Hijo de Dios sea extensión de una parte proveniente del Padre —como algunos han pensado—, ni tampoco mera palabra sin contenido, como un sonido de la voz. Creo que los tres nombres y las tres personas son de una misma esencia, de una misma sola majestad y potencia. Por eso confieso un solo Dios, porque la unidad de la majestad prohíbe que se hable en plural de dioses. Finalmente, hablamos católicamente de Padre y de Hijo; no podemos ni debemos hablar de dos dioses. No porque el Hijo de Dios no sea Dios; todo lo contrario: es Dios verdadero de Dios verdadero; pero porque sabemos que el Hijo no procede sino del único Padre, por eso hablamos de un solo Dios...»

Como ya indicamos más arriba, el tratado *De fide* está escrito, ante todo, contra la fórmula de fe de Rímini-Constantinopla, desenmascarando minuciosamente su pretendida innocuidad. El tema permite a Gregorio exponer su doctrina ortodoxa trinitaria, que, por otra parte, es la ordinaria de su tiempo y de su región occidental. Defiende con vigor el uso del término *homoúsios*.

Aquí como en otras obras suyas sigue la tendencia alegórico-tipológica en la interpretación de las Escrituras, sobre todo considerando figuras y pasajes del AT como tipos o prefiguraciones de Cristo [122].

«De libris sanctarum Scripturarum» [123].— Es una colección de 20 homilías diferentes, escritas en diversos momentos y que tratan todas del AT, menos una, dedicada a comentar la venida del Espíritu Santo en Pentecostés según Act 2,1-17.

En estos tratados, J. Buckley ve una evolución de pensamiento con respecto al *De fide*. Gregorio elabora en ellos los lazos de unión entre Cristo y la Iglesia, ataca las observancias judías [124] y desarrolla mucho la teología del Espíritu Santo [125]. Buckley cree ver también en estas homilías las obras de Gregorio, que San Jerónimo describe como escritas en estilo sencillo o familiar [126].

«De arca Noe» [127].—Su principal interés consiste en que en este breve tratado expone Gregorio sus ideas sobre la Iglesia, aunque en otros tratados posteriores las desarrolla más [128].

«In Canticum Canticorum libri quinque», conocido también con el título de *Epithalamium* [129].—Es una serie de cinco homilías en las que se comentan los tres primeros capítulos del Canticum Canticorum. No están completas.

Otros breves textos exegéticos conservados son: *De Psalmo 91* [130] y los fragmentos *In Genesim 3,22* y *15,9-11* [131].

A. C. Vega reivindicó para Gregorio el tratado *De proverbiis Salomonis* [132], que corría entre unos escritos falsamente atribuidos a San Ambrosio. No todos han aceptado esta reivindicación de Vega, que, sin

---

[122] Sobre el tema de la fe en Gregorio de Granada cf. L. GALMÉS, *La fe según Gregorio de Elvira.*

[123] Conocido también como *Tractatus Origenis,* ya que como tales fueron editados por Batiffol y Wilmart. Cf. E. MAZORRA, *Correcciones inéditas de A. Jülicher.* La edición de Batiffol y Wilmart la reproduce A. C. Vega (o.c., p.135-361); también A. Hamman (ML suppl.1 col.358-472). La edita de nuevo V. Bulhart (CorpChr 69 p.1-146), y es la mejor edición. Importante estudio el de C. VONA, *Gregorio di Elvira. I. Tractatus de Libris Sacxarum Scripturarum. Fonti e sopravivenza medievale.*

[124] Cf. *Tract.* IV y VIII: CorpChr 69 p.27-34 y 63-70. Cf. R. THOUVENOT, *Chrétiens et juives à Grénade au IVème siècle après J.-C.:* Hesperis 30 (1943) 206-11.

[125] Cf. S. GONZÁLEZ, *Las obras completas de San Gregorio de Elvira.*

[126] J. BUCKLEY, o.c., p.23.

[127] Ed. de A. WILMART: RevBén 26(1909)1-12; ML suppl.1 col.516-23. Levemente corregido el texto: A. C. VEGA, *EspSagr* 56 p.1-19; V. BULHART: CorpChr 69 p.147-55.

[128] Cf. J. COLLANTES, *San Gregorio de Elvira. Estudio sobre su eclesiología:* F. J. BUCKLEY, *Christ and the Church according to Gregory of Elvira.*

[129] A. C. VEGA, *EspSgr* 55 p.21-80; ML suppl.1 col.473-514. Edición mejorada de J. FRAIPONT: CorpChr 69 p.165-210.

[130] G. ANTOLÍN: RevArchBiblMus 20(1909)70ss; A. WILMART: RevBén 29(1912)274-93 = ML suppl.1 col.524-26: A. C. VEGA, *EspSagr* 56 p.21-30; V. BULHART: CorpChr 69 p.211-15.

[131] A. C. VEGA, o.c. 56 p.85-92; V. BULHART: CorpChr 69 p.157-59; A. WILMART: RevBén 29 (1912) 56-57; ML suppl.1 col.523; A. C. VEGA, o.c. 56 p.81-83; V. BULHART: CorpChr 69 p.161-63.

[132] ML 17,716-22; A. C. VEGA, o.c., 56 p.31-64; V. BULHART: CorpChr 69 p.251-59, entre las dudosas.

embargo, parece acertada. Ultimamente lo juzga así también M. Simonetti [133].

Es un comentario al texto del libro de los Proverbios 30,19.

El mismo A. C. Vega ha atribuido a Gregorio unos fragmentos *In Ecclesiasten* [134]. M. Simonetti [135] también los considera genuinos.

Otras atribuciones son más dudosas y no han llegado a obtener crédito suficiente entre los historiadores: el *Libellus fidei* y otras fórmulas de fe parecidas, la homilía *De duobus filiis*, el *De diversis generibus leprarum*, etc.

Gracias al descubrimiento de sus obras, Gregorio de Granada ha cobrado importancia en la historia de la Iglesia, en la que figura ahora como uno de los primeros representantes de la predicación homilética occidental, primer comentarista latino del Cantar de los Cantares, buen conocedor del arrianismo, «cuidadoso y feliz acuñador de fórmulas trinitarias» [136].

Diversos trabajos recientes han puesto de manifiesto que Gregorio poseía un directo conocimiento de la literatura teológica latina. Refiriéndose sólo a la obra *De Libris sanctarum Scripturarum* (= *Tractatus Origenis*), que estudia minuciosamente, C. Vona demuestra que Gregorio conoció y usó directamente escritos de Tertuliano, Novaciano, Cipriano, Orígenes [137], Hilario, Febadio y Lucifer de Cagliari. Manifiesta también influencias, al menos indirectas, de Justino, Ireneo, Hipólito, Minucio Félix y quizá Cromacio [138]. El conocimiento directo de Tertuliano, Novaciano [139], Hilario y Febadio está demostrado también en la otra obra de Gregorio estudiada a fondo, el *De fide* [140].

Tampoco es posible comprobar actualmente la influencia que Gregorio ejerció en algunos escritores posteriores. Se sabe, p.ej., que los *Tractatus Origenis* fueron conocidos y usados por Cesáreo de Arlés, Evagrio, Máximo de Turín, Isidoro de Sevilla, Beda el Venerable, Beato de Liébana y Alvaro de Córdoba. A través de San Isidoro, influyó también en Alcuino, Rabano Mauro y otros [141].

En Hispania especialmente debió de influir más de cuanto permite suponerlo la escasez de documentos que lo acrediten. Su posible aislamiento intransigente no debió de impedir que sus escritos se propagaran y leyesen. El mismo o sus correligionarios debieron de encargarse de hacerlos correr bajo nombres de autores acreditados —costumbre conocida de la época—, rompiendo así el conjeturable cerco, aunque a costa de eclipsar la fama del verdadero autor, que de hecho quedó eclipsado por siglos.

Puede afirmarse con F. J. Buckley que «su gran severidad moral,

---

133 M. SIMONETTI, o.c., p.11.
134 A. C. VEGA, o.c., 56 p.98-98, repr.: CorpChr 69 p.263, como dudosa.
135 M. SIMONETTI, l.c.
136 J. MADOZ, *Segundo decenio de estudios españoles* p.61.
137 En alguna traducción latina, no necesariamente la de Rufino.
138 Cf. C. VONA, o.c.
139 Cf. A. C. VEGA, o.c., 53 y 54 p.259-60.
140 Cf. M. SIMONETTI, o.c., p.21-26.
141 Cf. C. VONA, o.c.

profunda devoción a la ortodoxia, amor a la virginidad y al matrimonio, interés por el Espíritu Santo y, sobre todo, su preocupación por la humanidad de Cristo —fue el primero en alabar la belleza de Cristo— son temas gregorianos que han resonado, a través de la península Ibérica, a lo largo de los siglos» [142].

Los escritos de Gregorio pueden ofrecer además otros capítulos de interés, como son su latín y sus citas de la Escritura, muestras de la *Vetus latina hispana* [143].

La memoria de Gregorio de Granada ha corrido mejor suerte en España que la de Osio de Córdoba. San Isidoro de Sevilla recogió y transmitió a la posteridad el testimonio del *Libellus precum,* tan denigrante para Osio como enaltecedor de Gregorio, al que repetidamente califica de santo [144]. Muy probablemente por influencia del texto de San Isidoro, Gregorio llegó a ser conmemorado como santo al menos en su iglesia granadina, como consta por el calendario del obispo de Granada Recemundo, recopilación del año 961, en el que se lee en el día 24 de abril: «En este día se celebra la fiesta de San Gregorio, en la ciudad de Granada» [145].

Ya anteriormente había surtido efecto el texto transmitido por San Isidoro, porque Usuardo menciona a San Gregorio en la misma fecha, en su martirologio del año 858: «También en la ciudad de Iliberri [conmemoración] de San Gregorio, obispo y confesor» [146], de donde pasó la mención al *Martirologio romano* [147].

---

[142] F. J. Buckley: ClassFol 18 (1964) 3.
[143] Cf. T. Ayuso, La *«Vetus latina hispana»* I; Id., *El salterio de Gregorio de Elvira y la «Vetus latina hispana»;* A. C. Vega, o.c., 56 p.117-96.
[144] Isidoro, *De vir. ill.* 14: ML 83,1090-91.
[145] M. Férotin, *Le liber ordinum* (París 1904) p.463.
[146] ML 123,967.
[147] Cf. A. C. Vega, o.c., 53 y 54 p.114-16 y 224.

CAPÍTULO VII

EL PRISCILIANISMO

BIBLIOGRAFIA

La bibliografía sobre el priscilianismo es muy abundante. Nos limitamos aquí a una breve selección.

Obras: Tratados, fragmento de carta y cánones de San Pablo: CSEL 18. Véase asimismo, ML suppl.2 (París 1960) 1391-1483; 31,1213. Trad. esp.: B. SEGURA RAMOS, *Prisciliano. Tratados y cánones* (Madrid 1975); *De Trinitate:* ML suppl.2 1487-1507; *Epist. Titi:* ML suppl.2 1522-42; *Prologi monarchiani in 4 evang.:* Texte u. Unters. 15 (Leipzig 1897) 5-16; *Apocalipsis Thomae:* RevBén 28 (1911) 270-82. En ML (suppl.2 1508-22) pueden consultarse los *Tractatus minores,* atribuidos por De Bruyne a autores priscilianistas, pero no generalmente aceptados como tales.

Fuentes principales para la historia del priscilianismo: SULPICIO SEVERO, *Chronica* II 46-51: ML 20,155-60 = CSEL 1 p.99-105; ID., *Vita Sti. Martini* 20: ML 20,171-72 = CSEL 1 p.128-30; ID., *Dialogi* II 11-13: ML 20,217-19 = CSEL 1 p.208-11; JERÓNIMO, *De viris illustr.* 121-23: ML 23,750-51; ID., *Praef. in Pentat.:* ML 28,180-81; ID., *Ep.* 75,3: ML 22,687-88 = CSEL 55 p.32-33; ID., *Ep.* 126,1: ML 22,1085-86 = CSEL 56 p.142-44; ID., *Ep.* 133,3: ML 22,1149-52 = CSEL 56 p.244-47; ID., *Comm. in Is* XVII 64: ML 24,646-47; AGUSTÍN, *Ep.* 36,12: ML 33,148-50 = BAC 69 p.196-200; ID., *Ep.* 155,3: ML 33,723-24 = BAC 99 p.468-72; ID., *Ep.* 190: ML 33,857-66 = BAC 99 p.760-82; ID., *Ep.* 202: ML 33,929-38 = BAC 99 p.922-40; ID., *Ep.* 237: ML 33,1034-38; ID., *De natura et origine animae* III 7: ML 44,515-16; ID., *De haeresibus* 70: ML 42,44; ID., *Ad Orosium contra priscillianistas et origenistas:* ML 42,669-78; ID., *Ad Consentium contra mendacium:* ML 40,517-48; OROSIO, *Liber apologeticus contra Pelagium* 1: ML 31,1174-75 = CSEL 5 p.603-604; ID., *Commonitorium de errore priscillianistarum et origenistarum:* ML 31,1211-16 = CSEL 18 p.149-57; INOCENCIO I, *Ep.* 3: ML 20,486-83; ID., *Ep.* 6: ML 20,495-502; PRÓSPERO DE AQUITANIA, *Epist. Chron.* 1171, 1187, 1193: MonGermHist, AA IX p.460-62 = ML 51,584.586 y 587; HIDACIO, *Chronica:* SourcChrét 218 I (París 1974) p.108.112.114.140 = ML 51,875.876.882; FILASTRIO, *Diversarum haereseon liber* 61: ML 12,1175-76 = CSEL 38 p.32 = CorpChr 9 p.242-43; ibid. 84: ML 12,1196-97 = CSEL 38 p.45-46 = CorpChr 9 p.253-54; ibid., 88: ML 12,1199-1200 = CSEL 38 p.47-48 = CorpChr 9 p.255-56; AMBROSIO, *Ep.* 24: ML 1035-39; ID., *Ep.* 26,1-3: ML 16,1042-43; PACATUS, *Panegyricus Theodosii Augusti dictus* 29: ML 13,504-505; BAQUIARIO, *De fide:* ML 20,1019-36; véase asimismo J. MADOZ: RevEspTeol 1 (1940-41) 463-75; TORIBIO DE ASTORGA, *Ep. ad Idacium et Ceponium:* ML 54,693-95; LEÓN I, *Ep. 15* = B. VOLLMANN, *Studien zum Priszillianismus* (St. Ottilien 1965) p.122-38 = ML 54,677-92; VIGILIO, *Ep.* I 1: ML 69,16-17; BRAULIO, *Ep.* 44: J. MADOZ, *Epistolario de San Braulio* (Madrid 1941) p.193-94 = L. RIESCO TERRERO, *Epistolario de San Braulio* (Sevilla 1975) p.170-71 = ML 80,693-94; ISIDORO DE SEVILLA, *De viris illustr.* 2: ed. C. Codoñer (Salamanca 1964) p.135 = *De viris illustr.* 15: ML 83,1092; *Codex Theodosianus* XVI 5: 40.43.48.49 y 65: ed. Th. MOMMSEN, p.867-969.871.876.878-79; *concilio de Zaragoza (380):* J. VIVES, *Concilios visigóticos* (Madrid 1963) p.16-18 = MANSI, 3,633-36 = ML 84,315-18; *Concilio Toledo I (400):* J. VIVES, *Concilios* p.19-33 = MANSI, 3,997-1007; cf. J. A. DE ALDAMA, *El símbolo toledano* I (Roma 1934); *concilio de Braga I (561):* J. VIVES,

Concilios p.65-77 = Mansi, 9,773-80 = ML 84,561-68; *concilio de Braga II* (572): J. Vives, *Concilios* p.78-106 = Mansi, 9,835-41 = ML 84,569-73.

Para una relación exhaustiva de las fuentes, cf. B. Vollmann, *Studien zum Priszillianus* (Erzabtei St. Ottilien 1965).

Las dos mejores visiones generales son las de B. Volmann, *Priscillianus:* Pauly-Wissowa, *RealEncClasAltWiss* suppl.14 (1974) col.485-559 y la de H. Chadwick, *Priscillian of Avila* (Oxford 1976) (véanse algunas advertencias a esta obra de B. de Gaiffier: AnBoll 94 [1976] 396-98); J. M. Ramos y Loscarteles, *Prisciliano. Gesta rerum* (Salamanca 1952); R. López Caneda, *Prisciliano: su pensamiento y su problema histórico* (Santiago de Compostela 1966); Z. García Villada, *HistEclEsp* I-2 (Madrid 1929) p.91-145; P. B. Gams, *Die Kirchengeschichte von Spanien* II-1 (Regensburgo 1864) p.359-88; A. d'Alès, *Priscillien et l'Espagne chrétienne à la fin du IV siècle* (París 1936); E. Ch. Babut, *Priscillien et le priscillianisme* (París 1909); M. Menéndez Pelayo, *Historia de los heterodoxos españoles* I c.2: BAC 150 (Madrid 1956) p.150-247; C. Torres, «*Prisciliano: doctor itinerante, brillante superficialidad*». *Comentario:* CuadEstGall 9 (1954) 75-89; J. M. Fernández Catón, *Manifestaciones ascéticas en la Iglesia hispano-romana del siglo IV* (León 1962); R. Silva, *Priscilianismo:* DiccHistEclEsp 3 (Madrid 1977) p.2027-28. Un enfoque deformado del problema en A. Barbero, *El priscilianismo, ¿herejía o movimiento social?:* CuadHistEsp 37-38 (1963) 5-41, reproducido en *Conflictos y estructuras sociales en la Hispania antigua* (Madrid 1977) p.77-114; M. Vigil-A. Barbero, *Sobre los orígenes sociales de la Reconquista: cántabros y vascones desde finales del imperio romano hasta la invasión musulmana:* BolRealAcHist 156 (1965) 271-339; B. Altaner-E. Cuevas-V. Domínguez del Val, *Patrología* (Madrid ⁵1962) p.354-59. Para algunos puntos particulares: J. A. de Aldama, *El símbolo toledano I:* Analecta Gregoriana 7 (Roma 1934); A. García Conde, *En el concilio I de Zaragoza, ¿fueron condenados nominalmente los jefes priscilianistas?:* CuadEstGall 2 (1946) 223-30; A. Orbe, *Doctrina trinitaria del anónimo priscilianista «De Trinitate fidei catholicae»:* Gregoriamun 49 (1968) 510-62; J. L. Orellá, *La penitencia en Prisciliano:* HispSacra 21 (1968) 21-56; J. Fontaine, *L'affaire Priscillien ou l'ère des nouveaux Catilina:* Classica et Iberica in honour of J. M. Marique (Worcester 1975) p.355-92; Id., *Société et culture chrétiennes sur l'aire circumpyrénéenne au siècle de Théodose:* BullLittEccl 75 (1974) 241-82; P. Sainz Rodríguez, *Estado actual de la cuestión priscilianista:* AnEstMed 1 (1964) 653-57; Z. García Villada, *La vida de Santa Helia ¿un tratado priscilianista contra el matrimonio?:* EstEcl 2 (1923) 270-79; Fr. Lezius, *Die «Libra» des priscillianisten Diktinius von Astorga:* AbhAl. v. Oetingen (Munich 1898) p.113-24; A. C. Vega, *Un poema inédito titulado «De fide», de Agrestio, obispo de Lugo, siglo V:* BolRealAcHist 159 (1966) II p.167-209; K. Smolak, *Das Gedicht des Bischofs Agrestius. Eine theologische Lehrepistel aus der Spätantike* (Viena 1973); M. Díaz y Díaz, *Orígenes cristianos en Lugo:* Actas de CollIntBimLugo (Lugo 1977) p.237-50; A. Quintana, *Primeros siglos de cristianismo en el convento jurídico asturicense:* Legio VII Gemina (León 1970) p.443-74.

Los hechos

Mucho se ha escrito sobre el tema, y raramente sin pasión. Parece increíble que unos mismos hechos puedan ser interpretados de maneras no sólo tan distintas, sino tan contradictorias, y que los mismos testimonios sean tan diversamente estimados por quienes pretenden examinarlos solamente con la ecuánime objetividad de la crítica histórica. Hay dos excusas para los historiadores: la pérdida de algunos documentos fundamentales que no han llegado hasta nosotros y el carácter trágico y apasionante del acontecimiento.

La historia de Prisciliano y del priscilianismo hasta finales del siglo pasado se había reconstruido a base únicamente de las narraciones o alusiones de escritores contemporáneos y casi contemporáneos que coincidían en la condenación como herético del jefe y del movimiento. En 1889 se publicaron varios tratados atribuidos a Prisciliano, en los que no aparecen, al menos de manera evidente, ninguno de los rasgos tan enérgicamente condenados por los escritores mencionados. A partir de entonces se dividen radicalmente las opiniones de los historiadores. Para algunos, los tratados priscilianistas no pueden desvirtuar las claras afirmaciones de los contemporáneos. Para otros, estas afirmaciones, directa o indirectamente, nacieron de la pasión y del odio. Y así, Prisciliano y sus seguidores siguen siendo juzgados como estrictos herejes, por unos, o como auténticos reformadores religiosos, por otros, sin faltar, sobre todo en los tiempos actuales, quienes no ven en ellos sino los representantes de las clases oprimidas en lucha contra el orden social opresor del Estado y la Iglesia [1].

La aparición del movimiento priscilianista

El movimiento priscilianista entra en la crónica del siglo IV en el momento en que Higino, obispo de Córdoba, lo denuncia a Hidacio, obispo de Mérida, a cuya provincia debían de pertenecer los obispos Instancio y Salviano, o al menos Instancio. Estos dos últimos eran protectores y secuaces de Prisciliano, en ese momento todavía laico. La denuncia debió de tener lugar, más o menos, entre los años 378 y 379. Es seguro que el movimiento había comenzado bastantes años antes, pero sin que hasta este momento produjese una reacción oficial adversa.

Dado que el priscilianismo en tiempos posteriores se extendió y arraigó en Galicia, algunos autores suponen su origen gallego. Es probable, pero no nos consta. Sulpicio Severo escribe que Prisciliano procedía de una familia noble, muy rica, lo que le había permitido alcanzar un buen nivel de cultura [2]. Se supone que nació en Galicia, pero tampoco hay testimonios históricos suficientes para confirmarlo [3]. B. Vollmann se inclina a situar su nacimiento en las regiones más ricas y urbanizadas, como eran la Bética y la Lusitana, provincias en las que es más fácil comprender su educación y cultura que no en las regiones pobres, poco pobladas y retrasadas de la Galecia. No deja de ser ésta una buena razón, aunque desvirtuada por el hecho, ya señalado, de que los grandes latifundios y sus ricas *villae* se encuentran en el siglo IV más en el

---

[1] Alcanzan ya un buen nivel de seria crítica histórica, sobre todo, los recientes trabajos citados en la bibliografía de B. VOLLMANN y de H. CHADWICK.

[2] SULPICIO SEVERO, *Crónica* II 46: CSEL 1 p.99-105.

[3] Próspero de Aquitania (*Epit. Chron.* 1171: MonGermHist AA IX p.460 = ML 51,584) dice: «Ea tempestate, Priscillianus episcopus de Gallaecia ex Manicheorum et gnosticorum dogmate heresim nominis sui condit». Se discute si la expresión «episcopus de Gallaecia» se refiere a la sede o al lugar de su nacimiento. Cf. R. LÓPEZ CANEDA, *Prisciliano* p.74-76. Es un indicio probable, pero creo que, cuando Próspero escribe, después del año 455, el priscilianismo era ya un fenómeno conocido como típicamente gallego.

Norte que en el Sur y son mansiones de grandes señores preocupados por la cultura romana [4].

Lo que sí es un hecho histórico cierto es que la primera alarma oficial contra el movimiento prisciliana se da en Córdoba, capital de la Bética, y se transmite inmediatamente a Mérida, capital de la Lusitana. Es éste un indicio no despreciable en favor de un origen no gallego de Prisciliano y del priscilianismo.

Tal como se describen a sí mismos en el *Liber ad Damasum episcopum,* eran en su origen un grupo de laicos que decidieron recibir el bautismo y «rechazar las sórdidas tinieblas de las ocupaciones seculares» para entregarse totalmente a Dios, movidos por aquello de que «los que aman a alguien más que a Dios no pueden ser sus discípulos» [5]. A estas palabras siguen otras de difícil interpretación. Se dice a continuación en el mismo texto que hasta el momento de las contrariedades mantenían tranquilamente la comunión católica, «elegidos ya para Dios algunos de nosotros en las iglesias, mientras que otros procurábamos con nuestro modo de vivir ser elegidos». J. M. Ramos Loscertales deduce, lógicamente, que en este segundo momento había habido ya dispersión del grupo inicial por diversas iglesias. Si *electi Deo* significa, como el mismo autor opina con buenas razones, escogidos para el episcopado, entonces hay que pensar que el grupo prisciliana pretendió constituir, desde sus orígenes o desde poco después, como un vivero de candidatos aptos para ocupar dignamente los puestos jerárquicos de las iglesias con el fin de realizar la reforma espiritual. También podría entenderse «elegidos para Dios» como una expresión propia de una tendencia de tipo gnóstico. Los elegidos serían los que habían conseguido la gnosis o la perfección, mientras que los otros miembros del movimiento se esforzaban por conseguirla. No parece que esta interpretación pueda quedar excluida con absoluta certeza, pero no es grande su probabilidad dado el fin y el contexto del escrito apologético en que se inserta [6].

Es importante retener dos rasgos del movimiento prisciliana que están bien documentados: su tendencia inicial «episcopaliana», por así decirlo, y el hecho de que sus principales dirigentes, empezando por el mismo Prisciliano, fuesen casi exclusivamente gente culta. Por tendencia «episcopaliana» entiendo la tendencia a ocupar los puestos más altos de la jerarquía eclesiástica, tendencia que se manifiesta como expresa intención en el texto citado del *Liber ad Damasum,* si se acepta la interpretación de Ramos Loscertales, la más probable. En todo caso, se confirma por la aparición inmediata en el grupo de los obispos Instancio y Salviano y por la rápida ordenación episcopal de Prisciliano como obispo de Avila cuando esa sede quedó vacante. No pretenden, por consiguiente, la formación de grupos no jerarquizados, sino una renovación de la Iglesia, con la que desean continuar en comunión.

---

[4] Hacia el año 468, el obispo gallego Hidacio de Chaves escribe que el priscilianismo entró en Galecia después de la muerte de Prisciliano: HIDACIO, *Crón.* 16: SourcChrét 218 p.108.

[5] *Tract.* II 41-42: CSEL 18 p.34-35.

[6] Cf. J. M. RAMOS LOSCERTALES, *Prisciliano* p.11-14.

Que los principales dirigentes fuesen casi exclusivamente gente culta de alto rango social, queda patente en los últimos procesos de Burdeos y Tréveris [7].

Prisciliano, según Sulpicio Severo, era agudo, inquieto, buen hablador, muy erudito, habilísimo en el discurso y en la dialéctica. También se destaca su ascetismo: grandes vigilias, gran abstinencia de comida y bebida, ninguna ambición de poseer, parquísimo en el uso de los bienes [8].

Ambos aspectos —cualidades culturales personales y ascetismo— cuadran perfectamente con las de un jefe o director de escuela filosófica. Es mérito de B. Vollmann haber observado este paralelismo, basándose en las descripciones sobre la enseñanza de la filosofía helenística de H.-I. Marrou. Efectivamente, la «escuela priscilianista» no puede considerarse como un hecho totalmente nuevo y aislado en su contexto histórico. La enseñanza podrá ser más o menos original —nunca totalmente—, pero el modo de impartirla y la estructuración del grupo está impregnada de las formas características y usuales del ambiente cultural.

Hablando en general de la enseñanza de la filosofía, H.-I. Marrou la presenta como una «conversión», porque supone una ruptura con la cultura común, cuya orientación era literaria, oratoria y estética. La enseñanza de la filosofía se dirige a una minoría, a espíritus selectos que están dispuestos, además, a hacer un esfuerzo por conseguir un ideal de vida que debe informar todo el hombre; supone la adopción de un nuevo modo de vida, más exigente en la moral y que implica un cierto esfuerzo ascético, traducido en el comportamiento, la alimentación y el vestido [9]. Además, la misión principal del maestro no es su enseñanza desde la cátedra, sino la formación personal que imparte con su ejemplo y su trato directo. Por eso, el maestro filósofo formaba con sus discípulos una verdadera comunidad, en la que él era como el director espiritual, capaz sobre todo de predicar con el ejemplo de su sabiduría práctica y sus virtudes [10].

La base textual de la enseñanza de Prisciliano no eran los escritos de los filósofos sino las sagradas Escrituras y los apócrifos, de los que hacía mucho uso. Para los priscilianistas, los libros sagrados canónicos y los apócrifos tenían en común el presentarse como revelación de Dios. También los apócrifos contenían esta revelación, pero mezclada con doctrinas no reveladas intercaladas por herejes. Esta es la causa por qué «no se deben entregar a oídos imperitos» [11].

Según Sulpicio Severo, gracias a su poder persuasivo, Prisciliano consiguió atraer a muchos de entre los nobles y también de la clase

---

[7] Cf. B. VOLLMANN, *Priscillianus* col.495.
[8] SULPICIO SEVERO, *Crón.* II 46: CSEL 1 p.99.
[9] H.-I. MARROU, *Histoire de l'éducation dans l'Antiquité* (París ² 1965) p.308.
[10] Cf. H.-I. MARROU, o.c., p.312. Todos estos datos impiden hablar de Prisciliano como promotor de un movimiento que centra su ascesis en la práctica de la peregrinación perpetua, practicando así la pobreza acogido al «beneficium liberale» de la hospitalidad.
[11] Cf. B. VOLLMANN, o.c., col.527-31.

popular; pero sobre todo acudían a él «catervas de mujeres» [12]. También aparecen con Prisciliano los obispos Instancio y Salviano, cuyas sedes ignoramos.

Se produce la denuncia del obispo de Córdoba, Higinio, y la inmediata reacción del metropolita emeritense, Hidacio. No existe ninguna información expresa sobre el motivo causante de la denuncia ni conocemos el tenor de la condena. Sulpicio Severo dice únicamente de Hidacio que «atacó a Instancio y a sus socios sin medida y más allá de lo que convenía, dando pábulo al incendio incipiente y exasperando más que apaciguando». Lo curioso es que muy pronto el primer denunciante, Higino de Córdoba, dio marcha atrás. Debió de sentirse satisfecho con la profesión de fe o las explicaciones que los excomulgados enviaron a las iglesias para defenderse de la condenación de Hidacio, y los aceptó en su comunión eclesial.

El concilio de Zaragoza

El conflicto había estallado ya y se había extendido pronto, hasta el punto que se juzgó necesario convocar un concilio para volver a restaurar la paz en las iglesias hispanas. El concilio se celebró en Zaragoza el año 380, con muy poca asistencia de obispos y estando ausentes todos los acusados.

En las actas consta la lista de los asistentes: Fitadio (probabilísimamente, se trata de Febadio de Agen), Delfín (obispo de Burdeos), Eutiquio, Ampelio, Auxencio o Audencio (¿Toledo?), Lucio, Itacio (de Ossonoba), Esplendonio, Valerio (¿Zaragoza?), Simposio (Astorga), Carterio e Hidacio (de Mérida) [13].

Algunos cánones contenidos en sus actas hacen clara alusión a los grupos priscilianistas tal como los conocemos por las descripciones de Sulpicio Severo y otros autores y por algunos datos que proporcionan sus mismos tratados. ¿Qué es lo que los obispos reunidos en Zaragoza juzgaron necesario corregir en el priscilianismo? Sulpicio Severo dice que en Zaragoza fueron condenados los obispos Instancio y Salviano y los laicos Elpidio y Prisciliano. Las actas del concilio de Toledo I (año 400) confirman este testimonio de Sulpicio cuando aseguran que en el concilio de Zaragoza «se había dictado sentencia en contra de algunos» [14]. Sulpicio añade que Itacio, obispo de Ossonoba (El Faro, Portugal), fue encargado de dar a conocer la sentencia del concilio a todos los obispos, y especialmente de conminar la excomunión a Higino de Córdoba.

Los autores priscilianistas del *Liber ad Damasum Papam* niegan que se les condenase en el concilio de Zaragoza, y explican que esto no podía

[12] Sulpicio Severo, *Crón.* II 46: CSEL 1 p.99.
[13] En la historia del movimiento priscilianista aparece una estrecha conexión entre el norte de Hispania y la Aquitania, que es también perceptible en otros aspectos de la vida eclesiástica. Cf. J. Fontaine, *Société et culture chrétiennes.*
[14] J. Vives. *Concilios* p.30.

hacerse, porque el papa Dámaso había advertido previamente que se guardasen de condenar a nadie sin oírlo y en su ausencia [15].

Lo seguro por el momento es acudir a los cánones. En ellos sí se reprueban algunas prácticas que son propias de los priscilianistas: las reuniones de mujeres entre sí o con otros hombres para recibir la enseñanza de la secta (can.1), el ayuno en los domingos (can.2) [16], la ausencia de la iglesia en tiempos de Cuaresma (can.2) o en los días de preparación para la fiesta de la Epifanía (can.4), reclusión en sus casas o acudiendo, en cambio, a reuniones en los montes o en las *villae*. Se manda también que nadie se atribuya el título de doctor, fuera de aquellos a quienes ha sido concedido (can.7). Por su inclusión dentro del canon 4, debe referirse también a alguna práctica de los priscilianistas la prohibición de andar descalzo. Quizá se veía en esta práctica alguna relación con la magia o al menos con el paganismo [17].

El canon 3 dice así: «Si se probase que alguno no consumió en la iglesia la gracia de la eucaristía allí recibida, sea anatema para siempre». Para algunos autores modernos, esta prohibición puede ir dirigida también contra los priscilianistas, sea porque la práctica prohibida pueda presuponer en los que la practicaban el deseo de evitar la contaminación del contacto o comunión con «los impuros», sea porque refleje una actitud maniquea, ya que los maniqueos se abstenían de comulgar del cáliz porque condenaban el vino como un veneno del príncipe de las tinieblas; sea, finalmente, por odio a la carne o por un sentimiento docetista con respecto al cuerpo de Cristo [18]. La práctica de recibir la comunión en la mano y llevársela a su casa para consumirla allí durante la semana, es mencionada y aceptada por San Basilio Magno como costumbre conocida en Alejandría y en Egipto: «Cada fiel —dice— tiene la comunión en su casa, y, cuando quiere, por sí mismo participa de ella. Porque, una vez que el sacerdote, al terminar el sacrificio, se la entrega, el que la recibe la recibe como un todo, y, cuando toma de ella una parte cada día, con razón puede decir que la toma y la recibe del que se la dio. Porque, además, también en la iglesia el sacerdote entrega una parte. El que la recibe, con ella se queda, y la lleva después a la boca con sus propias manos. Lo mismo vale que uno reciba del sacerdote una parte sola o varias al mismo tiempo» [19]. La prohibición introducida por el concilio de Zaragoza pudo estar motivada por alguna de las razones indicadas, pero también por otros abusos no conocidos. En todo caso, la práctica, como vemos por el testimonio de San Basilio, no presupone de por sí ninguna actitud reprensible.

Estas disposiciones hacen probable la hipótesis de que los principales

---

[15] Téngase en cuenta, sin embargo, que los autores de esta apología confiesan que sus noticias sobre el concilio de Zaragoza provienen del obispo Simposio, y éste no estuvo presente más que el primer día; cf. *Tract.* II 48-49: CSEL 18 p.40.
[16] Cf. nuestra p.262.
[17] Cf. H. CHADWICK, *Priscillion of Avila* p.17-20.
[18] Cf. B. VOLLMANN, o.c., col.547-48; H. CHADWICK, o.c., p.23; J. M. FERNÁNDEZ CATÓN, *Manifestaciones ascéticas* p.94-102.
[19] BASILIO MAGNO, *Epist.* 93: MG 32,485.

motivos de las primeras denuncias y condenas del movimiento fueron sus actividades y reuniones al margen de la asamblea de la comunidad, con participación abundante y activa de mujeres y dirigida por laicos principalmente, sobre todo por el laico Prisciliano, que pretendía ejercer por su cuenta la enseñanza de las Escrituras, arrogándose el oficio y el título de doctor, propios de los obispos en la comunidad cristiana de la época [20].

El concilio no consiguió restablecer la paz. Nuevos sucesos van a precipitar los acontecimientos y a agravar la situación. Según los mismos autores priscilianistas, Hidacio, al volver del concilio, es denunciado en su iglesia por un presbítero, mientras que en las iglesias de los priscilianistas se propagan libelos contra él. No sabemos en qué consistió la denuncia. El caso es que no pocos clérigos se separaron de Hidacio. Los priscilianistas escriben entonces al obispo de Córdoba, Higino, y al de Astorga, Simposio, comunicándoles estas perturbaciones de la paz eclesiástica y pidiéndoles consejo. Los consultados respondieron que, «por lo que toca a los laicos, si les resultaba sospechoso Hidacio, era suficiente que hiciesen ante ellos profesión de fe. Por lo demás, había que reunir un concilio para la paz de las iglesias; nadie había sido condenado en el sínodo de Zaragoza...» [21].

Entonces, los priscilianistas decidieron presentarse en Mérida para hablar personalmente con Hidacio. Al entrar en la iglesia Instancio y Salviano, la plebe y el pueblo, excitados, les impidieron llegar al presbiterio e incluso los golpearon. No pudieron, por tanto, celebrar la entrevista deseada. Siguiendo los consejos de Higino y Simposio, aceptaron las profesiones de fe de los acusadores de Hidacio y escribieron a los demás obispos hispanos narrándoles los hechos; les transmitían las profesiones de fe recabadas de los laicos, «sin omitir que muchos de los que habían hecho profesión de fe deseaban, además, ser ordenados». Entre estos últimos se encontraba Prisciliano, a quien Instancio y Salviano consagraron obispo de Avila [22].

Aunque generalmente se afirma que desde un principio Prisciliano y los suyos habían sido acusados de herejía, no encuentro ningún testimonio histórico claro que avale esta afirmación. Sulpicio Severo y otros escritores consideran gnóstico a Prisciliano y hablan de esto desde el principio. Pero no hay en ellos ninguna referencia cronológica sobre el momento inicial de tal acusación. Las primeras sospechas parece que procedían, sobre todo, del comportamiento, del carácter segregacionista del grupo, de sus reuniones privadas con abundante asistencia femenina, todo lo cual suscitaba, además, temores de herejía más o menos latente y, desde luego, de matiz gnóstico. Acusación concreta sobre errores doctrinales no consta que existiese hasta después de los sucesos

---

[20] No es necesario suponer que se cometiesen excesos de inmoralidad en estas reuniones catequético-litúrgicas. Cf. J. M. FERNÁNDEZ CATÓN, o.c., p.82-85.
[21] *Tract.* II 48-49 p.40.
[22] Cf. HIDACIO, *Crón.* 136: SourcChrét 218 p.108. Sitúa la ordenación del obispo en el año 386.

de Mérida. Los autores del *Liber ad Damasum* dicen que, después de éstos, Hidacio se inventó una historia falsa de los hechos, en la que, sin nombrarlos a ellos, solicitaba medidas contra ciertos falsos obispos y maniqueos.

Hidacio, además, había reunido documentación comprometedora, y hablaba también de «ciertas escrituras», que sin duda debían de ser los apócrifos [23]. Por los mismos capítulos de su defensa pueden deducirse las acusaciones concretas que les hacía Hidacio: debían de ser, además de las ya indicadas, la de atacar y condenar el matrimonio, la de profesar algunas doctrinas docetistas propias de los gnósticos y enseñar una moral relajada [24].

Intervención del poder civil

El paso dado por Hidacio era muy grave, porque había dirigido su denuncia al emperador Graciano, y, como escriben los mismos acusados, la condena era inevitable tratándose de supuestos maniqueos [25]. Efectivamente, Sulpicio Severo refiere la respuesta de Graciano, que fue el destierro de todos los herejes no sólo de sus iglesias o ciudades, sino de todo el territorio, lo que llevó por el momento a la desaparición rápida de los priscilianistas [26].

Con esta ocasión, Instancio, Salviano y Prisciliano se dirigen a Roma para presentar sus descargos ante el papa Dámaso [27], aunque con la intención de tratar primero de arreglar las cosas en la corte imperial de Milán. Cuenta Sulpicio Severo que se dirigieron primero a la Aquitania, donde hicieron prosélitos en Elusana (Eauze) [28]. En Burdeos intentan visitar al obispo Delfín, uno de los asistentes al concilio de Zaragoza del 380. Pero éste los rechaza. Fuera de la ciudad de Burdeos consiguen nuevos adeptos, entre ellos a Eucrocia, mujer del retórico Delfidio [29]. Aumentada la comitiva con esta importante dama y su hija Prócula [30], llegan a Milán, donde, según narran los mismos acusados, intentan obtener del *quaestor* que se revise su causa. A pesar de haber sido estimadas como justas sus pretensiones —siguen diciendo—, se demora la respuesta, y deciden continuar el viaje hacia Roma. El papa Dámaso no los recibe. Tampoco consiguen hacerse oír de San Ambrosio, obispo de Milán, en su viaje de vuelta, en el que falta ya el obispo Salviano, muerto en Roma [31].

Dirigen entonces su acción a recabar de las autoridades civiles la

---

[23] *Tract.* II 50-52 p.40-41.
[24] Cf. H. CHADWICK, o.c., p.35.
[25] Los maniqueos estaban ya condenados por ley civil.
[26] Cf. J. GAUDEMET, *L'Église dans l'empire romain* p.617-19.
[27] Con este fin redactaron el *Liber ad Damasum episcopum* o tract.2.
[28] Véanse las interesantes consideraciones sobre las relaciones entre ambas partes del Pirineo occidental que hace J. FONTAINE, *Société et culture chrétiennes.*
[29] PRÓSPERO DE AQUITANIA *Epit. Chron.* 1187: MonGermHist AA IX p.462 = ML 51,586.
[30] Sulpicio Severo cuenta que esta última quedó embarazada por Prisciliano en el camino y abortó.
[31] Cf. HIDACIO, *Crón.* 13b: SourcChrét 218 p.108.

revocación de las medidas adversas, y lo consiguen, según Sulpicio Severo, corrompiendo a Macedonio, *magister officiorum*. Se ordena, pues, que les sean restituidas sus iglesias, y así —en el año 382— vuelven a instalarse en ellas.

El obispo Itacio de Ossonoba había sido uno de los más activos adversarios de Prisciliano y sus secuaces. Llegó a acusarlos de practicar la magia. En el *Liber apologeticus*, priscilianista [32], se rechaza como calumniosa esta acusación, afirmándose además enfáticamente que los que tales cosas creyesen, tuviesen o indujesen a ellas no sólo debían ser anatematizados, sino condenados a muerte [33].

Una vez obtenido el triunfo de la restitución a sus sedes, Prisciliano y los suyos consiguen que el procónsul Volvencio mande detener a Itacio. Consigue éste huir a las Galias y obtener la protección del prefecto Gregorio. De nuevo, por medio de grandes sumas de dinero, según Sulpicio Severo, consiguen los priscilianistas del *magister officiorum*, Macedonio, que toda la causa se sustraiga al prefecto de la diócesis, Gregorio, y se pase al vicario de las Hispanias, quien manda que Itacio sea devuelto a la Península. No se llega a cumplir esta orden porque Itacio se esconde, amparado por el obispo de Tréveris, Britanio. Además, el triunfo del usurpador Máximo va a cambiar decisivamente el curso de los acontecimientos. Itacio acusa de nuevo a los priscilianistas ante el usurpador, triunfante en Tréveris. Este ordena que sean llevados todos los acusados ante un síndo que se reúne en Burdeos en el año 384 con el fin de juzgarlos, compuesto principalmente por obispos aquitanos. Por Sulpicio Severo solamente conocemos, de entre los presentes, los nombres de Hidacio e Itacio como acusadores, y los de Prisciliano e Instancio como acusados. Hidacio de Chaves añade como presente a San Martín de Tours, y no hay motivo suficiente para no aceptar su testimonio [34].

Primeramente fue juzgado Instancio. No se consideraron suficientes sus explicaciones, y se le depuso del episcopado. Prisciliano, en cambio, no consintió ser juzgado por los obispos y apeló al emperador. Sulpicio Severo lamenta que los obispos consintieran sin más en la apelación, en vez de seguir adelante en su juicio, «porque debían dictar sentencia, aunque fuese contra su voluntad, o reservarla a otros obispos, si a ellos se les consideraba sospechosos; en ningún caso permitir que pasase al emperador una causa que trataba de tan manifiestos crímenes» [35].

Estas últimas palabras del historiador galo no son fáciles de entender. Precisamente si la causa versaba sobre manifiestos crímenes, era lógico que pasase a la jurisdicción civil, según las leyes vigentes. El único sentido posible de la afirmación parece ser éste: precisamente porque se trataba de crímenes perseguidos por la autoridad imperial,

---

[32] *Tract.* I 28: CSEL 18 p.23-24.
[33] Aunque muy anteriormente ciertas formas de magia estaban ya prohibidas, entre los años 356-57, Constancio II prohibió toda clase de magia bajo pena de muerte. Cf. J. GAUDEMET, o.c., p.647.
[34] HIDACIO, *Crón.* 13: SourcChrét 218 p.108.
[35] SULPICIO SEVERO, *Crón.* II 49: CSEL 1 p.102-103.

pero de carácter mixto, los obispos no debieron permitir que saliese de su propia jurisdicción antes que fuese juzgado por ellos el aspecto religioso, como había sucedido con Instancio. De hecho, pues, el concilio se clausuró sin haber cumplido plenamente su cometido.

Itacio e Hidacio se convertían de nuevo en acusadores privados, ahora ante el tribunal civil.

San Martín de Tours reconocía que los acusados eran herejes; pero, como tales, pensaba que era suficiente expulsarlos de la Iglesia por sentencia de los obispos y pensaba —dice Sulpicio Severo— que era cruel y horroroso que una causa eclesiástica la juzgase un juez secular. Así pretendía hacérselo comprender al emperador Máximo, rogándole se abstuviese de derramar la sangre de aquellos desdichados; e instaba a Itacio para que desistiese de su acusación. El proceso se mantuvo en suspenso mientras San Martín estuvo en Tréveris. Antes de abandonar la ciudad obtuvo buenas promesas del emperador. A Itacio, en cambio, no consiguió persuadirlo; al contrario, se atrajo de tal manera su furor, que se vio incluso acusado por él de herejía.

Una vez ausente San Martín, Máximo se deja influenciar por dos obispos de tendencia rigorista, Magno y Rufo, y encarga al prefecto Evodio que lleve adelante el proceso. En la instrucción de éste, Prisciliano confiesa todos los crímenes: maleficio, doctrinas obscenas, reuniones nocturnas con mujeres de mala nota y haber orado desnudo [36]. Máximo juzga que Prisciliano y sus compañeros son reos de muerte.

La lista de los ejecutados que da Sulpicio Severo es la siguiente:

Prisciliano, jefe de la secta.
Felicísimo y Armenio, clérigos recientemente convertidos a ella.
Latroniano.
Eucrocia.

En el mismo juicio se condenó a destierro en la isla de Scilly al obispo Instancio, ya depuesto como obispo por sentencia del concilio de Burdeos. En subsiguientes juicios se pronuncian las siguientes sentencias:

Asarbo y Aurelio, diáconos, pena de muerte.
Tiberiano, confiscación de bienes y destierro a la isla Scilly.

Tértulo, Potamio y Juan, por ser gente humilde y dignos de misericordia por haberse confesado culpables antes del juicio, a exilio temporal en las Galias [37]. Por San Ambrosio sabemos que el anciano obispo de Córdoba Higino fue enviado al destierro [38].

[36] Se supone que la confesión se obtendría por medio de tortura aunque no hay argumento positivo.
[37] Según San Jerónimo, Latroniano, español, era un erudito poeta, del que se conservaban en su tiempo varias obras. Tiberiano era de la Bética; escribió una *Apología* para justificarse, pero después de la ejecución de sus compañeros, «vencido por el tedio del exilio, se unió en matrimonio con su hija, virgen consagrada a Cristo» (*De vir. ill.* 122 y 123: ML 23,751).
[38] Ambrosio, *Epist.* 24: ML 16,1035-39.

El proceso y las ejecuciones de Tréveris se sitúan entre los años 384-85.

Conviene retener un dato importante. Entre los condenados no aparece ningún obispo gallego. Tampoco ahora hay, pues, indicios de que ninguno de los dirigentes propiamente dichos de la secta perteneciese a esa provincia hispana.

Hidacio de Mérida y, sobre todo, Itacio de Ossonoba podían sentirse satisfechos, si lo que habían pretendido era eliminar radicalmente a sus adversarios. En todo caso, no pudieron gozar mucho tiempo de su victoria. Fueron muchos los obispos que condenaron su actitud. Itacio había percibido ese ambiente hostil, y había renunciado a seguir actuando como acusador ya en la segunda fase del proceso. San Ambrosio se abstuvo de comulgar con Itacio y sus partidarios. También les negó la comunión el papa Siricio [39].

Aunque Itacio quedó justificado en un sínodo reunido en Tréveris por Máximo, la derrota y muerte de éste el año 388 permitió que brotase de nuevo con todo vigor la reacción de los que no estaban de acuerdo con su conducta. Un sínodo celebrado este mismo año lo depuso y lo condenó al destierro. Hidacio de Mérida había renunciado con anterioridad a su sede.

Después de la muerte de Prisciliano

La ejecución de los principales promotores del priscilianismo no sirvió tampoco para acabar con el movimiento. Sulpicio Severo dice: «Una vez ejecutado Prisciliano, no solamente no se atajó la herejía que había brotado por su medio, sino que se afianzó y propagó más ampliamente. Sus seguidores lo habían estimado antes como santo; ahora comenzaron a venerarlo como mártir. Trasladaron los restos de los ejecutados a las Hispanias y celebraron sus funerales con gran pompa. Jurar por Prisciliano llegó a considerarse lo más sagrado» [40]. Según P. Gams, Prisciliano llegó a figurar en algún martirologio. Entendiendo mal, según creo, esta afirmación de Gams, B. Vollmann afirma que el martirologio jeronimiano cita a Prisciliano. La mención de Prisciliano la introdujo P. de Natalibus en su *Catalogus sanctorum*, y no tiene, por tanto, ningún valor como testimonio de culto [41]. El obispo Simposio de Astorga manifiesta en el concilio de Toledo I, del año 400, que ha dejado de conmemorarlos como mártires. Pero la veneración por Prisciliano continuará vigente, sobre todo en Galecia, todavía por muchos años.

Sabemos que los cuerpos de los «mártires» priscilianistas fueron traídos a España. Se ignora a qué lugar. Pero, dado el fervor priscilianista

---

[39] Próspero (*Epit. Chron.* 1193: MonGermHist AA IX p.462. ML 51,587) dice: «Itacius et Ursacius episcopi ob necem Priscilliani, cuius accusatores fuerant, ecclesiae communione privantur». Esta noticia se refiere al año 389. La repite y amplía con la noticia de su exilio y muerte Isidoro (*De vir. ill.* 15: ML 83,1092).

[40] Sulpicio Severo, *Crón.* II 51: CSEL 1 p.104-105.

[41] Cf. P. B. Gams, *Die Kirchengeschichte von Spanien* II p.383-84; B. Vollmann, *Priscilianus* col.517; B. de Gaiffier, *Priscillien mentionné dans le martyrologe hieronymien?:* AnBoll 94(1976)234.

de la región gallega, puede suponerse con cierto fundamento que debieron de ser enterrados y venerados en esa misma región. De ahí que algunos autores modernos, caminando por la vía abierta con las insinuaciones de Mons. Duchesne [42], hayan lanzado la hipótesis de que los restos venerados en Santiago de Compostela a partir del siglo IX como reliquias del Apóstol no sean otros que los de Prisciliano y sus compañeros, únicos personajes de cuyo culto consta, aunque no fuese reconocido por la Iglesia católica y quedase relegado al olvido en el siglo VII al desaparecer el priscilianismo prácticamente de la Península.

El concilio de Toledo del 400

Hidacio de Chaves señala en su *Crónica* que en el año 400 se reunió un concilio en la provincia Cartaginense, en la ciudad de Toledo [43].

Las sesiones tuvieron lugar en la primera mitad de septiembre, como consta en las actas del concilio [44]. En ellas encontramos también los nombres de los obispos que componían la asamblea; desgraciadamente, nada se dice en ellas de las sedes que ocupaba cada uno, con una sola excepción: la del obispo Exuperancio, del que se hace notar que era de Galecia, del *conventus* de Lugo, del municipio de Celenis. Sobre otro de los firmantes, Ortigio, dice Hidacio que fue ordenado en Celenis, pero que no había podido residir en su sede al ser expulsado de ella por los priscilianistas [45].

El hecho de que en las actas se mencione solamente la sede de un obispo gallego, hace pensar que era el único componente del concilio perteneciente a la Galecia. Estuvieron presentes también otros obispos y clérigos gallegos que no firmaron las actas porque acudían al concilio como reos, para ser juzgados por su priscilianismo. En seguida nos ocuparemos de ellos.

Los obispos que componían el concilio eran los siguientes:

Patruino, Marcelo, Afrodisio, Liciniano, Jocundo, Severo, Leonas, Hilario, Olimpio, Floro, Ortigio, Asturio, Lampio, Sereno, Leporio, Eustoquio, Aureliano, Lampadio y Exuperancio.

Un total de diecinueve obispos, como se hace constar expresamente en las actas.

Por otras fuentes sabemos que Patruino, presidente del concilio, era obispo de Mérida [46], Asturio era obispo de Toledo [47] y Lampio fue obispo de Barcelona [48].

---

[42] L. Duchesne, *Saint Jacques en Galice* p.160-62.
[43] Hidacio, *Crón.* 32: SourcChrét 218 p.112. Cf. E. Flórez, *EspSagr* 6 (Madrid 1751).
[44] Cf. J. Vives, *Concilios* p.19-33.
[45] Hidacio, l.c. No sabemos para qué sede fue ordenado.
[46] Inocencio I, *Epist.* 3,5: ML 20,491; E. Flórez, *EspSagr* 6 p.328.
[47] Ocupa el n.9 en el catálogo del códice Emilianense. Cf. E. Flórez, *EspSagr* 5 (Madrid 1750) p.229.
[48] Paulino de Nola escribe: «Yo, aunque fui bautizado por Delfín de Burdeos, fui consagrado (= ordenado de presbítero) en Barcelona, en Hispania, por Lampio, forzado

Las actas contienen varios documentos, que pueden agruparse en cuatro partes:

1. Los 20 cánones disciplinares *(Constitutio Concilii)*.
2. El símbolo de fe con sus correspondientes anatemas *(Regulae fidei catholicae)*.
3. Las profesiones de fe de los que abjuraron sus errores priscilianistas *(Exemplaria professionum)* [49].
4. La sentencia definitiva *(Exemplar definitivae sententiae translatae de gestis)* [50].

Nos interesa en primer lugar esta última parte, porque en ella se narran hechos que precedieron al concilio, así como lo sucedido en él respecto a los acusados.

Comienza la relación aludiendo al concilio de Zaragoza: «En él se dictó sentencia contra algunos; el obispo Simposio no estuvo presente más que el primer día, porque a continuación rechazó la sentencia y no quiso oír a los reunidos» [51]. Pero después, Simposio, obispo de Astorga, intentó restaurar la comunión, para lo cual acudió a San Ambrosio de Milán en busca de su mediación. Prometió a San Ambrosio determinadas concesiones, como, p.ej., dejar de conmemorar como mártires a Prisciliano y compañeros ejecutados en Tréveris y desentenderse de los apócrifos y de las nuevas ciencias que había compuesto Prisciliano. San Ambrosio, por su parte, exigió que Dictinio, hijo de Simposio, por bien de paz, permaneciese como presbítero y no fuese consagrado obispo, y envió una carta a los obispos españoles pidiéndoles concediesen la paz a los arrepentidos, si cumplían las condiciones que se indicaban.

No debió de durar mucho el buen propósito de Simposio y los suyos. Simposio ordenó obispo a su hijo Dictinio, «obligado por la muchedumbre». Y lo que es peor, se dedicó a consagrar nuevos obispos para diversas iglesias que carecían de ellos, pensando —según confesó— «que el pueblo de toda Galicia sentía, más o menos, como ellos» [52]. Dictinio, además, propagó algunos escritos con doctrina sospechosa.

---

por el entusiasmo subitáneo del pueblo» (PAULINO, *Ep.* 3,4: CSEL 29 p.17). Cf. E. FLÓREZ, *EspSagr* 29 (Madrid 1775) p.98-112. P. B. Gams (o.c., II p.389) supone a Marcelo obispo de Hispalis. En el catálogo del códice Emilianense, Marcelo encabeza la lista de los obispos hispalenses, por lo que no corresponde cronológicamente a la época del concilio Toledano. No hay tampoco motivos para considerar a Hilario obispo de Cartagena o de Cástulo.

[49] Para esta parte y la siguiente cf. la edición hecha por H. CHADWICK, o.c., p.234-39.

[50] Para M. C. DÍAZ Y DÍAZ, *Orígenes cristianos de Lugo* p.241, los Apéndices del concilio son auténticos, pero algo posteriores aunque redactados por participantes en el mismo concilio.

[51] No hay razón suficiente, a mi entender, para pensar en otro concilio de Zaragoza posterior al del 380. En este sentido se pronuncia también H. CHADWICK, o.c., p.28.

[52] M. C. DÍAZ Y DÍAZ (*Orígenes cristianos de Lugo* p.242-244) piensa que, cuando se dice que ordenaba obispos *per ecclesias*, este término no significa comunidades cristianas concretas, sino que tiene un valor genérico. No alcanzo a ver por qué. Tampoco creo que puedan hacerse deducciones importantes del hecho notado por el mismo autor sobre el silencio de las actas a propósito de las sedes de los obispos y presbíteros ordenados por los disidentes, ya que tampoco se dan en las actas las sedes de los firmantes.

Los obispos católicos, acomodándose al consejo de San Ambrosio y al del papa Siricio, decidieron convocar a Simposio y los suyos para que se explicasen ante un concilio y se restableciese así la unidad.

Se fijó Toledo como sede del concilio, pero al principio no acudieron los acusados [53]. Por fin acuden varios de los requeridos, adoptando diversas actitudes ante sus jueces. Simposio y Dictinio abjuran todos los errores. Paterno, que había sido ordenado obispo de Braga por Simposio, confesó haber profesado el priscilianismo, pero juró también que después se había apartado de él, convencido por la lectura de obras de San Ambrosio. Isonio, recientemente bautizado y ordenado obispo también por Simposio, respondió que seguía a éste en todo cuanto había profesado en el concilio. Vegetino, obispo ya desde antes del concilio de Zaragoza, condenó igualmente los libros de Prisciliano y al mismo autor de ellos. También fue admitido Anterio. El entonces presbítero Comasio también abjuró sus errores.

Hubo, en cambio, un grupo de clérigos que protagonizó una auténtica escena contestataria: sin esperar a ser interrogados, prorrumpieron espontáneamente en aclamaciones a Prisciliano católico y mártir santo. A ellos se unió su obispo Herenas, añadiendo por su parte que Prisciliano había sido católico hasta el final y había sido objeto de persecución por parte de los obispos.

La sentencia del concilio fue la siguiente:

1. Deposición de Herenas con todos los clérigos y diversos obispos que se les habían unido.

2. Admisión inmediata a la comunión del obispo Vegetino, contra quien no se había pronunciado anteriormente ninguna sentencia.

3. Paterno, Simposio, Dictinio, Anterio y los demás de la provincia de Galecia podían permanecer en sus sedes si aceptaban y firmaban la fórmula del concilio. Pero para ser aceptados plenamente a la comunión debían esperar la respuesta del obispo de Milán, la del papa de Roma y la de los demás obispos que habían intervenido en la contienda [54]. Hasta que la profesión de fe de los arrepentidos no sea aceptada por la Iglesia, deben abstenerse de ordenar obispos, presbíteros y diáconos.

4. El obispo Ortigio debe ser restituido a la sede de la que se le había expulsado por su ortodoxia.

La tendencia a contar con el mayor número posible de obispos había sido propia del grupo priscilianista desde sus primeros momentos. En éstos, inmediatamente precedentes al concilio de Toledo, por lo que·

---

[53] Este pasaje del texto de las actas ha dado lugar a que algunos piensen que hubo dos concilios; pero parece más probable que se trate del mismo.

[54] Los obispos del concilio hablan ya de Simpliciano como obispo de Milán; efectivamente, San Ambrosio había muerto en el 397. Siricio, en cambio, murió un año después. Los obispos no dan el nombre del nuevo papa; dicen que esperen respuesta del «que ahora es papa».

confesó el mismo Simposio y por la prohibición contenida en el punto tres, se ve que continuaba siéndolo.

También el discurso introductorio de Patruino, que encabeza la serie de cánones disciplinares, manifiesta preocupación por la confusión creada a causa de la proliferación de ordenaciones episcopales conferidas arbitrariamente; es necesario —dice— establecer normas a las que deberán atenerse todos los obispos para ordenar a otros, «porque cada uno de nosotros ha actuado de manera diversa en su iglesia, y de ahí se han seguido muchos escándalos, que han llegado hasta el cisma». Las normas serán las del concilio de Nicea [55].

De las disposiciones contenidas en los cánones disciplinares nos ocuparemos en otro capítulo.

Las partes segunda y tercera de las actas se refieren al aspecto doctrinal. La segunda recoge el símbolo de fe y los anatemas o catálogo de errores que se condenan. En este punto se presenta una importante dificultad para la crítica histórica. Del símbolo y de los anatemas *(Regulae fidei)* conocemos dos recensiones diversas: hay una recensión más larga, en la que el número de anatemas es de 18; en la más breve son solamente 12, que corresponden a los doce primeros de la otra recensión. La recensión larga es la que se encuentra en todos los manuscritos de las actas del concilio, que dependen todos de la llamada colección Hispana pura. La breve se ha conservado entre los escritos atribuidos a San Agustín y a San Jerónimo. En contra de lo que podría pensarse obviamente, el texto que reproduce el auténtico símbolo del concilio de Toledo del 400 es el conservado en la recensión breve. J. A. de Aldama [56] lo ha demostrado convincentemente, y sus conclusiones en este sentido han merecido la aceptación general. La recensión larga, contenida precisamente en los manuscritos de las actas, figura en ellas probablemente porque el colector de la Hispana sustituyó la más corta por esta otra, igual, pero más explícita, que es en concreto el *Libellus Pastoris,* de que habla Gennadio, compuesto por el obispo hispano Pastor a base de ampliar y corregir la fórmula auténtica del concilio, en muchos casos valiéndose de otros textos y expresiones del mismo concilio [57].

La fórmula de fe o símbolo toledano I sigue un esquema [58] que responde al orden y a las preocupaciones propias del tratado *De fide,* de Gregorio de Elvira: «salvar la unicidad de Dios (contra la objeción

[55] El canon 4 del concilio de Nicea dispone que el obispo sea ordenado por todos los obispos de la provincia. Si no fuese posible, basta con la presencia de tres, pero es necesario el consentimiento previo y por escrito de los restantes, salvo los derechos de los metropolitanos. Véase asimismo cánones 6 y 16.

[56] J. A. DE ALDAMA, *El símbolo toledano I* (Roma 1934). Este trabajo es fundamental para todo el tema.

[57] GENNADIO, *De vir. ill.* 77: ML 58,1103. Cf. B. VOLLMANN, *Studien zum priszillianismus* p.168-75. La edición crítica de las *Regulae fidei* del Toledano I en sus dos recensiones se encuentra en J. A. DE ALDAMA, o.c.; sobre Pastor cf. B. ALTANER-E. CUEVAS-U. DOMÍNGUEZ DEL VAL, *Patrología* (Madrid ⁵1962) p.446-47. Recientemente, A. C. Vega (BolRealAcHist 169 [972] 263-325) trata de identificar la fórmula de fe con una obra perdida del obispo Audencio de Toledo, cit. por GENNADIO, *De vir ill.* 14. El trabajo es útil, sobre todo, por el aparato crítico de los textos publicados.

[58] J. A. DE ALDAMA (o.c., p.78-83) lo clasifica en su grupo VI.

arriana) y, al mismo tiempo, la pluralidad de las personas (contra la interpretación sabeliana); hay positivo empeño en no descuidar ni un aspecto ni el otro». A la parte trinitaria sigue la cristológica, en la que se insiste en la consubstancialidad del Verbo, en la identidad personal del Hijo de Dios y el Hijo de María; y en la fórmula del concilio, en la realidad de la naturaleza humana de Cristo: «no un cuerpo imaginario o solamente compuesto de forma, sino sólido; que sintió el hambre y la sed, padeció y lloró y sintió todas las necesidades del cuerpo...» Por último, se insiste en la verdad de la resurrección [59].

A. Barbero publicó en el año 1963 un artículo en el que se niega rotundamente las conclusiones de Aldama, y, con ellas, la existencia de ningún símbolo de fe en el concilio de Toledo del 400 [60]. Para J. A. de Aldama, en las actas del concilio se habla expresamente de una fórmula de fe emitida por el sínodo cuando se afirma en ellas que la *«forma a concilio missa»* deberá ser aceptada y firmada por todos. Para Aldama, la palabra *forma* equivale a fórmula, símbolo o regla de fe. Para A. Barbero, *forma* es equivalente a precepto o norma del concilio, que impone la obligación de profesar y firmar una condenación de Prisciliano y del priscilianismo. A estas normas responderían las *profesiones* realizadas por los que abjuraron en el concilio, y que se contienen en la tercera parte de las actas. Si a esto se añade que Hidacio nada dice de una regla de fe cuando habla del concilio, habrá que concluir —según A. Barbero— que en el concilio de Toledo del 400 no se compuso ningún símbolo.

Ambos indicios —silencio de Hidacio y posible interpretación de la palabra *forma* como norma o precepto— tienen su validez de indicios, y podrían convertirse en argumentos si no existiese un hecho de tradición histórica como es la existencia de unas *Regulae fidei* en todos los manuscritos de las actas [61].

El hecho está ahí, no se puede negar solamente por leves indicios contrarios. El silencio de Hidacio es poco significativo. Su descripción del concilio de Toledo del 400 consta de sesenta y dos palabras (diez líneas en una página en 8.º); en tan corto espacio narra el hecho de la condenación de Prisciliano y de su herejía por parte de Simposio, Dictinio y otros obispos gallegos; indica que, además de ese aspecto doctrinal, se cuidó también el de la disciplina, y dedica casi la tercera parte

---

[59] J. A. DE ALDAMA, o.c., p.83-96. Este autor trata de demostrar que el símbolo toledano se inspira en el *Libellus fidei*, que cree —con la crítica de su tiempo— de Gregorio de Granada. Posteriormente, M. Simonetti *(Alcune osservazioni a proposito di una professione di fede attribuita a Gregorio di Elvira:* RivCultClassMed 2[1960] 307-325) ha negado que el *Libellus* pertenezca a Gregorio. Prescindimos de esta cuestión, porque la argumentación sigue siendo válida, en todo caso, para demostrar que los del concilio siguieron en su símbolo el mismo esquema y las mismas preocupaciones de Gregorio de Elvira en su tratado *De fide*, acentuando por su parte aspectos antisabelianistas y antidocetistas que están relacionados con el priscilianismo y preludian las disputas cristológicas propias del siglo V.

[60] A. BARBERO, *El priscilianismo, ¿herejía o movimiento social?*

[61] El hecho de que consideremos como genuino texto el conservado fuera de los mss. de las actas no cambia el estado de la cuestión, porque no es lo mismo que el colector de la Hispana prefiriese un texto más completo del que veía, muy parecido, pero menos explícito, que introducir, sin más, toda una sección que no existía.

del texto a la presencia del obispo católico Ortigio, expulsado de su sede por los seguidores de Prisciliano. No existe, pues, razón ninguna de peso que nos haga considerar como inexplicable la falta de mención expresa de una fórmula de fe.

Por lo que se refiere a la palabra *forma,* es verdad que puede tener varios significados; entre ellos, el de fórmula o regla. Las otras posibilidades no excluyen ésta, que es lo que habría que probar.

La práctica ordinaria para el restablecimiento de la comunión entre quienes se había roto bajo la sospecha de herejía, prácticas repetidas veces testimoniadas en la misma historia del priscilianismo, era la de exigir una clara profesión de fe, que, junto con la condena de los errores sospechados, comprendía la exposición positiva de las verdades fundamentales. El concilio I de Toledo constituiría una excepción si hubiese exigido la abjuración particularizada de los errores, como consta lo hizo, y en la fórmula que exigía aceptar y firmar no hubiese propuesto una profesión positiva de la fe común, que además está recogida en las actas.

A. Barbero considera una contradicción que en los anatemas de la recensión breve no se use, condenándola, la expresión *innascibilis* aplicada al Hijo, siendo así que existe en la larga y consta por las actas que en el concilio se acusó a Prisciliano de haber hecho esa afirmación usando precisamente el citado término. A esta dificultad había respondido ya previamente J. A. de Aldama en su obra citada [62], y sus argumentos, a los que A. Barbero no alude, son suficientemente convincentes como para poder prescindir ahora del tema. Por otra parte, la doctrina de la innascibilidad del Hijo está contrarrestada expresamente en el símbolo por la afirmación contraria: «Hijo de Dios, Dios *nacido* del Padre antes absolutamente de todo principio» [63]. Ya hemos hablado del carácter marcadamente antisabelianista del símbolo toledano y su insistencia en la realidad humana de Cristo, tan puesta en cuestión por todas las tendencias de tipo gnóstico. El anatema 12 va contra la autoridad y la veneración de los apócrifos, una de las acusaciones y de los puntos básicos del priscilianismo. El anatema 11 condena el emanantismo, que considera el alma humana como porción o substancia de Dios. El anatema 9 ataca el dualismo: el mundo creado por otro Dios; lo mismo que el anatema 8 excluye de la Iglesia a quien afirme que el Dios del Antiguo Testamento es diferente del del Nuevo. Los anatemas 2-4 y las proposiciones 3-5 del símbolo son afirmaciones trinitarias que van también directamente contra la afirmación priscilianista: «Padre, Hijo y Espíritu Santo son una misma persona» [64]. No sólo no hay fundamento histórico, pues, para considerar las *Regulae fidei* del Toledano I como prepriscilianistas; deben considerarse como expresamente post y antipriscilianistas.

La conclusión de J. A. de Aldama permanece en pie: la recensión

---

[62] J. A. DE ALDAMA, o.c., p.119-22.
[63] J. A. DE ALDAMA, o.c., p.32 n.12.
[64] Ver más adelante, p.261.

breve es la fórmula de fe o símbolo del concilio celebrado en Toledo en el año 400.

Intervención de Inocencio Papa

A pesar de las abjuraciones conseguidas, el concilio de Toledo no trajo la unión. La turbación mayor surge ahora de la parte más integrista del episcopado hispano, descontento por estimar que se había procedido con los seguidores de Prisciliano con demasiada benignidad, permitiéndoles continuar en sus cargos, desde donde podrían fácilmente seguir propagando sus errores más o menos sinceramente rechazados. En consecuencia, se negaban rotundamente a recibirlos en su comunión. Conocemos estos hechos por el papa Inocencio I, que interviene hacia 404-405 para restaurar la paz[65]. Uno de los presentes en el concilio de Toledo, el obispo Hilario, acompañado por su presbítero Elpidio, había marchado a Roma, informando al papa detenidamente, en sesión del presbiterio romano, de la difícil situación en las iglesias hispanas, donde, después del concilio, el episcopado estaba dividido en tres grandes grupos: los que continuaban siendo priscilianistas, los reunidos en Toledo juntamente con los admitidos por ellos a la reconciliación y los descontentos, que no estaban dispuestos a consentir que los priscilianistas arrepentidos siguiesen ocupando sus sedes y oficios. Según la carta de Inocencio, estos últimos eran los obispos de la Bética y de la Cartaginense. La disensión, por lo que en la carta se dice, no solamente no disminuía, sino que iba cada día en aumento. A Inocencio le parecía una repetición de lo sucedido con Lucifer de Cagliari y sus seguidores tiempos atrás, que también se habían separado de la comunión católica, ofendidos por la prudente reconciliación concedida a los antiguos simpatizantes del arrianismo[66]. Pero —decía el papa— también San Pedro había negado a Cristo, y, sin embargo, después de llorar su caída, había continuado siendo lo que había sido. El papa exhorta, como consecuencia, a que acepten todos a los arrepentidos y a que actúen, en cambio, contra el obispo Rufino, que andaba ordenando obispos «en lugares escondidos», prescindiendo de los derechos del metropolitano, de la voluntad del pueblo y de las disposiciones disciplinares. Lo mismo había que actuar contra el obispo Minucio, que obraba de manera semejante en Gerona, en la Tarraconense. Había que deponer también a los obispos ordenados por estos dos franco-tiradores. El obispo Juan había aceptado por legados la readmisión de Simposio y Dictinio en el concilio de Toledo, pero después parece que había cesado en la comunión. De él y de todos los que se supiese algo semejante era necesario hacer una investigación a fondo y excluir de la comunión católica a los que no aceptasen lo determinado por el concilio[67].

---

[65] INOCENCIO I, *Epist.* 3: ML 20,485-93.

[66] Con estos integristas antiarrianos se había alineado el obispo bético Gregorio de Elvira o de Granada.

[67] De otros temas tratados por Inocencio I en esta carta nos ocuparemos más adelante.

«Alanos, vándalos y suevos entran en las Hispanias». Esta es la noticia que el obispo gallego Hidacio de Chaves considera como única digna de ser consignada en la *Crónica* del año 409 [68]. La vida de las iglesias hispanas no queda interrumpida por las invasiones, pero sí profundamente afectada por los muchos cambios que tan importantes acontecimientos van a llevar consigo en el desarrollo de nuestra historia [69].

Después de las invasiones

Las nuevas circunstancias nos ocuparán en próximos capítulos. Ahora es necesario recordar algunos otros sucesos directamente relacionados con el priscilianismo, sin cuya mención la historia hasta aquí narrada quedaría incompleta.

Un sacerdote de la provincia gallega, quizá de Braga, abandona la Península y llega al Africa hacia el 414. Se trata del célebre escritor Orosio, admirador de San Agustín, al que presenta un *Commonitorium* —parte información, parte consulta— sobre diversas cuestiones, especialmente sobre el priscilianismo, todavía fuerte en su tierra [70]. A este escrito responde el de San Agustín titulado *A Orosio, contra los priscilianistas y origenistas* [71]. En otros varios escritos, San Agustín se ocupa también del aspecto doctrinal del priscilianismo.

Sobre los hechos y la situación en Hispania posteriores a la celebración del concilio de Toledo del 400 nos informa una carta del obispo de Astorga, Toribio, dirigida a los obispos Hidacio de Chaves y Ceponio [72]. A la vuelta de un largo viaje, Toribio —según expone él mismo— se encuentra con la desagradable sorpresa de que «ciertas tradiciones condenadas hacía tiempo por la Iglesia y que creía más que abolidas, las encuentra totalmente íntegras». Pululaban los errores: unos habían aumentado sus errores antiguos; otros los habían conservado; otros se habían convertido sólo a medias. Debido a las difíciles circunstancias históricas (de las invasiones), habían cesado las reuniones y decretos de concilios. Y, lo que es peor —continúa—, acuden a un mismo altar con diversas posturas en la fe.

Un episodio que confirma la confusa situación de la provincia eclesiástica gallega es el que narra Hidacio en el año 433: en el *conventus* de Lugo son ordenados obispos Pastor y Siagrio, en contra de la voluntad de Agreste, obispo de Lugo. Puesto que ambos nuevos obispos son anti-

---

[68] R. L. Reynolds (*Reconsideration of the History of the Suevi:* RevBelPhilHist 35[1957] 19-47) piensa que los suevos llegaron antes por mar, en el 408, pero su hipótesis no parece fundarse en argumentos muy convincentes.

[69] En los años 407 y 410 se promulgan sendos decretos imperiales contra el priscilianismo. La nueva situación creada por las invasiones convertirá en papel mojado estas disposiciones.

[70] Orosio, *Commonitorium de errore priscill. et origin.*: ML 31,1211-16 = CSEL 18 p.149-57. Cf. H. Chadwick, o.c., p.190-206.

[71] ML 42,669-78.

[72] Toribio, *Epist.*: ML 54,693-95. No hay razón para dudar de su autenticidad. Esta carta es anterior a la que el mismo obispo dirige después al papa León Magno, y que es respondida por el papa el año 447.

priscilianistas, el obispo de Lugo debía de ser, por el contrario, simpatizante o seguidor de Prisciliano [73].

La principal denuncia concreta del obispo de Astorga se refiere al uso de los apócrifos: prefieren éstos, secretos y arcanos, a los libros canónicos. Se pregunta Toribio de dónde pueden proceder algunas doctrinas que defienden los priscilianistas, y que no se encuentran en los apócrifos que él ha podido examinar. Piensa que quizá tengan, además, otros libros ocultos, guardados en secreto, sólo accesibles —como ellos mismos dicen— a los perfectos. Con los apócrifos pretenden confirmar sus herejías «los maniqueos, los priscilianistas y cualquiera otra secta emparentada con ellos; sobre todo con el blasfemísimo libro llamado *Memoria apostolorum*», libro que, entre otras cosas, destruye la ley del Antiguo Testamento. Termina la carta exhortando a sus destinatarios a que se opongan al error juntamente con los demás obispos.

La intervención de San León Magno

Las diligencias del obispo de Astorga, Toribio, en orden a la extirpación del priscilianismo no acabaron con esta información enviada a Hidacio y Ceponio. Envió al papa más amplia documentación, consistente en tres escritos que no han llegado hasta nosotros directamente, pero cuya forma y contenido conocemos en parte porque León I los enumera y describe en su respuesta a Toribio: una *epistola familiaris,* es decir, una carta privada, no oficial, en la que debía de exponerle principalmente los acontecimientos de la lucha priscilianista en sus aspectos más delicados; un *Commonitorium* o memoria con el ruego de que hiciese convocar un concilio hispánico, aportándole juntamente los argumentos para ello, y un *libellus* con 16 capítulos de acusaciones concretas contra el priscilianismo [74].

León I responde en el año 447 con su carta *Quam laudabiliter,* en la que K. Künstle creyó ver una falsificación realizada a base de las actas del concilio de Braga I, del año 561. Esta hipótesis está actualmente definitivamente excluida por varias razones, aunque una de ellas sea ya definitiva: el texto de la carta de León se encuentra en un manuscrito que es anterior a la fecha del concilio. Además, de la autenticidad de la carta de León Magno no cabe ya ninguna duda desde su edición crítica realizada por B. Vollmann, quien afirma también que tanto el pensamiento teológico como las formulaciones, las frases y el estilo son inconfundiblemente leoninos [75]. Queda así invalidada también la tesis de A. Barbero, según la cual «el notario papal que la redactó no hizo sino repetir el texto enviado por Toribio y sancionar las opiniones de éste con la autoridad de la sede romana». Esta tesis, que, como confiesa el mismo autor, no es más que una suposición, parecía sugerírsela sola-

---

[73] HIDACIO, *Crón.* 102: SourcChrét 218 p.132. Véase asimismo SourcChrét 219 p.68-69. Este Pastor compuso, según Gennadio, un símbolo de fe, cuyo texto es, al parecer, el conservado en las actas del concilio de Toledo I. Cf. H. CHADWICK, o.c., p.217-21.

[74] Cf. B. VOLLMANN, *Studien zum Priszillianismus* p.142-47.

[75] B. VOLLMANN, o.c., p.87-141. Cf. HIDACIO, *Crón.* 135: SourcChrét 218 p.140.

mente, «aparte del contenido general de la carta, el hecho de que se afirme en ella la procedencia del Espíritu Santo del Padre y del Hijo, doctrina que estaba muy lejos de ser oficialmente profesada por el papa de Roma» [76]. Esta última afirmación tampoco puede mantenerse, en primer lugar porque no se apoya en ningún argumento positivo, y, en segundo, porque es claro que esa doctrina era corriente en la literatura occidental de la época, y existen de ella textos de Hilario, Ambrosio, Prudencio, Rufino y Agustín [77].

La carta de León Magno al obispo Toribio de Astorga es, pues, un documento histórico con el que hay que contar. En ella se enumera una larga serie de errores priscilianistas que hemos de suponer basada en el informe de Toribio, aunque no pueda constarnos si exclusivamente en él o también en el conocimiento que para el año 447 tenían en Roma del problema.

Concluye el papa su carta con el siguiente mandato: «Reúnan un concilio episcopal; acudan los obispos de las provincias vecinas al lugar que sea más conveniente para todos y, teniendo en cuenta cuanto digo en mi respuesta a tus consultas, examinen a fondo si hay obispos contaminados de esta herejía, a los que habrá que separar, sin duda, de la comunión si no quieren condenar las maldades de esta horrenda secta. Porque no se puede tolerar de ningún modo que el que ha recibido el oficio de predicar la fe, se atreva a combatir contra el Evangelio de Cristo, contra la doctrina apostólica y contra el símbolo de la Iglesia universal» [78]. Le anuncia el papa poco más abajo que le envía cartas para los obispos de la Tarraconense, Cartaginense, Lusitana y Galecia, convocándolos al concilio; y encarga a Toribio que las haga llegar a sus destinatarios. El plan propuesto por León Magno es, por tanto, la reunión de un concilio general de todas las provincias hispanas, a excepción de la Bética; probablemente, por su lejanía [79]. Si algo impidiese la celebración de este concilio general, el papa manda que se reúnan al menos los obispos de la provincia de Galecia, y encarga de esta misión supletoria al mismo Toribio y a los obispos Hidacio y Ceponio.

¿Un concilio en el año 447?

¿Se celebró realmente algún concilio general en el 447, siguiendo las indicaciones de León I? Es difícil saberlo; los documentos conservados no son suficientemente claros, y, como sucede con frecuencia en estos casos, los historiadores se dividen en sus opiniones. Pocos son los que se resignan a la duda. La mayoría se divide entre los que afirman que el concilio se celebró y los que lo niegan decididamente.

Contra la existencia del concilio se arguye con el silencio del cronista Hidacio y con la ausencia de actas. En favor de su celebración está el

---

[76] A. BARBERO, o.c., p.36.
[77] Cf. J. A. DE ALDAMA, o.c., p.129-31.
[78] LEÓN MAGNO, *Epist.* 15,17: ed. B. Vollmann, p.137 = ML 54,690-91.
[79] El papa tiene prisa: *quo citius,* dice al final de su carta.

discurso de apertura del concilio de Braga I (561), tenido por el obispo Lucrecio: «Creo, pues, que sabe la fraternidad de vuestras beatitudes que en los años por los que en estas regiones se extendía el veneno de la nefanda herejía prisciliana, el beatísimo papa León, de la ciudad de Roma, que era aproximadamente el cuadragésimo sucesor del apóstol Pedro, envió un escrito suyo al concilio de Galecia, contra la impía herejía de Prisciliano, por medio de Toribio, notario de su sede; y, por mandato del mismo, también los obispos de las provincias Tarraconense y Cartaginense, los lusitanos y los béticos, celebraron un concilio y redactaron un símbolo de la fe contra la herejía prisciliana; lo enviaron a Balconio, prelado entonces de esta iglesia bracarense, y, dado que tenemos aquí entre las manos el mismo ejemplar de la fe tal como fue redactada con sus capítulos, sea leído para instrucción de los que la ignoran, si parece bien a vuestra reverencia» [80]. El testimonio es bien explícito, pero no del todo claro, porque se toma por notario del papa al destinatario de su carta, el obispo Toribio [81].

En las actas del concilio de Toledo I (año 400), como título de las *Regulae fidei* que introdujo el colector de la Hispana, se lee: «Comienzan las reglas de la fe católica contra todas las herejías, y, sobre todo, contra los priscilianos, que redactaron los obispos tarraconenses, cartaginenses, lusitanos y béticos y enviaron a Balconio, obispo de Galicia, con el mandato del papa de la Urbe León». Es éste un testimonio histórico de escaso valor tal como ahora lo conocemos, porque encabeza precisamente unas *regulae fidei* que están tomadas del *Libellus Pastoris*, como ya dijimos [82], no de un concilio; y, para colmo de males, se incluyen en las actas del concilio de Toledo I, al que ciertamente no pertenecen. De todos modos, en el título se contiene la afirmación de la existencia de un concilio reunido por mandato de León Magno.

Ni el silencio de Hidacio [83] ni el posible error sobre Toribio en las actas del concilio de Braga me parecen argumentos decisivos para rechazar testimonios tan explícitos, confirmados, sobre todo, por la afirmación del envío de las reglas de fe al obispo Balconio de Braga; envío que se efectuó sin duda, porque los obispos reunidos en esta última sede, en el año 561, tenían «entre las manos el mismo ejemplar de la fe tal como fue redactada con sus capítulos» [84]. Hemos de confesar que no podemos saber con seguridad cuál fue ese texto enviado a Balconio; pero es difícil dudar de su existencia y, por tanto, del concilio en que se redactó.

En el *Libellus Pastoris*, además de los 12 anatemas primeros, que equivalen a los doce del concilio Toledano I, hay otros seis más, de los cuales conviene recordar dos por lo que tienen de significativo en rela-

[80] J. VIVES, *Concilios* p.66.
[81] ¿Hay que excluir absolutamente la posibilidad de que no se trate de un error, sino que se le considere en cierto modo notario del papa, por ser el destinatario de su carta y el encargado de transmitirla a los demás obispos?
[82] Cf. nuestra p.248.
[83] Cf. B. VOLLMANN, *Studien zum Priszillianismus* p.172.
[84] Cf. J. VIVES, *Concilios* p.66.

ción a las prácticas ascéticas del priscilianismo. Son los anatemas 16 y
17: «16. Si alguien dijese o creyese que los matrimonios que se consideran lícitos según la ley divina son execrables, sea anatema. 17. Si alguien dijese o creyese que de las carnes de las aves o de los animales
que se nos han dado para alimento hay que abstenerse no sólo para
castigo del cuerpo, sino por ser execrables, sea anatema» [85].

Los últimos pasos

Tras las actas del concilio de Toledo II, del año 531, se incluye una
exhortación del obispo toledano Montano a los obispos y fieles del territorio palentino en la que dice éste haber oído hablar de que entre ellos
se honra, si no con los hechos, sí al menos con la palabra, la «perdidí-
sima secta de los priscilianistas». A una virulenta enumeración de los
errores y vicios de la secta y de su fundador, sigue este párrafo: «Lo
que éste fue [Prisciliano], lo sabrá mejor el que lea los libros del beatísimo y religiosísimo varón Toribio obispo, enviados al santo papa de la
ciudad de Roma León, en los cuales expuso esta sórdida herejía, descubrió la que se ocultaba entre las tinieblas y puso de manifiesto la que se
cubría con una nube de perfidia, pues en estos libros el lector piadoso
encontrará qué es lo que ha de guardarse, qué es lo que puede responder contra los sacrílegos» [86].

En las actas de este concilio provincial de Toledo no hay ninguna
disposición que se refiera al priscilianismo. Se ve que el problema, por
lo que toca a la Cartaginense, solamente se presentaba en las regiones
del Norte, vecinas a las gallegas.

Tampoco hay alusión al priscilianismo en los concilios de Tarragona
(516), Gerona (517), Barcelona (540), Lérida (546) y Valencia (549) [87].

Del concilio de Braga I (561) hemos citado ya parte de las palabras
de su presidente Lucrecio. Su discurso muestra también que el priscilianismo para esas fechas hacía ya mucho tiempo que «había sido descubierto y condenado en las provincias hispanas». Pero había que tratar
de nuevo este tema para que nadie pudiera seguir engañado por la
ignorancia «o la lectura de las escrituras apócrifas», especialmente en
regiones extremas de Galecia, que eran «el fin del mundo», adonde no
había llegado ninguna instrucción o muy poca.

Las actas reproducen a continuación del discurso 17 capítulos, que
son una versión más corta y sencilla de los errores priscilianistas; capítulos estrechamente relacionados con los enumerados por León Magno en
su carta citada [88]. También conviene recordar aquí, por su relación con
la ascética priscilianista, los anatemas 11 y 14, que corresponden a los ya
citados 16 y 17 del *Libellus Pastoris:* «11. Si alguno condena los matrimonios humanos y aborrece la procreación, como dicen Maniqueo y

---

[85] J. VIVES, *Concilios* p.28.
[86] J. VIVES, *Concilios* p.49.
[87] En la respuesta del papa Vigilio a Profuturo de Braga, del año 538, hay alusiones a
prácticas priscilianistas. Cf. ML 69,15-19. Véase asimismo H. CHADWICK, o.c., p.223.
[88] Cf. B. VOLLMANN, o.c., p.170-72.

Prisciliano, sea anatema... 14. Si alguno considera inmundos los alimentos de carnes que dio Dios para uso de los hombres y se abstiene de ellas no para mortificación de su cuerpo, sino porque las considera una inmundicia, hasta el punto de no probar ni las legumbres cocidas con carne, como afirman Maniqueo y Prisciliano, sea anatema» [89].

Por fin, en el concilio de Braga II, celebrado el año 572 bajo la presidencia de San Martín, puede decir éste a la asamblea: «Puesto que, por la gracia de Cristo, no hay ningún problema en esta provincia acerca de la unidad de la fe...» Sin embargo, vuelve a renovarse la condenación contenida en el anatema 14 del concilio de Braga I y el ayuno en domingo [90].

VALORACIÓN

La abundante variedad de interpretaciones que los historiadores han dado a la persona y a la obra de Prisciliano y sus continuadores es suficiente para entender de antemano que su valoración no es fácil y que cualquier solución clara y contundente es ya sospechosa de simplificación. La justa interpretación de los documentos históricos del priscilianismo exige además una clara distinción de sus diversas épocas. Un movimiento que duró prácticamente dos siglos, que en gran parte tuvo carácter popular y que arraigó, sobre todo, en regiones siempre propicias a creencias extrañas, no puede considerarse como una secta de contenido doctrinal bien definido siempre y prácticas inmutables a través del tiempo. No hay que olvidar tampoco que es casi norma común de los movimientos heterodoxos el que los seguidores del iniciador le superen en la heterodoxia, no tan clara a veces en el que figura como primer heresiarca.

¿Movimiento social?

Antes de entrar en el examen de los errores concretos, objeto de las acusaciones contra Prisciliano y los priscilianistas, es conveniente abordar una cuestión que plantea el problema desde un punto de vista distinto y más radical. Se trata de saber si el priscilianismo es, en el fondo, un fenómeno religioso o es un fenómeno social.

La forma más simple de entender la cuestión sería ésta: Prisciliano y sus seguidores, ¿pretendían conseguir otro género de vida espiritual, querían una reforma del cristianismo a su manera, o su movimiento era, en cambio, un intento de revolución social contra la presión fiscal de las autoridades del imperio y contra los obispos que las apoyaban?

No creo que ningún historiador se haya planteado el problema en forma tan tajantemente disyuntiva, aunque algunos párrafos sueltos parezcan sugerirlo, como, p.ej., éste: «Ambos movimientos, priscilianismo

[89] J. VIVES, *Concilios* p.68-69.
[90] J. VIVES, *Concilios* p.79 y 100.

y bagáudico, tienen un fondo social común: defienden los intereses de la población campesina, libre o esclava, contra la presión tributaria del imperio romano. El priscilianismo, que tanto arraigo tuvo en Gallaecia, es el equivalente en Hispania de una serie de movimientos campesinos...»[91]. Planteada así la cuestión, la crítica histórica no tiene más que una respuesta: el priscilianismo no es un movimiento revolucionario dedicado a defender los intereses de la población campesina contra la presión tributaria del imperio romano. No hay un solo dato histórico en que fundar semejante afirmación, y hay, en cambio, muchos para probar que el movimiento discurría por otros derroteros, en los que el interés religioso prevalece claramente.

Otro planteamiento va más al fondo del problema, y podría formularse, más o menos, así: el priscilianismo puede considerarse un movimiento fundamentalmente social, si su última causa hay que encontrarla no en unas inquietudes ascéticas o religiosas, sino en las condiciones económicas del momento, productoras de un malestar social que en aquella época sólo podía expresarse por medio de la ideología religiosa, la única capaz entonces de concretar las aspiraciones colectivas[92]. En esta interpretación no se niega la existencia de caracteres claramente religiosos en el priscilianismo, que son obvios e históricamente del todo ciertos. A. Barbero dice expresamente: «Se puede admitir que el priscilianismo fue fundamentalmente una secta rigorista que buscaba la perfección espiritual a través de prácticas ascéticas...»[93]. En esta forma de plantear la cuestión se afirma únicamente que la causa que hizo posible el brote del movimiento y su arraigo en determinadas zonas fue el malestar social creado por las condiciones económicas concretas, y así se explica también la enérgica reacción contraria y mancomunada de las autoridades civiles y eclesiásticas. La razón, por tanto, por la que se califica al priscilianismo como movimiento social es porque la base de su brote y desarrollo es, en el fondo, puramente económica.

Restringido hasta este extremo el significado de *movimiento social*, hay que decir que el priscilianismo no es un movimiento de ese género. B. Vollmann ha indicado muy acertadamente que esa denominación puede ser aceptada por la crítica histórica si el concepto de *social* se entiende en su sentido más amplio, comprendiendo en él los aspectos políticos, populares, lingüísticos, culturales y religiosos.

Siempre que se pretende reducir la historia a una sola causa hay que forzar los datos para hacerlos encajar en el esquema *a priori* considerado como dogma de la crítica histórica. Por más que se quiera, no hay forma de explicar los hechos del priscilianismo fundándolos sólo en las condiciones de la economía. La pobreza de los gallegos y su mala situación económica pudo contribuir a su aversión contra los obispos y comunidades cristianas de nivel de vida superior, como eran sobre todo

[91] J. M. BLÁZQUEZ, *El imperio y las invasiones* p.360; ID., *Rechazo y asimilación* p.83.
[92] A. BARBERO, o.c., p.21-22; M. VIGIL-A. BARBERO, *Sobre los orígenes de la reconquista* p.290.
[93] A. BARBERO, o.c., p.16.

los de las provincias del sur de la Península. Pero «nada sabemos de un levantamiento de campesinos gallegos; todo cuanto sabemos está dentro de lo religioso, del culto, de los ejercicios ascéticos; incluso con verosimilitud, en el círculo de las supersticiones astrológicas» [94].

Este es el centro de la cuestión. Hay que atenerse a los datos, y no existen datos que permitan atribuir en exclusiva a la situación económica de la Galecia la causa del priscilianismo. Tampoco hay ningún fundamento histórico para ciertas afirmaciones que, aunque marginales, forman parte de la argumentación total con que se quiere apuntalar la citada tesis. Así, p.ej., después de afirmar que «Ireneo fue uno de los grandes organizadores de la jerarquía eclesiástica» (!), se habla de una transformación dentro del orden interno de la Iglesia según la cual «los obispos, hasta entonces administradores de los bienes de las primitivas comunidades, que ejercían el control de la vida económica, asumieron además una función de índole espiritual: se convirtieron en los sucesores directos de los apóstoles» [95].

En el priscilianismo hay enemistad contra determinados obispos, respondida con iguales sentimientos por parte de algunos de éstos. Se desvirtúa, sin embargo, el significado de estas circunstancias si se llega a generalizaciones tan inexactas como la de que «los obispos se servían de su poder de decisión espiritual para atacar y destruir a los que eran solamente sus enemigos personales o amenazaban el orden material de la Iglesia» [96]. Hay que tener en cuenta otros varios datos reales como los siguientes:

1. El priscilianismo, como movimiento reformista que es, ataca el lujo y el poder de la jerarquía, pero desde el principio hasta el final se configura como un grupo eclesiásticamente jerarquizado, que busca siempre contar con numerosos obispos propios.

2. Entre los obispos católicos, junto a enemigos encarnizados, como, p.ej., Hidacio de Mérida e Itacio de Ossonoba, hubo otros muchos que no mostraron enemistad especial, aunque rechazaban sus doctrinas y sus prácticas. Higino de Córdoba, el primero que los denunció, los aceptó después al recibir sus explicaciones. San Martín de Tours intentó por todos los medios disuadir a Itacio y al emperador de la ejecución de Prisciliano; hasta el punto que se atrajo la enemistad de

---

[94] B. VOLLMANN, *Priscillianus* col.519-20.

[95] A. BARBERO, o.c., p.17. El autor mantiene en el más riguroso secreto las fuentes históricas que le han permitido tan sensacional descubrimiento. El proceso de fabricación de semejante inexactitud quizá pueda seguirse en la reciente obra de A. BARBERO-M. VIGIL, *La formación del feudalismo en la península Ibérica* (Barcelona 1978). En ella se habla varias veces de que el obispo es *el* administrador de los bienes de su iglesia, lo cual es cierto; hasta que, sin que se sepa por qué, en la p.59 se produce un cambio de artículo y se escribe: «En el II concilio de Braga se vuelven a tocar los puntos esenciales tratados ya en el fragmento 306 del código de Eurico y en el concilio de Agde del año 506, es decir, que el obispo es *un* administrador de los bienes de su iglesia.» El que desee conocer en serio cuál era la función del obispo en la comunidad cristiana, puede consultar p.ej., los diversos trabajos reunidos en la obra dirigida por Y. M.-J. CONGAR y B. D. DUPUY, *El episcopado y la Iglesia universal* (Barcelona 1966).

[96] A. BARBERO, o.c., p.17. Generalizaciones como éstas pueden llegar a convertir la historia del priscilianismo en una película de «buenos y malos».

Itacio y su calificación de hereje. San Ambrosio y otros muchos obispos se apartaron de la comunión de Itacio precisamente por su encarnizamiento. Los obispos reunidos en el concilio de Zaragoza se muestran bien moderados en sus resoluciones a pesar de que están presentes Hidacio e Itacio; no se dejan arrastrar tan fácilmente por su furor antipriscilianista. Los diecinueve obispos del concilio de Toledo I admiten a la comunión a los priscilianistas arrepentidos y les permiten seguir en sus sedes, con la consiguiente irritación de los obispos del Sur, mucho más intransigentes.

Tampoco hay que olvidar, por otra parte, que los iniciadores conocidos del movimiento no son pobres colonos oprimidos, sino un gran latifundista, Prisciliano, y dos obispos: Instancio y Salviano. Los principales dirigentes en todo momento fueron gente culta y principal y obispos.

También es necesario tener en cuenta con B. Vollmann que el movimiento en tiempos de Prisciliano tenía en todas partes amigos y enemigos en el pueblo llano. La enemistad popular se manifiesta, p.ej., en el tumulto contra Instancio y Salviano en su visita a Mérida y en el episodio narrado por Próspero de Aquitania: «En Burdeos, cierta discípula de Prisciliano llamada Urbica, por su pertinacia en la impiedad, murió apedreada en una sedición del pueblo» [97].

Por lo que toca a la expansión y arraigo en Galecia, hay que advertir que los testimonios históricos conocidos no hablan de ningún brote inicial del priscilianismo en esa región. Incluso existe el testimonio expreso de un obispo gallego, Hidacio de Chaves, según el cual el priscilianismo entró en la Galecia a partir de la ejecución en Tréveris de Prisciliano y sus compañeros. Las razones del posterior arraigo en la Galecia, además de en las circunstancias socioeconómicas, habrá que buscarlas en otros estratos más profundos, enraizados en su historia y aun en su prehistoria [98].

Por último, para hacer valer la importancia de los elementos socioeconómicos no se pueden infravalorar los muchos testimonios históricos que confirman la existencia de otros elementos estrictamente religiosos y fundamentales en la historia del movimiento. De éstos vamos a ocuparnos a continuación.

¿Secta? ¿Herejía?

Como hemos dicho más arriba, las primeras objeciones contra el priscilianismo son, más bien, de orden práctico, aunque capaces de engendrar por sí mismas sospechas de irregularidades también en lo doctrinal. Se les reprocha, juntamente con el absentismo en ocasiones especialmente dedicadas a la asamblea comunitaria, la celebración por su

---

[97] Próspero de Aquitania, *Epit. Crón.* 1187: MonGermHist AA IX, p.462 = ML 51,586; B. Vollmann, *Priscillianus* col.518. Véase asimismo J. Fontaine, *Société et culture chrétiennes* p.272-74 y n.79.

[98] R. López Caneda (*Prisciliano* p.159-87) dedica amplio espacio al estudio de la «relación priscilianismo-celtismo».

cuenta de reuniones al margen de la comunidad, en las que abundan las mujeres y que se realizan bajo la dirección de seglares [99]. El concilio de Zaragoza, que se reunió para tratar del asunto, no parece que reconociese en Prisciliano y los suyos otras desviaciones claramente demostradas, si no es, además de las expuestas, el ayuno en los domingos. Muy pronto, sin embargo, se les acusaría de un uso frecuente de libros apócrifos, tenidos en gran veneración por ellos, y de gnosticismo, maniqueísmo y prácticas mágicas.

Según numerosos testimonios históricos, a primera vista, al menos, habría que admitir que, en determinadas fases de su evolución, el priscilianismo contenía una larga serie de errores doctrinales. Aun así, es prácticamente imposible saber desde qué momento o momentos se les pueden atribuir esos errores. No sabemos si hubo una época inicial en que no existiesen errores propiamente dichos, y mucho menos podemos deslindar las fronteras entre una época sin error y otra con errores.

Cuando Toribio de Astorga vuelve a su tierra, después de largo viaje, en el segundo cuarto del siglo IV, se sorprende de ver todavía vigentes errores priscilianistas que creía ya superados, y escribe sobre ello al obispo de Chaves y a Ceponio [100]. Lo que en la carta expone es fruto de su propia observación y aun del estudio de documentos a los que expresamente alude. No hay motivo alguno razonable para no considerarlo como un testimonio directo y veraz. Insiste en el uso y la veneración de los apócrifos, atestigua la existencia de otros errores que no se encuentran en esas escrituras y los compara con los maniqueos. El mismo Toribio escribe después de forma más completa y ordenada al papa, al que expone en 16 capítulos los errores de la secta [101]:

1. *Padre, Hijo y Espíritu Santo son una sola persona; unidad en tres vocablos diferentes.* Evidentemente es una doctrina sabelianista, que también les reprocha San Agustín [102]. También se insiste en la doctrina contraria en el concilio Toledano I, capítulo 3-5 del símbolo y anatemas 2-4 [103]. El capítulo I del concilio de Braga I condena también esta doctrina, «como dijeron Sabelio y Prisciliano» [104].

2. *De Dios proceden, en cierto tiempo, determinadas fuerzas.* Aunque el texto no es claro, la frase encierra un sentido emanantista de sabor gnóstico.

3. *El Hijo de Dios se llama Unigénito solamente porque nació de la Virgen.* Esta tesis, si hay que entender la frase no clara de Toribio, contendría la misma doctrina contenida en la expresión *innascibilis* aplicada al Hijo de Dios, y condenada expresamente en el concilio de Toledo I, en las abjuraciones de Simposio, Dictinio y demás priscilianistas presentes.

---

[99] Cf. J. M. Ramos Loscertales, *Prisciliano* p.27.

[100] Toribio de Astorga debió de viajar entre los años 414 y 440. Cf. C. Torres, *Las peregrinaciones de Galicia a Tierra Santa.*

[101] Cf. B. Vollmann, *Studien zum Priszillianismus* p.150-67; R. López Caneda, *Prisciliano* p.129-57; H. Chadwick, o.c., p.208-17.

[102] Agustín, *De haer.* 70: ML 42,44.

[103] Cf. J. A. de Aldama, o.c., p.30 y 34-35.

[104] J. Vives, *Concilios* p.67.

Simposio dijo: «Según lo que hace poco se ha leído en no sé qué pergamino, en el que se decía que el Hijo es innascible, declaro que condeno esta doctrina, lo mismo que al autor que la escribió»... «'Dadme el escrito; lo condenaré con sus mismas palabras'. Recibió el pergamino y leyó lo que estaba allí escrito; condenó, juntamente con su autor, todos los libros heréticos, y en especial la doctrina de Prisciliano, según acaba de ser expuesta, donde se afirma que escribió que el Hijo de Dios no puede nacer» [105]. El pergamino a que se refiere, como leemos a continuación en las actas, había sido leído por el presbítero Donato, el cual «presentó un escrito en el que Prisciliano dice que el Hijo es innascible... por eso condeno a Prisciliano, autor de este dicho...» [106]

4. *Ayunan el día de Navidad y los domingos, porque no creen que Cristo naciese en naturaleza humana verdadera.* En el año 380, el concilio de Zaragoza, como hemos visto, condenaba la práctica del ayuno en domingo, aunque sin dar explicaciones de los fundamentos doctrinales de esta práctica. San Agustín rechaza también la misma práctica, que para él es propia de los priscilianistas y de los maniqueos [107]. El concilio de Toledo del año 400, reunido principalmente para poner fin al priscilianismo, insiste, como ya lo notamos en su lugar, en la realidad de la naturaleza humana de Cristo, contra todas estas tendencias docetistas de la secta. Los otros documentos se refieren solamente al ayuno en domingo. El ayuno de Navidad podría no tener ningún sentido docetista si la celebración de la Navidad el 25 de diciembre se hubiese introducido en Hispania en tiempos del priscilianismo, sin ser todavía aceptada por éstos [108].

5. *El alma humana es substancia o parte de Dios.* Doctrina condenada en el undécimo anatema del concilio Toledano I [109]. Dictinio confesó ante el mismo concilio: «Me reprocho a mí mismo el haber dicho que era una misma la naturaleza de Dios y la del hombre» [110]. Baquiario, que debía conocer el priscilianismo y tenía que justificar su propia ortodoxia, profesa expresamente: «No decimos que el alma sea parte de Dios, como algunos sí lo afirman» [111]. También menciona este error priscilianista San Agustín [112].

6. *El diablo nunca fue bueno, y su naturaleza no es obra de Dios, sino que emergió del caos y las tinieblas. El es principio y substancia de todo mal.* Si la tesis así expuesta corresponde exactamente a la enseñanza de los priscilianistas contemporáneos de Toribio, su dualismo maniqueo es patente. En los tratados priscilianistas, la doctrina sobre el diablo no es heterodoxa.

---

[105] J. Vives, *Concilios* p.29.
[106] Ibid.
[107] Agustín, *Epist.* 36,12: ML 33,148-49.
[108] Cf. H. Chadwick, o.c., p.16.
[109] J. A. de Aldama, o.c., p.36.
[110] J. Vives, *Concilios* p.28.
[111] Baquiario, *De fide* 4: ML 20,1030.
[112] Agustín, *De haer.* 70: ML 42,44; Id., *Ad Consentium, contr. mend.* 5,8: CSEL 41 p.479.

7. *Condenan las nupcias y aborrecen la procreación de hijos.* Es una postura típica de los movimientos ascéticos encratistas, con fundamento doctrinal de tipo maniqueo. También San Agustín les reprocha la misma actitud heterodoxa [113].

8. *Los cuerpos humanos son creados por el diablo.* Niegan la resurrección de la carne, porque no creen propia de la dignidad del alma la materialidad del cuerpo. De nuevo se expresa doctrina propia del dualismo gnóstico-maniqueo. La negación de la resurrección es una consecuencia. Recuérdese lo que dijimos sobre la afirmación de la fe en la resurrección en el concilio de Toledo I.

En este mismo capítulo se dice que el semen de la concepción es obra de los demonios en el útero de las mujeres [114]. Y esta doctrina se complementa con la afirmada en el capítulo 9.

9. *Los hijos de la promesa nacen de mujeres, pero son concebidos por el Espíritu Santo, porque los concebidos por el semen carnal no pertenecen a Dios* [115].

10. *Las almas existen antes de ser incorporadas al cuerpo como consecuencia del pecado cometido por ellas en el cielo.*

11. *Almas y cuerpos de los hombres están sometidos a la fatalidad de las estrellas.* El fatalismo astral es propio de la astrología vigente en el mundo antiguo. También los escritores católicos lo daban por supuesto, aunque admitían la posibilidad de liberarse de él [116].

12. *Dicen que las partes del alma están bajo unas potestades, y los miembros del cuerpo bajo otras. Las cualidades de las potestades interiores las ponen en los nombres de los patriarcas; las de los cuerpos, en cambio, en los signos del Zodíaco, a cuya fuerza están éstos sometidos.* De manera más clara expone esta concepción astrológica priscilianista Orosio en su *Commonitorium:* «Enseña [Prisciliano] que los nombres de los patriarcas son miembros del alma. Rubén en la cabeza, Judas en el pecho, Leví en el corazón, Benjamín en los muslos, y así los demás; en cambio, en los miembros del cuerpo están dispuestos los signos del Zodíaco; es decir, Aries en la cabeza, Taurus en la cerviz, Géminis en los brazos, Cáncer en el pecho, y así los demás...» [117] Es una manera más de expresar cómo los dos principios siguen influyendo directamente cada uno en cada parte del hombre. El décimo anatema del concilio de Braga I condena expresamente esta doctrina: «Si alguno cree que los doce signos del Zodíaco que suelen observar los matemáticos están dispuestos por cada uno de los miembros del alma y del cuerpo y que se les aplican los nombres de los patriarcas, como lo afirmó Prisciliano, sea anatema» [118].

13. *Se debe aceptar todo el cuerpo de Escrituras canónicas bajo los nombres de los patriarcas* [119]. Los priscilianistas aceptan las Escrituras canóni-

---

[113] Agustín, l.c.
[114] Agustín, *De haer.,* l.c.
[115] Véase *Tract.* VI: CSEL 18 p.81.
[116] Cf. Agustín, *De haer.,* l.c.
[117] Orosio, *Commonitorium* 2: CSEL 18 p.153-54.
[118] J. Vives, *Concilios* p.68. Cf. H. Chadwick, o.c., p.194-201.
[119] Cf. H. Chadwick, o.c., p.214.

cas como fuente para *la reforma del hombre interior y para conseguir la ciencia, sin la que ningún alma puede conseguir reformarse en la substancia de la que salió.*

14.   *Pero como en el hombre hay la parte terrena, sometida a los signos del Zodíaco, en los santos libros hay muchas cosas que pertenecen al hombre exterior. En las mismas Escrituras aparece cierta lucha entre la naturaleza divina y la terrena; unas cosas pertenecen a las potestades que influyen en el alma, y otras a las creadoras del cuerpo.* Los capítulos que anteceden vuelven a insistir en el dualismo gnóstico-maniqueo de los capítulos 6, 8, 9 y 12.

15.   *Falsean los códices de la sagrada Escritura y usan los libros apócrifos.* El uso y veneración de los apócrifos es acusación constante y probada contra el priscilianismo de todas las épocas. Recuérdese especialmente el duodécimo anatema del concilio de Toledo I [120].

16.   *Todavía leen muchos con veneración los tratados de Dictinio.* He aquí las palabras de Dictinio en el concilio de Toledo I: «Poco antes lo dije y lo repito ahora: todo cuanto escribí en mi primera época y en los principios de mi vida clerical, lo repruebo ahora de todo corazón. A excepción del nombre de Dios, lo anatematizo todo» [121]. Se conoce el título de uno de sus escritos: *Libra,* citado por San Agustín en su tratado *Ad Consentium, contra mendacium* [122].

Astorga fue la sede de Simposio y de Dictinio, dos seguidores del priscilianismo. La región en que se halla situada la sede de Toribio está comprendida en la Galecia dominada por el movimiento priscilianista. Como consta por su propio testimonio, el priscilianismo estaba en pleno vigor en su tiempo. Todas estas circunstancias confieren un alto valor al testimonio histórico de Toribio, según el cual habría que concluir que, a principios del siglo v, estos errores eran profesados por los priscilianistas, los cuales, como consecuencia, eran herejes sin duda de ninguna clase.

Sin embargo, para llegar con certeza a esta conclusión sería necesario excluir de antemano dos hipótesis capaces de reducir notablemente el valor de su testimonio; en primer lugar habría que saber si Toribio emplea únicamente fuentes orales y escritos priscilianistas, o también emplea escritos antiprisciliánistas más o menos viciados en sus orígenes; en segundo lugar, aun en el caso de que su base fuese directa, habría que tratar de entender si los errores afirmados se encuentran así en los autores prisciliánistas o son interpretaciones exageradas de textos equívocos que admiten diversos modos de comprensión. La primera hipótesis no se puede excluir, aunque tampoco conviene convertirla en tesis y mucho menos en axioma. De hecho, hay indicios de que, en parte al menos, la información de Toribio es original. Además, sus antecesores en la sede de Astorga abjuraron de algunas de esas mismas sentencias

[120] J. A. DE ALDAMA, o.c., p.36.
[121] J. VIVES, *Concilios* p.28-29.
[122] ML 40,517-48 = CSEL 41 p.467-528.

en el concilio de Toledo I. La segunda hipótesis destruiría casi del todo el testimonio de Toribio o de sus fuentes, si el término único de comparación con su escrito fuesen los escritos priscilianistas llegados hasta nosotros. En éstos, efectivamente, hay expresiones que se prestan a algunas de las acusaciones formuladas, pero son capaces, igualmente, de ser asignadas a las diversas corrientes de una teología más o menos arcaica o a otras corrientes de pensamiento no ausentes en autores ortodoxos que permanecieron siempre en la comunión católica.

Las obras priscilianistas conservadas no son todas las que se escribieron. Las del priscilianista Dictinio, p.ej., tan cercano en tiempo y espacio a Toribio, no las conocemos. Las referencias de estas últimas, conservadas en San Agustín, y las abjuraciones ya recordadas de Simposio y Dictinio no favorecen una concepción unívoca del priscilianismo para todos los tiempos. No conviene juzgarlo únicamente por los escritos conservados. Pudieron existir, y es muy probable que hayan existido escritos esotéricos de muy distinta doctrina.

Por lo que se refiere a las primeras fases del movimiento, interesan, sobre todo, los testimonios de los más cercanos a los hechos, como son San Ambrosio, San Jerónimo, San Agustín, Sulpicio Severo y Orosio, ya que los siguientes pueden depender de éstos, y son, por tanto, únicamente fuentes secundarias.

Para negar en absoluto la veracidad de esos testimonios más antiguos no hay más que dos caminos: o dar por supuesto que mienten a sabiendas, o admitir que todos ellos dependen de unas mismas fuentes no fidedignas, aceptadas erróneamente como buenas. La primera alternativa no es posible en sana crítica histórica. Además de la gratuidad que tal presunción supondría, no solía ser la práctica ordinaria ponerse todos de acuerdo para condenar sin ningún fundamento objetivo que no fuese las molestias que los acusados les podían acarrear. Ni el obispo de Burdeos Delfín, ni el papa Dámaso, ni San Ambrosio aceptan a su comunión a Prisciliano, Instancio y Salviano cuando acuden a ellos personalmente. Suponer en todos estos personajes una actitud totalmente cerrada, injusta y partidista para poder justificar a Prisciliano y sus compañeros, sería un exceso de generosidad con estos últimos por parte del historiador. Para algunos de los historiadores que defienden a Prisciliano con ardor, es claro que la actitud del episcopado en general le fue apasionadamente adversa, porque atacaba su modo de vivir y sus posiciones de poder. Pero los que así piensan, afirman y generalizan sin aducir datos históricos suficientes. Los datos muestran, más bien, que estas generalizaciones no son legítimas, como ya hemos señalado más arriba. El concilio de Zaragoza se convocó en el año 380 para solucionar el conflicto que había surgido por la primera condenación del priscilianismo hecha por Hidacio de Mérida. Prisciliano, Instancio y Salviano no osaron acudir al concilio. No debían de estar muy seguros de su posición. Puede decirse que la inseguridad provenía precisamente de las pocas garantías que les ofrecía el apasionamiento en contra de los obispos. Pero la situación que la historia nos revela es bien diferente. Si los obispos estaban tan mal dispuestos, lo lógico es que hubieran acudido en buen número para condenarlos. Acudieron solamente doce obispos, dos de los cuales eran aquitanos. De los diez obispos probablemente españoles, dos eran los acusadores: Hidacio de Mérida e Itacio de Ossonoba. O sea que del resto del episcopado español solamente acuden ocho, de los cuales sabemos que uno, Simposio, estuvo presente solamente un día y se retiró en seguida por simpatizar con Prisciliano. Los once restantes no puede decirse tampoco que se ensañaran con el nuevo movimiento, puesto que no juzgaron la cuestión doctrinal, limitándose a condenar algunas de sus prácticas, siempre mal vistas en la Iglesia, y probablemente confirmaron la sentencia del metropolita de Mérida, excomulgando a los acusados. Los obispos reunidos no se dejaron impresionar fácilmente por las acusaciones de Hidacio e Itacio.

Ante las acusaciones promovidas por éstos, el emperador Graciano proscribe a los priscilianistas desterrándolos de toda la región. ¿Fue adoptada esta resolución del emperador sin ningún examen de las acusaciones y también por mero impulso defensivo? Sería, a lo más, tan poco serio excluir absolutamente esa posibilidad como el darla por cierta.

En el 384, en el concilio de Burdeos fue depuesto del episcopado Instancio, y Prisciliano prefirió apelar al emperador ante la perspectiva de seguir la misma suerte. Es obvio suponer que la mayoría o al menos una buena parte de los obispos que componían el sínodo no eran españoles. ¿Es igualmente obvia la suposición de que también los obispos no españoles estaban cegados por la pasión o decidieron a base únicamente de acusaciones no probadas?

La verdadera duda sobre el valor histórico de tantas afirmaciones adversas a la ortodoxia de Prisciliano y los suyos puede fundarse únicamente en la posibilidad o probabilidad de que todos esos testimonios procedan de una fuente común y tan sospechosa como el *Apologético*, de Itacio de Ossonoba. De la existencia de este escrito, que, dado su autor, puede suponerse apasionadamente exagerado e injurioso contra Prisciliano, tenemos el testimonio de San Isidoro: «Itacio, obispo hispano, preclaro por su renombre y su elocuencia, escribió un libro en forma de *Apologético*, en el que demuestra los detestables dogmas de Prisciliano, sus artes maléficas y sus infamias sexuales; y explica que el maestro de Prisciliano fue un tal Marcos de Menfis, muy entendido en el arte de la magia y discípulo de Manes...» [123] Efectivamente, esta última noticia sobre el maestro de Prisciliano la recoge Sulpicio Severo, aunque poniendo como intermediarios al retórico Elpidio y a la noble dama Agape, discípulos de Marcos y maestros de Prisciliano [124]. También habla de Marcos, en cierto modo, San Jerónimo.

Del examen de algunos escritos antipriscilianistas, como el anónimo

[123] Isidoro, *De vir. ill.* 15: ML 83,1092.
[124] Sulpicio Severo, *Crón.* II 46: CSEL 1 p.99.

Indiculus de haeresibus y el *Commonitorium,* de Orosio, se deduce una fuente común, que debió de ser la obra de Itacio [125].

Que el *Apologético* de Itacio influyó en los escritores posteriores, parece una realidad probada. No lo son tanto, en cambio, las consecuencias radicales que algunos parecen querer deducir de esa constatación, es decir, que las acusaciones de Sulpicio Severo y otros carecen de valor por proceder solamente de Itacio.

La conclusión lícita creo que es la cautela y nada más. Nadie ha probado hasta ahora que Itacio llevase su maldad hasta el extremo de inventar sana y llanamente una serie de calumnias con el único fin de acabar con Prisciliano. Está suficientemente probada su saña innoble, que mereció el reproche de San Martín, San Ambrosio y otros muchos nada sospechosos de connivencias con el priscilianismo; nada de extraño tiene, pues, que seleccionase tendenciosamente sus informaciones y que tomase pie de mínimos indicios para dar eficacia a sus ataques. Que sus ataques no tuviesen ningún fundamento es difícil creerlo. Si así fuese, habría que atribuir la misma maldad o una ligereza imperdonable a todos aquellos contemporáneos que condenaron a Prisciliano en los concilios o en sus escritos, dejándose arrastrar solamente por puras invenciones sin pruebas. Y los que se dejaron convencer en mayor o menor grado fueron muchos.

El más importante de estos seguidores del *Apologético* de Itacio sería *Sulpicio Severo,* a quien debemos casi la totalidad de las noticias que nos permiten reconstruir la historia del priscilianismo en el siglo IV. Un examen imparcial del texto de Sulpicio Severo descubre elementos de juicio suficientes para poder aceptar en lo fundamental su testimonio y excluir la sospecha de una supuesta dependencia deshonesta o ciega de la temida fuente única. No creo que siguiese sin discriminación la opinión de Itacio, quien escribe de él las siguientes líneas: «Yo no les reprocharía (a Hidacio e Itacio) su deseo de derrotar a los herejes si no fuese porque, movidos por el deseo de vencer, lucharon más de lo debido. A mí me gustan tan poco los acusados como los acusadores. Ciertamente, de Itacio debo decir que no tenía nada de justo ni de santo; era audaz, locuaz, descarado, presuntuoso, muy dado al vientre y a la gula. Llevó hasta tal extremo su necedad, que incriminaba e incluía entre los compañeros y discípulos de Prisciliano a todos aquellos, aun santos varones, que sentían deseo de cultivar el estudio o tenían propósito de darse a los ayunos» [126]. Este juicio severo no es improvisado ni único en la *Crónica* de Sulpicio Severo. Cuando en ella se narra la primera intervención eclesiástica contra Prisciliano, la del obispo de Mérida Hidacio, juzga Sulpicio Severo que éste «atacó a Instancio y sus socios sin medida y más allá de lo que convenía». Sulpicio muestra saber distinguir y juzgar con absoluta independencia las actuaciones de los acusadores. Se refiere más adelante al paso dado por Hidacio e Ita-

---

[125] Cf. B. VOLLMANN, *Priscillianus* col.532-34. Véase asimismo H. CHADWICK, o.c., p.203-205.
[126] SULPICIO SEVERO, *Crón.* II, 50: CSEL 18 p.103.

cio al acusar a Prisciliano ante los jueces civiles, y lo juzga «mala ocurrencia» [127].

Nada más entrar triunfante en Tréveris el emperador Máximo, Sulpicio Severo nos presenta a Itacio «poniéndole delante una súplica contra Prisciliano y sus socios llena de envidia y de crímenes» [128]. Las últimas palabras que dedica a Itacio son para decirnos de él que al final fue juzgado, convicto y expulsado del episcopado.

Según todos estos indicios, Sulpicio Severo no pudo asumir sin discriminación las acusaciones de Itacio contra Prisciliano. Cuando asegura que éste y sus seguidores eran herejes, lo hace, sin duda, convencido por su conocimiento directo de los hechos y por su información, mucho más completa de la que podía proporcionarle un autor tan sospechoso para él como era Itacio, y por el que sentía tan poca simpatía [129].

Sulpicio Severo se ha formado su propio criterio de los acontecimientos. Para él, Prisciliano es un conspirador y el cabecilla de un movimiento capaz de perturbar profundamente la paz y el orden en la Iglesia. Por otra parte, ve en él también, con simpatía, un pariente lejano, pero pariente al fin, de la familia ascética que intenta despertar la conciencia de la sociedad cristiana, establecida demasiado cómodamente en el imperio de Constantino y sus sucesores. Por eso, con la misma energía con que condena la conjuración contra la paz, condena a los obispos mundanos, que al atajarla pretendían arrancar, sin discriminación, trigo y cizaña [130].

Consideran herejes a Prisciliano y sus seguidores no sólo el historiador Sulpicio Severo, sino otros muchos escritores, como San Ambrosio, San Jerónimo, San Agustín, Orosio, Inocencio I, Zósimo, San Vicente de Lerins, Próspero de Aquitania, Toribio de Astorga, León I, Hidacio de Chaves, el papa Vigilio, Gregorio Magno, San Isidoro y otros.

Pero, además de los testimonios de escritores, tenemos ahora los escritos priscilianistas, fuentes de primera mano para formarnos un juicio por nosotros mismos [131].

Los tratados priscilianistas

La opinión más generalizada es que estos escritos son fundamentalmente ortodoxos, y, por tanto, se convierten en acusación de sus acusadores, demostrando la falsedad de éstos.

Se explica la reacción favorable cuando a finales del siglo pasado salen a la luz de repente once tratados atribuidos a Prisciliano. Hoy día esa reacción no es ya tan comprensible. Ha pasado tiempo suficiente para un análisis más profundo y tranquilo de los escritos, y han aparecido en ellos algunos elementos inquietantes que aconsejan más reserva y precaución.

---

[127] Ibid., 47 p.101.
[128] Ibid., 49 p.102.
[129] Cf. C. Torres, *Prisciliano*, «*doctor itinerante, brillante superficialidad*».
[130] Cf. J. Fontaine, *L'affaire Priscillien ou l'ère des nouveaux Catilina*.
[131] CSEL 18.

En primer lugar está muy lejos de ser cierta la atribución a Prisciliano de ninguno de los once tratados. B. Vollmann hace un buen análisis de cada uno de ellos, y con razones convincentes llega a las siguientes conclusiones:

El tratado I, el *Liber Apologeticus*, no tiene por autor a Prisciliano.

El tratado II, el *Liber ad Damasum*, es posible que lo tenga por autor solo o en unión de sus dos compañeros obispos.

El tratado III, *Liber de fide et de apocryphis*, es probable que sea suyo.

Los tratados IV-VII y IX-X, de la Pascua, del Génesis, del Exodo, del salmo I y los dos tratados al pueblo, son priscilianistas, pero pertenecen a la segunda o tercera generación.

Los tratados VIII y XI, *Tratado sobre el salmo 3* y *Bendición sobre los fieles*, están fuera del mundo ideológico del priscilianismo.

H. Chadwich se muestra más inclinado a aceptar la paternidad de Prisciliano con respecto a los tratados, a excepción del V. En todo caso proceden de una comunidad priscilianista, y probablemente fueron reunidos entre los años 385 y 400 con el fin de demostrar que Prisciliano era ortodoxo y había sido mártir de una verdadera conspiración[132].

Además de estos tratados, se conocen como obras de Prisciliano un fragmento de una carta suya, que reproduce, en parte, Orosio[133]. Según B. Vollmann, la debió de tomar del *Apologético* de Itacio (?); pero, aun así, piensa que el núcleo debe de ser auténtico por el lenguaje. El lenguaje de Prisciliano es posible conocerlo por el prólogo, en forma de carta, que precede a otra obra de Prisciliano: los *Cánones de las epístolas de San Pablo*[134]. El prólogo en cuestión es la única obra de Prisciliano de cuya autenticidad no se ha dudado.

Los dos primeros de los once tratados son apologéticos; están escritos para defenderse de las acusaciones, y lo hacen negando expresamente éstas una por una y profesando la doctrina contraria ortodoxa.

Entre las obras priscilianistas hay que enumerar, además, las siguientes: *Tratado sobre la Trinidad*[135], los *Prólogos monarquianos a los cuatro evangelios*[136]; y entre los posiblemente pertenecientes al mismo círculo, la *Carta de Tito*[137] y el *Apocalipsis de Tomás*[138].

Hay quienes suponen que la preocupación de defenderse les ha hecho disimular su verdadero pensamiento. Se basan para esta afirmación, por una parte, en el hecho general de la doble enseñanza —exotérica y esotérica—, propia de las sectas de tipo gnóstico[139], y, por otra, en la

---

[132] Cf. H. CHADWICK, o.c., p.62-69.
[133] OROSIO, *Commonitorium* 2: CSEL 18 p.153.
[134] CSEL 18 p.107-47.
[135] ML suppl.2 (París 1960) col.1487-1507. Cf. A. ORBE, *Doctrina trinitaria del anónimo priscilianista*.
[136] Texte und Untersuch. 15 (Leipzig 1897) p.5-10.
[137] ML suppl.2 col.1522-42.
[138] RevBén 28 (1911) 270-82. Cf. H. CHADWICK, o.c.
[139] Con respecto a los priscilianistas hay por lo menos dos indicios de que también tenían doctrina diferente para iniciados y no iniciados: el tract.3 defiende el uso de los apócrifos, pero dice que «no se deben entregar a oídos imperitos». Toribio de Astorga habla de libros «solo accesibles —como ellos dicen— a los perfectos».

expresa acusación lanzada contra los priscilianistas de considerar la mentira un medio lícito de defensa. En este sentido contamos con el testimonio de San Agustín: «Para ocultar sus contaminaciones y torpezas [los priscilianistas] tienen entre sus dogmas estas palabras: 'Jura, perjura, pero guarda el secreto'» [140]. El mismo San Agustín vuelve a insistir en otras ocasiones sobre esta práctica prisciliana: p.ej., en obra tan significativa como es la carta a Consencio, *Contra la mentira:* «Ellos son los únicos o ciertamente los que más elevan a dogma la mentira, para ocultar lo que piensan que es su verdad, porque dicen que es necesario retener en el corazón lo que es verdad, y que, en cambio, no es ningún pecado mentir a los ajenos». En el mismo párrafo había explicado que la doctrina de la mentira la justifican con numerosos textos de las Escrituras, práctica que sabemos es típica de los priscilianistas, tan amigos de citar la Biblia [141]. San Agustín debe de escribir con conocimiento de causa, porque cuenta con referencias de la obra de Dictinio titulada *Libra.* Dice además que Dictinio sigue a Prisciliano en el arte de mentir [142].

B. Vollmann se sorprende con razón de que un tema tan central y debatido como es el de la doctrina sobre la creación se trate solamente de pasada en los tratados apologéticos priscilianistas; le parece que esta circunstancia solamente se puede explicar o porque tratan de disimular expresamente, o porque no entendían a fondo la importancia de la acusación de maniqueísmo que en este tema se les hacía. Por razones dignas de consideración, se inclina por la segunda explicación, aunque bien es verdad que, a la luz de los textos de San Agustín, no hay razones fuertes para no aceptar también la primera. Vollmann admite que el autor del Tratado I silencia a sabiendas algo a propósito de la antropología, es decir, en la doctrina sobre el alma humana, enemistad cuerpo-alma y ascética dualista.

La obra de Prisciliano ya citada, *Cánones de las epístolas de San Pablo* no es buena fuente para conocer la enseñanza de su autor, porque nos consta que ha llegado a nosotros corregida. Lo dice así el proemio del obispo Peregrino: «Nadie piense que el prólogo que sigue y los cánones han sido escritos por Jerónimo; sepa que los escribió Prisciliano; pero como había en ellos muchas cosas muy necesarias, he corregido las que tenían mal sentido, y las otras que eran útiles y podían entenderse en el sentido de la fe católica las he conservado» [143]. Es imposible, por tanto, que juzguemos ahora de la ortodoxia o heterodoxia de Prisciliano por lo que de él ha conservado el obispo Peregrino. Pero hay un dato histórico que no se puede despreciar: el hecho de que Peregrino, entre tantas cosas útiles y conformes a la fe católica, encontrase otras dignas de ser suprimidas por razones de doctrina.

En general, en los escritos priscilianistas puede decirse que predomina un ambiente de piedad, de pietismo intimista y radical, profunda

---

[140] Agustín, *De haer.* 70: ML 42,44.
[141] Agustín, *Ad Consentium* II 2: CSEL 41 p.471-72.
[142] Ibid., III 5: CSEL 41 p.476.
[143] CSEL 18 p.109.

y extensamente fundado en una exégesis alegórica de las sagradas Escrituras, tomadas éstas en el sentido amplio con que Prisciliano y los suyos las entendían, es decir, comprendiendo también bajo esa denominación los apócrifos. Estos últimos ocupan un lugar central en su espiritualidad quizá por varias razones, y entre ellas porque los apócrifos colocan en el centro del mensaje de Cristo la llamada a la continencia en materia sexual [144].

En los escritos se advierte un notable radicalismo ascético, con exhortaciones al abandono del mundo, de las actividades terrenas, renuncia a la carne y al vino [145]. Según H. Chadwick, en la obra priscilianista *Cánones de las epístolas de San Pablo,* los últimos cánones muestran «la urgencia de la expectación apocalíptica de Prisciliano» [146]. Ahí es posible que se halle la clave de todo el movimiento: la expectación del fin del mundo, tan viva, tan continua y extendida en los tiempos en que nace y se extiende el priscilianismo. Es una expectación alimentada por las miserias, las desgracias y los terrores de la época, pero basada, sobre todo, en una confusión arrastrada desde antiguo y producida por el hecho de que el Mesías anunciado por los profetas había venido, pero no había establecido todavía el Reino prometido. No se entendía la profunda razón de las dos venidas, que exigen un tiempo largo entre ambas; tiempo que es precisamente el tiempo de la historia y de la Iglesia, tiempo en que los hombres han de hacer su propia historia y han de vivir en este mundo, en este orden de cosas, para ir transformándolo hacia el Reino. La idea del Reino entendido como realizado ya o a punto de venir con la parusía de Cristo, induce al abandono de la historia y a la vida pretendidamente angélica.

Sobre la viva expectación de la inminente venida de Cristo, H. Chadwick recuerda un episodio narrado por Sulpicio Severo, y que hace mucho al caso, porque sucede en Hispania y en la época que nos ocupa: «Casi en ese mismo tiempo —dice Sulpicio— había en Hispania un joven que se ganó el prestigio con muchas maravillas, y a tal punto llegó, que decía ser Elías. Muchos lo creyeron temerariamente, y llegó a hacer correr que él era Cristo. Engañó a muchos, y un cierto obispo Rufo lo adoró como Dios, por lo que después lo hemos visto expulsado del episcopado» [147]. El mismo Sulpicio Severo participa de esa expectación, que disimula en la narración de la crisis priscilianista, pero que en el fondo está latente y es causa de su antipatía por los obispos enemigos del ascetismo, que son parte del misterio de iniquidad que anuncia la venida del anticristo y el fin del mundo [148].

En los ambientes ascéticos con excesivas preocupaciones escatológicas es frecuente encontrar rasgos que son también propios de este caso particular ofrecido por el priscilianismo: virginidad a ultranza, vegetarianismo, tendencia al dualismo, etc.

[144] H. CHADWICK, o.c., p.77.
[145] Cf. J. M. FERNÁNDEZ CATÓN, *Manifestaciones ascéticas* p.74-103.
[146] H. CHADWICK, o.c., p.61-62.
[147] SULPICIO SEVERO, *Vita Martini* 24: CSEL 1 p.133.
[148] Cf. J. FONTAINE, *L'affaire Priscillien* p.387.

En los escritos priscilianistas queda patente además. un claro monarquianismo o modalismo, una visión sombría de la condición humana y una serie de tópicos cercanos al maniqueísmo [149].

¿Serían todos estos rasgos, que ahora percibimos directamente en sus escritos conservados, los que dieron pie a todas las acusaciones de herejía? El interrogante ha de quedar abierto, porque nuestros conocimientos actuales no permiten una respuesta categórica en ninguno de los dos sentidos.

El movimiento ascético priscilianista, como dice bien B. Vollmann, aunque forma parte de los movimientos ascéticos, tan característicos del siglo IV, es diferente al movimiento ascético egipcio, a pesar de las analogías que con él presenta. Se distingue sobre todo porque, en contraste con él, Prisciliano era incluso criticado por sus estudios; sus maestros y sus discípulos procedían de capas sociales cultas; él mismo era obispo de Avila, y parece que ejerció su actividad preferentemente en las ciudades; mantenían contacto y relaciones jerárquicas con los obispos, él y los suyos se esforzaron no por apartarse de éstos, sino por ir ocupando sus puestos; sus adeptos practicaban la ascesis del abandono de las cosas terrenas, pero no se retiraban de ellas sino temporalmente [150].

El movimiento priscilianista costó trabajo erradicarlo, pero nunca gozó de un tiempo de tranquilidad suficiente para desarrollarse plenamente y con líneas definidas. Un motivo más para tener que renunciar a lograr de él una definición exacta.

---

[149] H. CHADWICK, o.c., p.89-100.

[150] B. VOLLMANN, *Priscillianus* col.521. Sobre el supuesto parentesco del ascetismo priscilianista con el de San Martín de Tours, cf. J. FONTAINE, *Société et culture chrétiennes* p.274-77. No tiene ningún fundamento la concepción del priscilianismo como ascetismo itinerante y dependiente del *beneficium liberale* de la hospitalidad, como tampoco lo tiene la misma idea aplicada a la Iglesia primitiva de manera tan radical como parece defenderla A. Ferrari (*«Beneficium» y behetría:* BolRealAcHist 159 [1966] 11-87.211-78).

CAPÍTULO VIII

ALGUNOS ASPECTOS DE LA VIDA INTERNA DE LA IGLESIA HISPANA EN EL SIGLO IV

BIBLIOGRAFIA

J. FERNÁNDEZ ALONSO, *La cura pastoral en la España romano-visigoda* (Roma 1955); ID., *Cura pastoral hasta el siglo XI:* DiccHisEclEsp 1 (Madrid 1972) p.660-71; J. M. FERNÁNDEZ CATÓN, *Manifestaciones ascéticas en la Iglesia hispano-romana del siglo IV* (León 1962); B. ALTANER-E. CUEVAS-U. DOMÍNGUEZ DEL VAL, *Patrología* (Madrid ⁵1962); M. RIGHETTI, *Historia de la liturgia I:* BAC 132 (Madrid 1955); J. BERNAL, *Primeros vestigios de lucernario en España:* Scripta et Documenta 17 (Montserrat 1966); P. GLAUE, *Zur Geschichte der Taufe in Spanien* (Heidelberg 1929); O. G. S. ASKELEY, *Christian initiation in Spain, c.300-1110* (Londres 1967); A. BALIL, *Aspectos sociales del Bajo Imperio (siglo IV-VI):* Latomus 24 (1965) 886-904; J. FONTAINE, *Valeurs autentiques et valeurs chrétiennes dans la spiritualité des grandes propriétaires terriens à la fin du IVᵉᵐᵉ siècle occidental:* Epektasis. Mélanges J. Daniélou (París 1972) p.571-95; ID., *Le distique du chrismon de Quiroga:* Arch-EspArq, Homenaje H. Schlunk, 45-47 (1972-74) 557-85; G. CERETI, *Divorzio, nuove nozze e penitenza nella Chiesa primitiva:* Studi e Ricerche 26 (Bolonia 1977); A. MOSTAZA RODRÍGUEZ, *La Iglesia española y el concubinato hasta el siglo X:* Anth-Ann 6 (1958) 183-230; A. E. DE MAÑARICÚA, *El matrimonio de los esclavos:* An-Greg 23 (Roma 1940); G. M. VERD, *La predicación patrística española:* EstEcl 47 (1972) 227-51; S. GONZÁLEZ RIVAS, *La penitencia en la primitiva Iglesia española* (Salamanca 1950); J. DUHR, *Aperçus sur l'Espagne chrétienne du IVᵉᵐᵉ siècle ou le «De Lapso», de Bachiarius:* BiblRevHistEccl 15 (Lovaina 1934); R. GRYSON, *Les origines du célibat ecclésiastique du I au VII siècle* (Gembloux 1970); *Sacerdocio y celibato* (dir. J. COPPENS): BAC 326 (Madrid 1971); D. MANSILLA, *Orígenes de la organización metropolitana en la Iglesia española:* HispSacra 12 (1959) 255-90; ID., *Obispados y metrópolis del Occidente peninsular hasta el siglo X:* BracAug 22 (1968) 11-40; ID., *Geografía eclesiástica. I. Epoca romano-cristiana:* DiccHistEclEsp 2 (Madrid 1972) p.983-85.

Sobre *Baquiario:* Obras: *De lapso* (De reparatione lapsi ad Ianuarium): ML 20,1037-62 = E. FLÓREZ, *EspSagr* 15 (Madrid 1759) p.482-508; *De fide* (Libellus de fide); mientras no vea la luz la edición de A. M. Mundó en CorpChr, la mejor edición actual es la de J. MADOZ: RevEspTeol 1 (1941) 457-88. Véase asimismo ML 20,1019-36 y E. FLÓREZ, *EspSagr* 15 (Madrid 1759) p.470-82; *dos cartas:* G. MORÍN: RevBén 40 (1928) 289-310, reproducidas en ML suppl. 1 (París 1958) col.1035-44.

Fuentes: Las únicas directas son sus propias obras y GENNADIO, *De vir. ill.* 24: ML 58,1074-75.

La mejor síntesis actual sobre Baquiario es A. LAMBERT, *Bachiarius:* DictHistGéo-Eccl 6 (París 1932) col.58-68. Véase asimismo E. FLÓREZ, *EspSagr* 15 (Madrid 1759) p.351-60; A. JÜLICHER, *Bachiarius:* Pauly-Wisowa, II 2 (Stuttgart 1896) p.2723-24; J. DUHR, *Bachiarius:* DictEsp 1 (París 1937) col.1187-88; ID., *Le «De fide», de Bachiarius:* RevHistEccl 24 (1928) 5-40.301-31; ID., *Aperçus sur l'Espagne chrétienne du IVᵉᵐᵉ siècle, ou le «De lapso», de Baquiarius* (Lovaina 1934); A. MUNDÓ, *Preparando la edición crítica de Baquiario:* BracAug 8 (1957)88-97; ID., *Estudis sobre el «De fide», de Baquiari:* StudMon 7 (1965) 247-303, con abundante bibliografía; G. MORIN, *Pages inédites de l'écrivain espagnol Bachiarius:* BullAncLittAr-

Chrét 4 (1914) 117-26; ID., *Pages inédites de deux Pseudo-Jerômes des environs de l'an 400:* RevBén 40 (1928) 289-310; J. MADOZ, *Segundo decenio de estudios sobre patrística española (1941-1950)* (Madrid 1951) p.74-78; ID., *Una nueva redacción del «Libellus de fide», de Baquiario:* RevEspTeol 1 (1941) 457-88; ID., *Ecos del saber antiguo en las letras de la España visigoda.* —Baquiario y Bracario: RazFe 122 (1941) 236-48; ID., *La nueva redacción del «Libellus de fide», de Baquiario, utilizado en la «Confessio» del Ps. Alcuino:* EstEcl 17 (1943) 201-11; U. DOMÍNGUEZ DEL VAL, *Herencia literaria de Padres y escritores españoles:* RepHistCiencEclEsp I (Salamanca 1967) p.27-29; F. X. MURPHY, *Bachiarius,* en *Leaders of iberean christianity* (dir. J. M. F. MARIQUE) (Boston 1962) p.121-26; S. GONZÁLEZ, *Un eco de los Padres españoles en el siglo XI:* EstEcl 18 (1944) 361-67; J. A. DE ALDAMA, *Baquiario y Rufino:* Gregorianum 15 (1934) 589-98; M. SIMONETTI, *Note rufiniane:* RivCultClassMed 2 (1960) 140-72; F. CAVALLERA, *Le «De fide», de Bachiarius; Egeria, le symbole du Toletanum I:* BullLittEcl 39 (1938) 88-97; J. M. BOVER, *Bachiarius Peregrinus?:* EstEcl 7 (1928) 361-66; M.-H. MAC INERNY, *St. Mochta and Bachiarius* (Dublín 1973); M. EXPÓSITO, *Bachiarius. Arator. Lathcen.* I. *Bachiarius and Mochta:* Journ-TheolStud 30 (1929) 286-87.

Sobre *Eutropio:* Obras: *Epistola de contemnenda haereditate:* ML 30,47-52; *Epistola de vera circumcisione:* ML 30,194-217; *Epistola de perfecto homine:* ML 30,77-108; 57,933-58; *De similitudine carnis peccati:* ML suppl.1 (París 1958) 529-56 (cf. ibid., 1746-47).

Fuentes: GENNADIO, *De vir. ill.* 49: ML 58,1087.

J. MADOZ, *Herencia literaria del presbítero Eutropio:* EstEcl 16 (1942) 26-54; ID., *Segundo decenio de estudios sobre patrística española (1941-1950)* (Madrid 1951) p.83-86; ID., *Eutropio il presbitero:* EncCatt 5 (Città del Vaticano 1950) 873; F. CAVALLERA, *L'héritage littéraire et spirituel du prêtre Eutrope:* RevAscMyst 24 (1948) 60-71; G. DE PLINVAL, *Recherches sur l'oeuvre littéraire de Pélage:* RevPhil 60 (1934) 33-34; P. COURCELLE, *Un nouveau tracté d'Eutrope, pêtre aquitain vers l'an 400:* RevEtAnc 76 (1954) 377-90: U. DOMÍNGUEZ DEL VAL, *Herencia literaria de Padres y escritores españoles:* RepHistCiencEclEsp (Salamanca 1967) p.18-19; B. ALTANER-E. CUEVAS-U. DOMÍNGUEZ DEL VAL, *Patrología* (Madrid ⁵1962) p.448-49; T. MORAL, *Eutrope:* DictHistGéogrEccl 16 (París 1967) col.79-82; G. DE PLINVAL, *Eutrope:* DictEsp 4 (París 1960) col.1729-31; S. MARINER, *La difusión del cristianismo como factor de latinización,* en *Assimilation et résistence à la culture gréco-romaine dans le monde ancien* (Bucarest-París 1976) p.271-82.

Sobre *Paulino y Terasia:* Obras de Paulino: *Epist.:* ML 61,153-438 = CSEL 29; *Carmina:* ML 61,437-744 = CSEL 30. Cf. E. DEKKERS, *Clavis Patrum Lat.* 46-48 (n.202-207).

P. FABRE, *Essai sur la chronologie de l'oeuvre de Saint Paulin de Nole* (París 1948); ID., *Saint Paulin de Nole et l'amitié chrétienne* (París 1949); S. PRETE, *Paolino, Ponzio Meropio Amicio, vescovo di Nola:* BiblSanct 10 (Roma 1968) col.156-62; E. FLÓREZ, *EspSagr* 29 (Madrid 1775) p.98-101; B. ALTANER-E. CUEVAS-U. DO-MÍNGUEZ DEL VAL, *Patrología* (Madrid ⁵1962) p.392-93.

Sobre *Lucinio:* Fuente: JERÓNIMO, *Epist.* 71 y 75: ML 22,668-72.685-89.

A. VACCARI, *Alle origini della Vulgata:* CivCatt 66 (1915) IV p.21-37.160-70.290-97.412-21.538-48; Z. GARCÍA VILLADA, *HistEclEsp* II-2 (Madrid 1933) p.101-105; J. M. BOVER, *La Vulgata en España:* EstBíbl 1 (1941) 18-22.

Sobre la *Vida de Santa Helia:* G. ANTOLÍN, *Estudios de códices visigodos:* Bol-RealAcHist 54 (1909) 121-28.204-46.265; Z. GARCÍA VILLADA, *La vida de Santa Helia, ¿un trabajo priscilianista contra el matrimonio?:* EstEcl 2 (1923) 270-79. Véase asimismo B. DE GAIFFIER: AnBoll 62 (1944) 281-83; 63 (1945) 48-55.

Sobre *Paciano:* Obras: La mejor edición actual es la de L. RUBIO FERNÁNDEZ, *San Paciano. Obras* (Barcelona 1958); cf. L. RUBIO, *El texto de San Paciano:* Emerita 25 (1957) 327-67, donde justifica el texto adoptado; ML 13,1051-94. Véase asimismo V. NOGUERA, *Obras de San Paciano, obispo de Barcelona* (Valencia 1780); E. FLÓREZ, *EspSagr* 29 (Madrid 1775) p.390-438.

Z. García Villada, *HistEclEsp* I-1 (Madrid 1929) p.327-51; E. Flórez, *Esp-Sagr* 29 (Madrid 1775) p.82-97; U. Domínguez del Val, *Paciano de Barcelona: escritor, teólogo, exegeta:* Salmanticensis 9 (1962) 53-85, reproducido en Fliche-Martin, *Historia de la Iglesia III* (Valencia 1977) p.577-92; Id., *La teología de San Paciano de Barcelona:* CiudDios 171 (1958) 5-28; Id., *Doctrina eclesiológica de San Paciano de Barcelona:* HistJahrb 77 (1958) 83-90; Id., *Herencia literaria de Padres y escritores:* RepHistCiencEclEsp 1 (Salamanca 1967) p.20-22; B. Altaner-E. Cuevas-U. Domínguez del Val, *Patrología* (Madrid ⁵1962) p.342-45; J. Fernández Alonso, *Paciano:* BiblSanct 10 (Roma 1968) col.3-4; A. Gruber, *Studien zur Pacianus von Barcelona* (Munich 1901); M. Martínez, *San Paciano, obispo de Barcelona:* Helmantica 3 (1952) 221-38; A. Anglada, «*Christiano mihi nomen est, catholico vero cognomen*» *a la luz de la doctrina gramatical:* Emerita 32 (1964) 253-66; J. Madoz, *Ovidio en los Santos Padres españoles:* EstEcl 23 (1949) 233-38; Id., *Paciano:* EncCatt 9 (Città del Vaticano 1952) col.504-505; C. McAuliffe, *The Mind of Saint Pacianus on the efficacy of the episcopal absolution:* TheolStud 1 (1940) 365-81; 2 (1941) 19-34; Id., *Absolution in the Early Church. The view of St. Pacianus:* TheolStud 6 (1945) 51-61; J. M. Dalmau, *La doctrina del pecat original en Sant Paciá:* AnSacrTarr 4 (1928) 203-10; J. Vilar, *Les citations bibliques de Sant Paciá:* EstUnCat 17 (1932) 1-49.

No son muy numerosos los documentos históricos conocidos capaces de contribuir a una reconstrucción suficientemente completa de la vida interna de las comunidades cristianas de Hispania a lo largo del siglo IV. Se reducen prácticamente a dos cartas de pontífices romanos, Siricio e Inocencio; a las actas de dos concilios: el de Zaragoza, del año 380, y el de Toledo, del 400, más algunos datos esparcidos en escritos de obispos, como Gregorio de Granada y Severo de Menorca. Mención especial merecen los escritos de Paciano de Barcelona, del que nos ocuparemos más detenidamente. Poetas e historiadores del siglo IV y principios del V aportan también algunas noticias útiles para nuestro propósito. A ellos dedicamos el capítulo siguiente. Algo pueden contribuir también a esta labor de reconstrucción los restos arqueológicos paleocristianos, que en el siglo IV, aunque no muy abundantes, son ya un testimonio con el que hay que contar, en contraste con el siglo III, del que nada ha llegado en este campo hasta nosotros [1].

El bautismo

Apenas sabemos más, a lo largo del siglo IV, de lo que ya sabíamos por el concilio de Granada, de principios del mismo siglo.

Por Gregorio de Granada y Paciano de Barcelona sabemos que los catecúmenos se dividían en dos grados: los *catecúmenos* propiamente dichos y los *competentes*, que eran los que estaban ya más próximos al bautismo. A los primeros, según Gregorio, se les explicaba la Ley. A los segundos, más avanzados en la iniciación, se les depositaba «en el secreto del alma, el misterio del sacramento» [2].

---

[1] Recuérdense las líneas dedicadas a los testimonios arqueológicos en nuestro c.4.
[2] Cf. Gregorio de Granada, *Tract.* XII 22: CorpChr 69 p.95; Paciano, *De bapt.* I: ed. L. Rubio, p.162.

Se entendía que todos los pecados quedaban perdonados por el bautismo. Para ello, sin embargo, según el mismo Gregorio de Granada, se requería además que se accediese a él convertidos a la fe y arrepentidos de sus pecados [3].

Himerio (o Eumerio) de Tarragona había escrito al papa Dámaso una relación de asuntos sobre los que solicitaba del papa consejo y normas. Uno de los asuntos era éste: diversos obispos hispanos impartían el bautismo en las más variadas ocasiones, según les parecía: en Navidad o Epifanía [4] y en muchas festividades de apóstoles o de mártires. Siricio, sucesor de Dámaso, es el que responde, y lo hace, por cierto, escandalizado por esta práctica. Dice Siricio a Himerio que, «en su iglesia y en todas las iglesias», la ceremonia del bautismo es privilegio del día de Pascua y del de Pentecostés. Aprovecha la ocasión para añadir que solamente se concede el bautismo —y en esos días— a aquellos que son elegidos después que habían dado sus nombres al menos antes de cuarenta días y se habían purificado con exorcismos cotidianos, oraciones y ayunos. Admite que pueda haber excepciones; se debe bautizar en cualquier momento en caso de necesidad, como sería el de los niños o cualquier persona mayor en peligro. Siricio manda que, en adelante, todos observen las reglas expuestas por él, «si no quieren quedar separados de la solidez de la piedra apostólica sobre la cual Cristo construyó la Iglesia universal» [5].

El concilio de Granada presuponía que el ministro ordinario del bautismo era el obispo, aunque admitía excepciones. Paciano de Barcelona es testigo de que a fines del siglo IV lo seguía siendo.

No era idea pacífica ni admitida por todos los obispos hispanos que no se debiera bautizar de nuevo a los arrianos convertidos al catolicismo. Siricio dice: «Al principio de tu escrito afirmas que muchos bautizados por los impíos arrianos acuden a la fe católica y que algunos de nuestros hermanos quieren bautizarlos de nuevo, lo cual no es lícito, porque lo prohíbe el Apóstol y se oponen los cánones. Lo prohíben también los decretos generales enviados a las provincias por mi predecesor, de venerable memoria, Liberio, una vez abolido el concilio de Rímini».

Cabría preguntarse si la actitud de los obispos hispanos aludidos se debía a que aún no tenían ideas claras sobre la initerabilidad del sacramento o, por el contrario, porque dudaban, con más o menos fundamento, de la validez del bautismo de los arrianos, cuya herejía básica atacaba la misma Trinidad, en cuyo nombre se bautizaba.

Mientras que en el concilio de Granada se habla solamente del bautismo y de la imposición de las manos por parte del obispo, Paciano de Barcelona dice que el nuevo nacimiento en Cristo no se puede realizar

---

[3] GREGORIO, *Tract.* VI 24: CorpChr 69 p.48.

[4] Siricio dice: «Natalitiis Christi seu Apparitionis», lo cual puede significar que bautizaban en Navidad o en Epifanía; o también, como es más probable, «en Navidad o Epifanía», es decir, el 6 de enero, día en que todavía, probablemente, se celebraban las dos fiestas juntas.

[5] SIRICIO, *Epist. a Himerio* II: ML 56,555-56.

plenamente «sino por medio del sacramento del baño, del crisma y del obispo, porque por el baño se limpian los pecados, por el crisma se derrama el Espíritu Santo y ambas cosas se consiguen por la mano y la palabra del obispo» [6].

Se habla detenidamente del crisma en el concilio de Toledo I, del año 400. Su canon 20 dice: «Aunque casi en todas partes se observa que nadie consagra el crisma, sino el obispo, hay algunos lugares o provincias en que parece que lo hacen los presbíteros. Por eso nos ha parecido que desde hoy nadie más que el obispo consagre el crisma y lo distribuya por las diócesis. Para ello, que cada iglesia envíe diáconos o subdiáconos al obispo antes del día de Pascua, para que lo recojan del obispo para ese día. Es cierto que el obispo puede consagrar el crisma en cualquier momento y que, sin conocimiento del obispo, no se puede hacer nada. Está establecido que el diácono no administra el crisma. El presbítero sí, en ausencia del obispo. Estando presente éste, solamente si él lo ordena. El archidiácono tenga siempre presente esta constitución para recordársela a los obispos presentes y ausentes, para que la observen los obispos y los presbíteros no la abandonen» [7].

Se ha discutido y se discute si la unción con el crisma es un rito adicional del mismo bautismo o forma parte del sacramento de la confirmación, al que pertenece, sin duda, la imposición de las manos o bendición por parte del obispo. Paciano, como hemos visto, une la unción del crisma, más bien, a la confirmación, pues asocia «baño» y limpieza de los pecados, por una parte, y «crisma» y efusión del Espíritu Santo, por otra [8].

El sermón de Paciano sobre el bautismo es un interesante ejemplo en el siglo IV de los sermones con que el obispo preparaba a los *competentes* para el bautismo. En él, Paciano se propone explicar en qué consiste la gran felicidad que es ser cristiano. Para ello explica que el bautismo es nacimiento e innovación [9]. Por el bautismo se nace a la vida eterna: «La vida del mundo la tienen igualmente, o aún más larga, los animales, las fieras, las aves. En cambio, es propio y exclusivo del hombre lo que Cristo le ha dado por medio del Espíritu: la vida perpetua» [10]. Para llegar a nacer a la vida eterna se requiere, ante todo, la fe: «No se inserta en la Iglesia el que no cree, no lo engendra Cristo si no recibe su Espíritu... Una vez desterrados los errores de la vida pasada: servidumbre a los ídolos, crueldad, fornicación, lujuria y demás vicios de la carne y la sangre, adoptemos nuevas costumbres por el Espíritu en Cristo: la fe, la pureza, la inocencia, la castidad...» [11] El resultado del nuevo comportamiento será que el cristiano «ya no morirá nunca, por

---

[6] PACIANO, *De bapt.* VI: ed. L. Rubio, p.170.
[7] *Concilio de Toledo I* can.20: J. VIVES, *Concilios* p.24-25.
[8] En los documentos del siglo IV no aparecen indicios de dos unciones, una en el bautismo y otra de la confirmación, de la cual habla J. FERNÁNDEZ ALONSO, *La cura pastoral* p.292-93.
[9] *De bapt.* I: ed.cit. p.162.
[10] *De bapt.* I: p.172.
[11] *De bapt.* VI: p.170.

más que haya de deshacerse el cuerpo; vivirá en Cristo» [12]. La imagen del cristiano que presenta Paciano encaja perfectamente, como acabamos de ver, dentro del cuadro religioso general de su época. El acento cae sobre la idea de la liberación de las fuerzas del mal, «bajo cuyo dominio ni se podía conocer la justicia ni mucho menos practicarla» [13], y cae también sobre la vida eterna, esperanza suprema especialmente urgente cuando «se avecinan ya los últimos tiempos» [14].

Del siglo IV no se conservan restos arqueológicos de ningún baptisterio. La única mención literaria explícita que pueda referirse a un baptisterio del siglo IV son los conocidos versos de Prudencio en honor de los mártires Emeterio y Celedonio, en los que hace además una descripción poética del mismo bautismo. El título del himno VIII de su *Peristéfanon* reza así: «Sobre el lugar en que padecieron los mártires, que ahora es baptisterio, en Calahorra». «Aquí dos varones sufrieron el martirio de púrpura, muertos por el nombre del Señor. Aquí también fluye la indulgencia de la fuente líquida, y un río nuevo disuelve las viejas manchas. Venga acá el sediento que ansía ascender al reino eterno del cielo; aquí tiene el camino preparado. Antes, los mártires coronados subían con fatiga a los arduos atrios. Ahora, las almas purificadas ascienden a lo alto. El Espíritu, habituado de siempre a descender para entregar la palma, concede igualmente el perdón...» [15]

EL CULTO

El culto cristiano fundamental, la celebración de la eucaristía, debió de adquirir un notable desarrollo durante el siglo IV en las diversas iglesias hispanas a juzgar por las alusiones indirectas que se encuentran esparcidas en los documentos que se refieren a esta época. Desgraciadamente sólo se trata de alusiones, con lo que nuestro conocimiento directo sobre el modo en que se desarrollaba es prácticamente nulo. El único texto que aporta algún dato sobre ceremonias litúrgicas es la carta del obispo Severo de Menorca, del año 417, y de la que nos ocupamos en el capítulo siguiente. En ella se afirma que «nosotros marchamos a la iglesia, como de costumbre, con himnos, cantando y salmodiando: 'Benedictus est Deus, Pater misericordiarum, et Deus totius consolationis, qui dedit capiti nostro aquam et oculis nostris fontem lacrymarum, ut ploremus vulneratos populi nostri'. Y, celebrados los misterios, salimos de la iglesia...» [16]

Según San Jerónimo, en Hispania existía la costumbre de recibir la eucaristía todos los días [17]. El papa Siricio da por supuesto que los sacerdotes celebran todos los días, e incluso se basa en esa práctica para

[12] *De bapt.* VI: p.172.
[13] *De bapt.* I: p.162.
[14] *Paraen. ad. paenit.* XI: p.156.
[15] PRUDENCIO, *Perist.* VIII 1-12: BAC 58 p.608.
[16] SEVERO, *Carta encíclica:* ed. G. Seguí Vidal, p.165-66.
[17] JERÓNIMO, *Epist.* 71,6: ML 22,672.

exigir de ellos la continencia total, como veremos más adelante. El concilio de Toledo del año 400 urge a los clérigos de todos los grados la asistencia al «sacrificio cotidiano» y amenaza con deposición al que no obtuviera del obispo el perdón de esta falta mediante satisfacción. Esta obligación que recuerda el canon 5 se refiere no sólo a los clérigos de la ciudad, sino también a todos aquellos que habiten en cualquier lugar en que hubiera iglesia. Según nos hace saber el mismo canon, para esta época esto puede suceder incluso en «castelli, vicus aut villae» [18].

Los fieles no estaban obligados a comulgar siempre. Sin embargo, el canon 13 del mismo concilio de Toledo dice: «Sean advertidos los que entran en la iglesia y se descubre que no comulgan nunca; y, si no comulgan, pasen a penitencia; si comulgan, no se les aparte del todo. Si no lo hicieren, queden apartados de la comunión» [19].

El canon 3 del concilio de Zaragoza anatematiza para siempre al que no consuma en la misma iglesia la eucaristía recibida [20].

Tiempos especiales, de especial dedicación a las asambleas litúrgicas, eran la Cuaresma y las tres semanas precedentes a la Epifanía. El concilio de Zaragoza prohíbe que en esos días se ausenten los fieles, apartándose de la comunidad reunida en la iglesia. Parece que los cánones 2 y 4, que son los que insisten en esta obligación, apuntan directamente a ciertas reuniones privadas en los montes y villas que practicaban los adictos al priscilianismo [21]. Esto no obsta para que las citadas prescripciones sean en todo caso testimonio de la existencia de estos tiempos fuertes de la liturgia hispana.

A tenor del canon 4 del concilio de Zaragoza, no parece que en las iglesias hispanas allí representadas se celebrase todavía la fiesta de la Navidad, del 25 de diciembre, puesto que no se alude a ella y sí a los 21 días de preparación para la fiesta de la Epifanía. Sin embargo, hay que tener en cuenta que Baquiario, a fines del siglo IV, habla muy claramente de las dos fiestas. Es posible que la de Navidad se celebrase ya en algunas regiones solamente [22].

También el canon 9 del concilio de Toledo I puede haber sido motivado por reuniones y prácticas priscilianistas. En él se prescribe en todo caso que «ninguna profesa ni viuda cante las antífonas con un confesor [23] ni con un siervo suyo en ausencia del obispo o presbítero. Y el *lucernario* no se lea sino en la iglesia. Si se lee en alguna villa, léase en presencia de un obispo, presbítero o diácono» [24]. Es el primer texto hispano que cita al menos un incipiente oficio divino, al mencionar el *lucernario*.

Ceremonias y oraciones ligadas al momento y al hecho de encender

---

[18] J. VIVES, *Concilios* p.21.
[19] Ibid., p.23.
[20] Véase lo dicho sobre este canon en el c.5.
[21] Véase c.5.
[22] Cf. G. MORIN, *Pages inédites de l'écrivain espagnol Bachiarius:* BullAncLittArchChrét 4 (1914) 123.
[23] Debe de tratarse de un lector o cantor.
[24] J. VIVES, *Concilios* p.22.

la luz en el atardecer son prácticas judeocristianas bien testimoniadas en la Iglesia primitiva. «Como oficio distinto y preámbulo a las vísperas, tenemos en la Iglesia antigua testimonios tales como para poder deducir que fuese todavía casi universalmente practicado al final del siglo IV» [25].

El título del himno V del *Cathemerinon*, de Prudencio, es: *Hymnus ad incensum lucernae*. Se discute si fue compuesto o al menos usado para el *lucernario* cotidiano o para el más solemne de la vigilia pascual [26].

A fines del siglo IV, la peregrina Egeria escribe que en Jerusalén, «en la hora décima, tiene lugar lo que allí llaman *licinicon* y nosotros llamamos *lucernario*» [27].

En el texto del papa Siricio a que hemos aludido hace poco, se mencionan «festividades innumerables» de apóstoles y de mártires, en las cuales algunos obispos administraban el bautismo [28]. Es éste un testimonio significativo del auge y de la importancia que también en Hispania había tomado el culto de los mártires en el último tercio del siglo IV.

Al culto de las reliquias se refieren unas frases de la citada carta encíclica del obispo Severo de Menorca: «Cierto presbítero insigne en santidad proveniente de Jerusalén se detuvo no mucho tiempo en Mahón. Quería navegar hacia Hispania, pero no pudo, y decidió volverse a Africa. Había pensado llevar a Hispania reliquias del bienaventurado mártir Esteban, recientemente descubiertas. Por inspiración, sin duda, del mismo mártir, las dejó en la iglesia de la citada ciudad» [29].

Pero el testimonio más insigne del desarrollo del culto a los mártires en Hispania es el *Peristéfanon* («Sobre las coronas»), de Prudencio. Sus entusiastas himnos amplían poéticamente las actas más o menos históricas de cada uno de los mártires, ensalzando sus ejemplos heroicos de fe intrépida y de total confianza en el poder de Dios, al mismo tiempo que afirman la certeza absoluta de su triunfo definitivo en el cielo. Prudencio nos muestra a los fieles de entonces acudiendo a venerar al mártir y a recoger sus reliquias, y él mismo invoca ahora su mediación eficaz ante el trono del Padre; les ruega que se apiaden de las oraciones de todos, para que Cristo, aplacado, incline su oído benigno y no les impute sus pecados [30]. La protección de los mártires se extiende a todos sus pueblos, y ellos serán también los que guardarán del fuego y librarán a sus conciudadanos del duro suplicio en el fin del mundo [31]. Las reliquias y las sagradas cenizas de la mártir Eulalia descansan en la tierra venerable, en Mérida, y allí resplandece el edificio sacro de paredes cubiertas de mármol, de techo brillante y vistoso pavimento. Sobre sus

[25] Cf. M. RIGHETTI, *Historia de la liturgia* I p.1281.
[26] PRUDENCIO, *Catemer.* V: BAC 58 p.59-73. Cf. J. BERNAL, *Primeros vestigios de lucernario en España* (Montserrat 1966) p.21-49.
[27] EGERIA, *Itiner.*: SourcChrét 21 p.190.
[28] SIRICIO, *Epist. a Himerio* II: ML 56,555-56.
[29] SEVERO, *Carta encíclica:* ed. G. Seguí Vidal, p.151.
[30] *Perist.* 5,545-76: BAC 58 p.584.
[31] *Perist.* 6,142-44,157-59: BAC 58 p.596.

huesos se ha levantado un altar, mientras la mártir gloriosa, a los pies de Dios, propicia por los cánticos, atiende a su pueblo [32].

El culto a los mártires cobró renovado vigor en Occidente a partir del papa Dámaso; y la famosa invención de las reliquias de los Santos Gervasio y Protasio por San Ambrosio en el año 386 había hecho crecer aún más el entusiasmo popular [33].

Buen testimonio del entusiasmo popular por el culto a los mártires, aunque negativo, es también el aquitano Vigilancio; en vez de participar cordialmente en la misma devoción, como lo hacía Prudencio, se opone a ella violentamente, como podemos comprobar por las respuestas de San Jerónimo en su escrito *Contra Vigilancio* [34].

«La noción de intercesión —escribe J. Fontaine—, atacada por Vigilancio y celebrada por Prudencio, que fundamenta la idea del 'patronato' de los mártires ante un Dios juez, no se podría explicar, sobre todo en la mentalidad popular, solamente en relación con la teología de la mediación, desarrollada, p.ej., en la epístola a los Hebreos. Para comprender su éxito es necesario referirse a una proyección de la jerarquía social de la época sobre la representación de las relaciones entre Dios y los hombres. Estas relaciones están mediatizadas por los mártires, como lo están (y con más o menos intermediarios) las relaciones entre todo individuo y el emperador. Los mártires asumen así en el más allá las funciones que el patronazgo de los grandes asume en la sociedad terrena» [35].

Al tratar del priscilianismo, hemos recordado cómo los obispos reunidos en el concilio de Toledo del año 400 exigieron de los devotos de Prisciliano que deseaban ser readmitidos a la comunión de la Iglesia católica que cesaran en su pretensión de dar culto a Prisciliano y a los suyos como a mártires. Es el único indicio que ha llegado hasta nosotros de intervención oficial de la jerarquía hispana en el culto a los mártires.

VIRGINIDAD Y VIDA ASCÉTICA

El canon 13 del concilio de Granada se refiere a «las vírgenes consagradas a Dios» que quebranten «el pacto de virginidad» [36]. Consagración a Dios y pacto de virginidad suponen un estado de virginidad sellado por una promesa o voto, de mujeres que de este modo se entregan de una manera pública a la práctica de la ascesis. En el mismo concilio, el canon 27 se refiere de nuevo a estas vírgenes consagradas hermanas o hijas del obispo o de otros clérigos, que son las únicas mujeres que deben habitar con ellos [37]. El voto de virginidad hace tan

---

[32] *Perist.* 3,186-215: BAC 58 p.534-36. Sobre Prudencio, en el capítulo siguiente.
[33] Cf. E. DASSMANN, *Ambrosius und die Märtyrer:* JahrbAntChrist 18 (1975) 49-68.
[34] JERÓNIMO, *Contra Vigilant.:* ML 23,353-68.
[35] J. FONTAINE, *Société et culture chrétiennes* p.265. Véase asimismo ID., *Romanité et hispanité dans la littérature hispano-romaine des IVeme et Veme siècles* p.310-20.
[36] *Concilio de Granada* can.13: J. VIVES, *Concilios* p.4.
[37] Ibid., p.6.

gravemente ilícito el matrimonio, que el concilio excluye de la comunión definitivamente, incluso en la hora de la muerte, a la virgen consagrada que quebrante el voto y se case. Solamente una total continencia, tras una sincera conversión y entrega a la penitencia, hará posible que al fin de su vida se le conceda la reconciliación.

Un siglo más tarde, el concilio de Toledo no es más benigno con la virgen consagrada que, faltando a su voto, persista en vivir su vida conyugal: «La que tomase marido —dice el canon 16— no se admita a penitencia, a no ser que comenzase a vivir castamente en vida aún del marido o después que éste muriese». Para la virgen consagrada que, sin llegar a tener marido, quebrantase el voto, el mismo canon prescribe, si se arrepintiese, diez años de penitencia, durante los cuales no podrá participar en los convites de ninguna mujer cristiana, bajo pena de excomunión también para la que la recibe. El corruptor de la virgen sufrirá las mismas penas [38].

Debía de ser frecuente que las hijas de los obispos, presbíteros o diáconos consagraran a Dios su virginidad, porque así como el canon 27 del concilio de Granada se refería a ellas, el canon 19 del de Toledo vuelve a nombrarlas, esta vez para disponer que si, en contra de su promesa, toman marido, los padres (obispo, presbítero o diácono) no deben «recibirla en afecto», porque en ese caso quedarán apartados de la comunión y tendrán que dar cuenta ante el concilio. La virgen pecadora no será admitida a la comunión a no ser una vez muerto el marido, o que, aún vivo, se apartase de él e hiciese penitencia hasta la hora de la muerte [39].

El canon 8 del concilio de Zaragoza dispone que «no se dé el velo a las vírgenes que se consagran a Dios antes de haber probado ante obispo que han cumplido los cuarenta años» [40].

Gregorio de Granada, comentando un pasaje del Levítico [41], afirma que Dios no quiere ahora de nosotros sacrificios de animales, sino oblaciones del alma, de nuestro modo de vivir, de un corazón humildemente sometido. Tal sacrificio se da, p.ej. —continúa—, en la inmolación del mártir, y también en «la virginidad, puesto que así uno se entrega al servicio de Dios totalmente en cuerpo y espíritu, como lo es también el sacrificio de la limosna, con la cual da a los pobres, según su fortuna, con la mejor voluntad de su alma...» [42].

Baquiario

Existe en la literatura cristiana antigua más de un escrito «sobre la defección de una virgen». Nos interesa ahora recoger aquí algunas ideas contenidas en uno de estos escritos, debido a la pluma del hispano-romano *Baquiario*, porque se refiere a un hecho sucedido en

[38] Ibid., p.23-24.
[39] Ibid., p.24.
[40] J. Vives, *Concilios* p.18.
[41] Lev 22,17-21.
[42] Gregorio de Granada, *Tract.* X 7-13: CorpChr 69 p.77-79.

Hispania a fines del siglo IV o principios del V. Pero antes digamos algo sobre esta importante personalidad.

De *Baquiario* solamente sabemos lo poco que él mismo deja traslucir en sus propios escritos y los datos que proporciona Gennadio. Baquiario fue «hombre de cristiana filosofía, entregado a Dios desnudo y expedito», es decir, monje, como se confirma por sus propios escritos. Estuvo fuera de Hispania; probablemente, en Roma, y tuvo que justificarse ante el papa, aunque hay historiadores modernos que dudan de esta última afirmación de Gennadio, pensando que la justificación fue ante otro superior suyo, obispo o abad, o que no se justificaba a sí mismo, sino, en general, a los obispos de la Galecia.

Lo que sí es cierto es que Baquiario hace una exposición de fe claramente antipriscilianista. Todos sus escritos son perfectamente ortodoxos; pero la citada exposición de fe y ciertos puntos de contacto con las inclinaciones de Prisciliano y sus discípulos [43] no dejan lugar a dudas de que Baquiario tuvo ciertas afinidades con los priscilianistas en un primer momento, aunque quizá, como él mismo dice, la circunstancia principal que le hacía sospechoso es la de proceder o habitar en Galecia, provincia tan ligada al movimiento priscilianista [44].

Gennadio sabe que escribió varios opúsculos, pero confiesa haber leído solamente el *De fide*. De esta obra se conocen dos recensiones, de las cuales solamente la primera es totalmente de Baquiario. La segunda, editada por J. Madoz, está retocada y corregida por otro autor, que, según A. M. Mundó, es precisamente Gennadio.

Otra obra de Baquiario es el *De reparatione lapsi*, del que nos ocuparemos en seguida.

G. Morin atribuyó a Baquiario dos cartas de San Jerónimo. Ha habido quien ha negado esta atribución, pero actualmente pueden considerarse como obras genuinas de Baquiario, según la opinión autorizada de A. M. Mundó [45]. En cambio, han quedado rechazadas otras atribuciones que se han intentado.

Hoy día parece claro que Rufino influyó en Baquiario, y no al revés, como pretendía J. Duhr, teniendo que adelantar para ello la cronología de sus obras; cronología que A. M. Mundó establece así: las dos epístolas, a finales del siglo IV; el *De reparatione lapsi*, hacia el 410; el *De fide*, hacia el 415 [46].

Se ha pretendido identificar a Baquiario con el obispo Peregrino [46*], que corrigió la obra de Prisciliano *Cánones de las epístolas de San Pablo* [47] y que aparece con frecuencia en biblias hispanas [48]; pero los ar-

---

[43] J. DUHR, *Le «De fide», de Bachiarius* p.330.
[44] «Suspectus nos quantum video facit, non sermo, sed regio», dice en el *De fide*. M. C. Díaz y Díaz (*Orígenes cristianos de Lugo* p.240 n.12) afirma que no consta que Baquiario fuese hispano de nación, ni que la herejía de que se le acusó fuese el priscilianismo. Parece que se trata de una excesiva cautela.   [45] Véase la bibliografía.
[46] Cf. A. M. MUNDÓ, *Estudis sobre el «De fide», de Baquiari* p.249.
[46*] Cf. B. ALTANER-E. CUEVAS-U. DOMÍNGUEZ DEL VAL, *Patrología* p.449-50.
[47] Cf. nuestro c.7.
[48] La hipótesis fue lanzada por S. Berger (*Histoire de la Vulgate*, París 1893) y recogida, entre otros, por J. M. Bover (*Bachiarius Peregrinus?*).

gumentos no son muy convincentes y, en general, no se han aceptado [49]. Tampoco se puede identificar a Baquiario con el obispo Bracario de Sevilla.

Las expresiones que usa Baquiario en el *De reparatione lapsi* son significativas del escándalo producido por un diácono y una virgen consagrada que se dejaron atraer mutuamente hasta las últimas consecuencias. «Hemos oído el desastre de la gran derrota, a Satanás exultante por la ruina de un soldado de Cristo. El grito de alegría que ha lanzado en su victoria el ejército diabólico ha llegado hasta nuestros oídos... se han conmovido mis entrañas, de tal manera se han estremecido mis huesos, que he sentido como si una gran herida atormentase todo mi cuerpo» [50].

La virgen consagrada es la esposa del Señor. La acción del delincuente la considera Baquiario como un gran adulterio, «porque es la esposa del Rey del cielo la que ha sido corrompida y violada» [51]; ya no puede considerarse ni como virgen ni como viuda: «virgen no es, porque ya está corrompida; viuda tampoco, porque su esposo vive eternamente» [52]. Por eso, Baquiario se indigna ante los que sugieren al diácono que normalice su situación contrayendo matrimonio. «Quizá te haya sugerido el más astuto de los animales y antiguo consejero que puedas hacer en tu vejez la penitencia que te proponemos, y ahora, en cambio, saciar el hambre de tu deseo protegido por el título de matrimonio... Que venga quien dice que este crimen se debe enmendar con las nupcias y que hay que convertir en matrimonio tan grave delito... ¿Para qué le exhortáis a que se case? ¿Quieres saber cuál es la sentencia apostólica sobre este error? Dice en su epístola: 'Se oye hablar entre vosotros de fornicación, y tal fornicación, que no se da ni entre los paganos: uno que vive con la mujer de su padre' [1 Cor 5,1]. Aquí tienes un caso semejante. También era esposa del Padre esta jovencita que pecó, esposa del Padre que nos ha engendrado in *verbo veritatis*. Se unió con El en matrimonio —según creo— cuando tomó el velo y cubrió con él su cabeza, a ejemplo de Rebeca al llegar ante Isaac a su llegada de Mesopotamia. Pues de este caso de Corinto dice el Apóstol: 'He entregado a ese individuo a Satanás para su perdición' [1 Cor 5,3]...» [53]

Cautelas para evitar el peligro de casos semejantes se encuentran también en el canon 6 del concilio de Toledo I: que la joven consagrada *(puella Dei)* no tenga familiaridad con varones, ni asista sola a convites ni visite a los lectores [54].

Tiene Baquiario una carta a una devota mujer «de familia sacerdotal» [55], en la que le aconseja o «dirige» espiritualmente, proponiéndole

---

[49] Cf. D. DE BRUYNE, *Études sur les origines de la Vulgate en Espagne:* RevBén 31 (1914-19) 373-401.
[50] BAQUIARIO, *De repar. lapsi* 1: ML 20,1037.
[51] Ibid., 21: ML 20,1059.
[52] Ibid., 20: ML 20,1058.
[53] Ibid., 20: ML 20,1058-59.
[54] J. VIVES, *Concilios* p.21.
[55] Baquiario insiste en esta condición sacerdotal: *Epist.* II: ML suppl. 1 col. 1038.

como ejemplo a la Virgen María con estas palabras: «Si María, incorrupta y santa, no dio a luz a la esperanza de su salvación sin gemidos ni suspiros, ¿qué esfuerzos piensas que no deberemos realizar nosotros para ser capaces de imitar algo semejante, nosotros que fuimos engañados por los consejos de la serpiente?» [56]. La exhorta después a recluirse en retiro en el mes de diciembre, dedicándose a la oración y al ayuno entre las fiestas de Navidad y de Epifanía y a la lectura de las sagradas Escrituras.

Eutropio y Cerasia

Sobre la práctica de la virginidad y las reacciones particulares que en algún caso podía provocar, conocemos un caso curioso que nos narra el presbítero *Eutropio*.

Están de acuerdo los autores en que la actividad literaria de este escritor florece entre los años 395 y 415. Cronológicamente, por tanto, es un testigo plenamente válido para nuestro tema. Geográficamente, en cambio, existe una aparente dificultad: para algunos, Eutropio era hispano; para otros, en cambio, aquitano. La verdad es que, en el estado actual de nuestros conocimientos, no es posible salir de la duda [57]. Pero en todo caso, el testimonio de Eutropio sigue teniendo especial interés para nosotros, pues, aun en el caso de que fuese aquitano y se refiriese a un suceso acaecido al norte de los Pirineos, las múltiples relaciones entre ambas vertientes pirenaicas, sobre todo en la época que ahora nos ocupa, nos autoriza a incluirlo aquí [58].

Según Gennadio, «el presbítero Eutropio escribió a dos hermanas esclavas de Cristo, las cuales, por su devoción a la pureza y su amor a la religión, fueron desheredadas por su padre» [59]. Efectivamente, ese escrito ha llegado hasta nosotros bajo el título *A las hijas de Geruncio, exhortación a menospreciar la herencia* [60]. En él, Eutropio exhorta a las vírgenes a que no presenten querella ante el juez para recuperar su herencia y las anima a perseverar en su propósito de consagración plena a Dios. Pero *Cerasia o Terentia*, que así se llamaba la principal destinataria de su escrito, a pesar del gesto airado de su padre, no debió de quedar mal provista de medios materiales, de los que usó muy cristianamente en beneficio de los necesitados, sobre todo con ocasión de una epidemia, durante la cual se prodigó en bien de los enfermos, llegando incluso a contraer ella misma la enfermedad, de la cual convaleció gracias a los cuidados de su hermana y de su madre. Eutropio describe a Cerasia procurando medicinas a los enfermos, transportándolos o acogiéndolos sobre sí, llevándoles la comida, durmiendo a veces en el suelo, velando

---

[56] Baquiario, *Epist.* II: ML suppl.1 col.1038-44.
[57] Cf. J. Madoz (*Herencia literaria del presbítero Eutropio*) se inclina, con reservas, a su nacionalidad hispana. Véase asimismo, G. Morin, *Brillantes découvertes:* RevHistEccl 38 (1942) 411-417. Contrariamente, sobre todo, P. Courcelle: RevEtAnc 76 (1954) 377-90.
[58] Cf. J. Fontaine, *Société et culture chrétiennes.*
[59] Gennadio, *De vir. ill.* 49: ML 58,1087.
[60] ML 30,47-52.

a los que no podían dormir, haciendo para ellos de ama de casa, de madre, de criada, de médico; adaptándose a cada uno, especialmente a los paganos y bárbaros; llevándoles al conocimiento de Dios *en su propia lengua* [61].

Es importante conocer la gran actividad caritativa y apostólica de esta virgen consagrada. Por lo que se refiere a la actividad apostólica, la noticia de Eutropio ha merecido, con razón, especial atención de algunos historiadores. Conviene transcribir aquí todo el texto relativo a su labor evangelizadora entre «los bárbaros»:

«A los paganos y a estos bárbaros nuestros, que lo son no menos en el modo de pensar que en su lengua (¡creen inmortales a sus ídolos!), les ofrecías en particular lo siguiente: con suaves palabras y en su lengua, les has ido dando noticia de nuestro Dios; y en lengua bárbara afirmabas la doctrina hebrea, para decir con el Apóstol: 'Es bueno que yo hable todas vuestras lenguas', mostrándoles que los ídolos no son Dios, que el verdadero Dios no está en el ara de los bosques, sino en la mente de los santos, y que, si querían salvarse, tenían que creer en el Salvador. En seguida, a los que lo querían ya y lo deseaban, les procuraste los oficios de los clérigos...» [62].

Si Eutropio y Cerasia actuaban, como parece prácticamente cierto, en la zona pirenaica, esta alusión a unos «bárbaros» que a fines del siglo IV conservan aún plenamente su propia lengua, en la cual Cerasia les predica el cristianismo, tiene grandes probabilidades de referirse a los pueblos vascos. Los clérigos en cuyas manos los ponía la infatigable asceta, ¿emplearían también su lengua al hacerse cargo de ellos para terminar su instrucción y administrarles los sacramentos? [63].

Los escritos de Eutropio no se ocupan directa y concretamente de la virginidad. Son, más bien, tratados ascéticos de concepción bastante enrevesada, que exhortan a desligarse del mundo y resistir a todos sus atractivos, confiando en las promesas de vida eterna para vivir para Cristo, cuya persona ocupa un lugar central en todos estos escritos, bien surtidos de citas y alusiones bíblicas. La ascética de Eutropio es rígida y severa, con cierta tendencia casi pelagiana [64], aunque defendiendo claramente la transmisión del pecado original y de sus malas consecuencias [65].

La práctica de la virginidad consagrada y, en general, la vida ascética se fue propagando, sin duda, a lo largo del siglo IV, dando lugar al desarrollo de una auténtica vida religiosa o monacal, tema que se trata desde sus orígenes en la segunda parte de este volumen.

---

[61] EUTROPIO, *De simil. carn. pecc.*: ML suppl. 1 col. 555.

[62] Ibid.

[63] Cf. S. MARINER, *La difusión del cristianismo como factor de latinización* p. 271-82.

[64] G. de Plinval, antes del trabajo definitivo de J. Madoz, atribuía dos de sus escritos a Pelagio.

[65] Véanse en la bibliografía sus obras y ediciones.

Paulino de Nola y Terasia

Paulino de Nola nació en Burdigala (Burdeos), pero por varias razones hay que citarlo aquí, aunque sea brevemente [66].

Nacido probablemente en el 355, fue discípulo de Ausonio de Burdeos y siguió el *cursus honorum,* llegando incluso al consulado. Fue gobernador de Campania el año 381, volviendo después a Burdeos. Hacia el 389 fue bautizado por el obispo de esta última ciudad, Delfín, pasando a continuación a Hispania, donde se casó con *Terasia* [67]. Tuvo de ella un hijo, muerto pocos días después del nacimiento y sepultado por sus devotos padres en Alcalá de Henares junto al sepulcro de los mártires [68].

En el año 393, Paulino vende su patrimonio, dando así un paso decisivo, juntamente con su esposa Terasia, en el camino emprendido del retiro y la ascesis.

En las Navidades del año 394 es ordenado presbítero en Barcelona por el obispo Lampio. Según su propia narración [69], fue elegido para el presbiterado en contra de su voluntad, pues deseaba marchar a Nola para vivir vida ascética junto al sepulcro de San Félix. Accedió, sin embargo, al clamor del pueblo fiel, pero con la condición de no quedar ligado a la iglesia barcelonesa. Al año siguiente marchó, por fin, a Nola, donde fundó una comunidad ascética, de la que formaba parte también su esposa Terasia, convirtiéndose más tarde en obispo de aquella ciudad [70].

Por sus diversas conexiones con Hispania y por sus puntos de contacto con nuestro Prudencio, San Paulino es testimonio de la espiritualidad propia de algunos terratenientes de nuestra Península de fines del siglo IV.

Entre los latifundistas del imperio de fines del IV y principios del V descuellan algunas grandes personalidades cristianas. Su manera de concebir el cristianismo está condicionada por su entorno socioeconómico agrícola y por las ideas filosófico-poéticas propias de la cultura clásica, que era la suya. Son espíritus cultivados, verdaderos poetas en el caso de San Paulino, como en el de su maestro Ausonio o en el de Prudencio, que, aun independientemente de sus ideas cristianas, se sienten atraídos por la vida retirada de la *villa rustica,* sobre todo después de haber gustado y sufrido el vértigo de los cargos públicos [71].

Los autores romanos clásicos —baste recordar a Cicerón, Virgilio, Horacio— habían alabado e idealizado la vida rústica dedicada a las labores del campo, a la caza o a la pesca y a la tranquila lectura. En Ausonio, Paulino y quizá Prudencio permanece en vigor esta concep-

---

[66] Cf. P. FABRE, obras citadas en la bibliografía.
[67] PAULINO, *Carmen* 21,398-403: CSEL 30 p.171.
[68] PAULINO, *Carmen* 31,607-10: CSEL 30 p.329.
[69] PAULINO, *Epist.* 1,10; *Epist.* 3,4: CSEL 29 p.8-9 y 17.
[70] Cf. HIDACIO, *Crón.* 81 año 424: SourcChrét 218 p.126.
[71] Cf., p.ej., J. FONTAINE, *Valeurs antiques et valeurs chrétiens,* del que resumimos aquí algunas de sus ideas.

ción, aunque revitalizada en ellos progresivamente por un cristianismo que van asimilando según las propias categorías de su espíritu. De nuevo nos encontramos con el eterno problema de la encarnación del cristianismo. Como no hay verdadero Cristo sin encarnación, tampoco es posible sin encarnación un verdadero cristianismo. La comprensión clara de esta idea y su aceptación es condición previa indispensable para todo historiador que pretenda acercarse a los documentos históricos con el deseo de reconstruir la historia de la Iglesia. Nunca se insistirá demasiado. El mensaje cristiano no es una cultura. Para que sea real tiene que enculturarse y para ser universal tiene que hacerlo en todas las culturas; ninguna puede pretender monopolizarlo en lo más mínimo. J. Fontaine lo ha comprendido perfectamente al reconstruir la historia de la «conversión continuada» de San Paulino y cuando afirma que su vida ascética no fue una total renuncia al estilo de vida de los propietarios agrícolas, sino una curiosa integración cristiana de la *rusticatio* clásica. Dice Fontaine que el gesto espectacular de Paulino y Terasia de vender todas sus propiedades significó para Ausonio un exceso de espíritu religioso que desequilibraba el estilo armonioso de vida de las *villae*. Ausonio, y con él probablemente otros *potentiores* cristianos, vivían un cristianismo demasiado armonizado con la espiritualidad cómoda y placentera del ocio campestre, en el cual podía gozarse de la paz y el sentido de la mesura, unidos a la pureza de costumbres, sin olvidar la oración ni el interés por las necesidades de la familia y de la servidumbre.

Pero Paulino y Terasia, aun después de vender sus propiedades, siguieron viviendo en sus posesiones hispanas hasta completar su liquidación. Una vez establecidos en Nola, aunque su vida sea más ascética y la frecuencia del culto litúrgico cobre mucho mayor importancia en su horario, en el fondo sigue latiendo y manifestándose su anterior espiritualidad «agrícola», de la que son buenos testimonios sus consejos a otros latifundistas que permanecían en sus tierras [72].

Quizá puedan servir como expresión gráfica de esta espiritualidad de San Paulino los mosaicos que decoran, p.ej., el mausoleo de Centcelles, de mediados del siglo IV. La gran cúpula estaba decorada en diversas zonas superpuestas. La inferior, con pinturas, de las que hoy día apenas se conservan unos restos de edificios, personas y animales, que recuerdan las escenas de los trabajos de una granja representados en algunos mosaicos africanos. El resto de la decoración es en mosaico. En la primera zona de la decoración musiva se desarrolla, a todo lo largo, una gran escena de caza de ciervos y jabalíes, en la que participa el dueño de la villa. La zona superior a esta primera está ocupada por escenas bíblicas, como la de Daniel entre los leones, Jonás, los tres hebreos en el horno de Babilonia, etc. Sigue hacia arriba otra zona: representaciones de las cuatro estaciones separan otros cuatro paneles muy mal conservados, con una sucesión de representaciones ciertamente relacionadas entre sí, todas ellas formadas por grupos de personas en acti-

---

[72] J. FONTAINE (o.c., p.584) considera estos consejos como «textos fundamentales que bosquejan una especie de método espiritual para uso de latifundistas».

tud solemne que rodean a un personaje sentado en alta cátedra. Desgraciadamente, apenas quedan unas teselas del tondo central de la cúpula, con restos de algunas cabezas.

La púrpura de los trajes de los personajes de las escenas citadas hace pensar a H. Schlunk que el personaje principal aquí representado y sepultado pueda ser el emperador Constante [73].

En el proceso de asimilación-enculturación hay diversidad de grados, como es natural. Es diferente el grado de asimilación cristiana de Ausonio del grado de asimilación de Paulino. Y en el mismo Paulino, como en cualquier otro, va habiendo diversos grados a medida que el tiempo y la dedicación le va haciendo avanzar en el camino. Unicamente no hay grados cuando no hay verdadera enculturación, y, por consiguiente, tampoco auténtica encarnación del cristianismo. Y esto puede suceder lo mismo por un exceso de espiritualismo o angelismo como por un exceso de naturalismo o materialismo. Este último pudo acabar en la práctica con el cristianismo de no pocos ricos propietarios agrícolas, que, aunque oficialmente se acomodaban a la religión oficial de fines del siglo IV, no habían llegado a penetrar el nuevo espíritu del Evangelio y se contentaban con su propia cultura; a veces, con lo mejor de su propia cultura, la del *modus in rebus* y de la paz bucólica. Este podría ser el caso de los propietarios de algunas de esas villas romanas de los siglos IV-V, en cuyos mosaicos pavimentales las escenas o las figuras mitológicas nada revelan de su condición de cristianos, que ni siquiera se hubiese sospechado, a no ser que la aparición solitaria de un crismón no hubiese planteado a los arqueólogos la posibilidad, al menos, de ella [74]. Ante la abundancia de temas profanos y aun mitológicos que decoraban las villas, los monumentos y aun algún cementerio romano, como el de la vía Latina, se suele concluir o una vigencia quizás exagerada del paganismo en fechas muy avanzadas, o una tendencia sincretista, si aparecen juntamente símbolos o escenas cristianas, o también una intención criptocristiana en las mismas representaciones clásicas, a las que se daría un sentido nuevo de acuerdo con la nueva fe. Sin negar la posibilidad de ninguna de estas hipótesis para algunos casos, conviene tener en cuenta, además, cuanto venimos diciendo sobre la enculturación progresiva del cristianismo. Los temas clásicos eran la expresión lógica y espontánea del acervo cultural, del cual habían vivido y seguían viviendo los cristianos romanos cultos. En muchos casos no parece que sea necesario tratar de buscarles ningún sentido nuevo más o menos oculto: expresaban con ellos las mismas ideas helenístico-romanas sobre el sentido de la sabiduría, sobre la vida honesta, sobre el valor, sobre la perduración después de la muerte, sobre los temores del *interim,* etc.

Dijimos que la auténtica encarnación del cristianismo puede quedar

---

[73] Véase la bibliografía citada en el c.4. Cf. A. GRABAR, *Programmes iconographiques à l'usage des propriétaires des latifundia romains:* CahArch 12 (1962) 394; K. S. PAINTER, *Villas and Christianity in Roman Britain:* BritMusQuat 35 (1971) 156-75.

[74] En Villa Fortunatus, junto a Fraga (Huesca), y en Villa del Prado (Valladolid).

frustrada lo mismo por exceso de materialismo que de espiritualismo o angelismo. Es posible que ambos extremos se diesen en Hispania a fines del siglo IV, y posteriormente, en el amplio movimiento conocido por priscilianismo, del que ya nos hemos ocupado. En algunos de los adscritos a este movimiento pudo acentuarse, sobre todo, la reacción social ante la cómoda espiritualidad de los latifundistas, y, al buscar con razón las consecuencias prácticas de un cristianismo menos conformista, terminar tratando de convertir a éste en una mera fórmula y, a veces, mero pretexto para una mejora de la condición social. Pero el priscilianismo, sobre todo en sus primeros tiempos, parece que puso en peligro la encarnación del cristianismo principalmente a causa de su angelismo, de su espiritualismo exagerado, de su radicalismo ascético, que pretendía prescindir —al menos en teoría— de nuestra condición humana y menospreciaba los valores culturales y los bienes de la naturaleza, fascinados, sobre todo, por la expectación engañosa de un próximo o inminente final del mundo.

Lucinio y Teodora

Antes de dar por terminado este párrafo dedicado a los ascetas hispanos, es necesario hacer mención de un matrimonio bético, el de Lucinio y Teodora, que también se entregó a la práctica de la vida ascética en la misma época que ahora nos ocupa.

Se conservan dos cartas de San Jerónimo, una dirigida a Lucinio [75] y otra a su viuda Teodora [76]. En esta última, San Jerónimo hace el elogio de su amigo difunto: dio todos sus bienes a los pobres, y no se contentó con favorecer con sus dones a su patria, sino que envió a la iglesia de Jerusalén y a la de Alejandría oro suficiente como para socorrer a muchos necesitados [77]. Para San Jerónimo —y se comprende, dadas sus inclinaciones y trabajos—, si esta generosidad y desprendimiento de Lucinio era laudable, lo era mucho más su favor e interés por las sagradas Escrituras. Lucinio llegó a enviar seis amanuenses a Belén para que copiasen las obras de San Jerónimo y había concebido el propósito de viajar a Tierra Santa. De los amanuenses había hablado ya San Jerónimo en su carta a Lucinio: les había entregado sus escritos para que los copiasen y los había visto ya copiados. Había tenido que indicarles con frecuencia que confiriesen con el original con más diligencia y enmendasen sus errores de copia. No los había podido releer al final, por lo cual escribía a Lucinio que, si algo no se entendía bien o andaba errado, que no se lo atribuyese a él, sino a la impericia y al descuido de los copistas [78].

---

[75] La epíst.71, escrita en el año 398.
[76] La epíst.75, hacia el año 399.
[77] Es digna de notarse esta donación de bienes a la propia iglesia y a las de Jerusalén y Alejandría.
[78] JERÓNIMO, *Epist.* 71,5: ML 22,671.

Lucinio es, pues, el primero en introducir en nuestra Península la traducción latina de la Biblia de San Jerónimo, la Vulgata; o, mejor dicho,de la parte de ésta que ya tenía realizada San Jerónimo en el año 398 [79].

Algunos rasgos de la vida ascética de Lucinio y Teodora nos son conocidos por estas cartas de San Jerónimo; dice a Lucinio: «Tienes contigo a una compañera en el espíritu, que antes lo era en la carne; convertida ahora, de cónyuge, en hermana; de mujer, en hombre; de sometida, en igual; bajo el mismo yugo corre juntamente al reino del cielo» [80].

Además de la práctica de la continencia, de la renuncia a sus bienes y de la entrega entusiasta a la lectura de las Escrituras, se ejercitaban en ayunos y otras penitencias corporales, como, p.ej., el uso de cilicios. San Jerónimo les envió de regalo cuatro cilicios «aptos para vuestro propósito y vuestras costumbres» [81].

Habían consultado a San Jerónimo si debían ayunar los sábados [82] y si convenía comulgar todos los días, «como era costumbre en la iglesia romana y en la de Hispania». San Jerónimo les responde que «se deben observar las tradiciones eclesiásticas como las han transmitido los mayores». Tanto ayunar como recibir la eucaristía es bueno, y ojalá se pueda hacer siempre... «Pero que cada provincia abunde en su sentido e interpreten las leyes apostólicas según los preceptos de los mayores» [83].

En sus consejos a Lucinio, San Jerónimo le aclara el verdadero sentido de la renuncia a las riquezas, por la cual se acumula en el cielo el verdadero tesoro, que podrá gozar quien, además de ofrecer sus bienes, se ofrece a sí mismo a Dios, porque «Dios desea más las almas de los creyentes que sus riquezas» [84].

MATRIMONIO

Los esponsales que precedían al matrimonio propiamente dicho siguieron reforzándose entre los cristianos [85], hasta el punto de llegar a adquirir una consistencia equiparable a la del mismo matrimonio. Himerio de Tarragona había consultado a Roma «si un varón podía recibir en matrimonio a una joven ya desposada con otro». La respuesta de Siricio es tajante: «Prohibimos absolutamente que se haga, a causa de la bendición que el sacerdote impone a la futura esposa [86]. Para los fieles,

[79] Cf. A. VACCARI, *La prima Biblia completa*; Z. GARCÍA VILLADA, *HistEclEsp* II-2 (Madrid 1933) p.101-05.
[80] JERÓNIMO, *Epist.* 71,3: ML 22,670.
[81] JERÓNIMO, *Epist.* 71,7: ML 22,672.
[82] El canon 26 del concilio de Granada había dispuesto que se ayunase los sábados. A fines del siglo IV todavía se dudaba sobre este tema.
[83] JERÓNIMO, *Epist.* 71,6: ML 22,672.
[84] JERÓNIMO, *Epist.* 71,4: ML 22,671. Cf. J. FONTAINE, *Le distique du chrismon de Quiroga* p.574.
[85] Véase lo dicho al tratar del concilio de Granada, c.3.
[86] La bendición no se daba entonces haciendo la señal de la cruz, sino imponiendo las manos sobre la cabeza.

violar con cualquier transgresión esta bendición es como un sacrilegio» [87].

A primera vista puede llamar la atención la disposición del canon 17 del concilio de Toledo I. Dice así: «Si un fiel casado tuviese además una concubina, que se abstenga de la comunión. Por lo demás, el que no tenga esposa y en vez de ésta tenga una concubina, no sea apartado de la comunión. Solamente se exige que se contente con tener una sola mujer, esposa o concubina, como mejor le parezca. El que vive de otra manera, sea apartado hasta que cese y se convierta por la penitencia» [88].

De las mismas palabras del concilio se deduce que esposa o concubina son términos en gran parte equivalentes. Ya lo hemos recordado más arriba al hablar del matrimonio romano[89]. El concepto de concubina no es claramente unívoco en la antigüedad, y por eso tampoco tiene siempre el mismo sentido la actitud cristiana ante él. No cabe duda, sin embargo, de que una de sus acepciones, que es la que aquí subyace, es la de un matrimonio de segundo rango; matrimonio verdadero, porque lleva consigo la monogamia y la estabilidad; de segundo rango, en el sentido que no alcanza el honor del matrimonio ni incluye la obligación de dote por parte de la concubina, aunque no connote, como sería el caso en la actualidad, una situación transitoria, anómala y denigrante [90].

A lo largo del siglo IV, doctrinas rigoristas atacaron, más o menos radicalmente, la santidad del matrimonio, en beneficio de una ascética exagerada, basada en tendencias dualísticas que condenaban la materia. Recuérdese lo dicho a propósito del priscilianismo. Entre los errores que el concilio de Toledo I condena con anatema está el siguiente: «Si alguno dijese o creyese que los matrimonios lícitos según la ley divina son execrables, sea anatema» [91]. Por lo demás, la existencia de estos errores en Hispania está atestiguada también por Filastro [92].

La «Vida de Santa Helia»

Existe un documento, la *Vida de Santa Helia,* que presenta también una tendencia, si no abiertamente antimatrimonial, sí suficientemente inclinada al encratismo como para que haya podido parecer a Z. García Villada un escrito posiblemente procedente de ambiente priscilianista [93].

Aunque se supone en la *Vida* que Santa Helia nació en Dirracium (Durazzo, en Albania), los únicos códices conservados son de origen hispano, razón también para pensar que la leyenda se creó en España. Posiblemente se trata de una nueva ficción literaria que puede proceder de un círculo no necesariamente priscilianista, ni siquiera hetero-

---

[87] Siricio, *Epist. a Himerio* IV: ML 56,556-57.
[88] J. Vives, *Concilios* p.24.
[89] Cf. c.1.
[90] Cf. J. Gaudemet, *L'Église dans l'empire romain* p.538-39. Véase asimismo, A. Mostaza, *La Iglesia española y el concubinato.*
[91] J. Vives, *Concilios* p.28.
[92] Filastro, *Div. haer. lib.* 33 y 56: CSEL 38 p.32 y 45-46.
[93] Z. García Villada, *La «Vida de Santa Helia».*

doxo, aunque sí ascético-rigorista en todo caso, en el que la virginidad se sobrevalora a expensas del matrimonio. Por lo demás, es un documento extraño, de cuya época exacta poco sabemos, y menos aún de su posible autor [94].

PACIANO DE BARCELONA

En el siglo IV, para la penitencia tenemos un testimonio histórico importante en Paciano de Barcelona. Es un testimonio amplio, porque cuatro de sus escritos se refieren al tema de la penitencia. También contribuye a comprender su sentido y su ambiente la misma persona del obispo, su actitud y su manera de concebirla.

Aunque Paciano apenas hizo alusión en sus escritos a su propia vida, éstos nos permiten deducir algunos rasgos fundamentales de su personalidad y, sobre todo, de su acción pastoral como obispo. Este último aspecto merece especial atención; Paciano es un ejemplo vivo del papel del obispo en la comunidad cristiana de fines del siglo IV. Veamos primeramente algunos escasos datos de su vida.

«Paciano, obispo de Barcelona, en la cordillera de los Pirineos, ilustre en castidad, elocuencia, en su vida y en sus discursos, entre ellos *El ciervo*, y contra los novacianos. Murió, en tiempos de Teodosio, muy anciano» [95].

Puesto que Teodosio comenzó a reinar en el 379 y San Jerónimo escribía las palabras transcritas en el 392, entre esas dos fechas hay que colocar la muerte de Paciano. Se ha intentado repetidas veces precisar más la fecha, pero sin resultado alguno, porque faltan datos en que apoyarse [96]. Si antes del 392 Paciano moría *ultima senectute,* debe suponerse que había nacido por lo menos muy al principio del siglo IV.

Su buena formación literaria, alabada por San Jerónimo en su elocuencia, queda patente en sus escritos conservados, en los cuales es manifiesto el influjo de autores clásicos como Virgilio, Ovidio, Lucrecio, Horacio y Cicerón. Paciano dice expresamente que conocía a Virgilio desde niño [97]. Todo esto significa que debió de pertenecer a una familia bien acomodada, lo cual se confirma por cuanto sabemos de su hijo *Dexter,* amigo de San Jerónimo, el cual escribió su *De viris illustribus* movido por sus ruegos [98]. «Dextro, hijo de Paciano, del que ya he hablado más arriba, fue ilustre en el siglo y profesó la fe de Cristo; se dice que me dedicó una *historia universal,* que todavía no he leído» [99].

Ilustre en el siglo lo fue Dextro sin duda; entre otras razones, por-

[94] Cf. G. ANTOLÍN, *Estudios de códices visigodos.* Propone como conjetura que el autor sea Pascasio, discípulo de San Martín de Braga. Véase asimismo, B. DE GAIFFIER: AnBol 62 (1944) 281-83 y 63 (1945) 48-55.
[95] JERÓNIMO, *De vir. ill.* 106: ML 23,742.
[96] Cf. L. RUBIO, *San Paciano. Obras* p.14.
[97] PACIANO, *Epist.* 2,4: ed. L. Rubio, p.68.
[98] JERÓNIMO, *De vir. ill.* pról.: ML 23,631.
[99] JERÓNIMO, *De vir. ill.* 132: ML 23,755.

que llegó a ocupar el puesto de *praefectus pretorio*. El mismo San Jerónimo lo atestigua: «Hace aproximadamente diez años, cuando mi amigo Dextro, que rigió la prefectura del pretorio, me rogó que compusiese un índice de autores de nuestra religión...» [100]

Sabemos que en el año 343-44, fecha del concilio de Sárdica, Pretextato era obispo de Barcelona, y como tal asistía a dicho concilio. El episcopado de Paciano debió de comenzar, por tanto, después de ese año lo más pronto, no sabemos cuántos años después. Su inmediato sucesor debió de ser Lampio, obispo de Barcelona al menos en el año 394, fecha probable de la ordenación como presbítero de San Paulino de Nola [101] y participante en el concilio de Toledo I, del año 400.

El culto de Paciano

Aun en escritos recientes, al tratar del tema del culto a Paciano de Barcelona, se llega a afirmar que «el culto de San Paciano se halla bien atestiguado desde antiguo». En realidad no existe ningún testimonio antiguo válido de su culto. Su primera mención aparece en el día 9 de marzo, en el martirologio de Adón, martirologio de la segunda mitad del siglo IX. Tanta distancia temporal sería ya suficiente para no conceder valor histórico al testimonio. Pero además, desde los estudios de H. Quentin sobre los «martirologios históricos», es cosa sabida que Adón fue un refinado falsario, que no solamente incorporó nuevas menciones de supuestos santos tomadas de fuentes literarias que en ningún modo eran testimonios de culto, sino que además, para justificar sus adiciones y cambios, publicó un supuesto martirologio romano antiguo —el célebre *Parvum romanum,* que tanto preocupó a los hagiógrafos—, pura invención suya, compuesto por él después del 848 a base de la recensión ET del martirologio de Floro, al que añadió nuevos nombres tomados de las Escrituras y de varios autores, entre ellos de San Jerónimo, de cuyo texto citado tomó la mención de Paciano [102]. De Adón pasó a Usuardo, y de Usuardo al *Martirologio romano,* sin que estas dos transcripciones, como es lógico, contribuyan en nada a mejorar el nulo valor de la primera noticia.

Es habitual en estos casos que la pura noticia histórica sobre un personaje importante en la Iglesia, una vez convertida en mención de culto litúrgico, en este caso por Adón, se repita y extienda y lleve consigo la localización de las reliquias y su consiguiente culto. En la iglesia barcelonesa de San Justo y Pastor se examinaron en 1593 unos restos humanos contenidos en un arca, que, «según una antigua tradición», eran los del obispo Paciano. El examen no aportó ningún dato concreto; ulteriores exámenes tampoco pudieron llegar a conclusiones positivas. En

---

[100] JERÓNIMO, *Apol. adv. Rufinum* 2,23: ML 23,407. No es totalmente seguro que se trate del mismo Dextro, pero es muy probable.

[101] Cf. P. FABRE, *Essai sur la chronologie de l'oeuvre de Saint Paulin de Nole* p.10 y 22-23.

[102] Cf. H. QUENTIN, *Les martyrologes historiques* (París 1908) p.409-675. Ver sobre Paciano p.455.462 y 623.

1600, el obispo Alfonso Coloma elevó la festividad de San Paciano a fiesta de precepto [103].

Aunque sea moralmente cierto que Paciano no tuvo culto en la antigüedad, si hemos de juzgarlo por sus escritos, transparentes como pocos por su sinceridad y nobleza, es ciertamente uno de los personajes eclesiásticos de Hispania más claramente merecedores de veneración y con los mismos títulos, al menos, que otros muchos de la Iglesia universal, hoy normalmente llamados santos.

El obispo de la comunidad cristiana

Se han conservado varias de sus obras: tres cartas al novaciano Simproniano, una exhortación a la penitencia y un sermón o tratado sobre el bautismo. Otras obras se le han querido atribuir por G. Morin, pero sin éxito [104].

La sencillez y naturalidad de Paciano es patente en toda su obra. Expresamente declara que «prefiere pasar por ignorante antes que por malicioso; prefiere que lo tengan por tonto antes que por astuto» [105].

Su sermón sobre la penitencia y sus tres cartas al novaciano Simproniano son otros tantos argumentos que muestran su celo apostólico, que le impulsa a persuadir el bien a sus oyentes o destinatarios y a tratar de que su palabra fuese realmente de persuasión, no de constricción ni de ira. Está convencido de que «no se puede convencer al que no se deja», ni «se puede persuadir la verdad al que no la quiere aceptar libremente» [106].

En alguna ocasión, Paciano había experimentado personalmente la ineficacia de sus exhortaciones. Sin ira y con fino sentido del humor, comenta su propio fracaso a propósito de las fiestas de primeros de año, en las que solían organizarse estruendosos carnavales con disfraces de animales, que llevaban consigo, al parecer, la imitación de éstos en todas sus manifestaciones. Todo un tratado o sermón dedicó Paciano a combatir tales prácticas, indignas de un cristiano. Es ésta precisamente la única obra suya que menciona San Jerónimo por su título: *El ciervo*. Desgraciadamente, no se nos ha conservado. Pero he aquí lo que dice su autor sobre el éxito obtenido con ella: «Me parece que mi reciente *Ciervo* ha servido para celebrar con mayor entusiasmo lo que con más interés se desaconsejaba. Todas mis invectivas contra esas malas costumbres parece que, en vez de contenerlas, han servido para enseñar la lujuria. ¡Pobre de mí! ¿Qué he hecho? Desde luego, da la impresión de que no sabían hacer el ciervo hasta que yo se lo he enseñado con mis reprimendas» [107].

Paciano es consciente de que el obispo está obligado a dominar su

---

[103] Cf. L. Rubio, o.c., p.23-25.
[104] Véase la Bibliografía.
[105] Paciano, *Epist.* 2,1: p.64.
[106] *Epist.* 1,2: p.50-52.
[107] *Paraen. ad paen.* I: p.136. Véase asimismo, Cesáreo de Arlés, *Serm.* 193: CorpChr 104 p.783-86.

ira y su amargura. La humildad y la suavidad deben estar siempre presentes en sus exhortaciones [108]. Simproniano insinúa que también los católicos eran conocidos por diversos nombres despectivos. En concreto escribía que a los fieles de San Cipriano se les llamaba «apostólicos», «capitolinos» y «sindreos». Paciano responde que jamás había oído tales nombres, que además no eran verdaderos nombres, sino apodos inventados por gente irritada e insolente. Y, conteniendo con dificultad su propia irritación, concluye: «¡Cuántos apodos os podría poner yo si pudiese dejarme llevar del mal humor!» [109]

El novaciano Simproniano, con rasgo característico de toda secta rigorista y pretendidamente puritana, se había mostrado escandalizado porque Paciano usaba en su lenguaje expresiones tomadas del acervo clásico de su cultura; en concreto, de Virgilio. Paciano le responde: «Desde pequeño lo estudié: ¿qué tiene de extraño que me saliese espontáneamente lo que sabía?... Si acusas de hablar latín al que se ha educado en latín, tendrás que acusar también al griego de hablar en griego, al parto de hablar en parto, al púnico en púnico. Medos, egipcios, hebreos, tienen cada uno su lengua, según se la dio el Señor cuando moduló el lenguaje en setenta idiomas. ¿Qué pasa porque un obispo cite versos de poetas? ¿Acaso el apóstol Pablo se avergüenza de citar y aceptar aquel verso ateniense...? El Lacio, el Egipto, Atenas, los tracios, los árabes, los hispanos, confiesan a Dios: el Espíritu Santo entiende todas las lenguas» [110].

Paciano era un gran conocedor de las sagradas Escrituras [111]. En sus pocas obras conservadas, U. Domínguez del Val ha podido comprobar la presencia de 298 citas. También es notable su conocimiento de la literatura cristiana. Sobre todo conoce bien y usa con frecuencia a Tertuliano y San Cipriano.

Para Paciano, el obispo es un hermano de los fieles [112] que al mismo tiempo es colaborador de Dios, en cuyo nombre actúa, por ser el continuador de los apóstoles [113]. El obispo posee potestad proveniente de la potestad apostólica: «el bautismo, la confirmación, la remisión de los pecados capitales, la renovación del hombre, no son una concesión hecha a la santa potestad del obispo; nada de esto lo ha usurpado por su cuenta: todo proviene del derecho concedido a los apóstoles» [114].

Tal es la importancia del obispo, que sin su intervención es imposible que una comunidad pueda poseer el Espíritu que la constituye en comunidad cristiana: «¿De dónde ha podido venirle el Espíritu a vuestra

---

[108] *Epist.* 2,2: p.66.
[109] *Epist.* 2,3: p.66.
[110] *Epist.* 2,4: p.68-70. Cf. S. Costanza, *La polemica de Paciano e Simproniano:* VetChrist 15 (1978) 44-50.
[111] J. Vilar (*Les citations bibliques*) y U. Domínguez del Val (*La teología de San Paciano*) demuestran que era gran conocedor.
[112] *Paraen.* II: p.138.
[113] *Epist.* 3,7: p.94.
[114] *Epist.* 1,7: p.62.

comunidad —dice a los novacianos—, si no la ha confirmado un obispo consagrado?» [115]

Cristianismo y catolicismo

Aprueba y hace suya Paciano la definición de la Iglesia que le ha dado Simproniano: «La Iglesia es un pueblo renacido del agua y del Espíritu Santo que no niega el nombre de Cristo, templo y don de Dios, 'columna y fundamento de la verdad', virgen santa de castísimos sentidos, esposa de Cristo, 'formada de sus huesos y de su carne', 'sin mancha ni arruga', defensora de la justicia íntegra del Evangelio» [116]. Insiste en esta concepción mística de la Iglesia cuando afirma que «donde hay uno o dos fieles, allí está la Iglesia; y donde está la Iglesia, está Cristo» [117]. El obispo, por tanto, es solamente un medio, un instrumento de la gracia de Dios; aunque un instrumento indispensable, como ya dejó señalado. Para asegurar la comunión universal, el obispo solamente es tal cuando «es creado obispo por otros obispos y es consagrado según el derecho ordinario para ocupar una sede vacante en la Iglesia» [118].

Primeramente, los cristianos formaban todos la Iglesia. Pero, al surgir las herejías y las separaciones, la grey apostólica necesitaba, además, un apellido que la distinguiese en su unidad de pueblo incorrupto, un apelativo propio que designase a la cabeza principal. Este apelativo es el de católico [119]. «Mi nombre es cristiano, mi apellido es católico»; es frase de Paciano que se ha hecho célebre [120]. «Católico significa unidad en todas partes, o, como dicen los doctores, obediencia a todos los mandamientos de Dios» [121]. Un ejemplo de esta comunión universal o católica fue la de «tantos obispos esparcidos por todo el orbe, unidos sólidamente en paz con Cipriano» [122].

Probablemente, cuando Paciano escribía estas palabras, el emperador Teodosio había promulgado ya su famoso decreto del 28 de febrero del año 380, con el que apoyaba exclusivamente a los ortodoxos; los únicos a los que permitía usar el nombre de *cristianos católicos*. A estas circunstancias y a otras disposiciones imperiales había aludido Simproniano «imputando a los católicos el que reyes y emperadores los hubiesen perseguido» [123]. Paciano se defiende de esta acusación en términos más bien ingenuos: las acciones tomadas por los emperadores —dice— no obedecen a quejas o solicitaciones de la Iglesia católica; son

[115] *Epist.* 3,3: p.84.
[116] *Epist.* 3,2: p.82.
[117] *Paraen.* VIII; p.150.
[118] *Epist.* 3,1: p.80.
[119] *Epist.* 1,3: p.52.
[120] *Epist.* 1,4: p.54. Cf. A. ANGLADA, *«Christiano mihi nomen est».*
[121] *Epist.* 1,4: p.54.
[122] Ibid. U. Domínguez del Val *(La teología de San Paciano* p.9-20; ID., *Doctrina eclesiológica de San Paciano* p.83-90) fuerza la doctrina eclesiológica de Paciano cuando pretende ver en ella una clara exposición del primado de Roma.
[123] L. Rubio (o.c., p.15-16) opina también que las tres cartas a Simproniano son posteriores al decreto de Teodosio.

los mismos príncipes los que, al ser católicos, actuaron movidos por sus propios sentimientos. Su actitud personal sigue siendo clara; en tono de auténtica sinceridad confiesa: «Lo que es yo, nunca he ido a quejarme de nadie, de nadie me he vengado. Y no creo que sea porque los novacianos me lo pudiesen impedir; si quisiera, son tan pocos, que me sería fácil triunfar sobre ellos». Y a Simproniano puede decirle: «Ahí tienes a tu comunidad; nadie la acusa ante el emperador, y, sin embargo, estás completamente solo» [124]. Al mismo tiempo que subraya la insignificancia del grupo novaciano en su región, Paciano testifica sobre la gran extensión del cristianismo católico en su iglesia: «Calcula —dice—, si puedes, la muchedumbre de los católicos; cuenta los enjambres de nuestro pueblo. Y no solamente los que hay en el mundo entero, por todas as regiones, sino estos que están junto a ti, en las comarcas colindantes y en la ciudad vecina. Fíjate cuántos de los nuestros ves, entre cuántos de los míos te encuentras aislado» [125].

La penitencia en Paciano

Gracias a la redención de Cristo y por medio del bautismo —explica Paciano—, ya no estamos sometidos a la antigua ley, en la que todo se castigaba, incluso los mínimos pecados. Ahora, el cristiano ve limitada su libertad sólo por pocas cosas, necesarias y bien fáciles de observar. Paciano quiere dejar bien clara la distinción entre crímenes y pecados [126]. Los pecados solamente estropean el alma, y se perdonan y curan compensándolos con buenas obras. Los crímenes, en cambio, matan al alma y no tienen compensación posible; su único remedio es la penitencia [127].

¿Cuáles son los crímenes o pecados mayores que solamente pueden remediarse con la penitencia? Sabemos que en la Iglesia antigua se consideraban como tales solamente tres grandes pecados: la idolatría, el homicidio y la fornicación. Ampliando el concepto expuesto anteriormente sobre los otros pecados que pueden borrarse compensándolos con buenas obras, Paciano enumera éstas: «La dureza de carácter se redime con el sentido humano; el insulto puede quedar compensado con la satisfacción; la tristeza, con la alegría; la aspereza, con la suavidad; la ligereza, con la seriedad; la perversidad, con la honradez». A continuación, refiriéndose a los tres crímenes, se pregunta: «Pero ¿qué podrá hacer el que desprecia a Dios? ¿Que hará el homicida? ¿Qué remedio puede poner el fornicador? ¿Acaso podrá aplacar al Señor el que lo abandona, o podrá conservar su propia sangre el que vierte la ajena, o restaurar el templo de Dios el que lo violó fornicando? Estos son los pecados capitales, hermanos; éstos son los mortales» [128].

Este razonamiento con el que explica la diferencia fundamental exis-

---

[124] *Epist.* 2,5: p.70-72.
[125] *Epist.* 3,25: p.130.
[126] *Paraen.* III: p.138.
[127] *Paraen.* IV: p.142.
[128] Ibid.

tente entre los tres «crímenes» y el resto de los pecados, resulta más convincente que el fundamento bíblico tradicional de donde pretende deducirla, y que no es sino la conclusión del decreto del llamado concilio de Jerusalén: «Hemos decidido, el Espíritu Santo y nosotros, no imponeros más cargas que las indispensables: abstenerse de carne sacrificada a los ídolos [aquí supone condenada la idolatría], de sangre [el homicidio] y de uniones ilegales [fornicación]. Esta es la conclusión total del Nuevo Testamento».

El perdón general, que borra «crímenes» y pecados, está al alcance de todos por ese don de Dios, regalo gratuito, que es el bautismo, «sacramento de la pasión del Señor». El problema se plantea únicamente para aquellos que, después de haber quedado totalmente limpios y reconciliados por el bautismo, caen en alguno de los tres «crímenes» y desean levantarse de nuevo. Para convalecer de esas heridas mortales se requiere confesar la culpa y someterse a la disciplina de la penitencia [129].

Paciano se queja de que sus cristianos pecadores no observan ya ni siquiera lo que antes era común: «llorar ante la comunidad, lamentar la vida perdida vistiendo andrajos, ayunar, orar, postrarse, renunciar a las delicias del baño si alguien le invitase, y, si alguien lo invita, responderle: 'Eso, para los felices; yo he pecado contra el Señor, y estoy en peligro de perecer para toda la eternidad; ¿qué banquetes para mí, que he ofendido al Señor?' Tomar las manos de los pobres, pedir la mediación de las viudas, postrarse ante los presbíteros, implorar la intercesión de la Iglesia, tentarlo todo antes que perecer» [130].

Confesar el crimen y entrar en la categoría de los penitentes era, ciertamente, un paso difícil, humillante y duro. Se requería eso solamente en caso de haber cometido uno de los tres «crímenes»: idolatría, homicidio o fornicación. Pero suponía reconocer en público el pecado y vivir como pecador: vestido de penitente, ayunando, privado de toda clase de lujos y diversiones, solicitando con insistencia las oraciones de los fieles [131]. Paciano, para convencerlos de que confesasen su crimen y se sometiesen a la penitencia, les recuerda que «en los infiernos no hay confesión ni penitencia, porque ya se ha acabado el tiempo del arrepentimiento...; comparad con las dificultades de la penitencia las manos eternas que atormentan y las llamas de fuego que nunca mueren» [132]. A los que se retraen de confesar sus crímenes y declararse pecadores les dice: «A vosotros os llamo en primer lugar, hermanos, los que habéis cometido el crimen y rehusáis la penitencia. Vosotros, tímidos después de haber sido osados, avergonzados después de pecar. No os avergonzasteis de pecar y ahora os avergonzáis de confesarlo. Tocáis las cosas santas de Dios con mala conciencia y no respetáis el altar del Señor; comparecéis ante el sacerdote y en la presencia de los ángeles con apa-

---

[129] *Epist.* 3,8: p.94.
[130] *Paraen.* X: p.154.
[131] *Paraen.* XII: p.158.
[132] Ibid.

riencia inocente; insultáis la divina paciencia; presentáis a Dios, que se calla como si nada supiese, un alma corrompida y un cuerpo profanado» [133].

No es suficiente confesar el pecado. Algunos lo hacían sin decidirse a someterse, además, a los rigores de la penitencia. Al menos se comportaban de un modo que se consideraba incompatible con su situación y estado de penitentes: «¿Qué decís, penitentes? ¿Dónde está vuestra mortificación? ¿Hacéis penitencia andando cada vez más compuestos, hartos de banquetes, acicalados con baños, elegantemente vestidos?...» [134].

La actitud del que reconoce su crimen, pero no quiere someterse a la penitencia, es tan necia como la del enfermo que rehúsa ajustarse a las prescripciones de los médicos porque le desagradan las medicinas o le asusta la intervención quirúrgica [135].

El obispo de Barcelona, al mismo tiempo que exhortaba a la penitencia a los cristianos católicos, quienes la consideraban como la única posibilidad de reconciliación, pero se mostraban remisos ante sus duras condiciones, tuvo que combatir en favor de la penitencia en otro campo de batalla totalmente distinto: el de los novacianos, la secta rigorista que negaba toda posibilidad de reconciliación con la Iglesia a los que hubiesen caído después del bautismo en alguno de los tres «crímenes».

Paciano pregunta al novaciano Simproniano: «Responde, hermano: puede el diablo subyugar a los servidores de Dios, ¿y no puede Cristo absolverlos?» A continuación, para confirmar la posibilidad de reconciliación, recuerda el ejemplo de San Pedro: «Lloró amarguísimamente. ¿No quieres que haga el fiel lo que hizo Pedro? ¿No quieres que nos aproveche a nosotros lo que aprovechó a Pedro?...» [136]

Al caso de San Pedro había aludido el mismo Simproniano. Debía de ser un paradigma del pecado, del arrepentimiento y del perdón, frecuente en el ambiente católico, que, a fines del siglo III y a principios del IV, confesaba su confianza en la penitencia, en contra de las minorías rigoristas, que se oponían, sobre todo, a la readmisión de los que habían claudicado en las persecuciones. En el repertorio de la iconografía paleocristiana, la representación gráfica de este argumento bíblico se nos ha conservado en una escena muy frecuente en la escultura funeraria. En muchos sarcófagos de todo el siglo IV —en no pocos de los hallados en España, importados desde Roma— se ve la figura de Cristo que habla a San Pedro, al que tiene al lado, mientras que a los pies, entre ambas figuras, se encuentra un gallo. San Pedro oye al Señor y lleva su mano al mentón, gesto expresivo de confusión y reflexión; o en algunos otros casos señala hacia el gallo. La escena no es, ciertamente, la mera predicción de sus negaciones; si así fuese, no se representaría a San Pedro confundido y pensativo. La escena es exactamente el argu-

---

[133] *Paraen.* VI: p.144.
[134] *Paraen.* X: p.152.
[135] *Paraen.* IX: p.150.
[136] *Epist.* 3,10: p.100.

mento expuesto por Paciano: también San Pedro negó a Cristo; pero se arrepintió, y fue perdonado y restablecido en su puesto [137].

Concede Paciano que mejor sería que la penitencia no fuese necesaria. «Dios haga que nadie caiga en la fosa de la muerte después del auxilio de la fuente sagrada» [138]. Pero, «si el mismo Señor lo ha concedido a los suyos, si el mismo que da el premio a los que se mantienen fieles concede remedio a los que caen», no se puede rechazar la posibilidad del perdón; eso sería «acusar a la piedad divina, raer con rigor tantos títulos de la divina clemencia, prohibir con inconmovible dureza los bienes gratuitos del Señor». Objetaba Simproniano que solamente Dios podría perdonar. «Es verdad —le responde—; pero lo que hace por medio de sus sacerdotes es propia potestad» [139]. Los apóstoles podían perdonar, puesto que a ellos les dice Cristo: «Lo que atéis en la tierra, atado quedará en el cielo. Lo que desatéis en la tierra, desatado quedará en el cielo». Si los apóstoles podían, también pueden los obispos. Por ser sus sucesores, los obispos pueden bautizar, dar el Espíritu Santo; luego también reconciliar a los pecadores: «O todo nos proviene de la forma y potestad de los apóstoles, o tampoco se nos han concedido esos otros poderes... Nosotros levantamos el edificio cuyos fundamentos puso la doctrina de los apóstoles» [140]. El perdón del penitente lo obtiene éste de Dios por medio de la Iglesia. En diversas ocasiones repite Paciano que la oración de los fieles es parte de la penitencia. Así, p.ej., dice: «El que no calla sus pecados a los hermanos ayudado por las lágrimas de la Iglesia, queda absuelto por las oraciones de Cristo« [141].

Para los novacianos, la mera existencia de la posibilidad del perdón era como una incitación al pecado. Paciano rechaza la objeción y advierte que «este perdón de la penitencia no se da a todos indistintamente, ni se facilita antes que pueda interpretarse que así lo quiere Dios, a menos que se presente la urgencia de algún grave contratiempo. Con mucha ponderación, con mucho equilibrio, después de muchos gemidos y efusión de lágrimas, tras largas preces de toda la Iglesia, se decide no negar el perdón de la penitencia sincera, de tal manera que nadie anticipe el juicio de Cristo que ha de juzgar» [142].

Para Paciano, la penitencia no parece que sea irrepetible, como lo era, en general, en la antigüedad. Simproniano le había escrito: «Si Dios manda al hombre que se arrepienta muchas veces, entonces permite también pecar muchas veces». Paciano no le responde que no existe ese «muchas veces», porque la penitencia se concede una sola vez. Refuta simplemente su objeción, diciéndole que el médico cura con frecuencia, y no por eso enseña a herirse repetidamente. Le dice también que tampoco quiere Dios ni siquiera que peque el hombre una sola vez, y, sin

[137] Cf. M. Sotomayor, *San Pedro en la iconografía paleocristiana* (Granada 1962) p.34-55.
[138] *Epist.* 1,5: p.56.
[139] *Epist.* 1,6: p.60.
[140] Ibid.
[141] *Paraen.* VIII: p.150.
[142] *Epist.* 1,7: p.62.

embargo, lo libra del pecado; no por eso le enseña a pecar. Ni el que libera del incendio enseña a ser incendiario, etc. Por lo que toca a la penitencia, no es precisamente una delicia; es un grave trabajo, un remedio duro que no se desea tener que volver a sufrir. Por último exclama: «Si se empuja al pecado —como dices— al que se ofrece la medicina de la penitencia, ¿qué acabará haciendo aquel a quien se le cierra toda penitencia, a quien se descubre toda la herida sin esperanza de remedio, a quien se le niega totalmente el ingreso en la vida?» [143]

Para el conocimiento de la disciplina penitencial en nuestra época es importante también el escrito de Baquiario *De reparatione lapsi,* al que nos hemos referido más arriba. Baquiario habla de dos pecados: la fornicación y la blasfemia contra el Espíritu Santo. Aun estos gravísimos pecados pueden ser perdonados por la Iglesia, previo sometimiento del pecador a la disciplina penitencial, que consiste en confesar sus pecados y repararlos con oraciones, ayunos, penitencias, retiro, etc. [144]

Otros textos hispanos sobre la penitencia no restringen, como Paciano, a solamente tres los pecados mortales o crímenes que deben ser sometidos a penitencia. Hemos visto que en el concilio de Granada se enumeran muchos pecados cuya absolución requiere la previa penitencia. Gregorio de Granada dice que «son reprobados del sacrificio del Señor» los que cometen idolatría, incesto, adulterio, homicidio y sodomía» [145]. Pero en uno y otro caso es fácil comprobar que, en resumidas cuentas, se trata siempre de idolatría, homicidio y fornicación, aunque este último pecado admita las más variadas especificaciones.

La misma concepción subyace en el canon 2 del concilio I de Toledo. En él se limita la posibilidad de adscribir al clero a los que han tenido que hacer penitencia y explican así a quiénes se refieren: «A aquel que después del bautismo, a causa de un homicidio o de diversos crímenes y pecados gravísimos, ha hecho penitencia pública vestido de cilicio y obtuvo la reconciliación ante el divino altar» [146]. La limitación consiste en que estos expenitentes no deben ser admitidos en el clero a no ser por necesidad o por costumbre establecida; y, aun así, solamente hasta el grado ínfimo de ostiario. Si llegase a lector, no debe leer el evangelio ni la epístola.

La penitencia, por tanto, perdonaba el pecado mortal o crimen, pero no liberaba plenamente de cierta nota infamante, que dejaba marcado para siempre al penitente reconciliado y le imponía un comportamiento especial. El papa Siricio, respondiendo a Himerio de Tarragona, enumera algunas de las acciones que se consideraban prohibidas a los que habían estado sometidos a penitencia: no podían inscribirse en la milicia, ni contraer nuevas nupcias, ni usar del matrimonio, si estaban casados.

No sabemos si en nuestras iglesias todo esto les estaba también

[143] *Epist.* 3,9: p.96-98.
[144] Cf. B. ALTANER-E. CUEVAS-U. DOMÍNGUEZ DEL VAL, *Patrología* p.351.
[145] GREGORIO DE GRANADA, *Tract.* X 23-24: CorpChr 69 p.81.
[146] J. VIVES, *Concilios* p.20.

prohibido. La queja de Siricio muestra que, al menos de hecho, no se imponían tales limitaciones. Al menos entonces, porque, si los deseos del papa se cumplieron, todos los que hubiesen incurrido en esas infracciones, no pudiendo ser sometidos ya a penitencia, debían ser admitidos solamente en la Iglesia para unirse a las oraciones de los fieles durante la celebración de los sagrados misterios, pero sin participar en la eucaristía hasta el momento de la muerte [147].

Las condiciones de la penitencia eran, pues, sumamente duras. Se explica que muchos anduviesen remisos en someterse a ella y que con el tiempo se fuese retrasando, cada vez más, el momento de confesarse y pedir ingresar en el número de los penitentes, remitiéndolo hasta que sentían acercarse la hora de la muerte [148].

A veces la sanción suponía la excomunión. El concilio de Zaragoza vuelve a recordar, como ya lo había hecho el de Granada en su canon 53, que ningún obispo debe recibir al excomulgado por otro obispo, el cual es el único capacitado para restituirlo a la comunión. El canon 5 de Zaragoza prevé la excomunión para el obispo que no tuviese en cuenta esta regla [149]. El canon 15 del concilio de Toledo I prescribe que ningún clérigo o religioso visite o trate al excomulgado [150].

EL CLERO

Es significativo que los datos conocidos sobre el régimen del clero son bastante abundantes, para el siglo IV. Significa, sin duda, que la importancia del clero había crecido en la vida de la Iglesia y, cada vez más, constituía una clase aparte, objeto de mayores exigencias y de especial atención.

Sobre el reclutamiento del clero volvemos a tener noticias de varias categorías de personas que estaban excluidas de él. El canon 10 del concilio de Toledo I prohíbe que se ordene como clérigos a los que están obligados a otro por contrato o por origen familiar, a no ser que sean de muy buena vida y obtengan el consentimiento previo de sus patronos [151]. Ya vimos que el canon 2 de este mismo concilio no permite que algún fiel que ha estado sometido a penitencia sea ordenado clérigo, a no ser en casos especiales. La misma prohibición se encontraba en la carta de Siricio a Himerio, del año 385, aunque sin ninguna excepción, y dando la razón: «porque, aunque ya están limpios del contagio de todos los pecados, no deben recibir ninguno de los instrumentos para administrar los sacramentos los que antes han sido recipientes de vicios» [152]. La concepción exclusiva o principalmente cultual del clérigo no puede manifestarse más claramente. La consecuencia es que se exige

---

[147] SIRICIO, *Epist. a Himerio* V: ML 56,557.
[148] Cf. G. CERETI, *Divorzio, nuove nozze e penitenza* p.385-93.
[149] J. VIVES, *Concilios* p.17.
[150] Ibid., p.23.
[151] Ibid., p.22.
[152] SIRICIO, *Epist. a Himerio* XIV: ML 56,561.

de ellos una pureza ritual que no es ya la mera limpieza de pecados personales —perdonados por la penitencia—, sino una pureza legal, imposible de obtener si no se posee de siempre, porque las «manchas» legales rituales son independientes de la voluntad y de la propia y libre responsabilidad. Esta misma tendencia se manifiesta en cuanto se refiere a la vida sexual del clero, como veremos más adelante.

Recíprocamente, los clérigos no podían someterse a penitencia. Lo recuerda Siricio, y la causa es la misma expuesta en el caso inverso. La de clérigo y la de penitente eran dos situaciones incompatibles en una misma persona. El clérigo que pecaba tenía que ser depuesto y dejar de pertenecer al clero. Una vez depuesto, ¿podía someterse ya a la penitencia? Actualmente no vemos en ello ninguna dificultad, sobre todo siendo ya clérigo. Pero antiguamente, para algunos al menos, tampoco era esto posible ni siquiera después de haber dejado de pertenecer al clero por su deposición, porque el mero hecho de haberlo sido era suficiente para que se considerase un escándalo verlo sometido a penitencia; y su pecado se consideraba de tal magnitud por haberlo cometido una persona «sagrada», que no podía obtener el perdón oficial de la Iglesia.

A propósito de la virginidad y de la penitencia, hemos citado el escrito de Baquiario *De reparatione lapsi*. La primera parte de este escrito se dirige a Januario para convencerle de que admita a penitencia al diácono que ha pecado con una virgen consagrada. Baquiario presupone o ha conocido la objeción de Januario, que se mostraba inflexible: «Es un levita el que ha caído; no se le puede aplicar la medicina». Trata Baquiario de refutar la objeción con diversos textos de la Escritura, para concluir que al clérigo arrepentido no se le deben cerrar las puertas del perdón y debe hacer penitencia, aunque ésta sea en el retiro de un monasterio para evitar el escándalo [153].

· Diversas anomalías en las ordenaciones de clérigos por parte de los obispos hispanos había advertido el papa Inocencio I. Se trataba, sin duda, de costumbres arraigadas, porque el papa, en su carta a los obispos participantes en el concilio de Toledo I, les dice que sobre esas malas costumbres sería necesario tomar algunas medidas acordes con la tradición, pero que no lo hacía porque eso llevaría consigo muchas perturbaciones en las iglesias. Es tan grande —dice— el número de cosas dignas de corregirse, que prefiere dejarlas al juicio de Dios. Enumera algunos de los abusos: se ha admitido al sacerdocio a gente como Rufino y Gregorio, que después del bautismo han seguido ejerciendo la *abogacía* [154]; también a muchos que, al estar sometidos a la *disciplina militar, necesariamente han tenido que ejecutar órdenes* [155]; y lo mismo se diga de los *curiales,* que, por oficio, tuvieron que organizar juegos para

---

[153] BAQUIARIO, *De rep. lap.* 4-12: ML 20,1040-49.

[154] Indudablemente se refiere a la disposición de defender cualquier clase de causa, aun injusta. INOCENCIO I, *Epist.* 3,4: ML 20,490-91.

[155] Puede presuponerse que se refiere a las órdenes de dar muerte o cometer alguna injusta acción de fuerza. Ibid.

el pueblo y llegaron incluso hasta el episcopado. Inocencio I insiste de nuevo en que son tantos los comprendidos en estos y semejantes casos en Hispania, que sería peor el remedio que la enfermedad si se quisiera suprimir estos abusos. Mejor será dejarlo como está por lo que al pasado se refiere. Desde ahora, los obispos de Hispania deben proveer de manera que, si volviesen a repetirse estas infracciones, tanto los ordenandos como los ordenantes sean privados del orden y del honor [156].

Los mismos obispos hispanos reunidos en Toledo en el año 400 habían sentido la necesidad de imponer una cierta unidad de acción en medio de esa diversidad de procederes que reinaba con respecto al reclutamiento del clero. El presidente del concilio, el obispo de Mérida Patruino, en su discurso de inauguración dijo: «Cada uno de nosotros hemos empezado a actuar de distinta manera en nuestras iglesias, y de ahí tantos escándalos, algunos que llegan incluso a herejías [157]. Si os parece, vamos a disponer, de común acuerdo, las normas que debemos seguir todos los obispos en la ordenación de los clérigos. Mi parecer es que observemos siempre las antiguas disposiciones del concilio de Nicea [158] y no nos apartemos de ellas». Las actas del concilio continúan: «Los obispos dijeron: 'Nos parece bien a todos. Si alguno, conociendo las actas del concilio niceno, osa obrar de manera diferente a lo establecido y no está dispuesto a observarlo, sea excomulgado, a no ser que corrija su error una vez amonestado por sus hermanos'» [159].

Además de esta disposición general, el canon 8 prescribe que no se ordene de clérigo, o al menos que no llegue a diácono, el que después del bautismo se alistase en el ejército vistiendo la clámide y cinto, aunque no hubiese cometido pecados graves [160].

Inocencio I aprueba que hayan tomado como norma unificadora la del concilio de Nicea, pero cree necesario especificar más, y vuelve a enunciar los casos en que deben quedar excluidos los candidatos a la ordenación: militares, abogados, administradores, curiales que hubiesen llevado la corona sacerdotal o hubiesen mantenido juegos públicos [161].

El rigor progresivo, que iba aumentando las exigencias de la jerarquía eclesiástica del Occidente con respecto a la vida sexual del clero, no consiguió imponerse fácilmente. A pesar del canon 33 del concilio de Granada, el papa Siricio describía así la situación en nuestras iglesias, basándose en los informes recibidos de Himerio de Tarragona: «Hemos sabido que muchos obispos, presbíteros y diáconos, aun después de estar ordenados ya desde muchos años, han tenido hijos, tanto de las propias mujeres como de torpe coito. Y defienden su gran pecado aduciendo el Antiguo Testamento, donde puede leerse que a los sacerdotes y ministros les estaba permitido tener hijos» [162].

---

[156] Ibid., col.491.
[157] Estamos en pleno desarrollo del priscilianismo.
[158] *Concilio de Nicea* can.1 2 4 6 8 9 10 y 16.
[159] J. VIVES, *Concilios* p.19.
[160] Ibid., p.22.
[161] INOCENCIO I, *Epist.* 3,5: ML 20,492.
[162] SIRICIO, *Epist. a Himerio* VII: ML 56,558.

Tampoco debía de observarse mucho en nuestra Península la otra prescripción más antigua, a saber, que solamente se ordenase a hombres que hubiesen tenido una sola mujer y ésta, a su vez, no hubiese estado nunca casada anteriormente. Siricio dice, no sabemos si con retórica exageración, que se ordenaban alegre y libremente clérigos y aun obispos que habían pasado por numerosas nupcias, y que todas esas prescripciones «de tal manera son despreciadas por los obispos de vuestras regiones, que más bien parece estar establecido todo lo contrario» [163]. Con plena conciencia de su autoridad y con el más firme convencimiento de que la situación tenía que cambiar radicalmente, Siricio da una serie de disposiciones con las que ordena minuciosamente el modo y las condiciones en que se ha de realizar y organizar de ahora en adelante el reclutamiento y la vida de los clérigos:

En primer lugar, había quienes ya desde niños se entregaban al servicio de la Iglesia. Estos debían ser bautizados antes de los años de su pubertad y ordenados como lectores. Si desde su adolescencia hasta los treinta años se comportaban bien, no se han casado más que una vez y con una virgen recibida como esposa con la bendición acostumbrada del sacerdote, pasará a ser acólito y subdiácono. Después puede acceder al grado de diácono, si antes se ha mostrado digno habiendo mantenido continencia. Cuando hayan pasado cinco años, ejerciendo laudablemente el diaconado, puede ser ordenado presbítero. Para llegar al episcopado debe ejercitar su oficio de presbítero durante diez años, con tal que haya dado buena muestra de la integridad de su vida y de su fe.

Este procedimiento es el indicado, según Siricio, para los que están dedicados desde siempre al servicio de la Iglesia. Quizá no sea demasiado aventurado suponer que tanta dedicación sea casi exclusivamente propia de los hijos de los mismos clérigos.

Hay otros que deciden consagrarse al servicio de la Iglesia en edad adulta. El primer paso indispensable para tales aspirantes adultos era el bautismo, que en la segunda mitad del siglo IV solía diferirse indefinidamente. Siricio dispone que se bauticen e inmediatamente pasen a ser lectores o exorcistas, a condición de que tengan o hayan tenido una sola mujer y ésta la hayan recibido virgen. Después de dos años deberán pasar a ser acólitos y subdiáconos durante cinco años antes de llegar al diaconado. A su debido tiempo podrá ser ordenado presbítero u obispo, «si el clero y el pueblo lo eligiesen» [163*].

A los clérigos casados con una viuda o casados por segunda vez, manda Siricio que se les deponga y se les conceda solamente la comunión como laico [164].

Por lo que se refiere a los diáconos, presbíteros y obispos que han seguido usando del matrimonio después de ordenados, si lo han hecho por ignorancia de la ley —algunos no la conocían, como había escrito

---

[163] Ibid., VIII: col.559-60.

[163*] Ibid.

[164] El canon 4 del concilio de Toledo dispone que el lector que se case con una viuda no siga adelante, si no es, a lo más, hasta subdiácono. Cf. J. VIVES, *Concilios* p.20.

Himerio—, pueden continuar ejerciendo su ministerio, pero sin pasar a grados superiores de la jerarquía y a condición que guarden en adelante la continencia. Los que se nieguen a aceptar la ley quedan suspendidos *a divinis* [165].

Obedeciendo a las órdenes de Siricio o renovando la disciplina iniciada en el concilio de Granada, varios concilios hispanos trataron en sus cánones el tema. Así nos consta en el concilio de Toledo I, el cual, a su vez, alude a otro concilio anterior de los obispos lusitanos, que no nos es conocido. El canon 1 del concilio de Toledo dice así: «Hemos decidido que los diáconos sean íntegros y castos y de vida continente; aunque tengan esposa pueden ser ordenados. Si alguno ha vivido incontinentemente con su esposa antes de la prohibición dictada por los obispos lusitanos, no pase al presbiterado. Si alguno de los presbíteros ha tenido hijos antes de la prohibición, no se admita en el episcopado» [166].

Ni siquiera al subdiácono permite el concilio de Toledo que contraiga segundas nupcias; si lo hace, debe ser degradado a ostiario o lector; en este último caso, sin derecho a leer el evangelio ni la epístola. Si se casa por tercera vez —«no se diga ni se oiga»—, quede apartado de la comunión por dos años, reducido al estado laical y sometido a la penitencia» [167].

Las rigurosas condiciones impuestas a los clérigos repercutían en sus esposas, a veces con consecuencias muy duras. La viuda de un obispo, presbítero o diácono tampoco podía volver a casarse. Si lo hacía, quedaba privada de la comunión hasta la hora de la muerte; los clérigos y las religiosas no podían sentarse a comer con ella [168]. Si las mujeres de los clérigos pecaban con alguno, el canon 7 del concilio de Toledo da potestad a sus maridos para que, «sin causarles la muerte, las encierren y las aten en su casa, obligándolas a ayunos saludables, aunque no mortales». Añade el canon que, «si los clérigos son pobres y no tienen servicio, se ayuden mutuamente, pero que con las esposas pecadoras no tomen ni la comida, a no ser que hagan penitencia y vuelvan al temor de Dios» [169].

La dureza empleada con la mujer, que en adelante permanece y aún aumenta [170], es solamente explicable en un ambiente en el que la dignidad de ésta no es apreciada, ni mucho menos, a un nivel equiparable al del hombre. En medio de tales circunstancias, cabe pensar que el progresivo rigor en las renuncias impuestas al clero pudo estar condicionado, en parte, por esa vigente depreciación de la mujer, y, consiguientemente, de las relaciones entre mujer y hombre.

El papa Siricio, en su carta a Himerio, no solamente impone la continencia a diáconos, presbíteros y obispos. En ella discute también con

---

[165] SIRICIO, o.c., VII: col.559.
[166] J. VIVES, *Concilios* p.20.
[167] Ibid., p.21.
[168] *Concilio de Toledo I* can.18: J. VIVES, *Concilios* p.24.
[169] Ibid., p.22.
[170] Cf. *Concilio de Toledo III* (año 589) can.5; *Conc. Sevilla I* (año 590) can.3; *Conc. Toledo IV* (año 633) can.43; *Conc. Toledo VIII* (año 653) can.5.

los que se resisten a la imposición, trata de refutar sus argumentos y aporta los que tiene en favor de la continencia obligatoria de los clérigos mayores. Nos permite así conocer el porqué de esa continencia obligatoria, que en las iglesias de Occidente se fue considerando como ineludiblemente unida al sacerdocio, mientras que en las de Oriente nunca se llegó a imponer, juzgándose vocaciones independientes entre sí la vocación de célibe y la de diácono o presbítero, aunque pudiesen alguna vez concurrir ambas en la misma persona.

Al argumento de los reacios, que se apoyaban en el Antiguo Testamento, responde Siricio que, si bien es verdad que «en la ley de Moisés con frecuencia relajó Dios los frenos de la lujuria a los sacerdotes», también lo es que les mandaba habitar en el templo durante el año en que estaban de servicio, «para que no pudiesen tener trato carnal con sus esposas, con el fin de que resplandeciesen por la integridad de conciencia y pudiesen ofrecer así a Dios una ofrenda aceptable. Cumplido el tiempo de su servicio, se les permitía el uso matrimonial solamente a causa de la sucesión, ya que estaba prescrito que sólo los de la tribu de Leví fuesen admitidos al servicio divino». En cambio, el sacerdote del Nuevo Testamento no tiene que perpetuar la especie, porque no pertenece a una sola tribu. Por otra parte, su servicio divino es cotidiano. Cada día debe presentarse ante Dios de manera que pueda complacerle en el sacrificio litúrgico. Dice San Pablo que nadie puede complacer a Dios si no habita en él el Espíritu de Dios. El Espíritu de Dios no puede habitar sino en cuerpos santos. [171]. Diáconos, presbíteros y obispos son «ministros del altar». Su función primordial es la del culto. Son como intermediarios entre los demás hombres y Dios. De alguna manera, tienen que ser especialmente cercanos a la divinidad, menos indignos que los simples fieles de acercarse a Dios. Una de las «manchas» que pueden hacerlo menos santo, más impuro, y, por consiguiente, más inepto para su misión de intermediario ante Dios, es cualquier clase de relación sexual, aunque ésta fuese la del legítimo matrimonio. De esta concepción es portavoz inequívoco San Jerónimo, contemporáneo de Siricio: «Si un laico —dice— o cualquier fiel no puede orar sino privándose del acto conyugal, el sacerdote, que tiene que ofrecer siempre sacrificios por el pueblo, tiene que orar siempre; si siempre tiene que orar, luego siempre tiene que carecer del matrimonio...» [172]

En el desarrollo de la organización jerárquica de la Iglesia tiene especial importancia la aparición de la figura del obispo metropolita, llamado más tarde arzobispo. En una época en que casi todas las comunidades locales de una cierta entidad estaban gobernadas por un obispo, se tenía que seguir inevitablemente, como de hecho se siguió, una cierta diferenciación entre los obispos según la importancia, el prestigio, la

[171] Siricio, *Epist. a Himerio* VII: ML 56,558-59.
[172] Jerónimo, *Adv. Iovin.* I 34: ML 23,269. Véase sobre este tema J. M. Castillo, *¿Hacia dónde va el clero?* (Madrid 1971) c.5.

antigüedad o las relaciones de dependencia entre las diferentes comunidades, o, en algunos casos, según la personalidad de los que ocupaban las sedes.

Cuando los contactos entre las diversas comunidades de una misma región se fueron haciendo más frecuentes, las relaciones establecidas entre sus obispos se fueron jerarquizando, situándose espontáneamente en el ápice el obispo de la ciudad de la cual habían procedido los primeros portadores del Evangelio a toda la región, o el más antiguo y venerable, o el de la capital civil de la provincia, la ciudad más importante, centro de la administración, a la que era necesario acudir para la solución de los más variados asuntos.

Sobre todo a partir de Constantino, el obispo de la metrópoli de cada provincia civil fue convirtiéndose en el presidente nato del conjunto de obispos de la provincia en muchas regiones del imperio.

Con respecto a las provincias romanas de nuestra Península, no podemos precisar con exactitud cuándo comenzó a existir el obispo metropolitano propiamente dicho.

El concilio de Granada, en el que está presente Osio, obispo de Córdoba; Sabino, obispo de Sevilla, y Flaviano, obispo de Granada, el obispo Félix de Guadix es el que encabeza la lista de los participantes, lo cual quiere decir que él debió de ser el presidente de la asamblea. El honor de presidir el concilio no recayó, por tanto, en el obispo de la metrópoli de la Bética. La causa de la distinción concedida a Flaviano fue, probablemente, su antigüedad en el episcopado. Parece lógico suponer que esa misma razón pudo valer también para investirle de algunas otras funciones de presidencia y arbitrio. Ningún dato positivo existe, sin embargo, que pueda asegurar esta suposición, si no es la del paralelismo con otras regiones del imperio.

En la carta de Siricio a Himerio hay también indicios que quizá confirmen la existencia de una situación semejante a fines del siglo IV. Siricio encarga a Himerio que haga conocer su respuesta «a todos nuestros hermanos en el episcopado; no solamente a los de tu diócesis, sino también a todos los cartagineses, béticos, lusitanos y gallegos, es decir, a los de las provincias que limitan contigo», porque «es útil y podrá ser muy glorioso *para la antigüedad de tu sacerdocio* que comuniques a todos nuestros hermanos lo que se ha escrito en general, pero dirigido especialmente a nombre tuyo» [173]. El mismo Siricio se queja de que se ha ordenado en Hispania a hombres que se han casado más de una vez, abuso que «no imputamos tanto —dice— a los que llegan a esos puestos por inmoderada ambición cuanto especialmente a los obispos metropolitanos» [174].

Siendo Himerio obispo de la metrópoli de la Tarraconense, el paso dado por él de dirigirse a Roma pudo deberse a su condición de obispo de la capital. La razón de antigüedad en el episcopado que aduce Siricio puede referirse a su actuación con respecto a las demás provincias. Pa-

[173] Siricio, *Epist. a Himerio* XVI: ML 56,562.
[174] Ibid., VIII: col.559. Véase asimismo, Inocencio I, *Epist.* 3,2: ML 20,489.

rece que la argumentación de Siricio es ésta: puesto que Himerio fue quien consultó, la respuesta va dirigida a él; pero, por ser de gran antigüedad, merece ser encargado, además, de ser el transmisor de las órdenes de Roma al resto del episcopado hispano.

En el siglo IV no hay ningún indicio en Hispania de que hubiese algún obispo o alguna sede que en cierto modo tuviese la precedencia con respecto a toda la Península, como es el caso en otras regiones [175].

[175] Cf. D. MANSILLA, obras citadas en la bibliografía.

CAPÍTULO IX

POETAS, HISTORIADORES Y VIAJEROS. INVASIONES GERMANICAS

BIBLIOGRAFIA

Sobre *Juvenco:* Obras y fuentes: ML 19,11-346. Es la edición de F. Arévalo, de 1792, con su introducción y comentarios, todavía muy útiles; ed. de J. HÜ-MER: CSEL 24 (Viena 1891); G. MERCATI, *Il palinsesto bobbiense di Iuvenco.* Opere minori IV: Studi e Testi 79 (Roma 1937) 506-12; JERÓNIMO, *De vir. ill.* 84: ML 23,730; ID., *Epist.* 70 *ad Magnum:* ML 22,668; ID., *Eusebii Chron.:* GCS 24 p.232 = ML 27,498.

N. HANSON, *Textkritisches zu Juvencus* (Lund 1950); J. DE WIT, *De textu Juvenci poetae observationes criticae:* VigChrist 8 (1954) 145-48; CH. MOHRMAN, *La langue et le style de la poésie chrétienne:* RevEtLat 25 (1947) 280-90; A. OREJÓN, *La historia evangélica de Juvenco:* RevEspEstBíbl 1 (1926) 3-19; O. BARDENHEWER, *Geschichte der altchristlichen Literatur* III (Friburgo 1912) p.429-32; M. SCHANZ, *Geschichte der römischen Literatur:* Handb. Klass. Altert. Wiss. VIII,IV 1 (Munich 1914) p.209-12; U. DOMÍNGUEZ DEL VAL, *Herencia literaria de Padres y escritores españoles:* RepHistCienEclEsp I (Salamanca 1967) p.29-31; B. ALTANER-E. CUEVAS-U. DOMÍNGUEZ DEL VAL, *Patrología* (Madrid ⁵1962) p.384-86; M. A. NORTON, *Prosopography of Juvencus:* Leaders of Iberian christianity (ed. J. M. F. Marique, S.I., Boston 1962) p.114-20; T. AYUSO, *La «Vetus latina hispana»* I (Madrid 1952) p.512; A. C. VEGA, *Juvenco. Capítulos de un libro:* CiudDios 157 (1945) p.209-47; J. T. HATFIELD, *A study of Juvencus* (Roma 1890); P. G. VAN DER NAT, *Die Praefatio der Evagelienparaphrase des Juvencus:* Romanitas et Christianitas (en honor de I. H. Waszink) (Amsterdam 1973) p.249-57.

Sobre *Prudencio:* Obras: La edición crítica más moderna es la de M. P. CUN-NIGHAM: CorpChr 126 (Turnhout 1966); J. BERGMAN: CSEL 61 (Viena 1926) = ML 59,567-1078; 60,10-596, reproducción de la ed. de F. ARÉVALO, de 1788. Ed. y trad. española de J. GUILLÉN-I. RODRÍGUEZ, *Obras completas de Aurelio Prudencio:* BAC 58 (Madrid 1950); útil intr. y comentario, trad. muy deficiente; texto y trad. inglesa: H. J. THOMSON, *Prudentius:* Loeb Classical Library (Londres 1961); texto y buena trad. francesa: M. LAVARENNE, *Prudence:* ed. Budé (París 1943-51); texto y trad. italiana: F. SCIUTO, *Inni quotidiani* (Catania 1955); E. BOSSI, *Aurelio Prudenzio Clemente. Inni della giornata* (Bolonia 1970); E. RAPI-SARDA, *Prudenzio: «Contra Symmachum»* (Catania 1954); ID., *Prudenzio: L'«Apoteosi»* (Catania s.f.).

R. J. DEFERRARI-J. M. CAMPBELL, *A concordance of Prudentius* (Cambridge, Mass., 1932); A. C. VEGA, *Capítulos de un libro. Prudencio:* CiudDios 158 (1946) 193-271; 159 (1947) 421-67; 160 (1948) 5-34.185-240; ID., *Aurelio Prudencio. A propósito del centenario de su nacimiento:* CiudDios 160 (1948) 381-417; B. ALTANER-E. CUEVAS-U. DOMÍNGUEZ DEL VAL, *Patrología* (Madrid ⁵1962) p.387-92; Z. GARCÍA VILLADA, *HistEclEsp* I-2 (Madrid 1929) p.155-209; I. LANA, *Due capitoli prudenziani* (Roma 1962); M. M. VAN ASSENDELFT, *Sol ecce surgit igneus. A commentary on the morning and evening Hymnus of Prudentius* (Groningen 1976); M. SMITH, *Prudentius Psychomachia. A reexamination* (Princeton 1976); J. FONTAINE, *Romanité et hispanité dans la littérature hispano-romaine des* IVᵉᵐᵉ *et* Vᵉᵐᵉ *siècles,* en *Assimilation et résistance:* VI CongrIntEtClass (Bucarest-París 1976) p.301-22; ID., *Société et culture chrétiennes sur l'aire circumpyrénéenne au siècle de Théodose:* BullLit-

Eccl 75 (1974) 241-82; ID., *Valeurs antiques et valeurs chrétiennes dans la spiritualité des grandes propriétaires terriens à la fin fu IVème siècle occidental:* Epektasis. Mélang. J. Daniélou (París 1972) p.571-95; ID., *Trois variations de Prudence sur le thème du paradis:* ForschRömLit. Festschr. K. Büchner, I (Wiesbaden 1970) p.97-116; ID., *La femme dans la poésie de Prudence:* Mélanges Durry (París 1970) p.55-83; K. THRAEDE, *Rom und der Märtyrer in Prudentius, «Perist.» 2,1-20:* Romanitas et Christianitas, en honor de Í. H. Waszink (Amsterdam 1973) p.317-27; R. KLEIN, *«Symmachus»:* Impulse der Forschung 2 (Darmstadt 1971); C. BROCK-HAUS, *Aurelius Prudentius Clemens in seiner Bedeutung für die Kirche seiner Zeit* (Leipzig 1872); A. A. CASTELLÁN, *Roma y España en la visión de Prudencio:* CuadHistEsp 17 (1952) 20-49; J. BERGMAN, *Aurelius Prudentius Clemens, der grösste christliche Dichter des Altertums* (Dorpat 1921); A. PUECH, *Prudence. Étude sur la poésie latine chrétienne au IVème siècle* ((París 1888); I. RODRÍGUEZ HERRERA, *Poeta christianus* (Munich 1936); K. THRAEDE, *Studien zu Sprache und Stil des Prudentius* (Göttingen 1965); W. LUDWIG, *Die christliche Dichtung des Prudentius und die Transformation der Klassischen Gattungen;* en *Christianisme et formes littéraires de l'antiquité tardive en Occident* (Ginebra 1977) p.303-72; M. LAVARENNE, *La langue du poète Prudence* (París 1933); E. RAPISARDA, *Introduzione alla lettura di Prudenzio* (Catania 1951); J. VIVES, *Prudentiana:* AnSacrTarr 12 (1936) 1-18: ID., *Veracidad histórica de Prudencio:* ibid., 17 (1944) 199-204; M. DEL ALAMO, *Un texte du poète Prudence: «Ad Valerianum episcopum»:* RevHistEccl 35 (1939) 750-56; J. MADOZ, *Valeriano, obispo calagurritano, escritor del siglo V:* HispSacr 3 (1950) 131-37; S. CIRAC ESTOPAÑÁN, *Los nuevos argumentos sobre la patria de Prudencio:* Universidad 28 (1951) 81-144; L. RIBER, *Aurelio Prudencio* (Barcelona-Madrid 1936); P. ALLARD, *Prudence historien:* RevQuestHist 35 (1884) 345-85. Escogida bibliografía en M. P. CUNNIGHAM: CorpChr 126 XLI-XLV.

Sobre las *invasiones germánicas* véase el capítulo siguiente.

Sobre *Orosio:* Cf. bibliografía muy completa, hasta 1952, de G. FINK, *Recherches bibliographiques sur Paul Orose:* RevArchBiblMus 58 (1952) 270-322. Obras: Éd. C. ZANGEMEISTER: CSEL 5 (Viena 1882). El *Commonitorium de errore priscillianistarum et origenistarum:* ed. G. SCHEPSS: CSEL 18 (Viena 1889) 149-57. Véase asimismo ML 31,663-1216. No existe todavía ninguna edición definitiva.

Fuentes: AGUSTÍN, *Epist.* 166, 169, 175 y 180; *Retract.* II 44: CSEL 44 p.547-48.621.654.700; 36 p.183 = ML 33,720-21.748.759.779: 32 p.648 = BAC 99 (Madrid 1953) p.464-65.528-29.554-55.598-99; JERÓNIMO, *Epist* 134: ML 22,1161 = CSEL 56 p.261; AVITO, *Epist. a Balconio:* ML 41,805-806; SEVERO DE MENORCA, *Carta encíclica:* ed. G. Seguí Vidal (Palma de Mallorca 1937) p.151 = ML 41,823; GENNADIO, *De Script. eccl.* 39: ML 55-1080-81; BRAULIO, *Epist.* 44 a *Fructuoso:* ed. L. Riesco Terrero (Sevilla 1975) = ML 80,693-94.

B. ALTANER-E. CUEVAS-U. DOMÍNGUEZ DEL VAL, *Patrología* (Madrid ⁵1962) p.438-41; U. DOMÍNGUEZ DEL VAL, *Herencia literaria de Padres y escritores españoles:* RepHistCiencEclEsp I (Salamanca 1967) p.46-49; J. MADOZ, *Literatura latinocristiana:* HistGenLitHisp (G. Díaz-Plaja) I (Barcelona 1949) p.108-109; M. SCHANZ, *Geschichte der römischen Literatur* IV 2 (Munich 1920) p.483-91; O. BAR-DENHEWER, *Geschichte der altkirchlichen Literatur* IV (Friburgo 1924) p.529-33; E. AMANN, *Orose:* DictThéolCath 11 (París 1931) col.1602-11; E. FLÓREZ, *EspSagr* 15 (Madrid 1759) p.314-51; Z. GARCÍA VILLADA, *HistEclEsp I-1* (Madrid 1929) p.255-66; C. TORRES, *La historia de Paulo Orosio; datos biográficos:* RevArchBibl-Mus 61 (1955) 107-35; E. CORSINI, *Introduzione alle «Storie» di Orosio* (Turín 1968); H. CHADWICK, *Priscillian of Avila* (Oxford 1976) p.190-206; M. MENÉN-DEZ PELAYO, *Historia de las ideas estéticas en España* I (Santander 1946) p.296-300; R. MENÉNDEZ PIDAL, *Historia de España* II (Madrid 1935) XXXIII-XL; J. PÉREZ DE URBEL, *Las letras en la época visigoda:* Hist. Esp. (R. Menéndez Pidal) III (Madrid 1940) p.382-86; F. PASCHOUD, *Roma Aeterna* (Roma 1967); G. FINK, *San Agustín y Orosio:* CiudDios 167 (1954) 455-549; H.-I. MARROU, *Saint Agustin, Orose et l'augustinisme historique:* SettStudCentrItStMed 17 (1969) p.59-87; TH. E.

MOMMSEN, *Orosius and Augustine:* Medieval and Renaissance Studies (Ithaca 1959) p.325-48; B. LACROIX, *Orose et ses idées* (Montreal-París 1965); A. LIPPOLD, *Orosius, christlicher Apologet und römischer Bürger:* Philologus 113 (1969) 92-105; J. A. MARAVALL, *El pensamiento político en España del año 400 al 1300:* CahHist-Mond 4 (1957-58) 818-32; R. GARCÍA Y GARCÍA DE CASTRO, *Paulo Orosio, discípulo de San Agustín:* BolUnGran 3 (1931) 3-28; M. DE CASTRO, *El hispanismo en la obra de Pablo Orosio:* CuadEstGall 9 (1954) 193-250.

Sobre *Hidacio:* La mejor edición actual de su *Crónica* es la de A. TRANOY, *Hydace: «Chronique». Introduction, texte critique, traduction:* SourcChrét 218 y 219 (París 1974), que mejora la edición de TH. MOMMSEN: MonGermHist AA XI = Chron. Min. II (Berlín 1894) p.3-36; A. Tranoy aporta, además, notables mejoras en la cronología, sobre la que ya había hecho importantes correcciones C. COURTOIS, *Auteurs et scribes. Remarques sur la chronologie d'Hydace:* Byzantion 21 (1951) 23-54. Véanse asimismo otras ediciones anteriores: ML 51,869-90; 74,675-844; V. DE LA FUENTE, *HistEclEsp* 2 (Madrid 1873) p.447-63; E. FLÓREZ, *EspSagr* 4 (Madrid 1749) p.287-456. Trad española de L. GARCÍA DEL CORRAL, *«Cronicón» de Idacio. Texto y traducción:* RevCiencHist 4 (1886) 330-63; M. MACÍAS, *Traducción castellana del «Cronicón» del obispo Idacio:* BolComProv-MonOrense (1899-1900).

B. ALTANER-E. CUEVAS-U. DOMÍNGUEZ DEL VAL, *Patrología* (Madrid ⁵1962) p.442-43; A. TRANOY, o.c., intr.; M. SCHANZ, *Geschichte der römischen Literatur* IV-2 (Munich 1920) p.109-10; O. BARDENHEWER, *Geschichte der altchristlichen Literatur* IV (Friburgo 1924) p.632-34; O. SEECK, *Hydatius:* PAULY-WISSOWA, *Real-Encycl.* IX-I (Stuttgart 1914) p.39-43; P. B. GAMS, *Die Kirchengeschichte Spaniens* II-1 (Regensburg 1864) p.465-71; C. TORRES, *Peregrinaciones de Galicia a Tierra Santa en el siglo V. Hidacio:* Compostellanum 1 (1956) 401-48; ID., *El «Cronicón».* Consideraciones: Compostellanum 1 (1956) 756-801; ID., *Hidacio, el primer cronista español:* BolRealAcHist 62 (1956) 755-794; B. SÁNCHEZ ALONSO, *Historia de la historiografía española* I (Madrid 1941) p.64,71-72 y 80; U. DOMÍNGUEZ DEL VAL, *Hidacio de Chaves:* DiccHistEclEsp 2 (Madrid 1972) p.1092-93 ; F. GIUNTA, *Idazio ed i barbari:* AnEstMed 1 (1964) 491-94.

Sobre *Severo de Menorca:* La mejor edición y estudio actual de la carta de Severo es la de G. SEGUÍ VIDAL, *La carta encíclica del obispo Severo. Estudio crítico de su autenticidad e integridad, con un bosquejo histórico del cristianismo balear anterior al siglo VIII* (Palma de Mallorca 1937). Se prepara nueva edición crítica para el CorpChr. a cargo de J. HILLGARTH. Véase asimismo ML 20,731-46 y 41,821-32.

Reparos a la autenticidad en B. BLUMENKRANZ, *Die Judenpredigt Augustinus* (Basilea 1946; reimpr. París 1973); ID., *Die jüdischen Beweisgründe im Religionsgespräch mit den Christen in den christlichen-lateinischen Sonderschriften des 5. bis 11. Jahrhunderts:* TheolZeitschr 4 (1948) 119-47 (reprod. en *Juifs et Chrétiens* [Londres 1977] XIX); ID., *Les auteurus chrétiens latins du moyen âge sur les juifs et le judaïsme.* II: RevEtJuiv 11 (1951-52) 5-61; ID., *Juden und jüdisches in christlichen Wundererzählung:* TheolZeitschr 10 (1954) 417-46 (reprod.ibid., IX); ID., *Juifs et chrétiens dans le monde occidental. 430-1096* (París-La Haya 1960); M. C. DÍAZ Y DÍAZ, *Severo de Menorca y la «Altercatio Ecclesiae et Synagogae»:* RevEspTeol 17 (1957) 3-12.

Véase asimismo G. SEGUÍ VIDAL-J. HILLGARTH, *La «Altercatio» y la basílica paleocristiana de Son Bou, de Menorca* (Palma de Mallorca 1955), separata de Bol-SocArqLul 31 (1954) 69-126; importante, sobre todo, por la ed. crítica de la *Altercatio.*

Sobre *peregrinaciones: Itineraria et alia geographica:* CorpChr 175 (Turnhout 1965); D. GORCE, *Les voyages, l'hospitalité et le port des lettres dans le mond chrétien des IVᵉᵐᵉ et Vᵉᵐᵉ siècles* (París 1925); B. KÖTTING, *Peregrinatio religiosa* (Münster 1950); C. TORRES, *Las peregrinaciones de Galicia a Tierra Santa en el siglo V:* Cuad-EstGall 10 (1955) 313-60.

Sobre *Avito de Braga y otros Avitos:* B. ALTANER-E. CUEVAS-U. DOMÍNGUEZ DEL VAL: *Patrología* (Madrid ⁵1962) p.443-45; A. LAMBERT, *Avit:* DictHistGéo-

Eccl 5 (París 1931) col.1201-1202; B. ALTANER, *Avitus von Braga:* ZeitKirch-Gesch 60 (1941) 456-68; A. DE J. DA COSTA, *Avito de Braga:* Theologica 1 (1954) 76-85; A. GARCÍA CONDE, *Los «Tractatus Origenis» y los origenistas gallegos:* Cuad-EstGall 4 (1949) 27-56.

Sobre *Egeria:* Existe una abundantísima bibliografía, de la que damos solamente una breve selección. Cf. bibliografía en C. BARUT: HispSacra 7 (1954) 203-15; más actualizada y selecta en CorpChr 175 (Turnhout 1965) p.31-34. La primera edición del *Itinerario* fue de J. F. GAMURRINI, *S. Hilarii tractatus de Mysteriis et hymnis et S. Silviae Aquitanae peregrinatio ad loca sancta* (Roma 1887). La mejor edición actual es la de AE. FRANCESCHINI-R. WEBER, *Itinerarium Egeriae:* CorpChr 175 p.27-90. Véase asimismo ed. P. GEYER: CSEL 39 (Viena 1898) p.35-101; con el mismo texto, pero con trad. francesa, además, de H. PÉTRÉ: SourcChrét 21 (París 1948). Trad. española: V. J. HERRERO LLORENTE, *Peregrinación de Egeria. Intrd., versión y notas* (Madrid 1963); hay otras dos anteriores, de P. GALINDO ROMEO (Zaragoza 1924) y de R. AVILA (Madrid 1935). Trad. inglesa con notas, comentarios y documentos útiles: J. WILKINSON, *Egeria's Travels* (Londres 1971).

Z. GARCÍA VILLADA, *HistEclEsp* I-2 (Madrid 1929) p.269-96; B. ALTANER-E. CUEVAS-U. DOMÍNGUEZ DEL VAL, *Patrología* (Madrid ⁵1962) p.224-26. D. GORCE, *Egérie:* DictHistGéogrEccl 15 (París 1963) col.1-5; M. FÉROTIN, *Le véritable auteur de la «Peregrinatio Silviae», la vierge espagnole Etheria:* RevQuestHist 74 (1903) 367-97; K. MEISTER, *De «Itinerario Aetheriae» abbatissae perperam nomini S. Silviae addicto:* RheinMusPhil 64 (1909) 337-92; A. LAMBERT, *Egeria. Notes critiques sur la tradition de son nom et celle de l'«Itinerarium»:* RevMab 26 (1936) 71-94; ID., *L'«Itinerarium Egeriae» vers 414-416:* RevMab 28 (1938) 49-69; E. DEKKERS, *De datum der «Peregrinatio Egeriae» en het feest van Ons Heer Hemelvaart:* SacrErud 1 (1948) 181-205; A. BAUMSTARK, *Das Alter der «Peregrinatio Aetheriae»:* OrChr 1 (1911) 32-76; P. DEVOS, *La date du voyage d'Egérie:* AnBoll 85 (1967) 165-94; ID., *Egérie à Bethléem:* AnBoll 86 (1969) 87-108; J. CAMPOS, *Sobre un documento hispano del Bajo Imperio:* Actas III CongrEspEstClás II (Madrid 1968) p.115-20.

Sobre *Poimenia:* P. DEVOS, *La «servante de Dieu» Poemenia d'après Pallade, la tradition copte et Jean Rufus:* AnBoll 87 (1969) 189-212; ID., *Saint Jérôme contre Poemenia?:* AnBoll 91 (1973) 117-20.

JUVENCO

Ya que comenzamos este capítulo después de habernos ocupado de Prisciliano, bueno será que figure en primer lugar un personaje cuyo contraste con el citado obispo de Avila es notorio y ha sido bellamente expuesto por J. Fontaine con estas palabras: «Una disonancia comparable [1] es perceptible entre los cuatro cantos en hexámetros virgilianos consagrados a los evangelios por el presbítero español *Juvenco*, probablemente oriundo de Iliberri, y los oscuros tratados priscilianistas descubiertos el siglo pasado en un manuscrito de Würzburgo. Con los cuatro cantos de los libros de los evangelios de Juvenco, la poesía cristiana recibe su partida de nacimiento, con hechura todavía muy clásica. Desde el punto de vista estético lo mismo que del moral, los nebulosos tratados de Würzburgo nos hacen penetrar en un universo mental totalmente opuesto. En estos últimos ya no hay nada de la celebración armoniosa de un emperador 'indulgente soberano de una tierra libre', sino una vuelta ansiosa a la expectación escatológica antigua, la inten-

[1] A la de Osio y Potamio, de quienes nos hemos ocupado en el c.6.

ción apasionada de 'castigar en sus deseos el habitáculo de la carne terrestre', la invitación a leer e interpretar por sí mismo las Escrituras canónicas y apócrifas, la afirmación de un 'pancristismo' que niega implícitamente el Misterio trinitario...» [2]

Juvenco gozó de fama en la antigüedad y en toda la Edad Media. Gracias a esa fama, los manuscritos de su obra principal se multiplicaron, como también las ediciones impresas a fines del siglo XV y a todo lo largo del XVI [3].

El nombre completo de Juvenco ha llegado a nosotros en los títulos de algunos de los manuscritos de su obra: *Caius Vettius Aquilinus Iuvencus*. Sobre su persona, todo cuanto sabemos, que es bien poco, lo debemos a San Jerónimo: «Juvenco, de nobilísima prosapia, presbítero hispano, compuso cuatro libros, poniendo en hexámetros los cuatro evangelios casi a la letra. También escribió alguna otra cosa, igualmente en hexámetros, sobre el orden de los sacramentos. Floreció bajo el reinado de Constantino» [4]. Vuelve a hablar San Jerónimo de Juvenco en otras tres ocasiones, siempre elogiosamente, circunstancia digna de notarse, porque el ilustre escriturista no era precisamente derrochador de elogios. En una de estas menciones hay un dato cronológico de interés: en la continuación del *Cronicón* de Eusebio, San Jerónimo cita a Juvenco: «Juvenco, presbítero, hispano de nación, expone los evangelios en versos heroicos» [5].

Desearíamos saber de qué ciudad o al menos de qué provincia hispana procedía Juvenco. Desgraciadamente, San Jerónimo, nuestra primera fuente, nos habla solamente de su nacionalidad hispana, sin ninguna otra determinación. Alcuino (735-804), declarado admirador de Juvenco, enumera varios autores, y termina con «Isidoro, hispaniense, y Juvenco, erudito, de la misma provincia» [6]. Podría deducirse de aquí que, para Alcuino, Juvenco era de la provincia Bética, a la que pertenecía Isidoro de Sevilla, pero el texto se refiere con toda probabilidad a Hispania en general.

Las noticias más concretas que a veces se encuentran en algunas publicaciones sobre Juvenco, se basan en testimonios de escritores muy posteriores sin ninguna garantía o incluso ciertamente falsos, como es el caso del simulado cronicón de Flavio Lucio Dextro, invención de finales del siglo XVI, debida a Jerónimo Román de la Higuera. A este falso *cronicón* se deben los siguientes datos, referidos los primeros al año 337, y los segundos al 407: «En Salamanca, en los vetones, muere San Juvenco, presbítero, el cual, según algunos, participó en el concilio de Iliberri» [7]. «En Caesarobriga, que ahora se llama Oliva, cerca de Ambracia, en Vetonia, Juvenco vive algunos años, y se dice que nació allí. Pasó

---

[2] J. FONTAINE, *L'art préroman hispanique* I (1973) p.38.
[3] Cf. los prolegómenos de F. Arévalo: ML 19,25-41.
[4] JERÓNIMO, *De vir. ill.* 84: ML 23,730.
[5] GCS 24 p.232: ML 27,498.
[6] ALCUINO, *Conta Felicem* Praef.: ML 101,128.
[7] ML 31,485.

después a Salamanca, donde florece la preclara memoria del santo y docto varón» [8].

En el códice 22 de la catedral de León, J. Fontaine descubrió al margen y a la altura de la noticia que el *De viris illustribus* dedica a Juvenco, la mención siguiente: *eliberritanus.* Dada la actividad intelectual de Eliberri (Granada), atestiguada en el siglo IV por la obra de Gregorio, piensa dicho autor que podría darse crédito a la anotación puesta al margen, y que, por consiguiente, podríamos considerar a Juvenco como escritor probablemente iliberritano [9].

Toda la fama la debe Juvenco a su obra *Evangeliorum libri IV* o *Historia evangélica* [10], cumpliéndose así, en algún modo, su propia profecía o aspiración, expresada en los versos 23 a 28 del prefacio: «Si tan larga fama merecieron los poemas que envuelven en mentiras las hazañas de los antepasados, es cierto que a mí me será concedido el honor inmortal de una alabanza eterna por los siglos, ya que mi canto tendrá por objeto, sin posible engaño, las hazañas vivificantes de Cristo, don de Dios a los pueblos» [11].

Juvenco tuvo arrestos para emprender su ambicioso proyecto, consistente nada menos que en poner en verso la historia de Jesús narrada por los evangelios, ateniéndose siempre con rigor al texto bíblico. San Jerónimo le reconoce este mérito: «El presbítero Juvenco —dice—, en tiempos de Constantino, expuso en verso la historia del Señor Salvador. No se arredró ante el empeño de someter la majestad del Evangelio a las leyes del metro» [12]. Ni que decir tiene que, por el mero hecho de obligarse voluntariamente a seguir fielmente el lenguaje directo y sencillo de los evangelios, Juvenco renunciaba a la posibilidad —si realmente contaba con ella— de construir un auténtico poema, nacido del vuelo de la fantasía y de la libre concepción poética. En su obra conservada no existe creación poética. Pero Juvenco es, innegablemente, un buen versificador. Para advertirlo basta comprobar con su lectura la fluidez de sus hexámetros. Confirman esta cualidad los elogios de algunos grandes escritores de la antigüedad como Venancio Fortunato, Isidoro de Sevilla, San Braulio, Alcuino, etc.

La obra de Juvenco está fundada, para la infancia de Cristo, en el evangelio de San Lucas. Para el resto se funda, principalmente, en el evangelio de San Mateo, aunque lo completa a veces con San Marcos y San Juan, circunstancia esta que convierte la *Historia evangélica* en la primera armonía de los evangelios del Occidente latino [13].

Tiene presente Juvenco el texto de la *Vetus latina,* anterior, como es

---

[8] Ibid., col. 513. Se ha conjeturado que el nombre de Vettius sea gentilicio, procedente de los vetones, entre el Duero y el Miño.

[9] J. FONTAINE, *Isidore de Séville* I (París 1959) p.8 n.3.

[10] Edición de F. ARÉVALO, de 1792: ML 19,11-346. Véase asimismo CSEL 24 (Viena 1891).

[11] JUVENCO, *Evang.* 1.4 praef. 23-24: ML 29,59-60.

[12] JERÓNIMO, *Epist.* 70: ML 22,668.

[13] Juvenco aplica a los evangelistas los «cuatro animales» de la visión de Ez 1,5-14; Ap 4,6-10. Usa las atribuciones más antiguas, como Ireneo, aunque dando diferentes explicaciones en parte.

lógico, a la Vulgata de San Jerónimo, por lo que su obra presenta también interés como testimonio de ese texto, no conservado en su integridad. Al tener que interpretar, a veces, el sentido de algunos pasajes, hace también obra de exegeta.

La división de la obra en cuatro libros es arbitraria. Podríamos decir que es una división puramente aritmética. El libro I (809 versos) termina con la curación de la suegra de San Pedro, que corresponde a Mt 8,14-15. El Libro II (831 versos) continúa simplemente con los siguientes versículos del mismo capítulo octavo de Mt, extendiéndose hasta Mt 13,33-36 (parábola de la levadura). El libro III (773 versos) comprende desde Mt 13,36 hasta Mt 22,14. Por último, el libro IV (813 versos), desde Mt 22,15 (tributo al césar) hasta el final del evangelio de Mt. Termina Juvenco con un epílogo, al que pertenecen estas serenas palabras: «Todo esto me lo da la paz de Cristo y la paz del mundo, que fomenta Constantino, el príncipe indulgente de una tierra libre» [14].

No sólo estos versos, sino muchos otros, son de clara inspiración virgiliana. Juvenco sigue también a Ovidio, Lucano, Lucrecio, Horacio y Estacio [15]. Pero Juvenco no es un mero imitador. El poema requería un vocabulario poético adaptado al tema cristiano, tema nuevo instalado en un mundo distinto del que era propio a sus modelos. En este aspecto es creador, y por eso sirvió a su vez de modelo a tanto otros que le siguieron.

Como dice J. Madoz, Juvenco es el portaestandarte del nuevo modo de construcción del verso latino introducido por San Agustín, en el que la norma no es ya la cuantidad, sino el número de sílabas y la rima.

En los primeros decenios del siglo IV, los cristianos cultos de lengua latina del imperio no cuentan aún con obras poéticas con contenido cristiano. Evidentemente, muchos seguían cultivando su espíritu con las obras clásicas de su literatura, como seguían reflejando sus sentimientos humanos en las representaciones clásicas de los mosaicos que adornaban su fincas de descanso o en las escenas mitológicas que se reparten con las bíblicas los espacios decorados del cementerio romano de la vía Latina. Los *potentiores* cristianos de esta primera época constantiniana debían de experimentar como un desequilibrio en lo cultural. Su cultura, de que se sentían naturalmente orgullosos, se mantenía divorciada, en muchas áreas, de su fe. La *Historia evangélica* de Juvenco parece brotar de su pluma como fruto de una exigencia de equilibrio entre la fe y la cultura. Y en honor del presbítero hay que decir que el respeto y la fidelidad al Evangelio pesan más en él que los valores poéticos, sin que esto impida considerar su obra como el primer poema latino de contenido totalmente cristiano.

Juvenco supuso un primer paso en el camino de la encarnación del cristianismo en la poesía latina. Acentúa en el prefacio de su poesía épica cristiana la caducidad de todo lo creado, incluso de la *aurea Roma,*

---

[14] ML 19,344.
[15] Cf. J. Madoz, *Literatura latino-cristiana* p.91-95; Id., *Ovidio en los Santos Padres españoles:* EstEcl 23 (1949) 233-38.

y la limitación de la gloria concedida a los poetas que cantaron los méritos de los grandes héroes, gloria que es sólo «semejante» a la gloria eterna. Pero al mismo tiempo cree en un mérito definitivo que puede proporcionar al poeta cristiano su poesía, dedicada a cantar las alabanzas de Cristo. Es la misma poesía —valor cultural— la que queda asumida en este modo como valor cristiano. Ayudado no ya por las musas, sino por el Espíritu Santo, a quien invoca, espera que su poema sirva para librarle del fuego en el día del juicio [16].

PRUDENCIO

Cuando Prudencio había escrito ya algunas de sus composiciones poéticas, escribió un prefacio que les sirviese de introducción en orden a la publicación conjunta de todas ellas. El prefacio, un epílogo y algunas alusiones en sus poemas son los datos que permiten esbozar las líneas maestras de su vida y de su obra.

«Así pasó volando mi vida, y mientras tanto aparecieron de repente en mí las canas de la ancianidad, reprochándome que había olvidado ya el lejano consulado de Salia, bajo el cual vi yo mi primer día» [17].

Flavio Salia fue cónsul el año 348. Tenemos, pues, con toda certeza, la fecha del nacimiento de Prudencio.

Envuelto en ropaje poético más alambicado, Prudencio ha indicado también la fecha en que compuso el prefacio de sus obras: «Puedo ya contar diez quinquenios, si no me equivoco; y además rueda por séptima vez el eje de los años mientras gozo del sol voluble. Se acerca el fin. Dios me aproxima al día de la vejez; ¿qué he hecho de útil en tan gran espacio de tiempo?» [18]

Al escribir el prefacio, Prudencio se encuentra en el quincuagésimo séptimo año de su vida. Esto quiere decir que ha cumplido los cincuenta y seis. Sabiendo que nació en el 348, podemos deducir que escribía el prefacio en el año 404 o en el 405, según el día y el mes en que naciera, pormenor que ignoramos.

Lugar de su nacimiento

Nada dice expresamente el prefacio ni ninguno de sus escritos sobre el lugar del nacimiento. Por razones obvias, no cabe duda de que Prudencio era hispano. Tampoco se puede dudar de su pertenencia a la provincia Tarraconense. Baste recordar que en sus himnos dedicados a los mártires, mientras canta las alabanzas de mártires hispanos de Mérida, Córdoba y Alcalá de Henares, es decir, una ciudad de cada provincia hispana, excepto la de Galecia, menciona a mártires de cinco ciudades de la Tarraconense: Tarragona, Zaragoza, Calahorra (dos himnos), Barcelona y Gerona.

---

[16] Cf. P. G. VAN DER NAT, *Die Praefatio der Evangelienparaphrase des Juvencus.*
[17] Praef. 22-25: CorpChr 126 p.1.
[18] Ibid., 1-6: ibid., 1.

Confirman plenamente su condición de hispano y de tarraconense estos versos suyos, escritos en alabanza de los tres mártires de Tarragona: «Nos es grato poder alegrarnos con estos tres patronos, con cuyo patrocinio nos sentimos protegidos todos los pueblos de la región de los Pirineos»[19]. También la célebre expresión contenida en este mismo himno VI: «Dios mira con benignidad a los hispanos»[20].

Tres ciudades se disputan el honor de ser la patria chica de Prudencio: Tarragona, Zaragoza y Calahorra. El argumento común que sirve de base a estas aspiraciones es el posesivo *nuestro* aplicado a esas ciudades o a sus mártires por Prudencio. Por el mismo hecho de aplicarlo a tres, no basta por sí solo como argumento probativo.

Por esa razón queda descartada Tarragona, que no cuenta con ningún otro argumento en su favor. Desde muy antiguo, los autores se dividen entre Zaragoza y Calahorra[21].

El himno IV, en honor de los dieciocho mártires de Zaragoza, da a entender claramente que el poeta siente una especialísima predilección por esta ciudad y por sus glorias, que considera como suyas. Otras ciudades presentarán ante Cristo uno, dos o tres mártires; incluso cinco: «Pero tú serán diechiocho santos los que llevarás contigo, ¡oh Zaragoza!, llena de celo por Cristo, ceñida la cabeza con los pálidos olivos, insignia de la paz. Tú sola, para salir al encuentro del Señor, has preparado una muchedumbre de mártires tan numerosa; tú sola, riquísima de tanta piedad, gozarás de la luz. Apenas la populosa madre del mundo púnico [Cartago], apenas la misma Roma en su trono imperial, merecen superarte en esta ofrenda a ti, gloria nuestra»[22]. Prudencio continúa así: «Se diría que [Zaragoza] es la patria de los mártires, la patria debida a sus coronas sagradas, de donde surge el coro nevado de la nobleza togada que asciende al cielo». A propósito de San Vicente dice: «Nuestro es, aunque haya padecido su martirio lejos de aquí, en la ciudad desconocida y, una vez vencedor, diese por azar la gloria de su sepulcro a un lugar cercano al litoral de la alta Sagunto. Es nuestro, y de niño fue instruido en nuestra palestra en la virtud y ungido con el óleo de la fe. Aquí aprendió a domar al temible enemigo»[23]. Otras muchas veces emplea el posesivo *nuestro* en favor de Zaragoza. Al final del himno habla de los sepulcros gloriosos de los mártires, que tiene presentes, y ante los que exhorta a los demás a postrarse con él para impetrar el perdón de sus pecados: «Vayamos todos y lavemos con nuestro llanto piadoso las losas de estos mármoles que guardan mi esperanza de quedar absuelto de los vínculos que me retienen». «Póstrate conmigo toda entera, ciudad generosa, ante los santos túmulos; seguirás en seguida a sus almas y sus miembros resucitados»[24].

Sin embargo, los argumentos en favor de Calahorra son más fuer-

---

[19] *Perist.* VI 145-47.
[20] Ibid., VI, 4.
[21] Cf. A. C. Vega, *Capítulos de un libro. Aurelio Prudencio* p.196-206.
[22] *Perist.* IV 53-64.
[23] Ibid., 73-76.97-104.
[24] Ibid., 193-200.

tes, y hoy día la crítica tiende a dar por zanjada la cuestión en favor de esta última ciudad. Los argumentos más decisivos en este sentido los han expuesto modernamente A. C. Vega [25], I. Rodríguez [26], J. Madoz [27] y, finalmente, I. Lana [28]. Uno de estos argumentos se basa en unas palabras de Prudencio escritas cuando quiere expresar su sentimiento por no gozar de la facilidad que tienen los romanos de poder venerar personalmente el sepulcro de San Lorenzo: «Nos separa [del sepulcro] el *Ebro vasco* a nosotros, apartados por dobles Alpes, tras las cumbres cotianas y los nevados Pirineos» [29]. Calagurris se hallaba en territorio de los *vascones*, a los que increpa Prudencio en su himno en honor de los mártires calagurritanos Santos Emeterio y Celedonio con las palabras ya citadas en otra ocasión [30]: «¿Os dais cuenta, por fin, ¡oh Vascones! en otros tiempos brutos paganos, de cuán sagrada era la sangre que inmoló vuesto error cruel?» [31] El Ebro vasco no puede ser ni el Ebro en su generalidad, que no nace en territorio vasco; ni mucho menos el Ebro a su paso por Zaragoza, donde además no es ya obstáculo en el camino hacia Roma. El Ebro vasco, por consiguiente, es el que se interpone entre Calahorra y Roma, como una barrera más que hace difícil la larga marcha hacia la capital del imperio, camino que ha de cruzar, además, las barreras montañosas de los Pirineos y los Alpes. Prudencio debía de escribir, pues, o colocarse, en la situación de los calagurritanos. Esto sólo no prueba definitivamente que tuviera que ser nativo de Calahorra; pero es altamente probable que si, al dejar sus funciones públicas, se retiró en busca de la paz, el lugar escogido para su retiro fuese el de su lugar patrio, donde es muy probable también que contase con alguna villa o finca propia.

Otro argumento importante en favor de Calahorra como patria chica de Prudencio es el siguiente: en el comienzo del himno dedicado al mártir romano San Hipólito, Prudencio se dirige directamente a un obispo llamado Valeriano. Al mismo obispo van dirigidas las palabras finales del himno: «Oiga Cristo omnipotente tu oración en favor del pueblo cuya vida te ha sido confiada; quede excluido el lobo de tu repleto redil, sin que ningún cordero arrebatado disminuya tu rebaño; recondúceme, finalmente, a mí, pastor solícito; a mí, oveja enferma, que ha quedado en el campo de los pastos» [32]. Valeriano es, indudablemente, el obispo de Prudencio. ¿De dónde es obispo Valeriano? Con mucha frecuencia se le ha considerado como obispo de Zaragoza al identificarlo con algún obispo Valerio ciertamente cesaraugustano. Por obvias razones cronológicas, no podría ser éste, en todo caso, ni el Valerio obispo de Zaragoza que asistió al concilio de Granada hacia el año

---

[25] A. C. Vega, o.c., en nt.21.
[26] I. Rodríguez, *Obras completas de Prudencio:* BAC 58 (Madrid 1950) p.7-17.
[27] J. Madoz, *Valeriano, obispo calagurritano.*
[28] I. Lana, *Due capitoli prudenziani* p.6-10.
[29] *Perist.* II 537-40.
[30] En el c.2, al tratar de estos mártires.
[31] *Perist.* I 94-95. Cf. *Contra Symm.* II 816-17.
[32] *Perist.* XI 239-44.

300 ni el supuesto obispo del diácono San Vicente, que pudo ser el mismo que acabamos de mencionar [33]. Habla Prudencio de una familia de Valerios, de Zaragoza, en la que debieron de abundar los obispos [34]. Pero, en todo caso, se trata de Valerios, no de Valerianos; son dos nombres diferentes y bien conocidos.

Hay un buen camino para acercarnos a la solución de este enigma. Valeriano debía de ser obispo de Calahorra, porque Prudencio le exhorta a que celebre él también la fiesta de San Hipólito, como celebraba ya la de San Cipriano, la de San Celedonio y la de Santa Eulalia [35]. La única fiesta con carácter local es aquí la de San Celedonio, precisamente el mártir calagurritano, que además, juntamente con su compañero Emeterio, es objeto del himno que encabeza la serie de los que forman el *Peristéfanon,* y ambos juntos son los únicos a los que Prudencio consagra dos himnos; el segundo es el himno VIII, un epigrama destinado a servir como inscripción de un baptisterio que, según el título del himno [36], se había erigido en el lugar donde habían padecido su martirio los dos mártires calagurritanos.

M. del Alamo [37] ha valorado el testimonio que en favor de Calahorra suponen dos códices conservados en El Escorial, en los que se lee: «Valeriano, obispo de la ciudad calagurritana», «Prudencio, calagurritano». El códice principal, el Albeldense, es de fines del siglo X, probablemente, y de procedencia cercana a Calahorra. No es un verdadero argumento nuevo, pero sí una cierta confirmación de lo ya anteriormente probado prácticamente.

También puede venir a confirmar lo mismo el conocido argumento de los posesivos, que adquiere algún valor especial cuando se refiere a Calahorra. Al principio del himno IV, consagrado a los dieciocho mártires de Zaragoza, a la única ciudad a la que aplica Prudencio el calificativo de *nuestra* es a Calahorra, aunque enumera muchas; entre otras, Tarragona, Gerona y Barcelona, que también pertenecen a la provincia Tarraconense [38].

Sus actividades

En el citado prefacio, Prudencio da algunas otras veladas noticias de su vida. Por ser veladas se prestan a diferentes interpretaciones. Está claro que los recuerdos de su infancia en la escuela no son buenos: «Mi primera edad lloró bajo la férula sonora». Los tiempos siguientes los enjuicia Prudencio desde un sincero arrepentimiento y dolor por sus pecados: «A continuación, la toga me enseñó a mentir, no sin culpa mía, que estaba lleno de vicios. La protervia lasciva y la lujuria petulante —¡qué vergüenza y qué remordimiento!— me mancharon en mi juven-

---

[33] Al concilio de Zaragoza asiste un obispo Valerio; no se da su sede.
[34] *Perist.* IV 79-80.
[35] *Perist.* XI 237-38.
[36] No sabemos si éstos son originales de Prudencio.
[37] M. DEL ALAMO, *Un texte du poète Prudence: «Ad Valerianum episcopum».*
[38] *Perist.* IV 17-45.

tud con la inmundicia y el fango de la maldad. Después, los procesos dieron armas a mis malas disposiciones, y el tenaz deseo de vencer, aun sin razón, me expuso a grandes riesgos» [39]. Es evidente que los estudios y el ejercicio de la abogacía, a que tan claramente alude, suponen la procedencia de una familia bien situada social y económicamente. Aun comprendiendo que Prudencio puede haber recargado las tintas negras al hacer esta confesión general de sus pecados pasados, se ha de suponer que era sincero al enjuiciar así la primera parte de su vida. O no era cristiana, o, si lo era, como parece más probable, debía de vivir no excesivamente preocupado por la práctica de su cristianismo.

Más tarde, Prudencio participó de lleno en la vida política del imperio. Cuando se refiere a este segundo capítulo de su vida en el prefacio, sus expresiones son mucho menos claras. Al mismo tiempo puede observarse que ya no describe sus actuaciones con acento de dolor y de vergüenza. Tampoco se muestra lleno de orgullo, ni siquiera de vanidad; enumera simplemente sus actuaciones: «Por dos veces llevé las riendas de la ley de nobles ciudades; hice justicia a los buenos y mantuve a raya a los culpables. Finalmente, la piedad del emperador me llevó a un grado elevado en los oficios de la corte, ordenándome asumir un rango superior, cercano a él». A continuación, Prudencio lo considera todo como tiempo perdido, porque no supo dedicarse todo entero a Dios, y con ello señala una tercera etapa en su vida, un grado más en la progresiva intensificación de su conciencia cristiana.

Pero antes de seguir adelante será bueno observar que de ninguno de sus cargos públicos habla con absoluta claridad, y que, por tanto, nada se puede afirmar sobre ellos con absoluta certeza, como muchas veces se ha hecho. Parece lógico que, al hablar de su gobierno de ciudades nobles, Prudencio se refiera al gobierno de una provincia. Este cargo lo ejerció por dos veces; no sabemos si en la misma provincia o en dos diferentes. Creo que las conjeturas más serias las ha hecho I. Lana [40], quien en primer lugar ha tratado de averiguar qué cargo ocupó Prudencio en la corte imperial. A tenor de las expresiones latinas usadas, le parece a este autor que Prudencio debió de ser un *proximus,* cargo que solamente tenía sobre sí en su departamento al jefe de éste, el *magister,* y que comportaba el título de *clarissimus,* con derecho a sentarse en el Senado, y el de *spectabilis,* lo que suponía una equiparación en dignidad con los *vicarii,* que eran los que gobernaban las diócesis. Si esto es así, como parece muy probable, se sigue que sus cargos anteriores de gobernador de provincia no debió de ejercerlos en calidad de procónsul, puesto que los procónsules tenían la consideración de *spectabiles,* y Prudencio presenta claramente su paso a la corte como una promoción en su carrera. I. Lana cree muy probable —por su manera de indicar su cargo, refiriéndolo a las ciudades y no a la provincia— que Prudencio gobernase la provincia como *corrector.* Es también muy probable que en tiempos de Prudencio solamente tres provincias del

---

[39] *Praef.* 7-15.
[40] I. LANA, o.c.

imperio estuviesen gobernadas por correctores; una de ellas era la Savia, en la Panonia Superior, de cuya capital, Siscia, era obispo el mártir Quirino, al que Prudencio dedica el himno VII de su *Peristéfanon*.

Los servicios prestados en la corte debieron de serlo bajo el imperio de Teodosio, del que tan encendidos elogios hace Prudencio en varias ocasiones. Es muy posible, por tanto, que ello le obligase a residir principalmente en Milán, o, a lo más, en Constantinopla, pero no en Roma, como algunos autores parecen dar por supuesto.

Viaje a Roma

Consta, en cambio, que Prudencio viajó a Roma, como se deduce de algunos de sus himnos y de su expresa afirmación en el himno IX. Refiriéndose a Imola, entonces Forum Cornelii, dice: «Aquí, de paso hacia ti, ¡oh Roma!, culmen del universo, me nació la esperanza de que Cristo me sería propicio»[41]. En cambio, entramos de nuevo en el campo de las conjeturas si tratamos de fijar la fecha, la duración y las causas del viaje.

Al revés de como han pretendido hacer algunos autores, la fecha del viaje de Prudencio a Roma se puede delimitar, en algún modo, en razón de la fecha que se asigne a la consagración de la reconstruida basílica de San Pablo, en la vía Ostiense, de Roma. Efectivamente, en el mosaico que adorna el arco de triunfo de esta basílica se lee hoy una inscripción métrica que es copia de la que primitivamente debió de estar en la concha del ábside, y que reza así: «Teodosio la comenzó, la llevó a término Honorio, esta aula consagrada por el cuerpo de Pablo, doctor del mundo»[42]. La basílica quedó, pues, terminada en tiempos de Honorio, es decir, no antes del 17 de enero del año 395, fecha de la muerte de Teodosio. La descripción que hace Prudencio de la basílica, la única que se conoce de ella antes de su primera restauración por Inocencio I, prueba que el poeta la contemplaba ya terminada: «El lujo del edificio es regio; un buen emperador ha consagrado estos alcázares y ha decorado su ámbito con grandes expensas. Ha recubierto los techos con pan de oro, para que toda la luz interior fuese luz áurea, como el resplandor del sol en su nacimiento. Hizo sostener el techo, de reflejos rojizos, con columnas de mármol de Paros, alineadas en cuatro órdenes. Decoró la línea ondulada de los arcos con variados resplandores verdes que brillan como en los prados las flores de la primavera»[43]. Su estancia en Roma, pues, es posterior a la fecha de la muerte de Teodosio ya citada, y esto independientemente de que el «buen emperador» a que se refiere el poeta en su elogio sea Teodosio o su hijo Honorio. Se ha discutido mucho sobre este particular, y es más probable, no cierto, que

[41] *Perist.* IX 3-4.
[42] La inscripción parece que es obra de Honorio y probablemente se escribió en tiempos de Inocencio I. Cf. L. MARTÍNEZ FAZIO, *La segunda basílica de San Pablo extramuros* (Roma 1972) p.3-6 y 8-10.
[43] *Perist.* XII 47-54. Cf. L. MARTÍNEZ FAZIO, *Un discutido testimonio de Prudencio sobre la ornamentación de la basílica ostiense en tiempo de Inocencio I:* ArchHistPont 2 (1964) 45-72.

Prudencio tenga presente, más bien, a Teodosio; al hablar de la basílica, parece referirse a su autor principal, que no fue ciertamente Honorio; pero el edificio terminado que está describiendo no es el que existía cuando Teodosio estaba todavía vivo, si es que la inscripción dedicatoria ha de conservar algún sentido.

Por razones que no es necesario ahora repetir aquí, I. Lana afirma que el escrito de Prudencio *Contra Symmacum,* al menos el libro II, fue escrito en Roma y quedó terminado antes de acabar el verano del año 402. Como la estancia en Roma no debió de ser muy larga, es verosímil pensar que ésta tuviese lugar en los años 401-402 [44].

La causa del viaje parece que debió de ser la necesidad de presentarse ante el Senado para ser juzgado por razón de alguna acusación. Sabemos solamente que, cuando Prudencio se dirigía a Roma, iba preocupado. Ante la tumba del mártir Casiano, en Imola, camino de Roma, el sacristán de la iglesia, que le narra la historia de su martirio, termina exhortándole a que se encomiende confiado el mártir, «que escucha con la mayor benignidad todas las oraciones». Continúa así Prudencio: «Le hago caso; abrazo la tumba y vierto incluso lágrimas; caliento el altar con mis labios, y la piedra con mi pecho. Paso revista a todas mis penas ocultas y murmuro lo que deseaba, lo que temía: mi familia, que he dejado tras de mí en una situación indecisa; mi esperanza insegura de un bien que puede llegar» [45]. Los dos versos que siguen, los últimos del himno, indican que, efectivamente, el resultado de su viaje le fue favorable: «Me oye [el mártir], voy a Roma, tengo buena fortuna, vuelvo a casa y canto las alabanzas de Casiano» [46].

Parece claro que los himnos II y XV, dedicados, respectivamente, á San Lorenzo y a Santa Inés, fueron escritos por Prudencio antes de su viaje a Roma, como creo que ha demostrado suficientemente I. Lana [47], lo cual indica que, ya antes de este viaje, Prudencio había incrementado su dedicación a la vida interior y al culto de los mártires, aunque el viaje a Roma supusiese después un gran impulso en esta dirección, reflejado en los versos del prefacio y del epílogo de sus obras.

Un cristianismo encarnado

Una reflexión profunda sobre su pasado había llevado al ánimo de Prudencio la persuasión de que todo cuanto había hecho en su ya larga vida no iba a serle de mucho provecho después de su muerte [48]. Desde ese momento, imposible de determinar con una fecha concreta, Prudencio vivió cada vez más seriamente consagrado a una intensa vida espiritual.

[44] Cf. I. Lana, o.c., p.23ss.
[45] J. Guillén (BAC 58 p.619) da una extraña traducción de esos versos.
[46] *Perist.* IX 99-106. No creo que haya razones convincentes para pensar que el motivo del viaje a Roma fuese eclesiástico, a pesar de lo expuesto por R. Argenio (*Roma immaginata e veduta dal poeta cristiano Prudenzio:* StudRom 21 [1973] 25-37).
[47] I. Lana, o.c., p.48-60.
[48] *Praef.* 28-30.

Tenemos una buena fuente para conocer la concepción de la vida espiritual de Prudencio en una de sus obras: el *Cathemerinon,* composición poética dedicada toda ella a santificar el día con oraciones compuestas para las horas más importantes y algunas otras ocasiones especiales.

Vida espiritual

La característica más patente de la espiritualidad que se refleja en estos himnos es una profunda religiosidad y un cristocentrismo muy marcado. Prudencio vive la omnipresencia de Dios, al que todo está presente y patente [49]. No es una divinidad difusa, sino el Dios cristiano: la Trinidad Santa, que debe regir toda nuestra vida: «nuestras ocupaciones serias, nuestros recreos, nuestras palabras, nuestros juegos, en una palabra, cuanto somos y hacemos» [50]. Y, sobre todo, Cristo, del que sería imposible citar textos del *Cathemerinon,* porque habría que transcribirlo íntegramente.

Hay en el *Cathemerinon* nueve oraciones o himnos pensados para ser recitados «a la hora del canto del gallo», «por la mañana», «antes de la comida», «después de la comida», «a la hora de encender las lámparas», «antes de dormir», «para los que ayunan», «después del ayuno» y un «himno para todas las horas». A estas composiciones se añade otra «para los funerales de un difunto» y dos más para el día de Navidad y para el de la Epifanía. Basta la mera enumeración para comprender que la oración es elemento central en la espiritualidad de Prudencio: «A ti, con mente pura y simple, aprendemos a orar con la palabra, con el canto piadoso, con la rodilla doblada, llorando y cantando. Estos son nuestros negocios, con este solo oficio vivimos; éstas son nuestras ocupaciones desde que empieza a brillar el sol» [51].

Sirve de sustento a esta actividad cristiana una ascética basada en la frugalidad en las comidas, tan alabada ya por la filosofía clásica, pero motivada para Prudencio en consideraciones religiosas: «Los corazones expeditos, gracias a unas comidas frugales, reciben mejor la visita de Dios. El es el verdadero pasto y sabor para el alma» [52].

Los alimentos los ha creado Dios mismo, quien ha sometido al hombre toda la creación. En su himno III, para antes de la comida, Prudencio hace una poética descripción de la pesca, de la caza de aves y de los frutos del campo. Curiosamente considera propio sólo de «pueblos feroces» los banquetes a base de carne de cuadrúpedos [53], y quiere también que esté «lejos de nosotros toda bebida funesta» [54].

Dos himnos dedica Prudencio al ayuno: el VII y el VIII: «Nada más puro que este misterio, que calma las fibras de un corazón ardiente,

---

[49] *Catem.* II 105-12.
[50] *Catem.* III 18-20.
[51] *Catem.* II 49-56.
[52] *Catem.* IV 31-32; cf. III 171-75.
[53] *Catem.* III 61-62.
[54] Ibid. 176.

doma la intemperancia de la carne, para que la grasa sudada por la crápula no oprima la mente y sofoque el pensamiento» [55]. «Porque, si no frenas debidamente el cuerpo con ayunos y te das alegremente a la comida y a la bebida, la noble llama del espíritu pierde su calor, debilitada por el placer frecuente, y el alma se adormece en el corazón perezoso» [56]. Prudencio ilustra ampliamente el valor religioso del ayuno con ejemplos bíblicos: los habitantes de Nínive que reaccionan ante la predicación de Jonás y logran el perdón de Dios; el ejemplo de Cristo en el desierto.

El ayuno no es suficiente, sin embargo. Es beneficioso, «con tal que siempre le acompañe la larguez suave. Porque es también gran virtud vestir a los desnudos, dar de comer a los hambrientos, ayudar benignamente a los que suplican y no olvidar que entre los poderosos y los necesitados no hay diferencia de naturaleza ni de destino» [57].

Pero la característica más notable de toda la espiritualidad de Prudencio es, a mi entender, la que ha destacado mejor que nadie I. Lana en ese pequeño trabajo suyo que tantas veces he citado [58]. Sintetiza así esta característica: «El modo que Prudencio siente como el suyo propio de servir a Dios y a los hermanos es componer poesías» [59].

Si volvemos por un instante al célebre prefacio, veremos que el mismo Prudencio indica cuál es el camino que ha decidido emprender al constatar la inanidad de toda la actividad de su vida pasada, a la que acaba de pasar revista: «Tengo que decirme a mí mismo: tú serás todo lo que quieras; pero tu alma ha perdido ese mundo a quien daba culto; todo eso que buscó no era de Dios, y es a Dios al que vas a pertenecer». Y a continuación expone su programa, ya en parte cumplido cuando escribe el prefacio: «Que mi alma celebre con sus cantos a Dios, ya que no puedo hacerlo con mis méritos. Día y noche cante yo himnos al Señor, luche contra las herejías, exponga la fe católica, pisotee el culto pagano, abata, ¡oh Roma!, tus ídolos, consagre un poema a los mártires y alabe a los apóstoles. Mientras escribo o hablo de todo esto, quede yo libre de los lazos del cuerpo y suba allá a donde se habrá dirigido mi lengua flexible en su último acento» [59*].

Prudencio considera que su ofrenda principal a Dios ha de ser su poesía, puesta al servicio de Cristo [60]. Otros, «el hombre piadoso, el lleno de fe, el inocente, el casto, ofrecen a Dios Padre los dones de su conciencia, en los que abundan en su interior sus almas bienaventuradas. Otro habrá que se prive de su dinero para mantener a indigentes. Yo, indigente de santidad e impotente para socorrer a los pobres, ofrezco como sacrificio los rápidos jámbicos y los ágiles troqueos». Con-

---

[55] *Catem.* VII 6-10.
[56] Ibid., 16-20.
[57] *Catem.,* VII 209-215. Véase asimismo J. M. Fernández Catón, *Manifestaciones ascéticas* p.125-30.
[58] I. Lana, *Due capitoli prudenziani* p.32-39 y 61-102.
[59] I. Lana, o.c., p.72.
[59*] *Praef.* 31-33.36-45.
[60] Ya hemos visto esta idea delineada en Juvenco de manera incipiente.

sidera humildemente la modestia de su ofrenda, «pero Dios —dice— aprueba mi poema prosaico y lo escucha benigno» [61].

Había ejercido cargos importantes en la administración civil. Al decidir abrazar ahora el oficio de poeta-escribano de Dios, Prudencio es consciente de ocupar un lugar ínfimo en el nuevo escalafón. «Entro así a ejercer en el palacio de salvación un oficio pobre como el barro. Pero es bueno haber prestado a Dios un servicio, por ínfimo que éste sea. En todo caso, será hermoso haber alabado a Cristo con mi canto» [62].

Si como funcionario del emperador había puesto a su servicio su cultura y sus dotes poéticos, ahora, decidido a servir exclusivamente a Dios, la misma cultura y los mismos dotes los consagraba al servicio divino. En este sentido, Prudencio, con respecto a Paulino de Nola [63], supone un grado más en la escala del cristianismo encarnado en la cultura grecorromana [64]. Prudencio no desdeña el instrumento humano cultural más propio suyo que es la poesía en la nueva orientación totalmente cristiana que ha querido dar a su vida. Su poesía y su lenguaje poético, que es fundamentalmente el clásico, le sirve como vehículo de expresión de su nueva y profunda inspiración cristiana.

Muy recientemente, W. Ludwig ha propuesto una interesante tesis, según la cual las obras poéticas de Prudencio, si se dejan aparte los epigramas reunidos bajo el nombre de *Dittochaeon,* obra que no fue publicada con las demás, forman una serie de composiciones variadas, con las que se pretende expresamente emplear, al servicio del cristianismo, todos los, géneros literarios de la poesía clásica: la epopeya, la lírica, himnos y epinicios, elegía, epigrama, mimo y tragedia; y todo ello formando coordinadamente una unidad artística superior, que constituye una representación universal de la enseñanza cristiana y de su cumplimiento en la vida cristiana [65].

Imperio romano y pueblo de Dios

La síntesis cultura-cristianismo que lleva consigo la encarnación, se manifiesta también en las ideas políticas de Prudencio con acentos no ya de mera unión, sino de confusión incluso, que no le es imputable personalmente, porque solamente un genio excepcional hubiese podido evitarlo en su época y en su ambiente.

La fuente principal para este tema prudenciano es su obra escrita contra Símaco, obra polémico-apologética, último episodio de la célebre controversia sobre el altar de la Victoria en el Senado romano.

La estatua de la Victoria con su correspondiente ara presidía, desde los tiempos de Augusto, la gran aula del Senado en Roma. Allí seguía muchos años después del triunfo oficial del cristianismo. El emperador Constancio mandó retirar el altar en el año 357, con gran disgusto de

[61] *Epíl.* 1-12.
[62] Ibid., 29-34.
[63] Cf. nuestro c.8.
[64] Cf. I. LANA, o.c., p.82-87.
[65] W. LUDWIG, *Die christliche Dichtung des Prudentius.*

buena parte de los senadores, todavía paganos. De nuevo y pronto volvió el altar a ocupar su lugar preeminente, no sabemos exactamente cómo ni cuándo, hasta que Graciano lo mandó retirar en el año 382. Graciano adoptó una actitud mucho más radical que todos sus antecesores con respecto al culto pagano. Renunció a su título de pontífice máximo, y, al mismo tiempo que suprimía el ara de la Victoria, destinaba al correo imperial el presupuesto hasta entonces destinado al mantenimiento de los sacerdotes paganos y de las vestales; confiscaba las propiedades de los templos, suprimía las subvenciones de sus fiestas religiosas y los privilegios de exención de sus sacerdotes.

Era lógico que los senadores no cristianos procurasen evitar las consecuencias de un golpe tan decisivo para su religión. El portavoz elegido para presentar sus súplicas ante el emperador fue Símaco, un personaje altamente valorado por amigos y adversarios, rico en experiencia política acumulada en el ejercicio de los más altos cargos y que juntaba reconocidas cualidades retóricas y literarias con una sincera e inconmovible adhesión a las tradiciones patrias, incluidas, y en primer lugar, las religiosas.

Graciano no lo recibió siquiera, prevenido por San Ambrosio, a quien había informado a su vez previamente el papa Dámaso. Pero Graciano murió al año siguiente, eliminado por el usurpador Máximo. Ante Valentiniano II, que sólo contaba entonces doce años, Símaco logró presentar una retórica relación, que se ha conservado. El intento falló no obstante, y las diligencias de Símaco y los suyos encontraron de nuevo la oposición enérgica de San Ambrosio. El nuevo usurpador Eugenio oyó por fin las súplicas de los senadores paganos, y el ara de la Victoria volvió de nuevo al Senado. Por poco tiempo también, porque Teodosio quedó pronto como único emperador de Oriente y Occidente y en el año 394 vencía a Eugenio. Quizá bajo el reinado del hijo de Teodosio, Honorio, hubiese otra legación y un nuevo intento. No es seguro, y menos aún que fuese dirigida por Símaco, cercano ya a su muerte, que parece debió de acontecer hacia el 402. Desde la derrota de Eugenio se hallaba retirado totalmente de la política.

Prudencio en su obra contra Símaco tiene presente la relación de éste, que se ha conservado y que había refutado anteriormente San Ambrosio [66].

A pesar de que tanto Ambrosio como Prudencio refutan el mismo escrito de Símaco y de que Prudencio se sirve evidentemente de la refutación de Ambrosio, R. Klein [67] ve una notable diferencia en la actitud de uno y otro. Efectivamente, la respuesta de Ambrosio era polémica y negativa, dirigida directamente a contradecir a los senadores paganos para evitar que sus argumentos hiciesen mella en el ánimo del emperador. Prudencio procura seguir un método más persuasivo; su argumentación procede desde el interior mismo de la «romanidad». Distingue bien y separa cultura romana y religión pagana, extremos que Símaco y

---

[66] Cf. M. Lavarenne, *Prudence* III (París 1963) y p.83-131.
[67] R. Klein, *Symmachus* (Darmstadt 1971) p.140-60.

los suyos consideraban indisolublemente unidos. Acata decididamente a los dioses paganos ironizando sobre sus leyendas; se avergüenza de que Roma se haya igualado en su culto con los pueblos bárbaros; esa Roma de la que se siente tan orgulloso, «la que ha dado leyes y derechos a los pueblos sometidos y ha humanizado los fieros ritos de las armas y de las costumbres por toda la extensión del orbe». Desea que Roma «se desembarace definitivamente de las fiestas pueriles, de los ritos ridículos, de sacrificios indignos de tan gran imperio». Al rechazar la religión, no rechaza, en cambio, la cultura: «Lavad los mármoles teñidos de sangre putrefacta, dejemos que las estatuas, obras de grandes artistas, se mantengan erguidas y limpias; sean bellísimo ornamento de nuestra patria, que un uso corrompido no vuelva a manchar los monumentos de arte, convirtiéndolos en vicio» [68].

La causa de los triunfos y éxitos de Roma no se pueden atribuir en ningún modo a los dioses: «No soporto que se denigre el nombre romano; ni las guerras, que tanto sudor han costado; ni sus títulos, conseguidos a precio de tanta sangre. Denigra a las invictas legiones y disminuye el mérito de Roma el que atribuye a Venus cuanto se llevó a cabo tan valientemente; arrebata la palma a los vencedores» [69].

Prudencio tiene su propia explicación: la causa de tanto éxito hay que buscarla en los designios providenciales de Dios. Dios quería reunir los diversos pueblos, y para eso decidió reunir todas las naciones civilizadas en un solo imperio bajo el yugo concorde de leyes suaves, de modo que los corazones humanos se mantuviesen unidos por el amor de la religión. «El consenso placidísimo de la concordia humana hace propicio a Dios para con el orbe» [70]. Para remediar los males de la división, «Dios enseñó a los pueblos venidos de todas partes a inclinar su cabeza ante las mismas leyes y a hacerse romanos todos; aquellos a los que baña el Rin, o el Istro, o el Tajo aurífero, o el caudaloso Ebro; aquellos que viven por donde corre el río cornudo de las Hespérides, o los que son alimentados por el Ganges, o se lavan en las siete bocas del Nilo templado. El mismo derecho los ha hecho iguales y los ha reunido con el mismo nombre; una vez dominados, los ha ligado con vínculos fraternos. Se vive en todas partes como si de conciudadanos de nacimiento se tratase, abrigados por las murallas de la misma ciudad natal... Porque las sangres se mezclan y una sola raza surge de los diversos pueblos. Todo esto se ha hecho gracias a los grandes éxitos y triunfos del imperio romano. Créeme: así quedó dispuesto para la venida de Cristo el camino que construyó, bajo la dirección de Roma, nuestra paz y nuestra concordia pública» [71].

En nuestro capítulo V recogimos las entusiastas palabras del obispo e historiador Eusebio con las que ensalzaba la obra providencial de Constantino, «imagen del único Emperador de todos», «vicario del gran Em-

---

[68] *Contra Symm.* I 455-57.499-505.
[69] Ibid., II 551-55.
[70] Ibid., 587-95.
[71] Ibid., 602-22.

perador», bajo cuyo mandato se había realizado la única Iglesia en el único imperio. En Eusebio está patente ya, por tanto, la fusión y confusión Reino de Dios-imperio romano. A casi un siglo de distancia, Prudencio desarrolla la misma idea, pero de forma más orgánica, aunque no menos errónea. No existe para él ruptura: Cristo asume los éxitos obtenidos previamente por el imperio, encarna su Reino en el reino humano de Roma. Sigue en vigor la misma confusión, pero con un acento distinto. En el concepto de Eusebio, el imperio comenzaba a ser válido desde el momento en que es asumido por Cristo. Para Prudencio lo era ya antes, y cuando Cristo lo asume lo eleva y lo destina a ser el más glorioso de los reinos. No olvidemos que Teodosio gobierna el imperio en este momento con una política religiosa totalmente «cristianizada». La sangre de los mártires derramada en todo el orbe romano, y especialmente en Roma, le ha ungido, confiriéndole una nueva y altísima función, según Prudencio [72].

¿Hasta qué punto ha llegado la identificación del imperio romano con la humanidad entera destinada al Reino de Dios? La respuesta podemos encontrarla en las conocidas palabras del mismo Prudencio: «Entre el mundo romano y el mundo bárbaro media la misma distancia que separa al bípedo del cuadrúpedo, al ser capaz de hablar, del que no posee ese don; la misma distancia existe entre los que siguen debidamente los preceptos de Dios y los partidarios de cultos absurdos y de sus errores» [73].

Con una actitud un tanto anacrónica, se ha escrito no poco sobre los sentimientos «patrióticos» de Prudencio, referidos, según las diversas predisposiciones, a la patria romana o a la patria hispana. Ni Hispania era la España moderna ni el imprio romano podía ser, para Prudencio, una patria en el sentido en que nosotros entendemos tal concepto. Ha quedado bien patente en los textos citados que Roma y su imperio eran, para Prudencio, el único mundo auténtico; sus ciudadanos eran la única auténtica humanidad y el pueblo de Dios al mismo tiempo, destinado a la máxima gloria en este mundo y a la gloria sin fin del mundo futuro. Es un concepto que transciende la idea de patria tal como nosotros hemos aprendido a entenderla. Por otra parte, el sentimiento de afecto hacia la propia tierra hispana, como muy bien ha observado J. Fontaine, no se presenta en Prudencio ya como en tensión dialéctica con su romanismo. Prudencio vivió en tierra de vascones, y, cuando escribe con orgullo que «Dios mira con benignidad a los hispanos», no se refiere a los vascones ni a cualquier otro pueblo indígena que pudiese existir no romanizado todavía. Los hispanos de Prudencio, su Hispania, es la Hispania romana, parte integrante e integrada del imperio y de la Iglesia, porque para Prudencio «el reverso de la romanidad se llama, indiferentemente, barbarie, paganismo, estupidez bestial,

---

[72] Cf. *Perist.* II, a San Lorenzo. Cf. J. FONTAINE, *Romanité et hispanité* p.303-14; K. THRAEDE, *Rom und der Märtyrer in Prudentius, «Perist».* 2,1-20.
[73] Ibid., II 816-19.

mientras que la romanidad es, esencialmente, cristianismo y humanización llevada a la perfección en la sabiduría de la fe» [74].

Obras de Prudencio

El *Peristephanon*, o poema de las coronas, es quizá la obra más característica de Prudencio. Es, al mismo tiempo, testimonio y causa promotora del gran entusiasmo con que en su época floreció el culto y veneración de los mártires. Dedica himnos a los santos Emeterio y Celedonio (I, 120 versos), a Lorenzo de Roma (II, 584 versos), Eulalia de Mérida (III, 215 versos), 18 mártires de Zaragoza (IV, 200 versos), Vicente de Valencia (V, 576 versos), Fructuoso, Augurio y Eulogio de Tarragona (VI, 162 versos), Quirino de Siscia, en Yugoslavia (VII, 90 versos); baptisterio de Calahorra (VIII, 18 versos), Casiano de Imola (IX, 106 versos), Román de Antioquía (X, 1 140 versos, composición que algunos han pensado, parece que indebidamente, que no iba incluida primitivamente en el *Peristéfanon*), Hipólito de Roma (XI, 246 versos), Pedro y Pablo (XII, 66 versos) [75], Cipriano de Cartago (XIII, 106 versos) e Inés, de Roma (XIV, 133 versos) [76].

Como puede verse, la extensión de cada himno es muy variada, a tenor, la más de las veces, de la extensión del documento original en que se basaba. Muy variado también es el metro que emplea. Solamente en estos catorce himnos echa mano de metros tan variados como el tetrámetro trocaico cataléctico, el dímetro y el cuaternario yámbicos, el trímetro dáctilo hipercataléctico, el endecasílabo sáfico, falecio y alcaico, el gliconio, el dístico elegíaco, el épodo, el arquiloquío, etc.

Desde el punto de vista de la composición poética, no es precisamente el *Peristéfanon* la más lograda de sus obras. Su estilo es complicado y confuso con una cierta frecuencia, prolija su narración y demasiado truculenta la descripción de los tormentos, aunque estas últimas características en muchas ocasiones son propias fundamentalmente de las pasiones de los mártires o de las tradiciones orales de que dependía en la composición de su poema.

Prudencio no es un historiador hagiógrafo. Su mero testimonio no es, por tanto, suficiente para garantizar la veracidad de los hechos narrados, ni siquiera la existencia de un verdadero culto. En la época en que escribe corrían ya numerosas actas no genuinas de mártires, y el poeta calagurritano no ejerce una labor de crítica histórica sobre los documentos básicos de su composición [77].

Además del *Contra Symmachum*, Prudencio escribió cuatro poemas didácticos. En ellos trata de unir ciencia teológica y poesía, siguiendo la

[74] J. FONTAINE, *Romanité et hispanité* p.315.
[75] Cf. P. KÜNZLE, *Bermerkungen zum Lob auf Sankt Peter und Sankt Paul von Prudentius:* RivStorChiesIt 11 (1957) 309-69; J. RUYSSHAERT, *Prudence, l'espagnol poète des deux basiliques romaines de S. Pierre et de S. Paul:* RivArchCrist 42 (1966 [1968]) 267-86.
[76] M. J. BAYO, *«Peristephanon». Estudios y traducción* (Madrid 1943). Según W. LUDWIG (o.c., p.324), el orden primitivo de los himnos del *Peristéfanon* debió de ser éste: 1.2.3.4 ó 5, 5 ó 4.6.7.8.9.11.12.13.14.10.
[77] Cf. J. VIVES, *Veracidad histórica de Prudencio;* P. ALLARD, *Prudence historien.*

tradición clásica en este género de composiciones y dando muestras de una seria información sobre los problemas doctrinales debatidos en el campo de la teología de los siglos pasados, sin comprometerse claramente con los que suponían todavía palpitante actualidad en su tiempo, como el arrianismo y, sobre todo, el priscilianismo. Téngase en cuenta que él no era un teólogo, sino un ilustrador literario de la teología para un público culto [78].

El poema titulado *Apotheosis* (1.152 versos) —su obra más teológica— [79] defiende la doctrina de la Trinidad en contra de los patripasianos, de los sabelianos, de los judíos, de los ebionitas, que niegan la divinidad de Cristo, y contra algunas doctrinas de tipo gnóstico-maniqueo sobre la naturaleza del alma y la humanidad de Cristo, que pudieran tener alguna relación con las doctrinas al menos atribuidas a los priscilianistas.

La *Hamartigenia* (1.029 versos), u «origen del pecado», trata, consecuentemente, sobre el origen del mal, y va dirigido sobre todo contra el dualismo marcionita.

En estos dos poemas, Prudencio se inspira, probablemente de modo directo, en obras de Tertuliano que tratan estos mismos temas [80].

La *Psychomachia* (983 versos) es un poema alegórico en el que se presentan las luchas del alma, los combates de las virtudes contra los vicios: la fe contra la idolatría, la castidad contra la lujuria, la paciencia contra la cólera, la humildad y la esperanza contra la vanidad, la sobriedad contra la sensualidad, la caridad contra la ambición, la concordia, la fe y todas las virtudes contra la herejía. No extraña, pues, que este poema llegase a gozar de buena popularidad en la Edad Media y en tiempos posteriores [81].

Por último, el *Dittochaeon* es una serie de 49 epigramas, cada uno de los cuales encierra, en los estrechos límites de un cuarteto de hexámetros dáctilos, la descripción de una escena del Antiguo o del Nuevo Testamento. Es prácticamente seguro que estos versos estaban destinados a ilustrar otras tantas escenas representadas en pintura o en mosaico a lo largo de la nave central de alguna basílica. El número 43, sobre el sepulcro de Cristo, no parece genuino.

Es difícil precisar la cronología de las obras de Prudencio. Recojo aquí las conclusiones de I. Lana [82]: los himnos II (Lorenzo), VII (Quirino) y XIV (Inés) del *Peristephanon* son, probablemente, anteriores al viaje a Roma, y, por tanto, anteriores al 401-402; el *Contra Symmachum* fue terminado antes de finalizar el verano del 402; los himnos IX (Ca-

---

[78] Cf. M. LAVARENNE, *Prudence* II p.V-VIII. A. ROESLER (*Der katholische Dichter Aurelius Prudentius*) creía, al contrario, que en todas sus obras didácticas Prudencio trataba de combatir el priscilianismo.

[79] Cf. A. C. VEGA, *Capítulos de un libro, Aurelio Prudencio* p.252-60.

[80] Cf. A. C. VEGA, o.c., p.260-71.

[81] Cf. M. SMITH, *Prudentius «Psychomachia»*. Es un importante estudio sobre este poema. El contenido del libro supera, con mucho, el título. Véase, p.ej., el capítulo I, dedicado a «El poeta cristiano y su tiempo» (p.29-128). Véase asimismo A. C. VEGA, o.c., 160 (1948) 3-34.

[82] I. LANA, o.c., p.42-43.

siano), XI (Hipólito) y XII (Pedro y Pablo) son posteriores al viaje a Roma y anteriores al *Prefacio,* es decir, fueron compuestos entre el 403 y el 404. El *Cathemerinon* es del 404. Del mismo año 404 es el *Prefacio.* Las obras didácticas y el *Epílogo* son posteriores al 404.

LAS INVASIONES GERMÁNICAS

Cuando Prudencio escribía sus poemas, la amenaza de los pueblos germánicos pesaba siempre sobre la conciencia de los romanos de todo el mundo. Pero precisamente en aquellos años, las victorias de Teodosio y de Estilicón, bajo el imperio de Honorio, habían aportado cierta tranquilidad, renovando la esperanza en el triunfo del «imperio cristiano» sobre la «barbarie pagana».

Muy cercanos en el tiempo están Prudencio y Orosio, del que vamos a ocuparnos en seguida. Pero entre ambos, o, mejor, entre la obra de uno y otro, median graves acontecimientos que atañen especialmente a Roma e Hispania y que influyen decisivamente en la concepción del mundo que Orosio va a formarse y a transmitir no sólo del presente, sino también del pasado y del futuro. Por eso es conveniente que antes de ocuparnos de él dediquemos unas páginas a resumir, a grandes rasgos, la historia de las irrupciones de los pueblos germánicos en el imperio, sobre todo del saco de Roma y de las invasiones en nuestra Península.

Los diferentes pueblos invasores

Prescindiendo de las más antiguas invasiones, las tribus germánicas fronterizas del imperio comenzaron a inquietar con fuerza y con frecuencia a este último cuando ellas, a su vez, sufren las presiones de otros pueblos que las van arrinconando junto al *limes* romano. Esto sucede sobre todo desde que, a principios del siglo II, los germanos orientales abandonan su primitivo hábitat al sur de Escandinavia y descienden hacia el norte y centro primero, y después hacia el sur y oeste de Europa.

Los vándalos son los primeros de los pueblos germánicos procedentes de Escandinavia. Ocupan primeramente la región comprendida entre los ríos Oder y Vístula, la Silesia principalmente, nombre derivado de los vándalos llamados silingos. Los vándalos asdingos se sitúan sobre todo entre el Vístula y el Dniéster (sur de Polonia). A fines del siglo IV, asdingos y silingos avanzan coordinados hacia el Oeste.

Tras los vándalos, y partiendo también de Escandinavia, los godos, otro grupo germánico, el más importante, se establece en la costa sur del mar Báltico, en la zona al este del río Vístula (Prusia Oriental), y desciende más tarde hacia los Cárpatos y noroeste del mar Negro, distinguiéndose pronto entre ellos los visigodos y los ostrogodos.

Parece ser que el núcleo primitivo conocido de los suevos se hallaba establecido entre el Elba y el Oder, en la región de Brandeburgo, donde hoy se halla la capital germana, Berlín. De ese núcleo primitivo parece que proceden diversas ramas; entre otras, los de los marcomanos y los cuados. Los suevos aparecen después disgregados en diversas regiones; pero el grupo más importante que consigue formar su propio Estado es el que llegó a establecerse en Hispania a principios del siglo V.

Los alanos no eran germanos. Procedían del norte del Cáucaso, quizá más especialmente de la región bañada por el curso inferior del Don. Los hunos, procedentes del Asia, deshacen en gran parte este pueblo, que, a partir de entonces —último tercio del siglo IV—, aparece por diferentes regiones de Europa en bandas aisladas, unidas con frecuencia a diferentes grupos étnicos germanos.

Vándalos, suevos y alanos marchan conjuntamente hacia el Oeste por los años 400-404. El último día del año 406 pasan el Rin e invaden las Galias. Britania queda aislada del resto del imperio y elige su propio emperador. Después de los efímeros Mario y Graciano es elegido, por fin, Constantino (407-11). Pasa éste a las Galias en el invierno del 407, y con su ejército y el que había en las Galias consigue establecer su capital en Arlés y llega hasta los Alpes.

Desde el 406, en que suevos, alanos y vándalos irrumpen en las Galias, hasta el otoño del 409, que invaden Hispania, estos pueblos se mueven por el país vecino, pero se detienen ante los Pirineos.

La invasión de la Península

Constantino quiere incorporar a su mando también a Hispania, y envía con ese fin a su hijo Constante. En nuestra Península, dos hermanos, Dídimo y Veriniano, «jóvenes nobles y ricos —como dice Orosio—, decidieron oponerse al tirano [Constantino], no para erigirse ellos, a su vez, en tiranos, sino para defenderse a sí y a su patria para el verdadero emperador [Honorio], contra un tirano y contra los bárbaros». Para eso se dirigieron a los pasos de los Pirineos con un ejército formado de colonos y esclavos de sus propiedades y mantenido a sus propias expensas [83]. A estos hechos se refieren, además de Orosio, diversos historiadores de los siglos V y VI [84]. Isidoro es el único que dice que los alanos, suevos y vándalos llegaron hasta los Pirineos, y allí fueron contenidos por tres años, sin entrar en España gracias al obstáculo mismo de los Pirineos y por la resistencia de los hermanos Dídimo y Veriniano, que defendían los pasos con fuerzas propias [85]. De las otras narraciones más cercanas a los hechos, más bien se desprende que Dídimo y Veriniano luchaban, ante todo, contra las tropas enviadas por el «usurpador» Constantino. Pero lo que sí parece claro es que, una vez vencidos Dídimo y Veriniano, las fuerzas romanas dejadas por el usurpador para defensa de los Pirineos no supieron o no quisieron resistir a

[83] OROSIO, *Hist.* VII 40,5-6: CSEL 5 p.550-51.
[84] Cf., sobre todo, SOZOMENOS, *Hist. ecl.* IX 11-13: MG 67,1617-24; ZÓSIMO, *Hist. Nov.* VI 4,1-5; 5,1: Fontes Hisp. Ant. IX p.396-97; ISIDORO DE SEVILLA, *Hist. Wand.* 71: ed. C. Rodríguez Alonso, p.289.
[85] Cf. lugares citados en la nota anterior.

los pueblos germánicos, que presionaban ante la frontera en busca de tierras fértiles. En otoño del 409 irrumpían en Hispania [86].

Desde ese momento hasta el año 411, alanos, suevos y vándalos se esparcen por toda la Península, excepto buena parte de la provincia Tarraconense, bien defendida por Geroncio, el general de Constante, que se volvió contra Constantino y creó su propio emperador en Hispania, su doméstico Máximo.

La situación de España en esos años la describe así Orosio: «Fueron invadidas las Hispanias y padecieron matanzas y devastaciones; nada nuevo, porque durante los dos años en que se ensañó la espada enemiga tuvieron que sufrir de los bárbaros lo que habían sufrido en otro tiempo, durante doscientos años, de los romanos» [87]. Hidacio describe la misma situación: «Los bárbaros que habían penetrado en las Hispanias se dan al pillaje y a la matanza sin piedad. La peste actúa no más suavemente. No obstante esta depredación de los bárbaros y el azote de la peste, el tiránico recaudador de impuestos y los soldados acaban con las riquezas y los aprovisionamientos de las ciudades». Sigue después una terrorífica descripción del hambre, que lleva a algunos a la antropofagia, y habla de animales carnívoros que se acostumbran a devorar cadáveres humanos y terminan devorando también a los vivos [88].

Hidacio ha hecho alusión bien explícita al «tirano recaudador». Se explica así el tono en que habla Orosio cuando escribe: «Los bárbaros terminaron por cansarse de las espadas y las convirtieron en arados. Fomentan desde entonces la amistad con los romanos supervivientes y se los asocian, de tal modo que hay ya romanos que prefieren una libertad de pobres entre los bárbaros mejor que soportar la presión tributaria de los romanos» [89]. La conversión de las espadas en arados es una frase literaria para expresar la decisión de los germanos de establecerse en paz en la Península. Con expresiones más directas lo narra Hidacio, refiriéndolo al año 411: «Una vez arruinadas las provincias hispanas por las plagas citadas, los bárbaros, por misericordia de Dios, se deciden por la paz, y se distribuyen a suerte los territorios de las provincias para instalarse en ellos. Los vándalos (asdingos) ocupan la Galecia, y los suevos la zona occidental de ésta, situada en el extremo del mar océano. Los alanos, las provincias Lusitana y Cartaginense, y los vándalos silingos, la Bética. Los hispanos de las ciudades y villas fortificadas supervivientes de las plagas de los bárbaros que dominan las provincias, se someten a servidumbre» [90].

[86] Véanse las fuentes citadas. Véase asimismo C. TORRES, *Paisajes escondidos de la historia de España*: Hispania 16 (1956) 323-34; A. BALIL, *Un emperador en la Hispania del siglo V*: ArchEspArq 37 (1964) 183-91; K. FR. STROHEKER, *Spanien im spätrömischen Reich*: ArchEspArq 45-47 (1972-74) 587-606. Cf. HIDACIO, *Crón.* 42: SourcChrét 218 p.114.
[87] OROSIO, *Hist.* VII 41,2: CSEL 5.552-53.
[88] HIDACIO, *Crón.* 46-48: SourcChrét 218 p.116.
[89] OROSIO, *Hist.* VII 41-7: CSEL 5 p.544. Véase sobre la presión fiscal nuestro c.5.
[90] HIDACIO, *Crón.* 49: SourcChrét. 218 p.116-18. No hay ninguna razón válida para poner en duda la fecha dada por Hidacio del 411.

Los visigodos

Mientras tanto, otros pueblos germánicos inquietaban el imperio por muchas de sus fronteras. Interesan, sobre todo, los visigodos, que pronto llegarán también a nuestra Península y serán los que en definitiva acaben en ella con el dominio romano.

Los visigodos, mientras duró la dinastía constantiniana, ocupaban las regiones rumanas de Moldavia, Valaquia y Transilvania, contenidos por el Danubio, cuya frontera guardaban como federados del imperio desde el año 332. Presionados después por alanos y hunos, pasan el Danubio en el 376. Desde entonces, y a pesar de las diversas vicisitudes por que hubieron de atravesar sus relaciones con el imperio, no abandonaron su intento de penetrar en éste para establecerse en él. Fue precisamente Estilicón, un vándalo, el que más victorias porcuró al ejército romano en su lucha contra los visigodos. No es éste un hecho aislado y, como tal, desprovisto de significación. Los germanos habían ido penetrando también poco a poco en el imperio. Habían pasado a formar parte de él primeramente como esclavos; también para suplir la escasez de mano de obra, y, principalmente, alistados en el ejército romano. De ahí, insensiblemente, algunos se habían ido destacando, y habían llegado incluso a ocupar importantes cargos.

A pesar de sus derrotas, los visigodos se reorganizan, y llegan a constituir el más serio peligro bajo el mando de Alarico I (395-410). Cuando otros pueblos amenazan por otras regiones las fronteras del imperio, Alarico aprovecha la ocasión para penetrar en él. Varias veces lo consigue y varias veces es rechazado por Estilicón. En el 408, Alarico llega a sitiar Roma y logra imponer al Senado el nombramiento del emperador Atalo. De nuevo en el 410 vuelve hasta Roma, esta vez para entrar en la ciudad a saco, que dura desde el 24 hasta el 27 de agosto, día en que se retira, llevando como prisionera a Gala Placidia, hija, en un segundo matrimonio, de Teodosio y hermana de padre de Honorio y Arcadio [91].

No hay que exagerar las consecuencias destructoras de este saqueo de Roma. Pero puede entenderse fácilmente que la acción guerrera de Alarico sobre la ciudad símbolo del poder romano suponía el más duro golpe para la moral de los que creían en la perennidad del imperio o de los que lo consideraban como la estructura social, jurídica y cultural del Reino de Dios en su fase terrena.

El mismo año 410 muere Alarico, y le sucede Ataúlfo, quien en el 414 toma por esposa en Narbona a Gala Placidia [92]. El gesto es muy significativo, y contamos con un testimonio de gran valor que nos ha transmitido Orosio: nuestro historiador conoció a un ilustre militar narbonense a quien oyó directamente contar que «había sido muy amigo de Ataúlfo en Narbona y que oyó de él varias veces lo que solía referir...: que al principio lo que había deseado ardientemente era bo-

---

[91] Cf. Orosio, *Hist.* VII 39-40: CSEL 5 544-49.
[92] Hidacio, *Crón.* 57: p.120.

rrar el nombre romano y que todo el territorio romano se convirtiese, se llamase y fuese imperio de los godos; dicho vulgarmente: que la *Romania* pasase a ser la *Gothia* y él (Ataúlfo) fuese ahora lo que en otro tiempo había sido César Augusto. Pero, habiendo comprobado ampliamente que los godos no podían en absoluto obedecer las leyes por su desenfrenada barbarie y que tampoco convenía derogar las leyes de la república, sin las que la república no es república, al final había preferido tener la gloria de restituir en su integridad y aumentar con el vigor de los godos el nombre romano y que la posteridad lo considerase como el restaurador de Roma» [93].

El emperador Honorio envió contra Ataúlfo a su general Constancio. En el año 415, Ataúlfo abandona Narbona y penetra en la Península, estableciéndose en Barcelona. Allí muere asesinado el mismo año. Muere también en seguida su sucesor Sigerico, y queda Valia al frente de los visigodos. Bajo su mando, los visigodos llegan hasta Tarifa, con la mira puesta en las intactas provincias romanas del Africa. Una gran tempestad, con muchas pérdidas humanas, lo disuaden. En el año 416 concluye Valia un acuerdo con Constancio. Los visigodos pasan a ser federados del imperio. Se comprometen a luchar del lado de Roma en la Península contra los otros pueblos germánicos establecidos en ella. Valia entrega a Gala Placidia, que será en seguida la esposa de Constancio, matrimonio del que habrá de nacer el que ocupará el trono del imperio de Occidente con el nombre de Valentiniano III.

Hasta aquí los principales acontecimientos que transforman profundamente la situación del imperio, y muy particularmente la de Hispania, muy otra ya si se la compara con la que conocieron Juvenco y aun Prudencio.

O R O S I O

Orosio escribe en Africa su famosa *Historia* en los tiempos en que Valia gobierna al pueblo visigodo en Hispania: «Así, pues —escribe al final de su obra—, ahora sabemos por emisarios frecuentes y de garantía que todos los días hay guerras en Hispania entre los bárbaros y que entre ellos mismos hay grandes batallas. Principalmente, Valia, rey de los godos, está imponiendo la paz, de donde puede esperarse que los tiempos cristianos comiencen de nuevo...» [94]

Datos biográficos de Orosio

Los años conocidos de la vida de Orosio transcurren fuera de Hispania y lejos de las zonas del imperio invadidas por los pueblos germánicos. Pero el problema de las invasiones y de sus consecuencias, muy particularmente en su patria hispana, está siempre presente en él. Lo había vivido muy de cerca: «Yo también desearía conmover hasta las

---

[93] OROSIO, *Hist.* VII 43,4-5: CSEL 5 p.559-60.
[94] OROSIO, *Hist.* VII 43,15-16: p.563.

lágrimas a los que me oyen —dice— [95] cuando alguna vez cuento mis propias aventuras: cómo vi por primera vez a los bárbaros como desconocidos, cómo los evité y tuve como infectos, cómo tuve que alabarlos como dominadores que eran, y tuve que rogarles, siendo infieles, y huir de sus insidias, y, finalmente, cómo me escapé cuando me perseguían hasta el mar lanzándome piedras y flechas; si no me capturaron, fue porque una neblina me envolvió de repente».

Orosio nació entre los años 380-390, puesto que San Agustín [96] en el año 415 lo consideraba como presbítero joven, «hijo en edad».

Consta que Orosio era hispano. Para determinar más la región de su origen hay que acudir a varias alusiones e indicios, que concuerdan todos en señalar a Galecia. San Agustín dice en la misma epístola que Orosio ha llegado hasta él «procedente de las playas del océano», y de nuevo, «procedente del extremo de Hispania, es decir, de las orillas del océano» [97]. El presbítero gallego Avito escribe desde Palestina a Balconio, obispo de Braga: «La caridad y consuelo [de Orosio] me ha traído la presencia de todos vosotros». Y aprovecha el proyectado viaje de vuelta de Orosio para enviarle las reliquias del cuerpo de San Esteban Protomártir [98]. Finalmente, Braulio de Zaragoza escribe en el año 651 a Fructuoso: «Tened cuidado con el dogma envenenado de Prisciliano hace poco corriente en esa región, del que sabemos estuvo inficionado Dictinio y otros muchos, incluso el mismo santo Orosio, aunque después lo enderezó San Agustín» [99]. Orosio, por supuesto, no fue prisciliano. San Braulio entendió mal, sin duda, algunas frases de Orosio en el *Commonitorium de errore priscillianistarum et origenistarum* que dirigió a San Agustín [100]. En este escrito queda claro que Orosio se opone desde siempre a la herejía prisciliana. Las frases que pudieron inducir a error a San Braulio son, p.ej., éstas: «No tengas en cuenta mi imprudencia si aceptas mi confesión». Orosio se refiere a su decisión de presentarse, sin más, ante San Agustín. Dice también: «Nosotros confesamos la ofensa; ya ves la herida; lo único que queda es que con la ayuda del Señor apliques la medicina». Se trata de los estragos causados en su patria por el priscilianismo [101].

No sabemos la fecha de la salida de Orosio de su tierra camino de Africa. San Agustín, en su epístola 169 a Evodio, escrita en el año 415, enumera sus escritos de ese mismo año, y añade que además había escrito también un libro a Orosio, respondiendo a su *Commonitorium*. Es de suponer que esa respuesta fuese escrita en el año 414 y el *Commonitorium* fuese de ese mismo año o el año anterior. Alrededor, pues, del 414 o poco antes debió de llegar Orosio al Africa.

[95] Ibid., 20,6-7: p.183.
[96] AGUSTÍN, *Epist*. 166.
[97] AGUSTÍN, *Epist*. 169.
[98] ML 41,806.
[99] BRAULIO, *Epist*. 44,75-77: ed. L. Riesco Terrero, p.170.
[100] CSEL 18 p.151-57.
[101] Creo que estas frases pueden fundar el error de San Braulio mejor que las frases de San Agustín a que se refiere H. Chadwick (*Priscillian of Avila* p.191).

Tampoco es totalmente clara la causa de su salida de Hispania. Al menos para el historiador moderno, malicioso quizá en demasía con frecuencia, sobre todo en determinados casos. San Agustín dice que Orosio llegó a Africa «deseoso de saber y porque quiere ser vaso útil en la casa del Señor para refutar las falsas y perniciosas doctrinas que han dado muerte a las almas de los hispanos mucho más infelizmente que lo ha hecho la espada bárbara con sus cuerpos». Dice que de Hispania ha llegado hasta él «pensando que podría aprender de mí todo cuanto quería saber» [102]. San Agustín respondió directamente a sus dudas sobre el priscilianismo y el origenismo, pero sobre el origen del alma le aconsejó que fuese a Palestina a oír la respuesta de San Jerónimo, a quien él mismo consultaba sobre el particular, sirviéndose de Orosio como emisario.

Que, al venir al Africa y marchar ahora a Palestina, Orosio pensaba aclarar sus dudas y volver después a su patria, queda manifiesto en la misma carta de San Agustín a San Jerónimo: «Le he enseñado lo que he podido y lo que no he podido le he indicado dónde puede aprenderlo; le he aconsejado que acuda a ti. El ha aceptado mi consejo o mandato sumisamente y con gusto; yo le he rogado que, cuando vuelva de ahí, pase por aquí camino de su tierra. Así me lo ha prometido» [103].

Orosio habla también sobre su salida de Hispania. Considera su decisión de navegar al Africa como una inspiración divina. Dice a San Agustín en su *Commonitorium:* «He sido enviado a ti por Dios. Gracias a El concibo grandes esperanzas de ti cuando pienso cómo ha sido esto de venir aquí. Reconozco por qué he venido; sin ganas, sin necesidad, sin pedir consejo, he salido de la patria, movido por una fuerza oculta, hasta que me he encontrado en las orillas de esta tierra. Aquí, por fin, caí en la cuenta que venía a ti mandado» [104]. También él manifiesta su intención de volverse una vez instruido por San Agustín. Le ruega que responda a sus consultas y le dice: «Haz que yo vuelva a mi querida señora como hábil negociante que ha encontrado una joya preciosa, no como siervo fugitivo que ha echado a perder su hacienda» [105].

Ya hemos visto que Orosio en su *Historia* [106] describe sus relaciones personales con los bárbaros, y dice que escapó de ellos gracias a una neblina que le cubrió en el mar cuando le lanzaban piedras y flechas. ¿Bastan estas últimas frases para pensar que Orosio salió de Hispania solamente por huir de los invasores y que todas sus otras explicaciones y las de San Agustín son benévolos disimulos? No lo creo. No es seguro que esa persecución con piedras y flechas se refiera a su viaje definitivo al Africa. Aun cuando a él se refiriera, no tiene que existir necesariamente una relación de causa y efecto entre ese ataque y el viaje.

---

[102] AGUSTÍN, *Epist.* 166: CSEL 44 p.547-48 = BAC 99 p.464. En *Epist.* 169 dice: «acudió a mí..., inflamado por el único ardor de las sagradas Escrituras» (CSEL 44 p.621 = BAC 99 p.528).
[103] AGUSTÍN, *Epist.* 166.
[104] *Commonit.* 1: CSEL 18 p.152.
[105] Ibid.
[106] *Hist.* II 20,6-7.

Mientras no existan indicios más serios, no hay motivo suficiente para dudar de los testimonios explícitos y a ellos debemos atenernos [107].

En los primeros meses del año 415, Orosio marcha a Palestina para llevar a San Jerónimo el tratado-consulta de San Agustín sobre el origen del alma y para aprender directamente de él. Para San Agustín, Orosio era el hombre providencial que él había deseado y esperado para ponerse en comunicación con San Jerónimo: «He creído que esta ocasión me la ofrecía Dios para que te escribiese sobre lo que deseo aprender de ti. Porque estaba buscando alguien que mandarte, pero no encontraba fácilmente la persona idónea de confianza, obediente y entrenado en viajes. Cuando he conocido a este joven, no he dudado un momento de que era el que yo pedía al Señor» [108].

El problema de Pelagio

Con toda seguridad, Orosio llevaba además encargo de San Agustín de informar a San Jerónimo sobre los problemas eclesiásticos debatidos en Cartago en aquellos tiempos, particularmente lo hecho contra las doctrinas y actitudes de los pelagianos, incluida la condenación de Celestio en un concilio de Cartago.

Pelagio era un monje procedente de las islas Británicas que había vivido en Roma varios años, ganándose el respeto y la admiración de muchos por su vida ascética y por su doctrina de tipo estoico, según la cual el hombre es capaz de alcanzar la perfección por su propio esfuerzo, con la ayuda de Dios solamente extrínseca (buenos ejemplos, orientaciones y normas, etc.). Todo lo cual iba acompañado de la negación del pecado original.

Pelagio había emigrado al Africa cuando el saqueo de Roma, y de allí había pasado a Jerusalén, donde encontró la simpatía del obispo Juan. Su discípulo Celestio llegó también a Cartago, y allí fue acusado formalmente de herejía ante el obispo Aurelio, que lo condenó en concilio.

A San Agustín se le ha considerado siempre, con razón, como el doctor de la gracia de Dios. Su concepción de nuestras relaciones con Dios, basada en sus propias experiencias de pecado y conversión, era radicalmente opuesta a la de Pelagio y sus seguidores: sentía profundamente la debilidad e impotencia de la naturaleza humana, debida al pecado original, y la absoluta necesidad consecuente de la gracia y ayuda intrínseca de Dios no sólo para poder obrar conforme a su voluntad, sino incluso para querer hacerlo. No hay que decir que San Agustín escribió repetidas veces contra la doctrina pelagiana. El y los obispos africanos deseaban que también en las otras iglesias obligasen a Pelagio y a sus seguidores a retractarse y a aceptar la doctrina ortodoxa sobre la necesidad absoluta de la gracia.

[107] Con frecuencia se suele dar por bueno que Orosio fue al Africa huyendo de los invasores.
[108] Agustín, *Epist.* 166.

Orosio, una vez llegado a Palestina, marchó a Belén, junto a San Jerónimo, como estaba previsto. Por propia iniciativa o incitado por este último, pronto debió de hacerse conocer por sus críticas contra Pelagio y su doctrina, puesto que fue llamado a comparecer ante el obispo de Jerusalén y su presbiterio a finales de julio del mismo año 415. Lo cuenta fielmente él mismo así: «Desconocido, como pobre advenedizo, estaba yo retirado en Belén, enviado por mi padre Agustín para que aprendiese el temor de Dios a los pies de Jerónimo. De allí acudí a Jerusalén llamado por vosotros. A continuación comparecí ante vuestra asamblea, juntamente con vosotros, por mandato del obispo Juan. Todos vosotros solicitasteis de mi pequeñez que indicase fiel y sencillamente cuanto supiese que se había hecho en Africa sobre la herejía que habían ido sembrando Pelagio y Celestio...» Hace a continuación una breve reseña de lo ocurrido en Africa: condenación en Cartago de Celestio, quien «oído, convicto, confeso y detestado por la Iglesia, había huido de Africa»; refutación por escrito, por parte de Agustín, de los escritos de Pelagio; él mismo tenía allí en su poder una carta del obispo de Hipona en ese sentido. Orosio continúa diciendo que entonces los presentes pidieron que se leyese esa carta, cosa que hizo. «En ese momento —continúa—, el obispo Juan hizo que entrase Pelagio». Preguntaron todos a Pelagio si reconocía haber enseñado lo que refutaba Agustín. Dice Orosio que Pelagio respondió no tener nada que ver con Agustín, respuesta que concitó la indignación de todos y un unánime clamor que reclamaba su expulsión no sólo de aquella asamblea, sino de la Iglesia. El obispo Juan calmó a los presentes, hizo sentar a Pelagio entre los presbíteros y tomó sobre sí toda la responsabilidad, diciendo: «Agustín soy yo». «Entonces respondí yo —dice Orosio—: si asumes la persona de Agustín, sigue también su sentencia». Orosio dijo además: «Pelagio me ha dicho que él enseña que el hombre, si quiere, puede estar sin pecado y guardar fácilmente los mandamientos de Dios». Pelagio reconoció que así lo había dicho y lo seguía manteniendo. Entonces Orosio expuso cómo esto lo había condenado en Celestio el concilio de Cartago, y lo condenaba Agustín en la carta leída, y Jerónimo en una carta dirigida a Ctesifonte recientemente publicada y en un libro que estaba escribiendo en esos días.

Pretendió entonces el obispo Juan que Orosio y los que estaban de acuerdo con él se constituyesen en acusadores formales de Pelagio ante su tribunal episcopal, a lo cual se negaron, alegando que ellos solamente intimaban las condenaciones que ya habían sido dictadas por otros obispos: «Nosotros somos hijos de la Iglesia católica; no exijas de nosotros, padre, que osemos constituirnos en jueces de los jueces. Padres a los que la Iglesia universal aprueba, de cuya comunión os alegráis vosotros también, decretaron que éstas son doctrinas condenables. Ellos lo prueban; lo digno es que nosotros obedezcamos. ¿Por qué preguntas a los hijos qué les parece, cuando están oyendo lo que han mandado sus padres?» A la poca garantía que ofrecía el obispo Juan como juez, se añadía la dificultad de que Orosio tenía que ser traducido al griego por un intérprete que tampoco era muy digno de fe, pues otros occidentales bilingües presentes, entre ellos Avito, tuvieron que llamarle la atención por malas traducciones, por muchas supresiones y por algunas añadiduras de su cosecha. Pelagio era un hereje latino, y debía ser juzgado por los latinos, y, desde luego, no por quien al mismo tiempo era juez y abogado defensor. Accedió por fin el obispo Juan a que se escribiese al papa Inocencio I. Mientras tanto, todos debían abstenerse de acusaciones mutuas [109].

La paz no duró mucho. El 14 de septiembre del mismo año, con ocasión de las fiestas de la Dedicación, Orosio se presentó al obispo Juan para saludarle. Debió de ser grande su sorpresa al encontrarse con que, en vez de responder debidamente a su saludo, el obispo le lanza esta pregunta: «¿A qué vienes aquí, tú que has blasfemado?». Y, ante su estupor, le explicó: «Yo te he oído decir que el hombre no puede estar sin pecado ni con la ayuda de Dios». Orosio rechazó verbalmente la acusación, pero en seguida redactó su defensa escrita, el *Liber apologeticus,* en donde narra primeramente todos estos sucesos, rechazando en la segunda parte la doctrina pelagiana. En este escrito ataca vivamente no sólo a Pelagio, sino también al obispo Juan. Contra él, Orosio muestra una incontenida indignación y usa expresiones verdaderamente fuertes. Motivos no le faltaban. Tampoco maestro: la opinión que Juan merecía a San Jerónimo es conocida de sobra, aunque no fuese objetiva en todos sus aspectos por supuesto.

En la refutación de la doctrina pelagiana, Orosio se apoya en los escritos de San Agustín y en los de San Jerónimo. Su exposición es muy fogosa; pero, como dice J. Madoz, es la mejor impugnación antipelagiana de la primera hora [110].

Dos obispos galos denunciaron a Pelagio ante el metropolita de Palestina, el obispo de Cesarea, quien mandó reunir un concilio en Dióspolis, en diciembre del 415. No pudieron comparecer los acusadores. Pelagio logró así persuadir a los presentes de su inocencia y quedó absuelto.

Nuevos viajes de Orosio

Por esos días tenía lugar el descubrimiento de las reliquias de San Esteban. Un presbítero gallego llamado Avito, con toda probabilidad el mismo que le ayudó en las disputas antipelagianas, deseaba enviar una parte de esas reliquias a Braga, y encargó a Orosio que las llevase en su viaje de vuelta [111].

Orosio debió de abandonar Palestina en los primeros meses del 416. Se dirigió de nuevo a San Agustín, a quien llevaba la respuesta de San Jerónimo a sus consultas y cartas de dos obispos galos que habían acusado a Pelagio [112].

[109] Orosio, *Lib. Apol.* 3-6: CSEL 5 p.606-11.
[110] J. Madoz, *Literatura latina cristiana* p.108. No opina lo mismo A. Hamman, *Orosius de Braga et le pélagianisme:* BracAug 21 (1967) 346-55.
[111] ML 41,806.
[112] Cf. Agustín, *Epist.* 175; *Epist.* 180.

En los años 416-17, Orosio debió de redactar su obra más conocida, sus siete libros de historia. La escribió por encargo de San Agustín cuando éste había escrito ya los diez primeros libros de *La ciudad de Dios* y estaba redactando el libro XI. De la *Historia* de Orosio nos ocuparemos en seguida.

Las reliquias de San Esteban que traía desde Jerusalén para entregarlas al obispo de Braga, parece que no llegaron a su destino porque Orosio no volvió ya a su patria. Las vicisitudes por las que pasaron las susodichas reliquias nos son conocidas por la célebre carta del obispo Severo de Menorca, de la que nos ocupamos más adelante en este mismo capítulo. Dice Severo que en los mismos días en que él era ordenado obispo, «un cierto presbítero de conocida santidad procedente de Jerusalén se detuvo no mucho tiempo en Mahón. Al no poder navegar hacia Hispania, como era su deseo, determinó volverse de nuevo al Africa. Había traído consigo, para llevarlas a Hispania, unas reliquias del bienaventurado Esteban Mártir, que hacía poco se habían descubierto. Por inspiración, sin duda, del mismo mártir, las dejó en la iglesia de Mahón» [113]. Severo no menciona el nombre de Orosio, pero es evidente que se trata de él.

La estancia de Orosio en Mahón, ¿habría que situarla antes o después de su dedicación en Africa a la composición de su *Historia*? No parece que sea posible decidirlo de manera definitiva, aunque nos ocuparemos más adelante de esto. Lo único cierto sería que Orosio volvió después a establecerse en Africa [114].

Una vez terminada su obra histórica en el año 417, no parece que mantuviese estrechas relaciones con San Agustín. Todos los autores modernos citan a este propósito las palabras del Obispo de Hipona en sus *Retractationes,* donde dice que había contestado con brevedad y claridad a una consulta de «un cierto Orosio, presbítero hispano» [115]. Ciertamente, la expresión, por la sensación de lejanía y de falta de interés que produce, no está muy de acuerdo con aquellos cálidos elogios del año 415 [116] ni con el papel tan activo que desempeñó en la cuestión pelagiana. Si hubo enfriamiento, como parece, entre Orosio y San Agustín, ignoramos cuáles fueron las causas. Es preferible limitarse a constatar el hecho o la sospecha y renunciar a conjeturas que no parece tengan demasiado fundamento.

La «Historia universal» de Orosio

El aspecto más conocido y más interesante de Orosio es su concepción histórico-política, reflejada ampliamente en su obra *Historiarum adversus paganos libri VII* [117].

Cuando Prudencio escribía contra Símaco, el eje alrededor del cual

[113] Ed. G. SEGUÍ VIDAL, p.151.
[114] Es posible que fuese Orosio quien llevase las reliquias de San Esteban a Uzali.
[115] AGUSTÍN, *Retract.* II 44: ML 32,648.
[116] AGUSTÍN, *Epist.* 166 y 169.
[117] CSEL 5 (Viena 1882) 1-600.

giraba toda su argumentación era éste: no hay que atribuir y agradecer las antiguas glorias de Roma a los dioses falsos tradicionales, ni pensar que, por no adorar a esos dioses, el cristiano es menos romano. Al contrario, Roma debe su gloria a sus propios valores y a la providencia de Dios, que se ha valido de ella para encarnar en su imperio la fase terrena de su Reino.

Las circunstancias ahora no permitían ya una visión tan positiva y optimista de la situación. Poco tiempo después de Prudencio, el tiempo presente es el *tempus lacrimarum:* «Cuando estaba escribiendo el exordio —escribe San Jerónimo [118]— de tal manera me impresionaron los saqueos de las provincias occidentales y, sobre todo, de Roma, que, como vulgarmente se dice, me quedé sin palabras, y por mucho tiempo he guardado silencio, consciente de que es tiempo de llorar...» «La luz más resplandeciente de toda la tierra se ha apagado, al imperio romano le han cortado su capital; para hablar más exactamente, toda la tierra perece con esta ciudad única. He quedado mudo y humillado».

San Agustín vive aún más de cerca la catástrofe. No cesan de llegar al Africa los romanos fugitivos. Las malas noticias se suceden una tras otra. El tema de la desdicha y el hundimiento del imperio está siempre presente ante él y ante sus fieles. El imperio romano es para ellos el mundo entero. Si perece el imperio, es el mundo el que se acaba. San Agustín les advierte que ya lo había predicho Cristo. «¿Por qué lo creías cuando lo anunciaba y te turbas cuando se cumple?» [119] Algunos se decían claramente: «El día del juicio es ya inminente» [120].

Para los paganos, la gran catástrofe era un castigo de los dioses abandonados por Roma. El horror y el decaimiento eran circunstancias propicias para que una tal argumentación hiciese mella en los que aún se mantenían fieles a los dioses, e incluso en algún que otro cristiano menos firme en la fe.

La reacción de San Agustín fue la siguiente: «Roma fue saqueada en la invasión de los godos bajo el mando de Alarico: un gran desastre. Los adoradores de una multitud de falsos dioses, que llamamos vulgarmente paganos, se esforzaban por hacer recaer este desastre sobre la religión cristiana, y empezaron a blasfemar del Dios verdadero más acerbamente y con mayor amargura que de costumbre. Por eso, ardiendo en celo de la casa de Dios, decidí escribir los libros de *La ciudad de Dios* contra sus blasfemias y errores» [121].

Aunque éste era su propósito inicial principal, San Agustín realizó una obra cuya redacción le costó unos quince años (412-26/27) y desbordaba totalmente los límites de su primer propósito. Por lo que se refiere a la refutación de las acusaciones de los paganos, San Agustín sabía que en la historia existían innumerables casos de catástrofes de todo género imputables a cualquiera menos al cristianismo, que todavía

[118] JERÓNIMO, *Epist.* 126: ML 22,1086. Se refiere al *Comentario sobre Ezequiel.*
[119] AGUSTÍN, *Serm.* 82,8: ML 38,504.
[120] AGUSTÍN, *Serm.* 93,6: ML 38,576.
[121] AGUSTÍN, *Retract.* II 43,1: ML 32,647-48.

no había hecho aparición. No podía él detenerse a recoger pacientemente todos esos testimonios, que podrían constituir un buen complemento a la primera parte de su obra, ya concluida, y encargó ese trabajo a Orosio. El encargo era éste: «Recoger de manera breve y clara en un volumen, cuanto pudiera encontrar en todas las historias y anales de desastres bélicos, de plagas, de enfermedades, de penosas hambres, de terroríficos terremotos, de insólitas inundaciones, de terribles erupciones, de rayos, granizos, parricidios y demás calamidades a lo largo de los siglos pasados» [122].

Orosio se aplicó con interés y eficacia a la realización de este programa. No es necesario añadir que la impresión que deja al que lee su obra —como la de cualquier otro que hubiese de cumplir el mismo encargo— es que, para él, «cualquier tiempo pasado fue peor» [123].

La fidelidad como discípulo le obligaba a reunir efectivamente todos esos testimonios requeridos por el maestro. No siendo, sin embargo, un mero amanuense, Orosio aportaba además su manera personal de concebir la selección y ordenación de los testimonios recogidos. La estructura de su historia no sigue los criterios de San Agustín [124]. Su propia reflexión sobre los hechos estudiados y los vividos le llevan a una concepción propia del imperio y de su significado en la historia de la salvación, dando un paso más hacia lo que llamamos Edad Media, nombre equívoco y tardío con que ha pasado a la historia la edad nueva de una nueva cultura europea.

La capacidad de Orosio para el optimismo es asombrosa. En esto también se aleja de San Agustín. Su optimismo se basa en un providencialismo que ha sido calificado de *naïf* [125]. Ya en el prólogo del libro I dice Orosio: «Me encontré con que los tiempos pasados no solamente fueron tan malos como los nuestros, sino tanto más atrozmente miserables cuanto más distantes del remedio de la verdadera religión. Este estudio ha dejado bien claro que reinó la muerte, ávida de sangre, mientras se ignoró la religión que prohibía la sangre; desde el momento en que apareció ésta, la muerte se amedrentó; se ha acabado cuando la verdadera religión ha prevalecido; y dejará totalmente de existir cuando ésta solamente reine...» [126]

Podría parecer, en cierto modo, una contradicción afirmar primero, con Madoz, que para Orosio «cualquier tiempo pasado fue peor» y hablar a continuación de su optimismo a ultranza. No hay contradicción. Para los contemporáneos no cristianos de Orosio, el cristianismo era todavía una innovación. Orosio tiene que argumentar contra estos conservadores, demostrándoles que no había tanto que añorar en el pasado. Semejante demostración nunca suele estar libre de un optimismo

---

[122] OROSIO, *Hist.* I pról.: CSEL 5 p.3-4.
[123] Cf. J. MADOZ, *Literatura latino-cristiana*, p.109.
[124] Cf. H.-I. MARROU, *Saint Augustin, Orose et l'augustinisme historique.* Es un trabajo importante. Quizá su identificación con San Agustín le predispone desfavorablemente para juzgar a Orosio en lo que éste difiere de su maestro.
[125] H.-I. MARROU, o.c., p.79.
[126] OROSIO, *Hist.* I pról.: CSEL 5 p.4-5.

exagerado e ingenuo sobre el presente y sobre el futuro, optimismo teñido de confusión, de mesianismo y de utopía. Orosio se halla en uno de esos momentos cruciales de la historia en que una cultura que termina tiene que dar paso a la que va a venir después. Por eso nos resulta tan fácil a nosotros hoy día comprender su actitud y su postura, que es perfectamente actual. Aunque la clave sea distinta, Orosio en su momento, como tantos otros historiadores en el nuestro, creyó poseer la clave o la ley que sirve para interpretar con toda claridad la historia. Su intención —también en esto es actual— era más persuasiva que objetiva [127]. También él se sentía obligado a «comprometerse» en su labor de historiador [128], y lo hace espiritualizando la historia humana, sometiéndola, en cierto modo, a un determinismo que en él, como es lógico, es todo lo contrario que materialista.

Orosio sigue sintiendo el orgullo de ser romano. Por serlo, se siente ciudadano del mundo y miembro del pueblo de Dios, como Prudencio: «En todas partes está mi patria, en todas partes mi ley y mi religión. Ahora Africa me recibe en paz en su seno, con las mismas leyes... Toda la extensión del Oriente, la abundancia del Norte, el difuso Sur, los lugares amplios y segurísimos de las grandes islas, son de mi ley y de mi nombre, porque romano soy y cristiano, y con romanos y cristianos vengo a encontrarme». Todavía se refiere Orosio a la paz romana providencial: «Un solo Dios, el cual en los tiempo en que El quiso manifestarse, estableció esta unidad del reino y es amado y temido por todos. Las mismas leyes, sometidas al único Dios, dominan en todas partes. Donde quiera que me presente, aunque desconocido, no temo una violencia repentina, porque, como he dicho, soy romano entre romanos, cristiano entre cristianos, hombre entre hombres, y así, en las leyes apelo a la república; en la religión a la conciencia, y en la comunión a la naturaleza».

Se diría que en el imperio romano-cristiano ha encontrado la satisfacción de todas sus aspiraciones. Pero no es así. En primer lugar, todo lo humano es caduco para quien, como él, abriga la esperanza de una vida eterna. «Hago uso de toda la tierra como patria temporalmente, porque la patria verdadera y que yo amo no está en absoluto en la tierra» [129]. Además, el hecho consumado de las invasiones, que ya había inducido a San Agustín a una seria reflexión sobre las limitaciones y deficiencias del imperio romano, a Orosio le llevan más allá. Habituado a recoger cuanto de negativo había habido en la historia de la Roma pagana, se coloca a más distancia de ella y la juzga con mayor severidad, sobre todo cuando se refiere a su propia patria hispana, como vimos ya más arriba al hablar de las invasiones en la Península. Por otra parte, el establecimiento de los germanos en Hispania va teniendo las características de lo irreversible. A Orosio no le basta ya la constatación de San Jerónimo: *tempus lacrimarum*. Hay nuevas realidades que se im-

---

[127] Cf. C. Torres, *La historia de Paulo Orosio* p.120.
[128] Cf. G. Fink, *San Agustín y Orosio* p.530.
[129] Orosio, *Hist.* V 1-6; cf. J. Fontaine, *Romanité et hispanité* p.308-20.

ponen y la vida continúa: «Ahora sabemos por emisarios frecuentes y de garantía que todos los días hay guerras en Hispania entre los bárbaros y que entre ellos mismos hay grandes batallas. Principalmente Valia, rey de los godos, está imponiendo la paz, de donde puede esperarse que los tiempos cristianos comiencen de nuevo...» [130]

Para muchos cristianos romanos contemporáneos de Orosio, la compenetración del imperio con el pueblo de Dios cristiano era tan grande, que las invasiones les planteaban un claro dilema: o Roma vence al fin —esperanza cada vez más débil—, o el mundo se acaba al perecer el imperio romano-cristiano. Algunos comenzaban ya a entrever la posibilidad de que se acabase el imperio, y, sin embargo, continuase existiendo el mundo. Orosio acepta la posibilidad de que la paz conseguida por los visigodos renueve la marcha cristiana de la historia. Tal actitud está también de acuerdo con su espiritualismo, que le acerca, mucho más que al mismo San Agustín, al «agustinismo político» de la Alta Edad Media.

Sin prescindir de las categorías universalistas, Orosio siente, más claramente que sus antecesores hispanos, su especial relación con Hispania. En varias ocasiones lo manifiesta; p.ej., en el entusiasmo de estos párrafos: «De la misma manera que Nerva había elegido al hispano Trajano, por el que la república se salvó, eligió él [Graciano] a Teodosio, igualmente hispano... y aun con mejor juicio, porque éste le era igual en todas las virtudes humanas, pero le superaba, sin comparación posible, en la fe y en el culto religioso. Porque aquél [Trajano] fue perseguidor; éste, propagador de la Iglesia. A aquél no le fue concedido ni un solo hijo propio del que pudiese gozar como sucesor; de éste, en cambio, domina su gloriosa descendencia por sucesivas generaciones hasta el presente, tanto en Oriente como en Occidente...» [131]

Orosio fue muy leído a lo largo de los tiempos. Sobre todo de su *Historia* se multiplicaron los manuscritos, de los que se han conservado unos 200. Se hicieron también algunas traducciones a otras lenguas.

HIDACIO

Otro hispano-romano natural de Galecia y contemporáneo de Orosio se interesó vivamente por la historia. Fue también clérigo, aunque llegó más alto que Orosio en la jerarquía clerical, alcanzando la cumbre del episcopado: Hidacio de Lemica o de Chaves.

Orosio se había dedicado a la historia impulsado e inspirado por San Agustín. Su obra, como la de su maestro, encaja en la categoría de filosofía o, mejor, teología de la historia. Hidacio pretende ser el continuador de los grandes cronistas eclesiásticos Eusebio de Cesarea y Jerónimo, sobre todo de este último, a quien profesa una profunda admiración. Es también, como Orosio, providencialista, y algunas veces ma-

[130] OROSIO, *Hist.* VII 43,15-16: CSEL 5 p.563.
[131] OROSIO, *Hist.* VII 34: CSEL 5 p.521-22.

nifiesta sus propios sentimientos y consideraciones; pero la historia de Hidacio es una crónica, y una crónica casi siempre escueta, reducida a un breve catálogo de los principales sucesos ordenados cronológicamente. Esto no quita valor a su obra; al revés. Por lo que tiene de mero testimonio objetivo de los hechos, es merecedora del mayor interés, y su valor se aumenta al máximo por una circunstancia extrínseca a la obra misma: la de ser la fuente histórica única que poseemos para ciertos aspectos de las invasiones germánicas en nuestra Península, de la historia del reino suevo y de buena parte de los acontecimientos en la Hispania del siglo V [132].

Datos biográficos

Los principales datos biográficos de Hidacio se encuentran o se deducen de su propia *Crónica*. Son suyas las frases siguientes: «Hidacio, de la provincia de Galecia, nacido en la ciudad de Lemica» [133]. Se ha propuesto cambiar la coma y hacerle decir: Hidacio, nacido en la provincia de Galecia, en la ciudad de Lemica,... fue elegido obispo. Pero por varias razones parece mucho más acertado mantener la puntuación generalmente admitida. Lemica, lugar de su nacimiento, lo sitúa Hidacio «en el fin del mundo». Efectivamente, la antigua ciudad de Lemica se ha identificado con el Forum Limicorum, localizado a unos 10 kilómetros de la actual Ginzo de Limia, en la provincia de Orense [134].

Hidacio no dice nada expresamente sobre la fecha de su nacimiento. Algo se puede deducir, aunque no con plena exactitud, a base de otros dos datos que nos proporciona su vida: su viaje al Oriente y su elección como obispo.

Sobre el viaje a Oriente habla en dos ocasiones. Refiriéndose a San Jerónimo, dice: «Estoy cierto de haberlo visto con ocasión de mi propia peregrinación por aquellas regiones, cuando era yo todavía un niño». Y, refiriéndose al obispo Juan de Jerusalén, vuelve a repetir: «Lo vi, lo mismo que a los santos Eulogio [de Cesarea], Teófilo [de Alejandría] y Jerónimo, siendo yo niño y pupilo» [135]. *Niño* y *pupilo* son expresiones demasiado vagas para determinar su edad. A esta imprecisión se añade nuestra ignorancia sobre el año en que vio personalmente a los citados personajes. Según C. Torres, el mismo Hidacio da la fecha de su peregrinación: olimpíada 296 (años 405-408); y otros autores lo dan por bueno también, porque sitúa en esos años las noticias sobre Jerónimo y los citados obispos que vio personalmente.

Sin embargo, hay que tener en cuenta que Hidacio se limita a seña-

[132] Exagera W. Reinhart (*Historia general del reino hispánico de los suevos* [Madrid 1952] p.31) cuando supone una pura exageración retórica la descripción de Hidacio sobre las calamidades de Hispania en tiempos de la invasión. Otras fuentes para el conocimiento de la época, además de Hidacio, pueden verse enumeradas en A. Tranoy, *Hidace: «Chronique»* II p.136-40.

[133] *Crón.* Praef. 1: SourcChrét 218 p.100.

[134] Cf. C. Torres, *Peregrinaciones de Galicia a Tierra Santa en el siglo V* p.408; Id., *Hidacio, el primer cronista español* p.760-61; A. Tranoy, o.c., I: p.11.

[135] *Crón.* Praef. 3 y n.4: p.102 y 114.

lar en esa fecha: «Celebridad de los obispos Juan...; Jerónimo... es considerado como el más importante de todos. Yo los vi siendo niño todavía...» No es, por tanto, seguro que refiera a esas fechas su propia peregrinación. Por otra parte, entre las celebridades de Oriente nombra a Epifanio, pero lo omite en la lista de los que él conoció personalmente. Como Epifanio murió en el año 403, es posible que la omisión indique que el viaje tuvo lugar después de este año [136].

En el año 416, Hidacio dice de sí mismo: «Conversión a Dios del pecador Hidacio» [137], lo cual deberá interpretarse como el momento de su ingreso en el monacato o su iniciación como clérigo. También es preciso en la cronología de su elección como obispo. En el prefacio de la *Crónica* dice que, desde el primer año de Teodosio hasta el tercero de Valentiniano III la *Crónica* está escrita a base de documentos escritos y de relaciones orales; «a partir de ese momento, promovido inmerecidamente al oficio del episcopado», escribe a base de su propio conocimiento [138]. El tercer año de Valentiniano III es el año 427; en ese año, pues, o en el 428 fue ordenado obispo.

Desgraciadamente, ocurre aquí lo contrario que con su nacimiento. Sabemos la fecha muy aproximada de su ordenación episcopal, pero Hidacio no dice nada sobre la sede para que fue ordenado. Hay suficientes motivos para suponer que su sede fue la de *Aquae Flaviae,* hoy Chaves, en Portugal, entre Braga y Braganza. Allí fue donde, según el mismo escribe, «Frumario con sus tropas suevas capturó al obispo Hidacio el 26 de julio del 460, en la iglesia de Aquae Flaviae» [139], y adonde volvió, «cumplidos tres meses de cautividad, en el mes de noviembre» [140].

Actividades pastorales

En el año 431, Hidacio, en vista de las depredaciones y saqueos de los suevos en su país, marcha a las Galias en busca de Aecio, «general de las dos milicias», volviendo en el 432 en compañía del conde Censorio, enviado por Aecio como legado romano a los suevos [141].

En el año 435, Hidacio recibe la visita de un presbítero de Arabia llamado Germán, juntamente con otros griegos, los cuales le hacen saber que el obispo de Jerusalén era Juvenal y que éste había sido convocado, con los demás obispos de Oriente, a un concilio. El concilio en cuestión fue el de Efeso, convocado por el emperador Teodosio II para el 7 de junio del 431, y que abrió Cirilo de Alejandría el 22 de dicho mes. Juvenal de Jerusalén había llegado, efectivamente, a Efeso diez días antes. En este concilio, como es conocido, fue condenado Nestorio, obispo de Constantinopla, procedente de Antioquía, cuya antropología

---

[136] Cf. A. Tranoy, o.c., p.12.
[137] *Crón.* n.62b: p.122.
[138] *Crón.* Praef. 7: p.104.
[139] *Crón.* n.201: p.164.
[140] Ibid., n.207.
[141] *Crón.* n.95-98: p.130.

aristotélica le hacía expresarse en su cristología de manera incomprensible para los alejandrinos, platónicos en su concepción del hombre.

Pocas noticias y vagas debieron de llegar a nuestra Península sobre todas esas disputas cristológicas del siglo v, cuyas expresiones antitéticas extremas fueron el nestorianismo y el monofisismo. Hidacio, que tuvo referencias directas por el presbítero Germán y otros griegos sobre el concilio de Efeso y el nestorianismo, no consiguió formarse una idea cabal sobre ello. Tal como él nos las transmite, sus referencias son un ejemplo insigne de confusión. En vez de Efeso, habla de Constantinopla, y, en vez de Nestorio y del nestorianismo, de «la herejía de los ebionitas, que había resucitado Atico, obispo de Constantinopla» [142]. También llama ebionitas a los monofisitas, que representan, en cambio, la postura extremamente opuesta a la de los nestorianos. En el año 450 anota Hidacio lo siguiente: «Desde las Galias llegan cartas enviadas por el obispo Flaviano [de Constantinopla] al obispo León [de Roma], juntamente con escritos de Cirilo, obispo alejandrino, a Nestorio constantinopolitano, a propósito del hereje ebionita Eutiques; y las respuestas del obispo León. Estos textos y los hechos y escritos de otros obispos se envían a las iglesias» [143].

Para estos tiempos, nuestras iglesias hispanas se enfrentaban con problemas mucho más urgentes y cercanos que el nestorianismo y el monofisismo. En medio de tanta perturbación política, social y económica causada por el pillaje y las guerras de los suevos y demás pueblos invasores que recorrían la Península, la iglesia gallega se hallaba hondamente perturbada, sobre todo por las discusiones y el desorden creado por el priscilianismo. El cuadro que traza Hidacio es bien oscuro: «y lo que es más lamentable todavía —escribe— en Galecia, fin del universo mundo, el estado del orden eclesiástico es caótico como consecuencia de las elecciones hechas sin ninguna discreción, de la desaparición de toda libertad honorable, del ocaso casi completo de toda religión en la disciplina divina» [144].

Hidacio no es nunca ambiguo en su postura contra el priscilianismo. En el capítulo que hemos dedicado a este movimiento herético hemos hecho referencia a las diversas noticias que da Hidacio sobre él. Sus calificativos son siempre claros y contundentes: «Prisciliano se deslizó hacia la herejía de los gnósticos», «en Galia fue declarado hereje por el santo obispo Martín [de Tours] y por otros obispos...» «Prisciliano, a causa de la sobredicha herejía, fue expulsado del episcopado... y ejecutado en Tréveris. A partir de este momento [año 387 para Hidacio], la herejía de los priscilianistas invadió la Galecia» [145]. En el año 400, a propósito del concilio de Toledo I, dice de éste que condenó «la blasfe-

---

[142] *Crón.* n.106: p.132. Atico había sido obispo de Constantinopla desde el 406 al 425; le sucedió Sisinio y después Nestorio en el 428.

[143] *Crón.* n.145: p.144. El monje Eutiques fue el principal promotor del monofisismo, que será condenado en 451, concilio de Calcedonia. Véase asimismo F. Rodríguez, *Concilio Calcedonia, 451:* DiccHistEclEsp 1 (Madrid 1972) p.476-77.

[144] *Crón.* Praef. 7: p.104.

[145] *Crón.* n.13 y 16: p.108.

mísima herejía de Prisciliano» [146]. En el año 405 habla de la *Crónica* de Sulpicio Severo, que comprende «desde los orígenes del mundo hasta la secta perniciosísima de los priscilianistas» [147].

Para Hidacio como para otros muchos escritores contemporáneos del priscilianismo, ésta era una herejía de tipo gnóstico. Otros autores acusaron además a los priscilianistas de maniqueísmo. No así Hidacio, quien tuvo que habérselas con grupos maniqueos operantes en su provincia, y a los que nunca confundió con los priscilianistas. Así, en el año 445 da esta noticia: «En la ciudad de Astorga, en la Galecia, son descubiertos, por actuación episcopal, algunos maniqueos ocultos durante varios años. Los obispos Hidacio y Toribio los examinaron y enviaron los resultados a Antonino, obispo de Mérida» [148]. Esta actividad antimaniquea estaba promovida desde Roma por el papa León Magno [149], como expresamente lo nota Hidacio: «El que presidía entonces en Roma como obispo promovió por las provincias encuestas sobre los maniqueos» [150]. De Roma precisamente procedía un maniqueo llamado Pascencio, que estuvo en Astorga, de donde huyó, y a quien Antonino, obispo de Mérida, descubrió en el año 448, oyó en audiencia e hizo expulsar de la provincia Lusitana [151].

Convencido, y cómo, de que el priscilianismo era un mal para la Iglesia, Hidacio actuó sin duda en consecuencia, y por eso no es extraño que se acudiese a él especialmente cuando se trataba de combatir ese movimiento. En el capítulo dedicado al priscilianismo vimos cómo Toribio de Astorga dirigió una carta a Hidacio y a Ceponio exponiéndoles la situación creada en Galecia por las herejías y pidiéndoles su colaboración para combatirlas [152]. También quedó dicho en ese mismo capítulo que León Magno, en respuesta a Toribio de Astorga, encargaba a éste que transmitiese a los obispos de la Tarraconense, Cartaginense, Lusitania y Galecia su convocación para que cuanto antes se reuniesen en concilio general con el fin de acabar con las herejías, indicándole el papa que en el caso de que ese concilio general no se pudiese reunir —las circunstancias políticas de Hispania hacían presumible esta imposibilidad—, se reuniesen, al menos, los obispos de Galecia, de lo cual «se ocuparán nuestros hermanos Hidacio y Ceponio en unión contigo» [153].

Alude Hidacio en su *Crónica* a los documentos de León Magno enviados a Toribio de Astorga, y asegura que efectivamente éste envió a su diácono Pervinco a distribuirlos a los obispos hispanos. El documento contra el priscilianismo lo conocemos: es la citada carta 15 de León

[146] *Crón.* n.32: p.112.
[147] *Crón.* n.37: p.114.
[148] *Crón.* n.130: p.140. Se ve que, en este momento al menos, el obispo de Mérida era considerado como metropolita de Astorga. Cf. A. QUINTANA PRIETO, *Primeros siglos del cristianismo en el convento jurídico asturicense* p.464-66; A. TRANOY, o.c., II p.82-83.
[149] Cf. FLICHE-MARTIN, *Historia de la Iglesia* IV (Valencia 1975) p.263.
[150] *Crón.* n.133: p.140.
[151] *Crón.* n.139: p.142.
[152] ML 54,693-95.
[153] LEÓN I, *Epist.* 15: ed. B. Vollmann, p.138.

Magno. De él añade Hidacio que «fue aceptado con reticencias por algunos obispos gallegos» [154].

La decidida actitud pastoral de Hidacio contra el movimiento priscilianista debió de procurarle no pocas contrariedades, dado que hay motivos suficientes para sospechar que los priscilianistas debieron de caer en la tentación de apoyarse en los suevos para defenderse de los ataques de la ortodoxia, oficialmente defendida por las autoridades imperiales. Cuando Hidacio narra su cautiverio por parte de Frumario en el año 460, dice que se llevó a cabo por instigación de los delatores Ospinio y Ascanio [155], los cuales debieron, además, de hacer todo lo posible para impedir su liberación, ya que, al hablar de ésta, dice Hidacio que volvió a Aquas Flavias a los tres meses «por gracia de Dios en contra del deseo y las disposiciones de los sobredichos delatores» [156]. Es posible que estos delatores fuesen priscilianistas amigos de los suevos, aunque los motivos de la delación y del cautiverio podrían ser ajenos a causas estrictamente religiosas [157].

Dijimos ya del arrianismo que fue una herejía que en sus comienzos y durante las grandes controversias que desencadenó a lo largo del siglo IV, apenas tuvo repercusión directa en la Península. Con la llegada de los visigodos principalmente, el arrianismo de éstos será uno de los principales problemas para los hispanos y el principal obstáculo para la fusión de ambos pueblos. Pero ya antes de esa implantación y supremacía de los visigodos, Hidacio tendrá ocasión de contemplar cómo se importa entre los suevos este «virus pestífero», como él lo llama: «Ayax, gálata de origen, apóstata primero y después arriano, con el apoyo de su rey, se convierte en el enemigo de la fe católica y de la divina Trinidad entre los suevos. Este pestífero virus del enemigo del hombre fue importado de tierras galas habitadas por los godos» [158].

Nada sabemos sobre la fecha de la muerte de Hidacio. En el prefacio de su *Crónica* afirma que la escribió «extremus et vitae», expresión que únicamente nos autoriza a pensar que al dar por terminada su obra en el año 469 se sentía ya viejo.

Su obra y su actitud como historiador

El manuscrito más importante de los que nos han conservado la obra literaria de Hidacio es un manuscrito de Berlín, del siglo IX, procedente del Colegio de Clermont, de París. En él figuran como obras de Hidacio la *Crónica* y unos *Fastos consulares,* de los que nos ocuparemos más adelante.

La obra principal es la *Crónica*. Comienza ésta con una presentación y un prefacio, para pasar en seguida a la *Crónica* propiamente dicha, que

---

[154] *Crón.* n.135: p.140.
[155] *Crón.* n.201: p.164.
[156] *Crón.* n.207: p.164.
[157] Sobre posibles insinuaciones de Hidacio acerca de conexiones entre suevos y priscilianistas, cf. A. Tranoy, o.c., I p.44-45.
[158] *Crón.* n.232: p.172.

consiste en una serie de breves noticias históricas, ordenadas cronológicamente a partir de la asociación al imperio de Teodosio con Graciano y Valentiniano II en el año 379, terminando en el año 469, tercer año del emperador Antemio.

Para situar cronológicamente los hechos, Hidacio señala los años de las olimpíadas y los de cada emperador. En varias ocasiones aparece también la *era hispánica,* pero esto ocurre, sobre todo, en los manuscritos hispanos. En el de Berlín solamente se encuentra en dos ocasiones [159]. Aun admitiendo que estas dos referencias pertenezcan realmente a Hidacio, no se puede afirmar que sea el creador de esta forma de datar.

Como es sabido, el punto de partida de la era hispánica es el año 38 a.C., sin que se pueda asegurar cuál fue el verdadero motivo que llevó a fijar ese año como principio del cómputo. San Isidoro da una explicación basada en una de sus interpretaciones etimológicas, esta vez de la palabra *aera,* la cual, como escribe E. Flórez, «se originaba *ab aere* (cobre); y el usarse de ella para notar los años se tomó desde el tiempo de Augusto, cuando el mundo fue obligado a pagar cierto dinero al pueblo romano». Fueron unos impuestos aprobados por el Senado romano en el año 715 de la fundación de Roma, siendo cónsules L. Marcio Censorio y C. Calvisio Sabino, año que corresponde al 39 antes de Cristo, comenzándose a pagar el año siguiente, 38 a.C. [160]

Es también difícil saber cuándo y cómo comenzó a usarse la era hispánica. Recientemente se ha pensado en un origen cristiano [161]; pero, aunque es verdad que la mención clara de la era se encuentra en inscripciones cristianas, hay también inscripciones no cristianas más antiguas que emplean igualmente en su datación una era especial. Algunos han pensado que la era de estas últimas inscripciones, procedentes de la región astur-cantábrica, no es la misma que la llamada hispánica. J. Vives cree, por el contrario, que no hay dos eras, sino una sola, que comienza a usarse en el norte de España en el siglo III y después se extiende a la Lusitana y a toda la Hispania occidental [162].

Por lo que se refiere a los *Fastos consulares,* según O. Seeck [163] pertenecen solamente, en parte, a Hidacio. Hasta el año 389 se trata, fundamentalmente, de una *crónica* de Constantinopla, de la cual llegó a Hispania una copia traída por la viuda de Cinegio, Acancia, cuando el cadáver del prefecto fue trasladado a nuestra Península en el año 389. Aquí, la obra de Hidacio se limita a la transcripción de los fastos constantinopolitanos y a la inserción de algunas otras noticias, tomadas, probablemente, de una *crónica* de Tréveris.

---

[159] Cf. A. Tranoy, o.c., 1 p.73.
[160] E. Flórez, *EspSagr* 2 (Madrid 1747) p.112-15.
[161] Cf. A. D'Ors, *La era hispánica* (Pamplona 1962); A. Ferrari, *El año 38 a.d.C. en Cassio Dio, San Jerónimo y Orosio:* BolRealAcHist 166 (1970) 139-66.
[162] J. Vives, *Era hispánica:* DiccHistEclEsp 2 (Madrid 1972) p.800-801; Id., *Inscripciones cristianas* p.177-85.
[163] O. Seeck, *Idacius und die Chronik von Konstantinopel:* JahbPhilPäd 139 (1889) 601-35; Id., *Hydatius:* Pauly-Wissowa, RealEncyd IX-1 (Stuttgart 1914) p.39-43.

A partir del año 390 y hasta el final de los *Fastos* en el año 468, Hidacio ha realizado una aportación más personal, recogiendo datos más abundantes de Hispania, Galia y Africa [164].

Hidacio no hace directamente filosofía ni teología de la historia, pero en sus cortos comentarios ha dejado traslucir su visión de la realidad que le rodea. C. Torres ha dicho con acierto que así como Orosio es pesimista con respecto al pasado y optimista con respecto al porvenir, los sentimientos de Hidacio son exactamente los contrarios [165]. Por varias razones es lógico que así sea. Orosio escribe de joven, y, por tanto, mucho más vuelto hacia el futuro que hacia el pasado. Hidacio, en cambio, escribe al fin de su vida, cuando todo hombre, falto ya de perspectivas de futuro, se vuelve instintivamente hacia atrás, donde puede contemplar un lejano horizonte a la luz alegre de sus años de mayor vitalidad. Orosio, además, escribió su *Historia* en Africa, cuando allí todavía no habían llegado las invasiones, mientras que Hidacio tiene que contemplar el espectáculo de un imperio romano cada día más impotente, sin ningún poder efectivo en su propia Galecia, donde los suevos imponen su ley o saquean o luchan con otros pueblos invasores.

Es comprensible el conocido pesimismo de Hidacio. Las circunstancias en que le tocó vivir condicionaban en ese sentido sus sentimientos, sin que esto quiera decir que no tratase de conservar la esperanza mientras que la dura realidad no le fuese desengañando [166].

Algunos de los autores que se han ocupado de Hidacio resaltan su confianza primera en el imperio, y de manera especial en la dinastía teodosiana, a la que se siente especialmente ligado por razones de fidelidad y de «paisanaje». También se advierte en él una cierta esperanza en un posible entendimiento con los suevos; esperanza también frustrada, pero nunca hasta el punto de hacerle concebir utopías nostálgicas de una simple vuelta al pasado. Su época, su tiempo, que San Jerónimo describía como «tiempo de lágrimas», es, para Hidacio también, «lacrimabile propriae vitae tempus», y en esto coinciden plenamente ambos autores. En lo que Hidacio supone un paso más hacia la comprensión de los nuevos tiempos es en su resignación ante lo inevitable, resignación que le permite empezar a comprender la posibilidad de un nuevo orden, establecido no a base de un imperio romano de cuya desintegración tiene ya pruebas evidentes, sino a base de los pueblos godos, detentores efectivos del poder. La misma realidad palpable le hace percibir, con mucha menor intensidad que Orosio, el universalismo romano, y en contrapartida, sentirse más ligado a su propia nación hispana, postura esta que llegará a su pleno desarrollo en San Isidoro [167]. San Isi-

---

[164] La edición mejor de estos *Fastos* es la de Th. Mommsen: MonGermHist, AA IX p.197-247. Véase asimismo E. Flórez, *EspSagr* 4 (Madrid 1749) p.457-504: ML 51,891-914.

[165] C. Torres, *Peregrinaciones de Galicia* p.403.

[166] A. Tranoy (o.c., I p.59) sostiene contra C. Torres que no se puede hablar de pesimismo de Hidacio en general, ya que se nota gran diferencia entre la época anterior a la extinción de la dinastía teodosiana y la que siguió a continuación.

[167] Cf. F. Giunta, *Idazio ed i barbari:* AnEstMed 1 (1964) 491-94.

doro usa la *Crónica* de Hidacio como una de sus fuentes principales para su *Historia de los godos, vándalos y suevos* [168].

La carta encíclica de Severo de Menorca

En una relación escrita por encargo del obispo Evodio († hacia el año 426) sobre los milagros realizados en Uzali (cerca de Cartago) con motivo de la presencia de reliquias de San Esteban [169], se lee lo siguiente: «En el mismo día en que entraron en la iglesia las reliquias del bienaventurado Esteban, al principio de las lecturas canónicas se leyó desde el púlpito a la asamblea, con gran acogida, una carta enviada también a nosotros de un santo obispo llamado Severo, de la isla de Menorca. En la carta se contaban los milagros que el glorioso Esteban había realizado en dicha isla por medio de sus reliquias para salvación de todos los judíos que allí creyeron. Parecía que él mismo, por esta relación de sus milagros, extendía sus manos y decía a los fieles que lo aclamaban entusiasmados: 'Ea, ya tenéis un mártir...'» [170]

En el año 1594, Baronio publicaba por primera vez el texto de esta carta leída en Uzali y escrita por Severo de Menorca, texto que introducía con estas palabras: «Gracias al mismo protomártir, mientras escribía yo sobre las antigüedades de la Biblioteca Vaticana, he dado con la susodicha carta de Severo, íntegra y sin ninguna mutilación, y la he juzgado digna de su publicación por entero, ya que está inédita en cuanto yo sé y es un egregio monumento de la antigüedad» [171].

Desde ese momento es conocida la famosa carta, a la que algunos autores pusieron ciertos reparos, sin que éstos llegasen a inquietar hasta el punto de hacer dudar seriamente de su autenticidad.

El texto publicado por Baronio fue reproducido en dos ocasiones por Migne, pasando a conocimiento de un más amplio sector de historiadores y extendiéndose su uso especialmente entre los historiadores de la Iglesia antigua [172].

Sobre la autenticidad de la carta

Baronio había dado a conocer el texto de la carta tal como la había copiado de un códice de la Biblioteca Vaticana. En el año 1937, G. Seguí Vidal publicó un texto crítico, para el que tiene en cuenta, además del mismo códice vaticano, estudiado con mayor rigor científico,

---

[168] Cf. C. Rodríguez Alonso, *Las historias de los godos, vándalos y suevos de San Isidoro de Sevilla* (León 1975) p.67-113.
[169] ML 41,833-54.
[170] *De miraculis St. Stephani* I-2: ML 41,835.
[171] C. Baronio, *Ann.eccl.* V (Roma 1594) p.419; texto p.419-28.
[172] Cuantos escriben sobre Orosio se basan solamente en la carta de Severo cuando hablan de su frustrado viaje de vuelta a Hispania y su estancia en Mahón. Z. García Villada (*HistEclEsp* I-2 p.261-62) expresa sus dudas sobre la autenticidad de la carta.

otros cuatro códices [173]. Seguí dedica un buen número de páginas a la defensa de la autenticidad del documento, cuya composición fija no en el año 418, como había hecho Baronio, sino en el 417, basado en la correcta lectura de la datación que da la misma carta [174]. Describe también y comenta los múltiples datos históricos proporcionados por ésta.

La prueba de la autenticidad de la carta se basa, en primer lugar, en el argumento extrínseco de la *Relatio* de los milagros de Uzali ya citada. La *Relatio* habla expresamente de una carta de Severo de Menorca, y las pocas palabras que a ella dedica hacen ver que su contenido era, fundamentalmente, el del texto conocido: los milagros operados por medio de las reliquias de San Esteban y la conversión de los judíos que se siguió como consecuencia.

G. Seguí Vidal añade a continuación que hay muchos argumentos intrínsecos en favor de la autenticidad e integridad de la carta [175], ya que todo el ambiente en que se desenvuelven los hechos narrados concuerda con el que se deduce de los documentos coetáneos tanto en lo social como en lo político, en lo jurídico, en lo civil, en lo religioso, etc., proporcionando, al mismo tiempo, nueva luz sobre puntos menos conocidos.

Para F. Martí, «si en otro tiempo, con endeble argumentación y escaso conocimiento de la carta de Severo, algunos autores dudaron de su autenticidad y veracidad, hoy quedan ambas plenamente vindicadas, especialmente en la tesis doctoral en historia eclesiástica defendida el año 1934 en la Pontificia Universidad Gregoriana por el P. Gabriel Seguí, misionero de los Sagrados Corazones» [176]. E. Dekkers no muestra duda alguna sobre la autenticidad de la carta, que figura en la *Clavis patrum* con el número 576, sin ninguna indicación contraria.

Es curioso advertir que, en las primeras ediciones en castellano de la *Patrología* de Altaner, en el suplemento sobre patrología hispánica, debida a E. Cuevas y U. Domínguez del Val, se dedican no pocas líneas a Severo de Menorca y se acepta la autenticidad de su carta encíclica, mientras que en la quinta edición, de 1962, en la que la patrología hispánica figura incorporada en el texto general, no existe ningún párrafo directamente dedicado a Severo ni a su obra [177]. Esta supresión parece lógico suponer que se debe a una nueva toma de posición por parte de los autores de la patrología hispánica, que no aceptan ya la autenticidad de la carta o al menos no la consideran con suficientes garantías como para poder incluirla. Efectivamente, modernamente, y después de la publicación de G. Seguí Vidal, se han suscitado de nuevo no pocos reparos contra la carta de Severo, especialmente por parte de un autor alemán, B. Blumenkranz, y otro español, M. C. Díaz y Díaz.

La primera objeción que publicó Blumenkranz fue la que él califica

---

[173] G. SEGUÍ VIDAL, *La carta encíclica*. Se anuncia nueva edición crítica, a cargo de J. Hillgarth, en E. DEKKERS, *Clavis Patrum* p.132 n.576.
[174] «Post consulatum Domini Honorii et Constantio iterum viri clarissimi.»
[175] G. SEGUÍ VIDAL, o.c., p.39ss.
[176] F. MARTÍ, *Severo:* DictHistEclEsp 4 (Madrid 1975) p.2445-46.
[177] P.ej., B. ALTANER, *Patrología* (Madrid ³1953) p.64*-65*.

como «prueba decisiva, al menos, contra la datación»: ningún contemporáneo menciona el gran milagro de la conversión de los judíos; sobre todo, San Agustín, tan relacionado con Orosio y que dedica varios sermones a San Esteban, nunca alude a la encíclica de Severo, lo cual indica que nunca se escribió y se trata tan sólo de una falsificación mucho más tardía [178]. Dos años después cree poder datar la carta más precisamente a principios del siglo VII, basado en que en la carta de Severo se insinúan de manera vergonzante y disimulada las medidas de fuerza adoptadas por los cristianos contra los judíos pretendiendo atribuir la conversión de éstos a los milagros. Se inserta así la carta en los principios de la oculta polémica que tenía lugar en el siglo VII en España entre los partidarios de la conversión de los judíos por el método paciente de la persuasión —representados por San Isidoro— y los que propugnaban el sistema radical de la coacción, propugnada por San Braulio, y que fue cristalizando en las disposiciones, cada vez más opresoras, de los concilios toledanos VI (638), VIII (653) y XII (681). Para Blumenkranz, la supuesta carta de Severo es una falsificación, y «esta falsificación literaria tenía la clara finalidad de proporcionar el argumento de un paralelo histórico a los defensores del empleo de la fuerza contra los judíos» [179].

Los dos argumentos expuestos hasta ahora bastaban, por lo visto, para convencer a Blumenkranz de la falsedad de la carta de Severo, puesto que sólo en ellos se basa cuando afirma ya que el documento es una falsificación de principios del siglo VII.

No es fácil aceptar tan radical conclusión, si se ha de deducir solamente de unos indicios tan poco convincentes. El silencio de los contemporáneos no es total si se tiene en cuenta el testimonio de la *Relatio* ya citado; el silencio de San Agustín es solamente un argumento aislado negativo, que puede producir, a lo más, una cierta perplejidad, pero no porporciona un dato claramente positivo en contra.

Por lo que se refiere a las situaciones descritas por la carta, que, según Blumenkranz, responden de manera sorprendente a las circunstancias de la España del siglo VII, hay que decir que también responden y quizá más adecuadamente, a las del siglo V, sobre todo en el suceso central del incendio de la sinagoga, como veremos más adelante al resumir el contenido de la carta.

En 1952, Blumenkranz aduce nuevos argumentos en favor de su tesis [180]: 1) Las descripciones tan pormenorizadas de Menorca son sospechosas; 2) Severo dice en su carta que preparó un *commonitorium,* que sirve de prueba de su solicitud ante la perspectiva de las disputas con los judíos [181]. Este *Commonitorium* recordaría, según Blumenkranz, la prescripción del canon 9 del concilio de Toledo XII (año 681), según la cual todos los obispos debían entregar a los judíos pertenecientes a su

---

[178] B. BLUMENKRANZ, *Die Judenpredigt* (1946) p.57-58.
[179] B. BLUMENKRANZ, *Die jüdischen Beweisgründe* (1948) p.128-29.
[180] B. BLUMENKRANZ, *Les auteurs chrétiens* (1951-52) p.24ss.
[181] SEVERO, *Carta encíclica* p.153.

jurisdicción un escrito sobre sus errores [182]. El lector podrá apreciar que estos dos argumentos son, más bien, dos observaciones agudas que deben tenerse en cuenta, pero que no constituyen un argumento propiamente dicho; 3) según la carta, cuando los cristianos rogaban a Teodoro que creyese en Cristo, los judíos entendieron que los cristianos afirmaban que Teodoro creía ya en Cristo. Ahora bien, esta confusión no es posible en latín —entre *credas* y *credit* o *credidit*—, mientras que sí lo sería en castellano —entre *cree* (imperativo) y *cree* (indicativo)—. Según sus mismas palabras, la confusión narrada por la carta de Severo, ciertamente escrita en latín, «es difícilmente pensable en el latín; sería totalmente posible, en cambio, en un dialecto románico. Este último argumento es, por lo visto, bastante decisivo para Blumenkranz, pues vuelve a aducirlo en varias ocasiones, aunque él mismo parece advertir su debilidad cuando trata de explicarlo con estas palabras: «Esta confusión, que es completamente posible en español, parece imposible en latín. Por supuesto que la carta estaba redactada en latín, pero debía de suponer posible ese juego de palabras en el momento de la traducción mental, por los lectores, en su habla romance» [183].

Sobre los argumentos de Blumenkranz, M. C. Díaz y Díaz [184] piensa que, «mientras que no se desenvuelvan las posibles válidas razones que hay en estos indicios, no se puede adelantar un juicio». Con más cautela que el autor alemán, Díaz y Díaz propone, sin embargo, varios motivos que le obligan a mostrarse reticente ante la carta, cuya autenticidad habría «que volver a estudiar seriamente, ya que todo hace pensar que la fecha de su composición sea bastante posterior a aquella en que se dice escrita».

Por lo que se refiere a una datación «bastante posterior», Díaz y Díaz no aporta nuevos argumentos, por lo que hemos de suponer que considera válidas o al menos importantes, las razones de Blumenkranz. En cuanto a la autencidad, observa que la transmisión manuscrita de la carta está «totalmente vinculada a la *Relatio* de los milagros de Uzali». Siendo la *Relatio* el único apoyo externo de su autenticidad, si el párrafo de ésta que la menciona fuese una interpolación introducida a partir de la carta, caería ese único apoyo externo. Es un problema que solamente quedará aclarado cuando contemos con una edición crítica de la *Relatio* [185]. Hasta aquí, pues, no presenta ningún argumento contra la autenticidad. Solamente avisa contra una posibilidad, que hasta el momento ningún dato crítico positivo avala.

Díaz y Díaz ofrece aún otra alternativa: si la mención de la carta en la *Relatio* no fuese una interpolación, cabría pensar que la carta se escribió como consecuencia de esa mención, y sería «una falsificación a partir de ese dato, quizá para alentar, en un momento dado, la represión antijudía». De nuevo se trata de una mera conjetura, lo que hace pen-

[182] J. Vives, *Concilios* p.397.
[183] B. Blumenkranz, *Juifs et chrétiens* (1960) p.284 n.330.
[184] M. C. Díaz y Díaz, *Severo de Menorca* p.11-12 y n.30.
[185] Está anunciada, a cargo de J. Hillgarth; cf. E. Dekkers, o.c., n.391.

sar que el único verdadero motivo de las dudas sobre la autencidad de la carta hay que buscarlo en su contenido, que para algunos será la razón de inclinarse a su aceptación, y para otros a su rechazo, según que se juzgue que refleja el ambiente propio de las relaciones cristiano-judías del siglo V o, más bien, las del siglo VII [186].

Después de esta larga divagación sobre la autenticidad de la carta encíclica de Severo, resulta penoso no poder llegar a ninguna conclusión clara. Mientras que nuevas ediciones críticas de la carta y de la *Relatio* no aporten bases más seguras, los argumentos en pro y en contra no será fácil que superen el grado de hipótesis más o menos sólidas y quizá sea ésta la única conclusión válida. No hay argumentos serios contra su autenticidad ni contra su datación en el año 417, aunque sí existen indicios que imponen ciertas reservas en espera de una mayor profundización en el problema.

En todo caso, la carta de Severo es un documento histórico de notable valor, con tal que «se le sitúe en el lugar y en el tiempo que le han visto nacer», como admite el mismo Blumenkranz [187]. Si algún día las reservas contra su autenticidad y datación quedasen totalmente eliminadas [188], la carta se podrá emplear ya con toda seguridad como un documento excepcional para el conocimiento de la historia de la Iglesia en Menorca en una época en que esta isla, como todas las Baleares, están a punto de caer primeramente bajo la dominación vándala y después bajo la bizantina, y con ello pasar a formar parte de la zona africana, con escasa relación con la Península [189].

Relaciones judeo-cristianas

Sobre todo, la carta es importante como testimonio de las relaciones entre cristianos y judíos. Los judíos, según la carta, se hallan muy irregularmente repartidos en Menorca: en Ciudadela (Jamona) no existen, mientras que en Mahón (Magona) son abundantes [190], hasta el punto de hacer sentirse a los cristianos en condiciones de inferioridad [191]. Los judíos de Mahón ocupan los más importantes cargos municipales, y su más destacado personaje, Teodoro, doctor de la ley, aparece como una gran personalidad, patrono del municipio y admirado y respetado por la generalidad de los ciudadanos [192]. Esta estima general de que gozaba Teodoro y el hecho de no existir judíos en Ciudadela hacen suponer que, en los tiempos precedentes a los que se narran en la carta, judíos y cristianos debían de convivir en Menorca en relativa paz. En esas condiciones, la situación en Menorca recordaría, en cierto modo, a la que existía en Andalucía a fines del siglo III reflejada en el concilio de Gra-

---

[186] Otras dificultades de M. C. Díaz y Díaz nos parecen meras suposiciones.
[187] B. BLUMENKRANZ, *Juifs et chrétiens* (1960) p.76 n.34.
[188] Quizá podría resolver las dudas un profundo análisis filológico.
[189] Cf. S. MARINER, *La difusión del cristianismo como factor de latinización* p.275-77.
[190] Ed. G. SEGUÍ VIDAL, lín.29-45.
[191] Ibid., 79-80.
[192] Ibid., 72-79 y *passim*.

nada. Esta paz debió de ir siendo cada vez más precaria. Una nueva situación se creó con ocasión de la llegada a la isla de las reliquias de San Esteban. Este paso del equilibrio pacífico, más o menos inestable, a la guerra abierta se señala en la carta eufemísticamente, hablando de «ardor de caridad encendido por las reliquias en el corazón de los cristianos, que les hizo abandonar *su antigua tibieza* y abrigar la esperanza de salvar a la muchedumbre». El cambio se notó en seguida, encendiéndose las disputas en cada casa, en las calles y en las plazas [193].

Los judíos debían de tener ya noticia o experiencia de lo que para ellos podía suponer esta movilización de los cristianos, porque, según Severo, se mostraron dispuestos «incluso a la muerte», como en tiempos de los Macabeos, para defender su Ley, y, por si acaso, no sólo se prepararon a la disputa oral repasando sus libros, sino que almacenaron en la sinagoga piedras, flechas y otras armas arrojadizas [194].

Los planes del obispo no incluían, al parecer, ninguna acción que justificase tales medidas de defensa armada, puesto que solamente se proponía celebrar una disputa pública bíblico-teológica. Incluido o no en el programa, el incendio final de la sinagoga demuestra que los cálculos y temores de los judíos no eran la consecuencia de un pesimismo exagerado.

Se señala en la carta una circunstancia que corrobora la impresión de un estado anterior de compromiso pacífico entre cristianos y judíos mahoneses. Cuando ya se había determinado el día de la disputa pública, los judíos estaban ansiosos por que volviese Teodoro, ausente en ese momento por hallarse en Mallorca, donde tenía posesiones. Le enviaron mensajeros para que volviese cuanto antes a Mahón, lo que hizo en seguida. Dice Severo que, al volver, su autoridad y prestigio atemorizó a muchos cristianos de Mahón de tal modo, que, aunque no llegó a apagarlo, sí hizo disminuir mucho el entusiasmo por el confrontamiento [195]. Parece como si muchos de los cristianos prefiriesen volver a la situación anterior de pacífica convivencia. Los cristianos de Ciudadela más duros, sin duda, por no estar acostumbrados en su ciudad al trato cotidiano con los judíos, decidieron acudir multitudinariamente a Mahón en ayuda de sus correligionarios para animarlos a la lucha: «muchos siervos de Cristo aceptaron plenamente los sufrimientos del viaje y determinaron entregar todas las fuerzas de su alma a esta guerra» [196].

En este ambiente de exaltación bélica tiene lugar en Mahón la marcha en tropel hacia la sinagoga con el fin de comprobar si era verdad que allí habían acumulado los judíos piedras y otros proyectiles. Marchaban todos, judíos y cristianos, cantando alegremente el salmo 9: «El enemigo ha perecido estrepitosamente y el Señor permanece siempre», interpretado, como es natural, de muy diversa manera según quiénes lo

[193] Ibid., 59-71. Cambio de situación más propio del paso del siglo IV al V.
[194] Ibid., 107-14.
[195] Ibid., 82-89.
[196] Ibid., 93-95; cf. 176-82.

cantaban, y animados por los sentimientos que tales expresiones dejan entender. Camino de la sinagoga sucedió un hecho que Severo juzga providencial para que el fervor de los cristianos no se diluyese en la concordia [197]: unas mujeres judías comenzaron a apedrear a la comitiva desde las alturas. Movidos entonces «más por el celo de Cristo que por la ira», entablan los cristianos su batalla propiamente dicha, hasta llegar a la sinagoga, vencer la resistencia de sus defensores y hacerla arder. Un cierto control de las masas debió de existir, si es verdad lo que añade Severo; no hubo pillaje; los objetos de plata les fueron devueltos a sus propietarios y los libros sagrados quedaron requisados, pero a salvo. Terminada la batalla, los cristianos, esta vez solos por supuesto, volvieron a la iglesia cantando himnos de acción de gracias [198].

Acontecimientos violentos como éstos se registran en la historia sobre todo a partir de los últimos años del siglo IV y durante todo el V. Dos circunstancias históricas pueden haber influido decisivamente como causas de estos brotes de un vandalismo que se ensaña tenazmente contra las sinagogas. Por un lado, las violencias cometidas por los judíos contra los cristianos con ocasión de la ascensión al poder de Juliano el Apóstata. Por otro, la reacción y la seguridad que se siguió más tarde para los cristianos al quedar declarado el cristianismo religión oficial del imperio.

De las violencias judías contra los cristianos en tiempos de Juliano da expresa noticia San Ambrosio, con una precisión y un verismo que no deja ningún lugar a dudas sobre la realidad de los hechos [199]: «yo podría decir cuántas basílicas de la Iglesia han quemado los judíos en tiempos del imperio de Juliano: dos en Damasco, de las cuales una acaba de ser reconstruida a expensas de la Iglesia, no de la Sinagoga, y la otra es todavía un montón horrible de ruinas. Se quemaron basílicas en Gaza, en Ascalón, en Beirut y en casi todos aquellos lugares, sin que nadie pidiese castigo. También se quemó en Alejandría, por paganos y judíos, una basílica muy superior sola ella a todas las demás» [200].

Por San Ambrosio conocemos dos casos notables de incendios de sinagogas acaecidos en su época. En Roma, los cristianos quemaron una sinagoga; el usurpador Máximo († 388) «envió un edicto como defensor de la disciplina pública», y el pueblo cristiano consideró esta acción de Máximo tan impertinente, que pensó: «Nada tiene de bueno. Se ha hecho rey judío» [201].

El otro caso es mucho más conocido por las repercusiones que tuvo en las relaciones de San Ambrosio con el emperador Teodosio. En Callinicos, en la Siria del Norte, los cristianos, sobre todo los monjes, impulsados por el obispo, quemaron la sinagoga. El emperador Teodosio dispuso el castigo de los incendiarios y mandó que el obispo hiciese

[197] Ibid., 221-25.
[198] Ibid., 230-62.
[199] J. PARKES (*The Conflict of the Church and the Synagogue* [Nueva York 1969] p.188) trata, sin éxito, de desvirtuar el valor de este testimonio.
[200] AMBROSIO, *Epist.* 40: ML 16,1107.
[201] Ibid., col.1109.

reconstruir la sinagoga a sus propias expensas. Con esta ocasión, San Ambrosio, por otra parte relativamente ponderado en su actitud con respecto a los judíos, adopta una postura y emplea unas expresiones claramente significativas del ambiente tenso que hace posible tales desmanes. Se opone decididamente a las disposiciones de Teodosio y se niega a admitirlo en la eucaristía hasta que no las revoque. Escribe a Teodosio manifestándole su solidaridad con el obispo de Callinicos, que ha quemado una sinagoga «para que no exista un lugar en el que se niegue a Cristo» [202]; expresa igualmente su escándalo ante la sola perspectiva de una sinagoga reconstruida por un obispo y con el dinero de la Iglesia: «Habrá un lugar para la perfidia de los judíos hecho con el dinero de la Iglesia y el patrimonio que en favor de Cristo han adquirido los cristianos...» En este momento su indignación se manifiesta con expresiones durísimas: «Los judíos escribirán este título en el frontis de la sinagoga: 'Templo de impiedad hecho por manos de cristianos'»; y más adelante: «Se ha quemado una sinagoga, lugar de perfidia, casa de impiedad, receptáculo de la demencia, condenado por Dios mismo» [203].

El emperador Teodosio cedió a las presiones de San Ambrosio y levantó el castigo [204]. Sin embargo, el sentido de equidad y los numerosos casos que debieron de seguirse a los de Roma y Callinicos, sobre todo en el Oriente y en el Ilírico, hizo que él y sus sucesores promulgaran varios edictos en defensa de los judíos y de sus sinagogas en los años 393, 397, 412-18 y 423 [205].

Con el prólogo del incendio de la sinagoga, la anunciada disputa con Teodoro tuvo lugar tres días después, teniendo como escenario las paredes calcinadas de la sinagoga, que todavía se mantenían en pie, aunque por poco tiempo, ya que los mismos judíos conversos se encargarían de arrasarlas poco después.

Quizá uno de los rasgos más favorables a la autenticidad del documento que nos ocupa sea la figura de Teodoro. Tal como aparece dibujado en la carta, no presenta ni un solo aspecto de figura inventada o legendaria, sino todo lo contrario: un personaje muy real, muy destacado, hombre que por sus propias cualidades impone a unos seguridad, a otros respeto, y a todos, incluso al autor de la carta, el reconocimiento de su manifiesta superioridad. En aquel escenario de destrucción, «Teodoro discutía audazmente sobre la Ley, resolvía con soltura las objeciones y las volvía contra los que se las hacían, hasta el punto que los cristianos llegaron a la conclusión de que con la sola disputa verbal no era posible vencerle, por lo que imploraron el auxilio del cielo» [206]. La oración consistía en rogar todos unánimemente: «Teodoro, cree en Cristo». Entonces sucedió el «milagro» ya conocido: los judíos entendieron que los cristianos afirmaban que Teodoro se había convertido.

---

[202] Ibid., col. 1104.
[203] Ibid., col. 1105-1106.
[204] AMBROSIO, *Epist.* 41: ML 16,1113-21.
[205] *Cod. Theod.* 16,8,9; 16,8,12; 16,8,21; 16,8,25; 16,8,26; 16,8,27.
[206] SEVERO, *Carta encíclica:* ibid., 279-81.

Oyeron no *crede* o *credas,* sino *credit,* en indicativo [207], y el desaliento y el terror se apoderó de todos ellos, dispersándose y huyendo atropelladamente en medio de la mayor confusión [208]. Una vez que Teodoro había abandonado la batalla, parecía a todos sus correligionarios que no cabía otro recurso que desaparecer de la escena.

En medio de la psicosis general, las conversiones se fueron sucediendo. Con ocasión de las conversiones, creo que se pueden advertir nuevos rasgos de veracidad en el relato. El primer convertido fue Rubén. Su conversión sucedió después de la quema de la sinagoga, pero antes de la desbandada general a que acabamos de referirnos. Sobre los motivos de su conversión no nos dice nada el autor de la carta, pero se pueden suponer por el razonamiento que Rubén hizo a Teodoro para inducirlo a seguir su ejemplo: «¿Qué temes, Teodoro?»; le decía: «Si quieres estar tranquilo y seguro y vivir honrado y rico, cree en Cristo, como yo he creído. Ahora tú estás de pie y yo me siento junto a los obispos. Si crees, tú te sentarás y yo estaré de pie ante ti». La exhortación tuvo éxito, y Teodoro aceptó el cristianismo, arrastrando con su ejemplo a muchos otros [209]. Otros, más reacios, tardaron más en dar su brazo a torcer, pero lo fueron haciendo por idénticos motivos: a Melecio, hermano de Teodoro, y a Inocencio, llegado a Menorca en huida de la Península, no se les ofrece otra perspectiva que la emigración oculta a tierras lejanas. Pretenden llevar a cabo su plan, pero se desorientan, no consiguen hallar el camino, y, perdidos y agotados, llegan a considerarse castigados por Dios y deciden convertirse [210]. Otro judío, Galileo, confiesa: «Me paso a la Iglesia para salvar mi vida, para evitar la muerte que se me prepara» [211]. Ceciliano, «hombre honesto e importante no sólo entre los judíos, sino en toda la ciudad, hasta el punto de haber sido elegido *defensor civitatis,* decía que Galileo tenía razón y que él tenía parecida causa para temer lo mismo» [212]. No es de extrañar tanto temor, si es que realmente la situación en Menorca en aquellos días era la que exponía Melecio a Inocencio: «En esta isla ha crecido tanto en todos el odio hacia nuestra religión, que el que no abandone su tierra, no puede conservar la fe de sus padres» [213].

Los últimos acontecimientos habían enconado del todo un ambiente que iba enrareciéndose cada vez más. Baste recordar las duras expresiones ya citadas de San Ambrosio o estas otras de San Jerónimo: «Se llaman judíos no por aquel Judas santo, sino por este Judas traidor. De aquel santo venimos nosotros, judíos espirituales; del traidor, en cambio, vienen estos judíos carnales» [214]; o las del monje Sergio, más tardías, y por eso aún más amenazadoras: «A estos crucificadores del Hijo

---

[207] También tuvieron que oír *Theodorus* en vez de *Theodore.*
[208] Severo, *Carta encíclica:* ibid., 282-303.
[209] Ibid., 327-57.
[210] Ibid., 365-477.
[211] Ibid., 490-92.
[212] Ibid., 497-501.
[213] Ibid., 450-52.
[214] Jerónimo, *Com. in Ps.* 108: ML 26,1227.

de Dios no les debía estar permitido vivir»; «éstos crucificaron a mi Señor Jesús; nunca haré las paces con ellos» [215].

G. Seguí Vidal advierte, oportunamente, que el acudir a la Iglesia para pedir el ingreso en ella por miedo u otros motivos tan poco religiosos, no era cosa extraña en esta época, como puede verse por las instrucciones de San Agustín al diácono Deogratias [216]. Por algo el emperador Honorio disponía en el año 416 que los judíos conversos sin convicción religiosa sincera pudiesen volver impunemente a su religión judía [217].

Con el mismo autor, debemos advertir que hay indicios en la carta para suponer el origen griego de la colonia judía de Mahón: no solamente por la presencia entre ellos de nombres griegos como los de Artemisia, Teodoro y Melecio, sino por otros pequeños detalles que señalan en esta misma dirección. Al hablar de Teodoro, se dice de él que era doctor de la Ley: «o, para decirlo con sus mismas palabras, *pater pateron*» [218]. Inocencio «conocía no solamente el latín, sino también el griego» [219].

La «Altercatio Ecclesiae et Synagogae»

Al hacer la edición crítica de la carta encíclica de Severo, G. Seguí Vidal publica también en apéndice un documento cuyo texto toma de la *Patrología* de Migne [220], y es un tratado hasta entonces publicado siempre con las obras de San Agustín. Para G. Seguí, se trata del *Commonitorium* de Severo, aludido en la carta encíclica, como trata de demostrar en su publicación de 1937 y después nuevamente, en 1955 [221], en una publicación conjunta con J. Hillgarth, quien se encarga del texto crítico de dicho documento.

La *Altercatio* es una obra apologética cristiana presentada en forma de diálogo entre la Iglesia y la Sinagoga, que exponen su causa o su pleito ante el juez, y que termina con el reconocimiento, por parte de la Sinagoga, de haber oído hasta entonces negligentemente a los profetas, por lo que admite, finalmente, la argumentación de la Iglesia.

Aunque al principio la tesis de G. Seguí obtuvo algún asentimiento, actualmente no se suele admitir [222]. No parece que haya motivos positivos suficientes para relacionar tan estrechamente la *Altercatio* con Severo de Menorca, aunque sí pueda admitirse que se trata de un documento probablemente escrito en el siglo V. Para B. Blumenkranz es probable

---

[215] JUAN DE EFESO, *Vida de Simeón y Sergio:* PatrOr 16 (París 1923) p.90-91.
[216] G. SEGUÍ VIDAL, o.c., p.80. Cf. AGUSTÍN, *De cath. rud.* I-5: ML 40,316.
[217] *Cod. Theod.* 16,8,23.
[218] G. SEGUÍ VIDAL, o.c., p.65.
[219] SEVERO, *Carta encíclica:* p.427-28.
[220] ML 42,1131-40.
[221] BolSocArqLul 31 (1954) 69-126. Con el título *La «Altercatio» y la basílica paleocristiana de Menorca* (Palma de Mallorca 1955).
[222] E. DEKKERS (o.c., 1.ª ed. [1951] p.103) incluye la *Altercatio* como obra dudosa de Severo. En la segunda edición (1961) la califica ya de espúrea. La datación en el siglo XI que pretendía A. OEPKE (ZeitNeutWiss 42 [1949] 161-65) está totalmente excluida.

que fuese escrita en Hispania o en las Galias. Puesto que la Sinagoga reprocha a la Iglesia que los cristianos viven todavía como bárbaros, mientras que ella posee ya la ciudadanía romana, el escrito debe proceder, en todo caso, de una región recientemente incorporada a la Romania, o también una parte del imperio recientemente invadida por los bárbaros [223].

PEREGRINOS DE GALECIA

En capítulos anteriores hemos conocido algunos personajes de nuestro cristianismo hispano que han viajado al Oriente por diversos motivos religiosos. Hidacio, Toribio de Astorga y Orosio, los tres procedentes de la Galecia, estuvieron por Tierra Santa y el Oriente. El porqué de ese frecuente peregrinar de los cristianos del noroeste de la Península no nos es conocido, pero es un hecho digno de notarse, ya que no son solamente estos tres casos citados los conocidos, y, por tanto, supone un contacto bastante intenso entre aquellas regiones del Oriente y las nuestras extremas occidentales.

Los Avitos

De dos peregrinos hispanos llamados ambos Avito habla Orosio en su *Commonitorium* [224]. Escribe Orosio que dos conciudadanos suyos, Avito y otro Avito, emprendieron viaje, uno a Jerusalén y otro a Roma. Al volver, uno de ellos trajo consigo obras de Orígenes y otro obras de Victorino [225]. Ambos a dos condenaban el priscilianismo, pero el partidario de Orígenes convenció a su homónimo, el cual, antes de publicar sus obras de Victorino, se pasó a Orígenes, por lo que las obras de aquél no llegaron a tener difusión por su región. Comenzó así a proponerse en la Galecia la doctrina de Orígenes; doctrina bastante sana —dice Orosio— sobre la Trinidad; también se enseñaba que todo cuanto ha sido hecho, ha sido hecho por Dios y es bueno y sacado de la nada. Igualmente, se proponían soluciones bastante sobrias de las Escrituras, etc. Pero estos dos Avitos —continúa Orosio— enseñaron también algunas otras cosas no rectas tomadas del mismo Orígenes, errores que enumera a continuación para pedir a San Agustín que los corrija, lo que hizo el Obispo de Hipona en su pequeño tratado *A Orosio, contra los priscilianistas y origenistas* [226].

Los dos Avitos fueron, pues, partidarios ardientes de Orígenes, cu-

---

[223] Cf. B. BLUMENKRANZ, *Die jüdischen Beweisgründe* (1948) p.126. Véase asimismo M. C. DÍAZ Y DÍAZ, *Severo de Menorca* p.3-12. La relación que se ha pretendido establecer entre Severo y la basílica de Son Bou no es admisible en modo alguno.

[224] CSEL 18 p.149-57.

[225] Probablemente, Mario Victorino. Cf. A. GARCÍA CONDE, *Los «Tractatus Origenis»*. Su atribución a los Avito de los *Tract. Orig.* no ha sido aceptada por la crítica, que los atribuye a Gregorio de Granada.

[226] ML 42,669-78; OROSIO, *Common.* 3: CSEL 18 p.155-57. Véase el resumen de la doctrina origenista de los Avito en Z. GARCÍA VILLADA, *HistEclEsp* I-2 p.256-58.

yas enseñanzas propagaron, sin llegar a obtener gran éxito. En aquellos momentos y en aquellas regiones era el priscilianismo el gran enemigo común. Sus viajes a Jerusalén y a Roma parece que tuvieron como objetivo principal la búsqueda de textos de escritores aptos para combatir esta última herejía.

Hay un Avito ya mencionado al ocuparnos de Orosio. Se trata de un presbítero que, juntamente con otro presbítero llamado Passerio y con Domno, antiguo duque, corrige las deficiencias y picardías del intérprete que traducía al griego las palabras de Orosio ante el obispo Juan de Jerusalén en su intervención contra Pelagio [227].

No hay razones positivas para no identificar a este Avito con el Avito residente en Jerusalén que entregó a Orosio la reliquias de San Esteban para que las llevase al obispo de Braga. De este Avito no hay duda que pertenecía al clero de Braga, circunstancia que puede deducirse fácilmente del mismo hecho de enviar a aquella ciudad las citadas reliquias y de la carta con que las acompañaba: «Al bienaventurado y siempre amadísimo en el Señor papa Balconio y a todo el clero y pueblo de la iglesia de Braga, Avito presbítero: salud eterna en el Señor. Deseo y os suplico os acordéis de mí, como yo, en cuanto puedo, no dejo de recordaros, compadeciendo vuestras tribulaciones con mi propio dolor, derramando incesantes lágrimas en los Santos Lugares por el desgarramiento de la patria; para que el Señor, que ha querido amonestaros, os restituya la libertad, o, si no, dé mansedumbre a los que ha permitido que prevalezcan. Nuestro Señor Jesucristo es testigo, bienaventurados hermanos, de que varias veces he querido ir hasta vosotros para sufrir con vosotros los males o gozar los bienes; pero el enemigo, que ha invadido ya todas las Hispanias, ha impedido mi deseo. He temido abandonar los Santos Lugares y encontrarme después con que no puedo llegar a vosotros, interceptado en cualquier lugar, sufriendo así el castigo de una audacia irracional...» [228]

Es muy probable que sea a este mismo Avito a quien escribe San Jerónimo una carta [229] para ponerle en guardia sobre los peligros del libro de Orígenes *Sobre los principios,* del que le envía una traducción suya al latín que Avito le había solicitado [230].

La peregrina Egeria

Con sobrada razón, el documento hoy día llamado generalmente *Itinerario de Egeria* ha sido objeto de innumerables estudios. Por una parte está el interés que despierta su forma y su contenido, interés que se extiende a muchos campos del saber, ya que aporta datos importantes para la lingüística, la liturgia, la Biblia, el monacato y la organización y vida eclesiástica en general. Precisamente, debido a este gran interés,

---

[227] Orosio, *Lib. Apol.* 6-7: CSEL 5 p.610 y 612.
[228] ML 41,805-808.
[229] Jerónimo, *Epist.* 124: ML 22,1059-72.
[230] Jerónimo (*Epist.* 79: ML 22,724-32) da como principal causa de su carta a Sabina los ruegos incesantes de «su hijo Avito, al que nada puede negar».

importa mucho, por otra parte, precisar algunas circunstancias que no están claras y que pueden influir notablemente en la valoración misma de los datos históricos que proporciona. Por eso también se ha estudiado y publicado mucho sobre temas tan poco claros como éstos: ¿Quién es la autora del documento? ¿Cuál fue su nombre y su condición? ¿Cuál fue su patria de origen? ¿En qué años tuvo lugar su peregrinación a Tierra Santa? Lo peor es que, después de tanta literatura sobre estos temas, todavía quedan no pocas incógnitas por resolver, al menos de una manera decisiva.

En este estado de cosas, lo mejor será que en estas líneas nos atengamos a dejar constancia de los problemas planteados y a tratar de dejar trazados los límites entre lo que ya puede considerarse como verdad adquirida y lo que aún debemos seguir considerando como hipótesis más o menos plausible, pero sin decisiva confirmación.

El *Itinerario* es un documento conservado en un manuscrito del siglo XI, descubierto por J. F. Gamurrini en Arezzo, en 1884, y publicado en 1887. Es el diario —desgraciadamente incompleto— de un viaje o peregrinación a Tierra Santa realizado por una gran señora ciertamente entre dos fechas topes: el año 363 y el año 540, fechas, respectivamente, de la ocupación persa de Nísibe y de la destrucción de Antioquía[231].

Por estar incompleto el documento, no consta en él el nombre de la protagonista ni el lugar de origen. Gamurrini pensó que la autora del *Itinerario* podía ser Silvia y debía proceder de la Aquitania[232].

La atribución del *Itinerario* a su verdadera autora fue obra de dom Férotin[233]. El fue el primero en advertir que el documento descubierto en Arezzo respondía exactamente al viaje narrado por Valerio en una carta dirigida a los monjes del Bierzo. Valerio, a mediados del siglo VII, proponía a sus monjes como modelo la fortaleza de una «frágil dama», quien, movida por el deseo de la gracia divina, emprendió viaje por todo el orbe, y así, poro a poco, conducida por Dios, llegó a los santos lugares de la natividad, la pasión y la resurrección del Señor. Visitó, según Valerio, muchas tumbas de mártires por diversas regiones y escrutó el Nuevo y el Antiguo Testamento, procurando conocer directamente todos los sitios venerables. Recorrió provincias, ciudades, montes, desiertos; visitó a los monjes de la Tebaida, dialogando con anacoretas y cenobitas; siguió la ruta del Exodo, subió al monte Sinaí, al monte Nebo y pasó a Jerusalén y Tierra Santa, etc.[234]

Valerio da el nombre de la peregrina, aunque con una grafía variante. Se ha escrito su nombre, sobre todo, como Eteria y como Egeria. Esta última, *Egeria*, parece haber prevalecido definitivamente[235].

[231] *Itiner.* 20,12: CorpChr 175 p.64.
[232] Sobre Silvia cf. P. Devos, *Silvie, la sainte pèlerine:* AnBoll 91 (1973) 105-17; 92 (1974) 321-43.
[233] M. Férotin, *Le véritable auteur de la «Peregrinatio Silviae».*
[234] Valerio, *Epist. de beat. Aetheriae laude:* ed. Z. García Villada: AnBoll 29 (1910) 393-99 = ML 87,421-26; con traducción: Z. García Villada, *HistEclEsp* I-2 p.269-72.
[235] Cf. A. Lambert, *Egeria:* RevMab 26 (1936) 71-94; D. Gorce, *Égérie:* DictHistGéo-Eccl 15 (París 1963) col.1-5; Ae. Franceschini-R. Weber, *Itinerarium Egeriae:* CorpChr 175 p.30.

Más complicada es la cuestión sobre su origen. Férotin, como hemos visto en el título de su obra citada, la considera española, natural de la Galecia, fundándose, sobre todo, en las alusiones de Valerio a su procedencia «del extremo litoral del mar Océano». Acepta plenamente esta argumentación Z. García Villada, quien escribe decididamente: «En cuanto a la patria de Eteria, no hay lugar a duda: era española y natural de Galicia. Al comienzo de la carta dice San Valerio que había nacido en las playas del extremo Occidente, desde donde él escribía; y un poco más abajo precisa más la frase, añadiendo que era originaria del extremo litoral del mar Océano. Para darnos cuenta del alcance de estas palabras es preciso, ante todo, advertir que San Valerio no las emplea arbitrariamente, sino en significado fijo y técnico...» [236] Es verdad cuanto dice García Villada a continuación de que Hidacio en su *Crónica* solamente aplica a Galicia la expresión «extremidad occidental del mar Océano» y nunca a la Aquitania, pero esta fina observación no sirve para decidir de una manera definitiva la interpretación correcta de las afirmaciones de Valerio. Porque hay que observar en primer lugar que Valerio no dice que Egeria hubiese nacido en las playas del extremo Occidente. El mismo García Villada traduce así fielmente el texto latino: «En tiempo en que la fe católica apenas había alumbrado con sus rayos estas playas del extremo Occidente, emprende la bienaventurada virgen Eteria, inflamada en amor de Dios y con su ayuda, un viaje alrededor de todo el mundo» [237]. La única frase que se refiere a Eteria es la que García Villada traduce bien: «nacida en el litoral extremo del mar Océano» [238]. A esta frase se podría añadir otra más genérica, pero también indicativa: la que leemos en el mismo *Itinerario* de Egeria, en boca del obispo de Edessa, quien se muestra admirado del largo viaje que ha emprendido, «llegando allá procedente de las tierras extremas» [239].

Galicia reúne todos los títulos en favor de una atribución a sus costas de la expresión «litoral extremo del mar Océano» y ello permite considerar como posible y probable que Egeria fuese gallega. Esto no quiere decir que pueda excluirse la posibilidad de que tal expresión se aplique en nuestro caso, p.ej., a Aquitania. El mero hecho de que Valerio conozca los viajes de Egeria y proponga a la peregrina como modelo de fortaleza a los monjes del Bierzo, aunque en cierto modo es un indicio más en favor de la provincia de Galecia, estrictamente, como bien dice Chr. Mohrmann, solamente «atestigua el conocimiento del *Itinerario* en Galicia en el siglo VII, pero no justifica, sin más, la conclusión que nuestra autora es originaria de este país» [240].

---

[236] Z. García Villada, *HistEclEsp* I-2 p.272-73.
[237] Ibid., p.269.
[238] Ibid., p.217.
[239] *Itiner.* 19,5: CorpChr 175 p.60.
[240] Chr. Mohrmann, *Egérie et le Monachisme:* Corona Patrum (Brujas 1975) p.165. Los filólogos no admiten que existan en el *Itinerario* palabras y modismos exclusivamente españoles.

Existen algunos indicios más bien contrarios a la condición hispana de la peregrina, aunque tampoco éstos son argumentos propiamente dichos en favor de otra nacionalidad. El principal es una alusión al Ródano que hace Egeria cuando quiere ponderar la magnitud del río Eufrates. De este último río dice, en efecto, que «corre con gran ímpetu, como el del río Ródano, sólo que el Eufrates es aún mayor» [241], frase indicativa, al parecer, de un conocimiento directo del Ródano por parte de Egeria y de las monjas a quienes se destina el escrito.

Esta alusión al Ródano no es concluyente. Como ya se ha notado, en el *Itinerario* falta toda la primera parte del viaje hasta llegar a Tierra Santa, y es posible que en ella se contuviese una descripción del Ródano, o simplemente que se aludiese a él como río cuyo ímpetu y caudal eran casi proverbiales en Occidente [242].

Existe una obra del siglo XII sobre los Santos Lugares, escrita en Montecasino por Pedro Diácono, importante para el conocimiento del *Itinerario* de Egeria, porque es una compilación de textos relativos a Tierra Santa, hecha, sobre todo, a base de Beda el Venerable y del *Itineraro* de Egeria. Con toda probabilidad, Pedro Diácono tuvo en sus manos el mismo manuscrito de Arezzo, único importante que hoy conocemos; pero, cuando él lo conoció y usó, debía de estar completo. De ahí que en su compilación se hayan conservado fragmentos del *Itinerario* que no han llegado hasta nosotros en el manuscrito citado [243].

En uno de los párrafos del *Itinerario,* conservado solamente en la recopilación de Pedro Diácono, se dice: «El mar Rojo no se llama así porque su agua sea roja o turbulenta. Es un mar limpio, puro y frío como el mar Océano, y contiene peces de sabor bueno y suave. Los peces de todas clases de ese mar *son tan sabrosos como los del mar Itálico»* [244].

El texto es ambivalente, puesto que en él se habla de los peces sabrosos del mar Itálico, pero también de la limpieza, la pureza y el frío del mar Océano [245].

Consta que Egeria era una señora influyente, pues con frecuencia se refiere en su diario a innumerables atenciones que le prodigan por todas partes obispos, clérigos y monjes, lo mismo que las autoridades civiles y militares, que no dudaban incluso en concederle escolta armada «cuando tenía que caminar por lugares sospechosos» [246].

No es tan seguro que fuese monja. Se la ha supuesto tal e incluso

[241] *Itiner.* 18,2:p.59.
[242] Cf. Z. GARCÍA VILLADA, *La lettre de Valerius:* AnBoll 29 (1910) 387.
[243] Cf. Apénd. en CorpChr 175 p.91-103. Véase asimismo: CSEL 39 p.103-21.
[244] CorpChr 175 p.102.
[245] Cf. Z. GARCÍA VILLADA, o.c., p.388. M. C. DÍAZ Y DÍAZ afirma sobre Egeria: «No comparto en absoluto la creencia poco fundada a mi entender, de que sea gallega» *(Orígenes cristianos en Lugo* p.240). CHR. MOHRMANN (l.c.) concluye: «Por otra parte, la comparación entre la impetuosidad del Eufrates y la del Ródano no es más concluyente en favor de un origen galo. Me parece que por el momento es necesario resignarse a un *non liquet».* Sin embargo, si se admite la datación de 381-84 para la peregrinación, como parece más probable, Egeria podría pertenecer al círculo aristocrático de Teodosio, lo que favorecería su origen hispano.
[246] *Itiner.* 9,3: CorpChr 175 p.49.

abadesa, porque dirige su escrito a ciertas «hermanas», que debían de ser religiosas probablemente de alguna comunidad [247]. Las llama «señoras venerables hermanas», «señoras de mi alma», «luz mía» [248], y les promete que a su vuelta les contará cuanto ha visto y les llevará un ejemplar de la carta de Aggar, que ha recibido del obispo de Edesa, etcétera [249].

Chr. Mohrmann vuelve de nuevo a mostrar sus reservas con argumentos suficientemente concluyentes como para inclinarse, más bien, a considerar a Egeria como una mujer «devota que disponía de una formación bíblica bastante extensa y que tenía relaciones más o menos estrechas con una comunidad de religiosas —no se sabe de qué país—, pero que no llevaba una vida ascética o monástica en el sentido pleno de la palabra» [250]. Existen otros casos semejantes en la historia de la Iglesia, y la verdad es que en el *Itinerario* «de esta mujer alegre y optimista apenas se descubre disposición para la penitencia» ni «se hallan trazas de ascetismo» [251].

Ya hemos dicho al principio que la importancia del *Itinerario* de Egeria es grande en muchos campos del saber. No podemos detenernos ni siquiera en el resumen de su contenido, que además pertenece al mundo del Oriente cristiano y no afecta directamente a la historia de la Iglesia en nuestra Península. Baste, pues, tan sólo recordar que la peregrina pasó de Constantinopla a Jerusalén; de allí, a Belén, Hebrón, Galilea, diversos lugares de Egipto —entre otros, Alejandría y la Tebaida, el Sinaí, las costas del mar Rojo—; de nuevo Jerusalén, monte Nebo, Jericó, Antioquía, Edesa, Harrán, Tarso, Seleucia, para volver de nuevo a Constantinopla [252].

En la actualidad se discute aún sobre la fecha de la peregrinación. Para A. Lambert, la peregrinación de Egeria tuvo lugar entre los años 414 y 416 [253]. Con nuevo e ingenioso argumento interno, E. Dekkers la sitúa entre los años 415-18 [254], y algunos autores actuales piensan que es ésta la datación más probable.

Otros autores sitúan el viaje a Tierra Santa a fines del siglo IV [255]. P. Devos, sobre todo, aduce argumentos bastante convincentes en favor de los años 381-84 [256] y desvirtúa el argumento de Dekkers [257], por lo que creo más aceptable esta última datación [258].

---

[247] En un catálogo del siglo XII se habla de *Itinerario de Egeria abadesa;* pero a esa distancia temporal no es testimonio válido.

[248] *Itiner.* 3,8; 19,9; 23,10: p.41.62 y 67.

[249] *Itiner.* l.c.

[250] CHR. MOHRMANN, o.c., p.168.

[251] L.c., p.166.

[252] Véase un resumen detenido en Z. GARCÍA VILLADA, *HistEclEsp* I-2 p.282-96.

[253] A. LAMBERT, *L'«Itinerarium Egeriae»* vers *414-416.*

[254] E. DEKKERS, *De datum der «Peregrinatio Egerie».*

[255] Cf. A. BAUMSTARK, *Das Alter der «Peregrinatio Aetheriae».*

[256] P. DEVOS, *La date du voyage d'Egérie.*

[257] P. DEVOS, *Egérie à Bethléem.*

[258] J. CAMPOS (*Sobre un documento hispano del Bajo Imperio*) confirma esta datación con argumentos lingüísticos.

Pomnia o Poimenia

Contemporánea de Egeria, y quizá compatriota, es otra peregrina de Egipto y Tierra Santa llamada Pomnia o Poimenia.

P. Devos ha logrado reunir los pocos datos conservados sobre ella, dispersos en varios manuscritos griegos, coptos, siríacos y etiópicos [259]. Se trata también, como en el caso de Egeria, de una gran dama «famosa por la familia y la fortuna». Poimenia es, en concreto, de la familia de Teodosio, «muy púdica y piadosa». Emprendió viaje hacia Oriente, embarcándose en sus propios barcos. Tomó consigo a obispos y presbíteros, «porque era muy ortodoxa», y a eunucos y otros servidores; eran éstos bárbaros, de los llamados mauros. La primera etapa de su viaje era Egipto. Iba allá con el fin de obtener la curación de una enfermedad que le aquejaba, curación que esperaba conseguir de un famoso monje taumaturgo, Juan de Licópolis. Llegaron sus naves a Alejandría y transbordó la comitiva a naves fluviales egipcias, también de su propiedad, para remontar el Nilo hasta llegar a la Tebaida. El santo monje no recibía a mujeres. Fueron los obispos que acompañaban a Poimenia los que obtuvieron del Santo una bebida que curó al instante a la peregrina.

Obtenida la curación, Poimenia enderezó sus pasos hacia Jerusalén, volviendo primero a Alejandría, no sin antes sufrir un serio incidente durante el viaje al atracar sus naves en Nikious.

En la traducción siríaca de la vida griega de Pedro de Iberia escrita por Juan Rufus, se dice que a Poimenia le gustaba vivir en los Santos Lugares y que fue ella la que hizo «construir y rodear de construcciones la iglesia de la santa Ascensión», hechos que, según P. Devos, debieron de tener lugar entre los años 384 y 385.

Parece que San Jerónimo no vio con simpatía a esta peregrina. Es muy posible que a ella se refiera en las duras expresiones que emplea en su epístola 54, a Furia, y que algunos habían querido aplicar a Egeria [260].

Aunque los datos que poseemos sobre este curioso personaje son bien escasos, me ha parecido útil mencionarlo aquí por lo que supone de paralelismo con el caso de Egeria y por la posibilidad que existe de que Poimenia fuese hispana. Esta posibilidad la indica así P. Devos al referirse a su condición de pariente de Teodosio: «Se puede decir que esto explica, más o menos, todo el resto, a saber, la 'ciudad' lejana a la que pertenece —Poimenia debe de ser española, como Teodosio, su padre; su madre, su primera mujer, Aelia Flacilla; quizá, más exactamente, gallega (quizá también se explican por ahí los «mauros» a su servicio)—; su 'ortodoxia' nicena; las facilidades de viaje de que goza y la comitiva de personajes, eclesiásticos y otros, que se desplazan con ella; el dineral que suponen estos viajes y la fundación del monte de los Olivos...» [261]

---

[259] P. Devos, La «servante de Dieu» Poemenia.
[260] Jerónimo, Epist. 54,13: ML 22,556; P. Devos, Saint Jerôme contre Poemenia?
[261] P. Devos, La «servante de Dieu» p.206.

CAPÍTULO X

LA IGLESIA HISPANA EN LA EPOCA DE TRANSICION

BIBLIOGRAFIA

Fuentes principales: HIDACIO, *Crónica,* ed. A. TRANOY: SourChrét 218 y 219 (París 1970); ISIDORO DE SEVILLA, *Historia Goth., Wand., Sueb.,* ed. C. RODRÍGUEZ ALONSO: Fuentes y Estudios Historia Leonesa 13 (León 1975); ML 83,1057-82; ID., *De viris illustribus,* ed. C. CODOÑER MERINO: Theses et studia philologica salmant. 12 (Salamanca 1964); ML 83,1081-1106; JUAN DE BICLARO, *Chronicon,* ed. J. CAMPOS (Madrid 1960); MonGermHist AA XI p.207-20; ML 73,863-70; *Chronicon Caesaraug.:* MonGermHist AA XI p.221-23; GREGORIO DE TOURS, *Hist.Franc.:* MonGermHist, Scr.Mer I 1; ML 71, 159-572; VÍCTOR VITENSIS, *Historia persec. africanae prov.:* MonGermHist AA III 1; ML 58,179-260.

Cf. R. GROSSE, *Las fuentes de la época visigoda y bizantina:* Fontes Hispaniae Antiquae IX (Barcelona 1947).

M. C. DÍAZ Y DÍAZ, *Index scriptorum latinorum Medii Aevi hispanorum* (Salamanca 1948); J. VIVES, *Concilios visigóticos e hispano-romanos* (Barcelona-Madrid 1963); ID., *Inscripciones cristianas de la España romana y visigoda:* Mon.Hisp.Sacra II (Barcelona ²1969).

Obras generales: P. COURCELLE, *Histoire littéraire des grandes invasions germaniques* (París ³1964); L. MUSSET, *Las invasiones bárbaras. Las oleadas germánicas* (Barcelona 1967); R. RÉMONDON, *La crisis del imperio romano* (Barcelona 1967); M. TORRES, *Las invasiones y los reinos germánicos de España:* Historia de España (R. Menéndez Pidal) III (Madrid 1940) p.3-140.

K. SCHÄFERDIEK, *Die Kirche in den Reichen der Westgoten und Suewen bis zur Errichtung der westgotischen katholischen Staatskirche* (Berlín 1967); Z. GARCÍA VILLADA, *HistEclEsp* II-1 (Madrid 1932) p.17-43; P. B. GAMS, *Die Kirchengeschichte von Spanien* II-1 (Regensburg 1864) p.395-492.

Sobre los *vándalos:* Véase asimismo bibliografía en nuestro c.4, sobre Africa cristiana. C. COURTOIS, *Les vandales et l'Afrique* (París 1955); H.-J. DIESNER, *Der Untergang der römischen Herrschaft in Nordafrika* (Weimar 1964).

Sobre los *visigodos:* R. DE ABADAL Y DE VINYALS, *Del reino de Tolosa al reino de Toledo* (Madrid 1960); E. A. THOMPSON, *Los godos en España* (Madrid 1971); J. ORLANDIS, *El reino visigodo. Siglos VI y VII,* en *Historia económica y social de España* 1 (Madrid 1973) p.453-598; C. SÁNCHEZ ALBORNOZ, *Estudios visigodos:* Studi storici 78-79 (Roma 1971); M. LACARRA, *Estudios de Alta Edad Media española* (Valencia 1971); P. DE PALOL, *Demografía y arqueología hispánicas de los siglos IV al VIII:* tirada aparte del BolSemEstArtArq 32 (1966); ID., *Castilla la Vieja entre el imperio romano y el reino visigodo* (Valladolid 1970); W. HÜBENER, *Zur Chronologie der westgotenzeitlichen Grabfunde in Spanien:* MadrMitt 11 (1970) 187-211; W. REINHART, *Sobre el asentamiento de los visigodos en la Península:* ArchEspArq 18 (1945) 124-39; F. GÖRRES, *Kirche und Staat im Westgotenreich von Eurich bis auf Leovigild:* TheolStudKrit 66 (1893) 708-34; J. ZEILLER, *Isidore de Séville et les origines chrétiennes des Goths et des Suèves:* Miscellanea Isidoriana (Publ. Provincia de Andalucia S.I.) (Roma 1936) p.287-92; F. FITA, *Epigrafía cristiana de España:* BolRealAcHist 37 (1900) 491-524; ID., *Patrología latina:* ibid., 40 (1902) 353-416; ID., *Patrología visigótica:* ibid., 49 (1906) 137-69; M. FÉROTIN, *Apringius de Beja* (París 1900); E. A. LLOBREGAT, *La primitiva cristiandat valenciana* (Valencia 1977); A. LINAGE, *Tras las huellas de Justiniano de Valencia:* HispAnt 2 (1972)

203-16; G. Martínez Díez, *El patrimonio eclesiástico en la España visigoda:* Misc-Comillas 32 (1959) 5-200; E. Sánchez Salor, *Jerarquías eclesiásticas y monacales en época visigótica:* Acta Salmant. 96 (Salamanca 1976); S. McKenna, *Paganisme and Pagan Survivals in Spain up to Fall of the visigothic Kingdom* (Washington 1938); V. Martínez, *El paganismo en la España visigoda:* Burgense 13 (1972) 489-508.

Sobre los *suevos:* W. Reinhart, *Historia general del reino hispánico de los suevos* (Madrid 1952); F. Görres, *Kirche und Staat im spanischen Suevenreich:* ZeitWiss-Theol, N.S. 1 (1893) 542-78; C. Torres, *Reintegración de los suevos en la Iglesia católica. San Martín de Braga:* BolUnComp 66 (1958) 11-30; Id., *Derrota, escisión y ruina del reino suevo:* BolUnComp (1963-64) 35-99; P. David, *Études historiques sur la Galice et le Portugal du VIᵉᵐᵉ au XIIᵉᵐᵉ siècle* (Lisboa-París 1947); J. A. Martins Gigante, *Ambiente e significado da legislaçâo particular do concilio de Braga: El concilio de Braga y la función de la legislación particular en la Iglesia* (Salamanca 1975) p.13-31; A. Prieto Prieto, *El marco político-religioso de los concilios Bracarenses I y II:* ibid., p.33-91; G. Martínez Díez, *Los concilios suevos de Braga en las colecciones canónicas de los siglos VI-XII:* ibid., p.93-105; C. F. Martins Pinheiro, *Legislaçâo bracarense sobre festas religiosas:* ibid., p.107-32; J. O. Bragança, *A carta do papa Vigílio ao arcebispo Profuturo de Braga:* BracAug 21 (1967) 65-91; A. de J. da Costa, *Data do concilio I de Braga:* ibid., p.166-98; G. Martínez Díez, *La colección canónica de la Iglesia sueva. Los «Capitula Martini»:* ibid., p.224-43; D. Mansilla, *Obispados y metrópolis del Occidente peninsular hasta el siglo X:* BracAug 22 (1968) 11-40; M. C. Díaz y Díaz, *Orígenes cristianos en Lugo:* Actas CollntBim-Lugo (Lugo 1977) p.237-50.

Sobre *Martín de Braga:* Fuentes: Isidoro, *De vir ill.* 22: C. Codoñer, p.146 n.35: ML 83,1100; Id., *Hist. Suev.* 91: C. Rodríguez Alonso, p.319: ML 83,1082; Venancio Fortunato, *Carmina* V 1-2; MonGermHist, AA IV 1 p.101-106: ML 88,177-84; Gregorio de Tours, *Hist. Franc.* V 38: ML 71,352-53; Id., *De miraculis Sancti Martini* I 11: ML 71,923-25. Obras: ed. C. W. Barlow, *Martini episcopi Bracarensis opera omnia* (New Haven 1950); cf. E. Dekkers, *Clavis Patrum latinorum* n.1079c-88 y 1787: ML 72,17-52; 74,381-94.

A. de J. da Costa, *San Martinho de Dume* (Braga 1950); J. Madoz, *Martín de Braga:* EstEcl 25 (1951) 219-42; Id., *Segundo decenio de estudios sobre patrística española* (Madrid 1951) p.86-92; U. Domínguez del Val, *RepHistCiencEclEsp* I (Salamanca 1967) p.14-17; B. Altaner-E. Cuevas-U. Domínguez del Val, *Patrología* (Madrid ⁵1962) p.485-88; J. Fernández Alonso, *Martino, vescovo di Braga:* BiblSanct 8 (Roma 1966) col.1230-32; A. de J. da Costa, *Martinho de Dume:* Verbo EncLusBrasCult 12 (Lisboa 1971) col.1714-16.

Sobre *Pascasio:* Obra: ML 73,1025-62, Cf. U. Domínguez del Val, *RepHist-CiencEclEsp* I (Salamanca 1951) p.18.

En el año 411, «los bárbaros, por misericordia de Dios, se deciden por la paz, y se distribuyen por suerte los territorios de las provincias para instalarse en ellos» [1]. Desde ese momento comienza el fin de la Hispania romana. Será una lenta agonía. Habrán de seguir muchos años todavía de inestabilidad, de alteraciones, de desorden. Y pasarán casi dos siglos hasta conseguir una nueva unidad; esta vez más lograda, aunque pronto de nuevo interrumpida por las invasiones musulmanas.

Dejando a un lado el reino suevo, del que nos ocuparemos más adelante, en el resto de la Península podemos fijarnos, como término de nuestro estudio, el reinado del visigodo Atanagildo. Después del largo y turbulento período que va desde la fecha de las invasiones hasta media-

[1] Hidacio, *Crónica* 49: SourcChrét 218 p.116.

dos del siglo VI, Atanagildo significa la consolidación definitiva del poder godo en Hispania y el propósito firme de conseguir una nueva unidad patria, con la que pierde ya su razón de ser el título de nuestra historia: la Iglesia en la Hispania romana.

Alanos y vándalos no lograron echar raíces en nuestra Península. De los primeros dice Hidacio que en el año 418 fueron eliminados por los visigodos. Murió su rey Adax, y los pocos que quedaron se unieron en la Galecia a los vándalos asdingos, sometiéndose al rey de éstos, Gunderico [2].

LOS VÁNDALOS

Los vándalos silingos, que intentaban establecerse en la Lusitania y en la Bética, fueron también eliminados por el visigodo Valia, que actuaba como aliado del imperio romano. El rey silingo Fredibaldo fue conducido prisionero a Roma. En el año 418, los vándalos silingos habían dejado de existir como pueblo organizado.

Los vándalos asdingos, mandados por Gunderico, vencen en la Galecia a los suevos, pero abandonan la región presionados por Asterio, conde de las Hispanias. Se dirigen a la Bética, donde vencen la resistencia romana del *magister militum* Castino en el 422.

Muy pocas noticias tenemos sobre la situación de la Bética bajo el efímero dominio de los vándalos. Sabemos por Hidacio que en el año 425 saquearon las islas Baleares y que a continuación hicieron lo mismo en Cartagena, Sevilla y Mauritania. En el año 428 sitúa Hidacio la muerte del rey vándalo Gunderico, «por juicio de Dios y poseído del demonio, poco después de haber puesto mano impíamente sobre la iglesia de Sevilla». San Isidoro, que sigue fielmente a Hidacio en estas narraciones, añade aquí el nombre de la iglesia profanada: la basílica del mártir Vicente, en cuyas mismas puertas muere [3].

Según Hidacio, se decía que el sucesor de Gunderico, su hermano Geiserico, había sido católico, pero había apostatado después, pasándose al arrianismo. Quizá esta condición de convertido explique su decidida actitud contra sus antiguos hermanos en la fe. Hidacio ha dejado constancia de diferentes acciones persecutorias de Geiserico. Afortunadamente para los fieles hispanos, Geiserico en el año 429 se dispuso a pasar al Africa con todo su pueblo. Cuando ya estaba en camino la expedición, supo que el suevo Heremigario atacaba en las provincias próximas. Interrumpiendo su plan se dirigió contra los suevos y los derrotó cerca de Mérida. Hidacio escribe que Heremigario había tratado con desprecio a Mérida y había injuriado a Santa Eulalia Mártir, por lo que considera que fue el brazo de Dios quien precipitó al Guadiana al jefe suevo, que pereció ahogado.

---

[2] Para todos estos hechos cf. HIDACIO, *Crónica* 60-90: ibid., p.120-30.
[3] ISIDORO, *Hist. Wand.* 73: ed. C. Rodríguez Alonso, p.292. Recientemente se han realizado importantes descubrimientos en el patio del Alcázar de Sevilla, donde se han podido identificar restos de la basílica de San Vicente y de diversas fases de su baptisterio.

Geiserico a continuación pasa con todo su pueblo al Africa.

Según Gregorio de Tours, los vándalos, antes de su paso al Africa, trataron de convertir violentamente al arrianismo a los hispanos. Además de esta afirmación genérica, Gregorio narra con una cierta detención el martirio de una joven católica, de familia senatorial, que defiende heroicamente la fe nicena. Rebautizada a la fuerza, se desquita de la injuria ensuciando las aguas de la piscina bautismal. Después de varios tormentos es, finalmente, decapitada. Gregorio no nos ha transmitido su nombre. No queda ningún rastro de su posible culto[4].

Ya en el Africa cristiana, Geiserico continúa intentando imponer por la fuerza la fe arriana. Por Próspero de Aquitania sabemos de varios mártires hispanos de esta persecución.

Con Geiserico habían pasado al Africa los hispanos Arcadio, Pascasio, Probo y Eutiquiano, «muy queridos y estimados por Geiserico a causa de su sabiduría y fidelidad». Se negaron a pasar al arrianismo, y fueron primeramente deportados, más tarde atormentados y, finalmente, ejecutados en el año 437. Paulillo, hermano pequeño de Pascasio y Eutiquiano, fue flagelado y reducido a esclavitud, magnánimo gesto de Geiserico en consideración de su edad[5].

Honorato Antonino, obispo de Constantina, escribió a Arcadio una *Epistola consolatoria,* en la que le exhortaba a permanecer firme en la confesión de la fe ortodoxa y le hacía un resumen de la doctrina trinitaria nicena[6].

A Víctor Vitense debemos dos noticias que relacionan todavía a nuestros fieles hispanos con las persecuciones vándalas. A la primera hemos hecho ya alusión más arriba[7]: los fieles cristianos de Tipasa se enteran de que les han destinado un obispo arriano para que «pierda sus almas», e inmediatamente todo el pueblo huye por mar a Hispania, permaneciendo en Tipasa solamente aquellos que no encontraron sitio en las naves[8]. La segunda se refiere a un precepto de Hunerico ordenando acudir a Cartago a los obispos de las diversas provincias para dar razón de su fe. Víctor Vitense da la lista de los obispos; entre los de la isla de Cerdeña se encuentran los obispos Macario de Menorca, Elías de Mallorca y Opilio de Ibiza[9].

Una vez desaparecidos los vándalos, eran los suevos y los visigodos los que recorrían la Península, saqueando y tratando de consolidar su establecimiento.

---

[4] GREGORIO DE TOURS, *Hist. franc.* II 2: ML 71,191-92.

[5] PRÓSPERO DE AQUITANIA, *Epít. Crón.* 1329: MonGermHist, AA IX p.475-476 = ML 5,597.

[6] ML 50,567-70; E. DEKKERS, *Clavis Patrum* n.426; trad. castellana en J. F. DE MASDEU, *Historia crítica de España* 11 (Madrid 1792) ilus.12 p.357-62. Cf. Z. GARCÍA VILLADA, *HisEclEsp* II-1 p.29-30; Véase asimismo T. SPIDLÍK, *Arcadio, Pascasio, etc.:* BiblSanct 2 (Roma 1962) col.349.

[7] Cf. c.4 n.41.

[8] VÍCTOR VITENSIS, *Hist. pers. Afr. Prov.* III 29: MonGermHist, AA III 1 p.47-48.

[9] *Notitia Provinciarum et civitatum Africae:* MonGermHist, AA III 1 p.71.

El valle del Ebro y quizá algún que otro punto del noroeste de la Península se ve agitado también por las revueltas de los *bagaudas*.

Sobre las actividades de estos grupos en Hispania tenemos poquísimas noticias, lo que les hace especialmente aptos para lucubraciones más o menos gratuitas sobre su carácter de supuestos agentes de una revolución social [10].

Para los bagaudas de Hispania hemos de atenernos a las noticias conservadas en la *Crónica* de Hidacio; con ellas solamente es difícil poder definir si los bagaudas llegaron a ser algo más que bandas de desertores y fugitivos agrupados para subsistir a base de correrías y saqueos, acuciados por las circunstancias de corrupción administrativa y consecuente pobreza, propias de aquella época de desmoronamiento, en la que además desaparecía por momentos la posibilidad de ejercicio de toda autoridad política [11].

En el año 449 es herido y muerto León, obispo de Tarazona, por las huestes de Basilio, jefe bagauda con toda probabilidad [12].

Parece ser que los bagaudas en el año 454 sufren un grande y definitivo descalabro por obra de Federico, hermano del rey ostrogodo Teodorico, que actúa en nombre del imperio romano [13].

LOS VISIGODOS

Eurico (466-84) es el verdadero fundador del reino visigodo en su primera fase, en la que el núcleo y centro del reino se halla situado al norte de los Pirineos. Bajo su reinado, los visigodos efectúan con éxito diversas expediciones militares por la Península, muchas veces en lucha con los suevos. En el año 469, p.ej., ocupan Mérida [14]. Mayor transcendencia tienen las campañas de los generales de Eurico Gauderico e Hildefredo, que llevan a la conquista de una buena parte de la Tarraconense, y que deben situarse hacia los años 470-76 [15]. Después de esas conquistas, militares principalmente, y de las que se debieron de seguir por el resto de la Península, tienen lugar los verdaderos asentamientos visigodos, que se concentran, sobre todo, en la alta meseta castellana,

[10] Cf. E. A. THOMPSON, *Revueltas campesinas en la Galia e Hispania Bajo Imperial*, en *Conflicto y estructuras sociales en la Hispania Antigua* (Madrid 1977) p.61-76. Véase asimismo M. VIGIL-A. BARBERO, *Algunos problemas sociales del norte de la Península a fines del imperio romano* (Valencia 1968) p.81-89; S. MAZZARINO, *Si può parlare di rivoluzione sociale alla fine del mondo antico?*: SettStud 9 (Espoleto 1962) p.410-55.

[11] Salviano (*De gubern. Dei* V 24-26) reconoce, a propósito de los bagaudas, que «llamamos rebeldes, llamamos perdidos, a los que nosotros mismos hemos impulsado a la criminalidad, ¿por qué otra cosa se han hecho bagaudas sino por nuestras iniquidades, por las injusticias de los jueces, por sus proscripciones y rapiñas...?» (CSEL 8 p.109-10).

[12] HIDACIO, *Crónica* 141: SourcChrét 128 p.142. Parece lo más probable que Basilio fuese jefe de bagaudas, aunque este pasaje de la *Crónica* ha sido diversamente interpretado. Cf. A. TRANOY; SourchChrét 219 p.87-88.

[13] HIDACIO, *Crónica* 158: ibid., 128 p.148.

[14] HIDACIO, *Crónica* 245: ibid., p.176.

[15] *Chron. Gall. 651-562*: MonGermHist, AA IX p.664-65.

«en una región que tiene por centro la provincia de Segovia y a la que rodean las de Burgos, Soria, Guadalajara, Madrid, Toledo, Valladolid y Palencia» [16].

La *Crónica* de Zaragoza da como fecha de estos asentamientos principales la del año 497, y los hallazgos arqueológicos en las necrópolis visigodas, al mismo tiempo que señalan el área geográfica ya dicha, concuerdan con la citada cronología [17].

Será Alarico II, sucesor de Eurico en el año 484, el que establecerá una situación jurídica suficientemente clara de los cristianos romanos al promulgar su *Lex romana visigothorum,* o *Breviario de Anniano,* el 2 de febrero del año 506 [18]. En su época se celebra en Agde (Francia) un concilio presidido por Cesáreo de Arlés (año 506), que se encarga de legislar prácticamente sobre todos los aspectos de la vida de la Iglesia.

Alarico II, como es sabido, muere en la batalla de Poitiers del 507, batalla en la que queda destruido prácticamente el reino visigodo de Tolosa, que desaparece en aras del definitivo afianzamiento del reino merovingio de Clodoveo. Su sucesor Gesaleico se traslada de Narbona a Barcelona. Desde el 510 queda dueño de la situación el ostrogodo Teodorico, a nombre de su nieto Amalarico, hijo también este último de Alarico II, pero que era un niño todavía. La regencia de Teodorico, teóricamente en nombre del imperio romano, supone una época de mayor orden en Hispania y de paz para los católicos. Amalarico (526-31) y más aún Teudis (531-48) fueron tolerantes. Sigue después un período de mayor inestabilidad política bajo Teudiselo (548-49) y Agila (549-55) [19].

Para la provincia Tarraconense fueron muy malos los años 541 y 542; el primero, por las incursiones bélicas de los francos, y el segundo, por la epidemia de la peste inguinal, que azotó a casi toda la Península [20].

El poder real volvió a fortalecerse bajo Atanagildo (551-67), que fijó la corte en Toledo y llamó en su apoyo a los bizantinos.

---

[16] J. M. LACARRA, *Estudios de Alta Edad Media* p.32. Véase asimismo la obra citada en la bibliografía de W. Reinhart.

[17] *Chron. Caesaraug.:* MonGermHist, AA XI p.222. Cf. P. DE PALOL, *Demografía y arqueología* p. 13-15 y mapa 6; W. HÜBENER, *Zur Chronologie der westgotenzeitlichen Grabfunde in Spanien.*

[18] Ed. G. HAENEL (Berlín 1848).

[19] Isidoro *(Hist. Goth.* 45: ed. C. Rodríguez Alonso, p.247) narra sobre Agila la siguiente anécdota: en Córdoba, «por desprecio a la religión católica, profanó la iglesia del beatísimo mártir Acisclo y manchó, como sacrílego, el lugar sagrado de su sepulcro con el horror de sus tropas enemigas y de sus caballos».

[20] *Chron.Caesaraug.:* MonGermHist, AA XI p.223 y VÍCTOR VITENSIS, ibid., p.201. Cf. F. FITA, *Patrología visigótica* p.144. El asedio de Zaragoza lo levantaron los francos, conmovidos por el espectáculo de una procesión de penitencia que hacían por las murallas los sitiados, llevando la túnica de San Vicente Mártir, según GREGORIO DE TOURS, *Hist. franc.* II 29: ML 71,263.

El desarrollo de la vida de la Iglesia

No abundan mucho las noticias históricas sobre la vida de la Iglesia en la Hispania no dominada por los suevos por lo que se refiere a la época comprendida entre los últimos decenios del siglo v y la primera mitad del vi. Existen, sobre todo, cartas de algunos papas, actas de varios concilios y algunos otros textos de menor entidad.

Parece significativo el predominio casi absoluto de noticias referentes al clero y a la jurisdicción eclesiástica, que debe de responder a un notable aumento de la clericalización de la Iglesia en esta época, aunque todavía se siga insistiendo en la necesidad de que el obispo sea elegido por el clero y el pueblo de la ciudad cuya comunidad va a presidir. Así, p.ej., hacia el año 465, Ascanio, obispo de Tarragona, y los demás obispos de esa provincia se quejan al papa Hilario del obispo de Calahorra, Silvano, el cual «nullis petentibus populis, episcopum ordinavit» [21]. No mucho después, los mismos obispos hispanos escriben de nuevo a Hilario para rogarle que confirme como sucesor de Nundinario en la sede de Barcelona a Ireneo, designado como tal por el obispo difunto, pero también deseado y aprobado por «todo el clero y el pueblo de aquella ciudad» [22]. El papa Hormisdas escribe en el año 517 a los obispos tarraconenses, y, entre otras cosas, les recuerda que la elección será la que preservará la reverencia de los obispos que se han de ordenar, y añade: «Creemos que el juicio divino se manifiesta en la opinión del pueblo, porque Dios está donde hay consenso sencillo y sin maldad» [23].

En esta misma línea de participación del pueblo deben recordarse unas frases del concilio de Tarragona del año 516, cuyo canon 13 manda que el metropolitano sea el que convoque a los obispos para los sínodos provinciales y les haga asistir acompañados no sólo de presbíteros de la iglesia urbana, sino también de algunos presbíteros rurales y de algunos seglares [24].

Disciplina del clero

Son frecuentes las cautelas que se prescriben para garantizar la continencia del clero y su buena fama en este punto: brevedad en las visitas a las mujeres y con compañero [25]; si cohabitan con sus esposas «convertidas ya en hermanas», que sea «admitiendo en su compañía a otro hermano, con cuyo testimonio su vida sea más patente» [26]; si no están casados, «no encomendarán el gobierno de su casa a ninguna persona del sexo femenino, sino que la gobernarán por medio de un siervo o de un amigo»; podrán confiarlo también a su madre o hermana [27].

[21] ML 58,15.

[22] ML 58,16.

[23] Hormisdas, *Epist.* 25: ML 63,424. En el reino suevo cambiará esta práctica, como se dirá.

[24] J. Vives, *Concilios* p.38.

[25] Can.1 del Concilio de Tarragona (516).

[26] Can.6 del concilio de Gerona (517).

[27] Can.7 del concilio de Gerona (517); véase asimismo can.3 del concilio de Toledo (531); can.15 del concilio de Lérida (546).

El papa Siricio en su carta a Himerio del 385 se había referido a ciertos candidatos al sacerdocio que ya desde niños se habían entregado al servicio de la Iglesia [28]. El concilio de Toledo del 531 habla en su canon 1 de «aquellos a los que la voluntad de los padres consagró al oficio clerical desde los primeros años de su infancia». Sobre éstos determina el concilio que se les tonsure y se les instruya y eduque en la casa de la Iglesia por alguno designado para eso y bajo la vigilancia del obispo [29]. Una vez cumplidos los dieciocho años, deben ser interrogados por el obispo en presencia de todo el clero y el pueblo sobre si quieren o no quieren casarse. Los que hagan profesión de castidad plena pueden ser ordenados subdiáconos a los veintiún años; a los veintiocho años diáconos; pero deben mantenerse firmes para siempre en su promesa. A los que elijan casarse, «no se les puede negar la facultad que les fue concedida por los apóstoles», y pueden, por tanto, aspirar a los grados sagrados viviendo en matrimonio, con tal que hayan llegado a edad madura y «de común acuerdo prometan renunciar a las obras de la carne» [30].

En los diversos concilios celebrados en esta época se dan normas sobre el clero: se les prohíbe el comercio [31], el préstamo con interés [32], juzgar causas criminales [33], recibir regalos por el patrocinio «a la manera de los jueces seglares» [34], mancharse con sangre humana, aunque sea enemiga (en casos de asedio) [35]. El concilio de Barcelona, del año 540, desciende incluso hasta mandar que ningún clérigo se deje crecer la melena ni se afeite la barba [36]; prohíbe también que el diácono se siente en presencia del presbítero [37]. Ningún obispo debe ordenar a un clérigo ajeno sin el consentimiento de su obispo y los clérigos deben permanecer en su iglesia [38]; no pueden ser admitidos al clero los que se han sometido a penitencia tras confesar públicamente algún pecado mortal; pueden ser admitidos los que han recibido la penitencia en peligro de muerte, pero con previa confesión genérica solamente o la llamada «por viático» [39].

La vida monacal se ha desarrollado ya bastante en esta época; pero

[28] Cf. nuestro c.8.

[29] Cf. F. Martín Hernández, *Escuelas de formación del clero en la España visigoda*, en *La patrología toledano-visigoda* (Madrid 1970) p.65-98.

[30] J. Vives, *Concilios* p.42-43. Se siguen aquí las normas del concilio de Agde (Francia), del 506: can.16 y 17: CorpChr 148 p.201. Cf. F. Fita, *Patrología visigótica* p.141.

[31] Can.2 del concilio de Tarragona (516).

[32] Can.3 del mismo concilio.

[33] Can.4, ibid.

[34] Can.10, ibid.

[35] Can.1 del concilio de Lérida (546).

[36] Can.3 del concilio de Barcelona. En contra de la melena legisla también el concilio de Agde, can.19.

[37] Can.4, ibid.

[38] Can.5 y 6 del concilio de Valencia (546); can.2 del concilio de Toledo (531).

[39] Can.9 y 9bis del concilio de Gerona (517). Es el can.9bis el que trata de la confesión genérica. Es muy probable que este canon sea una introducción posterior tomada del canon 54 del concilio de Toledo IV (633): cf. P. Séjourné, *Saint Isidore de Séville et la liturgie wisigothique:* MiscellIsidor (Roma 1936) p.221-51.

este tema, desde sus comienzos, se trata, como hemos dicho, en la segunda parte de este tomo.

Obispos y metropolitanos

Ante un sínodo romano compuesto por 48 obispos y celebrado el 19 de noviembre del año 465, el papa Hilario da una visión sombría de la situación del episcopado hispano. Habla Hilario del nacimiento de nuevas e inauditas semillas de perversidad: de muchos obispos que al sentirse morir designan sus propios sucesores, como si el episcopado fuese algo hereditario. Afortunadamente para las iglesias hispánicas de aquella época, Hilario exagera notablemente: en la actualidad, sus frases serían calificadas, sin ninguna duda, como sensacionalistas. Sus afirmaciones se apoyan en una carta de Ascanio, obispo de Tarragona, que es también de los demás obispos de la Tarraconense, carta que se cita y se lee en el sínodo romano y que habla solamente de un caso de designación de sucesor. Se trata del santo obispo de Barcelona Nundinario. Antes de morir había expresado su deseo de que le sucediese en la sede Ireneo, quien ya antes había sido creado obispo, con aprobación del metropolita de Tarragona, de un municipio de la «diócesis» de Barcelona. Ascanio y los obispos tarraconenses explican a Hilario que Ireneo era digno del cargo y que ellos habían aprobado la elección teniendo en cuenta el juicio de Nundinario, digno de toda consideración, y la opinión de todo el clero, el pueblo y principales de Barcelona, que lo habían apoyado.

La respuesta de Hilario fue tan tajante y desorbitada como lo era su generalizado juicio sobre la situación en Hispania: reprende a los tarraconenses, y especialmente a Ascanio, por haber aprobado la elección; manda que Ireneo vuelva inmediatamente a su antiguo municipio, bajo pena de deposición del episcopado, y que se ordene en Barcelona un nuevo obispo tomado de su propio clero, «para que el honor del episcopado no se piense que es un derecho hereditario». Recuerda también que en cada iglesia no debe haber más que un obispo [40].

Había algunos abusos en las ordenaciones por parte de los obispos. Ascanio y los obispos tarraconenses habían escrito ya antes a Hilario sobre Silvano, obispo de Calahorra, que había ordenado un obispo «sin pedirlo los pueblos», como ya hemos visto. Ante las reconvenciones del metropolita, había vuelto a ordenar, esta vez a un presbítero de otro obispo [41]. El canon 12 del concilio de Lérida, del año 546, se ocupa de casos parecidos.

El concilio de Tarragona del 516 manda que los obispos visiten todos los años las iglesias rurales de su demarcación y las ayuden y re-

[40] Cf. Mansi, VII col.959-64; ML 58,12-20.
[41] ML 58,14-16. Ante estos hechos, Hilario primeramente no respondió, y finalmente lo hizo, echando tierra sobre el pasado y prohibiendo que se siguiese haciendo en el futuro.

construyan, «porque para eso está establecido por antigua tradición que los obispos reciban la tercera parte de las rentas» [42].

No debían de ser poco frecuentes las expoliaciones de la casa de los obispos que morían; y por parte, sobre todo, de los clérigos. Por eso, el concilio de Tarragona manda que, en cuanto muera un obispo sin dejar testamento, se haga inventario detallado de todo cuanto ha dejado [43], para que sea el sucesor el que lo administre. Se repiten las prescripciones para clérigos y seglares en los concilios de Lérida (546) y de Valencia (546) [44]; y en este último se pide al obispo vecino que ha de oficiar los funerales que acuda con diligencia al entierro [45].

La consolidación de la figura y las atribuciones del obispo metropolitano es, sin duda, la nota más destacada de la legislación y práctica eclesiástica de esta época. Entre las atribuciones del metropolitano parece ser la principal su intervención decisiva en la elección de los obispos de su provincia, siguiendo las normas del concilio de Nicea, que ya el papa León I urgía al escribir a los obispos del concilio de Toledo I (400) [46]. Es consciente de esta prerrogativa y obligación Ascanio, metropolita de Tarragona, y el papa Hilario en su respuesta [47]. El canon 5 del concilio de Tarragona dispone que los obispos ordenados fuera de la ciudad metropolitana han de obtener previamente la aprobación escrita del metropolitano y en el plazo de dos meses deben presentarse personalmente a él [48]. Es también misión del metropolitano convocar los concilios provinciales [49]. El metropolita Montano de Toledo reclama enérgicamente su derecho de intervenir en su provincia «por antigua costumbre»; no sólo en las iglesias rurales, sino también en las urbanas, intervención que en este caso se refiere en concreto a la consagración del crisma, reservada al obispo, y a la de las iglesias, que debe realizar el metropolita personalmente o por los obispos que él designe [50].

Vicarios del papa

Como hemos podido ver, las relaciones de las iglesias de Hispania con Roma no se interrumpen con las invasiones. Hemos recordado, p.ej., las intervenciones de los papas León I e Hilario. A veces debieron de surgir obstáculos para las comunicaciones a causa de las difíciles condiciones político-sociales. Bajo la regencia de Teodorico sobre todo reinó suficiente orden como para que el papa Hormisdas pudiese dar gracias a la Santísima Trinidad porque, por su misericordia, la tranquilidad de su paz se había difundido por todas las regiones del imperio

---

[42] Can.8. Véase más adelante sobre los bienes de la Iglesia.
[43] Can.12.
[44] Can.16 y can.2 y 3 respectivamente.
[45] Can.4.
[46] ML 20,489.
[47] Cf. l.c.
[48] J. Vives, *Concilios* p.35-36.
[49] Can.6 y 13 del concilio de Tarragona (516) y can.5 del concilio de Toledo (531).
[50] J. Vives, o.c., p.46-47 y 49.

romano y era posible comunicarse por carta con los obispos de Hispania [51]. En todo caso, para asegurar más la vigilancia sobre la Península, el obispo de Roma halló conveniente, más de una vez, nombrar vicario suyo en las provincias hispánicas a algunos obispos de su confianza.

El primero de quien tenemos noticia es Zenón, obispo de Sevilla. El papa Simplicio (468-83) le escribió una carta en la que, tras hacer un gran elogio de su diligencia en mantener la disciplina eclesiástica en su provincia, le dice que «cree conveniente fortificarlo con su autoridad vicaria, para que, bien pertrechado con esas atribuciones, no permita que se dejen de cumplir los decretos de la institución apostólica y las determinaciones de los Santos Padres» [52]. Nada se dice en la carta de la extensión territorial de la autoridad vicaria que se le confiere, y su función se limita a vigilar la disciplina eclesiástica, como ya lo hacía, ejerciendo sus prerrogativas de metropolita probablemente.

En junio del 514, el papa Símaco encarga a Cesáreo de Arlés que, «sin perjuicio de lo establecido por los decretos de los Padres para cada iglesia, se encargue él de vigilar sobre cuanto surja en materia religiosa en las provincias de la Galia y de Hispania»; y, «si algún eclesiástico de las regiones galicana o hispana tuviese que venir a Roma, que no emprenda el viaje sin tu conocimiento». La aprobación de su vicario de Arlés le liberará de toda duda y le facilitará el poder recibir al viajero en su comunión con seguridad [53].

Se ha discutido sobre la extensión de este vicariato a Hispania, y se ha interpretado de diversas maneras. Pero, tratándose de una época en que el reino visigodo está dominado por Teodorico, parece obvio pensar que, en el pensamiento del papa, la autoridad vicaria de Cesáreo de Arlés debía extenderse a toda la Hispania, más o menos dominada por el ostrogodo. De hecho, la influencia gala en la legislación canónica hispánica de la época es notoria [54].

Más sorprendente es el nombramiento de vicario que hace el papa Hormisdas en el año 517 en favor del obispo Juan de Elche. No sabemos a punto fijo por qué, el obispo de Elche se había dirigido directamente al papa anunciándole su viaje a Roma —no sabemos que contase para ello con la aprobación del vicario de Arlés— y exponiéndole algunos abusos cometidos en las iglesias hispanas. En recompensa de esta diligencia de Juan en acudir a Roma, el papa le delega la vicaría de la sede apostólica, para que, «salvos los privilegios de los metropolitanos», se encargue de que se observen los cánones, se cumplan las

---

[51] HORMISDAS, *Epist.* 25: ML 63,423.

[52] SIMPLICIO, *Epist.* 1: ML 58,35. Zenón debía de reunir notables cualidades, porque Félix Papa (483-92) pondera mucho los elogios que de él le ha hecho un distinguido personaje llamado Terenciano (*Epist.* 8: ML 28,927-28). J. Vives (*Inscripciones cristianas* n.363 p.126-27) piensa que este Zenón es de Mérida, pero no parece que pueda ponerse en duda que se trata del obispo de Sevilla, dada la tradición manuscrita.

[53] SÍMACO, *Epist.* 9: ML 62,66.

[54] Cf. K. SCHÄFERDIEK, *Die Kirche in den Reichen der Westgoten und Sueven* p.68-74.

instrucciones que adjunta para acabar con los abusos e informe al papa sobre las causas eclesiásticas [55].

Tampoco en esta ocasión se delimita expresamente la extensión geográfica de las atribuciones del vicariato; al hacer mención especial de los derechos de los metropolitanos, en plural, parece suponer que la función vicaria se extiende a todas las provincias, aunque, como en el caso de Zenón de Sevilla, las atribuciones de vicario del papa se limiten a una vigilancia sobre la disciplina eclesiástica y a la obligación de informar al romano pontífice.

Hormisdas dirige contemporáneamente dos cartas a todos los obispos hispanos: una, para corregir los defectos denunciados por Juan de Elche, la otra, respondiendo a su consulta sobre la actitud que debían adoptar con respecto al clero dependiente del obispo de Constantinopla, sede con cuyo obispo Acacio había interrumpido Roma la comunión a causa del famoso *Henoticón,* promulgado por el emperador Zenón con anuencia del patriarca.

En la primera carta insiste en el cuidado con que se han de elegir los obispos, «vicarios de Cristo», observándose lo dispuesto sobre su ordenación, sin llegar a la cumbre antes de haber pasado por los demás grados ni sin la debida formación y preparación. No debe admitirse a los que han estado sometidos a penitencia y se debe impedir todo intento de obtener la ordenación con dinero. Debe elegirlo el pueblo, y el metropolitano es el encargado de custodiar estas reglas. Pide que se celebren concilios dos veces al año, o, si no fuese posible, al menos anualmente [56].

En la segunda carta incluye su fórmula de fe, que es la condición que impone a los bizantinos para poderlos aceptar a su comunión [57].

Los obispos de Sevilla no parece que hubiesen perdido del todo la conciencia de su condición de vicarios del papa. Es algo confusa la carta de Hormisdas a los obispos de la provincia Bética, del 30 de noviembre del 520. Tampoco debía de ser demasiado explícita la que éstos le habían escrito, aunque sí es cierto que le habían recordado antiguos privilegios, que, sin duda, se referían a la condición de vicario de Roma del obispo hispalense. Por lo que se dice en la carta, los de Sevilla debieron de manifestar a Roma su sorpresa al ver que el encargado de dar a conocer a todas las provincias de Hispania las determinaciones de Hormisdas había sido el obispo de Elche. Hormisdas opta por una solución salomónica, nombrando también vicario a Salustio, obispo de Sevilla: «salvos los privilegios de los metropolitas», Salustio debe actuar en nombre del papa en las provincias Bética y Lusitana para aligerar la carga del obispo de Roma en «provincias separadas por tan larga distancia». La misión de Salustio será vigilar la observancia de la disciplina eclesiástica, convocar concilios cuando se requiera y dirimir litigios. De todo deberá dar cuenta al papa [58].

[55] Hormisdas, *Epist.* 24: ML 63,421-23. Cf. K. Schäferdiek, o.c.
[56] *Epist.* 25: ML 63,423-25.
[57] *Epist.* 51: ML 63,459-60.
[58] Hormisdas, *Epist.* 65: ML 63,471; *Epist.* 26: ibid., 425-26.

Obispos ilustres

San Isidoro de Sevilla habla de cuatro hermanos obispos en la provincia Tarraconense. Todos ellos se distinguen por el hecho de haber cultivado las letras cristianas: Justiniano, Justo, Nebridio y Elpidio [59].

Nebridio era obispo de Tarrasa. Como tal firma, en último lugar, en el concilio de Tarragona del año 516. Firma también en el de Gerona (517); añade su firma en las actas del concilio de Toledo del 531; en el concilio de Barcelona (540) firma un Nebridio barcelonés, que pudiera ser el mismo [60]. San Isidoro dice que también escribió algo, pero no ha llegado a su conocimiento.

La sede de *Elpidio* era desconocida, porque su firma no figuraba en las actas publicadas de los concilios hispanos y San Isidoro nada dice sobre el particular, como tampoco dice cuáles fueron sus obras, que desconoce, aunque sabe que escribió algunas. H. Quentin llamó la atención sobre una lista de firmantes de las actas del concilio de Toledo II (531), conservada en un manuscrito de Novara, en la que figuran, además de Nebridio y Justo, como en los demás manuscritos, los nombres de Justiniano y de Elpidio, este último llamado obispo de Huesca [61].

De *Justiniano* dice San Isidoro: «Justiniano, obispo de la iglesia de Valencia, uno de los cuatro hermanos obispos nacidos de la misma madre, escribió un libro con respuestas a un cierto Rústico que le había consultado sobre diversas cuestiones; la primera respuesta es sobre el Espíritu Santo; la segunda, contra los bonosianos, los cuales consideran a Cristo hijo adoptivo, no propio [62]; la tercera respuesta es sobre el bautismo de Cristo, que no se puede repetir; la cuarta, sobre la distinción del bautismo de Juan y de Cristo; la quinta, que el Hijo, lo mismo que el Padre, es invisible. Floreció en Hispania en tiempos de Teudis, príncipe de los godos» [63]. Esta obra de Justiniano, de la que Isidoro hace el resumen, no se ha conservado. Sabemos que escribió otras, igualmente perdidas, porque conocemos el texto de su epitafio[64], en el cual se dice: «Escribió muchas cosas provechosas para la posteridad». Este epitafio da otros datos sobre su vida: «Piadoso, doctor ilustre, diligente, elocuente, constructor y restaurador de templos, educador y director de vírgenes y

---

[59] Isidoro, *De vir. ill.* 21, ed. C. Codoñer, p.145, n.34: ML 83,1100.

[60] Cf. J. Vives, o.c.

[61] H. Quentin, *Elpidius, évêque de Huesca:* RevBén 23 (1906) 257-60; F. Fita, *Patrología visigótica* p.137-44; en p.148-166 se ocupa del obispo Vicente de Huesca (557-76?), del que quedan dos escritos, de donación y de testamento, que el P. Fita defiende como auténticos. Los mismo afirma J. Campos, *Vicente, obispo de Huesca y Calasancius, en el siglo VI:* AnCal 12 (1970) 53-94, publicando edición crítica de ambos textos.

[62] La secta toma el nombre de Bonoso, obispo de Naiso (Dacia), de fines del siglo IV. En el siglo VI perduraba aún por diversas regiones; en Hispania parece que profesan un arrianismo adopcionista. Cf. G. Bardy, *Bonosiens:* DictHistGéogrEccl 9 (París 1937) col.1093-94. Contra estos bonosianos parece que iba dirigido también un escrito perdido del obispo hispano Audencio.

[63] *De vir. ill.* 20, ed. C. Codoñer, p.145 n.33: ML 83,1099-110.

[64] J. Vives, *Inscripciones cristianas* n.279 p.85.

monjes, predicador asiduo, devoto de San Vicente, vivió cincuenta y cinco años y fue obispo durante veinte años y ocho meses».

Nos consta también que añadió su firma en las actas del concilio de Toledo II (531), si hemos de dar fe al citado manuscrito de Novara; ciertamente firmó el segundo en el concilio de Valencia del año 546. No debe de apartarse mucho de la realidad F. Fita cuando calcula su nacimiento hacia el año 497, su ordenación episcopal hacia el 527, y su muerte, por el año 548 [65].

Justo fue obispo de Urgel. Lo dice expresamente San Isidoro; añade que publicó un pequeño libro con una exposición sobre el Cantar de los Cantares, «muy breve y clara, tratando del sentido de las alegorías» [66]. Afortunadamente, se ha conservado esta obra[67]. Por una carta del obispo Justo a un diácono de su mismo nombre, sabemos que fue este último quien le pidió que escribiese sobre los libros canónicos, especialmente sobre el Cantar de los Cantares [68]. Conocemos, además, una carta de Justo de Urgel dirigida a «Sergio, papa de Tarragona», con la que le ofrece su obra. En dos códices diferentes figura a nombre de Justo un sermón sobre el mártir San Vicente [69]. De algunas frases pronunciadas en este sermón se deduce que, efectivamente, Justo era valenciano; probablemente, lo eran los cuatro hermanos. Justo se adhiere a las actas del concilio de Toledo II; firma también en las del concilio de Lérida (546) [70].

Isidoro de Sevilla habla de *Apringio,* obispo de Beja (Portugal): «Apringio, obispo de la iglesia pacense de las Hispanias, elocuente, erudito, interpretó el Apocalipsis de Juan Apóstol con sentido sutil e ilustre palabra, mejor casi que los antiguos autores eclesiásticos. Escribió otras obras que no han llegado a mis manos. Floreció en tiempos de Teudis, príncipe de los godos» [71]. Solamente en parte ha llegado hasta nosotros el comentario del Apocalipsis citado. Publicó lo conservado M. Férotin, y el P. Fita hizo a continuación importantes acotaciones [72].

Merecen especial mención las observaciones de Fita sobre algunos textos de Apringio, ilustrativos del simbolismo encerrado en la partición en siete fragmentos de la sagrada forma en el rito hispánico, del significado de la paloma y el alfa y omega, que ilustra bien los elementos simbólicos frecuentes en las inscripciones funerarias cristianas del siglo VI y algunas otras consideraciones sobre medidas, etc. [73]

---

[65] Véanse los dos artículos citados. Véase asimismo E. LLOBREGAT, *La primitiva cristiandat valenciana* p.24-27 y 77-79; A. LINAGE, *Tras las huellas de Justiniano de Valencia.* La atribución a Justiniano del sermón sobre San Vicente sigue siendo problemática.

[66] *De vir. ill.* 21 p.145 n.34: ML 83,1100.

[67] ML 67,965-94.

[68] *Epist. a Justo Diácono:* Z. GARCÍA VILLADA, *HistEclEsp* II-2 p.265.

[69] J. VILLANUEVA, *Viaje literario* 10 (Valencia 1821) p.216-21. Véase asimismo Z. GARCÍA VILLADA, *Un sermón olvidado de San Justo:* EstEcl 3 (1924) 432-33; B. DE GAIFFIER: AnBoll 67 (1949) 278-30

[70] Para los mss. de Justo de Urgel cf. M. C. DÍAZ Y DÍAZ, *Index* n.7-10 p.4-5.

[71] *De vir. ill.* 17 p.143 n.30: ML 83,1098-99.

[72] M. FÉROTIN, *Apringius de Beja* (París 1900); F. FITA, *Patrología latina* p.353-416.

[73] Sobre mss. de Apringio cf. M. C. DÍAZ Y DÍAZ, o.c., n.14-15 p.6.

Juan, obispo de Tarragona, firma el primero en el concilio celebrado en esa sede el año 516 y en el de Gerona del año siguiente. Más noticias sobre él tenemos en su epitafio. El P. Fita lo traduce así: «A ti, ¡oh Juan!, prelado admirable, veneró Tarragona, y a este sepulcro confió tus restos mortales, que descansan en paz. En ti reinó la moderación y la equidad, norma de la moral y regla de las costumbres. Tu brillante palabra, tu mansedumbre dulcísima, extasiaba los corazones, y no menos los arrobaba aquella tu gran piedad y aquella tu limosnera misericordia en favor de los desvalidos. Santo en toda tu vida, y, sobre todo, magnánimo en defender, conservar y propagar la católica fe, apareciste a todos los que te vieron en el trance postrero partir allá donde Cristo premia la virtud con eterna gloria. Tu nombre, tu alma dulcísima, preconizarán los siglos que han de venir y serán prolongado eco de tus obras y méritos memorables. Diez lustros sostuvo su diestra las rectas balanzas de la justicia, rigiendo y enseñando, como prelado y obispo, a los monjes y a los pueblos; y su vida felizmente alcanzó hasta la edad de ochenta años» [74].

El metropolita de Tarragona *Sergio* preside el concilio de Barcelona, del 540, y el de Lérida, el del 546. También merece ser enumerado entre los obispos ilustres. Justo de Urgel alaba su dedicación a los pobres y a la vida espiritual [75]; y su epitafio repite esta misma alabanza y añade otras. He aquí la traducción de F. Fita: «Solerte, magnánimo, ingenioso, docto, aquí descansa en este sepulcro el santo pontífice Sergio. El cual, restaurando las techumbres del sacro templo, construyó, no lejos de la ciudad, un cenobio de religiosos santos. Tuviéronle por padre de los pobres, por tutor de los pupilos. Halló consuelo para las viudas, redención para los cautivos, alimento para los aquejados de hambre. Con las lágrimas de la vida penitente y austera se preservó del pestífero ardor de la concupiscencia. Parco en medio de la abundancia, de todos amadísimo, manantial exuberante de bondad, fue rico para socorrer al menesteroso. Cumplió setenta años de su carrera mortal; y en su religiosa vida, quince de órdenes sagradas, que precedieron a los treinta y cinco de su pontificado» [76].

Algunos datos sobre la liturgia hispánica

Pocas son todavía las noticias concretas en esta época sobre las fiestas, las celebraciones y ritos litúrgicos. Se nota, sin embargo, que la vida litúrgica se ha ido desarrollando, y se va sintiendo cada vez más la necesidad de legislar sobre ella. En la Tarraconense se dispone lo siguiente: «Acerca de la celebración de la misa, establecemos que la práctica de la Iglesia metropolitana se observe también en toda la provincia

---

[74] F. FITA, *Epigrafía cristiana* p.514-20. Fita le atribuye datos que pertenecen a Juan de Elche. J. VIVES, *Inscripciones cristianas* n.277 p.83-84; obispo de 469-70 a 519-20. También Vives le atribuye el nombramiento de vicario papal por Hormisdas.

[75] ML 67,961.

[76] F. FITA, *Epigrafía cristiana* p.510-11; J. VIVES, *Inscripciones cristianas* n.278 p.84-85.

tarraconense, en el nombre del Señor, tanto en el ritual de la misa como en el orden de los himnos y del servicio» [77]. Las vísperas y maitines se deben celebrar en las iglesias todos los días; todo el clero debe estar presente en las vísperas del sábado, para que también lo esté en la celebración del domingo [78]. Todos los días se debe rezar el padrenuestro después de los maitines y vísperas [79]. El canon 1 del concilio de Barcelona (540) prescribe que el salmo 50 se recite antes del cántico; el canon 2 del mismo concilio, que se dé la bendición a los fieles en los maitines, como en las vísperas. El canon 1 del concilio de Valencia (549) se refiere a la misa y contiene algunos datos de interés: «los sacrosantos evangelios se lean antes de presentar las ofrendas y de la despedida de los catecúmenos, pero después de la epístola, porque es muy provechoso que oigan los preceptos saludables de nuestro Señor Jesucristo no sólo los fieles, sino también los catecúmenos y penitentes y aun aquellos que son de otras creencias, puesto que sabemos ciertamente de algunos que abrazaron la fe por haber oído la predicación de los obispos».

Por la epístola de Montano mencionada más arriba, sabemos cómo la bendición del crisma tenía lugar el día de Pascua. El bautismo, fuera de los casos de necesidad, se reservaba para las fiestas de Pascua y de Navidad [80]. Las llamadas posteriormente «témporas» quedan reflejadas en los cánones 2 y 3 del concilio de Gerona: «Las letanías, acabada la solemnidad de Pentecostés, se tengan la semana siguiente, desde el jueves al sábado; y durante este triduo se guarde la abstinencia» [81]. Se prohíbe a todos los clérigos fallar pleitos en domingo [82].

Penitencia

Aunque el tratar a fondo de la penitencia es más propio de la segunda parte de este volumen, que corresponde a una época en que ya existen documentos más explícitos, es útil recoger aquí algunos datos que contribuyan a comprender el desarrollo de esta institución a lo largo de la historia.

Ya nos hemos referido a la penitencia en capítulos anteriores. Los concilios de la primera mitad del siglo VI reflejan una situación muy semejante a la ya descrita. Hay algunas referencias a la penitencia de los moribundos. En el concilio de Gerona (517) se habla de los que en caso de grave enfermedad reciben la «bendición de la penitencia que tenemos por viático» [83], los cuales, si recuperan la salud, deben vivir

---

[77] Can.1 del concilio de Gerona (517).
[78] Can.7 del concilio de Tarragona (516).
[79] Can.10 del concilio de Gerona (517).
[80] Can.4 del concilio de Gerona.
[81] Las otras letanías se tendrán en las calendas de noviembre, con abstinencia de carne y de vino.
[82] Can.4 del concilio de Tarragona (516).
[83] Can.9. Insiste en la «bendición final» el concilio de Barcelona, can.9. Cf. J. FERNÁNDEZ ALONSO, *La cura pastoral* p.578-82.

vida de penitentes, apartados de la comunión hasta que el obispo crea que han dado prueba suficiente [84].

La vida de los penitentes sigue siendo dura: no pueden asistir a banquetes ni dedicarse a negocios; deben vivir una vida frugal en sus casas, vestir hábito religioso, tonsurar su cabeza y ayunar y orar [85]. Sobre los ritos y ceremonias litúrgicas de la penitencia no hay todavía ninguna documentación.

Sobre los bienes eclesiásticos

Para la época que ahora nos ocupa, los bienes muebles e inmuebles de la Iglesia habían aumentado, sin duda, considerablemente [86]. El clero administraba estos bienes, cuyo destino no era solamente su propio sustento: los bienes de la Iglesia debían cubrir otros muchos gastos: construcción y reparación de templos, objetos de culto, fiestas y celebraciones, sustento de monjes, vírgenes y viudas consagradas, asistencia a enfermos, pobres y peregrinos; un sinfín de servicios que entonces no prestaba el Estado y que conferían a estos bienes, en muy buena parte, el carácter de fondos públicos con fines sociales. Por eso, si se quiere ser objetivo, al considerar que el poder económico de la Iglesia había ido aumentando, no se le puede asimilar, sin más, al poder y a los intereses de los latifundistas, ni colocar a la Iglesia en la misma línea que la nobleza. El interés por la conservación y salvaguardia del patrimonio eclesiástico no es necesariamente el mismo interés privado y egoísta del propietario personal; y la insistencia de la legislación canónica sobre el carácter inalienable de dicho patrimonio es en muchos casos, sin ninguna duda, la consecuencia lógica de su función comunitaria y una defensa contra las ambiciones de los clérigos, que quisieran disponer del bien común en provecho propio o de las propias familias. Solamente a medida y en tanto en cuanto va creciendo la clericalización de la Iglesia, los administradores de los bienes irán apropiándoselos cada vez más en su uso. Pero este proceso requiere una clara distinción de los tiempos y un estudio caso por caso, sin generalizaciones en el tratamiento simplistas y anacrónicas [87].

Es muy posible que, como en otros aspectos, también en el relativo a la administración de los bienes, el concilio de Agde sirviese, en algún sentido, como norma para las iglesias hispánicas bajo dominio visigodo. No asistieron a él obispos hispanos, pero se celebró bajo el reinado de Alarico II y en un momento en que tanto política como eclesiásticamente existía una importante conexión entre ambas vertientes pirenaicas.

---

[84] Can.8 del concilio de Barcelona (540).

[85] Can.6 y 7 del concilio de Barcelona.

[86] Sobre el patrimonio eclesiástico véase G. Martínez Díez, *El patrimonio eclesiástico en la España visigoda.*

[87] Creemos que falta mucha matización en el tratamiento de todo este problema por parte de A. Barbero-M. Vigil, *La formación del feudalismo en la península Ibérica* (Barcelona 1978).

El interés del concilio de Agde por evitar la «privatización» de los bienes de la Iglesia es evidente: el canon 4, p.ej., excluye de la Iglesia a los clérigos o seglares que pretendan retener los bienes donados por sus padres a la Iglesia; los considera «asesinos de los pobres»; el canon 6 dispone que el obispo que recibe donaciones no las considere como propiedad suya, sino de la Iglesia, porque el que da lo hace «no para comodidad del sacerdote, sino para redención de su alma». El canon 7 ordena a los obispos que no alienen los campos y propiedades de su iglesia, «de las que viven los pobres». Si en caso de necesidad no hubiese más remedio que hacer algunas ventas, para que éstas tengan validez jurídica es necesario que el obispo consulte con dos o tres obispos vecinos, quienes deben, además, firmar el documento; a no ser que se trate de tierras muy pequeñas o poco útiles, en cuyo caso no necesita el obispo acudir a sus vecinos (can.45) [88].

En el concilio de Toledo II (531) se dispone que, «si algún clérigo se ha hecho algún huerto o alguna viña en las tierras de la Iglesia para su propia sustentación, poséalo hasta el día de su muerte; pero después de su partida de esta vida, conforme a lo prescrito en los cánones antiguos, restituirá a la Iglesia lo que le pertenece y no lo dejará a ninguno de sus herederos o de aquellos que hagan sus veces...» [89]

En los demás concilios hispánicos de la época, la preocupación principal es salvar los bienes poseídos por el obispo a la muerte de éste; a ello nos hemos referido más arriba. También hemos citado ya el canon 8 del concilio de Tarragona, del 516, que hace alusión al *tercio* de las rentas que corresponde al obispo [90].

Situación general

Los escasos documentos con que contamos no nos permiten reconstruir una imagen completa de la situación de los católicos bajo el dominio arriano en esta época de transición. Sin embargo, la impresión que producen los documentos es de una suficiente tranquilidad y libertad de movimientos. Las actas del concilio de Toledo del 531 terminan con esta acción de gracias de los obispos reunidos: «Damos gracias a Dios omnipotente y pedimos la clemencia divina para el glorioso señor el rey Amalarico, a fin de que por años innumerables de reinado nos conceda la posibilidad de ocuparnos de lo que toca al culto de la fe» [91]. El obispo de Toledo, Montano, en su carta a Toribio, llega incluso a amenazar a éste con acudir al rey si no hiciese caso a sus prescripciones [92].

No hay duda de que la presencia de los invasores arrianos había tenido como consecuencia la defección y paso al arrianismo de algunos católicos. El concilio de Lérida (546) legisla, sin embargo, libremente sobre estos apóstatas que pretenden volver arrepentidos al seno de la

---

[88] CorpChr 148 p.189-212.
[89] Can.4.
[90] Cf. G. Martínez Díez, o.c., p.83-101.
[91] J. Vives, *Concilios* p.45.
[92] J. Vives, o.c., p.51.

Iglesia: «Respecto a aquellos que han sido rebautizados en la prevaricación, si cayeron forzados por necesidad o por tormentos, se observe con ellos lo prescrito por el concilio de Nicea, a saber, que oren durante siete años entre los catecúmenos y dos entre los católicos; después, que participen con los fieles en la oblación y en la eucaristía bajo la clemente dirección del obispo» [93]. En cambio, se prohíbe absolutamente que se admita en la iglesia la oblación del católico que haya ofrecido a sus hijos para que fuesen bautizados en la herejía, lo mismo que sentarse a la mesa con los rebautizados [94].

LA IGLESIA EN LA HISPANIA DOMINADA POR LOS SUEVOS

Los suevos fueron el pueblo germánico que logró establecerse e independizarse de Roma antes que ningún otro, aunque su reinado había de ser bien efímero. Desde que se llevó a cabo la distribución de la Península en el 411, los suevos ocuparon la zona oeste de la Galecia y parte del norte de la Lusitania. Tuvieron sus principales dificultades con los vándalos, y, al marchar éstos hacia la Bética y el Africa, se extendieron, prácticamente, por toda la provincia romana de Galecia.

Hasta la conversión al catolicismo

Los primeros reyes suevos eran paganos: de Rechila (441-48) dice expresamente Hidacio que «murió pagano» [95]. Se puede suponer, por tanto, que también lo era su padre Hermerico. Quizá este hecho de no ser arrianos todavía los suevos fue la causa de que no hubiese, al parecer, enfrentamientos con los hispano-romanos católicos, ya que las pocas fricciones que nos narra Hidacio pueden explicarse por meros motivos políticos. La principal de éstas fue la expulsión de Sevilla de su obispo Sabino por una «facción» con motivo de la entrada en la capital Bética de Rechila en el año 441 [96]. La misma «facción» colocó en la sede episcopal «fraude, non iure» a Epifanio [97]. Sabino pudo volver a ocupar su sede cuando los godos penetraron en la Bética, en el año 458 [98].

Por otra parte, los obispos debían de representar en los tiempos de las invasiones la institución más firme en medio del quebrantamiento general de la administración romana. Esto explicaría que sea el obispo de Aquae Flaviae, el propio Hidacio, el encargado de una embajada al general romano Aecio, en las Galias, de donde vuelve acompañado por el conde Censorio [99]; se llega a una paz entre suevos y gallegos «por intervención episcopal» [100].

---

[93] Can.9.
[94] Can.13 y 14.
[95] HIDACIO, *Crónica* 137: SourcChrét 218 p.142.
[96] HIDACIO: ibid., 123-24: p.138.
[97] Ibid.
[98] Ibid., 191-92 p.160.
[99] Ibid., 96 y 98: p.130.
[100] Ibid., 100: p.132.

El hijo de Rechila parece que era cristiano y católico cuando subió al trono al morir su padre en el 448 [101]. Se llamaba Rechiario. Fue un rey muy guerrero, con muchas pretensiones expansionistas, pero murió derrotado en Oporto el año 456. Sobre su política religiosa nada sabemos. Hidacio habla de oposiciones y resistencias calladas en su familia y a continuación narra la detención del maniqueo Pascencio por el obispo de Mérida. Esta actuación del obispo Antonino y el hecho de haber conseguido la expulsión de Pascencio de la Provincia hacen suponer, al menos, una gran libertad de acción de los católicos en una región que entonces estaba dominada por los suevos [102]. No hay fundamento suficiente para pensar en una época católica de los suevos en los tiempos de Rechiario; todos los indicios parecen apuntar hacia una actitud personal del rey, sin especial repercusión en las masas.

Bajo el reinado de Rechiario, los cristianos de su reino tuvieron que sufrir, probablemente como los no cristianos, las consecuencias de la guerra con los visigodos. El 30 de octubre del año 455, Teodorico II, visigodo, saqueaba Braga. Hidacio describe así el saqueo: «No fue un saqueo sangriento, pero sí triste y lamentable; hubo muchísimos prisioneros romanos; se forzaron las basílicas de los santos; los altares, volcados y rotos; las vírgenes consagradas a Dios, conducidas fuera, aunque no las violaron; el clero, desnudado hasta los límites del pudor; la po,blación de ambos sexos con los niños fueron arrancados de las iglesias donde se habían refugiado, para llenarlas con las inmundicias de los jumentos, las ovejas y los camellos. Se repitieron los ejemplos escritos sobre Jerusalén por parte de la ira celestial» [103].

En el año 457, Teodorico II, de vuelta hacia las Galias, saquea Astorga. En esta ocasión, el saqueo sí fue sangriento. También hubo saqueo de iglesias, destrucción de altares, robo de todos los ornamentos y objetos de culto. Descubrieron a dos obispos y los llevaron cautivos con todo el clero. La misma suerte corrió Palencia [104].

Los suevos están divididos entre sí: unos siguen a Frantano como rey, y otros a Maldras. Debilitados por las incursiones de los visigodos y por sus luchas internas, establecen una concordia con los hispanoromanos. Pero los de la región sur, acaudillados por Maldras, saquean la Lusitania, llegando incluso a ocupar Lisboa [105]. También saquean los del Norte con Rechimundo a la cabeza [106], al que le sale un rival en Frumario, que es quien deporta por tres meses a Hidacio en el año 460 [107]. La unidad de los suevos y la paz las restituye, según Hidacio, el rey Remismundo, después de la muerte de Frumario, con ayuda de los

---

[101] Ibid., 137: p.142.
[102] Ibid., 137-38: p.142. Recuérdense, además, las actividades contra el priscilianismo de los obispos, recordadas en nuestro c.8.
[103] Ibid., 174: p.154.
[104] Ibid., 186: p.159.
[105] Ibid., 188; p.161.
[106] Ibid., 193: p.163.
[107] Ver nuestro capítulo anterior.

visigodos [108]. En tiempos de Remismundo, en el año 466, se introduce entre los suevos el arrianismo por obra del misionero Ayax [109]. La crónica de Hidacio termina en el año 469. Con ella se acaba nuestra única fuente de información directa. Durante casi un siglo permanece en la oscuridad la historia de los suevos. Serán ahora solamente algunos textos de historia de la Iglesia los únicos que podrán iluminar parcialmente ese largo período y el que se siguió a continuación.

Hasta la conversión de los suevos al catolicismo no sabemos cuáles fueron las condiciones de vida de los católicos bajo su dominio. No consta que sufriesen importantes persecuciones, aunque sí algunas limitaciones de su libertad, ya que el obispo Lucrecio, al inaugurar el primer concilio de Braga en el año 561, se alegraba de poder celebrar, por fin, el día tan deseado del concilio, lo que no había sido posible antes [110].

La conversión

Fue el rey Charrarico el que dio el paso decisivo de la conversión. Existe una narración de Gregorio de Tours que atribuye ésta a un milagro de San Martín de Tours. Charrarico tenía un hijo gravísimamente enfermo. Había llegado a sus oídos la fama de los milagros que en las Galias estaba operando San Martín de Tours. Preguntó el rey a qué confesión pertenecía el Santo. Informado de que San Martín de Tours había profesado siempre la fe católica, dispuso que se enviase a su sepulcro una embajada con obsequios en oro y plata con un peso equivalente al de su hijo, con la promesa de estudiar la fe católica y aceptarla si el Santo curaba a su hijo. Se cumplió la embajada. Los enviados oraron ante el sepulcro del Santo, y tuvieron ocasión de contemplar muchos milagros; pero volvieron a casa sin conseguir la curación pedida. Comprendió Charrarico que no se haría el milagro antes de que él abrazase la fe católica: mandó fabricar una iglesia a San Martín y pidió que le enviasen reliquias del Santo, prometiendo aceptar lo que le predicasen los sacerdotes. Milagrosamente obtienen las deseadas reliquias y arriban con ellas a las costas gallegas al mismo tiempo que el que habrá de ser efectivamente el gran apóstol católico de la Galecia sueva: San Martín de Dumio, del que nos vamos a ocupar en seguida. Se sigue la conversión del rey y de toda su casa, la curación del hijo y el final de una gran peste que asolaba la región [111].

Gregorio de Tours refleja aquí una serie de ideas y concepciones tan propias de la mentalidad religiosa de la época, que no sería descabellado admitir un núcleo fundamentalmente histórico en su narración. Por otra parte, tampoco es impropio un género literario como éste, en

[108] No parece que se deban identificar Rechimundo y Remismundo. Cf. A. TRANOY, *Hydace:* SourcChrét 219 p.119-20.
[109] HIDACIO, *Crónica* 232: p.172.
[110] J. VIVES, *Concilios* p.65.
[111] GREGORIO DE TOURS, *De miraculis S. Martini* I 11: ML 71,923-25.

el que la imaginación vuela libremente con un propósito de edificación espiritual sin preocupaciones críticas de ningún género. De ahí que haya habido para todos los gustos en la valoración de este documento. No creo posible una decisión segura, aunque hay una circunstancia que más bien me inclinaría a considerarlo como fundamentalmente válido. Se trata de la inscripción que San Martín de Braga escribió para que fuese colocada sobre la puerta de entrada en la basílica dedicada al otro San Martín en Braga, y en cuyos versos 15-20 se dice expresamente: «Admirando tus milagros, el suevo aprendió el camino para llegar a la fe y alzó estos atrios...» [112]

La conversión, lo mismo que la llegada de San Martín a Galecia, debió de suceder en los primeros cincuenta años del siglo VI.

Para San Isidoro de Sevilla, la conversión tuvo lugar bajo el rey Teudemiro: «Este —dice—, habiendo alcanzado la fe católica, destruido el error de la impiedad arriana, devolvió a los suevos a la unidad de la fe. En su tiempo brilló Martín, obispo del monasterio de Dumio, por su fe y su ciencia, por cuya dedicación fue devuelta la paz a la Iglesia y además se fundaron muchos monasterios. Después de Teudemiro es hecho príncipe de los suevos Miro, que reina durante trece años» [113].

Al rey Miro suceden Eborico y Andeca, el usurpador. El rey visigodo Leovigildo pondrá fin al reino visigodo en el 585, incorporándolo al de los visigodos, que dominan así en toda la Península, excepto la zona conquistada por los bizantinos.

Para la historia de la Iglesia en este efímero reino suevo contamos principalmente con los siguientes documentos: una carta del papa Vigilio a Profuturo de Braga, del 29 de junio del 538; las actas de los dos concilios de Braga: el primero se celebró en el año 561, el segundo en el 572; las obras de Martín de Dumio y la mal llamada *Divisio Theodemiri* o *Parroquial suevo* [114].

La carta de Vigilio es contestación a consultas de Profuturo sobre diversas cuestiones relacionadas con el priscilianismo y con cuestiones disciplinares. A los dos concilios nacionales hispano-suevos ya nos hemos referido brevemente al tratar del priscilianismo en nuestro capítulo VIII. La *Divisio Theodemiri* es una lista de las iglesias que dependen de cada sede, documento que parece haber sido compuesto entre los años 572-82 [115].

San Martín de Dumio o de Braga

Natural de la Panonia [116], viajó al Oriente, visitando los Santos Lugares y dedicándose al estudio de filósofos y textos cristianos. Pasó a la Galecia hacia el año 550 más o menos y fundó pronto un monasterio en

---

[112] J. VIVES, *Inscripciones cristianas* p.120.
[113] ISIDORO, *Hist.Suev.* 91, ed. C. Rodríguez Alonso, p.319.
[114] Cf. P. DAVID, *Études historiques* p.19-82.
[115] Cf. P. DAVID, o.c.
[116] Cf. su propio epitafio: J. VIVES, *Inscripciones cristianas* n.275 p.82; VENANCIO FORTUNATO, *Carm.* V 2; GREGORIO DE TOURS, *Hist.franc.* V 38.

Dumio, del que fue abad; hacia el año 556 fue ordenado obispo de una sede creada para él: Dumio, es decir, el monasterio y sus alrededores. Como tal obispo de Dumio asiste al primer concilio de Braga, del año 561, en el que debió de ejercer ya gran influjo. El segundo concilio, del año 572, es presidido por San Martín, como obispo de Braga. Su traslado de sede es un signo de la importancia que se concedía a su destacadísima personalidad. En realidad, Martín de Dumio o de Braga fue el gran impulsor de la renovación de la Iglesia en su país y de la conformación de ésta como Iglesia nacional del reino suevo. Murió en 579-80 [117].

Además de su intensa actividad apostólica y organizativa, la actividad literaria de San Martín fue de gran importancia y no pequeña repercusión en tiempos posteriores. En sus obras se refleja su formación filosófica estoica, sus grandes conocimientos de la disciplina eclesiástica y de la ascética monacal del Oriente, así como su fuerte personalidad y sus notables cualidades pastorales [118].

A petición del rey Miro (570-83) escribió una especie de «espejo de príncipes», siguiendo muy de cerca el *De officiis,* de Séneca: la obra se titula *Formula vitae honestae,* en la que trata de las cuatro virtudes cardinales. Así la describe San Isidoro: «De él he leído yo un libro sobre las diferencias de las cuatro virtudes» [119]. La dirige no solamente al rey, sino también, y principalmente, a los de su corte. Es curioso cómo explica en la introducción la elección del título; dice que titula al tratado «fórmula de la vida honesta» porque no trata de aquellas cosas arduas y perfectas que realizan pocos y egregios hombres de Dios, sino de aquellas otras que, sin los preceptos de las sagradas Escrituras y por la sola ley natural de la inteligencia humana, pueden cumplir también los laicos que viven recta y honestamente.

También se inspira directamente en Séneca el tratado *De ira,* que dedica al obispo Witimiro de Orense.

Otros tres pequeños tratados moralistas son *Pro repellenda iactantia, De superbia* y *Exhortatio humilitatis,* pero con la notable diferencia, con respecto a los anteriores, que estos tres son de neta inspiración cristiana y bíblica.

Buen conocedor del monaquismo oriental, monje él mismo y fundador de monasterios [120], dedicó también su tiempo y sus conocimientos a la traducción de las sentencias de los Padres egipcios: *Sententiae Patrum Aegyptiorum,* e hizo que uno de sus monjes, *Pascasio,* tradujese otra obra semejante titulada *Verba Seniorum.*

En respuesta a unas consultas de un obispo llamado Bonifacio, cuya sede ignoramos, escribe San Martín su *Epistola ad Bonifacium, de trina*

---

[117] Gregorio de Tours, ibid.

[118] Una breve e interesante enumeración de sus obras en J. Madoz, *Martín de Braga:* EstEcl 25 (1951) 219-42.

[119] *De vir. ill.* 22, ed. C. Codoñer, p.146.

[120] Cf. Isidoro, *De vir. ill.,* l.c.

mersione, defendiendo, en contra de la práctica hispánica, el mantenimiento de la práctica tradicional del bautismo por triple inmersión.

Quizá la obra de San Martín más interesante por varios conceptos sea su *De correctione rusticorum* [121].

En el concilio de Braga II se había dispuesto que los obispos predicasen al pueblo contra las supervivencias paganas, sobre todo sobre algunas prácticas idolátricas y supersticiones. Poco tiempo después del concilio, uno de los asistentes a él, el obispo Polemio de Astorga, le rogó que le escribiese sobre ese particular. San Martín lo hace, acomodándose plenamente al estilo e incluso a la lengua de los rústicos. El pequeño sermón es una importante fuente histórica sobre la catequesis cristiana en aquellas circunstancias de lugar y tiempo y sobre la pervivencia de las supersticiones y cultos paganos.

También son obra de San Martín los textos de tres inscripciones que han llegado hasta nosotros: su propio epitafio, la inscripción de la basílica de San Martín de Tours y otra destinada al comedor de los monjes.

De suma importancia para la reorganización y renovación emprendida fue otra obra de San Martín: la conocida como *Capitula Martini.* Es una colección de cánones de varios concilios griegos y del concilio de Toledo I (400), pero acomodados con bastante libertad por el autor a las circunstancias concretas de la Iglesia hispano-sueva y que traspasaron muy pronto los límites de ésta, incorporándose al *Epítome hispánico* y a la *Hispánica cronológica* [122]. Lo dedicó San Martín al obispo Nitigio, de Lugo.

San Isidoro conoció un volumen de cartas de San Martín, en las cuales exhortaba éste a la enmienda, a la vida de fe, a la insistencia en la oración, a la distribución de limosnas, a la piedad y al cultivo de las virtudes [123]. Estas cartas no han llegado a nosotros.

No pertenecen, en cambio, a San Martín algunas otras obras que se le han atribuido alguna vez, como, p.ej., el tratado *De Pascha* y el *Libellus de moribus.*

A partir, sobre todo, de la conversión de los suevos al catolicismo, la fusión de los hispano-germanos llega a un nivel suficiente como para crear conciencia de reino propio. Desde ese momento, la historia de la Iglesia en esas regiones no puede tampoco quedar comprendida bajo nuestro título genérico. El desfase cronológico con respecto al fenómeno equivalente en la Hispania visigoda y su vida efímera justifican la inclusión aquí de este capítulo, que trata de resumir brevemente las condiciones de vida de la Iglesia hasta el momento de su incorporación a la unidad peninsular.

La característica más destacada de la Iglesia en el reino suevo es su decidido impulso hacia la renovación y reorganización a nivel «nacional» o del reino. Es impulso favorecido muy directamente por los reyes: el conci-

---

[121] Texto incompleto e incorrecto en E. Flórez, *EspSagr* 15 (Madrid 1759) p.425-33. Texto crítico de un ms.: J. Madoz: EstEcl 19 (1945) 335-53.

[122] Cf. G. Martínez Díez, *La colección canónica de la Iglesia sueva.*

[123] *De vir. ill.* 22, ed. C. Codoñer, p.146.

lio de Braga I (561) declara haberse reunido «ex praecepto regis» [124], y el de Braga II (572), igualmente, «ex praeceptione regis» [125]. El alma de la renovación y de la reorganización es, indiscutiblemente, San Martín de Braga.

Instrucción doctrinal

La principal preocupación en una primera época es, naturalmente, el priscilianismo. Se refleja en la carta de Vigilio a Profuturo y en las actas del primer concilio de Braga. El problema ha perdido casi plenamente su vigor en los tiempos del segundo concilio [126]. Lo mismo puede decirse de las preocupaciones por el arrianismo [127]. Persiste, en cambio, la lucha contra las supersticiones y supervivencias paganas, perceptible, sobre todo, en los *Capitula Martini* y en el sermón del obispo de Braga *De correctione rusticorum*. Es una lucha difícil por lo arraigado de las costumbres populares que se quieren combatir y también porque, al combatir con energía lo que hay en éstas de tradición supersticiosa o idolá-' trica, se puede llegar a combatir lo que es justa encarnación cultural o al menos práctica indiferente que no merece tanto esfuerzo. De todo esto hubo en el combate emprendido por el que justamente es conocido por el apóstol de la Iglesia hispano-sueva. Véanse, p.ej., los capítulos 71 a 75 de los *Capitula Martini:* se prohíbe expresamente que se introduzcan en casa adivinos y sortílegos con intención de hacer salir al espíritu malo o descubrir maleficios; se advierte que no están permitidas prácticas astrológicas, como observar los elementos o el curso de la luna o de las estrellas, o la vana falacia de los astros para la construcción de la casa, o para la siembra o plantación de árboles, o para la celebración de los matrimonios; tampoco debe acudirse a fórmulas vanas para tejer la lana. Por otra parte, el cristianismo se ha desarrollado tanto, que San Martín parece aspirar a terminar con toda tradición del pasado que pueda tener connotación aun remota con el culto pagano. Conocida es su aversión a las denominaciones de los días de la semana que se hicieron corrientes: lunes, martes, miércoles, etc. Ni Marte, ni Mercurio, ni Júpiter, ni Venus, ni ningún otro dios falso hizo los días; para San Martín es una locura que el bautizado en la fe de Cristo distinga los días con esos nombres de dioses [128]. San Martín manifiesta en este caso, como en casi todos los demás en este aspecto, preocupaciones casi' idénticas a las de Cesáreo de Arlés; pero en lo de las denominaciones de los días tuvo un éxito que aquél no consiguió: Portugal es hoy día la única

[124] J. VIVES, *Concilios* p.65.

[125] Ibid., p.78.

[126] Véase lo dicho en nuestro c.7.

[127] El hecho de no mencionarse nunca el nombre de Vigilio parece indicar que en el año 561 la actitud de la Iglesia hispano-sueva, como la del resto de Hispania y la de Africa, era adversa a la condenación de los Tres Capítulos, y, por tanto, contraria a Vigilio y al concilio de Constantinopla II; cf. J. MADOZ, *El florilegio patrístico:* MiscellIsidor (Roma 1936) p.177-220. Véase asimismo K. SCHÄFERDIEK, o.c., p.125-26.

[128] Cf. *De correctione rusticorum.*

nación de lengua romance que sigue designando los días de la semana según el antiguo sistema de «feria primera, feria segunda», etc. [129]

Constituye igualmente un grave error, que San Martín pretende erradicar sin conseguirlo, al menos de modo tan perdurable como el anterior, el uso de considerar como principio del año el día primero de enero; para San Martín, el año no puede comenzar más que en el día 25 de marzo, equinoccio en el que el día y la noche tienen igual duración, y es, por tanto, el momento del comienzo, según aquello, dice, de que «Dios dividió la luz de las tinieblas».

Pero lo verdaderamente importante es que la jerarquía católica renueva su propia conciencia del deber que tienen de preocuparse seriamente por la instrucción religiosa del pueblo. En este aspecto son importantes las determinaciones del concilio de Braga II sobre la obligación de los obispos de visitar sus iglesias para examinar detenidamente la conducta y actividades de los clérigos, urgir la preparación intensiva de los catecúmenos durante los veinte días que preceden al bautismo y exhortar ellos mismos a los fieles para que huyan de los errores idolátricos, del homicidio, del adulterio, el perjurio, el falso testimonio y demás pecados. En este canon 1 se propone como norma de conducta la antigua «regla de oro»: no quieras para los demás lo que no quieras para ti [130].

Reorganización jurídica

Al primer concilio de Braga asisten ocho obispos; al segundo, doce. En el segundo se distinguen ya dos distritos eclesiásticos en la que todavía se llama provincia de Galecia: el distrito de Braga y el de Lugo, ambos con sus respectivos metropolitas a la cabeza: Martín y Nitigio. La *Divisio Theodemiri*, siguiendo el orden de estas dos circunscripciones, enumera, por un lado, las sedes de la zona sur: Braga, Oporto, Lamego, Coímbra, Viseo, Dumio e Idaña; por otro, las de la zona norte: Lugo, Orense, Astorga, Iria, Tuy y Britonia, sede esta última propia de los bretones procedentes de las islas Británicas al tiempo de la invasión de éstas por los anglosajones.

En los dos concilios de Braga y en la recopilación con modificaciones de San Martín conocida como *Capitula Martini*, se realiza un considerable esfuerzo para poner en vigor, acomodada a las circunstancias, la disciplina eclesiástica. Por lo que se refiere a la tradición jurídica, se tienen en cuenta los concilios ecuménicos de Nicea, Constantinopla, Efeso y Calcedonia. G. Martínez Díez deduce que los concilios locales cuyas disposiciones son también fuente jurídica son los de Ancira, Neocesarea, Gangres, Antioquía, Laodicea y Toledo I; en cambio, no hay rastros de influencia de los concilios de Granada (Elvira), Zaragoza, concilios visigodos y africanos [131]. Se usa también como documento la

---

[129] Cf. Cesáreo de Arlés, *Serm.* 193: CorpChr 104 p.783-86.

[130] J. Vives, *Concilios* p.81. Así también en la exhortación final del *De correctione rusticorum*.

[131] G. Martínez Díez, *La colección canónica* p.226-27.

carta de Vigilio a Profuturo. Se manifiesta así una incomunicación notable con Africa y con el resto de la Península, aunque, en cambio, no se interrumpa del todo el contacto con Roma y con el Oriente, circunstancias que pueden estar directamente relacionadas con la rivalidad suevo-visigoda.

Hay especial interés en cortar los abusos en el capítulo de la administración y uso de los bienes eclesiásticos. Se trata, sobre todo, de que el egoísmo personal no prevalezca sobre el sentido comunitario con que deben emplearse esos bienes.

El canon 21 del concilio de Braga I (561) manda que las oblaciones hechas en las fiestas de los mártires o de los difuntos se depositen para que puedan distribuirse equitativamente una o dos veces al año [132]. Aunque el obispo es el administrador de los bienes, no puede vender ninguno sin que lo sepa el clero, a no ser forzado por necesidades perentorias de naturaleza eclesiástica y no privadas [133]. Todo cuanto pertenece a la Iglesia debe estar patente para los presbíteros o diáconos que están con los obispos, para que todos sepan cuáles son las cosas de la Iglesia, sobre todo si muere el obispo inesperadamente [134]. El obispo tiene facultad sobre los bienes de la Iglesia para distribuirlos entre los que tienen necesidad, y deberán ser castigados los obispos o clérigos que empleen los bienes eclesiásticos en sus caprichos o se guarden lo que ingresa en la iglesia, «defraudando a los pobres» [135]. El concilio de Braga I dispone que de los bienes eclesiásticos se hagan tres partes iguales: una para el obispo, otra para los clérigos y la tercera para la fábrica de la iglesia; el arcipreste o arcediano encargado de administrar esta tercera parte dará cuenta de ella al obispo [136].

Sobre los clérigos se renueva la legislación ya conocida y se añade alguna otra. Es importante el capítulo I de los *Capitula Martini,* que prohíbe al pueblo elegir a los llamados al episcopado y reserva esta decisión a los obispos [137]. Entre las nuevas disposiciones sobre el clero hay algunas un tanto externas y formalistas: un residuo del priscilianismo obliga al primer concilio de Braga a disponer que, si algún clérigo se abstiene de carne, para evitar toda sospecha de priscilianismo debe ser obligado, al menos, a probar legumbres cocidas con carne [138]; los lectores en la iglesia no deben cantar vestidos con trajes de seglar, ni pueden dejarse rizos, al estilo profano [139]; en los *Capitula Martini* vemos que los clérigos no deben llevar el pelo largo, sino cortado y descubiertas las orejas; «a imitación de Aarón», deben vestir traje talar [140].

[132] J. Vives, o.c., p.76.
[133] *Capitula Martini* 14; J. Vives, o.c., p.89-90.
[134] Ibid., 15: p.90.
[135] Ibid., 16: p.90-91.
[136] J. Vives, o.c., p.72.
[137] *Capitula Martini* I: J. Vives, o.c., p.86.
[138] Can.14.
[139] Can.11.
[140] *Capitula Martini* 66: ibid., p.102.

Reorganización litúrgica

Como en todos los concilios que trataron del tema litúrgico, también ahora hay una intención principal de unificar y coordinar las diversas prácticas particulares en orden a conseguir un rito común para todo el reino.

Ya nos hemos referido anteriormente a la cuestión de la triple inmersión en el bautismo. San Martín es un decidido defensor de esta práctica —en el resto de Hispania había prevalecido la inmersión única—, y contaba, además, con el apoyo de Roma, manifestado en la carta de Vigilio a Profuturo.

Las principales disposiciones emanadas de los dos concilios o expresadas en los *Capitula Martini* son las siguientes: uniformar el orden del salterio en los maitines y vísperas [141]; evitar toda confusión y mezcla del oficio catedral con el oficio monástico [142]; cantar solamente salmos o cantos bíblicos [143]; unificar las lecturas en la misa y vigilias de días festivos [144] y no usar salmos poéticos ni libros apócrifos [145]; seguir en la misa el formulario romano [146]. Solamente los lectores podrán subir al púlpito a leer, y no en hábito seglar [147]; solamente los subdiáconos pueden llevar los vasos sagrados al altar [148]; los seglares, tanto hombres como mujeres, no pueden entrar en el santuario para la comunión [149]; las mujeres no pueden entrar en la sacristía [150]; se prohíbe decir misa en los cementerios y hacer libaciones a los difuntos [151].

Con respecto a las fiestas, el metropolitano es el que debe fijar y anunciar cada año el día de Pascua [152]. Lo debe hacer el día de Navidad, para que la gente sepa cuándo empieza la Cuaresma [153]. Durante la Cuaresma «no es lícito celebrar los natalicios de los mártires, sino solamente ofrecer la oblación los sábados y domingos en conmemoración de ellos; pero no sea permitido celebrar en Cuaresma festividades de los mártires ni nupcias» [154]; está prohibido ayunar en domingo; los domingos y durante todos los días de Pascua hasta Pentecostés se debe orar en pie, no postrados ni de rodillas [155].

Por los documentos conservados solamente podemos conocer, pues, algunos aspectos aislados de la liturgia tal como se iba configurando en

[141] Can.1 del concilio de Braga I.
[142] Ibid.
[143] Can.12 del concilio de Braga I.
[144] Can.2 del concilio de Braga I.
[145] *Capitula Martini* 67.
[146] Can.4 del concilio de Braga I.
[147] *Capitula Martini* 45; can.11 del concilio de Braga I.
[148] Can.10 del concilio de Braga I.
[149] Can.13 del concilio de Braga I.
[150] *Capitula Martini* 42.
[151] *Capitula Martini* 68 y 69. El can.18 del concilio de Braga I prohíbe enterrar en el interior de las basílicas.
[152] Can.9 del concilio de Braga II.
[153] Ibid.
[154] *Capitula Martini* 48.
[155] *Capitula Martini* 57.

el reino suevo. En este proceso se advierte, ante todo, una línea divergente con respecto al de las iglesias que quedaron bajo el dominio visigodo, ya que entre los hispano-suevos existe un decidido propósito de acomodar sus ritos a los de la iglesia de Roma, como aparece manifiesto en la carta de Vigilio a Profuturo, del año 538; en San Martín y en los dos concilios de Braga, al menos por lo que se refiere al bautismo y a la misa.

La incorporación del reino al reino visigodo y la unificación litúrgica impuesta por el concilio de Toledo IV, en el año 633, para todo la Península, supuso una interrupción en el desarrollo peculiar del rito de Braga.

SEGUNDA PARTE

LA IGLESIA DESDE LA CONVERSION DE RECAREDO HASTA LA INVASION ARABE

Por TEODORO GONZÁLEZ

CAPÍTULO I

LA CONVERSION DE LOS VISIGODOS AL CATOLICISMO

FUENTES Y BIBLIOGRAFIA

Chronica Caesaraugustana: Mon. Ger. Hist., *Auct. Ant.* XI, ed. T. Mommsen (Berlín 1894); *Chronicarum quae dicuntur Fredegarii:* Mon. Ger. Hist., *Scriptores rerum merovingicarum* II, ed. B. Krusch (Hannover 1888); *Continuatio Isidoriana Hispana:* Mon. Ger. Hist., *Auct. Ant.* XI, ed. T. Mommsen (Berlín 1894); *Epistolae Wisigoticae:* Mon. Ger. Hist., *Epistolarum* III, ed. W. Gundlch (Berlín 1892); *Fuero juzgo,* ed. Real Acad. Española (Madrid 1815); *Ioannis Biclarensis Chronica:* Mon. Ger. Hist., *Auct. Ant.* XI, ed. T. Mommsen (Berlín 1894); JORDANES, *De origine actibusque Getarum:* Mon. Ger. Hist., *Auc. Ant.* V, ed. T. Mommsen (Berlín 1882); MANSI, *Sacrorum Conciliorum nova et amplissima collectio,* ed. Akademische Druck- U. Verlagsanstalt (Graz 1960) vol.8-12; P. OROSIO, *Historiarum adversus paganos libri VII:* CSEL (Viena 1882); SAN BRAULIO, *Epist. ad Chindasvintum I:* ML 80,684; *Epist. XXI, Eiusdem Braulionis nomine Concilii VI Toletani scripta ad Honorium I:* ML 80,667-70; SAN GREGORIO DE TOURS, *Historiae francorum libri decem:* ML 71,161-572; SAN ISIDORO, *Etimologías,* ed. L. Cortés (BAC, Madrid 1951): ML 82,73-728; *Historia gothorum, wandalorum, suevorum;* ML 83,1057-82; Mon. Ger. Hist., *Auct. Ant.,* XI, ed. T. Mommsen (Berlín 1894); *Sentencias,* ed. J. Campos e I. Roca, en *Santos Padres españoles* (BAC, Madrid 1971); ML 83,537-738, J. VIVES, *Concilios visigóticos e hispano-romanos* (Barcelona-Madrid 1963); K. ZEUMER, *Leges nationum germanicarum* I: Mon. Ger. Hist., *Leges visigothorum,* ed. K. Zeumer (Hannover-Leipzig 1902); *Leges visigothorum antiquiores,* ed. K. Zeumer (Hannover-Leipzig 1894); *Vitae Patrum Emeritensium:* ML 80,115-164, la ed. de J. N. GARVIN (Wáshington 1946). Z. GARCÍA VILLADA, *Historia eclesiástica de España* II p.1.ª (Madrid 1932); R. MENÉNDEZ PIDAL, *Historia de España,* Introd., vol.3 (Madrid 1963); FLÓREZ, *España sagrada* vol.5.6.9 y 13; J. LÓPEZ PRUDENCIO, San Masona, arzobispo de Mérida, colaborador en el cimiento de la Hispanidad (Badajoz 1945); E. A. THOMPSON, *The conversion of the visigoths to Catholicism:* Nottingham medieval Studies 4 (1960) p.4-35; J. N. HILLGART, *La conversión de los visigodos:* Analecta Sacra Tarraconensia 34 (1961) p.21-46; J. FONTAINE, *Conversion et culture chez les Wisigoths d'Espagne,* en *La conversione al cristianesimo nell'Europa dell'Alto Medioevo* (Spoleto 1967) p.87-147; T. ANDRÉS MARCOS, *La constitución, transmisión y ejercicio de la monarquía hispano-visigoda en los concilios toledanos* (Salamanca 1928); L. CALPENA

Y Avila, *Los concilios de Toledo en la constitución de la nacionalidad española* (Madrid 1918); F. Dahn, *Die könige der Germanen* vol.2-4 (Leipzig 1885); P. B. Gams, *Die Kirchengeschichte von Spanien* (Regensburg 1862-79); E. Magnin, *L'Église wisigothique au VIIe siècle* (París 1912); J. M. Montalbán, *Indole y naturaleza de la institución real y de los concilios de Toledo durante la monarquía goda* (Madrid 1858); J. Moreno Casado, *Los concilios nacionales visigodos, incoación de una política concordataria* (Granada 1946); M. Torres López, *El reino hispano-visigodo. La Iglesia en la España visigoda*, en *Historia de España*, dir. por M. Piadal, vol.3 (Madrid 1963); *Lecciones de historia del derecho español* vol.2 (Salamanca 1935); A. K. Ziegler, *Church and State in visigothic Spain* (Wáshington 1930).

1. La obra de Masona y San Leandro

Leovigildo se había propuesto la reorganización política y administrativa y el fortalecimiento de la España visigoda. Quiso fundamentar todo su programa sobre la base del arrianismo. Vio claramente que la unidad política debía fundarse en la unidad religiosa. Era un arriano convencido, y contribuía a hacerlo aún más rígido el sectarismo de su mujer, Gosvinta, y el hecho de que los principales vecinos y enemigos del pueblo visigodo eran todos católicos: francos, suevos e imperiales del sudeste de la Península.

El principal obstáculo que encontró fue la oposición del catolicismo español. La gran masa de católicos visigodos no estaba dispuesta a abandonar su fe. Y mucho menos los obispos. La energía de Leovigildo no admitía oposición a sus planes. Cuando intentó la conversión de los católicos al arrianismo, encontró rápidamente la oposición de Masona, metropolitano de Mérida, y San Leandro, metropolitano de Sevilla. Como, además, la guerra con su hijo Hermenegildo tomaba un carácter político-religioso, no es extraño que Leovigildo reaccionase violentamente contra el catolicismo.

Leovigildo inicia la captación de católicos a su causa con el concilio de obispos arrianos del año 580. Intentaba con él facilitar la solución del problema religioso admitiendo que los católicos se podían convertir al arrianismo sin necesidad de ser rebautizados. Obtuvo un éxito relativo, ya que se pasaron al arrianismo algunos católicos, incluso el obispo de Zaragoza, Vicente. Pero su fracaso fue absoluto cuando intentó ganar para su causa a los obispos más venerados de la Iglesia católica: Masona y San Leandro.

Masona, metropolitano de Mérida, era un santo varón, gran pastor de almas y sumamente caritativo para con todos. Funda y dota monasterios e iglesias, y también un gran hospital, donde se cuida a toda clase de enfermos, sin distinción de religión o de clase social. No es extraño, por tanto, que, cuando Leovigildo se propone la reunificación religiosa de la España visigoda haciendo que todos sus súbditos abracen el arrianismo, intente atraerse al gran Masona.

Leovigildo le envió hasta tres emisarios para convencerle con regalos, promesas y amenazas. Todo inútil. Masona, además, descubre a sus fieles el peligro que se avecina. Leovigildo opta entonces por alejarle de la diócesis y poner en ella un obispo arriano. Envía al obispo Sunna, que se apodera de varias iglesias, pero no puede entrar en la basílica de Santa Eulalia, porque Masona y una gran muchedumbre de fieles se lo impiden. Pide ayuda a Leovigildo para que se la entreguen; pero éste, quizá temeroso de una sublevación popular, no se decide a emplear la fuerza.

El rey decide que Masona y Sunna disputen públicamente, en el atrio de la basílica, si la religión verdadera es el catolicismo o el arrianismo. Unos jueces especialmente nombrados para el caso darán la sentencia. Masona rebate los argumentos de Sunna y defiende la consubstancialidad de las personas divinas, fundándose en la Escritura y en la tradición. Sunna no sabe qué responder. Los jueces dan por vencedor a Masona, y los fieles, llenos de alegría, entran a dar gracias a Santa Eulalia.

Leovigildo se entera de lo ocurrido y se convence de que es necesario sacar a Masona de Mérida. Le ordena que se presente en Toledo y trata de convencerle personalmente para que se convierta al arrianismo. Ni las promesas ni las amenazas surten efecto. Se niega, además, a entregar al rey la túnica de Santa Eulalia. Ante esta actitud, Leovigildo le destierra a un monasterio. Para ocupar el lugar de Masona envía a Mérida a Nepopis, obispo católico, a quien Leovigildo manejaba fácilmente.

Leovigildo, al final de su reinado, le permitió volver a su sede de Mérida. Probablemente, cuando se convenció de que era imposible una unidad religiosa nacional basada en el arrianismo. A convencerle de la imposibilidad de realizar su programa contribuyó, sin duda, la fortaleza del obispo Masona [1].

San Leandro nace en Cartagena en el año 540, de una familia distinguida. Tal vez por razones políticas, la familia tuvo que emigrar a Sevilla hacia el año 554. A la muerte de sus padres se encarga del cuidado y educación de sus hermanos Fulgencio, Isidoro y Florentina. Después se hace monje, y el año 578 ya es obispo de Sevilla. Se preocupa de la formación y reforma del clero. En el año 590 reúne un sínodo en Sevilla, que trató de temas dogmáticos, y funda la famosa escuela de Sevilla, que fue un foco de cultura para todo el Occidente. La religión y el culto alcanzan gran esplendor. No descuida tampoco las necesidades temporales de sus fieles. Su celo en la defensa del catolicismo y sus ataques al arrianismo le valieron la enemistad de Leovigildo cuando éste intentó la unidad religiosa de España sobre la base del arrianismo.

El plan de Leovigildo sufre un duro golpe cuando su hijo Hermenegildo se convierte al catolicismo. Leovigildo le había hecho gobernador de la Bética, cuya capital era Sevilla. Allí, San Leandro e Ingunda, esposa católica de Hermenegildo, logran que éste se convierta al catolicismo. La conversión de los godos comenzó con la conversión de Her-

[1] Cf. *Vitae Patrum Emeritensium* c.10-18: ML 80,140-57; E. Flórez, *España sagrada* 13 p.180-206; Z. García Villada, *Historia eclesiástica de España* II p.1.ª (Madrid 1932) p.49-50.

menegildo. Todos los autores contemporáneos atribuyen su conversión a la predicación y consejos de San Leandro. Dice, p.ej., San Gregorio Magno: «Poco ha que Hermenegildo, hijo de Leovigildo, rey de los visigodos, se ha convertido de la herejía arriana al catolicismo por la predicación de Leandro, obispo de Sevilla» [2].

Estalla la guerra entre Leovigildo y Hermenegildo. Muchos católicos se ponen de parte de Hermenegildo. El viaje de San Leandro a Constantinopla parece ser que se debió a razones políticas: pedir ayuda para Hermenegildo. Sigue sosteniendo la fe y la causa de Hermenegildo hasta que fue vencido por su padre. No es extraño que, dadas las ideas de Leovigildo, tuviese que sufrir el destierro San Leandro. El rey veía en él el principal responsable de la conversión y rebelión de su hijo Hermenegildo, y, por lo tanto, el principal obstáculo a su intento de unificación político-religiosa en la base de la fe arriana.

San Leandro sigue combatiendo el arrianismo desde el exilio. Según San Isidoro, escribió dos tratados contra la herejía arriana [3]. La fortaleza de los obispos, sus escritos, quizá el ejemplo de su mismo hijo, influyeron en Leovigildo. Al final de su vida se mostró arrepentido. Levantó el destierro a los obispos católicos. Parece ser que entregó a su hijo Recaredo a la dirección de San Leandro.

Es evidente que Leovigildo se dio cuenta de su error. Si puso a Recaredo bajo la dirección de San Leandro, podía suponer lo que iba a ocurrir. Parece que deseaba la conversión de Recaredo. El resultado fue que también éste se convirtió, y, con él, casi todo el pueblo visigodo. A los diez meses de morir Leovigildo, ya era católico Recaredo. Dice de San Leandro su hermano San Isidoro: «Con su fe y su celo consiguió que todo el pueblo de los godos se convirtiese de la herejía arriana a la fe católica» [4]. Así, hay que atribuir a San Leandro gran parte del mérito de la conversión de los visigodos y del nuevo carácter que comenzaba a tomar la monarquía visigoda. El resistió valientemente las tentativas de Leovigildo de hacer del arrianismo el fundamento de la unidad de España y logró que la unión se realizáse en el catolicismo.

2. La conversión de Recaredo

Según la *Crónica* de Máximo de Zaragoza, Leovigildo habría abrazado el catolicismo poco antes de morir. Se encomendó a sí mismo, a su hijo Recaredo y a todo el reino a Masona y San Leandro [5]. También San Gregorio Magno y San Gregorio de Tours afirman que Leovigildo, próximo a la muerte, renunció al arrianismo y se convirtió al catolicismo, rogando a San Leandro que trabajase en la conversión de su hijo

---

[2] San Gregorio Magno, *Dialogorum libri IV* l.3 c.31: ML 77,289.
[3] San Isidoro, *De viris illustribus* c.41: ML 83,1103.
[4] Ibid.
[5] Cf. ML 80,629-30.

Recaredo [6]. Ni San Isidoro, ni el Biclarense, ni ningún otro contemporáneo hablan de tal conversión. En la *Vida de los Padres Emeritenses* se dice, por el contrario, que murió en su error.

Lo que sí es indiscutible es que Leovigildo al final de su vida cambió de actitud para con el cristianismo. Creo acertado a García Villada cuando escribe: «De todas suertes, al talento político de un hombre tan experto como Leovigildo no se podía ocultar que la divergencia de religión había de ser un semillero continuo de discordia entre los habitantes de España, por lo que era menester a toda costa trabajar por la unificación de las creencias. Pensar en la implantación del arrianismo era una locura después que los suevos le habían abandonado, yendo a engrosar las filas de la Iglesia católica, con lo que la inmensa mayoría del país profesaba ya la fe de Roma. Para mantener en pie el reino visigodo no quedaba otro recurso, aun dentro de los cálculos políticos, que tender a la unificación bajo la bandera de la catolicidad. El terreno estaba muy bien abonado. La situación en que se encontraba Recaredo al empuñar las riendas del gobierno le permitían dar ese paso transcendental sin arriesgar nada. Asociado al gobierno de la nación en vida de su padre, victorioso de un ejército franco y habiendo vivido y presenciado el triste fin de su hermano Hermenegildo, conocía perfectamente las desavenencias del país y por su actitud prudente, moderada y recta gozaba de una autoridad completa entre todos los habitantes» [7].

Leovigildo debió de ver que la unidad político-administrativa podía lograrse más fácilmente en el catolicismo. Para lograr aquélla era necesaria la unidad religiosa. La unión no era factible en el arrianismo, vista la oposición que encontró entre la jerarquía y los fieles católicos. Así, aunque renunciaba a uno de los medios que él creía indispensable, no renunciaba a conseguir el ideal que se proponía. Podía lograrlo sólo con cambiar el arrianismo por el catolicismo. Leovigildo, aunque testarudo, enérgico y a veces cruel, era un rey con una gran visión política.

Es cierto también, como hemos indicado, que San Leandro, lo desease o no Leovigildo, desempeñó un papel importantísimo en la conversión de Recaredo y del pueblo godo al catolicismo. A los diez meses de haber subido al trono Recaredo, se convierte al catolicismo [8]. Las fuentes no dan casi ninguna de las circunstancias en que se realizó. Se limitan, prácticamente, a reseñar el hecho. Es el acto fundamental del reinado de Recaredo, y para mí el más importante de toda la historia de España por sus implicaciones políticas y religiosas. Se ponían con él los cimientos de una nueva nacionalidad española al lograr la unidad religiosa y política del pueblo invasor y de los habitantes hispano-romanos de la España visigoda. Entonces adquieren todos los habitantes de España la convicción de que forman un pueblo, una nación. Se quitaban, además, todos los obstáculos para llegar a la total

---

[6] Cf. San Gregorio Magno, *Dialogorum libri IV* l.3 c.31: ML 77,292; San Gregorio de Tours, *Historiae francorum* l.8 46: ML 71,480.
[7] Z. García Villada, *Historia eclesiástica de España* II p.1.ª p.59-60.
[8] Cf. *Biclarensis chronica:* ML 72,868.

fusión de razas. Aunque ésta no se logrará plenamente hasta que Recesvinto abolió la ley que prohibía casarse a los godos con los hispanoromanos. La conversión de Recaredo no fue un acto personal, ya que con él se convirtió, prácticamente, todo el pueblo. No faltaron algunas excepciones, como veremos después.

Pueden darse muchos motivos que expliquen la conversión de Recaredo. El primero y fundamental es, sin duda, su convicción íntima. El interés que se toma en que el catolicismo sea aceptado por todos sus súbditos, el empeño que demuestra en lograr que se restablezca la disciplina eclesiástica católica, el favor que otorga a los obispos católicos y la ayuda que les pide, demuestran que su conversión no se debía sólo a oportunismo político. Entraba en el catolicismo realmente convencido de la superioridad de su nueva religión.

Los motivos políticos debieron de tener su peso y animarle a la conversión. La política de Recaredo, igual que la de su padre Leovigildo, tenía como meta lograr la unidad político-religiosa de toda España. El obstáculo principal que había encontrado Leovigildo, además de la oposición de la jerarquía y pueblo católico, había sido la rebelión de su hijo Hermenegildo. El intento de Leovigildo había fracasado por querer fundar la unidad en el arrianismo. Es natural, pues, que Recaredo intentase realizar su ideal de unidad sobre la base del catolicismo [9].

Varios motivos más pudieron influir en su conversión. «Sin duda, influyó en esta conversión, como en las muy frecuentes de entonces, la actitud bien distinta del episcopado arriano, vacilante, falto de convicción dogmática, permitiendo en todo momento concesiones contra su doctrina, y la del episcopado católico, firme y decidida. Como motivos que en otro orden debieron de influir en el ánimo de Recaredo, se puede citar la visión de los progresos del catolicismo en el mismo pueblo godo; la conveniencia de acabar con la discrepancia religiosa, conveniencia aumentada desde la incorporación al Estado visigótico de los suevos, de nuevo católicos; la fuerza extraordinaria que tenía el clero católico, fuerza que, naturalmente, el rey desearía atraerse como un excelente medio para robustecer su autoridad frente a la nobleza laica, y, finalmente, el interés que había en hacer desaparecer, con la conversión, las bases de posibles apoyos del interior a los intereses de bizantinos y francos, contrarios a los visigodos» [10]. Cada uno de estos motivos tuvo su importancia para animar a Recaredo a abrazar el catolicismo.

El mismo año 587 reúne Recaredo un sínodo de obispos arrianos, en el que logra convencerles, más por la razón que por la fuerza, para que se conviertan al catolicismo [11]. Recaredo devuelve a sus antiguos posesores, tanto laicos como clérigos, los bienes confiscados que aún estaban en poder del fisco. Funda y dota nuevas iglesias y monasterios.

---

[9] Cf. J. N. HILLGART, *La conversión de los visigodos:* Analecta Sacra Tarraconensia 34 (1961) p.34.
[10] M. TORRES LÓPEZ, *El reino hispano-visigodo,* en *Historia de España,* dir. por M. Pidal, vol.3 (Madrid 1963) p.110.
[11] Cf. *Biclarensis chronica:* ML 72,868.

Recaredo no obligó a convertirse a todos sus súbditos. Algunos nobles y obispos siguieron siendo arrianos. La conversión produjo descontento en algunos sectores arrianos. El Biclarense, San Gregorio de Tours y la *Vida de los Padres Emeritenses* nos hablan de las sublevaciones arrianas. «Sin duda, influyó en las sublevaciones la conducta de Recaredo devolviendo a los obispos católicos perseguidos sus iglesias y patrimonios, lo que hizo que ciertos obispos arrianos tomasen una actitud de rebeldía; tal vez, en algún caso, también con bases religiosas. Sin embargo, hemos de ver en dichas sublevaciones, tres en total, maniobras políticas» [12].

El rey no había hecho nada contra los obispos arrianos, esperando que éstos se convirtiesen por propia convicción. Tenemos una prueba en el obispo arriano de Mérida. Sunna fue uno de los que no se convirtió. A pesar de ello, no fue removido de su sede hasta después de la conjura contra Masona y contra Recaredo. Se dedicó a intrigar entre la nobleza de Mérida contra el cristianismo y contra Recaredo. La primera víctima de la conjuración debía ser el obispo Masona. Witerico, el futuro rey, estaba entre los conjurados. La conjura fracasó porque el día señalado para realizarla se encontraba en casa del obispo el gobernador de la provincia Lusitana, Claudio, acompañado de su gente. Witerico no se atrevió a asesinar a Masona y descubrió la conjuración tramada y otra que tenían preparada para el día de Pascua cuando saliese la procesión. El gobernador se encargó de hacerla abortar y apresar a los conjurados. Witerico salió libre por haber delatado a los conjurados. A Sunna se le dio a elegir entre la conversión al catolicismo o el destierro. Eligió el destierro. Los demás cómplices también fueron desterrados [13]. Después de desterrado Sunna, recuperó Masona las iglesias que aquél tenía en su poder. Nepopis había huido al saber que volvía Masona a Mérida.

La rebelión de la provincia Narbonense tuvo un carácter político-religioso. Según el autor de las *Vidas de los Padres Emeritenses,* iba directamente contra la fe católica. Dos nobles llamados Granista y Wildigerno, con el obispo arriano Ataloco, fueron los animadores de la rebelión. Comenzaron haciendo entrar en la provincia gran cantidad de francos para que apoyasen la herejía arriana y, si fuese posible, llegar, además, hasta el destronamiento de Recaredo.

Los sublevados asesinaron gran cantidad de sacerdotes, religiosos y fieles católicos. Recaredo envió al frente de sus tropas al conde Claudio, gobernador de Mérida, que en poco tiempo aplastó la rebelión. Los cronistas, para hacer resaltar que Dios estaba de parte de los católicos, exageran la diferencia numérica entre el ejército vencedor y el vencido. La rebelión tuvo lugar el año 588. El rey franco, Gontrán, aprovechó la ocasión, quizá llamado por los mismos revoltosos, para intentar realizar el sueño de los reyes francos, que expresa San Gregorio de Tours: que

---

[12] M. Torres López, *El reino hispano-visigodo,* en *Historia de España,* dir. por M. Pidal, III p.110-11.
[13] Cf. *Biclarensis chronica:* ML 72,868.

los visigodos no tengan ningún dominio al norte de los Pirineos; es indigno que su poder llegue hasta territorio galo [14].

La tercera conjuración se tramó en el mismo palacio de Recaredo. Gosvinta no podía tolerar la conversión de Recaredo, igual que había ocurrido cuando se convirtió Hermenegildo. Parece que al principio disimuló sus ideas. Pero pronto comenzó a intrigar, junto con el obispo arriano Uldida, para destronar a Recaredo. La conjuración fue descubierta, y Uldida mandado al exilio. Gosvinta murió mientras se tramitaba su proceso.

La alegría que el papa San Gregorio Magno experimentó cuando recibió la noticia de la conversión de Recaredo y de todo su pueblo al catolicismo fue inmensa. La noticia tardó cuatro años en llegar, y la llevó un legado del papa que se encontraba en el sur de España. La respuesta del papa llegó el año 591. Escribe el papa en su carta: «No soy capaz de expresar con palabras cuánto me alegra tu vida y tus obras. Me he enterado del milagro de la conversión de todos los godos de la herejía arriana a la verdadera fe, que se ha realizado por medio de tu excelencia. ¿Quién no alabará a Dios y te amará por ello? No me canso de contar a mis fieles lo que has hecho y de admirarme con ellos. ¿Qué diré el día del juicio si llego con las manos vacías, cuando tú llevarás una inmensa muchedumbre de fieles tras de ti, convertidos por tú solicitud? No dejo de dar gracias y gloria a Dios, porque me hago partícipe de tu obra alegrándome por ella» [15].

3. EL CONCILIO III DE TOLEDO

El concilio III de Toledo, celebrado el año 589, fue, ante todo, una manifestación solemne de que el rey y todo su pueblo se había convertido al catolicismo. Era la ratificación oficial de una conversión que ya había tenido lugar. Así se explica, además, la falta de oposición por parte de la nobleza y de los obispos arrianos que asistieron al concilio. No sabemos de quién partió la iniciativa de celebrarlo. Pudo ser Recaredo o quizá San Leandro, de quien dice el Biclarense que fue el organizador de todos los asuntos del concilio, junto con Eutropio, abad del monasterio servitano [16].

Es el mismo rey quien convoca a todos los obispos de España visigoda. Asisten también algunos nobles y varios obispos arrianos. Las reuniones se celebraron en alguna de las basílicas de la ciudad de Toledo. Asistieron 62 obispos católicos y cinco vicarios, representando a obispos que no podían asistir. El concilio comenzó el día 8 de mayo del año 589.

Ya en el encabezamiento aparece el fin para el que se convocaba el concilio: «Habiendo el mismo rey gloriosísimo, en virtud de la sinceri-

---

[14] Cf. SAN GREGORIO DE TOURS, *Historiae francorum libri decem* l.8,30: ML 71,467.
[15] SAN GREGORIO MAGNO, *Epist. ad Reccaredum regem gothorum:* ML 84,835-37.
[16] Cf. *Biclarensis chronica:* ML 72,869.

dad de su fe, mandado reunir el concilio de todos los obispos de sus dominios para que se alegraran en el Señor de su conversión y por la de la raza de los godos, y dieran también gracias a la bondad divina por un don tan especial, el mismo santísimo príncipe habló al venerable concilio en estos términos: 'No creo, reverendísimos obispos, que desconozcáis que os he llamado a la presencia de nuestra serenidad con objeto de restablecer la disciplina eclesiástica. Y como quiera que hace muchos años que la amenazadora herejía no permitía celebrar concilios en la Iglesia católica, Dios, a quien plugo extirpar la citada herejía por nuestro medio, nos amonestó a restaurar las instituciones eclesiásticas conforme a las antiguas costumbres. Debéis, pues, estar contentos y gozosos de que las costumbres antiguas y canónicas, con la ayuda de Dios, vuelvan a los cauces antiguos mediante nuestra gloria. Sin embargo, ante todo os amonesto y exhorto igualmente que os entreguéis a los ayunos, vigilias y oraciones, para que el orden canónico, que un largo y duradero olvido había hecho desaparecer del recuerdo episcopal y el que nuestra edad confiesa ignorar, se os revele nuevamente por don divino'» [17].

El primer fin era la abjuración solemne del arrianismo y dar por ello gracias a Dios. Los Padres del concilio dieron las gracias a Dios y al príncipe y decretaron tres días de ayuno. De la abjuración del arrianismo volvió a hablar el rey al reanudarse las sesiones: «No creemos que se oculte a vuestra santidad cuánto tiempo España padeció bajo el error de los arrianos y cómo, habiendo sabido vuestra beatitud, no mucho después de la muerte de nuestro padre, cómo nosotros mismos nos habíamos unido a la santa fe católica, creemos se produjo por todas partes un inmenso y eterno gozo. Y, por lo tanto, venerados Padres, hemos determinado reuniros para celebrar este concilio, a fin de que vosotros mismos deis gracias eternas al Señor con motivo de los hombres que acaban de volver a Cristo. Lo que deberíamos tratar igualmente delante de vuestro sacerdocio acerca de la fe y esperanza nuestra que profesamos, os lo damos a conocer por escrito en este pliego. Léase, pues, en medio de vosotros. Y nuestra persona gloriosa, aprobada por el dictamen conciliar, brille ennoblecida por el testimonio de la misma fe para todos los tiempos futuros» [18].

El pliego fue leído por el secretario del concilio. Decía: «Aunque el Dios omnipotente nos haya dado el llevar la carga del reino en favor y provecho de los pueblos y haya encomendado el gobierno de no pocas gentes a nuestro regio cuidado, sin embargo, nos acordamos de nuestra condición de mortales y de que no podemos merecer de otro modo la felicidad de la futura bienaventuranza sino dedicándonos al culto de la verdadera fe y agradando a nuestro Creador al menos con la confesión de que es digno... Esto es que confesemos que el Padre es quien en-

---

[17] J. Vives, *Concilios visigóticos e hispano-romanos* (Barcelona-Madrid 1963); *Concilio III de Toledo* p.107-108; Mansi, 9,977. Como citaremos la obra de J. Vives con mucha frecuencia, en adelante sólo lo haremos con su nombre y el del concilio correspondiente.
[18] Ibid., *Concilio III de Toledo* p.108; Mansi, 9,977-78.

gendró de su substancia al Hijo, igual a sí y coeterno, y no que El sea al mismo tiempo nacido y engendrador, sino que una es la persona del Padre que engendró, otra la del Hijo que fue engendrado, y que, sin embargo, uno y otro subsisten por la divinidad de una sola substancia: el Padre, del que procede el Hijo, pero El mismo no procede de ningún otro. El Hijo es el que procede del Padre, pero sin principio y sin disminución subsiste en aquella divinidad, en que es igual y coeterno al Padre. Del mismo modo, debemos confesar y predicar que el Espíritu Santo procede del Padre y del Hijo, y con el Padre y el Hijo es de una misma substancia; que hay en la Trinidad una tercera persona, que es el Espíritu Santo, la cual, sin embargo, tiene una común esencia divina con el Padre y el Hijo. Pues esta santa Trinidad es un solo Dios: Padre, Hijo y Espíritu Santo, por cuya bondad, aunque toda criatura haya sido creada buena, sin embargo, por medio de la forma humana tomada por el Hijo, se ve reparada en su origen pecador a la primera beatitud. Pero del mismo modo, como es señal de la verdadera predestinación creer que la Trinidad está en la Unidad, y la Unidad en la Trinidad, así se dará una prueba de verdadera justicia si confesamos una misma fe dentro de la universal Iglesia y guardamos los apostólicos preceptos apoyados en apostólico fundamento. Sin embargo, vosotros, obispos del Señor, conviene que os acordéis de cuántas molestias padeció hasta ahora, de parte del adversario, la Iglesia católica de Dios en España. Cuando los católicos sostenían y defendían la constante verdad de su fe y los herejes apoyaban con animosidad más pertinaz su propia perfidia, yo también, según lo veis por los resultados, encendido por el fervor de la fe, he sido impulsado por el Señor para que, depuesta la obstinación de la infidelidad y apartado el furor de la discordia, condujera a este pueblo, que servía al error bajo el falso nombre de religión, al conocimiento de la fe y al seno de la Iglesia católica» [19].

Por su claridad, concisión y exactitud, da la impresión de que este párrafo, y quizá todo el discurso, fue redactado por algún obispo. Habla después Recaredo de su labor en la conversión del pueblo godo: «Presente está toda la ínclita raza de los godos, apreciada por casi todas las gentes por su genuina virilidad, la cual, aunque separada hasta ahora de la fe, por la maldad de sus doctores, y de la unidad de la Iglesia católica, sin embargo, en este momento, unida conmigo de todo corazón, participa en la comunión de aquella Iglesia que recibe con seno maternal a la muchedumbre de los más diversos pueblos y los nutre en sus pechos de caridad, y de la cual se dice por boca del profeta: 'Mi casa será llamada casa de oración para todos los pueblos'. No sólo la conversión de los godos se cuenta entre la serie de favores que hemos recibido; más aún, la muchedumbre infinita del pueblo de los suevos, que con la ayuda del cielo hemos sometido a nuestro reino, aunque conducida a la herejía, por culpa ajena, ha sido traída, por nuestra diligencia, al origen de la verdad. Por lo tanto, santísimos Padres, ofrezco al eterno Dios, por vuestra mano, como un santo y expiatorio sacrificio,

[19] Ibid., p.108-10: MANSI, 9,978-79.

a estos nobilísimos pueblos, que por nuestra diligencia se han ganado para el Señor, pues será para mí una inmarcesible corona y gozo en la retribución de los justos si estos pueblos, que por nuestros cuidados corrieron a la unidad de la Iglesia, permanecen firmes y constantes en la misma. Y así como por disposición divina nos fue dado a nosotros traer a estos pueblos a la unidad de la Iglesia de Cristo, del mismo modo os toca a vosotros instruirlos en los dogmas católicos, para que, instruidos totalmente con el conocimiento de la verdad, sepan rechazar acertadamente el error de la perniciosa herejía y conservar por la caridad el camino de la verdadera fe, abrazando con deseo cada día más ardiente la comunión de la Iglesia católica» [20].

Recaredo se apunta aquí un tanto que no le pertenece por completo. La conversión de los suevos se había realizado ya en tiempo de su rey Mirón. Quizá algunos nobles y autoridades civiles fueran todavía arrianos. El rey afirma a continuación que se debe abrazar la nueva fe de todo corazón. Y además es necesario confesar públicamente lo que se cree de corazón. «Por lo cual, del mismo modo que anatematizo a Arrio con todos sus dogmas y todos sus cómplices, el cual afirmaba que el Hijo unigénito de Dios era de substancia inferior a la del Padre y no engendrado por éste, sino creado de la nada, y anatematizo a todos los concilios de malvados que se celebraron en contra del santo concilio de Nicea, así respeto y venero, para honra y alabanza, la fe santa del concilio Niceno, la cual proclamó el santo concilio de los 318 obispos en contra de Arrio, peste de la verdadera fe. Abrazo igualmente y confieso la fe de los 150 obispos congregados en Constantinopla, que con el cuchillo de la verdad acabó con Macedonio, que restaba importancia a la substancia del Espíritu Santo y separaba la Unidad y la esencia del Padre y del Hijo. Creo igualmente y reverencio también la fe del primer concilio de Efeso, la cual fue proclamada contra Nestorio y su doctrina. También acepto reverentemente con toda la Iglesia católica la fe del concilio de Calcedonia, la cual, llena de santidad y erudición, proclamó este concilio contra Eutiques y Dióscoro. Con la misma veneración reverencio también todos los concilios de los venerables obispos ortodoxos, que no se apartan de la pureza de la fe, y de estos cuatro concilios arriba dichos» [21].

Siguen a continuación las fórmulas de fe redactadas en los concilios de Nicea, Constantinopla y Calcedonia. Establecidas así las creencias de la Iglesia, se prohíbe que nadie siga, proclame o enseñe doctrinas distintas. Quien tal haga, si es obispo o clérigo, perderá su cargo, y, si es monje o seglar, será anatematizado.

Había llegado la hora de renunciar personal y solemnemente al arrianismo. El primero en hacerlo fue el rey: «Yo Recaredo, rey, reteniendo de corazón y afirmando de palabra esta santa y verdadera confesión, la cual idénticamente por todo el orbe de la tierra la confiesa la Iglesia católica, la firmé con mi mano derecha con el auxilio de Dios».

---

[20] Ibid., p.110-11: MANSI, 9,979.
[21] Ibid., p.111-12: MANSI, 9,980.

A continuación lo hizo la reina: «Yo Bado, reina gloriosa, firmé con mi mano y de todo corazón esta fe que creí y admití» [22].

La alegría de los asistentes fue inmensa. Todos dieron gracias a Dios y al rey. «Gloria a Dios, Padre, Hijo y Espíritu Santo, al que toca proveer a la paz y unidad de su Iglesia santa y católica; gloria a nuestro Señor Jesucristo, el cual, a costa de su sangre, congregó a la Iglesia católica de entre los pueblos; gloria a nuestro Señor Jesucristo, que juntó a la unidad de la verdadera fe un pueblo tan ilustre e hizo un rebaño y un pastor. ¿Y a quién ha concedido Dios un mérito eterno sino al verdadero y católico rey Recaredo? ¿A quién la corona eterna sino al verdadero y ortodoxo rey Recaredo? ¿A quién la presente gloria, y también la eterna, sino al verdadero amador de Dios, el rey Recaredo? Este es el conquistador de nuevos pueblos para la Iglesia católica; merezca éste verdaderamente el premio apostólico, porque ha cumplido con el oficio de apóstol. Sea éste amable a Dios y a los hombres, que tan admirablemente glorificó a Dios en la tierra con el auxilio de nuestro Señor Jesucristo, que con el Padre vive y reina, en la unidad del Espíritu Santo, por los siglos de los siglos. Amén» [23].

Tocaba ahora el turno a los obispos y nobles arrianos. Un obispo católico, no sabemos quién, les pidió que también ellos renunciasen públicamente al arrianismo y proclamasen la nueva fe que habían aceptado. Respondieron ellos que ya habían renunciado de corazón al arrianismo cuando siguieron el ejemplo de Recaredo en su conversión a la fe católica y que estaban dispuestos a hacerlo públicamente por la devoción que debían a la Iglesia católica. Todos ellos lo hicieron. Los obispos firmaron la siguiente fórmula: «N. obispo, en nombre de Cristo, anatematizando los dogmas de la herejía arriana condenados más arriba, firmé de mi mano y de todo corazón esta santa fe católica, en la cual creí al convertirme a la Iglesia católica» [24]. Firmaron Ugnas, de Barcelona; Ubiligisclo, de Palencia; Murila, de Valencia; Sunila, de Viseo; Gardingo, de Tuy; Bechila, de Lugo; Avito, de Oporto, y Froisclo, de Tortosa. Firmaron también los nobles Gusino, Fonsa, Afrila, Aila y Ela, así como los demás nobles del pueblo godo.

El primer fin del concilio ya se había realizado. Faltaba ahora la restauración de la disciplina eclesiástica. Recaredo piensa que es el máximo responsable del bienestar de su pueblo en las cosas terrenas y que además debe preocuparse de las cosas espirituales. Decreta que, para dar mayor firmeza a la fe católica y consolidar la reciente conversión del pueblo al catolicismo, se recite, antes de la comunión, el símbolo de la fe, para que el pueblo proclame lo que cree.

Los Padres redactaron 22 cánones. Piden que se observen las determinaciones de los concilios y de los papas. Accediendo a los deseos del rey, mandan que se recite el credo todos los domingos. Exigen que no se enajenen los bienes de la Iglesia y que sea el obispo quien los

---

[22] Ibid., p.116: Mansi, 9,983.
[23] Ibid., p.116-17: Mansi, 9,983.
[24] Ibid., p.122: Mansi, 9,988.

administre; que los clérigos vivan castamente y que las iglesias arrianas pasen a poder de los obispos católicos. Los obispos y los jueces civiles deben castigar el pecado de idolatría y el infanticidio. Mandan además que se celebre concilio una vez al año y que los jueces y los recaudadores asistan a él para que aprendan a tratar al pueblo con piedad y justicia. Los obispos deben inspeccionar cómo se portan los jueces, para corregirles si su conducta no es buena o para denunciarlos ante el rey. Los obispos comenzaban así a desempeñar cargos civiles, como veremos al hablar del papel de los obispos en la vida civil.

El concilio había terminado su labor. El último acto fue la homilía de San Leandro. Es un canto de alegría y de gracias a Dios: «La misma novedad pone de manifiesto que esta festividad es la más solemne de todas las festividades, porque así como es cosa nueva la conversión de tantos pueblos, del mismo modo hoy el gozo de la Iglesia es más elevado que de ordinario. Muchas solemnidades celebra la Iglesia en el decurso del año, en las cuales se alegra con gozos acostumbrados; pero una alegría inusitada como el día de hoy no la tiene. Uno es el gozo de las cosas que siempre hemos poseído, y otro muy distinto el de los grandes tesoros recientemente hallados, por lo cual también nosotros, que experimentamos tanta mayor alegría presenciando cómo de repente han nacido para la Iglesia nuevos pueblos, mientras antes lamentábamos la rudeza de algunos, ahora gozamos la fe de esos mismos. Pues lo que hoy es motivo de nuestro gozo, era antes la ocasión de nuestra tribulación. Gemíamos mientras se nos reprochaba, pero aquellos gemidos obraron que los que por su infidelidad eran para nosotros una carga, se trocaren, por su conversión, en nuestra corona» [25]. Y termina diciendo: «Prorrumpamos, pues, todos: Gloria a Dios en las alturas y paz en la tierra a los hombres de buena voluntad, porque no hay ningún don que pueda parangonarse a la caridad. Y por eso está por encima de todo otro gozo, porque se ha hecho la paz y la caridad, la cual tiene la primacía entre todas las virtudes. Resta tan sólo que todos los que nos hemos convertido en un solo reino, unánimemente acudamos a Dios con preces, suplicando tanto por la exaltación del reino terreno como por la felicidad del reino futuro. Para que el reino y el pueblo que glorificó a Cristo en la tierra sea glorificado por El no sólo en la tierra, sino también en los cielos. Amén» [26].

4. LA IGLESIA HASTA EL CONCILIO IV DE TOLEDO, AÑO 633

Durante el reinado de Recaredo siguieron renovándose las instituciones eclesiásticas. Con este fin se celebraron los concilios provinciales de Narbona, año 589; Sevilla, año 590; Zaragoza, en el 592; Toledo, año 597; Huesca, año 598, y Barcelona, en el 599. La conversión de Recaredo y del pueblo godo había sido sincera. El año 601 moría Reca-

[25] Ibid., p.139: MANSI, 9,1002-1003.
[26] Ibid., p.144: MANSI, 9,1005.

redo. Como epitafio, en su tumba podía figurar lo que de él escribió San Isidoro: «Fue preclaro por su fe y un hombre pacífico. Hasta los malos le querían. Su liberalidad no conocía límites, hasta el punto que devolvió a sus dueños los bienes privados y eclesiásticos adjudicados al fisco por su padre. Su clemencia hizo que muchas veces perdonara a los pueblos las contribuciones. Sus riquezas pertenecían a los pobres y a los indigentes, pues sabía que había recibido el poder para hacer buen uso de él y merecer por sus obras un fin bienaventurado. La fe que recibió al principio la corroboró al fin de sus días con pública penitencia, arrepintiéndose de errores pasados» [27].

La última reacción arriana tuvo lugar en tiempo del rey Witerico (603-10). Es el mismo personaje que había participado con Sunna en la rebelión de Mérida. Restaura el arrianismo y persigue a los católicos, sin lograr resultados positivos. El clero y el pueblo siguió firme en su fe. Habían abrazado el catolicismo de corazón. Tampoco fue afortunado en las guerras que sostuvo. Con esta excepción resultan exactas las palabras del Biclarense sobre el concilio III de Toledo: «En este concilio de Toledo, y después de la muerte de muchos católicos y las penas de muchos inocentes, por obra del príncipe y rey Recaredo se cortó de raíz la herejía arriana, que no ha podido brotar más, habiéndose concedido la paz a la Iglesia católica» [28].

La unidad religiosa y política se había logrado, pero no del todo. Quedaba en el territorio español un pueblo que no se había convertido: el pueblo judío. El problema tiene tal importancia, que lo trataremos aparte. Ahora intentamos sólo dar una visión general de la Iglesia visigoda. Dentro del ambiente general de satisfacción por la unidad lograda, no es extraño que tanto el Estado como la Iglesia intentasen, por todos los medios, la conversión de los judíos.

Los judíos no habían sido molestados prácticamente durante el período arriano. A partir del concilio III de Toledo comienzan las presiones para lograr que los judíos se conviertan al catolicismo. Las leyes contra los judíos, tanto civiles como eclesiásticas, son muy duras, sobre todo hasta el concilio IV de Toledo. Se deseaba tanto su conversión, que no se reparaba en utilizar coacciones morales o materiales para lograrlo. Sisebuto, en el año 613, llega a desterrar a los judíos que rechacen bautizarse. El resultado de todas esas medidas fue que hubo muchas falsas conversiones. La Iglesia se dio cuenta del error, y trató de lograr su conversión por medio del ejemplo y la predicación [29]. Precisamente lo único que San Isidoro condena en la actuación de Sisebuto es el haber obligado a los judíos a convertirse [30].

La Iglesia se limitó, quizá con excesivo celo, a imponer la perseverancia en el cristianismo a los judíos que se habían convertido, aunque

[27] San Isidoro, *Historia gothorum* 52-56: ML 83,1071-72.
[28] *Biclarensis chronica:* ML 72,869-70; Z. García Villada, *Historia eclesiástica de España* II p.1.ª p.77.
[29] Cf. San Braulio, *Epistola XXI, Eiusdem Braulionis nomine Concilii VI Toletani scripta ad Honorium I:* ML 80,667-70.
[30] Cf. San Isidoro, *Historia gothorum* 60: ML 83,1073.

hubiese sido por la fuerza, y en los casos de matrimonios mixtos. El problema dio origen a tratados teológicos antijudíos, como los de San Isidoro, San Ildefonso y San Julián.

La Iglesia, desde la conversión de Recaredo hasta la caída del reino visigodo el año 711, se dedicó con todo entusiasmo a asegurar y perfeccionar la unidad y la fe católica, a corregir los defectos de clérigos y laicos, a lograr la conversión de los judíos y a cooperar con el poder civil para mantener la unidad política y fortalecer la monarquía visigoda. Podemos decir que es una época de esplendor gracias a la labor de los concilios, sobre todo el III y IV de Toledo, y de obispos como Masona, de Mérida; San Leandro y San Isidoro, de Sevilla; San Braulio y Tajón, de Zaragoza; San Eladio, Justo, San Eugenio, San Ildefonso y San Julián, de Toledo.

Todas esas preocupaciones de la Iglesia aparecen en la legislación del concilio IV de Toledo, año 633. El concilio se reúne, con la ayuda de Sisenando, para tomar algunas medidas disciplinares, conservar las antiguas leyes y corregir los abusos que se han introducido. El canon primero es una confesión completa de la fe católica. Como signo de la unidad de fe, se exige en el canon segundo que haya en toda España unanimidad en la administración de los sacramentos, en la celebración de la misa y en el oficio divino. Quienes están unidos en la misma fe y pertenecen al mismo reino no pueden discrepar en esto. Para lograrlo se decreta que el concilio se reúna una vez al año. Si lo que se ha de tratar son cuestiones de fe, se debe reunir el concilio general. Si se trata de cuestiones disciplinares, basta que se convoque el concilio provincial.

El concilio va corrigiendo los principales abusos. Por último, en el canon 75 toca también el tema político. Han decidido los obispos redactarlo para fortalecer la situación de los reyes y dar estabilidad al pueblo de los godos. Condenan las rebeliones contra los reyes, porque es un sacrilegio el violar el juramento de fidelidad que se les ha hecho en nombre de Dios. El que lo haga será considerado extraño a la Iglesia católica. Y, por tanto, piden «que nadie de entre nosotros arrebate atrevidamente el trono. Que nadie excite las discordias civiles entre los ciudadanos. Que nadie prepare la muerte de los reyes, sino que, muerto pacíficamente el rey, la nobleza de todo el pueblo, en unión de los obispos, designarán, de común acuerdo, al sucesor en el trono, para que se conserve por nosotros la concordia de la unidad y no se origine alguna división de la patria y del pueblo a causa de la violencia y la ambición» [31]. Exige también a los reyes que respeten las leyes y no gobiernen despóticamente, sino con justicia y piedad. La Iglesia comenzaba a intervenir en política.

5. LA NUEVA POSICIÓN DE LA IGLESIA

La conversión de Recaredo aumentó en España el sentimiento de nacionalidad y de unidad. Sentimiento que anteriormente quedaba bas-

[31] J. VIVES, *Concilio IV de Toledo* c.75 p.218: MANSI, 10,638.

tante paliado por la diversidad de creencias religiosas. El territorio español había formado parte del imperio romano. Al imperio, aun después de su caída, seguían uniéndole la identidad de fe, derecho e instituciones. El imperio de Oriente era, en cierto modo, el sustituto del desmembrado imperio de Occidente [32].

Por otra parte, la misma disgregación del imperio y el establecimiento de diversos pueblos bárbaros en los distintos territorios fue dando a éstos la conciencia de pueblo, de nación. Y de hecho casi todos los reyes se comportaron como reyes independientes prácticamente. El fenómeno se dio en España, y provocaba durante algún tiempo una lucha de ideales: por una parte, el deseo de seguir formando un imperio con los hermanos en la fe, cosa que ya era imposible en Occidente; por otra parte, la tentación y deseo de formar una nación que comprendiese todo el territorio de la Península. Así se explica la situación de muchos católicos que no saben qué partido tomar cuando los bizantinos intervienen en asuntos de la Península. Unos luchan a su favor, otros huyen de los territorios sometidos a su dominio. Es la lucha entre seguir unidos políticamente a gente de la misma fe religiosa y el deseo de formar una unidad política nacional aun a costa de hacerlo con un gobierno arriano.

Leovigildo se dio cuenta que era imposible llegar a formar una unidad nacional mientras existiesen divisiones religiosas. Lo más fácil para lograrla era aceptar la religión de la mayoría: el catolicismo. Una vez realizada la conversión y puesto el principio de la unidad religiosa, competía a la Iglesia conservarla y robustecerla. Es lógico que la Iglesia se preocupase de fortalecer la unidad religiosa. Pero veamos también qué parte tuvo en el fortalecimiento de la unidad política.

La conversión de Recaredo no llevó consigo cambios políticos. Todos los habitantes de la nación aceptaron el gobierno constituido y la monarquía como forma de gobierno. Quizá por haber formado parte del imperio romano, el pueblo español aceptaba el gobierno monárquico mejor que cualquier otro. La conversión de Recaredo fusionando a los visigodos con los hispano-romanos fue el fundamento de la nacionalidad y monarquía españolas [33]. Es cierto que entonces fue cuando adquirió claramente el pueblo español el convencimiento de formar una unidad, una nación. El afirmar que la conversión de Recaredo es el fundamento de la monarquía española hay que entenderlo en el sentido de que es una monarquía que representa genuinamente a todo el pueblo español y no es sólo una imposición del pueblo invasor.

La conversión de Recaredo no fue la fuente de la monarquía. Ni lo fueron tampoco los concilios de Toledo. La monarquía como forma de

[32] Sobre las relaciones con Bizancio pueden verse P. GOUBERT, *Byzance et l'Espagne wisigothique (554-711):* Revue des Études Byzantines 2 (1944) p.5-78; H. SCHLUNK, *Relaciones entre la península Ibérica y Bizancio durante la época visigoda:* Archivo Español de Arqueología 18 (1945) p.177-204; E. A. THOMPSON, *The byzantine province,* en *The Goths in Spain* (Oxford 1969) p.320-34.

[33] Cf. L. CALPENA Y AVILA, *Los concilios de Toledo en la constitución de la nacionalidad española* (Madrid 1918) p.39.

gobierno del pueblo visigodo existía mucho antes. Pero es cierto que ambas cosas dieron nuevas características a la monarquía. La Iglesia acepta y consolida los principios tradicionales constitutivos de la monarquía. J. L. Romero escribe al estudiar el pensamiento político de San Isidoro: «Presente y viva en su espíritu la realidad de la España visigoda, San Isidoro considera que el proceso de su constitución está indisolublemente unido al del arraigo y fortalecimiento de la monarquía. Y no se equivocaba. Establecida como resultado de la conquista, sólo la monarquía podía operar la fusión del pueblo conquistador con la masa de población sometida; y en la medida en que la monarquía lograra afianzarse sobre una sólida base jurídica, mereciera el respeto y la espontánea adhesión unánime y llegara a expresar la común vocación histórica de los grupos que integraban la naciente idea de España, sólo en esa medida será posible considerar asentada la nueva unidad política» [34]. Ese mismo convencimiento tuvo la Iglesia, y de ahí su esfuerzo por fortalecer la monarquía. Fortalecimiento que intenta realizar en todos los niveles de la vida.

La misma intromisión de la Iglesia en cuestiones políticas ya era un cambio notable en relación con la forma anterior de gobernar. Si nos fijamos en el concilio IV de Toledo, que es cuando la Iglesia habla por primera vez en favor del principio de elección de los reyes y logró, a su vez, que entre los electores quedasen incluidos los obispos, veremos que así queda asegurada no una superioridad de la Iglesia sobre el Estado, «pero sí su derecho a intervenir de manera directa en la política de la nación. Pero el principio de que la Iglesia era uno de los engranajes de la vida política de la monarquía quedaba firmemente establecido y había de tener vastas consecuencias en el futuro» [35].

La cooperación de la Iglesia con el Estado se realiza principalmente por medio de los concilios. Y allí es donde mejor representada se halla la nación. Los concilios de Toledo son la expresión de la unidad nacional. A través de los concilios, la monarquía llega hasta el pueblo, y éste hasta aquélla. Eso a pesar de que, cuando el pueblo pierde el derecho de elegir sus obispos, éstos pierden bastante de su representatividad de los deseos de la plebe. Con todo eso, los obispos, por su convivencia con el pueblo, por venir de todas las partes de la nación, por conocer problemas de toda índole que ellos mismos deben resolver, son los portadores de las inquietudes y problemas de la nación. La monarquía se hace representativa [36].

Algunos autores concuerdan en señalar que la unidad religiosa fue el fundamento de la unidad nacional. Según ellos, la unidad política no hubiera sido posible sin la unidad religiosa. Esto era normal en aquella época, en que la fe jugaba un papel tan importante en todos los niveles de la vida. Para L. Calpena y Avila, la conversión de Recaredo, lo-

---

[34] J. L. ROMERO, *San Isidoro de Sevilla. Su pensamiento político y sus relaciones con la historia visigoda:* Cuadernos de Historia de España 8 (1947) p.62.
[35] Ibid., p.32.
[36] Cf. A. K. ZIEGLER, *Church and State in Visigothic Spain* (Wáshington 1930) p.132.

grando fusionar a los visigodos con los hispano-romanos, fue el fundamento de la nacionalidad española y de la monarquía. La unidad de legislación, de lengua y de raza vienen detrás de la unidad del dogma [37]. T. Andrés Marcos opina que el espíritu católico realizó la conversión de Recaredo, y así, la raza goda y la hispano-romana, como elemento material, y el catolicismo, como elemento formal, crearon la idea de una nueva nación religiosa, social y política [38]. Lo mismo piensa Menéndez Pelayo al hablar de la importancia de la conversión de Recaredo y la labor política de la Iglesia. La conversión de Recaredo fue el principio. La continuación y perfección de lo expuesto correspondía a la Iglesia.

La unidad católica, la unidad de derecho, lengua y administrativa, configuraban una nueva institución: la monarquía hispano-visigoda. Una monarquía con características especiales. Las autoridades civiles y eclesiásticas se convencieron de que la labor más importante a realizar era el conservar la unidad nacional. Y, presupuesto que la unidad religiosa había sido el primer paso para lograrla, no es extraño que la Iglesia y el Estado luchen juntos para conservar la unidad religiosa y que la Iglesia coopere con el Estado para fortalecer la unidad civil. Atentar contra una era atentar contra la otra y viceversa.

Así se explica, p.ej., la actuación conjunta de la Iglesia y el Estado contra los judíos. Es evidente que el problema no era sólo religioso. Estaban convencidos de que era peligrosa la tolerancia de los judíos para conservar la unidad política. Los judíos minaban la unidad religiosa. Las autoridades civiles tenían el temor, y a veces la seguridad, de que los judíos conspiraban contra la monarquía y contra la unidad nacional. Así, se llegará a imponer que entre las cláusulas que los reyes deben jurar para poder subir al trono esté la de no permitir que los judíos violen la fe católica [39]. La Iglesia y el Estado perseguían cualquier delito que pudiese poner en peligro la unidad religiosa y política.

Un dato importante que aparece en la legislación eclesiástica es el juramento de fidelidad. Es un hecho que caracteriza la monarquía visigoda y tiene gran importancia en las relaciones de la monarquía con el pueblo y de éste con aquélla. El rey, para poder subir al trono, debe hacer un juramento. El primer rastro lo encontramos en el concilio VI de Toledo, año 638. Aunque no aparece aquí el juramento completo. Solamente se añade la cláusula que obliga al rey a defender la Iglesia de los ataques de los judíos. El juramento existía con anterioridad. Pero no creemos que existiese antes de la conversión de Recaredo. El juramento dice relación a todos los habitantes del territorio y el rey se compromete ante todo el pueblo a gobernar justamente y a defender el reino. Y cuando realmente se puede hablar de reino, de patria, es cuando todo el pueblo acepta al gobierno. Afirma M. Torres que «el

---

[37] Cf. L. CALPENA Y AVILA, *Los concilios...* p.39.
[38] Cf. T. ANDRÉS MARCOS, *La constitución, transmisión y ejercicio de la monarquía hispano-visigoda en los concilios de Toledo* (Salamanca 1928) p.15.
[39] Cf. J. VIVES, *Concilio VI de Toledo* c.3 p.236: MANSI, 10,663-64.

juramento real no fue conocido en los primeros tiempos de la monarquía visigótica; nosotros creemos que debió de iniciarse dicha costumbre en el período católico y completarse paulatinamente su contenido» [40].

El contenido completo del juramento no lo encontramos en los concilios de Toledo. Zacarías García Villada tuvo la gran idea de buscarlo en el ritual de Cardeña. Se ve claro que este ritual guarda reminiscencias del primitivo ritual visigótico. El título que lo encabeza dice: «Comienza el orden para bendecir al rey cuando uno es elevado al trono por el clero y el pueblo». «Este título —afirma Villada— indica que el ceremonial que sigue era el empleado cuando el clero y el pueblo intervenían directamente en la elección de los reyes; intervención que cesó poco después de la invasión sarracena, en que comenzó a transmitirse la corona por herencia o por la voluntad única del soberano. Otra huella de abolengo visigodo de este ritual es el juramento de fidelidad que, según él, tenía que prestar el rey de gobernar bien al pueblo y el que éste, a su vez, hacía de ser fiel al monarca» [41].

El rey, pues, debía jurar gobernar justamente, defender el reino, guardar la fe y defender la Iglesia. Si la Iglesia interviene en política por el bien del pueblo y de la patria y las obligaciones principales que se imponen a los reyes en los concilios son el gobernar con justicia, defender a la patria de ataques externos e internos y defender la fe, es lógico que fuesen ésas precisamente las cláusulas que el nuevo rey debía jurar para poder subir al trono.

La obligación de defender la patria y la fe tiene un gran valor unitario. Con esto se intentaba formar una nación en la que no hubiese ninguna clase de discrepancias. T. Andrés Marcos escribe: «Otra nueva, transcendente, unificadora y fundamental idea tuvieron los concilios para guarda y afianzamiento de la realeza hispano-goda. Consistió la traza en una ley dada por ellos, el rey y los magnates; ley sancionada con las mayores penas espirituales; ley que constituye como una condición *sine qua non* para llegar a la realeza. Esa ley ordenaba un doble juramento que necesitaba hacer el rey, después de elegido, para haber de escalar el trono: juramento de trabajar por el bien material del pueblo y el de conservar y defender la unidad político-religiosa de la nación» [42].

Existe también un juramento de fidelidad de los súbditos para con el rey. Ese juramento no se crea con las leyes II 1,7 y II 5,19 de Egica. Ya se habla de él en el canon 75 del concilio IV de Toledo, año 633. En él se condena a los rebeldes al rey como perjuros por haber violado un juramento. Es un juramento que se hace «en favor de la estabilidad de la patria y del pueblo de los godos y de la incolumidad del poder real» [43]. En el canon segundo del concilio VIII de Toledo, año 653, se

---

[40] M. TORRES LÓPEZ, *Lecciones de historia del derecho español* (Salamanca 1935) p.233.
[41] Z. GARCÍA VILLADA, *Historia eclesiástica de España* II p.1.ª p.85.
[42] T. ANDRÉS MARCOS, *La constitución, transmisión...* p.27.
[43] J. VIVES, *Concilio IV de Toledo* c.75 p.219: MANSI, 10,639.

dice: «... cualesquiera juramentos hechos en favor de la potestad real o en defensa del pueblo o de la patria...» El concilio X de Toledo repite, prácticamente, lo mismo.

En los cánones citados encontramos un dato importante: el juramento se hace no sólo a la persona del rey, sino a la patria. Escribe García Villada: «Esta concepción política del Estado tuvo, además, como base la relación existente entre los súbditos y el monarca; relación fundada no en un carácter meramente privado y patrimonial, sino en principios de derecho público. Los súbditos deben fidelidad al rey, y esa fidelidad se confirma mediante juramento, al que responde el juramento que hacía, asimismo, el rey de observar las leyes y regir justamente al pueblo. Esta especie de pacto bilateral era, por decirlo así, la fuente de la soberanía» [44]. Aparece así la idea de nación, de Estado. Una entidad a la que todos, reyes y súbditos, deben ser fieles.

Así, la patria es un concepto que unifica a todos los habitantes del territorio español. La Iglesia se preocupa de que los reyes cumplan con sus obligaciones para con la patria y de que los súbditos cumplan con las suyas también en favor de la patria. Teóricamente, admite la Iglesia que el rey deja de serlo cuando no cumple estos deberes, aunque no pueda deponerle por ello. Repite constantemente la obligación de los súbditos de guardar, por encima de todo, el juramento prestado. Veremos estos textos más detenidamente al hablar de las sublevaciones y traiciones al rey y a la patria. En este sentido, la legislación eclesiástica va dirigida a un fin muy concreto: conservar y fortalecer la unidad política.

Consecuencia de lo dicho es que todos deben trabajar por el bien común. El mismo Recaredo afirma en el mensaje dirigido al concilio III de Toledo: «Aunque el Dios omnipotente nos haya dado el llevar la carga del reino en favor y provecho de los pueblos...» [45] Y en el discurso que dirigió a los Padres repite: «La atención regia debe extenderse y dirigirse de modo que conste haber tenido plena cuenta de la verdad y de la sabiduría, y así como en las cosas humanas descuella por encima de todo el poder regio, del mismo modo debe ser también mayor su providencia en atender al bien de los ciudadanos» [46]. Casi lo mismo escribe Recesvinto en la ley promulgada en el concilio VIII de Toledo: «... de aquí que sólo aquel puede ser llamado verdadero bien de los pueblos gobernados que no limita sus objetivos a sus intereses privados, sino que defiende a toda la comunidad con la norma general del bien común» [47].

Los reyes, por tanto, son conscientes de sus deberes y se dan cuenta de que deben procurar el mayor bienestar posible de toda la sociedad. De una forma u otra es lo que les recuerdan con frecuencia los concilios. Se lo recuerdan también a aquellos que desempeñan cargos públi-

---

[44] Z. García Villada, o.c., II p.1.ª p.19-20.
[45] J. Vives, *Concilio III de Toledo* p.108: Mansi 9,978.
[46] Ibid., p.123: Mansi, 9,978.
[47] J. Vives, *Concilio VIII de Toledo* p.293: Mansi, 9,989.

cos. El procurar el bien común se expresa, a veces, pidiendo a los reyes que gobiernen con justicia, misericordia y moderación a los pueblos. Así los pueblos vivirán satisfechos con sus reyes; los reyes, con los pueblos, y Dios con todos. Se legislaba que si en el futuro algún rey, contrariando las leyes, gobierna despóticamente, entre crímenes y ambiciones, sea anatema [48].

Consecuencia de los juramentos de fidelidad y del deber de procurar el bien común es el alcanzar la paz. La paz interna se consigue haciendo justicia todos, procurando ayudarles a superar las dificultades cotidianas y logrando que todos los habitantes del reino tengan los mismos ideales. La cooperación de los súbditos al bien común y a la paz se realiza obedeciendo a las leyes, cosa que se inculca constantemente en los cánones conciliares y en las leyes civiles. Cooperan también pagando al fisco la contribución establecida y acudiendo al llamamiento del ejército.

La Iglesia no sólo influyó en la monarquía matizando su actuación en los principios fundamentales constitutivos de la nación. Lo hizo también ayudando a elaborar leyes, interviniendo en los juicios, etc. La Iglesia, por medio de los concilios, cooperó a dar un aire especial al Gobierno y al Estado visigótico. La Iglesia influenció la constitución y actuaciones de la monarquía visigótica, y, juntamente con ella, puso los fundamentos de la nación española.

La Iglesia, a través de los concilios, aportó a la monarquía y gobierno visigodos toda la cultura y derecho romano y católico, y así, influenció la legislación y aun la actuación concreta. «Heredera y continuadora la Iglesia católica de los valores del mundo antiguo, desde la conversión de los visigodos al catolicismo, la cultura hispano-goda fue, sobre todo, una cultura eclesiástica penetrada de romanismo y que hubo de imponerse al germanismo gótico. Por eso, el pensamiento jurídico hispano-godo fue romano y canónico, y ejerció su influencia, sobre todo en el derecho público, a través de los concilios eclesiásticos que se reunían en Toledo y de las ideas de San Isidoro de Sevilla, la gran figura de la Iglesia visigoda. Así, los concilios de Toledo intervinieron en la legislación y en la administración pública, definieron las normas éticas a las que debía ajustarse la actuación del poder real y sancionaron con su autoridad moral las leyes y decisiones regias» [49]. Para terminar copiamos una afirmación de M. Torres: «Podemos, como resumen, afirmar que las ideas eclesiásticas sobre el poder real y su ejercicio matizaron a la monarquía visigótica» [50]. La Iglesia adquiría así una nueva posición ante la sociedad y ante el poder civil.

---

[48] Cf. J. Vives, *Concilio IV de Toledo* c.75 p.220-21: Mansi, 10,1225.
[49] L. G. de Valdeavellano, *El desarrollo del derecho en la península Ibérica hasta alrededor del año 1300:* Cuadernos de Hist. Mundial 3 (1956-57) p.839.
[50] M. Torres López, *La Iglesia en la España visigoda*, en *Hist. de España*, dir. por M. Pidal, 3 p.307.

CAPÍTULO II

LA IGLESIA Y LA MONARQUIA VISIGODA

FUENTES Y BIBLIOGRAFIA

FUENTES.—Las mismas del capítulo anterior.
BIBLIOGRAFÍA.—Z. GARCÍA VILLADA, *Historia eclesiástica de España* II p.1.ª (Madrid 1932); A. K. ZIEGLER, *Church and State in visigothic Spain* (Wáshington 1930); M. TORRES LÓPEZ, *El derecho y el Estado*, en *Historia de España*, dir. por M. Pidal, vol.3 (Madrid 1963); *La Iglesia en la España visigoda*, en *Historia de España*, dir. por M. Pidal, vol.3 (Madrid 1963); *El Estado visigótico:* Anuario de Historia del Derecho Español 3 (1926) p.306-407; *Lecciones de historia del derecho español* vol.2 (Salamanca 1935); T. ANDRÉS MARCOS, *La constitución, transmisión y ejercicio de la monarquía hispano-visigoda en los concilios toledanos* (Salamanca 1928); C. SÁNCHEZ ALBORNOZ, *El Aula Regia y las asambleas políticas de los godos:* Cuadernos de Historia de España 5 (1946) p.5-110; *El Senatus visigodo. Don Rodrigo, rey legítimo de España:* Cuadernos de Historia de España 6 (1946) p.5-99; E. PÉREZ PUJOL, *Historia de las instituciones sociales de la España goda* vol.3 (Valencia 1896); J. MORENO CASADO, *Los concilios nacionales visigodos, iniciación de una política concordataria* (Granada 1946); J. ORLANDIS, *El poder real y la sucesión al trono en la monarquía visigoda:* Estudios Visigóticos 3 (Roma-Madrid 1962); *La Iglesia visigoda y los problemas de la sucesión al trono en el siglo VII:* Settimane di Studio Cent. Italiano, vol.7 (Spoleto1960); *Historia social y económica de la España visigoda* (Madrid 1975); J. M. MONTALBÁN, *Indole y naturaleza de la institución real y de los concilios de Toledo durante la monarquía goda* (Madrid 1858); K. ZEUMER, *Historia de la legislación visigoda* (Barcelona 1944); M. REYDELLET, *La conception du souverain chez Isidore:* Isidoriana, estudios sobre San Isidoro de Sevilla en el XIV centenario de su nacimiento (León 1961); J. L. ROMERO, *San Isidoro de Sevilla. Su pensamiento histórico-político y sus relaciones con la historia visigoda:* Cuadernos de Historia de España 8 (1947) p.5-71; GONZÁLEZ, T., *La política en los concilios de Toledo* (Madrid 1977); VIGIL, M.-BARBERO, A., *Sucesión al trono y evolución social en el reino visigodo:* Hispania Antigua 4 (1974) p.379-93; BARBERO, A., *El pensamiento político visigodo y las primeras unciones regias en la Europa medieval:* Hispania 30 (1970) p.245-326; ELÍAS DE TEJADA, F., *Ideas políticas y jurídicas de San Isidoro de Sevilla:* Rev. Gen. de Legislación y Jurisprudencia (1960).

Dedicamos este capítulo a estudiar las relaciones de la Iglesia con la monarquía, ya que ésta era la forma de gobierno que se practicaba desde antiguo entre los visigodos. La Iglesia distingue claramente entre el rey y la monarquía. El rey no es lo mismo que el Estado. Se distingue también entre los bienes propios del rey y los bienes de la Corona. De ahí que debamos tratar por separado las relaciones de la Iglesia con el Estado y las relaciones con los reyes como personas que ocupan el trono. La Iglesia visigoda tiene un concepto de monarquía abstrayendo del rey que pueda representarla. Es un ideal de institución humana que la Iglesia va modelando como forma perfecta de gobierno. Tiene también un ideal de rey perfecto, que, como jefe del Gobierno, representa a la monarquía.

Creemos indispensable comenzar con un estudio sobre las ideas políticas de San Isidoro. Su influencia es tal en todos los aspectos del saber, que estimamos fundamental conocer y comprender su pensamiento político para entender las ideas políticas que desarrolla la Iglesia sobre todo a partir del concilio IV de Toledo, año 633. Veremos que su influencia es decisiva.

1. La influencia de San Isidoro

La política entra dentro de los temas tratados por San Isidoro. No solamente porque en este tiempo se veía la política como una parte esencial de la vida humana con amplias repercusiones en la vida espiritual, sino también porque San Isidoro vive en un período en el que el concepto de *rey* entre el pueblo visigodo está viviendo las últimas etapas de un cambio transcendental.

Los reyes visigodos ya no son, como al principio, reyes de bandas guerreras que buscan un territorio para asentarse establemente, ni los reyes del pueblo invasor de España. Atanagildo y Leovigildo buscaron una unidad nacional. Cuando los visigodos se adueñan de casi todo el territorio español, los reyes se dan cuenta de que más importante que ser el jefe militar es ser el jefe político de la nación. La guerra quedaba en segundo plano en relación con la importancia de la misión de promover el bien común, la justicia y la unidad.

La conversión de Recaredo da un nuevo carácter a la monarquía. El rey es ahora aceptado plenamente por todos los habitantes del territorio visigodo. Es el jefe de un gran territorio que puede considerar suyo y de su pueblo. Su principal problema ahora será consolidar su reino, organizarlo según las nuevas circunstancias, lograr una unidad legal y de raza. Las ideas de Estado, nación, patria, van adquiriendo una nueva dimensión y llegan a ser el lazo que une políticamente a todos los habitantes de España. El bien de la patria es algo que está por encima de reyes y súbditos.

San Isidoro vive en un ambiente en el que se busca la unidad religiosa, política, legal, administrativa y de raza. Este ambiente y circunstancias influyen, naturalmente, en las ideas políticas de San Isidoro. Influye también el gran bagaje de cultura romana que posee. Utiliza el derecho, las instituciones y organizaciones romanas para describir lo que él considera el gobierno y el rey perfecto. Otro hecho importante que influye en sus ideas políticas es que es un hombre de Iglesia, un pastor de almas, un hombre vivamente interesado en el bien espiritual de los hombres.

a) El poder

El poder, según San Isidoro, forma parte del plan divino de salvación. El hombre rompe su unión con Dios por el pecado original y queda sujeto a otros hombres. El poder tiene un origen divino. Viene a suplir, en lo posible, lo que debía haber realizado la gracia perdida. A causa del pecado original, Dios somete al hombre a la servidumbre de otros hombres. El hombre no quiso la sumisión a Dios por amor, y Dios en castigo le somete a la obediencia de otros hombres por la fuerza. La voluntad ha quedado inclinada al mal, y, por tal razón, Dios somete al hombre a la esclavitud, porque sabe que no le conviene la libertad. Entiende aquí por esclavitud el sometimiento de la voluntad. Si el amor no le apartó del mal, Dios hace que el hombre se vea obligado a obrar bien aun en contra de su voluntad [1].

San Isidoro, al dar al poder tal principio, puede hacerlo evolucionar en función de la revelación al aplicarlo a los reyes cristianos. El poder nace; por tanto, de una transgresión y como un medio del que Dios se sirve para hacer cumplir la ley natural. Los representantes del poder son los reyes o los príncipes. Su fin principal es redactar las leyes y hacer que se cumplan. M. Reydellet subraya que esta definición de San Isidoro es admirable, ya que considera la realeza no como una dignidad, sino como un *servicio,* un *oficio,* cuya misión fundamental es la elaboración de las leyes [2].

Lo dicho vale tanto para los reyes paganos como para los reyes cristianos. Al referirse a los cristianos, aquilata mucho más su ideal de rey. Dios concede el poder a los reyes para hacer cumplir sus designios. Pero esto no significa que, en cuanto personas, estén por encima de los demás. En relación con Dios, todos los hombres son súbditos. Dios no concede a los reyes el privilegio de la impecabilidad [3]. El rey no es mediador entre Dios y los hombres.

El poder y los reyes tienen un papel bien determinado: *procurar que se cumplan las leyes.* Sin embargo, los reyes sólo tienen poder sobre los cuerpos. El poder así entendido queda como una necesidad externa y accidental. San Isidoro no desconoce los peligros que cualquier poder puede suponer para quien lo detenta. El principal es creerse superior a los demás. Por eso recuerda constantemente a los reyes su condición humana. Si quien detenta el poder no tiene esto presente, puede ser víctima de la soberbia [4]. Concluye que quien tiene el poder no debe usarlo para codiciar honores o prosperidad. Si lo hace, no conseguirá más que aumentar los pecados propios y desaprovechar la ocasión de realizar buenas obras. Se malicia así la finalidad del poder [5].

San Isidoro no desaprovecha ninguna ocasión para afirmar que el poder debe estar siempre en función del bien de los súbditos. Teniendo en cuenta las relaciones que el poder y quien lo detenta deben guardar para con Dios y con las personas que le están sometidas, es lógico que San Isidoro, al tratar de explicar y definir la palabra *rey,* lo haga di-

[1] San Isidoro, *Sentencias* III 47,1: ML 83,717.
[2] Cf. M. Reydellet, *La conception du souverain chez Isidore:* Isidoriana, estudios sobre San Isidoro de Sevilla en el XIV centenario de su nacimiento (León 1961) p.459.
[3] Cf. San Isidoro, *Sentencias* III 47,2: ML 83,717; M. Reydellet, art.cit., p.458.
[4] Cf. San Isidoro, *Sentencias* III 48,1: ML 83,718.
[5] Ibid., III 48,2: ML 83,718.

ciendo que «la palabra *rey* viene de *regir;* pues como *sacerdote* viene de *santificar,* así *rey* viene de *regir,* y no rige el que no corrige. Los reyes, pues, conservan su nombre obrando rectamente y lo pierden pecando; de aquí aquel proverbio entre los antiguos: 'Serás rey si obras rectamente; si no, no lo eres' [6]. En las *Sentencias* afirma: «Los reyes han recibido el nombre por *obrar con rectitud,* y así, uno conserva el nombre de rey si obra rectamente, y lo pierde con el pecado» [7].

En las *Etimologías* da a la expresión *obrar rectamente* un sentido más político. El rey debe regir y corregir. Prácticamente, equivale a decir que el rey debe legislar con justicia y obligar a que las leyes se cumplan. Cuando no se cumplen, debe corregir a los transgresores. Las faltas que los reyes cometen en el gobierno, más que faltas de dominio de sí mismos, son pecados que cometen contra sus súbditos. Serán por exceso o por defecto, por abuso de poder o por falta de energía, pero son siempre faltas que repercuten negativamente en el bien común. La actuación del rey debe acomodarse a lo que su nombre significa. Si su nombre viene de obrar rectamente, el rey está obligado a hacerlo. Y esto en la vida moral, civil y social. No obstante, esto no significa que se pueda deponer a un mal rey. La legitimidad del poder se debilita, hasta desaparecer, en la medida en que un rey obra mal. El poder se le ha concedido sólo para obrar el bien. Pero la pérdida de la legitimidad solamente puede ser juzgada por Dios. No autoriza a los súbditos a intentar ninguna violencia contra los reyes.

En las *Sentencias,* la frase *obrar rectamente* tiene un sentido más espiritual. Equivale a saber dominarse a sí mismo y practicar todas las virtudes. Es una especie de vocación a la santidad. El rey no debe pecar, no sólo porque es un hombre como los demás, sino también porque, si lo hace, su mal ejemplo es muy pernicioso. El pueblo imita muy fácilmente las obras de quien le gobierna. Si el rey es bueno, le imitarán algunos de sus súbditos; si es malo, serán muchos los que sigan sus malos ejemplos. Deben ser cuidadosos, porque fácilmente mejoran la vida de sus súbditos o la empeoran. Depende de su comportamiento [8].

San Isidoro usa las palabras *buenos* o *malos reyes* para calificar el gobierno de éstos. En cambio, cuando explica el significado del término *tirano,* afirma que en griego tiene el mismo significado que en latín la palabra *rey.* Constata, sin embargo, que la palabra se ha comenzado a usar para designar a los reyes perversos y desmedidos, que tienen el vicio de dominar y ejercen un dominio muy cruel en sus pueblos [9].

Esa era la etimología de la palabra. En su tiempo se usaba para calificar a los reyes que habían llegado al trono por medio de una usurpación. El mismo San Isidoro da a la palabra *tirano* el significado de *usurpador.* En el juicio que San Isidoro hace de San Hermenegildo se encuentra tal palabra. Dice de él que *tiranizaba* sus dominios [10]. La frase

---

[6] San Isidoro, *Etimologías* IX 3,4: ML 82,342.
[7] Id., *Sentencias* III 48,7: ML 83,719.
[8] Cf. ibid., III 50,6: ML 83,722.
[9] Cf. San Isidoro, *Etimologías* IX 3,19-20: ML 82,344.
[10] Cf. Id., *Historia gothorum* 49: ML 83,1071.

no puede tener otro sentido que la afirmación de que Hermenegildo, sin ser rey propiamente, tomó las armas contra su padre Leovigildo y se adueñó por un cierto tiempo de la provincia Bética. Hermenegildo no fue un tirano en el sentido de gobernar despótica y cruelmente.

Este juicio de San Isidoro nos reafirma en lo que hemos dicho sobre el deseo de formar una unidad política, una nación fuerte que comprendiese todo el territorio de la Península. San Isidoro, a pesar de que su hermano San Leandro fue el principal artífice de la conversión de Hermenegildo, no ve en éste ni al cristiano, ni al santo, ni al mártir. Es un usurpador que se rebeló contra su padre intentando desmembrar una gran parte del territorio español. También el Biclarense llama *tirano* a San Hermenegildo por ser un rebelde que se ha sublevado contra la autoridad de su padre [11].

Vimos cómo San Isidoro afirmaba que el poder había sido instituido por Dios para hacer cumplir las leyes naturales. Ahora da un paso más, y le hace responsable del cumplimiento de las leyes positivas. Define la ley como «constitución del pueblo que recibe su sanción de los ancianos, juntamente con el pueblo» [12]. Y, al explicar cómo deben ser las leyes, dice: «La ley debe ser honesta, justa, posible, conforme a la naturaleza y a las costumbres patrias, conveniente al lugar y tiempo, necesaria, útil, clara, no sea que induzca a error por su oscuridad, y dada no para el bien privado, sino para utilidad común de los ciudadanos» [13].

Estas leyes son las que el rey debe hacer cumplir. Para lograrlo, el rey tiene el poder judicial y coactivo. El rey tiene el deber de corregir cuando las leyes no se cumplen. Subrayemos que también las leyes, como el poder, tienen como fin el bien común de los ciudadanos. De ahí que los reyes no estén exentos del cumplimiento de las leyes. «Es justo que el príncipe obedezca sus leyes. En efecto, entonces estime que todos han de cumplir su justicia cuando él, por su parte, las tiene respeto. Los príncipes están obligados a sus leyes, y no pueden derogar en su favor los preceptos que establecen para los súbditos, ya que la autoridad de su palabra es justa si rehúsan les sea concedido cuanto prohíben a los pueblos» [14].

Es decir, que el rey está sometido a las leyes exactamente igual que cualquier otro ciudadano. Las leyes se dan para el bien común, y éste está por encima de los intereses del rey. Las leyes limitan el poder de los reyes, que no pueden, lícitamente, hacer nada contra ellas. De ello se deduce que el rey no es el dueño del Estado ni está por encima de las leyes, y está obligado, por consiguiente, a reparar el daño que se pueda seguir de su violación de las leyes. El rey no puede deformar las leyes para aprovecharse de ellas. «De esta manera subraya la distinción radical entre la persona y la función» [15].

Indudablemente, las leyes pierden valor si es el rey el primero que

---

[11] Cf. *Biclarensis chronica:* ML 72,866.
[12] San Isidoro, *Etimologías* V 10,1: ML 82,200.
[13] Ibid., V 21,1: ML 82,203.
[14] San Isidoro, *Sentencias* III 51,1-2: ML 83,723.
[15] M. Reydellet, art.cit. p.462.

no las cumple. Recordemos que San Isidoro exige al rey que sea virtuoso en todo, porque prácticamente es el ejemplo de sus súbditos. Si el rey no cumple las leyes, pronto el pueblo se creerá dispensado de cumplirlas. Y, si él no las cumple, perderá la fuerza persuasiva para hacer que los demás las cumplan. De ahí que San Isidoro afirme: «El que usa rectamente de la autoridad real, establece la norma de justicia con los hechos más que con las palabras» [16]. El rey tendrá que dar cuenta a Dios de cómo ha sido su gobierno.

San Isidoro no pierde de vista el principio por el que incluyó el poder dentro de los planes de salvación. El poder se instituyó para hacer cumplir las leyes, y las leyes eclesiásticas no son excepción, sobre todo en casos extremos. Y un caso extremo se da cuando el poder espiritual es impotente para hacer cumplir sus leyes. Entonces, el poder temporal debe intervenir como ayuda a la Iglesia. «Los príncipes seculares conservan a veces, dentro de la Iglesia, las prerrogativas del poder recibido para proteger con este mismo poder la disciplina eclesiástica. Por lo demás, no serían necesarios en la Iglesia estos poderes a no ser para que impongan, por miedo a la disciplina, lo que el sacerdote no puede conseguir por la predicación de la doctrina. El reino celeste progresa muchas veces gracias al reino terreno, con el fin de que sean abatidos por el rigor de los príncipes quienes dentro de la Iglesia atentan contra la fe y la disciplina eclesiástica, y que la autoridad del príncipe imponga a los espíritus rebeldes esta misma disciplina que la Iglesia en su humildad no puede ejercitar, y comunique a la Iglesia la eficacia de su poder para que merezca el respeto» [17].

Por tanto, el poder temporal sólo debe intervenir en asuntos eclesiásticos cuando la Iglesia lo necesite. Y sólo en el sentido de prestarle su poder coactivo cuando las leyes canónicas no sean eficaces para obligar al cumplimiento de las leyes eclesiásticas. El poder secular interviene para proteger la disciplina. Cuando añade que estos poderes no serían necesarios sino para remediar la impotencia de la predicación, no hace más que señalar los límites y las condiciones a la intervención del poder secular.

Notemos que San Isidoro sólo admite la intervención del poder civil en asuntos eclesiásticos para hacer cumplir la disciplina a quienes están obligados a cumplirla. Lo dice claramente cuando pide que el poder de los reyes castigue a los que dentro de la Iglesia atentan contra la fe y la disciplina. Se usa el poder temporal para hacer cumplir con sus obligaciones a quienes ya son cristianos. No debe usarse para obligar a convertirse a quienes no poseen todavía la fe católica. Ese es precisamente el fallo que San Isidoro atribuye al rey Sisebuto: el haber obligado, por la fuerza, a convertirse a los judíos [18].

En la Iglesia, el rey cristiano tiene poder para defender la paz y la disciplina eclesiástica y puede imponerla por la fuerza. Esta intervención

---

[16] San Isidoro, *Sentencias* III 49,2: ML 83,720-21.
[17] Ibid., III 61,4-5: ML 83,723.
[18] Cf. San Isidoro, *Historia gothorum* 60: ML 83,1073.

es una ayuda, un suplir con su poder la falta de medios coactivos de la Iglesia. A pesar de la obligación de intervenir en asuntos eclesiásticos, cuando sea necesario, quienes detentan el poder temporal están sometidos a la Iglesia. Las autoridades civiles deben cumplir con sus obligaciones religiosas. Sobre todo, el gran deber del poder civil y de quienes lo representan es procurar que las leyes sean expresión de fe cristiana y a través de ellas conserven las buenas costumbres. «Las potestades seculares están sometidas a la disciplina religiosa, y, aunque gocen de la soberanía real, se hallan obligados por el vínculo de la fe, a fin de proclamar en sus leyes la fe de Cristo y conservar, con las buenas costumbres, la profesión de la fe» [19].

San Isidoro reconoce, por tanto, la existencia de dos poderes. El poder temporal, en cuestiones religiosas, tiene el deber de ayudar al poder eclesiástico. Pero no puede hacer lo que quiera. Tiene unos límites bien precisos.

b) La monarquía

La palabra *monarquía* aparece en el párrafo que San Isidoro dedica en su *Historia gothorum* a Suintila, con un significado muy concreto, un significado nuevo. La idea de monarquía fue siempre unida a la idea de un territorio unitario. Cuando el imperio de Occidente quedó desmembrado por las invasiones de los bárbaros, comienzan a formarse principados o reinos en las antiguas provincias romanas. En el territorio del imperio van surgiendo poderes unitarios que directa o indirectamente se ejercen sobre un territorio unitario también. Al frente de cada territorio considerado como una unidad se pone para regirlo una sola persona.

Por varios siglos subsiste la idea de que toda la Europa occidental es territorio del imperio romano. La fe cristiana y esta idea de unidad territorial es lo que durante toda la Edad Media dará un carácter unitario a todos los países del Occidente cristiano. Pero poco a poco se van distinguiendo otras unidades territoriales de gran extensión dentro de este vasto territorio, con características geográficas, históricas y etnográficas que hacen sentirse a los habitantes de estas unidades territoriales especialmente unidos entre sí, formando un núcleo más reducido dentro de la unidad de la Europa romana.

Cada pueblo se fija, consciente o inconscientemente, sus propios límites geográficos. San Gregorio de Tours, p.ej., juzga que es indecoroso que el poder de los reyes francos no llegue hasta los límites de la Galia. El creía ya que los territorios que los visigodos ocupaban al norte de los Pirineos eran propios de los francos [20]. El mismo sentimiento tienen los reyes francos cuando hacen la guerra a los visigodos. Y lo mismo sucede entre los visigodos con respecto a los territorios que dentro de España están bajo el dominio de otros pueblos. Los escritores

---

[19] SAN ISIDORO, *Sentencias* III 51,6: ML 83,723.
[20] Cf. SAN GREGORIO DE TOURS, *Historiae francorum libri decem* VIII 28 y 30: ML 71,465 y 67.

españoles narran con alegría las victorias de los visigodos sobre los demás pueblos de España. El pueblo visigodo era el único que podía dar la unidad deseada a todo el territorio español.

La culminación de este deseo se logra en tiempo de Suintila. San Isidoro cree importante reseñar tal hecho, y se nota que lo hace con satisfacción. Es el primero que ha reinado sobre toda la Península [21]. Parece como si la monarquía visigoda hubiera sido incompleta hasta entonces, y ahora, al dominar sobre la totalidad del territorio español, hubiese logrado su perfección definitiva. Indudablemente, San Isidoro da aquí al concepto de monarquía el sentido de gobierno de uno sólo sobre todo el territorio español. Ese territorio, para él, era toda la península Ibérica. Por eso, la monarquía tiene un sentido nuevo de plenitud, de realización perfecta, que antes no tenía por no extenderse a todo el territorio considerado como español.

Resumiento todo lo que hemos dicho hasta ahora sobre la teoría política de San Isidoro, podemos afirmar que la autoridad viene de Dios, y debe ser usada para sus propios fines. Está instituida para el bien del pueblo. Los que la ejercitan tienen que llegar a un cierto nivel. El fin del poder es lograr la justicia. El criterio para llamar bueno a un gobierno es la felicidad de los súbditos, la defensa de la Iglesia y el comportamiento justo del príncipe, sujeto no sólo a la norma eterna de moral, sino también a las leyes que él mismo haya promulgado.

San Isidoro no se inclina explícitamente por ninguna clase de gobierno, pero podemos afirmar que le agrada la monarquía. «La monarquía era, para él, un instrumento puesto por Dios a disposición del príncipe para asegurar tanto su salvación personal como la de sus súbditos» [22]. Debemos tener en cuenta, además, que la monarquía era la forma de gobierno tradicional de los visigodos. «Presente y viva en su espíritu la realidad de la España visigoda, San Isidoro considera que el proceso de su constitución está indisolublemente ligado al del arraigo y fortalecimiento de la monarquía. Y no se equivocaba. Establecida como resultado de la conquista, sólo la monarquía podía operar la fusión del pueblo conquistador con la masa de la población sometida; y en la medida en que la monarquía lograra afianzarse sobre una sólida base jurídica, mereciera el respeto y la espontánea adhesión unánime y llegara a expresar la común vocación histórica de los grupos que integraban la naciente idea de España, sólo en esa medida sería posible considerar asentada la nueva unidad política» [23]. Notemos que la monarquía visigoda había evolucionado. En tiempo de San Isidoro había logrado la unidad política y religiosa, y se esforzaba por lograr una unidad completa de raza y legislación. El pueblo visigodo se había romanizado.

San Isidoro, al mismo tiempo que describe su ideal de rey cristiano, traza los rasgos de cómo debe ser la monarquía. Para él, una buena

---

[21] Cf. SAN ISIDORO, *Historia gothorum* 62: ML 83,1074.
[22] M. REYDELLET, art.cit. p.462.
[23] J. L. ROMERO, *San Isidoro de Sevilla. Su pensamiento histórico-político y sus relaciones con la historia visigoda:* Cuadernos de Historia de España 8 (1947) p.62.

monarquía debe ser moderada. Recordemos que, para San Isidoro, el poder no es un fin en sí mismo. Es un medio para conseguir el bien común. «El principado debe favorecer a los pueblos y no perjudicarles; no oprimirles con tiranía, sino velar por ellos siendo condescendiente, a fin de que este su distintivo del poder sea verdaderamente útil y empleen el don de Dios para proteger a los miembros de Cristo» [24]. El poder, por tanto, tiene unos límites bien definidos. El gobierno, para ser bueno, no puede obrar de cualquier manera. El bien común es una limitación a la forma de actuar del gobierno.

Constata que algunos reyes abusan de su poder y llegan a ser crueles. El poder les hace soberbios. Llegan a despreciar y no reconocer los derechos de sus súbditos. Otras dos afirmaciones nos permiten asegurar que, según él, la monarquía no es absoluta. Recordemos que define la ley como «constitución del pueblo que recibe su sanción de los ancianos, juntamente con el pueblo» [25]. Añadamos que «los príncipes están obligados a sus leyes, y no pueden derogar en su favor los preceptos que establecen para los súbditos, ya que la autoridad de su palabra es justa si evitan les sea concedido cuanto prohíben a los pueblos» [26].

Así, San Isidoro admite que la autoridad viene de Dios, pero pasa por el pueblo. Escribe J. L. Romero: «Según la tradición romana, San Isidoro admite, en general, que el poder reside en el pueblo, que es llamado a sancionar las leyes. Indirectamente admite, pues, que también la autoridad de los reyes proviene del pueblo, ya que reconoce que están obligados a las leyes. Los reyes son, en efecto, elegidos por el pueblo, pero reciben su potestad de Dios, son sus instrumentos lo mismo cuando son virtuosos que cuando son malvados, y deben estar y considerarse sujetos a la disciplina que impone la Iglesia a sus fieles» [27]. Las leyes limitan el poder de los reyes. La monarquía tiene que gobernar según las leyes establecidas. Las leyes se dan para el bien común, y el Gobierno debe respetarlas. Si alguna vez se cambian las leyes, debe ser en provecho de todos los ciudadanos y no sólo en beneficio del rey [28].

Tampoco puede el poder temporal actuar como quiera en cuestiones religiosas. Tiene aquí unos límites bien precisos. La monarquía, por tanto, ni es absoluta ni tampoco es una teocracia, ya que, en cuestiones civiles, el poder temporal es independiente. San Isidoro aboga por una monarquía en la que verdaderamente se respete el bien común y se observen las leyes.

San Isidoro acepta el principio electivo de la monarquía visigoda. Cuando habla de la subida al trono de algún rey, usa los términos *constituere, eligere, evocare, creare, praeficere.* Todos ellos presuponen una elección. Este es un requisito necesario para asegurar la legitimidad de un rey.

---

[24] San Isidoro, *Sentencias* III 50,3: ML 83,721.
[25] Id., *Etimologías* V 10,1: ML 82,200.
[26] Id., *Sentencias* III 51,2: ML 83,723.
[27] J. L. Romero, art.cit. p.63.
[28] Cf. San Isidoro, *Sentencias* III 51,2: ML 83,723.

Las alabanzas que San Isidoro hace a Ricimiro y su deseo de que suceda a su padre Suintila en el trono han dado pie a algún autor para afirmar que el principio electivo no satisfacía a San Isidoro. «Este principio era de origen germánico, y no satisfacía personalmente a San Isidoro, y se le nota una cierta tendencia hacia el principio hereditario, especialmente cuando, hablando de Ricimiro, hijo de Suintila, dice que es una imagen de las virtudes paternas y que ha sido señalado por Dios para que fuera digno de la sucesión del reino» [29].

Nos parece demasiado afirmar que San Isidoro tiende hacia la monarquía hereditaria. Ni en las *Etimologías,* ni en las *Sentencias,* ni en la *Historia gothorum* hace alusiones al caso. El único caso es este deseo de que Ricimiro suceda a su padre Suintila. Y no se puede deducir que por eso se incline hacia una monarquía hereditaria. Creemos, más bien, que es un hecho aislado, motivado por las buenas cualidades de Ricimiro, que hacen creer a San Isidoro que es el mejor candidato para suceder a Suintila [30].

No podemos admitir que San Isidoro con este deseo quiera cambiar el sistema electivo en hereditario. Lo que legítimamente se puede deducir es que San Isidoro desea que igual que la nobleza asintió a que Ricimiro fuese asociado al trono, consienta también en que sea rey el día que muera Suintila. Tiene razón J. Orlandis al escribir: «No excluye el asentimiento del reino como un factor determinante de esa futura sucesión. El parece esperar que ese *consensus* que acompañó a la asociación de Ricimiro al trono refrendaría también su herencia a la muerte de Suintila» [31]. Y lo mismo puede decirse de la petición de San Braulio a Chindasvinto para que asegure la sucesión a su hijo Recesvinto. Sobre este asunto hablaremos más al tratar de la electividad de la monarquía visigoda.

De lo que no se puede dudar en absoluto es que San Isidoro aceptó el sistema electivo. Escribe el citado J. L. Romero: «Sin embargo, tan vehemente como pudiera ser su afán de lograr y defender un régimen más estable de sucesión, San Isidoro concluyó por reconocer la fuerza de la tradición electiva en el pueblo visigodo, y no vaciló en contribuir a que adquiriera fuerza legal definitiva». Precisamente en el concilio IV de Toledo, año 633, presidido por San Isidoro, se defiende el principio electivo, y, quizá por influencia del mismo San Isidoro, se logró que los obispos entrasen a formar parte de los electores. «Este es el momento en que San Isidoro aprovecha las circunstancias favorables para introducir, junto a la nobleza, un nuevo elemento dentro del cuerpo que había de elegir a los reyes: los obispos» [32].

Las ideas de San Isidoro sobre el rey y la monarquía tuvieron una gran influencia en la monarquía visigoda. Estas se infiltraron en los

[29] J. L. ROMERO, art.cit. p.65.
[30] Cf. SAN ISIDORO, *Historia gothorum* 65: ML 83,1074-75.
[31] J. ORLANDIS, *El poder real y la sucesión al trono en la monarquía visigoda,* en *Estudios visigóticos* III (Roma-Madrid 1962) p.47.
[32] J. L. ROMERO, art.cit. p.66.

cánones de los concilios y en las leyes civiles. No podemos terminar
mejor este apartado sobre la influencia de San Isidoro que transcri-
biendo un párrafo de M. Reydellet: «No podemos por menos de señalar
aquí la importancia de esta concepción isidoriana del soberano para el
porvenir de la monarquía visigoda. La lectura de los concilios y de las
leyes revela la profundidad de su influencia. Esta concepción depende,
al mismo tiempo, de la monarquía bíblica y, sobre todo, de opiniones
precisas, de un conjunto de sentimientos políticos nacidos de la tradición romana. Al mismo tiempo parece que San Isidoro haya intentado
hacer de la realeza toledana una institución original, alejada tanto de la
autocracia bizantina como del despotismo anárquico de los merovingios.
Dos rasgos fundamentales caracterizan esta concepción: la idea de que
el rey es una especie de funcionario al servicio del pueblo y, correlati-
vamente, la ausencia de todo misticismo monárquico. Tal ideología se
adapta admirablemente a la monarquía electiva» [33].

2. EL ESTADO NO ES TEOCRÁTICO

Durante todo este período hubo muchas injerencias del Estado en
terreno eclesiástico, y de la Iglesia en materias civiles. Ambos se ayudaban mutuamente a conseguir sus propios fines. Por otra parte, esos fines no se contradecían. De ahí que las injerencias estén explicadas. La
religión entraba en la política, y la política en la religión. Y ambas eran
parte integrante de la vida nacional.

Recorriendo los cánones de los concilios y las leyes civiles, vemos
que el fin principal que debe proponerse el gobierno es el bien común,
la salvación y mantenimiento de la patria y pueblo de los godos. El
gobierno es bueno cuando busca ese fin. Y ese fin es precisamente la
razón por la que la Iglesia se cree autorizada a intervenir en cuestiones
jurídicas y políticas. «La preocupación que existía por la salvación y
mantenimiento del reino y del pueblo de los godos y de la seguridad
del poder real —*patriae salus, gentis gothorum status, incolumitas regiae potestatis*— que aparecen desde ahora con frecuencia es el título
en nombre del cual ejerce el concilio su poder legislativo en las más
importantes cuestiones del derecho político» [34]. El concilio IV de Toledo interviene para redactar un decreto «que fortalezca la situación de
nuestros reyes y dé estabilidad al pueblo de los godos» [35].

En el Estado visigótico nos encontramos, pues, con dos poderes, el
civil y el eclesiástico, con unos fines casi iguales e interviniendo ambos
en cuestiones civiles y políticas. Así, el interrogante es inevitable: ¿Cuál
de los dos poderes prevalecía sobre el otro? Nos referimos, claro está, a
la supremacía en cuestiones políticas. Se trata de ver si el Estado visigodo era teocrático.

[33] M. REYDELLET, art.cit. p.465-66.
[34] K. ZEUMER, *Historia de la legislación visigoda* (Barcelona 1944) p.102.
[35] J. VIVES, *Concilio IV de Toledo* c.75 p.207: MANSI, 10,637.

Se entiende por teocracia el gobierno ejercido directamente por Dios en la nación. Esta acepción de teocracia queda por sí misma excluida del gobierno del pueblo visigodo. Es la acepción pura del término *teocracia*. Se puede entender también como el gobierno de la clase sacerdotal o del príncipe, como ministro de Dios y en su calidad, por tanto, de supremo sacerdote. Desde luego, el gobierno de la España visigoda no era un gobierno en el que el rey aparecía como ministro de Dios ni como supremo sacerdote. Ni siquiera era intermediario entre Dios y los hombres. Es cierto que los reyes tenían ciertas atribuciones religiosas, que la Iglesia reconocía con agrado.

El rey, a partir del concilio XII de Toledo, año 681, nombraba, de acuerdo con el metropolitano de Toledo, a los obispos. Pero esto no era un derecho propio del rey, inherente a su persona. Es algo que el concilio le concede para evitar otros inconvenientes, tales como la pérdida de tiempo que se origina actuando de otra manera, lo que implicaba que algunas diócesis estuviesen largo tiempo sin obispo [36]. Además, después de consagrado, era el obispo, independientemente del rey, quien gobernaba la diócesis según las directrices emanadas de los concilios nacionales o provinciales y en consonancia con el parecer del metropolitano.

Es cierto también que el rey convocaba los concilios. Pero no era ésta una prerrogativa propia de los reyes visigodos. Por eso, además, no se puede decir que gobernasen la Iglesia. Normalmente, los reyes no estaban presentes en las deliberaciones de los concilios. Prácticamente, lo mismo podemos decir del derecho de confirmar los concilios. La confirmación del rey no añadía ningún valor esencial a los cánones estrictamente religiosos. No debemos olvidar que el rey confirmaba los concilios principalmente para dar valor civil a determinados cánones que podían servirle de ayuda en el gobierno de la nación. «Las facultades reales en el orden eclesiástico arrancan de la existencia del fin religioso en el Estado visigótico. En este aspecto, no podemos ver, en modo alguno, el poder civil tan desarrollado como para creer a la Iglesia sometida al Estado. Si el rey confirma las disposiciones de los concilios, es para convertirlas en leyes políticas» [37].

Los reyes no se entrometían en cuestiones dogmáticas. No tenemos ninguna noticia de que los reyes visigodos se opusiesen a los cánones religiosos aprobados en los concilios, ni se empeñasen en que fuesen aprobadas doctrinas nuevas contra el parecer de los obispos. Aun cuando las relaciones de toda la Iglesia española con Roma se pusieron excesivamente tensas, todo el peso de la discusión y la responsabilidad la llevó, por parte española, el episcopado en pleno. En estas cuestiones, los reyes nunca se creyeron superiores a los obispos. Eso a pesar de que los reyes visigodos eran ungidos en la ceremonia de la coronación. La unción era poco más que una ceremonia de la coronación del rey. E. Pérez Pujol escribe de la unción del rey: «Sirve, sin duda, esta ceremo-

---

[36] Cf. J. Vives, *Concilio XII de Toledo* c.6 p.393-94: Mansi, 11,1033-34.
[37] M. Torres López, *Lecciones de historia del derecho español* II (Salamanca 1935) p.242.

nia como declaración de un hecho consumado, para rodear al monarca de cierto respeto religioso, aunque frecuentemente quebrantado; pero no envuelve derecho alguno para inquirir la legitimidad de la elección ni para confirmarla» [38].

San Julián, cuando escribe sobre el rey Wamba, afirma que Dios le permitió reinar dignamente y que la unción sacerdotal le declaró rey a él, a quien había elegido todo el conjunto de los habitantes de España [39]. En la unción del rey se decía, según Villada: «Queden ungidas estas manos con el óleo santo, con el que fueron ungidos los reyes y los profetas, como ungió Samuel a David al consagrarlo rey, a fin de que tú seas bendito y constituido rey en este reino sobre este pueblo, que te dio tu Señor Dios para regirle y gobernarle, lo que El mismo se dignó concederte» [40]. Esto no era más que la voluntad de Dios, manifestada en la voluntad de los electores. Es evidente que el rey quedaba constituido tal por la elección. Y en eso se adivinaba la voluntad divina.

Aun dentro de la ceremonia de la coronación, creemos que se daba más importancia al momento en que el rey hacía el juramento de buscar el bien de la nación, reinar con justicia y defender la paz que al de la unción. El rey tiene que hacer el juramento para poder subir al trono. Y, aunque en el juramento aparezca el nombre de Dios, no significa que exista una teocracia. Nunca, ni en las leyes civiles ni en los cánones de los concilios, se concibe el poder como proveniente de Dios directamente. «El poder tuvo desde luego, según el derecho visigótico, un origen divino mediato; pero no pasaba a los reyes, ni remotamente, por concesión de la Iglesia, de los obispos o concilios como instituciones eclesiásticas» [41]. Tampoco las fórmulas de devoción que encontramos repetidas veces en los cánones y en las leyes indican un Estado teocrático. Eran, simplemente, fórmulas generales de reverencia.

Veamos si el gobierno visigodo fue una *hierocracia*, es decir, si quienes gobernaron fueron los obispos. Ha sido una opinión bastante común creer que el gobierno de la España visigótica fue hierocrático. A veces, la lectura de los cánones de los concilios puede inducir a esta conclusión. Sin embargo, estudiándolos profundamente, no hay más remedio que negar tal opinión.

Si nos fijamos sólo en los poderes que tenían los obispos, no sólo como jueces, sino en toda la vida civil, y en la importancia que tenían los concilios en la elaboración de las leyes, se podría pensar que el gobierno visigodo fue hierocrático. Probablemente, el hecho de que los obispos desempeñasen estos papeles hizo creer a algunos autores que no sólo cooperaban en el gobierno, sino que lo controlaban. Uno de los equivocados es F. Dahn. Lo más increíble es que afirma que los poderes de que gozaban los reyes, tales como el nombrar obispos, el convocar

---

[38] E. Pérez Pujol, *Historia de las instituciones sociales de la España visigoda* vol.3 (Valencia 1896) p.360.
[39] Cf. San Julián, *Historia Wambae* 6,2-3, en *España sagrada* VI 543.
[40] Z. García Villada, *Historia eclesiástica de España* II p.1.ª p.88.
[41] M. Torres López, *La Iglesia en la España visigoda*, en *Historia de España*, dir. por M. Pidal, vol.3 (Madrid 1963) p.307.

los concilios y aprobar los cánones, podían haberle dado el control de la Iglesia, y que, a juzgar por estos poderes, se podía pensar que la Iglesia estaba sometida a los monarcas. Sin embargo, Dahn afirma que eran los reyes quienes estaban sometidos a los obispos [42] A. K. Ziegler escribe comentando esta opinión de Danh: «Es difícil ver cómo el distinguido historiador de las invasiones de los bárbaros llega a tales conclusiones. Un estudio superficial de los concilios sería suficiente para contradecir su opinión» [43].

Los obispos eran jueces en delitos de alta traición y en otros asuntos seculares, pero lo eran por delegación real. Además, en estos juicios siempre cabía la apelación al rey. Este era, por tanto, la autoridad suprema. Algo parecido ocurre con la facultad concedida a los concilios para intervenir en la elaboración de las leyes. No olvidemos que eran los reyes quienes lo pedían. Con frecuencia exigían, además, que lo hiciesen conforme a la opinión regia [44]. Pero, sobre todo, lo que no hay que olvidar es que esas leyes no tenían ningún valor civil si no eran aprobadas por los reyes e incluidas en el código. Los reyes eran libres de hacerlo o no. Así, encontramos que unos cánones fueron aprobados e incluidos en el código y otros no. Y a veces lo dispuesto en algunas leyes civiles no concuerda exactamente con lo que dicen los cánones a que hacen referencia.

Encontramos un caso curioso en el canon 10 del concilio VIII de Toledo y en la ley II 1,6. El canon habla de la forma de hacer la elección real. Anatematiza las conspiraciones, sediciones y tumultos y subraya que la única elección válida es la realizada por los obispos y los nobles de palacio [45]. En cambio, la ley, en opinión de K. Zeumer, «no ofrece más que una disposición negativa bastante pobre, una prohibición de subir al trono por rebelión o complot» [46]. Recesvinto no menciona en su ley el derecho de elección de nobles y obispos [47].

Por otra parte, no encontramos textos en los concilios que realmente den a entender que el gobierno civil estuviese sometido a la Iglesia. Escribe E. Pérez Pujol: «Se reconoce ya que en las leyes no hay tal hierocracia, sino, por el contrario, sólo existe la subordinación oficial del clero al monarca. No la hay tampoco en la esfera de las ideas, como al principio hemos demostrado» [48]. De esa misma sumisión habla Ziegler: «A duras penas se puede pensar en un grupo de hombres más sometidos a los sucesivos gobernantes que lo estuvieron los concilios de Toledo» [49].

Más duro es C. Sánchez Albornoz cuando escribe: «Mi lectura reciente de las fuentes narrativas y legales visigodas y el registro y clasifi-

[42] Cf. F. DAHN, *Die Könige der Germanen* vol.4 (Leipzig 1885) p.502-503.
[43] A. K. ZIEGLER, *Church and State in Visigothic Spain* (Wáshington 1930) p.126.
[44] Cf. J. VIVES, *Concilio XVI de Toledo* p.487: MANSI, 12,63.
[45] Cf. J. VIVES, *Concilio VIII de Toledo* c.10 p.283; MANSI, 10,1219.
[46] K. ZEUMER, *Historia de la legislación visigoda* (Barcelona 1944) p.135.
[47] K. ZEUMER, *Leges nationum germanicarum* I: Mon. Ger. Hist., *Leges visigothorum* II 1,6.
[48] E. PÉREZ PUJOL, *Historia de las instituciones sociales de la España visigoda* III p.353.
[49] A. K. ZIEGLER, *Church and State in Visigothic Spain* (Wáshington 1930) p.126.

cación de los cánones políticos acordados por los concilios de Toledo...
me permiten concluir que tanto la Iglesia, en general, como las asambleas eclesiásticas, en particular, sirven con sumisión notoria los intereses de la monarquía o, para decir mejor, del monarca reinante, sin ahorrarse claras contradicciones, vergonzosas claudicaciones o humillantes bajezas. Reiteraron sus canónicas condenaciones de los alzamientos, revueltas, traiciones, maquinaciones y perjurios contra la realeza y sancionaron luego, complacientes, los golpes de Estado triunfantes; condenaron a quienes fracasaban en sus conspiraciones o levantamientos, y los amnistiaron, al cabo, cuando su facción encaramaba al trono a uno de los suyos; execraron y excomulgaron a los rebeldes contra los monarcas, y les levantaron después la excomunión tras su victoria; adularon a los reyes mientras ejercieron la regia autoridad, y les censuraron, sin piedad y hasta con sarcasmo, luego de su vencimiento o de su muerte; dictaron repetidos cánones para proteger y garantizar la seguridad de la familia real a la muerte del monarca, y la abandonaron después cuando el nuevo príncipe decidió perseguirla» [50].

Creemos que el autor exagera un tanto al juzgar la sumisión de la Iglesia al Estado. No por la sumisión en sí, que fue clara en los hechos a que alude (nos referimos, claro está, a cuestiones políticas), sino porque en el párrafo citado parece que se da a entender un servilismo extremo, sin personalidad ni dignidad por parte de los obispos. Creemos, en primer lugar, que esas contradicciones y claudicaciones obedecen más a impotencia que a malicia. Eran, además, hechos que se imponían con la fuerza y que la Iglesia aceptaba para evitar males mayores. Así, en el caso de las revoluciones, se veía obligada a aceptar la revolución triunfante para evitar nuevas revueltas. Y, cuando no triunfaban, debía condenarlas por ser algo ilegal.

En ambos casos era el rey, impuesto por la revolución o triunfante de ella, quien imponía la norma a seguir. Aunque en el caso de la condena de las revoluciones siempre estuvieron de acuerdo la Iglesia y los reyes. La Iglesia por principio. Los reyes porque, aunque ellos mismos hubiesen llegado al trono por medio de una revolución, les convenía y eran los más interesados en la condenación para asegurarse el trono en el futuro. La claudicación de la Iglesia consistía en aceptar un rey impuesto por la fuerza, no en la negación de los principios electivos. Ante los reyes que subían al trono por medio de revoluciones, valía poco la fuerza moral de la Iglesia. Creemos que no se puede dudar, en general, de la buena intención de la Iglesia. Escribe Sánchez Albornoz al respecto: «Aunque legalizaban la revuelta, se esforzaban por evitar nuevos abusos de poder mediante acuerdos, que aseguraban en verdad a los vencedores, pero que creaban cauces legales a la transmisión del poder real y a su ejecución» [51].

E. Pérez Pujol, cuando trata el tema de las relaciones entre los obis-

---

[50] C. Sánchez Albornoz, *El Aula Regia y las asambleas políticas de los godos:* Cuadernos de Historia de España 5 (1946) p.86-87.
[51] Ibid., p.87 nt.260.

pos y la nobleza, afirma que desde que las elecciones de los obispos dejaron de ser populares, dejaron también éstos de ser los representantes de la plebe, para convertirse en ministros del monarca que los elegía. Así, la lucha entre el episcopado y la nobleza «no es la contraposición de dos clases sociales, de la aristocracia y del pueblo; es una rivalidad sin consecuencias entre los.servidores de un mismo poder, de la supremacía monárquica, que los había puesto unos frente a otros para en el seno de las ciudades vigilarse y equilibrarse, pero que convertía a todos en dóciles instrumentos de sus aspiraciones» [52].

En la práctica se estuvo aún más lejos de la hierocracia. Las leyes estaban bien hechas, pero no se cumplían al pie de la letra. Así, podemos afirmar con E. Pérez Pujol: «Los sucesos fueron más poderosos que las ideas en la determinación de las relaciones de la Iglesia con el Estado visigótico» [53]. Las contradicciones que advierte Sánchez Albornoz se deben a la necesidad de acomodarse a casos concretos. Eran contradicciones entre la legislación y la práctica. Recordemos algunos de esos casos.

En concilio IV de Toledo comenzó la legislación contra las rebeliones y traiciones al rey. En cambio, apoya decididamente a Sisenando, que había alcanzado el trono dos años antes por medio de una sublevación. Condenan las traiciones y rebeliones por primera vez precisamente en el momento en que un rey ha adquirido así la corona. Se puede pensar que lo hacen no sólo por complacer a Sisenando, sino para evitar en el futuro tales abusos [54]. La contradicción está en legislar contra las rebeliones y, a pesar de ello, apoyar a Sisenando.

Pero lo que llama la atención es que el concilio IV de Toledo se reúne dos años después de la caída de Suintila. El concilio hace ver que éste había perdido el trono por sus faltas; le excomulga e incapacita para volver a reinar [55]. Ni siquiera se habla de absolver al pueblo del juramento de fidelidad [56], Sisenando había reinado dos años sin la aprobación del concilio. A éste no le quedaba otro remedio que legitimar su posición. No entramos ahora en el caso de Suintila. San Isidoro le alaba [57] y el concilio le difama. Su caso y el de Wamba los trataremos más extensamente después.

También Chindasvinto se valió de una rebelión para llegar al trono. Cuando lo consiguió hizo morir a muchos nobles. Reúne el concilio VII de Toledo, año 646, cuatro años después de haber conquistado el trono. No lo hace precisamente para que el concilio apruebe su conducta. El primer canon de este concilio es una durísima condena de los traidores y rebeldes. Los obispos, sin duda, condescendían con los deseos del rey.

Un cambio notable se aprecia en el concilio VIII de Toledo, año

---

[52] E. Pérez Pujol, o.c. III p.349.
[53] Ibid., p.350.
[54] Cf. J. Vives, *Concilio IV de Toledo* c.75 p.217-18: Mansi, 10,637-41.
[55] Cf. ibid., p.221: Mansi, 10,640-41.
[56] Cf. E. Pérez Pujol, o.c. III p.360.
[57] Cf. San Isidoro, *Historia gothorum* 64: ML 83,1074.

653. Recesvinto, viendo que muchos de los castigados por su padre lo han sido injustamente, pide a los Padres del concilio una cierta clemencia para con los reos de delitos políticos [58]. El concilio responde suavizando bastante las disposiciones anteriores. Dejan la reducción de la pena a la discreción del rey. Los obispos son duros cuando lo exige Chindasvinto, y suaves cuando lo pide Recesvinto.

El concilio XII de Toledo, año 681, apoyó la deposición de Wamba. Ervigio lo convocó para pedir ayuda y para que legitimara su posición [59]. Este concilio es la prueba de una impotencia total. Primero, porque los obispos, a pesar de que estaban dolidos contra Wamba, no se atrevieron a reunirse y tomar medidas contra él. Segundo, porque después mostraron una total sumisión a los deseos de Ervigio. Escribe Pérez Pujol comentando la posición del clero en este concilio: «Es lastimoso el papel que en este asunto representa el clero; pero desde el sacerdote que tonsuró a Wamba, aún narcotizado; desde San Julián, que ungió al usurpador y se excusó con la carta de la víctima, hasta el último vicario del concilio, si todos son censurables por su indigna debilidad, tienen disculpa en la impotencia, que les obliga a consagrar un éxito que no podían impedir» [60].

Desde luego, por las palabras del concilio, el resentimiento contra Wamba era grande. El episcopado, sin embargo, no había podido reunirse por su cuenta para remediarlo. Ahora se echan completamente en manos de Ervigio. Es interesantísimo ver que el episcopado, para poder alejar definitivamente a Wamba del trono, se escuda en que ha recibido el hábito religioso y la tonsura clerical; y otra razón: en que el mismo Wamba ha renunciado y señalado como sucesor a Ervigio. Ante estos hechos, se atreven a declarar que el pueblo queda libre del juramento de fidelidad que hizo a Wamba. La liberación del juramento, según la fórmula que se emplea, se produjo cuando Wamba renunció al trono. No son los obispos quienes por su propia autoridad liberan al pueblo del juramento. Se limitan, jurídicamente, a declarar un hecho ya consumado. «La acción de los obispos no indicaba una gran fuerza política por parte de la Iglesia» [61].

Ervigio logró algo más del concilio XIII de Toledo en un canon en el que se protegía especialmente a su familia [62]. Otra medida que tomó Ervigio en favor de su descendencia fue el hacer jurar a Egica, cuando se casó con su hija, que ayudaría siempre a los hijos de Ervigio a triunfar en todos sus propósitos. Cuando Egica sube al trono, cree que no puede cumplir este juramento, ya que ha hecho el juramento obligatorio para todo rey que sube al trono: el gobernar con justicia a los pueblos que le han sido encomendados. Egica piensa que es incompatible este juramento con el que hizo a Ervigio. No puede cumplir los dos al mismo tiempo. No estamos seguros si el caso de conciencia de Egica era

[58] Cf. J. Vives, *Concilio VIII de Toledo* p.263-64: Mansi, 10,1208.
[59] Cf. J. Vives, *Concilio XII de Toledo* p.381: Mansi, 11,1025.
[60] E. Pérez Pujol, o.c. III p.356.
[61] A. K. Ziegler, *Church and State in Visigothic Spain* (Wáshington 1930) p.127.
[62] Cf. J. Vives, *Concilio XIII de Toledo* c.4 p.419-20: Mansi, 11,1066-67.

cierto o no. Probablemente, quería verse libre de tal juramento, pues era pariente del destronado Wamba, y no desearía seguir favoreciendo a la facción de Ervigio. El concilio accede a los deseos de Egica y le declara libre del juramento de favorecer a los hijos de Ervigio [63].

Los hechos aducidos, más que la existencia de una hierocracia, prueban la poca fuerza política del clero, que tenía que, sin más remedio, acceder a los deseos de los reyes. Prueban la «debilidad del sacerdocio, que le obliga, por una parte, a legitimar todas las rebeliones victoriosas, y le imponía, por la otra, la necesidad de condenar inexorablemente todas las insurrecciones vencidas» [64]. La Iglesia se veía obligada a admitir los hechos consumados.

Otra cosa queda clara también. Aunque en la práctica la Iglesia se veía obligada a admitir el resultado de las revoluciones una vez que éstas triunfaban, intentaba evitar nuevos abusos de poder. Con la mejor voluntad, se esforzaba por conseguirlo en los cánones de los concilios contra las rebeliones. En ellos se aseguraba el trono al vencedor actual, pero se insistía en los modos legales de transmitir el poder [65].

La Iglesia tiene disculpa en su actuación. Su impotencia política respecto a los reyes era clara. Pero es que, además, se sometía a los reyes aunque fuesen usurpadores, porque deseaba la paz por encima de todo. Estaban convencidos los obispos de que las luchas civiles eran el gran mal del reino. «Probablemente, su ayuda indiscriminada a los reyes era lo mejor que podía hacer en la España visigótica. Hemos visto que los principios de los concilios eran profundos invariablemente, y su filosofía política, admirable. Su propósito constante era lograr una ordenada elección constitucional de un candidato cualificado para el trono» [66].

Es evidente también que no se puede culpar a la Iglesia de las insurrecciones. La única excepción es la del obispo Sisberto contra Egica y la de algunos obispos contrarios a D. Rodrigo. También en la rebelión del conde Paulo contra Wamba participaron algunos obispos y abades.

El hecho de que algunos reyes recién elegidos acudiesen a los concilios para la confirmación de su cargo y robustecer su posición, no indica que el gobierno fuese hierocrático. «Esforzando los documentos, han dicho algunos que, cuando todos los próceres rebeldes, convertidos por el triunfo en monarcas, acudían a obtener la consagración del sacerdocio, demostraban implícitamente la superioridad del poder eclesiástico. No hemos negado la influencia del episcopado, hemos reconocido la aureola de prestigio con que envolvía al monarca; pero este poder moral, único freno a la ambición y a la barbarie de los próceres, era harto débil para contenerlos. Lejos de imponer los concilios respeto a los conspiradores, eran los conspiradores los que se imponían por la victoria a los concilios, obligándolos a excomulgar a los monarcas que antes habían ungido» [67].

---

[63] Cf. J. Vives, *Concilio XV de Toledo* p.466-67: Mansi, 12,9.
[64] E. Pérez Pujol, o.c. III p.357.
[65] Cf. C. Sánchez Albornoz, *El Aula Regia y las asambleas políticas de los godos:* Cuad. de Hist. de España 5 (1946) p.87 nt.260.
[66] A. K. Ziegler, o.c. p.128.   [67] E. Pérez Pujol, o.c. III p.363.

Naturalmente, si la Iglesia estaba sometida al Estado en el campo de la política, en cuestiones morales la Iglesia se encontraba en su propio terreno, y tenía el deber de amonestar y dirigir. Se daba cuenta de que, aunque se viese obligada a tolerar la conducta de los reyes, no era ésta con frecuencia lo más perfecto. De ahí que, al mismo tiempo que se mostraba sumisa al poder civil, condenase con la mayor severidad las rebeliones y usurpaciones. Cabe repetir, además, lo que ya hemos dicho: a veces, las conveniencias fueron más fuertes que las leyes.

Ni aun añadiendo a los fines del Estado un ideal religioso, como es la unidad de fe y la defensa de la Iglesia, se puede llamar hierocrático al gobierno visigodo. Ambas cosas, aunque en sí eran religiosas, entraban en España en aquel tiempo dentro también de los fines políticos. La unidad de fe fue uno de los motivos de la conversión de Recaredo y algo que se defendía por encima de todo como esencial a la unidad política. «El hecho de que obispos y concilios tengan íntima relación con lo político, se explica, sin exagerar la transcendencia, teniendo en cuenta que entre los fines de los Estados —no sólo del visigótico— está siempre el fin religioso, y también que, dada la categoría de alto funcionario del obispo, era lógico que adquiriese poderes que no tenemos que buscar en una concepción teocrática del Estado» [68].

Hemos dicho ya que los juramentos del rey y de los súbditos eran un verdadero contrato y el fundamento de la soberanía. En el pensamiento visigótico, el poder proviene de Dios, pero llega al rey por medio del pueblo [69].

De todo lo dicho podemos deducir que el Estado visigótico no era hierocrático. El verdadero jefe del Estado era el rey. La Iglesia ayudaba a gobernar, su influencia era grande, pero la dirección del Estado estuvo siempre en manos del rey. En cuestiones civiles, la Iglesia estuvo siempre sometida al poder del rey. La Iglesia aconsejaba, pero no gobernaba.

Todo lo que hemos afirmado de la impotencia política de la Iglesia, no rebaja en nada las facultades e importancia que los obispos tuvieron en la vida civil. Los obispos ejercitaban poderes delegados del rey, que no significaban un debilitamiento del poder real. Con esos poderes, lo que disminuía era la fuerza de la nobleza. Adquirieron poderes a costa de la nobleza, no del rey. Y, en cuestiones políticas, siempre estuvieron sometidos a los reyes.

3. LA MONARQUÍA NO ES ABSOLUTISTA

Otro error se ha cometido con frecuencia al juzgar a la monarquía visigoda, y ha sido el afirmar que era una monarquía absolutista. Es quizá un corolario de dar a la monarquía un carácter teocrático y, sobre

[68] M. Torres López, *El derecho y el Estado,* en *Hist. de España,* dir. por M. Pidal, III p.227.
[69] Cf. M. Torres López, *Lecciones de historia del derecho español* II (Salamanca 1935) p.234.

todo, de fijarse exclusivamente y exagerar los poderes de los reyes. F. Dahn, p.ej., ha vuelto a ser engañado por las apariencias. Piensa que la monarquía visigoda era absolutista. M. Torres resume así la opinión de Dahn: «Dahn intenta probar que los poderes del rey son de tipo imperial» [70].

Más modernamente T. Andrés Marcos ha caído en el mismo error. Tratando de explicar la intervención de los concilios de Toledo en las facultades legislativas, judicial y coactiva del poder soberano, escribe: «Antes de llegar a ello debe hacerse constar que el rey godo era, de derecho, sujeto exclusivo de la soberanía e independiente de todo otro sujeto en el ejercicio de sus poderes. La *Lex visigothorum* y el *Forum iudicum* no señalan limitación alguna *necesaria*. Por tanto, los concilios se encontraban ante una sociedad regida por reyes absolutos, muchas veces improvisados por la fuerza y en peligro constante de perecer por ella; reyes frecuentemente conmovidos por efectos guerreros y faltos de suficiente cultura general y política» [71].

No sabemos con seguridad lo que el autor quiere dar a entender por *limitación necesaria*. Por lo que dice después, afirmando que los reyes visigodos eran absolutos, parece ser que quiere dar a entender que los reyes no estaban sujetos a ninguna ley. Existe una ley civil que limita el poder de los reyes. Es la ley II 1,2 del *Fuero juzgo*. Ya el título de dicha ley es bien significativo: «Tanto la potestad real como todo el pueblo está sometido al respeto de las leyes». Se establece, por tanto, que el rey, como los demás, debe obedecer las leyes. Luego se añade: «... abrazando con gusto los mandatos divinos, damos justas leyes para nosotros y para nuestros súbditos, a las cuales se establece que deben obedecer nuestra excelsa clemencia y la futura de nuestros sucesores y todos los súbditos de nuestro reino, y se establece esto con esta intención: que por ningún motivo se exima nadie, ni por la dignidad de la persona ni por la del poder, del cumplimiento de las leyes que se dan para los súbditos, de tal forma que les obligue la necesidad o la voluntad del príncipe al respeto a la ley» [72].

M. Torres comenta la obligación del rey a someterse a las leyes: «Lo interesante es que esas leyes no sólo tienen que ser mantenidas, las leyes en general bien entendido, sino que se dan para los súbditos y para el rey igualmente, estando el rey sometido, en el orden privado, a ellas, como todo miembro del Estado» [73]. La intención de la ley es bien clara. Una vez promulgada, la ley obliga tanto al rey como a los demás ciudadanos, y eso en el presente y para el futuro, sin posibilidad de que se exima a nadie de dicha obligación.

También un párrafo del canon 75 del concilio IV de Toledo limita

[70] M. TORRES LÓPEZ, *El derecho y el Estado*, en *Hist. de España*, dir. por M. Pidal, III p.231.
[71] T. ANDRÉS MARCOS, *La constitución, transmisión y ejercicio de la monarquía hispano-visigótica en los concilios toledanos* (Salamanca 1928) p.72.
[72] *Fuero juzgo* II 1,2; K. ZEUMER, *Leges visigothorum antiquiores* II 1,1 (Hannoverae et Lipsiae 1894) p.35.
[73] M. TORRES LÓPEZ, *Lecciones de historia del derecho español* II (Salamanca 1935) p.238.

el poder de los reyes. Los Padres, para dar estabilidad y fortificar al pueblo de los godos, establecen todo un programa político. Se atreven a escribir lo siguiente: «Y acerca de los futuros reyes, promulgamos esta determinación: que si alguno de ellos, en contra de la reverencia debida a las leyes, ejerciere sobre el pueblo un poder despótico con autoridad, soberbia y regia altanería, entre delitos, crímenes y ambiciones, sea condenado con sentencia de anatema por Cristo Señor y sea separado y juzgado por Dios, porque se atrevió a obrar malvadamente y llevar el reino a la ruina» [74]. Esto equivale a decir que los reyes no pueden gobernar como les venga en gana. Deben hacerlo según las leyes preestablecidas.

Es cierto que el rey era el legislador. Pero aquí no vale el aforismo de que el legislador no está sometido a las leyes. San Isidoro exigía que los reyes obedeciesen a las leyes. Los concilios y las leyes civiles distinguen entre la función y la persona del rey. Una vez proclamada una ley, el rey, como persona, debe obedecerla. Afirma el concilio VIII de Toledo: «Pues al rey le hace el derecho, no la persona, porque no se sostiene por su mediocridad, sino por la honra de la majestad, y todo aquello que se debe a la autoridad sirva a la autoridad y lo que los reyes acumulan déjenlo al reino, porque ya que a ellos les adorna la gloria del reino, no deben los tales menoscabar dicha gloria, sino acrecentarla. Tengan, pues, en adelante, los reyes elegidos conforme a derecho, corazón solícito en el gobierno, modales modestos en su obrar, sentencias justas al decir, corazón pronto para perdonar, inclinación escasa a amontonar, intenciones rectas al administrar, para que se conserve felizmente la gloria del reino tanto cuanto respetaren con mansedumbre los derechos del gobierno y los emplearen con equidad» [75].

La Iglesia concibe la realeza como un conjunto de derechos y obligaciones. Esta concepción abstrae de la persona que ocupa el trono. Es la persona del elegido la que debe adaptarse a la realeza y no ésta a su persona. Subrayemos, además, que el canon habla de unos derechos del gobierno que el rey tiene obligación de respetar. T. Andrés Marcos escribe comentando este canon: «Considera la realeza hispano-goda como un conjunto de derechos y obligaciones; como una entidad formada entre Dios y el pueblo; como una suma de facultades y deberes constituidos en persona jurídica, en *oficio propiamente dicho,* para el bien de los súbditos; con independencia de todo vínculo de carne y de sangre con que uno nace y es causa de herencia; con independencia de la individualidad física, moral y jurídica de la persona, y que, por tanto, tiene en sí solo y totalmente, una vez puesta la elección, la substancia, la forma, el ser completo de la realeza» [76].

La Iglesia proclama los derechos de los reyes. Pero insiste más aún en sus obligaciones. Es precisamente a través del cumplimiento de sus obligaciones como se hacen dignos o indignos de la corona. En el

---

[74] J. Vives, *Concilio IV de Toledo* c.75 p.220-21: Mansi, 10,640.
[75] J. Vives, *Concilio VIII de Toledo* p.291: Mansi, 10,1224.
[76] T. Andrés Marcos, o.c. p.56.

mismo canon que hemos citado, se hace un buen programa de gobierno, sobre todo cuando se dice que los reyes deben respetar los derechos de gobierno. Todo esto indica que los reyes debían gobernar según unas ciertas normas.

No olvidemos que en teoría se admitía que un rey, por su mal gobierno, podía llegar a hacerse indigno de la corona y perderla. Aunque también es cierto que nadie podía juzgarle y deponerle y que su castigo se dejaba en las manos de Dios [77]. Recordemos que el concilio IV de Toledo, para justificar su acción contra Suintila, afirmaba que él mismo, temiendo sus crímenes, renunció y se despojó de las insignias del poder [78].

La Iglesia distingue también entre el rey y el Estado. El Estado es superior al rey, y con unas exigencias que el rey, por ser la suprema autoridad, debe ser el primero en cumplir. La distinción entre el rey y el Estado o la patria puede apreciarse en cualquiera de los textos que hablan sobre las rebeliones. En casi todos ellos se habla de traidores al rey, la patria o el pueblo de los godos. Los delitos contra el rey pueden ser distintos de los delitos contra la patria o el Estado [79]. El mismo rey, según esto, podía cometer delitos contra el Estado.

La Iglesia especifica poco a poco su concepto de realeza y el papel que ésta debe desempeñar dentro de la nación. «Por lo que hace a aquellas ideas prácticas más inmediatas a la esencia de la sociedad y excelencia de su régimen, recuérdese aquí, en forma general, el concepto que los concilios tenían de la realeza como oficio objetivo e impersonal fundado en el derecho divino natural y en el derecho positivo; el fin de ese ejercicio, que era la felicidad moral y material gozada en paz por los pueblos; la medida de su gobierno consiste en la discreta templanza de la justicia con la misericordia, por parte del gobernante, y en la voluntariosa obediencia, por parte de los gobernados» [80].

El fin de la monarquía podemos resumirlo en las cláusulas que el rey estaba obligado a jurar para poder subir al trono: gobernar justamente y defender el reino. El deber de mirar por el bien del pueblo no es sólo una imposición de los concilios. Ya en el mensaje que Recaredo dirige al concilio III de Toledo, año 589, dándose cuenta de esta obligación, escribe: «Aunque el Dios omnipotente nos haya dado el llevar la carga del reino en favor de los pueblos...» [81] Así, la monarquía no puede ser absoluta, pues frente a ella aparece la cosa pública, el bien de los súbditos y la comunidad.

El concilio IV de Toledo, como hemos visto, recuerda a los reyes cómo debe ser su gobierno. Se les recuerda la obligación de respetar las leyes. Se condena el poder despótico. Todo ello porque así obran mal y arruinan la nación [82]. Este podía ser el delito grave del rey contra la

[77] Cf. J. Vives, *Concilio IV de Toledo* c.75 p.220-21: Mansi, 10,640.
[78] Cf. ibid., c.75 p.221: Mansi, 10,640.
[79] Cf. J. Vives, *Concilio VIII de Toledo* p.263: Mansi, 10,1208; *Concilio XVI de Toledo* c.10 p.509-10: Mansi, 12,77-79. [80] T. Andrés Marcos, o.c. p.63-64.
[81] J. Vives, *Concilio III de Toledo* p.108: Mansi, 9,978.
[82] Cf. J. Vives, *Concilio IV de Toledo* c.75 p.220-21: Mansi, 10,640.

patria a que aludíamos antes. El rey puede hacer un gran daño a la nación gobernando despóticamente y desobedeciendo las leyes. El canon es una llamada al gobierno moderado.

En el concilio XVI de Toledo, año 693, al dar las gracias a Egica por haberlo convocado, se pide a Dios que ayude a dicho rey para que gobierne con discreta moderación a la nación que le ha sido encomendada. Idéntico deseo expresa Egica en el mensaje que dirige al concilio. Ahora es el rey quien pide ayuda y consejo a los obispos para seguir reinando en paz y gobernar con discreta moderación [83]. Los mismos reyes se dan cuenta de que su gobierno, para ser bueno, debe ser moderado. Nunca pueden abusar del poder. La razón de todo esto está en otra convicción que tienen los reyes y aparece en los últimos textos citados. Los reyes saben que el Estado no es suyo propio, es algo que les ha sido encomendado.

El gobierno es una función que se les ha entregado por la elección y que ellos han aceptado al emitir el juramento, en el que prometieron buscar el bien del pueblo y de la patria y defenderla contra toda clase de enemigos. Estas cláusulas del juramento son la medida que califica un buen o mal gobierno. No cumpliendo lo prometido, se puede llegar a perder el derecho a reinar.

La Iglesia afirma que el súbdito que no cumple con el juramento de fidelidad hecho en favor del rey y de la patria comete un perjurio y un sacrilegio. Con los reyes que no cumplen su juramento no se atreve a tanto. Pero sí se atreve a pedir que sea anatematizado por el Señor y separado y juzgado por el mismo Dios. Comenta T. Andrés Marcos: «Afirma por el concilio IV, ante la presencia del rey, que no es digno de la realeza aquel que de ordinario y culpablemente gobierna contra razón y justicia. Quien tal hiciere debe ser separado de la comunión de los fieles, separación claramente incompatible con el ejercicio de la soberanía, y debe ser considerado como depuesto por él mismo cuando su actuación gobernante se convierte, de saludable para la patria, en criminal y ruinosa por manera innegable y definitiva» [84].

Es, en cierto modo, una aplicación práctica de la teoría de San Isidoro sobre el poder, que el concilio IV de Toledo hizo suya: «Serás rey si obras rectamente; si no, no lo eres». Esto significaba que el rey que no reinaba justamente, ante la Iglesia perdía el derecho a la corona. Ya hemos dicho que, sin embargo, la Iglesia no se atreve a enfrentarlo con un tribunal humano que juzgue sus actos. Lo dejan en manos de Dios. A pesar de eso, cuando el mal rey ha sido depuesto por la fuerza, los concilios aprueban la deposición y la justifican. En el mismo concilio IV legalizan la deposición de Suintila. Y eso que, muy probablemente, su única falta había sido intentar dejar la corona a su hijo Ricimiro.

De lo expuesto hasta ahora podemos deducir que las leyes eran una limitación constitucional al poder de la monarquía [85]. Así, la monarquía

[83] Cf. J. Vives, *Concilio XVI de Toledo* p.484: Mansi, 12,61.
[84] T. Andrés Marcos, o.c. p.57.
[85] Cf. Z. García Villada, *Historia eclesiástica de España* II p.1.ª p.80.

no podía ser absolutista. Ya hemos dicho que el rey era el legislador. Él aprobaba las leyes. Pero es cierto también que sus facultades legislativas, a veces, no son absolutas, ya que las ejercitaba con la intervención del Oficio Palatino y a veces también se habla del consentimiento del pueblo. Las leyes se promulgan delante del Oficio Palatino y de los obispos [86].

Aun en los procesos judiciales, y a pesar de que puede el rey dar la sentencia definitiva, los concilios limitan el poder del rey, sobre todo en los casos en que puede verse comprometido el tan deseado principio del poder moderado. Se limita el poder del rey en los delitos de alta traición. Por ir dirigidos directa o indirectamente contra el rey, y para evitar que el castigo no sea correlativo a la falta cometida, se exige que el rey no dé sentencia como juez único en las causas capitales y civiles, sino que se ponga de manifiesto la culpa de los delincuentes en juicio público por el consentimiento del pueblo con las autoridades...» [87]

En el concilio XIII de Toledo se establece más detalladamente la forma en que deben ser juzgados los obispos, los grandes de palacio y los gardingos. Con tales garantías deben ser juzgados, aunque los delitos de que se les acusa no sean de alta traición. El rey es el primero que debe respetar este canon. «Y si algún rey de ahora en adelante descuidare por temeridad la observancia de este decreto conciliar... sea, con todos los que gozosamente consintieron con él, anatematizado... Y además, cualquier cosa que, contra lo preceptuado en esta nuestra sentencia, se ejecutare en la persona de cualquiera o se decidiere acerca de los bienes de la persona acusada, carezca de toda validez en el caso de que aquella persona, habiendo sido juzgada de otro modo distinto del que hemos decretado, hubiere perdido la facultad de testificar o visto confiscados sus bienes» [88]. Nótese que no sólo anatematizan, sino que privan de todo valor jurídico a los actos cometidos contra este decreto. Los reyes no son una excepción. Más bien parece que el decreto va dirigido a evitar sus abusos. El rey Ervigio, por una ley, confirmó lo establecido en el concilio.

Pero la Iglesia va más adelante aún. No sólo distingue entre el rey y el Estado, sino también entre los bienes propios del rey y los bienes del Estado. El rey puede hacer lo que le plazca con sus propios bienes, pero no puede hacerlo con los del Estado. Al morir, sus propios bienes pasarán a sus hijos y los bienes del Estado pasarán íntegros a su sucesor en el trono [89]. Dan tal importancia a este canon, que los obispos exigen que ningún rey suba al trono sin antes haber jurado que lo cumplirá en todos sus detalles.

El decreto no se da sin razón. El reinado de Chindasvinto había sido demasiado duro, y las confiscaciones, numerosísimas. Pero los bienes

---

[86] Cf. K. ZEUMER, *Leges visigothorum antiquiores* II 1,4 (Hannoverae et Lipsiae 1894).
[87] J. VIVES, *Concilio IV de Toledo* c.75 p.220: MANSI, 10,640.
[88] ID., ibid., c.2 p.418: MANSI, 11,1065.
[89] Cf. J. VIVES, *Concilio VIII de Toledo* c.10 p.383: MANSI, 10,1219-20; sobre la distinción de bienes: L. LÓPEZ RODÓ, *El patrimonio nacional* (Madrid 1954) p.36-44; J. ORLANDIS, *Historia social y económica de la España visigoda* (Madrid 1975) p.107-10.

provenientes de las confiscaciones no habían sido utilizados para el bien común, sino que habían ido a parar al patrimonio propio del rey. Dice el decreto que el concilio promulga en nombre del rey Recesvinto: «Y como en los tiempos pasados, de tan dura dominación, se levantara una autoridad fuerte y como, entre los pueblos que le estaban sometidos, la autoridad del que mandaba no estableciera las garantías de un buen gobierno, sino el exterminio de la venganza, vimos que la situación de los súbditos no prosperaba con el gobierno del soberano... Pues hemos visto algunos reyes que, después de haber alcanzado la gloria del reino, amontonan las ganancias en su propio patrimonio con los recursos extenuados de los pueblos, y, olvidándose de que han sido llamados para gobernar, convierten la defensa en devastación aquellos que debían impedir la devastación con la defensa, y se complican aún más gravemente, porque todo aquello que adquirieron no lo dedican a la honra y gloria del reino». Añade después el decreto: «Tengan, pues, en adelante, los reyes elegidos conforme a derecho, corazón solícito en el gobierno, modales modestos en su obrar, sentencias justas al decir, corazón pronto para perdonar, inclinación escasa a amontonar, intenciones rectas al administrar, para que conserven felizmente la gloria del reino tanto cuanto respetaren con mansedumbre los derechos del gobierno y los emplearen con equidad» [90]. Y para arreglar algo los daños hechos por Chindasvinto decretan que los bienes que se apropió por confiscaciones queden en poder de Recesvinto; pero no como bienes propios, sino como patrimonio del Estado.

La Iglesia pone tanto empeño en la obligación que tiene el rey de mirar por el bien común, que, aun cuando le hacen regalos, le pide que tenga en cuenta los intereses de la patria y del pueblo. Se supone que esos regalos son dados por algún favor concedido por el rey. Son esos favores los que pueden dañar el bien común, si han sido hechos con daño de otras personas. Con esas concesiones se puede perjudicar a los súbditos y ayudar sólo a un grupo reducido.

Todo esto en teoría. En la práctica aparece todavía menos absoluto el poder del rey. Cualquier rey recién elegido necesitaba la ayuda de la mayoría de los nobles para poder sostenerse en el trono. Con frecuencia acudían a los concilios en busca de ayuda. Normalmente, el rey no tenía suficiente fuerza para tiranizar la nación, aunque quisiese hacerlo. La nobleza no lo soportaba. El gobierno más tiránico fue el de Chindasvinto. Para ello se vio obligado a asesinar gran número de nobles. Hubo reinados excesivamente blandos y otros más duros que se imponían a una nobleza levantisca y trataron de dar fuerza a una nación que se debilitaba. Pero ni aun esos gobiernos más duros pueden ser calificados de absolutistas.

Como conclusión de todo lo dicho, transcribimos un párrafo de García Villada: «En la introducción indicamos que el juramento prestado por el rey, de regir equitativamente al pueblo, y el que éste, a su vez, hacía de obedecerle, eran la fuente inmediata de la soberanía de

---

[90] J. Vives, *Concilio VIII de Toledo* p.289-91: Mansi, 10,1223-24.

los monarcas. Esta fuente del poder está manifiestamente expresada en los concilios toledanos. En los mismos concilios se hace distinción bien marcada entre el rey y el Estado, entre los bienes particulares del soberano, los de la Corona y los de la nación. Todas estas distinciones tienden a un mismo fin, es decir, a inculcar a los príncipes que ellos no son dueños *absolutos* del poder» [91]. La monarquía visigoda, pues, no fue absolutista. Ni las leyes ni las circunstancias lo permitían.

4. LA MONARQUÍA ES ELECTIVA

La monarquía visigoda fue electiva desde sus primeros años. No olvidemos que los visigodos eran un pueblo germánico. Estos pueblos elegían sus jefes y en ellos era perfectamente compatible la libertad con la existencia de una organización política monárquica. Desde Teodorico hasta Amalarico, es cierto que la corona se fue transmitiendo dentro de los descendientes de Teodorico. No obstante, poseemos noticias de que muchos de estos reyes lo fueron por elección.

Orosio atestigua la elección de Sigerico y Valia. Jordanes nos da noticias de la elección de Turismundo, Ataúlfo y Valia. La *Crónica Cesaraugustana* afirma la elección de Eurico y Gesaleico y la confirmación en el trono del usurpador Atanagildo. San Isidoro atestigua la elección de Ataúlfo, Sigerico, Valia, Turismundo, Alarico II, Gesaleico, Teudis, Teudiselo, Agila y Sisebuto. La *Continuatio Hispana* describe con exactitud la forma en que la mayoría de los reyes, a partir de Sisenando, llegaron al trono. Confirma la elección de Suintila, Tulga y Wamba. Cuando el rey llega al trono por medio de una revolución, lo declara con el término usado entonces: tiránicamente. Así lo hicieron Sisenando y Chindasvinto. Subraya también una nueva fórmula de llegar al trono en los últimos años de la monarquía: la designación. Así lo hicieron Recesvinto, Egica y Witiza.

De todos estos datos se puede deducir que la monarquía era electiva. Los casos en que alguien alcanzaba el trono sin ser elegido eran las excepciones. El rey que subía así al trono se esforzaba por dar a los hechos un carácter democrático, y de una forma u otra intentaba legitimar su posición, casi siempre logrando ser aclamado rey por una parte de la nobleza o el ejército o reuniendo el concilio general. Escribe Sánchez Albornoz: «Incluso cuando la transmisión de la dignidad real no fue legal por haber logrado el monarca reinante que le sucediera en el trono su hijo o un aguado, por haber asesinado o hecho asesinar al soberano que a la sazón ceñía la corona el príncipe que logró sucederle o por haber llegado al solio el nuevo rey tras una rebelión a mano armada o mediante una astuta maniobra dolosa, la aclamación posterior de los electores, sin duda a veces impuesta por la fuerza, implicaba en

---

[91] Z. GARCÍA VILLADA, *Historia eclesiástica de España* II p.1.ª p.82.

todo caso el reconocimiento del sistema sucesorial, basado en la libre elección del soberano»[92].

Sin perder su carácter electivo, la monarquía visigoda pasó por tres etapas en su evolución. Ya dijimos que los reyes en los primeros años fueron elegidos de entre los descendientes de Teodorico, y después, de entre los de Liuva. Luego fueron elegidos los reyes de entre toda la nobleza goda. Y en los últimos años se puso de moda la designación del sucesor en el trono. Sin embargo, encontramos en este período la elección más clara y democrática de toda la historia de los reyes visigodos: la elección de Wamba.

Subieron al trono por medio de la designación Recesvinto, Ervigio (si se cree lo que dice el concilio XII de Toledo), Egica y Witiza. En todos los casos esa designación fue ratificada por el consentimiento de la nobleza y los obispos, es decir, por quienes tenían derecho a voto en la elección de rey[93]. Si no por una votación explícita, al menos con la aceptación del candidato propuesto. Cuando el candidato no fue del agrado de la nobleza, ésta no dudó en exteriorizarlo y aun combatirlo con las armas. Ervigio, p.ej., en el mensaje dirigido al concilio XII de Toledo, habla de ese consentimiento[94].

Los reyes y la nobleza mantuvieron una lucha sorda en torno al principio de la electividad de la monarquía. La nobleza intentaba conservarlo a toda costa. Los reyes querían, si no abolirlo, sí pasarlo por alto y transmitir la corona a sus descendientes. Este era el punto en que reyes y nobleza intentaban triunfar para asegurar su influencia. Los reyes deseaban, más o menos abiertamente, hacer hereditaria la corona. El sueño de su vida era ver sentados a sus hijos en el mismo trono que ellos ocupaban. En este empeño les secundaban, a veces, los nobles que ocupaban cargos en palacio, ya que esto suponía para ellos el seguir desempeñando su oficio indefinidamente[95]. Aunque tampoco fueron raras las sublevaciones palaciegas en las que algunos nobles que desempeñaban cargos en palacio, ávidos de más poder, se levantaron contra el rey que había depositado en ellos su confianza.

Los reyes hubieran logrado otro objetivo si hubieran podido hacer hereditaria la corona: dar un duro golpe al poder de la nobleza. Mientras tanto debían mostrarse condescendientes con ella para no provocar reacciones contra sí mismo o sus descendientes o contra sus amigos en las futuras elecciones. De todos modos, se dieron varios casos en los que algún familiar o hijo del rey anterior subió al trono después de la muerte de éste; p.ej.: Liuva II reinó después de Recaredo, Recesvinto siguió a su padre Chindasvinto, Ervigio logró que después de él reinara su yerno Egica.

La nobleza aceptó estos casos. La razón exacta es difícil de precisar. Aunque en el caso de Liuva se puede pensar que influyó el haberse

---

[92] C. SÁNCHEZ ALBORNOZ, *El Senatus visigodo. Don Rodrigo, rey legítimo de España:* Cuad. de Hist. de España 6 (1946) p.76.
[93] Cf. ibid., p.93.
[94] Cf. J. VIVES, *Concilio XII de Toledo* p.382: MANSI, 11,1025.
[95] Cf. C. SÁNCHEZ ALBORNOZ, *El Senatus...* p.79.

convertido su padre al catolicismo. En el caso de Recesvinto pudo pesar mucho, en primer lugar, sus buenas cualidades y el hecho de que su padre había hecho asesinar todos los nobles que le eran contrarios. En cuanto a Egica hay que tener en cuenta que, aunque estaba casado con una hija de Ervigio, pertenecía a la familia del destronado Wamba, y así, tanto los partidarios de Wamba como los de Ervigio tendrían esperanzas de inclinarlo a simpatizar con su propio partido. Otros intentos de los reyes de hacer hereditaria la corona fracasaron estrepitosamente. Sisebuto y Suintila se cuentan entre los que no lograron su objetivo. Es más, creemos que tal intento le costó a Suintila la corona.

La nobleza, por su parte, estaba dispuesta a no dejarse arrebatar su más importante derecho. El sistema electivo había sido el usado siempre para elevar al trono a los reyes visigodos. La nobleza ya había perdido bastantes prerrogativas [96], y más aún después de la conversión de Recaredo al catolicismo, cuando los reyes comenzaron a apoyarse en los obispos tanto en la elaboración de las leyes como en la administración de justicia, y aun sometiendo a las autoridades civiles a la vigilancia de los obispos. Para la nobleza, dejarse arrebatar el derecho de elección significaba una grave disminución de su importancia en la vida política de la nación.

Mucho menos se podía lograr este cambio en los últimos años de la monarquía visigoda, cuando las facciones políticas eran irreconciliables entre sí. Nadie estaba dispuesto a ceder y ver reinar definitivamente a una familia enemiga. Si a esto añadimos que cualquier noble podía ser elegido rey, es natural que todos, consciente o inconscientemente, alimentasen la esperanza de ser elegidos algún día. Es humano que defendiesen esta esperanza [97].

Las luchas entre la monarquía y la nobleza amainan bastante desde la conversión de Recaredo hasta la subida al trono de Chindasvinto. Este rey, que subió al trono gracias a una revolución que destronó a Tulga, persigue y diezma increíblemente a la nobleza, aun a aquellos que le habían ayudado a subir al trono. La *Crónica de Fredegario* resume el carácter de los godos diciendo que es gente impaciente cuando no está sometida a un régimen fuerte. De ahí que durante el reinado de Tulga comenzasen las intrigas. Esta facilidad para sublevarse la califica de *enfermedad de los godos* [98]. La *Continuatio Hispana* pone de relieve la dureza de Chindasvinto diciendo de él que se apoderó tiránicamente del trono y destruyó a los godos [99]. Recesvinto, a pesar de haber sido promovido al trono por su padre, reina en paz.

La elección de Wamba es la más clara y democrática de toda la historia de los visigodos. Intenta robustecer la monarquía, castiga duramente a los cabecillas de la rebelión del conde Paulo y trata de vigorizar

---

[96] Cf. M. Torres López, *El Estado visigótico:* Anuario de Historia de Derecho Español 3 (1926) p.423.
[97] Cf. C. Sánchez Albornoz, *El Senatus...* p.81.
[98] Cf. *Chronicarum quae dicuntur Fredegarii:* Mon. Ger. Hist., *Script. rerum Mer.* II p.162-63.
[99] Cf. *Continuatio Hispana:* Mon. Ger. Hist., *Auct. Ant.* XI 341.

el ejército. Todo esto crea un grupo de descontentos que le destrona, y a cuya cabeza se encuentra el futuro rey Ervigio. Egica se encuentra en una posición particular. Era pariente de Wamba y estaba casado con una hija de Ervigio. La *Continuatio Hispana* dice de él que persiguió a los godos con muerte cruel [100]. A partir de Egica, las cosas se van complicando cada vez más, hasta que, por ese deseo de reinar de todas las familias nobles, los witizanos llaman en su ayuda a los árabes y se arruina de repente el reino visigodo.

La nobleza, pues, no estaba dispuesta ni a soportar reyes fuertes, ni a permitir que la corona se hiciese hereditaria, ni a ver reinar indefinidamente al partido contrario. Para impedirlo estaba dispuesta a usar todos los medios a su alcance. Los peligros de la electividad de la monarquía eran evidentes. Cada elección podía ser un semillero de rencores. A veces, los electores buscaban más el bien personal que el bien común. Se corría el riesgo de elegir un rey que se preocupase más de sus propios intereses que de los de la nación. Naturalmente, estos peligros no dimanaban directamente de la electividad de la monarquía, sino de la conciencia de cada uno y de la responsabilidad con que se afrontasen las elecciones. Esto sin olvidar el carácter levantisco de los godos.

La idea de hacer hereditaria la corona también tenía sus peligros. Creo que hubieran sido los mismos que en la monarquía electiva. Teniendo asegurado el trono, el rey y sus descendientes podían poner menos interés en reinar justamente. Quizá con una monarquía hereditaria tampoco se hubiesen terminado las sublevaciones.

La inclinación de la nobleza visigoda a las rebeliones ponía en grave peligro la electividad de la monarquía. Todos esos peligros hicieron pensar a algunos personajes, según Sánchez Albornoz, en el cambio de sistema, inclinándose hacia una monarquía hereditaria [101]. Ya hicimos mención de los dos únicos casos que conocemos. San Isidoro desea que Ricimiro suceda en el trono a su padre Suintila. Tal deseo se funda no en que Ricimiro sea hijo de Suintila, sino en las buenas cualidades que veía en él San Isidoro. Desea que suba al trono según las leyes establecidas, es decir, con el consentimiento de los electores [102]. Tampoco creemos que San Braulio, al expresar su deseo de que Recesvinto sucediese a su padre, intentara cambiar el modo de subir al trono.

¿Qué posición tomó la Iglesia española ante la fórmula de la elección de los reyes? Nos referimos a la Iglesia como institución, como conjunto, más que a las opiniones que pudieran tener algunos miembros de la Iglesia. Las opiniones de los pocos autores que han escrito sobre el tema están muy divididas. Sánchez Albornoz afirma que la Iglesia se puso en esta cuestión al lado de los reyes en su intento de hacer hereditaria la corona. Piensa que las usurpaciones, los regicidios y

---

[100] Cf. ibid., p.349.
[101] Cf. C. Sánchez Albornoz, *El Senatus...* p.79-80.
[102] Cf. J. Orlandis, *El poder real y la sucesión al trono en la monarquía visigoda,* en *Estudios visigóticos* III (Roma-Madrid 1962) p.47.

todos los demás males que afligían a la monarquía visigoda hizo que algunos personajes se inclinasen por una monarquía hereditaria. Todas estas dificultades fundamentaban el cambio de opinión. Por estas razones, la Iglesia favorecía el cambio de sistema [103]. Y lo desea precisamente para terminar con todos esos males [104]. Para probar su opinión aduce el ejemplo de San Isidoro, que, por haberse visto obligado a escribir en su *Historia gothorum* tantas cosas desagradables sobre usurpaciones y regicidios y viendo que venían a España muchos males a causa del sistema electivo, le movieron a hacerse partidario del sistema hereditario.

García Villada, por el contrario, sostiene que la Iglesia española defendió con todas sus fuerzas el sistema electivo y se opuso a todos los intentos de los reyes de hacer hereditaria la corona. Así, la Iglesia se adhería a la tradición electiva [105].

J. Orlandis opina que no es fácil dar una solución clara a la postura que realmente tomó la Iglesia sobre la electividad de la monarquía. Reconoce que legalizó la legitimidad de la electividad de la monarquía. Pero cree que algunos miembros ilustres de la Iglesia se inclinaban por la monarquía hereditaria [106]. Piensa que la Iglesia no mostró mucha ilusión en la defensa de la electividad y que la legislación del concilio IV de Toledo se debe al supuesto compromiso entre el episcopado y la nobleza [107]. Es evidente que, en cierto modo, sigue la opinión de Sánchez Albornoz. Para él es muy probable la existencia de un acuerdo entre la nobleza y los obispos; acuerdo que puso freno legal al deseo de los reyes de hacer hereditaria la corona [108]. A pesar de lo dicho, piensa que la Iglesia visigoda no mostraba un gran interés por la monarquía hereditaria, aunque a veces algún personaje desee el cambio apetecido por los reyes [109].

Las usurpaciones y regicidios son innegables. Pero ¿se hubieran evitado con una monarquía hereditaria? Seguramente, no. Sánchez Albornoz, además, hace a toda la Iglesia visigoda partícipe y defensora de la opinión que él atribuye a San Isidoro. No creemos fácil afirmar que San Isidoro fuese un promotor del cambio de sistema electivo en hereditario. Sólo una vez aboga por que un hijo de rey suceda a su padre en el trono. Y lo hace fundado en las buenas cualidades de Ricimiro. Tal deseo no implica necesariamente un cambio de sistema. Muy bien se puede interpretar que desea que Ricimiro suceda a su padre mediante una elección democrática. El quiere que el futuro rey sea Ricimiro, pero no precisamente por la sola razón de ser el hijo del rey.

Por otra parte, la teoría de San Isidoro sobre la realeza concuerda perfectamente con la idea de una monarquía moderada y electiva. Para

[103] Cf. C. Sánchez Albornoz, *El Senatus...* p.80.
[104] Cf. ibid., p.88.
[105] Cf. Z. García Villada, *Historia eclesiástica de España* II p.1.ª p.80.
[106] Cf. J. Orlandis, art.cit. p.45.
[107] Cf. ibid., p.53.
[108] Cf. ibid., p.87.
[109] Cf. ibid., p.53.

San Isidoro, el poder viene de Dios a través del pueblo. Recordemos que San Isidoro define la ley como «constitución del pueblo que recibe su sanción de los ancianos, juntamente con el pueblo» [110]. Añadamos que San Isidoro aceptó plenamente el sistema electivo, ya que en el concilio IV de Toledo, presidido por él, se legalizó el sistema electivo como el único lícito para llegar al trono. Sánchez Albornoz piensa que esta legalización del sistema electivo en el concilio IV de Toledo sería el resultado de un acuerdo entre el episcopado y la nobleza. Por ese supuesto acuerdo, el episcopado legalizaba el sistema electivo, tan querido por la nobleza, y, en cambio, los obispos entraban a formar parte de los electores de los reyes [111].

Creemos que el punto más débil de la argumentación es el dar por seguro que San Isidoro y San Braulio eran partidarios de la monarquía hereditaria. Personalmente, creo que San Isidoro desea que suba al trono Ricimiro, así como San Braulio desea que sea Recesvinto el futuro rey, por creerles los personajes más aptos del momento. ¿Hubieran deseado su ascensión al trono si hubieran sido ineptos? Creemos que no. Creo que ambos santos deseaban lo mejor para el momento presente.

La teoría política de San Isidoro concuerda mejor con una monarquía electiva que con una hereditaria. El mismo J. Orlandis admite que San Isidoro desea que Ricimiro llegue al trono según el modo establecido, es decir, con el consentimiento de los electores [112]. He aquí el texto de San Isidoro: «Su hijo Ricimiro fue elevado al trono como socio corregnante. En su juventud ya resplandece en él la bondad de tal modo, que es un reflejo de las virtudes paternas. Por eso se debe pedir al que gobierna cielo y tierra que igual que se le ha *consentido* ser socio de su padre, sea, después de un largo reinado del padre, su dignísimo sucesor» [113]. Es decir, que suba al trono con el consentimiento de los electores, no por derecho hereditario. La palabra *concessu* que usa San Isidoro en el texto equivale a *consensus* en la terminología de la época.

Otro punto débil en su teoría es hacer a toda la Iglesia visigoda partícipe de la supuesta inclinación de San Braulio y San Isidoro por la monarquía hereditaria. Eso les obliga a pensar que existió un pacto entre la nobleza y los obispos para explicar la legalización del sistema electivo en el concilio IV de Toledo. No hay otro motivo para sospechar que existió tal compromiso, del que no existe ningún rastro en las fuentes. Si esta teoría fuese cierta, resulta que todos los obispos, incluido San Isidoro y la Iglesia española, habrían traicionado sus convicciones políticas y su simpatía por la monarquía hereditaria a cambio del derecho a voto de los obispos en las elecciones de rey.

No negamos ni la gravedad ni la preocupación de la Iglesia por la frecuencia de las rebeliones contra los reyes. Pero creyó que con la

---

[110] San Isidoro, *Etimologías* V 10,1: ML 82,200.
[111] Cf. C. Sánchez Albornoz, *El Senatus...* p.87.
[112] Cf. J. Orlandis, art.cit. p.47.
[113] San Isidoro, *Historia gothorum* 65: ML 1074-75.

formulación y legalización que el concilio IV de Toledo hizo del sistema electivo, con el grave anatema que lanzaba contra los rebeldes y con la incorporación de los obispos al colegio de electores se terminarían las sublevaciones.

J. Orlandis subraya que los intentos de transmitir la corona por herencia y por designación no fueron nunca condenados como ilegítimos. Lo único que se condenó, según él, fue la usurpación violenta [114]. Y añade que la electividad no excluía la hereditariedad ni la designación y que el sistema electivo era la solución para los casos en que el problema de la sucesión no se hubiese resuelto de otra forma.

Es cierto que no se condenó expresamente el sistema hereditario ni el de designación. Pero tampoco se les puede poner en el mismo plano legal que el sistema electivo. Ningún concilio los legalizó, igual que se hizo con el sistema electivo. En la legalización del sistema electivo va implícitamente condenada cualquier otra forma de transmitir la corona. Es cierto, en cambio, que el sistema electivo no fue respetado como cabía esperar. En los cánones conciliares se insiste bien claramente en que nadie ose subir al trono por otro procedimiento que no sea por la elección de la nobleza y los obispos. Creo que de esta forma intentaban excluir las demás formas posibles de alcanzar la corona.

Es evidente que no se puede pensar que el sistema electivo de la España visigoda fuese tan perfecto como el que se observa en las democracias modernas. No tomando el sistema electivo en toda su pureza, creo que se salvaba, en parte, aun en los casos de hereditariedad o designación. Si la nobleza y los obispos aceptaban al nuevo rey, la aceptación o aclamación equivalían, en cierto modo, a la elección. La nobleza consentía y aprobaba al nuevo soberano. En los casos de usurpación no se salvaba nada del sistema electivo. La Iglesia debía condenarlo, además, porque casi siempre llevaba consigo guerras civiles y había muy poca libertad en la aclamación del nuevo rey. De todos modos, es muy significativo que, aun en los casos de usurpación, los reyes intentasen legitimar exteriormente su ascensión al trono.

La Iglesia visigótica aceptó el sistema electivo de la monarquía. La primera vez que se trató de este tema fue en el concilio IV de Toledo, año 633. El canon 75 de dicho concilio encierra un denso contenido político. Los Padres se creen autorizados a tomar posiciones políticas con el fin de robustecer la posición de los reyes y dar estabilidad al pueblo de los godos [115]. El canon comienza condenando las conjuraciones. La condena se funda en que todos han hecho un juramento de fidelidad al rey. Al rebelarse contra él cometen un perjurio. Pide que no se tramen más conjuraciones. Para dar más fuerza a su petición la repite tres veces, condenando a los conspiradores con los más graves anatemas. En el mismo plano, y para dar estabilidad al rey y al pueblo de los godos, legisla el concilio: «Que nadie de entre nosotros arrebate atrevidamente el trono. Que nadie excite las discordias civiles entre los

[114] Cf. J. ORLANDIS, art.cit. p.102.
[115] Cf. J. VIVES, *Concilio IV de Toledo* c.75 p.217: MANSI, 10,638.

ciudadanos. Que nadie prepare la muerte de los reyes, sino que, muerto pacíficamente el rey, la nobleza de todo el pueblo, en unión de los obispos, designarán, de común acuerdo, al sucesor en el trono, para que se conserve por nosotros la concordia de la unidad y no se origine alguna división de la patria y del pueblo a causa de la violencia y la ambición» [116].

El concilio pide que se respete todo lo expuesto. En caso contrario excomulga a los culpables de conjuraciones contra el rey o la patria y a quienes debilitan el poder del reino. No incluye expresamente a quienes atentan contra el sistema electivo, porque su salvaguarda iba incluida en la condenación de las conjuraciones, que eran el mayor enemigo de la electividad de la monarquía. Es evidente que lo que se intenta con estos anatemas es lograr una elección libre y pacífica. El canon, pues, expresamente sólo admite una forma legal de alcanzar el trono: por la elección de la nobleza y los obispos. Ninguna alusión a la licitud de otras formas posibles.

Nótese que el concilio propone el sistema electivo como una solución para conservar la unidad nacional, creyendo que era el medio más adecuado para combatir la violencia y las ambiciones personales. Los Padres pensaban seguramente que con esta legislación y penas canónicas se terminarían las conjuraciones. Es la primera vez que los obispos, y sirviéndose de la legislación conciliar, entran a formar parte de los electores de los reyes. Ya hemos dicho que Sánchez Albornoz y J. Orlandis explican esto dando por seguro que hubo un pacto entre los obispos y la nobleza. Sería una explicación si existiese rastro de tal compromiso. Como no existe, creo que tal hecho es un paso más de la importancia que los obispos comenzaron a tener en la vida civil a partir de la conversión de Recaredo.

Tal influencia no hubiera sido posible dentro de una monarquía absoluta o hereditaria. Los obispos podían decidir las elecciones. Ellos no podían ser elegidos por ser clérigos. Debían votar por algún noble. De ese modo, la nobleza les tendría en consideración para ganarse sus simpatías y su voto, y el rey elegido por ellos no podía menos de quedarles agradecido. Así, en una elección hecha según las leyes establecidas, los obispos desempeñaban un papel de capital importancia.

El concilio legaliza el sistema electivo precisamente después de que Sisenando ha destronado a Suintila por medio de una rebelión. El concilio, como ocurrirá en los demás casos, acepta y legaliza los hechos consumados como un mal menor, tratando de evitarlos en el futuro. Los Padres del concilio creerían que con la inclusión de los obispos entre los electores, ya que era un grupo numeroso sin ambiciones personales; con ciertas garantías de que con su influencia y prestigio las elecciones se llevarían a cabo de forma pacífica y legal; con los duros castigos espirituales y materiales con que se amenazaba a los infractores, se terminarían, de una vez para siempre, todos los actos que atentaban

---

[116] Ibid., p.218; MANSI, 10,638.

contra la seguridad de los reyes y de la patria. El concilio traza una línea de gobierno a la que deben adaptarse el rey actual y los reyes futuros [117].

El concilio introducía la gran innovación de dar derecho a voto a los obispos. No hace mención de la parte que el pueblo tenía en la elección de los reyes. Probablemente tuvo una evolución parecida a su participación en la elección de los obispos. En este tiempo no intervenía ya directamente en la elección de los reyes. No pone expresamente condiciones a la persona del elegido. Estas condiciones aparecerán en la legislación posterior. No existe decreto o edicto real de aprobación de lo legislado en el concilio. Sí se encuentra al final una frase en la que se atestigua que, contando con el beneplácito del rey, se establece que nadie, bajo ningún pretexto, viole lo que en el concilio se ha legislado [118].

El concilio V de Toledo, año 636, vuelve a legislar sobre la electividad de la monarquía. Se insiste nuevamente en que el rey debe ser elegido por el voto común. No especifica quiénes son los electores. En cambio, desciende a detalles cuando habla de las cualidades que debe tener el elegido. Debe ser virtuoso, de linaje noble y de raza goda [119]. Esta última cláusula no debe extrañar. No olvidemos que existió una ley que prohibía los matrimonios de godos con hispano-romanos, y que esta ley, a pesar de que se había logrado la unidad de fe y la unidad política, tardó algún tiempo en desaparecer. La revocó Recesvinto [120]. La nobleza sería de raza goda en su mayor parte. Como además los reyes godos tenían la facultad de aumentar las propiedades territoriales de la nobleza mediante donaciones [121], es natural que fuesen hechas siempre en beneficio de la nobleza goda. Es natural que tanto el rey como la nobleza intentasen lograr que la corona recayese siempre en algún personaje de su propia raza. En este concilio son solamente los Padres quienes dan validez con sus firmas a lo que en él han acordado.

Nada nuevo añade el concilio VI de Toledo. En la cuestión que nos ocupa es más explícito el concilio VIII de Toledo, año 653. Se lamenta de que la legislación anterior no ha logrado desarraigar los intentos de rebeliones, y cree encontrar la solución en una nueva legislación que consiste en proclamar la electividad de la monarquía y en describir más detalladamente cómo debe llevarse a cabo la elección. Establece el concilio: «De ahora en adelante, pues, de tal modo serán designados los reyes para ocupar el trono regio, que sea en la ciudad real, sea en el lugar donde el rey haya muerto, será elegido con el voto de los obispos y de los más nobles de palacio, y no fuera, por la conspiración de pocos o por el tumulto sedicioso de los pueblos rústicos» [122]. Ratifica, pues, lo legislado en el concilio IV de Toledo.

---

[117] Cf. J. Orlandis, art.cit. p.48.
[118] Cf. J. Vives, *Concilio IV de Toledo* p.221-22: Mansi, 10,641.
[119] Cf. J. Vives, *Concilio V de Toledo* c.3 p.228: Mansi, 10,655.
[120] Cf. K. Zeumer, *Leges visigothorum antiquiores* III 1,1 (Hannoverae et Lipsiae 1894); *Leges nationum germanicarum* I: Mon. Ger. Hist., *Leges visigothorum* III 1,1.
[121] Cf. M. Torres López, *El Estado visigótico:* Anuario de Historia del Derecho Español 3 (1926) p.423.
[122] J. Vives, *Concilio VIII de Toledo* c.10 p.283: Mansi, 10,1219.

Los obispos conservan sus derechos. En cuanto a la nobleza, se habla ahora de *los más nobles de palacio*. En el concilio IV de Toledo se hablaba de *la nobleza de todo el pueblo*. A primera vista podría pensarse en una reducción del número de nobles con derecho a voto. Ambas expresiones son equivalentes. Así se excluye a todos aquellos que, viviendo en palacio, no pertenecen a la nobleza. Con tal expresión no se reduce el derecho de voto de la nobleza. Debemos tener en cuenta que la nobleza se había ido reuniendo poco a poco en la Corte. El rey poseía el derecho de hacer donaciones territoriales a la nobleza. No solamente durante la conquista, sino también en caso de confiscaciones, tan frecuentes en este período, los bienes pasaban a manos del Estado. A veces se dejaba libertad al rey para que hiciese lo que quisiera con tales bienes. Así, p.ej., la ley II 1,9 de Recesvinto castiga con la pérdida de la mitad de los propios bienes a quienes maldicen al rey. Este puede hacer lo que quiera con tales bienes [123]. Es natural que los diese como donaciones a los nobles fieles que le rodeaban. Así, la propiedad se había ido concentrando. La nobleza territorial se había unido a la burocrática. La nobleza se había reunido en la Corte [124].

Por otra parte, debemos tener en cuenta también que Chindasvinto durante su reinado había hecho asesinar un gran número de nobles y confiscado sus bienes. Así, el número de nobles se había reducido ya notablemente. Teniendo esto en cuenta, es fácil comprender que la frase *los más nobles de palacio* equivale a *la nobleza de todo el pueblo*. La única nobleza que quedaba era la palatina [125]. Una reducción circunstancial podía darse en la práctica por la disposición de elegir al rey en Toledo o en el lugar donde haya muerto su antecesor. Si se elegía en el lugar donde había muerto, podía darse el caso, como en la elección de Wamba, de que algunos nobles no estuviesen presentes.

Se condena en este canon la subida al trono por el tumulto sedicioso de los pueblos rústicos. Creo que no fue nunca, y menos en el tiempo en que se celebraba el concilio, un peligro para la electividad de la monarquía. El pueblo solo bien poco podía hacer, a no ser que fuese ayudado por la nobleza o el ejército. En este caso sería sólo un medio del que se servía un noble sin escrúpulos para alcanzar la corona. La cláusula es, más bien, una abolición legal de los derechos que el pueblo pudiera tener en la elección de los reyes. Recordemos que, en un principio, en los pueblos germánicos elegía el pueblo entero.

La elección se fue haciendo cada vez más aristocrática. En ningún concilio se hace alusión a la participación del pueblo en las elecciones. Ahora se le excluye terminantemente en la elección de los reyes. El canon da a entender que la elección se realiza en una reunión compuesta exclusivamente de obispos y nobles, es decir, de quienes tienen

---

[123] Cf. K. ZEUMER, *Leges nationum germanicarum* I: Mon. Ger. Hist., Leges visigothorum II 1,9.

[124] Cf. M. TORRES LÓPEZ, *El Estado visigótico:* Anuario de Hist. del Derecho Español 3 (1926) p.423.

[125] Cf. J. ORLANDIS, *El poder real y la sucesión al trono en la monarquía visigoda*, en *Estudios visigóticos* III p.49.

voto. Al pueblo, igual que en el caso de la elección de los obispos, no le quedaría más participación que la aclamación del rey cuando éste había sido elegido por obispos y nobles [126].

En el mensaje dirigido al concilio, Recesvinto prometió aprobar lo que se decretase, pero no existe confirmación real de este concilio. En el código civil aparece una ley de Recesvinto que corresponde precisamente el canon 10 del concilio VIII de Toledo. En lo que se refiere al tema que tratamos, la ley dice textualmente: «Quienquiera que por sediciones populares o por maquinaciones ocultas intentase llegar al trono, sea anatema, juntamente con aquellos que le hayan ayudado...» [127] K. Zeumer escribe comparando el canon y la ley: «La ley no ofrece más que una disposición negativa bastante pobre: una prohibición de subir al trono por rebelión o complot» [128].

Lo primero que llama la atención es que Recesvinto no menciona el derecho exclusivo de elección de nobles y obispos. Las causas no son fáciles de determinar. Podría ser que la ley sea anterior al concilio, y sea éste quien añade la cláusula. No hay razones suficientes para explicar por qué no confirmó el concilio. K. Zeumer piensa que la promesa de hacerlo estaba tan restringida, que no es fácil deducir que el rey la hubiera hecho [129].

La legislación conciliar no terminó con las sublevaciones. Tulga murió asesinado y Wamba fue depuesto por una conspiración palaciega. La Iglesia tiene su parte de culpa por haberse mostrado demasiado blanda con los culpables. Los nobles seguían exponiéndose, sabiendo que, si la revolución triunfaba, nadie se les opondría. Quizá la Iglesia no tuvo más remedio que admitir los hechos consumados, ya que, frente al nuevo rey, poco podía hacer al no tener fuerzas materiales que oponerle. Por prudencia y por impotencia, no condenaron nunca al monarca que había llegado al trono por medio de una usurpación [130]. Pensaba que era mejor aceptar los hechos consumados que exponerse a una nueva guerra civil.

Tales hechos no son una prueba contra el sistema electivo. Aunque la Iglesia transigía y aprobaba a los reyes que habían llegado al trono por medios ilegales, no significaba que renunciase a las leyes establecidas sobre la forma de elegir a los reyes. Estos delitos contra la electividad de la monarquía no provenían ni de oscuridad de la legislación ni porque el sistema electivo fuese imperfecto. La falta está en que la nobleza visigoda no siempre aceptó plenamente el resultado de la elección, y, naturalmente, siguieron tramando rebeliones contra los reyes. Prueba de que la legislación estaba clara y que todos sabían a qué atenerse es

---

[126] Cf. C. Sánchez Albornoz, *El Senatus visigodo. Don Rodrigo, rey legítimo de España:* Cuad. de Hist. de España 6 (1946) p.86.

[127] K. Zeumer, *Leges nationum germanicarum* I: Mon. Ger. Hist., *Leges visigothorum* II 1,6.

[128] K. Zeumer, *Historia de la legislación visigoda* (Barcelona 1944) p.136.

[129] Cf. ibid., p.137-38.

[130] Cf. M. Marco y Cuartero, *Los concilios de Toledo* (Madrid 1856) p.12.

que los reyes que no subieron al trono por elección trataron de legitimar los hechos [131].

La Iglesia intentó sinceramente terminar con los obstáculos que se oponían a la electividad de la monarquía. El primero era, evidentemente, las traiciones y conspiraciones. El segundo eran las frecuentes venganzas y represalias contra los parientes, amigos y colaboradores del rey anterior. La Iglesia elaboró una legislación clara, con graves castigos para los transgresores. La Iglesia defendió la sucesión pacífica al trono por medio de la elección.

A pesar de las dificultades y de que el sistema electivo no siempre fue perfectamente respetado, nunca se intentó abolir ni cambiar la legislación. Nunca se intentó implantar legalmente la sucesión hereditaria. Cualquier sistema de llegar al trono hubiese encontrado las mismas dificultades, o quizá mayores, dado el carácter belicoso y levantisco de los godos. La Iglesia, pues, aceptó, legalizó y defendió, lo mejor que pudo, el sistema electivo de la monarquía visigoda.

---

[131] Cf. J. Moreno Casado, *Los concilios nacionales de Toledo. Iniciación de una política concordataria* (Granada 1946) p.32.

Capítulo III

LA IGLESIA VISIGODA Y LOS REYES

FUENTES Y BIBLIOGRAFIA: Ver la del capítulo anterior.

Hemos visto el concepto que la Iglesia tenía de la monarquía. Veamos ahora qué dice la Iglesia sobre los reyes. No intentamos hablar de las relaciones que la Iglesia mantuvo con todos y cada uno de los reyes visigodos, aunque a veces, como en los casos de Suintila y Wamba, intentemos bajar a más detalles para ver la licitud de la actitud de la Iglesia en tales casos, comparándola con la legislación conciliar. Queremos, más bien, analizar las cualidades que la Iglesia exige para que alguien llegue al trono y precisar las facultades que se les conceden en el ejercicio de la soberanía. Todo ello irá íntimamente relacionado con lo escrito en el capítulo anterior sobre la electividad de la monarquía y su carácter de moderada. La Iglesia exigirá a los reyes que realicen el ideal de monarquía que aparece en sus cánones.

1.   CONDICIONES PARA SER ELEGIDO REY

Hemos visto que la monarquía visigoda era electiva. La Iglesia, haciéndose eco de la costumbre goda, sancionó esta forma de gobierno. Veamos ahora qué cualidades exige la Iglesia a los candidatos al trono. No se dice nada sobre las cualidades que debe tener el elegido en el primer canon conciliar, que habla de la electividad de la monarquía y de la elección del rey. Especifica únicamente que los electores son los obispos y los nobles. Es el canon 75 del concilio IV de Toledo.

Muy pronto, sin embargo, comienza la Iglesia a exigir ciertas cualidades a los candidatos. La primera, evidentemente, era el haber sido elegido regularmente. El concilio V de Toledo, año 636, legisla ya que el elegido debe ser un noble de raza goda y acreditado por su virtud. «Y porque inconsideradamente los ánimos de algunos que no caben en sí, y a los que no adorna su linaje ni acredita su virtud, creen aquí y allá poder lícitamente alcanzar la cumbre del poder real... que si alguno al que no eleve el voto común ni la nobleza de la raza goda le conduzca a este sumo honor tramare algo parecido, sea privado del trato de los católicos y condenado con el anatema de Dios» [1].

Hemos hablado, al tratar de la electividad de la monarquía, del significado de la exigencia de ser noble godo. Sobre la virtud que debe

---

[1] J. VIVES, *Concilio V de Toledo* c.3 p.228: MANSI, 10,655.

adornar a los reyes no se especifica más. Probablemente, se deseaba que el rey fuese un modelo de todas las virtudes, sobre todo las que tienen relación directa con el gobierno, como la justicia, la piedad, la misericordia. Recordemos lo que San Isidoro escribía sobre los reyes al exigirles que supiesen dominarse a sí mismos y a los demás [2] y su deber de ser un ejemplo de virtud para los súbditos [3].

El concilio VI de Toledo, año 638, vuelve a repetir que el candidato al trono debe ser de raza goda y de costumbres dignas. Prohíbe que quienes procedan de raza servil puedan llegar al trono. Enumera, además, otros hechos que por sí mismos inhabilitaban para desempeñar cargos públicos civiles. Uno es la decalvación, que era una pena infamante que se aplicaba por delitos graves y consistía en rasurar la cabeza. La otra forma de quedar inhabilitado para poder ser rey era el haber recibido la tonsura clerical. El que la recibía quedaba consagrado a la Iglesia para siempre. Esta clase de tonsura se le administró a Wamba para imposibilitar su vuelta al trono.

Se prohíbe, además, la elección de algún extranjero. Esta cláusula es una prueba más de que el nacionalismo crecía poco a poco. Dice el canon: «Y, una vez muerto el rey, nadie se apoderará del trono tiránicamente, ni tampoco el que haya sido tonsurado bajo el hábito religioso o vergonzosamente decalvado, ni aquel que proceda de familia servil, ni ningún extranjero, sino que será designado para la jefatura del reino un godo por la sangre y de costumbres dignas. Y el quebrantamiento de esta nuestra ley santísima sea castigado con un anatema perpetuo» [4]. Y se vuelve a recalcar que el candidato debe ser de costumbres dignas.

El concilio VIII de Toledo, año 653, insiste de nuevo en las cualidades que deben adornar al candidato al trono. Legisla el concilio: «Serán seguidores de la fe católica, defendiéndola de esta amenazadora infidelidad de los judíos y de las ofensas de todas las herejías; serán modestos en sus actos, juicios y vida; en el acopio de cosas serán, más bien, parcos que largos, de modo que con ninguna violencia, o composición de escrituras, o de cualesquiera otras decisiones exijan de sus súbditos o pretendan exigir algún contrato» [5].

Además de la moderación en sus actos, juicios y vida, que corresponden a las virtudes exigidas en los concilios anteriores, ahora se exige claramente que el rey debe ser católico. Hasta ahora, esa cualidad se sobrentendía, ya que, siendo el país católico en su inmensa mayoría, era natural que el rey también lo fuese. El arrianismo se extinguió completamente a los pocos años de la conversión de Recaredo. Destronado Witerico, el último rey arriano, no se vuelve a hablar de arrianismo. El único grupo que en este tiempo no practicaba la religión católica en España eran los judíos.

La cláusula es, por tanto, una cortapisa legal a la posibilidad de que

---

[2] Cf. SAN ISIDORO, _Sentencias_ III 48,7: ML 83,719.
[3] Cf. ibid., III 50,6: ML 83,722.
[4] J. VIVES, _Concilio VI de Toledo_ c.17 p.244-45: MANSI, 10,669-70.
[5] J. VIVES, _Concilio VIII de Toledo_ c.10 p.283: MANSI, 10,1219.

algún día pudiese sentarse en el trono algún judío o simpatizante de esta religión. Indudablemente, existía un cierto miedo a que un judío pudiera reinar en España. Nos confirma en esta opinión el hecho de que a continuación se exija que el rey debe defender la fe católica de los ataques de los judíos.

El concilio exige una nueva virtud a quienes quieran ser reyes. Es que sean parcos en el acopio de riquezas. Y especifica que es ilícito, aun al rey, adquirir riquezas por medio de la fuerza o por falsificación de documentos. Pero creemos que, aunque no lo dice expresamente en este canon, trata de poner freno a las confiscaciones injustas, que no reportan ningún bien al reino y van a aumentar el patrimonio personal del rey.

Ya hemos dicho que Chindasvinto realizó innumerables confiscaciones durante su reinado, hasta el punto de que su hijo Recesvinto se vio obligado a publicar en este concilio una ley que pone freno a las confiscaciones y distingue claramente entre los bienes del rey y los bienes del reino. Lo mismo intentaban los Padres del concilio con este canon. Naturalmente, si las confiscaciones se convertían en cosa ordinaria y no se ponía freno a la avaricia de los reyes, se corría el riesgo de arruinar a las personas privadas y aun al fisco, haciendo así un grave daño a la seguridad y al poder de la nación. El concilio intenta poner remedio a esta nueva forma de atentar contra el bien común. Con tales exigencias, la Iglesia intentaba que la persona del rey se acercase los más posible al ideal de gobierno que ella misma había contribuido a formar. La influencia del gran San Isidoro es evidente.

2. ELECCIÓN DEL REY

Los concilios de Toledo no descienden a detalles sobre el modo como se realizaba la elección. Tampoco lo hacen las leyes civiles. El concilio IV de Toledo se limita a legislar que los nobles y los obispos designarán, de común acuerdo, al sucesor en el trono. En el concilio V de Toledo se habla solamente del voto común, pero no especifica el modo de realizar la elección. No creemos que por esas palabras se dé a entender que era necesaria la unanimidad. Creemos, más bien, que exige la presencia de todos los electores, y declara que el elegido será aquel que obtuviera la mayoría de votos, con la obligación implícita de que todos aceptasen el resultado de la votación. T. Andrés Marcos escribe acertadamente comentando este problema: «Del número de votos tenemos sólo dos testimonios, que necesitan, por cierto, alguna explicación. El canon tercero del concilio V de Toledo expresa que la elección ha de ser *omnium* (de todos), y el décimo del concilio VIII, *omnímodo assensu* (con omnímodo o total asentimiento)». Interpretar estas palabras en el sentido de unanimidad es tan absurdo como disponer que los hispano-godos nunca tuvieran rey. Por eso, el consentimiento de todos o asentimiento omnímodo se ha de tomar por consentimiento general, opuesto a consentimiento de algunas facciones o parcialidades y de poca gente, no por consentimiento universal. El mismo concilio VIII da la razón a nuestra exégesis cuando, en seguida de decir que la elección de rey sea por consentimiento omnímodo, añade: «no por elección de los de fuera, o por conspiración de unos pocos, o por tumulto sedicioso de las plebes rústicas»[6].

Poco más añade el concilio VIII de Toledo, año 653. «De ahora en adelante, pues, de tal modo serán designados los reyes para ocupar el trono regio, que sea en la ciudad real, sea en el lugar donde el rey haya muerto, será elegido con el voto de los obispos y de los más nobles de palacio, y no fuera por la conspiración de pocos o por el tumulto sedicioso de los pueblos rústicos»[7]. Por la manera de expresarse, podemos deducir que la elección se celebraba en una reunión compuesta exclusivamente de nobles y obispos, congregados precisamente para eso. El concilio prohíbe que la elección se haga fuera de esa reunión, por conspiraciones de la minoría o valiéndose de conspiraciones populares.

El concilio añade algún dato sobre el lugar donde se celebraba la elección. Los únicos dos lugares en que se puede realizar son la sede real, que durante todo este tiempo fue Toledo, o en el lugar donde haya muerto el rey anterior. La razón es evidente. Hemos dicho que la nobleza se habían hecho cada vez más aristocrática y se había ido reuniendo alrededor del rey, sobre todo desde el reinado de Chindasvinto. Así, la mayor parte de la nobleza se encontraba en Toledo. Y, si el rey salía de Toledo, es natural que los nobles del Oficio Palatino marchasen con él. Así, la elección de Wamba no se celebró en Toledo, sino en la villa salmantina de Gérticos, donde había muerto Recesvinto.

Exactamente igual que se comenzó a exigir ciertas cualidades al candidato a rey, se empezó a pedir títulos a los electores. El derecho a voto se fue reduciendo a algunas clases sociales. Y se determinó también los lugares donde podía celebrarse la elección. Escribe M. Torres: «Si prevaleció el principio germánico de elección, no sucedió lo propio con la cualidad del elector. Según los principios germánicos, elige el pueblo armado, en asamblea general. Así es elegido Alarico, así Ataúlfo, así también Walia. Al morir Teodorico, es elegido en el campo de batalla su hijo Turismundo, aunque luego es reconocido en asamblea general. El principio que ha de predominar y vencer no es el de elección general, sino la elección por los nobles, obispos y miembros laicos del Aula Regia, realizada en Toledo o en la ciudad en que murió el rey a quien se busca sucesor»[8].

Naturalmente, no podemos pensar en una elección tal y como se realiza modernamente. Más bien es una designación hecha en común de un candidato para ocupar el trono. «Conviene advertir que no se trata aquí de una elección puramente técnica, cual es la elección canó-

[6] T. Andrés Marcos, *La constitución, transmisión y ejercicio de la monarquía hispano-visigoda en los concilios toledanos* (Salamanca 1928) p.48.
[7] J. Vives, *Concilio VIII de Toledo* c.10 p.283: Mansi, 10,1219.
[8] M. Torres López, *El derecho y el Estado*, en *Hist. de España*, dir. por M. Pidal, vol.3 (Madrid 1963) p.229.

nica, hecha por sufragio de los miembros de un colegio constituido de antemano en persona jurídica; ni de varias de las elecciones de concepto genérico hechas por sufragio en los modernos derechos. Se trata de una mera designación de persona, cuyas circunstancias concretas nos son muy poco conocidas» [9].

La elección del rey debía celebrarse siempre después de muerto el antecesor. Los concilios, cuando hablan de la elección, siempre presuponen la muerte del rey anterior. Hablamos de la elección propiamente dicha, realizada por los nobles y obispos. Esta elección no se puede realizar, ni siquiera preparar, cuando todavía vive el rey.

El concilio V de Toledo, año 636, va más lejos aún, declarando ilícito el pensar, viviendo el rey, en un candidato como futuro rey, o tratar de ganar a otros para que le den el voto a sí mismo. Es una condena de la propaganda electoral hecha antes de morir el rey actual. «No es cosa vuestra conocer los tiempos ni los instantes, que el Padre se reservó en su poder; por medio de este decreto establecemos que cualquiera que fuere convicto de haber investigado tales cosas y, viviendo aún el rey, haber puesto los ojos en otro como esperanza futura del trono o haber atraído a otros a sí para el mismo fin, sea arrojado de la asamblea de los católicos por la sentencia de la excomunión» [10]. También el concilio VI de Toledo prohíbe preparar candidaturas antes de morir el rey.

En los casos en que el rey designaba a alguien para sucesor suyo en el trono, parece ser que había un cierto consentimiento de la nobleza. Es lo que nos da a entender San Isidoro cuando desea que, igual que hubo consentimiento de la nobleza para que Suintila asociase al trono a su hijo Ricimiro, tal consentimiento se repita para que Ricimiro pueda ocupar el trono de su padre cuando éste muera [11]. Tal consentimiento no era una verdadera y propia elección de nobles y obispos. Ni este consentimiento a la asociación al trono les obligaba a reconocer al designado como futuro rey. De hecho, Ricimiro no llegó a ser rey. San Isidoro desea que el consentimiento que permitió a Ricimiro ser asociado al trono por su padre, se repita para que a la muerte de éste sea rey.

La Iglesia, pues, desea que la elección del rey sea libre. De entre aquellos candidatos que reúnen las condiciones establecidas, debe subir al trono el elegido por la mayoría. Quiere también que ninguno de los electores se haya comprometido con otro para darle el voto y que nadie busque votos para sí. Teme que con estas maniobras electorales se busque el bien de un pequeño grupo, que el único móvil sea la ambición y no el buscar verdaderamente el bien del pueblo y de la patria. Su deseo es que las elecciones sean libres y que el voto se dé al más digno de los candidatos.

Con toda esta legislación, la Iglesia intentaba que las elecciones fuesen pacíficas. Era normal que temiese que durante la vacante del trono

[9] T. Andrés Marcos, o.c. p.45.
[10] J. Vives, *Concilio V de Toledo* c.4 p.228: Mansi, 10,655.
[11] Cf. San Isidoro, *Historia gothorum* 65: ML 83,1074-75.

se excitasen las pasiones y ambiciones. De ahí que insista que el elegido será el designado por la mayoría de los electores y que se debe excluir toda imposición, por la fuerza, de un candidato. El concilio VIII de Toledo excluye taxativamente que el rey sea impuesto por la conspiración de unos pocos.

3. FORTALECIMIENTO DEL PODER REAL

Hemos visto que la monarquía visigoda no era absolutista. Consiguientemente, pues, tampoco el poder de los reyes era absoluto. El rey en su gobierno debía respetar las leyes y no salirse nunca de la línea que le imponía el bien común. El poder del rey estaba condicionado por las leyes y las exigencias del bien común. La Iglesia defendió tal situación jurídica.

Sin embargo, encontramos que el concilio IV de Toledo, año 633, cuando por primera vez un concilio se arroga el derecho de intervenir en cuestiones políticas, lo hace por los siguientes motivos: «fortalecer la situación de nuestros reyes y dar estabilidad al pueblo de los godos» [12]. Uno de los fines que se proponía el concilio era dar seguridad y fortalecer el poder de los reyes. «La preocupación que existía por la salvación y mantenimiento del reino y del pueblo de los godos y de la seguridad del poder real —*patriae salus, gentis gothorum status, incolumitas regiae potestatis*—, que aparecen desde ahora con frecuencia, es el título en nombre del cual ejerce el concilio su poder legislativo en las más importantes cuestiones de derecho político» [13].

No se intentaba con esto cambiar la fisonomía de la monarquía visigoda, ni de dar al rey poderes absolutos. El fin de la legislación era acabar con las insurrecciones contra los reyes y al mismo tiempo hacer que éstos pudiesen ejercitar sin cortapisas todos los poderes que las leyes les concedían. No cabe duda de que ésta era su intención, ya que si comienzan el canon intentando fortalecer el poder real, lo terminan con una seria condena de los reyes que gobiernan despóticamente, sin hacer caso de las leyes [14].

Las rebeliones no permitían a los reyes ejercitar todos los poderes que les concedían las leyes. Recordemos lo dicho de las luchas entre los reyes y la nobleza. Es natural que los reyes, con una nobleza poderosa y siempre dispuesta a los levantamientos, no pudiesen o no se atreviesen a ejercitar todos sus poderes, precisamente para no enemistarse con la nobleza. En este ambiente se comprende fácilmente que tantas veces los reyes se echasen en manos de los obispos y los concilios. Los reyes buscaban no sólo su sabiduría, sino también su mayor lealtad. Los reyes se apoyaban en los obispos para disminuir la influencia de la nobleza.

El concilio IV de Toledo, para robustecer la posición de los reyes,

---

[12] J. VIVES, *Concilio IV de Toledo* c.75 p.217: MANSI, 10,637.
[13] K. ZEUMER, *Historia de la legislación visigoda* (Barcelona 1944) p.102.
[14] Cf. J. VIVES, *Concilio IV de Toledo* c.75 p.220-21: MANSI, 10,640.

exige a los súbditos no transgredir el juramento de fidelidad que hicieron al rey. La obediencia y sumisión de los súbditos fortalece, naturalmente, la autoridad de los reyes. El concilio cree que con esto basta, y no especifica más. La legislación conciliar no vuelve a repetir que actúa para fortalecer el poder real, pero en la condena de las rebeliones y conjuraciones se ve claramente que ése es el fin que se persigue.

Los mismos reyes piden ayuda a los concilios para gobernar la nación. Ervigio, en el discurso dirigido a los Padres del concilio XII de Toledo, año 681, afirmaba: «No dudo, santísimos Padres, que brotará una excelente ayuda de los concilios para el mundo que se derrumba si con diligente aplicación se enmiendan aquellas cosas que deben ser corregidas, y así, juzgo que conocen vuestras paternidades los males que afligen a la tierra y las heridas que la aquejan a través de los diversos tiempos» [15].

Ervigio piensa que todos los males provienen del desprecio de los preceptos divinos. Pero es evidente que lo que realmente le preocupaba era su seguridad en el trono. Además, no debemos olvidar que las rebeliones y traiciones contra el rey eran consideradas como un pecado grave de perjurio contra Dios, porque se violaba un juramento de fidelidad hecho en nombre de Dios y en favor del rey. Cumpliendo el juramento, se terminaban las intrigas. Y se podía exigir su cumplimiento por motivos religiosos.

Ervigio, en su mensaje al concilio, vuelve a repetir que desea la ayuda de los obispos: «... apelo al testimonio indestructible de vuestra paternidad en auxilio de nuestra seguridad, para que, dado que creemos haber aceptado el reino, con el favor de Dios, para salvación del país y alivio del pueblo, seamos ayudados con el consejo de vuestra santidad» [16]. Aquí se ve más claramente que lo que desea es ayuda política para gobernar el país y asegurarse definitivamente el trono, vacilante en los primeros momentos de la usurpación. El concilio con su legislación hizo todo lo posible para asegurar y fortalecer el poder de Ervigio.

Egica pide al concilio XVI de Toledo, año 693, que le ayude a gobernar y fortalezca su poder: «... pido a la asamblea de vuestra santidad con cristiana devoción de corazón, para que, toda vez que gobernáis con exquisita vigilancia la Iglesia santa católica, me ayudéis en mis deseos y me otorguéis vuestro precioso auxilio, por los méritos de vuestro pontificado, en el gobierno de los pueblos y aportéis el refuerzo de vuestros consejos, para que pueda, confiado en la ayuda de vuestra santidad, seguir reinando en paz y gobernar con piadosa y discreta moderación a la nación que me ha sido encomendada» [17]. Poco antes había afirmado que los concilios son un obstáculo para las calamidades de este siglo inseguro. Las luchas entre las diversas facciones políticas habían llegado a comprometer muy seriamente la paz del país. Así, no es ex-

[15] J. Vives, *Concilio XII de Toledo* p.380: Mansi, 11,1024.
[16] Ibid., p.381: Mansi, 11,1025.
[17] J. Vives, *Concilio XVI de Toledo* p.484: Mansi, 12,61.

traño que Egica pida ayuda al concilio para terminar con esas luchas que comprometían también el poder real.

Ya hemos dicho que los reyes se apoyaron muchas veces en los concilios para gobernar y que éstos respondieron al deseo de los reyes. Al principio buscaban sólo la sabiduría y prudencia de los obispos. En los últimos años de la monarquía visigoda, el apoyarse en los concilios para gobernar fue una verdadera necesidad para los reyes. Los obispos siempre fueron más leales al rey que la nobleza.

4. LIMITACIONES AL PODER REAL

La monarquía visigoda no era absolutista. Así, tampoco los reyes pueden ser absolutistas. La monarquía, como forma de gobierno, debía adaptarse a las características establecidas por las leyes. La Iglesia concebía a la monarquía como un oficio cuyo fin era lograr el bien común de la nación, en el que entraba la unidad política y religiosa, la conservación de la paz y la defensa de la fe y de la Iglesia, y, sobre todo, del reino. Estas eran las principales obligaciones de la monarquía, y, por consiguiente, de todos y cada uno de los reyes que ocupasen el trono.

Se exigía a los reyes que se adaptasen al concepto que la Iglesia y las leyes civiles fueron elaborando sobre el carácter de la monarquía. Por eso, como no se concedía a la monarquía poderes ilimitados, tampoco podían tenerlos los reyes. Todos los textos y argumentos que expusimos para probar que la monarquía no era absolutista, valen también para demostrar que el poder de los reyes tenía limitaciones.

Recordemos solamente que los reyes estaban obligados a obedecer y respetar las leyes. Así lo exigía la ley II 1,2 del *Fuero juzgo:* «Tanto la potestad real como todo el pueblo deben estar sometidos a las leyes... abrazando con gusto los mandatos divinos, damos justas leyes para nosotros y para nuestros súbditos, a los cuales se establece que deben obedecer nuestra excelsa clemencia y la futura de nuestros sucesores y todos los súbditos de nuestro reino, y se establece esto con esta intención: que por ningún motivo se exima a nadie, ni por la dignidad de la persona ni por la del poder, del cumplimiento de las leyes que se dan para los súbditos, de tal forma que les obligue la necesidad o la voluntad del príncipe al respeto a la ley» [18]. También San Isidoro exige que los reyes obedezcan las leyes.

El rey debía reinar con moderación. Era el legislador. Pero, a pesar de ello, debía obedecer a las leyes. Además, los poderes legislativos los ejecutaba con el Aula Regia, los concilios, y, a veces, se habla también del consentimiento del pueblo. También se limitaba el poder judicial de los reyes en los procesos en que podía verse comprometida la justicia. El rey podía dar la sentencia definitiva en los procesos judiciales civiles. Sin embargo, para que el principio del gobierno moderado no se vea

---

[18] *Fuero juzgo* II 1,2, ed. Real Acad. Española (Madrid 1815) p.5; K. ZEUMER, *Leges visigothorum antiquiores* II 1,1 (Hannoverae et Lipsiae 1894) p.35.

comprometido, los concilios exigen a los reyes que no sean jueces únicos en delitos de alta traición [19]. Los acusados de delitos de alta traición deben ser juzgados en un tribunal compuesto de obispos, grandes de palacio y gardingos [20].

Los juicios contra los reos de alta traición tenían todavía otras consecuencias. En el caso de que los convictos de tales delitos escapasen a la pena de muerte, el castigo que se les imponía corrientemente era la excomunión, la pérdida del cargo, de los bienes y el derecho a testificar. Estas penas impuestas a traidores y desertores eran perpetuas. La comunión, normalmente, se les daba al fin de su vida. A veces, sin embargo, cabía la posibilidad de que se les diese antes la comunión. El concilio VII de Toledo, año 646, trata del problema de los traidores y desertores, condenándoles a la pérdida de sus bienes y a la excomunión. Sin embargo, como son faltas cometidas exclusivamente contra el rey, se deja a éste la facultad de perdonarles cuando le parezca oportuno.

A pesar de todo, aun ese derecho no lo puede ejercitar por sí solo cuando se trata de levantar la excomunión a los traidores y a quienes se han expatriado para hacer daño a la patria. Necesita el consentimiento de los obispos. «Pedimos a los clementísimos reyes y unánimemente les suplicamos, conjurándoles por el inefable sacramento del nombre divino, que nunca, sin la justa intervención de los obispos cuando fuere necesario, levanten temerariamente la pena de esta excomunión a los clérigos y seglares traidores que se expatriaron» [21]. Lo establecido en este canon debe ser observado por los reyes, bajo pena de ser tenidos por prevaricadores de la fe católica y reos delante de Dios.

Recesvinto, en el mensaje dirigido el concilio VIII de Toledo, se encuentra en un dilema precisamente a causa de los castigos impuestos a los traidores. Recuerda que a quienes habían cometido delitos contra el rey, la patria o el pueblo de los godos, se les imponía una pena irrevocable que no se perdonaba ni se reducía. Afirma que ahora se piensa que tal castigo es exagerado y contrario a la virtud de la piedad. Por esta razón pide al concilio que resuelva la dificultad. El rey descarga la responsabilidad de tomar una decisión y quiere que sea el concilio quien le indique lo que se ha de hacer. «Por lo que pertenecerá, de aquí en adelante, a vosotros mitigar los extremos del dilema, evitando que, a causa del juramento, nos hagamos culpables o que una venganza inmisericorde nos convierta en inhumanos, y así, vuestro parecer nos indicará a nosotros el modo como evitar el tener entre perjuros a estos pueblos que me están subordinados o el llorarlos disminuidos obligado por la inmisericordia» [22].

El concilio, después de una larga digresión sobre la violación del juramento de fidelidad como un pecado de perjurio, trata de ver si el

[19] Cf. J. Vives, *Concilio IV de Toledo* c.75 p.220: Mansi, 10,640.
[20] Cf. J. Vives, *Concilio XII de Toledo* c.2 p.417-18: Mansi, 11,1065.
[21] J. Vives, *Concilio VII de Toledo* c.1 p.252: Mansi, 10,766-67.
[22] J. Vives, *Concilio VIII de Toledo* p.264: Mansi, 10,1208.

no perdonar esos delitos sea más grave que mostrar misericordia por los perjuros que profanan el nombre de Dios. El concilio se inclina a mostrarse misericordioso, rebajando las penas a imponer a los traidores. Pide, sin embargo, que quede en pie la grave obligación de cumplir el juramento hecho en favor del rey. El concilio no se atreve a solucionar por sí mismo el problema, y concede al rey la potestad de disminuir los castigos, con tal que eso no lleve consigo algún daño a la patria o al pueblo. «Dejamos en manos del glorioso príncipe la realización de la misma misericordia, para que, ya que Dios le abrió la posibilidad de tener misericordia, no niegue él mismo los remedios de la piedad, los cuales perdurarán moderados por la discreción del príncipe, que concederá la misericordia en cierto grado, pero sin que jamás el pueblo o la patria sufran, por causa de los indultados, ningún peligro o pérdida» [23].

Ervigio, en el mensaje dirigido al concilio XIII de Toledo, expresa su intención de perdonar a todos los castigados por Wamba en la rebelión del conde Paulo. Por la forma de expresarse, parece que intenta conocer la opinión de los Padres al respecto. El concilio concede un indulto completo a todos los castigados por Wamba. Hace todo lo posible para que se les devuelvan los bienes que se les habían confiscado [24].

El concilio XVI de Toledo, año 693, concede a Egica la facultad de perdonar a los traidores: «... reservándose solamente a nuestro glorioso príncipe Egica la facultad, por si lo tuviere a bien, de perdonar, por un acto de piadosa indulgencia, como dijimos, a aquellos que ya han sido juzgados, por la perfidia de su traición, canónica y civilmente, o a aquellos que en adelante se aparten del juramento de fidelidad y pretendieren maquinar o causar algún daño al referido príncipe nuestro, a quien siempre le será posible este perdón» [25].

Sin embargo, el mismo Egica, en la ley promulgada para confirmar los cánones del concilio XVI de Toledo, se muestra indeciso si conceder el perdón o no. Cree que a veces es contraproducente perdonar. «... y aquellos que acaso se hallan complicados en una malvada traición contra nuestra clemencia, si es posible, serán indultados por nuestro poder misericordioso, para que, perdonándolos a ellos, me sea a mí propicia la divina clemencia, y para que la situación de mi pueblo y de mi patria en modo alguno degenere, lo que Dios no quiera, en decadencia y ruina. Pero cuanto más procuramos nosotros perdonar a los culpables, tanto más se esfuerza la maldad de éstos y se precipita complicada en frecuentes actos de traición, por lo que nuestro corazón anda dudoso e intranquilo sin saber qué hacer, si otorgar el perdón a las culpas o dar a cada uno su merecido, porque muchas veces la misma remisión de las culpas causa el efecto contrario, pues aumentan los delitos al no reprimirse finalmente los vicios, a los que con un esfuerzo ligero de corregirlos debió ponerse coto» [26]. Egica deseaba del concilio una solución más

[23] Ibid., c.2 p.273-74: Mansi, 10,1213-14.
[24] Cf. J. Vives, *Concilio XIII de Toledo* c.1 p.415-16: Mansi, 11,1064.
[25] J. Vives, *Concilio XVI de Toledo* c.10 p.510: Mansi, 12,78.
[26] Ibid., p.516-17: Mansi, 12,83-84.

concreta de lo que debía hacerse con los traidores. En concreto, desea saber con qué penas puede castigar a los que traman algo contra él.

En el mismo concilio se trató de la traición del obispo Sisberto, que había intentado destronar y asesinar a Egica. Se le impusieron los más graves castigos. A pesar de todo, el rey puede reducirle el castigo, pero debe hacerlo con el consentimiento de los obispos. «Y juzgamos que debe permanecer perpetuamente en el destierro, excomulgado, sin recibir el cuerpo y la sangre de Jesucristo, participando solamente de la comunión plena al fin de su vida, a no ser que la misericordia del rey, con la anuencia de los obispos, decidiere absolverle antes» [27].

De todo lo dicho se deduce que, además de las limitaciones que imponía el no absolutismo de la monarquía, los reyes tienen un poder limitado en el caso de que quieran perdonar los castigos impuestos a los reos de delitos de alta traición. «Al frente del poder judicial está igualmente el rey, pero también encuentra limitaciones en cierto sentido, pues si del rey procede la jurisdicción y si tiene en su mano la definitiva visión de los asuntos judiciales y la protección general del orden jurídico, es lo cierto que, a veces, para el ejercicio del derecho de indulto necesita consentimiento de los nobles y obispos y, además, está limitada la posible extensión del mismo. Manifestaciones de esa limitación son también las disposiciones del concilio XIII de Toledo estableciendo normas que quitan libertad al rey sobre los procesos políticos, e igualmente los que regulan las facultades de disponer de los bienes confiscados» [28].

Más natural es el caso en que Egica pide al concilio XV de Toledo, año 688, que le libre del juramento hecho a Ervigio. Le había prometido que ayudaría a sus hijos en todos los negocios que emprendiesen. Egica cree que este juramento es contrario al juramento que tuvo que hacer para subir al trono. Se había insistido tanto en que el no cumplir el juramento era perjurio, que Egica se ve obligado a recurrir al concilio. Pensaba, seguramente, que se trataba de un asunto que competía exclusivamente a la Iglesia.

Los reyes, por tanto, tenían muchas limitaciones legales en el ejercicio de su poder. Los reyes, además, realizaban muchos de sus poderes por medio de la nobleza, el Oficio Palatino, el Aula Regia y los concilios. Así, éstos limitaban, en cierto modo, los poderes de los reyes.

5. INTERVENCIÓN DEL REY EN ASUNTOS ECLESIÁSTICOS

Los reyes visigodos ejercieron el derecho de convocar los concilios, y nadie se opuso entonces a tal costumbre, ni tal hecho aparecía entonces como algo ilícito. Era una costumbre que emanaba de las relaciones que Iglesia y Estado mantenían en esta época. Tal costumbre no fue exclusiva de los reyes visigodos.

[27] Ibid., p.517: MANSI, 12,84.
[28] M. TORRES LÓPEZ, *El derecho y el Estado*, en *Hist. de España*, dir. por M. Pidal, vol.3 (Madrid 1963) p.231.

La política no era extraña a la religión, ni ésta a aquélla. No había oposición entre los fines de la Iglesia y los del Estado. Necesitaban el uno del otro. M. Torres escribe acertadamente: «La base de unas y otras recíprocas intervenciones en los asuntos que hoy se consideran como propios de esferas distintas no es otra —para el Estado visigótico y para los otros contemporáneos— que la no existencia de pugna alguna entre los fines del Estado y la misión de la Iglesia. La distinción de uno y otro poder, e incluso la pugna de ambos, sólo será fruto de una realidad histórica posterior, que será, por último, aprovechada por sistemas filosóficos que apenas podían entonces vislumbrarse» [29]. En cuestiones judiciales, p.ej., ambos se ponían de acuerdo para castigar delitos mixtos, que transgredían, al mismo tiempo, las leyes eclesiásticas y las civiles. La Iglesia, p.ej., imponía la pena de excomunión a los traidores.

Después de su conversión, Recaredo se cree un instrumento de Dios por el que se ha extirpado la herejía arriana, y piensa que es una obligación real el conseguir que se restauren las antiguas costumbres e instituciones eclesiásticas [30]. Y así, propone, con la ayuda de Cristo, el preocuparse de las cosas espirituales y de todo aquello que hace a los hombres creyentes.

Recordemos que San Isidoro, al hablar de las obligaciones de los reyes, incluía ciertas obligaciones religiosas. San Isidoro incluía el poder temporal dentro de los planes divinos de salvación. El fin del poder es hacer cumplir las leyes, aun las leyes eclesiásticas, en casos especiales. Y uno de esos casos se da cuando el poder espiritual no tiene fuerza coactiva para hacer cumplir las leyes eclesiásticas. Reconoce, pues, la existencia de dos poderes: el espiritual y el temporal. El poder temporal debe ayudar al espiritual a conseguir sus fines. «Los príncipes seculares conservan a veces, dentro de la Iglesia, las prerrogativas del poder recibido para proteger con este mismo poder la disciplina eclesiástica. Por lo demás, no serían necesarios en la Iglesia tales poderes, a no ser para que impongan, por miedo a la disciplina, lo que el sacerdote no puede conseguir por la predicación de la doctrina. El reino celeste progresa muchas veces gracias al reino terreno, con el fin de que sean abatidos por el rigor de los príncipes quienes dentro de la Iglesia atentan contra la fe y la disciplina eclesiástica, y que la autoridad del príncipe imponga a los espíritus rebeldes esta disciplina que la Iglesia en su humildad no puede ejercitar, y comunique a la Iglesia la eficacia de su poder para que merezca el respeto» [31].

El poder temporal debe intervenir en los asuntos eclesiásticos cuando la Iglesia lo necesite y se lo pida. Presta a la Iglesia su poder coactivo para hacer cumplir las leyes eclesiásticas cuando las penas canónicas no han logrado su objetivo. Interviene para proteger la disci-

---

[29] M. Torres López, *La Iglesia en la España visigoda*, en *Hist. de España*, dir. por M. Pidal, vol.3 p.303.
[30] Cf. J. Vives, *Concilio III de Toledo* p.107: Mansi, 9,977.
[31] San Isidoro, *Sentencias* III 61,4-5: ML 83,723.

plina. Cuando añade que esos poderes no serían necesarios sino para remediar la impotencia de la predicación, no hace más que fijar los límites y las condiciones a la intervención del poder temporal. El poder temporal no podrá inmiscuirse en cuestiones espirituales más que a partir del momento en que este último sea impotente para lograr sus fines [32].

No olvidemos que el rey al subir al trono hacía juramento de defender la Iglesia y la fe. Incluía, por lo tanto, la paz y disciplina eclesiásticas, que el rey podía imponer por la fuerza. Así suplía con su poder la falta de medios coactivos de la Iglesia. Pero el poder temporal debe intervenir solamente para hacer cumplir la disciplina eclesiástica a quienes están obligados a observarla, es decir, a quienes están dentro de la Iglesia. No se debe usar para obligar a los infieles a aceptar la fe.

Así, San Isidoro, al mismo tiempo que concede a los reyes estas facultades, pone un límite a las intervenciones del poder civil en cuestiones religiosas. De hecho, los reyes visigodos, p.ej., nunca se entrometieron en disputas dogmáticas. Aquí dejaron completa libertad a los obispos. Aun cuando, con motivo de la condena del monotelismo que el papa León II pidió a los obispos españoles como adhesión al concilio III de Constantinopla, éstos mandaron a Roma una apología explicando el sentido de su fe en la que el papa Benedicto II estimó que había algunas expresiones inexactas, en la fuerte disputa que se siguió, y aunque las relaciones de toda la Iglesia española con Roma se pusieron excesivamente tensas, los reyes no intervinieron, y el peso de la discusión, por parte española, lo llevaron exclusivamente los obispos.

Tampoco los reyes visigodos se arrogaron el poder de legislar en cuestiones disciplinares eclesiásticas. También aquí dejaron una gran libertad a los obispos. El concilio IV de Toledo es un ejemplo claro del equilibrio y medida con que el poder civil interviene en asuntos eclesiásticos. Quizá era fruto de la influencia de San Isidoro.

El concilio se alegra de que Sisenando se ocupe solícito en los negocios divinos. Pero Sisenando exhorta al concilio a corregir los abusos canónicos. El concilio responde a tal petición: «Nosotros, pues, alegrándonos con tales consejos regios, juzgamos necesario tratar, conforme a su deseo y el nuestro, lo que toca a los sacramentos divinos, que son administrados en las iglesias de toda España diversamente y en forma ilícita, así como de aquellas otras cosas que abusivamente se han deslizado en las costumbres» [33]. Sisenando, pues, ante casos de abusos canónicos y disciplinares, se cree en la obligación de intervenir, pero no lo hace directamente. Es el concilio quien debe legislar para corregir tales faltas. El rey aconseja que se haga y da su apoyo para que se cumpla lo legislado, pero no intenta resolver personalmente los problemas. El concilio de Mérida del año 666 concede también al rey Recesvinto la facultad de intervenir en asuntos eclesiásticos. «Y porque acerca de los nego-

---

[32] Cf. M. REYDELLET, *La conception du souverain chez Isidore*, en *Isidoriana*, estudios sobre San Isidoro de Sevilla en el XIV centenario de su nacimiento (León 1961) p.459.
[33] J. VIVES, *Concilio IV de Toledo* p.186-87: MANSI, 10,615.

cios seculares está reservada a él la santa preocupación, y acerca de los eclesiásticos, tomar sus medidas con toda atención mediante la providencia divina...» [34]

Podemos concluir que la Iglesia visigótica admitía y se alegraba de que los reyes interviniesen en cuestiones religiosas. Los reyes por su parte, cuando se trataba de asuntos estrictamente eclesiásticos, se limitaban a reforzar las decisiones tomadas en los concilios. Normalmente, los reyes secundaban la opinión de los obispos. Existía un fin religioso dentro del Estado visigótico, que es el fundamento de las actuaciones de los reyes en cuestiones religiosas. «Las facultades reales, en el orden eclesiástico, arrancan de la existencia del fin religioso en el Estado visigótico» [35].

El único abuso lo cometió Wamba cuando hizo consagrar obispos para lugares en que anteriormente no los había. Mientras Wamba ocupó el trono no hubo quejas. Pero, una vez depuesto, el concilio XII de Toledo condena tal actuación con toda su fuerza. Para evitar que en el futuro se cometan tales abusos establece: «Si alguno intentare obrar en contra de estos mandatos apostólicos o contra las prohibiciones de los cánones constituyendo obispos en aquellos lugares en donde nunca los hubo, sea anatema ante el omnipotente Dios...» [36]

6.   REYES INDIGNOS

La Iglesia presentaba, como hemos visto, un ideal de monarquía y de gobierno que era difícil adaptar a la práctica. Los reyes no eran tan perfectos como para cumplir todas las exigencias expuestas por la legislación eclesiástica y civil. La Iglesia no se mostró demasiado dura con los reyes que no se adaptaron completamente a las exigencias establecidas. Se trataba, normalmente, de faltas que no ponían en grave peligro las características de la monarquía.

Creemos que influyó bastante la teoría de San Isidoro de que los malos reyes son instrumentos de que Dios se sirve para castigar a los pueblos. Estos tienen el rey que merecen. El rey estaba obligado a obrar el bien, y de ahí precisamente le viene el nombre. «La palabra *rey* viene de *regir;* pues como *sacerdote* viene de *santificar,* así *rey* viene de *regir,* y no rige el que no corrige. Los reyes, pues, conservan su nombre obrando rectamente, y lo pierden pecando: de aquí aquel proverbio entre los antiguos: 'Serás rey si obras rectamente; si no, no lo eres'» [37].

El rey podía perder su nombre obrando mal. Pero esto no legitimaba cualquier acción contra él. «La legitimidad del poder se debilita, hasta desaparecer, en la medida en que el rey obra mal, porque entiende que el poder sólo le ha sido concedido para obrar bien. Pero esta

[34] J. Vives, *Concilio de Mérida* p.325: Mansi, 11,76.
[35] M. Torres López, *Lecciones de historia del derecho español* II (Salamanca 1935) p.242.
[36] J. Vives, *Concilio XII de Toledo* c.4 p.392: Mansi, 11,1032-33.
[37] San Isidoro, *Etimologías* IX 3,4: ML 82,342.

desaparición de la legitimidad solamente puede ser juzgada por Dios y no autoriza a los súbditos a intentar ninguna violencia contra los reyes» [38]. No obstante, hubo dos casos en los que la Iglesia —los concilios— tomó decisiones contra dos reyes: Suintila y Wamba. Los concilios dan a entender que sus faltas fueron graves.

¿Se aplicó la teoría de San Isidoro? La pregunta es válida, ya que, por una parte, vemos que San Isidoro no admite que se tomen represalias contra los malos reyes. También el concilio IV de Toledo deja el castigo de los reyes malos en manos de Dios [39]. Y, sin embargo, en este mismo concilio y después en el XII se toman graves decisiones contra Suintila y Wamba respectivamente.

Aclaremos desde el principio que, cuando ambos concilios legislan contra Suintila y Wamba, éstos ya no son reyes. Los dos habían sido ya alejados del trono. Los concilios no destronaron directamente a Suintila y a Wamba, pero legitimaron su destronamiento. No era sólo por la costumbre de alinearse siempre al lado del rey actual, sino también porque, sobre todo en el caso de Wamba, las autoridades eclesiásticas no compartían las ideas del rey.

Los concilios, sin embargo, se guardaron muy bien de aparecer como los condenadores legales de los reyes. En ambos casos dan la sentencia y se esfuerzan por encontrar argumentos para hacer ver que ni Suintila ni Wamba son reyes legalmente cuando los concilios les castigan. Los concilios, pues, encontraron una solución cómoda: no depusieron a los reyes, pero dieron la razón a quienes lo habían hecho y legalizaron tal acto.

En teoría se seguía el pensamiento de San Isidoro y del concilio IV de Toledo de no hacer nada contra los reyes. Dios era quien debía castigar a los reyes indignos. «Y acerca de los futuros reyes, promulgamos esta determinación: que si alguno de ellos, en contra de la reverencia debida a las leyes, ejerciere sobre el pueblo un poder despótico con autoridad, soberbia y regia altanería, entre delitos, crímenes y ambiciones, sea condenado, con sentencia de anatema, por Cristo Señor, y sea separado y juzgado por Dios, porque se atrevió a obrar malvadamente y llevar el reino a la ruina» [40].

Pero tal principio sólo valió mientras el rey ocupaba el trono. Se ve claro en el mismo concilio IV de Toledo, pues a continuación del párrafo que acabamos de citar se legisla contra Suintila, imponiéndole duros castigos. El caso de este rey es realmente extraño. San Isidoro le alaba precisamente por su munificencia y generosidad para con todos los pobres y necesitados. Llega a decir de él: «... de tal modo, que es digno de llamarse no sólo príncipe de los pueblos, sino padre de los pobres» [41]. Todo lo contrario afirma de él, pocos años después, el conci-

[38] J. L. Romero, *San Isidoro de Sevilla. Su pensamiento histórico-político y sus relaciones con la historia visigoda:* Cuad. de Historia de España 8 (1947) p.63.
[39] Cf. J. Vives, *Concilio IV de Toledo* c.75 p.220-21: Mansi, 10,640-41.
[40] J. Vives, *Concilio IV de Toledo* c.75 p.220-21: Mansi, 640-41.
[41] San Isidoro, *Historia gothorum* 64: ML 83,1074.

lio IV de Toledo, presidido por el mismo San Isidoro. Suintila y sus familiares «serán privados de la posesión de aquellas cosas que adquirieron con exacciones de los pobres, exceptuando solamente aquello que les fuere concedido por la piedad de nuestro piísimo príncipe» [42]. El concilio acusa a Suintila de haber cometido *crímenes,* pero no especifica de qué clase.

No es fácil creer que Suintila cambiase tan rotundamente en su actitud para con los pobres. Además, Suintila no renunció al trono, como afirma el concilio, sino que fue depuesto en una insurrección en la que su mismo ejército le traicionó. Se puede pensar que los crímenes de que le acusa el concilio fueron crímenes de guerra, ya que Suintila no fue violento durante su reinado.

Probablemente, el descontento comenzó cuando Suintila intentó hacer hereditaria la corona y asoció a su hijo Ricimiro al trono. Quizá entonces abusara de su poder. Escribe J. L. Romero: «Pero esta política, la centralización que implicaba, y acaso cierta violencia empleada por Suintila para reprimir el creciente descontento (*Epist. Braulii ad Isidorum:* ML 83,909), le atrajeron el odio (PSEUDO-FREDEGARIO, *Chronica* 73), y bien pronto surgió, frente a él, un movimiento encabezado por Sisenando» [43].

El concilio no se arroga el derecho de deponer a Suintila. Ni siquiera hace alusión a la revolución que le había arrebatado el trono. Declara simplemente que Suintila, «temiendo sus propios crímenes, renunció él mismo al reino y se despojó de las insignias del poder» [44]. Así se subraya que, cuando el concilio legisla contra él, Suintila ya no es rey, porque él mismo ha renunciado al trono. Presupuesto que Suintila ya no es rey, el concilio establece, sin escrúpulos de conciencia, que «ni a él ni a su esposa, a causa de los males que cometieron, ni a sus hijos les admitamos jamás a nuestra comunión, ni les elevemos otra vez a los honores de los cuales fueron arrojados por su iniquidad...» [45]

Más grave aún es el caso de la deposición de Wamba. Los obispos no intervinieron en absoluto en la sublevación contra Suintila. En cambio, no podemos decir lo mismo de la conjura que arrebató el trono a Wamba. No fueron los obispos quienes administraron la esparteína a Wamba, pero alguno de ellos estaba al corriente de lo que se tramaba y todos los asistentes al concilio XII de Toledo, año 681, aprobaron solemnemente lo hecho contra Wamba.

La relación oficial de los hechos que hace el concilio XII de Toledo no es la verdadera. Intentaba dar a todo lo ocurrido un barniz de legalidad, poniendo mucho cuidado en que no se supiera la verdad. Según tal versión, Wamba habría sufrido una grave enfermedad y recibió el hábito religioso y la tonsura sagrada. Después, él mismo, por medio de un documento autógrafo, nombra como sucesor en el trono a Ervigio. En otro documento pide a San Julián, metropolitano de Toledo, que

---

[42] J. VIVES, *Concilio IV de Toledo* c.75 p.221: MANSI, 10,641.
[43] J. L. ROMERO, art.cit. p.63.
[44] J. VIVES, *Concilio IV de Toledo* c.75 p.221: MANSI, 10,641.
[45] Ibid., c.75 p.221: MANSI, 10,641.

con la mayor diligencia realice la ceremonia de la unción de Ervigio como rey [46].

Esta versión no convenció a los autores posteriores. La *Crónica* de Alfonso III dice: «Ervigio, honrado con el título de conde y conocedor de las intrigas palaciegas, excogitó soberbia y astutamente la forma de arrojar a Wamba del trono, para lo cual le dio a beber un brebaje hecho con una hierba llamada *spartum,* que le privó inmediatamente de la memoria. Viéndole tendido y sin conocimiento, el obispo de la ciudad y los magnates de palacio, que le eran fieles, movidos a compasión, a fin de que no muriera el rey desordenadamente, le impusieron el orden de confesión y penitencia» [47].

La actuación de San Julián y los demás obispos ha dado pie para que muchos autores les atacasen. Honradamente, creemos que, aunque a veces exageran, no les falta fundamento para ello. Aun el mismo Z. García Villada, que intenta defender a los obispos, y, sobre todo, a San Julián, escribe: «Julián y los demás obispos que estuvieron presentes al concilio XII toledano conocieron sin duda alguna, es más, ayudaron a Ervigio en el intento de arrojar a Wamba del trono. No consta que participaran en el ofrecimiento de la pócima que le privó de sentido, pero sí intervinieron en el acto de la imposición del hábito de penitente y de la tonsura. Les pareció que éste era el mejor modo de quitarle de en medio sin dañar a su persona» [48]. O sea, que, prácticamente, estaban de acuerdo con los conjurados.

¿Qué motivos tenían para estar resentidos contra Wamba? Este fue un buen rey. Había derrotado a los pueblos levantiscos del norte de España y había sofocado la rebelión del conde Paulo. Intentaba hacer del pueblo visigodo una nación fuerte. Wamba, además, se dio cuenta de que por el Sur amenazaba a España un nuevo peligro. Los árabes ya eran dueños del norte de Africa y hacían peligrosísimas correrías por el Mediterráneo. El mismo había destruido en una batalla más de 270 naves árabes [49].

El pueblo visigodo no respondía a los deseos de Wamba. Había perdido sus virtudes militares, y escamoteaba su presencia en el ejército cuando éste era convocado. Así, Wamba dio el 1.º de noviembre del año 673 la ley IX 2,8, en la que revela que ni los clérigos, ni los nobles, ni el pueblo acuden al ejército ni siquiera cuando los enemigos atacan algún lugar vecino de donde viven [50]. M. Torres resume dicha ley: «Pese a las graves penas con que se castigaba la deserción o incumplimiento de la obligación militar, se faltaba constantemente a ella. Wamba se lamenta de la falta de patriotismo que dichos hechos suponían, y dispone que todo individuo, clérigo o laico, que tenga noticia,

[46] Cf. J. VIVES, *Concilio XII de Toledo* p.386-87: MANSI, 11,1028.
[47] Z. GARCÍA VILLADA, *Historia eclesiástica de España* II p.1.ª (Madrid 1932) p.99.
[48] Ibid., p.103.
[49] Cf. M. TORRES LÓPEZ, *El reino hispanovisigodo,* en *Hist. de España,* dir. por M. Pidal, vol.3 p.126.
[50] K. ZEUMER, *Leges nationum germanicarum* I: Mon. Ger. Hist., *Leges visigothorum* IX 2,8.

por cualquier medio, de un ataque de los enemigos, acuda a la defensa de la patria con todos los hombres disponibles, bajo pena de tener que compensar todos los daños que los enemigos hiciesen. Al alto clero se le conminó con el destierro, y al bajo y a los laicos, con la infamia —pérdida del derecho a testificar— y la servidumbre; podían incluso ser condenados a muerte, y sus bienes confiscados para resarcir a los damnificados por los enemigos. Sólo los enfermos escaparían a estas penas, e incluso éstos debían enviar las fuerzas disponibles para la defensa. Las penas que establece la ley contra los nobles que no acudan a la defensa del rey, en caso de revueltas interiores, son también elevadísimas» [51].

La falta de cumplimiento de los deberes militares no era un pretexto que Wamba se inventaba, como afirma Z. García Villada: «Con pretexto de que se iban perdiendo las virtudes militares, tan características del pueblo godo, y muchos no acudían a defender el reino cuando éste se hallaba en peligro, dictó una ley obligando a todos los hombres hábiles, incluso a los clérigos, a que en caso de guerra tomaran las armas al primer aviso para rechazar al enemigo común. Los obispos, presbíteros y diáconos que escamoteaban la ley quedaban obligados a resarcir con sus bienes los daños sufridos por la nación» [52].

La falta de asistencia al ejército era una triste realidad. El mismo Ervigio escribe en el mensaje dirigido al concilio XII de Toledo: «Después de esto, presento también a vuestra consideración, agradable a Dios, para que lo corrijáis, lo que el precepto de nuestro predecesor ordenó por una ley que promulgó: que todo aquel que no hubiera acudido a la movilización del ejército o hubiera desertado del mismo, fuese privado irrevocablemente de su dignidad; institución esta de tal severidad, que, al ser llevada a la práctica por todas las regiones de España, sometió a la pérdida perpetua de la honra casi a la mitad del pueblo» [53]. Es decir, casi media España había faltado a sus deberes militares. Y nótese que no hace alusión siquiera a que algunos hubiesen sido castigados injustamente.

La ley, naturalmente, no gustó a los obispos, porque atacaba al fuero eclesiástico, respetado por los reyes anteriores [54]. Es decir, que el clero y los hombres a él sometidos no cooperaban a la defensa de la patria cuando ésta era atacada. Ni lo hacían por patriotismo ni toleraban una ley que les obligase a ello, pues, según la ley, sólo se les obligaba a acudir al ejército cuando la patria o una parte de la misma había sido atacada por los enemigos y estaba en peligro. Y eso que la ley sólo obligaba a quienes estaban a una distancia menor de cien millas del lugar atacado. Parece que era más importante el respeto al fuero eclesiástico que la defensa de la gente atacada.

Otro asunto que disgustó al clero fue la creación de nuevos obispados ordenada por Wamba. Pero, sobre todo, disgustó a San Julián la

[51] M. Torres López, *Lecciones de historia del derecho español* II (Salamanca 1935) p.283.
[52] Z. García Villada, o.c. II p.1.ª p.97.
[53] J. Vives, *Concilio XII de Toledo* p.383: Mansi, 11,1034.
[54] Cf. Z. García Villada, o.c. II p.1.ª p.98.

creación de un obispado castrense en la ciudad de Toledo. Ya hicimos alusión a esto cuando hablamos de la intervención del rey en asuntos eclesiásticos. Wamba se excedió en este punto:

Todo esto, unido a la conspiración palaciega encabezada por Ervigio, llevó a la deposición de Wamba. La posición que toma el concilio y su interés por hacer creer que no ocurrió nada raro dan a entender que algunos obispos estaban comprometidos en el caso. «Los cánones que en la misma asamblea aprobaron los obispos contra la obra de Wamba prueban, asimismo, la participación de éstos en su deposición» [55].

Algún obispo se preocupó en los primeros instantes, cuando Wamba estaba todavía bajo los efectos del narcótico, de darle la tonsura y el hábito religioso. La tonsura y el hábito religioso, además de los efectos espirituales, tenían un efecto civil bien conocido, y quizá más importante en aquellos momentos: inhabilitaban para desempeñar cargos públicos civiles. Así, Wamba, después de haberlos recibido, no podía seguir reinando. El siguiente acto estaba también muy bien estudiado. Se trataba de obtener de Wamba un documento en el que nombrara como sucesor a Ervigio, el cabecilla de la conjura. No creemos que Wamba lo hiciera voluntariamente. Lo más probable es que ese documento se obtuviese por la fuerza o cuando todavía estaba bajo los efectos de la droga.

Logrado esto, tenían todos los argumentos legales para actuar contra Wamba. El concilio pensaba que, por la ley militar contra el clero y por la creación de nuevos obispados, Wamba había perdido el derecho al título de rey. Debían, por tanto, lograr que también lo perdiera de hecho [56]. Sin embargo, implícitamente reconocen que tales hechos no justifican la actuación contra Wamba, ya que no se fundan en ellos para legitimar su deposición. El concilio da por válida la tonsura y la imposición del hábito religioso y admite como legítimos los documentos en los que Wamba nombra como sucesor a Ervigio y pide a San Julián que le confiera la unción regia cuanto antes.

El concilio, fundado en estos documentos y como último acto del alejamiento de Wamba del trono, absuelve al pueblo del juramento de fidelidad hecho a Wamba y exige que ya solamente se obedezca a Ervigio. «Y, habiendo probado y leído todo lo dicho, pareció digno de nuestro concilio que se añadiera la confirmación de todos nosotros al contenido de los documentos que acabamos de señalar, para que aquel que antes de los siglos, en los ocultos juicios de Dios, fue predestinado para reinar, ahora en un tiempo determinado se le tenga por consagrado por la decisión de todos los obispos en común. Y, por lo tanto, absuelto el pueblo de cualquier vínculo de juramento, aquel que estaba ligado al dicho rey Wamba mientras éste tenía aún el trono, siga, ya libre, al solo serenísimo príncipe Ervigio, al que debe prestarse una gustosa y servicial obediencia, ya que a él le eligió el designio divino para el trono y el

---

[55] Ibid., II p.1.ª p.104.
[56] Cf. ibid., II p.1.ª p.104-105.

rey su antecesor le señaló como sucesor, y, además de todo esto, fue escogido por el amor de todo el pueblo» [57].

Ervigio y todos los Padres del concilio XII de Toledo contribuyeron políticamente al hundimiento de la España visigoda. Hicieron todo lo contrario de lo que había que hacer para fortalecer la monarquía. Si con duros castigos no se había logrado terminar con las intrigas palaciegas y los conatos de apoderarse del trono por la violencia, ¿cómo se iba a conseguir apoyando y alabando a un conspirador como Ervigio y perdonando completamente en el siguiente concilio y devolviendo su amistad a un traidor como el conde Paulo? ¿Y cómo se iba a fortalecer la patria perdonando, sin más, a todos los desertores del ejército? Da la impresión de que querían deshacer todo lo hecho por Wamba.

Desde entonces, las conspiraciones se hicieron mucho más frecuentes. Algunos miembros del alto clero que hasta entonces se había mantenido en su totalidad ajeno a tales conjuras, participan en las rebeliones contra los reyes. Tal es el caso del obispo Sisberto contra Egica. Cuando unos años más tarde aparecieron los árabes en territorio español, la nación estaba más dividida que nunca. Y entre los que apoyaron a los moros para hundir al rey Rodrigo estaba el obispo Oppas. La verdad que no fue un mal exclusivo de España. También los obispos galos fueron víctima de partidismos y banderías y aparecen a la cabeza de algunos levantamientos y guerras que ensangrentaron el país.

La Iglesia, por tanto, no se arrogaba directamente el derecho de deponer a los reyes que consideraba malos. Pero se las arregló para encontrar motivos legales para actuar contra ellos, aunque fuese cuando ya habían sido depuestos por otros motivos. En teoría, el castigo se dejaba en manos de Dios. Pero en la práctica se creían providenciales los hechos que habían alejado a un mal rey del trono. Se cree providencial la renuncia de Wamba y la designación de Ervigio. Dios castigaba así a los malos reyes. Dios lo había querido.

7. LAS REBELIONES CONTRA LOS REYES

Uno de los asuntos más graves con que tuvieron que enfrentarse no sólo la Iglesia, sino también la legislación civil, fue el problema de las rebeliones contra los reyes. El sentido democrático no estaba desarrollado, como es natural. En todas las elecciones quedaba algún descontento. Cada uno de los nobles era un posible candidato al trono y siempre había alguien que no aceptaba noblemente el resultado de la elección. Las ambiciones personales eran más fuertes que la sumisión debida al nuevo rey. Así, bastaba el menor descuido, fallo o descontento para que estallase una rebelión.

Las revoluciones habían sido muy numerosas durante el período arriano. Durante algún tiempo, a partir de la conversión de Recaredo y del pueblo visigodo al catolicismo disminuyeron notablemente, y volvie-

---

[57] J. Vives, *Concilio XII de Toledo* c.1 p.387: Mansi, 11,1028-29.

ron a aumentar alarmantemente en los últimos años de la monarquía visigoda. Las rebeliones y destronamientos fueron la causa principal por la que se hundió el reino visigodo. Efectos de esas rebeliones eran la inseguridad y el debilitamiento del poder real para hacer frente a los peligros exteriores. Wamba fue capaz de aniquilar una flota árabe de 270 naves. Sin embargo, pocos años más tarde, y gracias a una traición, un pequeño ejército árabe se apoderó de toda España.

Es a partir del destronamiento de Wamba cuando más se acentúa el partidismo entre los nobles godos. Con razón afirma R. Menéndez Pidal: «La gran construcción unitaria en que trabajaron Leovigildo, Recesvinto, Suintila y Wamba se arruinó por el desarrollo de un partidismo enconado, sin límites razonables de convivencia; un odio infinito entre godos y godos que despedazan su propia carne, que se aniquilan alternativamente, como sintió bien el mozárabe de 754: 'Chindasvintus demoliens gothos', 'Egica acerva morte gothos persequitur'. Y este encarnizamiento de partidos, en el que se apagó toda idea nacional y de común provecho, coincidió fatalmente con la dilatación del imperio árabe» [58].

La legislación civil trata de poner remedio a tales abusos con los más diversos castigos. Los resultados, sin embargo, fueron poco halagüeños. La Iglesia hizo suya esta inquietud política y trató de reforzar al poder civil en su lucha contra tal indisciplina. Pero los resultados no mejoraron mucho.

La primera actuación eclesiástica contra las rebeliones la encontramos en el concilio IV de Toledo. Suintila había sido destronado por una revolución encabezada por Sisenando, que es quien convoca este concilio. Suintila no renunció al trono, como indica el concilio. Tal afirmación debe entenderse en el sentido de que con su actuación, que evidentemente no satisfizo a los nobles, se había hecho indigno del trono. El concilio da a entender que se había aplicado a sí mismo la teoría de San Isidoro y el principio «Serás rey si obras rectamente; si no, no lo eres», que el concilio hace suyo no para deponer, sino para legitimar el hecho consumado de la deposición de Suintila y entronamiento de Sisenando.

Sisenando, naturalmente, intentaba ganarse el apoyo de los obispos. Afirma A. K. Ziegler: «Por medio de una revuelta, Sisenando había tenido éxito y fue elegido rey, pero su posición era, evidentemente, insegura: la revolución que le había elevado al trono podía destronarle rápidamente. Con naturalidad, él se alió con el único poder dentro del reino que podía sostener su vacilante trono: la Iglesia. Se dio cuenta de que su salvación estaba en el apoyo de los obispos» [59].

Un párrafo del canon 75 del concilio IV de Toledo nos deja un poco indecisos sobre la intención de Sisenando al convocarlo. No existe mensaje regio. Solamente se da la noticia de la presencia del rey, que pide humildemente al concilio que se conserven los decretos de los an-

---

[58] R. Menéndez Pidal, *Historia de España* vol.3, Intr., P.LV.
[59] A. K. Ziegler, *Church and State in visigothic Spain* (Wáshington 1930) p.93.

tepasados, el derecho canónico, e invita a los Padres a corregir los abusos que se han introducido en las costumbres. El párrafo es el siguiente: «Gloria, pues, y honor al omnipotente Dios, en cuyo nombre estamos congregados; y después, paz, salud y largos años al piísimo amador de Cristo Sisenando, rey y señor nuestro, el favor del cual nos convocó para este decreto provechoso» [60]. Si por *decreto* entienden los Padres todas las actas del concilio, podría pensarse que la iniciativa de actuar contra las sediciones había partido de los mismos Padres. Si por tal palabra entienden sólo el canon 75 en que se encuentra, dan a entender que hubo una petición del rey para que el concilio legislase contra las rebeliones.

Pero, aun en el caso de que el rey no invite directamente a los obispos a intervenir en la cuestión de la sucesión al trono, éstos se dan cuenta de la gravedad del caso y tratan de evitar que en el futuro nadie se apodere del trono por la fuerza. Se dice en el citado canon: «Después de haber establecido algunas cosas tocantes al orden eclesiástico y decretado medidas disciplinares que tocan a algunas personas, la última decisión de todos nosotros los obispos ha sido redactar, en la presencia de Dios, el último decreto conciliar, que fortalezca la situación de nuestros reyes y dé estabilidad al pueblo de los godos» [61]. Los Padres constatan que las rebeliones no sólo causan un grave daño al rey, sino que sumen al país en el caos y todos los habitantes pagan las consecuencias.

El canon 75 funda la gravedad de la traición en el pecado de perjurio. Todos los súbditos debían hacer el juramento de fidelidad al rey. «Tal es la doblez de alma de muchas gentes como es sabido, que desprecian guardar a sus reyes la fidelidad prometida con juramento, y mientras en su corazón abrigan la impiedad de la infidelidad, con las palabras aparentan la fe del juramento, pues juran a sus reyes y después faltan a la fe prometida. Ni temen aquellas palabras, acerca del juicio de Dios, por las que se maldice y conmina con graves penas a aquellos que juran mentirosamente en nombre de Dios» [62]. Si no se cumple esa promesa, se vive en un estado de inseguridad. Es imposible hacer frente a los enemigos exteriores, vivir en paz y, además, se hace un gran daño a los intereses comunes. Además, si no se guarda una promesa de tal importancia, no se cumplirá ninguna otra clase de promesas.

Prosigue el canon aduciendo textos de la sagrada Escritura en los que se condena a los perjuros. Más aún, como la promesa se ha hecho en nombre de Dios, al violarla se comete un sacrilegio. «Sin duda que es un sacrilegio el violar los pueblos la fe prometida a sus reyes, porque no sólo se comete contra ellos una violación de lo pactado, sino también contra Dios, en el nombre del cual se hizo dicha promesa. De aquí procede el que la ira del cielo haya trocado muchos reinos de la tierra de tal modo, que, a causa de la impiedad de su fe y de sus costumbres, ha

---

[60] J. Vives, *Concilio IV de Toledo* c.75 p.221: Mansi, 10,641.
[61] Ibid., p.217: Mansi, 10,637.
[62] Ibid., c.75 p.217: Mansi, 10,637.

destruido a unos por medio de otros. Por lo cual, también nosotros debemos guardarnos de lo sucedido a estas gentes, para que no seamos castigados con una repentina desgracia de esta clase, no padezcamos pena tan cruel» [63]. Tales palabras resultan proféticas cuando al final de la monarquía visigoda faltaba en tal grado esa fidelidad a los reyes, que los temores de los Padres se cumplen al pie de la letra y el reino visigodo es aniquilado por los árabes.

Para evitar estos males piden los Padres que «no se dé, entre nosotros como entre otras gentes, la impía sutilidad de la infidelidad. No la engañosa perfidia de corazón. No el crimen de perjurio. No las nefandas intrigas de las conjuraciones. Que nadie de nosotros arrebate atrevidamente el trono. Que nadie excite las discordias civiles entre los ciudadanos. Que nadie prepare la muerte de los reyes, sino que, muerto pacíficamente el rey, la nobleza de todo el pueblo godo, en unión de los obispos, designarán, de común acuerdo, el sucesor en el trono, para que se conserve por nosotros la concordia de la unidad y no se origine alguna división de la patria y del pueblo a causa de la violencia y la ambición» [64].

El concilio, pues, toca todos los resortes religiosos y patrióticos para disuadir al pueblo godo de seguir en sus frecuentes levantamientos contra los reyes. En caso de que las peticiones hechas anteriormente no desarraiguen la mala costumbre de sublevarse contra los reyes, el concilio dicta sus anatemas: «Cualquiera, pues, de entre nosotros o de los pueblos de toda España que violare con cualquier conjura o manejo el juramento que hizo en favor de la prosperidad de la patria y del pueblo de los godos y de la conservación de la vida de los reyes, o intentare dar muerte al rey, o debilitare el poder del reino, o usurpare con atrevimiento tiránico el trono del reino, sea anatema en presencia de Dios Padre y de los ángeles y arrójesele de la Iglesia católica, a la cual profanó con su perjurio, y sea tenido él y los compañeros de su impiedad extraños a cualquier reunión de los cristianos, porque es conveniente que sufran una misma pena aquellos a los que unió un mismo crimen» [65].

La Iglesia, como vemos, se tomaba el problema muy en serio. La condena se repite tres veces, casi con las mismas palabras, para dar a entender la gravedad del asunto. Intentaba separar de su seno a los sediciosos y hacerles el vacío dentro de la sociedad civil. Esto no significaba, naturalmente, que los reyes en el futuro pudiesen actuar como les diese la gana. El rey, como hemos visto, estaba sometido a las leyes y todas sus acciones debían ir guiadas por el bien común. El mismo bien común por el que se condenaba a los rebeldes.

El concilio V de Toledo, año 636, trata casi exclusivamente temas políticos. De carácter religioso es solamente el primer canon, que manda rezar unas letanías a partir del 13 de diciembre. Manda que en

---

[63] Ibid., c.75 p.217-18: Mansi, 10,638.
[64] Ibid., c.75 p.218: Mansi, 10,638.
[65] Ibid., c.75 p.218-19: Mansi, 10,638-39.

cualquier concilio celebrado en España, después de haber tratado de los demás temas, sea leído lo establecido en el concilio IV de Toledo sobre «la inviolabilidad de nuestros príncipes, para que, inculcado muchas veces, se corrija el corazón de los inicuos, aterrado por la insistencia, el cual es llevado a la prevaricación por el olvido y la inclinación» [66]. La razón es para que no se olvide nunca este precepto y para poner fin a las malas intenciones.

Por el hecho de que la monarquía era electiva y de que, muerto el rey, cualquier noble podía ser elegido para sucederle, se excitan al máximo no sólo las ambiciones personales, sino también una gran curiosidad para saber quién podía ser el futuro rey. Uno de los medios para conocer el futuro era el recurrir a los adivinos. Es lógico que, siendo ésta una costumbre muy arraigada en el paganismo, no desapareciese completamente en el catolicismo del pueblo visigodo. La gente inculta lo usaría con mucha frecuencia. Más aún, parece ser que las autoridades eclesiásticas recurrieron, a veces, a la consulta de los adivinos. El concilio IV de Toledo estableció que, «si se descubriere que algún obispo, presbítero o diácono, o cualquier otro del orden clerical, consulta magos, hechiceros, adivinos, agoreros, sortílogos, o a los que profesan artes ocultas, o a algunos otros que ejercen cosas parecidas, depuestos del honor de su dignidad, sean encerrados en un monasterio; consagrados allí a una penitencia perpetua, lloren el crimen cometido de sacrilegio» [67]. Si lo hacían los clérigos, más cultos en cuestiones religiosas, es natural que los laicos lo hiciesen también.

El asunto tenía su importancia. El porvenir, sobre todo de los nobles, dependía de quién fuese el elegido. Los nobles ya empezaban a dividirse en partidos. Llamémosles grupos de nobles unidos por lazos familiares o de amistad. Si era elegido rey un amigo o alguien de su partido, podía un noble ganarse un alto cargo en la Corte o cualquier otra clase de beneficios. Si, por el contrario, el elegido era un enemigo o alguien del partido contrario, podía perder el cargo que desempeñaba o encontrar dificultades en el futuro. Dadas todas esas circunstancias, es comprensible que, aun viviendo el rey, la elección próxima y quién podía ser el elegido fuese una preocupación, por tener consecuencias en la vida personal de los electores.

El concilio V de Toledo nos da a entender que, entre bastidores, se comenzaba a preparar las elecciones antes de haber muerto el rey. El concilio está en contra de la propaganda electoral. Es lógico pensar que esa propaganda se hacía por motivos demasiado personales y egoístas. Además, el acudir a los adivinos es una acción sacrílega que va contra la virtud de la religión. Es, igualmente, una superstición perniciosa, por intentar conocer ilícitamente el futuro. Es posible que, además, se condenase implícitamente la mala intención de quitar de en medio al rey, ya que las consultas irían acompañadas de ritos que debían producir una acción maléfica sobre el rey. El concilio XVII de Toledo condenará

---

[66] J. Vives, *Concilio V de Toledo* c.7 p.229: Mansi, 10,656.
[67] J. Vives, *Concilio IV de Toledo* c.29 p.203: Mansi, 10,627.

a los obispos que se atreven a celebrar misa de difuntos por los vivos, con la intención de que aquel por quien ha sido celebrada caiga en trance de muerte y de perdición por la eficacia de la misma oblación [68]. También el concilio de Mérida legisla contra los maleficios. Hay sacerdotes que, cuando caen enfermos, echan la culpa a algún siervo. El concilio manda que se investigue, y, en caso de que sea verdad, se debe castigar duramente al culpable del maleficio. Se creía en ellos.

Por eso no es extraño que el concilio actúe contra todo ello. Según su pensamiento, era una acción que ponía en peligro la seguridad política, apoyándose, además, en actos contrarios a la virtud de la religión. He aquí las palabras del concilio: «Y porque es opuesto a la virtud de la religión y a todos consta ser supersticioso el pensar ilícitamente en las cosas futuras, y conjeturar los infortunios de los reyes, y proveer para sí en el futuro, cuando está escrito: 'No es cosa vuestra el conocer los tiempos ni los instantes, que el Padre se reservó en su poder', por medio de este decreto establecemos que cualquiera que fuere convicto de haber investigado tales cosas y, viviendo el rey, haber puesto los ojos en otro como esperanza futura del trono o haber atraído a otros a sí con el mismo fin, sea arrojado de la asamblea de los católicos por la sentencia de la excomunión» [69].

El concilio VI de Toledo repite casi lo mismo. Ahora se enumera más detalladamente, para dar más fuerza al canon, a todas aquellas personas a quienes se prohíbe preparar de antemano la elección real. Seglares de cualquier clase y clérigos de todos los órdenes; es decir, todos, sin excepción, caen bajo esta ley.

Preparar una candidatura antes de haber muerto el rey va en deservicio del propio rey y se hace contra la voluntad de éste. Estas afirmaciones tienen fácil explicación. La preparación de una candidatura para el futuro creaba un clima desfavorable al rey actual, al menos entre algunos nobles. Se podía incluso negar al rey la ayuda necesaria en casos especiales, o, en todo caso, reducirla considerablemente, con el deseo de que llegase pronto al trono el candidato propio. Se desacreditaba al rey comparándole con el nuevo candidato, y, sobre todo, su fama decaía inevitablemente si de hecho ese tal candidato poseía mejores cualidades personales. Todo esto desembocaba, en el mejor de los casos, en interminables murmuraciones contra el rey.

Más aún, la propaganda electoral podía convertirse en un semillero de revoluciones. Era difícil resistir a la tentación de apoderarse del trono violentamente cuando un grupo grande de nobles tenía un candidato común. Podían creerse lo suficientemente fuertes para destronar al rey. De ahí que la seguridad de los reyes estuviese en constante peligro. La preparación de las candidaturas antes de morir el rey era, en la práctica, un peligro evidente.

Una cosa llama la atención en el canon a que nos estamos refiriendo. Es la demostración de poder e influencia política que hacen los

[68] Cf. J. Vives, *Concilio XVII de Toledo* c.5 p.531: Mansi, 12,99.
[69] J. Vives, *Concilio V de Toledo* c.4 p.228: Mansi, 10,655.

obispos. Aseguran que, si alguien ha hecho tales cosas contra el rey, a pesar de la gravedad que dan a estos hechos, será perdonado si descubre ante el mismo rey todo lo que al respecto se ha tramado. El perdón se debe a la misericordia de los obispos y a su influencia. En caso de que exista alguna conjuración y los en ella implicados no se descubren, se les castiga con el más grave de los anatemas [70].

El mismo concilio VI de Toledo vuelve a insistir sobre el tema de la protección de la vida de los reyes. Se complace en repetir lo que ya ha sido legislado, confirmándolo con el prestigio de la nueva asamblea conciliar. Proclama ante Dios, los ángeles, mártires y delante de toda la Iglesia católica que nadie busque la muerte del rey. Supone que las malas intenciones han ido más lejos. Ya no es sólo la preparación de una candidatura para cuando muera el rey de muerte natural. Es buscar directamente la muerte del rey. Se trata de una acción claramente hostil al rey.

Naturalmente, todas las acciones contra el rey iban dirigidas a un fin muy concreto: apoderarse del trono. Si llega a producirse el asesinato del rey, el concilio se atreve a pedir para el culpable la condenación eterna y grava la conciencia del futuro rey para no hacerse cómplice con los asesinos, obligándole a castigar a los culpables. Todos los habitantes del reino tienen la obligación de ayudarle en esta tarea. «Que nadie pretenda la muerte del rey; que nadie atente contra la vida del príncipe; que nadie arrebate las riendas del reino; que nadie, tiránicamente, usurpe para sí la jefatura del reino; que nadie, intrigando contra los intereses de aquél, gane para sí un grupo de conjurados. Y si alguno de nosotros temerariamente incurriere en alguna de estas cosas, sea herido con el anatema divino y condenado en el eterno juicio sin remedio alguno» [71].

Nos parecen un tanto ingenuos los obispos cuando piden que, si alguien ha cometido tales excesos, debe ser castigado por aquel que alcanzó el trono. En todos los casos, el jefe de la revolución que derrocaba a un rey era quien subía al trono, y no se le iba a ocurrir castigarse a sí mismo o a quienes le habían ayudado a realizar su intento.

A todo destronamiento seguía, invariablemente, una usurpación del trono. Los conjurados no eran tan inhábiles como para exponerse a una inevitable catástrofe personal y familiar, corriendo gravísimos riesgos al conspirar contra el rey en caso de que fuesen descubiertos antes de dar el golpe de Estado o fuesen derrotados por los leales al rey, permitiendo una elección libre. Muy bien podía suceder que lo que habían obtenido con la intriga y la traición lo perdiesen luego en una elección democrática, si el elegido era algún noble fiel al rey anterior. Los conjurados, después de haber transgredido las leyes gravemente, no iban a dudar ya en saltarse una ley más, como era la elección del rey. Una elección era para ellos un grave riesgo. Y, naturalmente, no estaban dispuestos a correrlo.

---

[70] Cf. J. Vives, *Concilio VI de Toledo* c.17 p.244: Mansi, 10,669.
[71] Ibid., c.18 p.245: Mansi, 10,670.

La petición de los obispos sería factible en caso de que la conjuración fuese descubierta a tiempo. Si ésta triunfaba, no les quedaba más remedio que aceptar, de buena o mala gana, los hechos consumados, como ocurrió, p.ej., con la subida al trono de Chindasvinto. Les quedaba el consuelo de seguir intentando evitar las rebeliones en el futuro, con el visto bueno y la petición explícita, claro está, del nuevo rey. Porque todos los reyes, aunque hubiesen llegado al trono por medio de una rebelión, estaban dispuestos a acabar con ellas.

Consecuencia lógica de las sublevaciones contra los reyes era que también los colaboradores de éstos caían en desgracia del nuevo dueño del trono. Unas veces por odio personal y otras porque el nuevo rey se veía obligado a repartir entre sus colaboradores en la rebelión los cargos que estos fieles al rey desempeñaban en palacio. Con frecuencia no eran sólo sus cargos los que peligraban. Al mismo tiempo que sin cargo, podían quedarse sin hacienda, y quizá sin vida. Pero el caso más frecuente era la confiscación de parte de sus bienes.

El concilio V de Toledo, año 636, trata de evitar que se cometan injusticias con quienes han servido lealmente a los reyes, hayan sido derrocados o muertos de muerte natural. Pero de esto hablaremos al tratar de la protección a los familiares y colaboradores de los reyes. El concilio va más lejos aún. No sólo condena las rebeliones abiertas, sino que anatematiza lo que podríamos llamar malos pensamientos respecto al rey o la Corona.

El rey aparece así como algo superior, a quien hay que respetar por encima de todo. El rey, por su unción y por su cargo, es un ser por encima de lo común. Además, Dios manda respetar la autoridad. De ahí que el concilio excomulgue a quienes se atreven a maldecir al rey. «A causa de las depravadas costumbres de los hombres, después de una provechosa deliberación, establecemos también lo siguiente: que nadie lance maldiciones contra el príncipe, porque está escrito por el legislador: 'No maldigas al príncipe de tu pueblo'; y, si alguno lo hiciere, será excomulgado con la excomunión eclesiástica, pues si los que maldicen no poseerán el reino de Dios, ¿cuánto más deberá excluirse de la Iglesia a aquel que es hallado violador del divino precepto?» [72]

No se conforma con prohibir todo aquello que en la práctica pueda poner en peligro la seguridad del rey. Desea también que el nombre del rey sea para sus súbditos como algo sagrado. Se funda en las palabras de la sagrada Escritura, que prohíben maldecir al príncipe del pueblo. Hace de esta frase un precepto divino. Así, el argumento se forma fácilmente. Si los que maldicen no poseerán el reino de los cielos, mucho menos lo poseerán aquellos que se atreven a maldecir a su rey, pues violan un precepto divino.

También se habla de las ofensas de palabra al rey en la legislación civil. Trata este asunto la ley II 1,9 de Recesvinto. «Está castigada la ofensa al rey no con la pena de alta traición, sino con una pena mucho

---

[72] J. Vives, *Concilio V de Toledo* c.5 p.229: Mansi, 10,655.

menor... se fundamenta con todo detalle que la persona del rey debe ser protegida no sólo contra todo intento o acto dirigido contra él, sino también de injuria y de calumnias públicas... Debe destacarse aún que Recesvinto no sólo protege la persona del rey vivo contra injurias, sino también el recuerdo del monarca fallecido» [73].

En el concilio IV de Toledo encontramos un canon un tanto sorprendente a primera vista, que, a nuestro entender, tiene su razón de ser si se relaciona con lo que hemos dicho sobre las intrigas contra el rey. Se entenderá mejor todavía si se tiene en cuenta que, en casi todas las rebeliones contra los reyes, los conjurados habían pedido ayuda a príncipes extranjeros. Presupuesto esto, no es extraño que el concilio prohíba a los obispos que tienen su diócesis en la frontera con países enemigos recibir o enviar mensajeros a pueblos extranjeros. Es, sin duda, una medida tomada para la seguridad del rey y de la patria. Para hacer tales mensajes era necesaria la autorización del rey. Nos parece evidente que era ésta una medida de seguridad para evitar tratos poco limpios con los enemigos. El vivir en la frontera era una tentación para pactar con el enemigo.

A los transgresores de este canon no se les fija un castigo determinado. Irá en relación con la gravedad de la culpa. Se presupone que han tramado algo, y según la importancia que esto tenga será la pena que se les imponga. Dice el canon: «Los obispos que limitan con los enemigos, exceptuando aquellos que el rey autorizare, no se atrevan a recibir o enviar ocultamente cualquier mandato al pueblo extranjero, y si alguno fuere sorprendido y convicto, dando aviso al rey, será castigado en el concilio con una pena proporcionada a su delito» [74].

Muchas veces, las rebeliones contra los reyes llevaban consigo graves daños para la nación. No era sólo la persona del rey quien estaba en peligro, sino también la misma patria y el pueblo de los godos. A veces se pedía ayuda a príncipes extranjeros, lo que comprometía la integridad del territorio, y, con frecuencia, la rebelión desembocaba en guerra civil, con sus correspondientes consecuencias de destrucción. No es extraño, pues, que la Iglesia se preocupase también de las traiciones que dañan a la patria, máxime cuando había comenzado a desarrollarse el espíritu nacionalista.

El concilio VI de Toledo, año 638, ya castiga, aunque no especifica a qué penas, a todos los que se pasan al enemigo y causan algún daño a los bienes de la patria, ya que además han reforzado el poder de los enemigos. Mucho más extenso es el concilio VII de Toledo, año 646. Constata que las acciones en contra de la patria han sido frecuentes, y se lamenta, sobre todo, de que algunos clérigos las han realizado. Legisla que los tales perderán el grado que detentaban y serán excomulgados, y sólo se les dará la comunión al final de la vida si durante toda ella han hecho penitencia. El concilio no se olvida de los seglares que

---

[73] K. ZEUMER, *Historia de la legislación visigoda* (Barcelona 1944) p.153.
[74] J. VIVES, *Concilio IV de Toledo* c.30 p.203: MANSI, 10,627.

cometen tales acciones, y legisla que se les debe confiscar todos sus bienes y se les debe negar la comunión hasta el fin de su vida [75].

El concilio VIII de Toledo, año 653, mitigó un poco las penas impuestas a los traidores para no cerrar la puerta a la misericordia, pero hace, al mismo tiempo, un serio llamamiento al fiel cumplimiento del juramento de fidelidad. El concilio X de Toledo, año 656, vuelve a condenar a quienes maquinan algo contra los reyes, el pueblo o la patria.

Egica, en el mensaje dirigido al concilio XVI de Toledo, año 693, establece que los nobles palatinos que maquinen algo contra la vida de los reyes o contra la patria serán excluidos, ellos y sus descendientes, del cargo que desempeñen en palacio, deberán servir perpetuamente al fisco y se les confiscarán todos sus bienes [76]. En el canon noveno vimos que se condenó la traición del obispo Sisberto. Se le acusa de que no sólo intentó arrojar del trono a Egica, sino que provocó el desorden y la ruina en el pueblo y la patria. Por eso se le condena a perder el honor del obispado, confiscación de todos sus bienes y destierro perpetuo.

En el canon décimo condena de nuevo las conjuraciones. Repite tres veces la condena para darla más fuerza. «Cualesquiera, pues, de nosotros o de todos los pueblos de España que violare, con cualquier conjura o manejo, el juramento que hizo en favor de la prosperidad de la patria, o del pueblo de los godos, o de la conservación de la vida de los reyes, o intentare dar muerte al rey o debilitar el poder del reino, o usurpare con atrevimiento tiránico el poder real, sea anatema en la presencia de Dios y de los ángeles, y arrójesele de la Iglesia católica, a la cual profanó con su perjurio, y sea tenido, él y los compañeros de su impiedad, extraños a cualquier asamblea de los cristianos» [77]. El concilio XVII de Toledo, año 694, condena a los judíos, no sólo por perturbar la paz de la Iglesia, sino porque «también se esforzaron, con atrevimiento tiránico, por arruinar a la patria y a todo el pueblo» [78].

8. Protección a los familiares y colaboradores de los reyes

Las frecuentes revoluciones llevaban consigo otras consecuencias. En caso de que éstas triunfasen, no sólo los reyes, sino también sus familiares y colaboradores, corrían un grave peligro. El nuevo rey, por odio o por miedo a contrarrevoluciones, podía caer en el exceso de vengarse en los familiares y amigos del rey depuesto. El peligro de venganza podía darse también en los casos en que el rey moría pacíficamente.

El concilio V de Toledo, año 636, comienza la legislación que intenta proteger a los familiares de los reyes; en este caso, del rey Chintila. Da a entender que se cometían con frecuencia injusticias con los familiares del rey difunto. Establece «... que, guardando todo lo que ha sido decidido y decretado en el gran concilio universal (el IV de Toledo) acerca de la inviolabilidad y servicio de los reyes, se añada tam-

[75] J. Vives, *Concilio VII de Toledo* c.1 p.249-52: Mansi, 10,765-66.
[76] Cf. J. Vives, *Concilio XVI de Toledo* p.487: Mansi, 12,63.
[77] Ibid., c.10 p.511: Mansi, 12,79.
[78] J. Vives, *Concilio XVII de Toledo* c.8 p.535: Mansi, 12,101.

bién y se guarde lo siguiente: que se conserve el amor con toda benignidad y toda firmeza hacia toda la descendencia de nuestro príncipe el rey Chintila y se le preste el debido socorro y defensa, para que no se le arrebate injustamente sus derechos de propiedad, ni aquellos bienes justamente adquiridos, ni tampoco aquellos otros recibidos de sus padres en lícita transmisión» [79]. Trata de defenderles de los abusos que cualquier clase de personas intente cometer contra ellos. Se castiga a los transgresores de este decreto con la excomunión.

Consecuencia lógica de las sublevaciones contra los reyes era que también los colaboradores de éstos caían en desgracia del nuevo dueño del trono. Unas veces por odio personal y otras porque el nuevo rey se veía obligado a repartir entre sus colaboradores en la rebelión los puestos o cargos que los fieles al rey anterior ocupaban en palacio. También podía ocurrir esto en los casos en que el rey muriese de muerte natural.

El concilio V de Toledo promulga un canon especial en el que trata de evitar que se cometan injusticias con quienes han servido lealmente a los reyes anteriores, hayan sido derrocados o muertos de muerte natural. Era lógico que el rey les hubiera hecho algunas donaciones en premio a sus servicios. El concilio considera justas estas donaciones. Era, además, un aliciente humano, ya que, sin estos premios y si además corría peligro su fortuna con el cambio de rey, podía darse el caso de que nadie quisiera colaborar con los reyes.

El concilio estimula así para que no se niegue a los reyes la ayuda que necesitan. Es fácil pensar que, ante el miedo o la duda de perder los propios bienes, no habría mucha gente dispuesta a aceptar un cargo en la Corte. Los obispos quieren dar a los colaboradores del rey una garantía de seguridad para el futuro. Y como la confiscación de bienes era la injusticia más frecuente, se legisla que a los colaboradores del rey no se les deben arrebatar las cosas legítimamente adquiridas, ni aquello que han recibido como premio por sus servicios a la Corona. Dice el concilio: «Con la misma previsión, damos esta norma en favor de los fieles a los reyes: que cualquiera que sobreviviere a los reyes, no debe sufrir ningún perjuicio en las cosas justamente adquiridas o recibidas de la generosidad del rey, pues, si se permite que injustamente se arrebate el premio de los fieles, nadie querrá servir a los reyes con prontitud y fidelidad cuando todas las cosas vacilan en la inseguridad y se teme por el futuro, sino que la piedad del rey debe prestar ayuda a su inviolabilidad y a sus cosas, y así, con estos ejemplos, los demás serán animados a la fidelidad cuando a los fieles no se les priva de su premio» [80].

Casi lo mismo repite el concilio VI de Toledo, año 638. Añade, sin embargo, algunas precisiones más. Los servidores del rey, por el hecho de haber sido fieles y obedientes y haber vigilado y custodiado la vida de éste, no deben ser privados por el nuevo rey, injustamente, del cargo que desempeñaban en palacio.

El nuevo rey debe estudiar muy bien las cualidades que poseen estas

[79] J. Vives, *Concilio V de Toledo* c.2 p.227: Mansi, 10,654-55.
[80] Ibid., c.6 p.229: Mansi, 10,655-56.

personas. Debe ver en qué grado son todavía útiles a la patria y darles un cargo conforme a sus aptitudes y a las necesidades del bien común [81]. Esto, naturalmente, no quiere decir que quien desempeña un cargo en palacio lo deba hacer por toda la vida. Se les debe vigilar para ver si cumplen bien con sus obligaciones. El mismo rey es quien debe juzgar su comportamiento. El intento de proteger a los fieles al rey no debe ser excusa para que permanezca en palacio gente que no merece tales cargos. Por eso compete a la discreción del rey entrante el apartar de sus puestos a quienes sean infieles y a todos aquellos que sean ineptos para el cargo que ocupan. Aquí no se trata de venganza, sino de un caso de justicia y preocupación por el bien común.

El rey tiene que velar por el bien común y la prosperidad de todo el pueblo. Y para que las cosas marchen bien debe procurar buscarse los colaboradores más idóneos y eficaces, sobre todo en los puestos de mayor responsabilidad. «Pero al establecer estas medidas no se priva a los príncipes de su poder de corregir administrativamente; muy especialmente acerca de aquellos seglares a quienes no mancha el delito de traición, sino que se les prueba ser incapaces para el cargo u oficio, o mal intencionados en la gestión que les ha sido encomendada, o más bien negligentes, tendrá el príncipe facultad de corregirlos sin causarles infamia alguna ni algún perjuicio en su hacienda, castigándolos con la privación del cargo y colocar en el puesto de los tales a otros que juzgue más aptos» [82].

El concilio VI de Toledo repite la legislación del concilio V sobre la protección a los familiares de los reyes. El concilio XIII de Toledo, año 683, elabora un nuevo canon protegiendo a la descendencia del rey. Pero no lo hace de una manera universal, para los descendientes de todos los reyes. Es un canon dado expresamente para proteger a la familia de Ervigio. La razón de tal canon es el agradecer de alguna manera los favores que han recibido de Ervigio. Presupone, naturalmente, que no haya ninguna razón para litigar con ellos. Casi lo mismo repite el concilio XVI de Toledo, año 693, para proteger a los descendientes de Egica. Pide que nadie busque ocasiones para dañarles injustamente.

9. PERDÓN A LOS TRAIDORES

Igual que la Iglesia se creía en el derecho de poder castigar a los traidores, también se creía parte interesada a quien se debía consultar, pues sobre el culpable pesaba un anatema, en caso de que se quisiese perdonar o reducir el castigo. Nos referimos a los traidores descubiertos y castigados que no lograron apoderarse del trono. Sobre su perdón ya hablamos lo suficiente al tratar de las limitaciones al poder real. Las revoluciones o conjuras que triunfaron, como, p.ej., la de Sisenando,

---

[81] Cf. J. VIVES, *Concilio VI de Toledo* c.14 p.242: MANSI, 10,667-68.
[82] J. VIVES, *Concilio XIII de Toledo* c.2 p.418-19: MANSI, 11,1065-66.

Chindasvinto y Ervigio, a pesar de toda la legislación, quedaron impunes. Tal actitud de la Iglesia se debió a dos razones poderosas.

La primera es que los obispos, a pesar de su influencia en la vida civil, no tenían poder suficiente para oponerse a una revolución triunfante. Lo que se dice de Chindasvinto en el concilio VIII de Toledo y de Wamba en el concilio XII demuestra que, aunque los obispos no estaban conformes con ellos y tenían cosas que reprocharles, no tuvieron más remedio que aguantarse y esperar circunstancias favorables para mostrar su descontento.

La segunda razón es que los obispos creyeron menos peligroso aceptar los hechos consumados, aunque no fuesen legales, si la mayor parte de la nobleza y pueblo los había aceptado, que exponerse a las crisis y luchas que con frecuencia llevaba consigo la elección del nuevo rey, máxime si los ánimos estaban soliviantados por la precedente revolución. «Los concilios de Toledo, al paso que procuraban fortalecer con su autoridad el trono y la vida de los soberanos que los convocaban, aunque fuesen usurpadores, no pronunciaron, sin duda por prudencia, ni una sola palabra para anatematizar directa ni indirectamente las rebeliones o medios indignos que habían sentado en el trono a aquel mismo monarca, que pedía respeto para sí y para su familia, cuando él no había guardado ninguno con su predecesor» [83].

Esta actitud indulgente de los concilios para con las revoluciones que triunfaban fue una de las causas por las que los levantamientos no disminuyeron. Cuando alguien se comprometía en una rebelión, tendría plena confianza en el triunfo. Y, obtenido éste, no había grandes dificultades para que fuese confirmado.

[83] M. Marco y Cuartero, *Los concilios de Toledo* (Madrid 1856) p.12.

CAPÍTULO IV

ORGANIZACION DE LA IGLESIA VISIGODA

FUENTES Y BIBLIOGRAFIA

FUENTES.—MANSI, *Sacrorum Conciliorum nova et amplissima collectio,* ed. Akademische Druck- U. Verlagsanstalt (Graz 1960) vol.7-8; J. VIVES, *Concilios visigóticos e hispano-romanos* (Barcelona-Madrid 1963); SAN ISIDORO, *Etimologías,* ed. L. Cortés (BAC, Madrid 1951): ML 82,73-728; *De ecclesiasticis officiis:* ML 737-826; K. ZEUMER, *Leges nationum germanicarum* I: Mon. Ger. Hist., *Leges visigothorum,* ed. K. Zeumer (Hannover-Leipzig 1902); *Leges visigothorum antiquiores,* ed. K. Zeumer (Hannover-Leipzig 1894); *Fuero juzgo,* en latín y castellano, ed. Real Acad. Española (Madrid 1815).

BIBLIOGRAFÍA.—Z. GARCÍA VILLADA, *Historia eclesiástica de España* II p.1.ª (Madrid 1932); M. TORRES LÓPEZ, *La Iglesia en la España visigoda* y *El derecho y el Estado,* en *Historia de España,* dir. por M. Pidal, vol.3 (Madrid 1963); *Lecciones de historia del derecho español* vol.2 (Salamanca 1935); T. ANDRÉS MARCOS, *La constitución, transmisión y ejercicio de la monarquía hispano-visigoda en los concilios toledanos* (Salamanca 1928); K. ZEUMER, *Historia de la legislación visigoda* (Barcelona 1944); A. K. ZIEGLER, *Church and State in visigothic Spain* (Wáshington 1930); E. MAGNIN. *L'Église wisigothique au VIIeme siècle* (París 1912); E. PÉREZ PUJOL, *Historia de las instituciones sociales de la España goda* vol.3 (Valencia 1896); C. SÁNCHEZ ALBORNOZ, *Fuentes para el estudio de las divisiones eclesiásticas visigodas* (Santiago 1930); *El Aula Regia y las asambleas políticas de los godos:* Cuadernos de Historia de España 5 (1946) p.5-99; J. FERNÁNDEZ ALONSO, *La cura pastoral en la España romano-visigoda* (Madrid 1955); J. F. RIVERA RECIO, *Encumbramiento de la sede toledana durante la dominación visigótica:* Hispania Sacra 8 (1955) p.3-34; D. MANSILLA, *Orígenes de la organización metropolitana en la Iglesia española:* Hispania Sacra 12 (1959) p.255-90; L. ROBLES, *Teología del episcopado en San Isidoro:* Teología Espiritual 7 (1963) p.131-67; A. E. DE MAÑARICUA, *El nombramiento de los obispos en la España visigótica y musulmana:* Scriptorium Victoriense 13 (1966) p.87-114; G. MARTÍNEZ, *Función de inspección y vigilancia del episcopado sobre las autoridades seculares en el período visigodo-católico:* Revista Española de Derecho Canónico 15 (1960) p.579-89; IMBART DE LA TOUR, *Les paroises rurales du IVeme au XIeme siècle* (París 1900); P. BIDAGOR, *La «Iglesia propia» en España, Estudio histórico-canónico:* Analecta Gregoriana 4 (Roma 1933); S. MOCHI ONORY, *Vescovi e città:* Riv. di Storia del Diritto Italiano (1931) p.245-330; E. JANINI CUESTA, *La consagración episcopal en el rito visigótico:* Revista Española de Teología 25 (1965) p.415-27.

1. EL PRIMADO DE TOLEDO

El obispo de Toledo no tuvo gran importancia en los primeros siglos dentro de la vida de la Iglesia española. Esta siguió la organización del imperio romano, que dividió España en cinco provincias: Tarraconense, con capital en Tarragona; Cartaginense, cuya capital era Cartagena; Bética, con capital en Sevilla; Lusitana, cuya capital era Mérida, y Galicia, con capital en Braga. Durante la dominación visigoda se añade la Narbonense, con capital en Narbona.

El obispo de la capital era el jefe eclesiástico de toda la provincia. Así, el obispo de Toledo fue, por muchos años, un sufragáneo más de la provincia Cartaginense. Su importancia comienza a aumentar cuando, invadida España, los visigodos ponen su capital en Toledo. En el concilio II de Toledo, año 527, aparece ya el obispo de esta ciudad como metropolitano de toda la provincia Tarraconense [1]. Los sínodos posteriores repiten tal afirmación a pesar de las protestas de algunos obispos. Pretendían que el obispo de Toledo fuese solamente metropolitano de la región central y el obispo de Cartagena lo fuese de los demás obispados.

El poder civil apoyó en esta disputa al obispo de Toledo. El rey Gundemaro se opuso a los obispos que intentaban defender los derechos del obispo de Cartagena, y, con el beneplácito de los demás metropolitanos españoles, publicó un decreto en el que reconocía a Toledo como única metrópoli de toda la antigua provincia eclesiástica Cartaginense [2].

Desde entonces, el poder del metropolitano de Toledo aumenta paulatinamente. En el concilio VII de Toledo, año 646, se declara: «También tuvimos por bien que, por reverencia al rey y por el honor de la sede real y para consuelo de la misma ciudad metropolitana, los obispos cercanos a la ciudad de Toledo, según aviso que recibirán del mismo metropolitano, deben residir en dicha ciudad un mes cada año, exceptuando los tiempos de la siega y de la vendimia» [3].

Así se forma, en torno al metropolitano de Toledo, una especie de curia eclesiástica compuesta por los obispos circunvecinos. El hecho se explica no sólo por el poder adquirido por el metropolitano de Toledo, sino también por la estrecha unión que existe entre el poder civil y el eclesiástico y porque los reyes tenían su Corte en Toledo. Los obispos, como veremos, habían llegado a ser una especie de consejeros del reino con amplios poderes. De esa forma, al mismo tiempo que asistían al metropolitano, estaban junto al rey y actuaban en cualquier momento en los más variados asuntos.

Existe un gran parecido con los sínodos llamados *endemousa* de Constantinopla, que celebra el patriarca con los obispos presentes en la ciudad, consultándoles sobre asuntos de especial importancia. Algunos obispos llegaron a ser miembros perpetuos de estos concilios. Prácticamente eran consejeros del patriarca.

J. F. Rivera Recio da una razón válida de esta decisión del Concilio cuando escribe que «sería por la dignificación de la sede cortesana, a la que la presencia de varios prelados serviría de aureola y marco solemne

---

[1] J. F. RIVERA RECIO, *Encumbramiento de la sede toledana durante la dominación visigótica:* Hispania Sacra 8 (1955) p.3-34.
[2] Cf. J. VIVES, *Concilio XII de Toledo* p.404: MANSI, 10,510-11.
[3] J. VIVES, *Concilio VII de Toledo* c.6 p.256: MANSI, 10,770.

para dar prestancia y realce a la figura del metropolitano, ministro nato de las funciones ministeriales relacionadas con el rey»[4]. Su poder llegó al grado sumo cuando el concilio XII de Toledo, celebrado el año 681, le concede el privilegio de nombrar, en inteligencia con el rey, a todos los obispos de España y consagrarlos[5]. Este canon recuerda el canon 28 de Calcedonia.

Este canon termina jurídicamente con una vieja tradición de la Iglesia española. Hasta entonces, el pueblo, el clero de la provincia, los obispos y el metropolitano habían tenido alguna parte en la elección del nuevo obispo. Al menos de derecho. Es cierto también que estos derechos no se habían respetado siempre. De hecho, como veremos después, hay varios casos de intervención regia en el nombramiento de los obispos. El canon legaliza la exclusiva de intervención regia y del metropolitano de Toledo en la provisión de obispados.

El canon presupone que en algunas ciudades se ha tardado mucho tiempo en consagrar al sucesor del obispo muerto. Y expone las razones de tal tardanza: la gran distancia que hay de algunas regiones hasta el lugar donde se halla el rey. Esto hace que los mensajeros que llevan la noticia tarden demasiado tiempo en llegar; una vez enterado el rey, tarda también en llegar la noticia de quién ha sido el nombrado libremente por el rey para sucesor del obispo difunto.

Todo ello hace que el episcopado no pueda dar a conocer los hechos con la celeridad que quisiera. Y el rey tarda en conocer el parecer del episcopado para decidirse a nombrar el sucesor. Para terminar con las dificultades que estos trámites llevan consigo y terminar también con los perjuicios que sufren las diócesis al estar por algún tiempo sin obispos, el concilio cree conveniente privar al pueblo, sacerdotes, obispos y metropolitanos de todos sus derechos en la elección de los nuevos obispos. Antepone la necesidad pastoral a los antiguos cánones.

Llaman la atención las palabras *quedando a salvo el privilegio de cada una de las provincias*. ¿Qué privilegio era ése? Desde luego, no el privilegio de libre elección del candidato, ni siquiera el de presentación o consagración, ya que todos éstos quedaban reservados al metropolitano de Toledo y al rey. Por lo que dice después el mismo canon, el único derecho que quedó a los metropolitanos fue que el nuevo elegido tenía la obligación de presentarse ante su respectivo metropolitano, como se había hecho hasta entonces, para recibir órdenes de cómo gobernar la diócesis. Pero aun este derecho quedaba restringido, ya que una orden del rey podía dispensar al nuevo obispo de esta obligación.

Esta nueva legislación no debió de extrañar mucho a nadie. En el canon se habla de «libre nombramiento del rey para sucesor del obispo que murió» como de una cosa habitual. Y, al hablar de las dificultades, dice: «se origina con frecuencia grave dificultad al episcopado para dar cuenta de tales hechos, y a la potestad real, al tener que esperar, por

[4] J. F. Rivera Recio, art.cit. p.24.
[5] Cf. J. Vives, *Concilio XII de Toledo* c.6 p.393-94: Mansi, 11,1033-34.

una molesta necesidad, nuestro parecer para nombrar obispos». Lo que nos prueba que las antiguas costumbres no se practicaban.

Estos poderes absolutos en los nombramientos de los obispos, el hecho de que desde el año 653 sea el metropolitano de Toledo quien preside los concilios nacionales, cosa que hasta entonces había hecho el metropolitano más antiguo, y la prerrogativa de ser él quien consagra a los reyes, dan al metropolitano de Toledo una preeminencia sobre los demás metropolitanos españoles.

Esta prerrogativa del metropolitano de Toledo es muy similar a la del arzobispo de Cartago. En el norte de Africa, los obispos más antiguos de cada provincia desempeñaban el papel de metropolitanos. Se les llamaba primados. Por eso cambian también las sedes de los primados africanos. La única excepción era el Africa proconsular, cuya capital, Cartago, era siempre la sede del primado, que no sólo ejercía su autoridad sobre esta provincia, sino también sobre las demás. Por eso, él convocaba los concilios e imponía prescripciones a todo el episcopado.

Así, el metropolitano de Toledo, si no de nombre, porque a veces también a los demás metropolitanos se les da el nombre de primados, aparece de hecho como el primado de la España visigótica. Por el contexto del canon no se puede hablar de una primacía jurídica, pero sí práctica.

Nos parecen lógicas las palabras de Rivera Recio: «La razón de este encumbramiento no se debe ni a la antigüedad de la sede, ya que en antigüedad otras la aventajaban, ni al pretendido origen apostólico, que algunas españolas podían vindicar con argumentos más o menos perentorios; la razón de su preeminencia está en haber sido *civitas regia,* residencia real desde antes de la conversión de los godos al catolicismo; quizá a su misma situación central y, sin duda alguna, al prestigio de sus grandes arzobispos de la segunda mitad del siglo VII: Eugenio, Ildefonso, Julián, casi de forma análoga a la que hizo que otras ciudades del territorio hispano, debido a su peculiar relieve urbano desde el punto de vista de la geografía o de la política, vinieran a verse elevadas a la categoría de metrópolis eclesiásticas» [6].

2. LOS METROPOLITANOS

Los obispos metropolitanos tuvieron gran importancia dentro de la Iglesia española. Su existencia viene asegurada ya por las primeras noticias ciertas que tenemos sobre la Iglesia en España. En un principio parece ser que se daba la categoría de metropolitano al obispo más antiguo de la provincia eclesiástica. Pero parece ser que esta costumbre no duró demasiado en España. Poco a poco, las sedes de Tarragona, Sevilla, Mérida, Braga y Cartagena van adquiriendo la categoría de sedes metropolitanas [7].

[6] J. F. RIVERA RECIO, art.cit. p.34.
[7] Cf. D. MANSILLA, *Orígenes de la organización metropolitana en la Iglesia española:* Hispania Sacra 12 (1959) p.261-62.

Cuando comienza a surgir en España el error priscilianista, varios obispos piden al obispo de Mérida que intervenga para atajar el mal. El año 385, el papa Siricio escribe una carta al obispo Himerio de Tarragona para arreglar varios asuntos concernientes a la Iglesia española, y en ella le pide que haga conocer sus decisiones a los demás obispos [8]. Es además significativo que casi todos los sínodos nacionales se celebren en Tarragona, Braga, Sevilla y Mérida, además de los concilios nacionales de Toledo.

Aparece así el obispo de estas ciudades como el jefe espiritual de toda la provincia eclesiástica. A él se dirigen los obispos que quieren poner remedio a las agitaciones doctrinales. Convoca y organiza el concilio provincial. Leemos en el canon 13 del concilio de Tarragona, año 516: «El metropolitano debe dirigir a sus hermanos en el episcopado tales cartas, que no sólo acudan al concilio acompañados de los presbíteros de las iglesias catedrales, sino que también traigan consigo algunos de los presbíteros rurales, e incluso algunos seglares, hijos fieles de la Iglesia» [9].

Prueba de la supremacía del metropolitano es que ocupa el primer lugar en los concilios, mientras que los demás obispos se sientan por orden de antigüedad. Dice el concilio de Braga del año 561 que «también se tuvo por bien que, conservando la primacía del obispo metropolitano, los demás obispos se cedan el asiento uno a otro, según la antigüedad de su ordenación» [10].

El metropolitano consagraba a todos los obispos de su provincia eclesiástica. Pero pudiera darse el caso de que el nuevo obispo, por alguna circunstancia, no fuera consagrado en la ciudad metropolitana. En este caso son necesarias las letras aprobatorias del metropolitano para que ese obispo pueda recibir la bendición y alcanzar el honor del episcopado. En todo caso, pasado un tiempo prudencial, debe presentarse ante su metropolitano para recibir los primeros consejos pastorales, y enterarse así de lo que debe hacer. Así se expresa el concilio de Tarragona del año 516: «Si alguno no hubiere sido ordenado en la ciudad metropolitana después de haber recibido la bendición y alcanzado el honor del obispado por letras aprobatorias del metropolitano, juzgamos muy conveniente que después, en el tiempo establecido, esto es, pasados dos meses, se presente personalmente a su metropolitano para que, recibiendo de éste los consejos pastorales, sepa mejor lo que debe observar» [11].

El metropolitano tiene el deber de señalar de antemano a sus obispos el día de la celebración de la Pascua. Como se ve, ya en el siglo VI el metropolitano es el verdadero jefe espiritual de la provincia eclesiástica y aun los obispos sufragáneos le están sometidos. El los consagra,

---

[8] Cf. Papa Siricio, *Epist. ad Himerium...*: ML 13,1131-47; 84,629-38.
[9] J. Vives, *Concilio de Tarragona* c.13 p.38: Mansi, 8,543.
[10] J. Vives, *Concilio I de Braga* c.6 p.72: Mansi, 9,778.
[11] J. Vives, *Concilio de Tarragona* c.5 p.35: Mansi, 8,542.

les da consejos pastorales y están sometidos a su autoridad. Después, como hemos visto, perdió el derecho de consagrar a sus sufragáneos.

A partir de la conversión de Recaredo adquieren todavía más prestigio y autoridad los obispos metropolitanos. Este prestigio y autoridad no era simple honor. San Isidoro en sus *Etimologías* escribe: «Presiden las provincias y a su autoridad y doctrina se someten los demás sacerdotes, y sin los arzobispos no les es lícito obrar a los demás obispos, pues a ellos está encomendado el cuidado de toda la provincia» [12]. El metropolitano intervenía en la elección de sus sufragáneos. En caso de que no asistiera a la elección era necesario su consentimiento [13]. También perdió después este derecho.

Afirma García Villada que «la preeminencia del metropolitano se manifestaba, asimismo, en la obligación que a cada sufragáneo incumbía de acudir a su llamamiento sin dilaciones o excusas (excepto fuerza mayor), ora para la celebración del sínodo, ora para tratar de los asuntos civiles de la provincia, ora para dar más solemnidad a ciertas fiestas del año, cuales eran Navidad, Pascua y Pentecostés» [14].

Era obligación del metropolitano vigilar el modo de actuar de sus sufragáneos, sobre todo la forma de celebrar los oficios litúrgicos. Debía, además, poner mucho cuidado en saber si sus sufragáneos eran lo suficientemente sabios para poder predicar con éxito la doctrina cristiana. Sobre este deber de los metropolitanos y sobre la importancia que tiene la predicación de la verdad es interesantísimo ver lo que manda el concilio XI de Toledo, año 675: «Por lo tanto, debemos todos nosotros reflexionar atentamente en el puesto que ocupamos y en la responsabilidad del cargo que hemos recibido, para que los que hemos aceptado el oficio de la predicación no descuidemos con otras ocupaciones el estudio de las cosas sagradas. Pues la inteligencia de algunos obispos descuida de tal modo el estudio con ociosa pereza, que, como predicador mudo, no sabe qué decir a su rebaño acerca de la doctrina. Por eso hemos de insistir siempre los prelados para que no dejen perecer de hambre de la palabra de Dios a los que viven bajo su vigilancia. Por eso deben velar los metropolitanos sobre los obispos de su provincia y sobre todos los demás eclesiásticos» [15]. El canon termina pidiendo que todos voluntariamente dediquen el esfuerzo necesario para aprender, y en caso contrario sean obligados por los superiores, contra su voluntad, a dedicarse al estudio.

Si los obispos eran jueces de los demás, ellos, a su vez, estaban sometidos al tribunal del metropolitano. Al metropolitano deben apelar los fieles y los sacerdotes cuando crean que el obispo ha cometido contra ellos alguna injusticia. El metropolitano era el máximo juez dentro de la provincia eclesiástica.

[12] San Isidoro, *Etimologías* VII 12,7: ML 82,291.
[13] Cf. J. Vives, *Concilio IV de Toledo* c.19 p.200: Mansi, 10,625.
[14] Z. García Villada, *Historia eclesiástica de España* II p.1.ª (Madrid 1932) p.203.
[15] J. Vives, *Concilio XI de Toledo* c.2 p.355-56: Mansi, 11,138.

3. LOS OBISPOS

El obispo era el jefe del clero en su diócesis y el sujeto fundamental de la cura pastoral, cuyos problemas y preocupaciones debían encontrar en él un eco y una solución. Los restantes clérigos no eran más que ministros suyos. Los obispos son los ministros ordinarios de todos los sacramentos y sólo ellos tenían el poder de conferir las órdenes sagradas mayores y consagrar el crisma de la confirmación.

Su principal obligación era el cuidado espiritual y material de la Iglesia. Es decir, debe preocuparse de que sus sacerdotes cumplan bien con sus obligaciones, y, sobre todo, procurar que celebren los sacramentos tal como está establecido. Debe comprobar si conocen las verdades de la fe. Adoctrinará a los clérigos ignorantes y enseñará a los fieles las verdades fundamentales de la fe.

En el orden material debe preocuparse de restaurar los edificios que se encuentren en ruinas, iglesias, monasterios, etc. Para realizar todo esto debe visitar su diócesis todos los años, sobre todo las parroquias que no están en la ciudad, ya que las que están en la ciudad debe conocerlas y saber sus necesidades por estar cerca de él. Respecto al cuidado material de las iglesias, dice el concilio de Tarragona: «La experiencia muy repetida nos ha enseñado que algunas iglesias menores se encuentran desamparadas, por lo cual establecemos por el presente decreto que se observe la costumbre antigua y que todos los años los feligreses sean visitados por su obispo, y, si alguna iglesia menor se encontrase abandonada, repárese de orden suya» [16].

Sobre este problema de la reparación de las iglesias es mucho más explícito el concilio XVI de Toledo. Lo exigía el rey Egica. Y el concilio, respondiendo a esa exigencia, legisla que «las tercias de las rentas de las iglesias rurales que los cánones antiguos atribuyeron a los obispos, si creyeren éstos deber reclamarlas, reparen con ellas los dichos obispos las iglesias derruidas; pero si prefieren renunciar a ellas, entonces la reparación de tales basílicas correrá a cargo de los encargados del culto de tales iglesias, bajo la vigilancia y cuidado del obispo» [17].

En cuanto al cuidado espiritual, el concilio II de Braga ordena que el obispo debe visitar todas las iglesias de su diócesis y examinar cómo cumplen sus clérigos con sus obligaciones. Debe enseñar a los clérigos ignorantes y luego predicar a los fieles [18]. Los obispos tenían obligación de asistir a los concilios provinciales. El concilio de Tarragona priva de la comunión de la caridad hasta el próximo concilio al obispo que, avisado por su metropolitano y sin grave causa, no quiere asistir al concilio [19]. La autoridad del obispo antes de la conversión de los visigodos era exclusivamente eclesiástica. A partir de la conversión aumenta más aún su autoridad espiritual y adquieren además, como veremos, una gran fuerza política.

[16] J. VIVES, *Concilio de Tarragona* c.8 p.36-37: MANSI, 8,542-43.
[17] J. VIVES, *Concilio XVI de Toledo* c.5 p.502: MANSI, 12,72.
[18] J. VIVES, *Concilio II de Braga* c.1 p.81: MANSI, 9,838-39.
[19] J. VIVES, *Concilio de Tarragona* c.6 p.36: MANSI, 8,542.

A) *El obispo en su diócesis*

El episcopado, en general, estaba bien formado espiritual y científicamente y cumplía bien con sus obligaciones pastorales. Es cierto que no faltaron fallos, como puede verse en algunos cánones de los concilios provinciales y nacionales. Para eso se reunían generalmente los concilios, para corregir los fallos de algunos, no para alabar las virtudes de la mayoría.

El obispo desempeñaba un papel importantísimo dentro de la vida de la Iglesia española, intentando hacer del catolicismo español un catolicismo ejemplar. Prueba de la importancia que el obispo tenía dentro de la vida de la iglesia es que el obispo, sus derechos, obligaciones, etc., son tema constante dentro de los concilios celebrados en España en este período. En estos concilios casi siempre se les designa con la palabra *episcopus*. Pero a veces se encuentran otras expresiones para designar su oficio: *sacerdos, pontifex, pater,* etc.

Esta multiplicidad de nombres nos da a entender la riqueza y variedad de su contenido. Quizá en los concilios no hay tanta variedad de nombres como en los escritos patrísticos para designar la persona del obispo. La razón es que en los cánones conciliares se busca, ante todo, la claridad y precisión de lo que se define, se manda o se prohíbe.

El obispo es el primer responsable de la vida religiosa de su diócesis. Debe enseñar, dirigir y organizar a sus sacerdotes. Tiene que preocuparse del estado material de sus iglesias. Sin embargo, no puede hacer todo lo que le venga en gana. Debe actuar según las directrices que le hayan sido dadas por su metropolitano. El metropolitano, el sínodo provincial y el concilio nacional pueden pedirle cuentas de su modo de actuar y juzgar su conducta.

a) **El nombramiento de los obispos**

Por la carta escrita por Montano de Toledo en el año 527 a los clérigos de la diócesis de Palencia, sabemos que aquella sede, vacante entonces, era regida por un colegio de presbíteros [20]. Les escribe para condenar como ilícito tal clase de gobierno, que, aunque era ciertamente temporal, resultaba el más idóneo para gobernar la diócesis mientras estuviese sin obispo. Montano intenta evitar que en lo sucesivo se apoderen de algunos derechos que son propios del obispo de la diócesis. Los sacerdotes que componían ese colegio gubernativo eran todos o algunos de los clérigos de la iglesia catedral. El hecho nos da a entender que existían algunas costumbres para hacer frente a situaciones anormales.

Ya hemos dicho que, antes de la conversión de Recaredo, los obispos eran elegidos por el pueblo y el clero de la provincia. La primera alusión al sistema de nombramiento de los obispos después de la conversión de Recaredo la encontramos en el concilio II de Barcelona, ce-

---

[20] Cf. MONTANO DE TOLEDO, *Epist. prima:* ML 65,51-52.

lebrado el año 599. El concilio enumera tres formas de elección: por nombramiento del rey, por la aclamación del clero o del pueblo o por la elección y consentimiento de los obispos[21].

Un poco más adelante, el mismo canon restringe más todavía los derechos del pueblo y el clero inferior en el nombramiento de los obispos. Si elige el pueblo o los sacerdotes, deben elegir dos o tres candidatos y presentarlos a la decisión del metropolitano y de sus sufragáneos, y, una vez examinados y aprobados los candidatos, después de haber ayunado los obispos, debe echarse a suertes para ver quién es el elegido. Al pueblo y a los sacerdotes les queda sólo el derecho de presentación. Una prueba de esto la encontramos en la iglesia de Mentesa, hoy La Guardia. Muerto su obispo, los fieles y el clero de la ciudad piden a un concilio toledano, quizá el X o el XI, que nombre como obispo de la ciudad a un tal Emiliano[22]. «Las tres instancias están redactadas de forma que revelan que los miembros de aquella iglesia no ejercitaban ya más que un derecho de presentación, dejando a la prudencia de los Padres la elección definitiva del sujeto»[23].

El concilio IV de Toledo, año 633, intentó devolver al clero y a los fieles de la provincia sus antiguos derechos en la elección de su obispo. Con el fin de cortar algunos abusos y después de enumerar una larga serie de impedimentos para recibir el episcopado, ordena el canon 19: «Pero en adelante tampoco será obispo aquel que no hubiere sido elegido por el clero y por el pueblo de la propia ciudad, ni aprobado por la autoridad del metropolitano y el consentimiento de los obispos de la provincia»[24]. Además de estar libre de todos los impedimentos, exige el mismo canon que el candidato debe ser recomendable por su vida y doctrina. Cumpliéndose todos estos requisitos, será consagrado en domingo, con la aprobación de todos los clérigos y ciudadanos, por todos los obispos de la provincia, o al menos por tres, pero con el consentimiento de los obispos que estén ausentes. El canon castiga con la pérdida del cargo a quien intente alcanzar el episcopado de otra manera, e impone el mismo castigo a los obispos que le consagren.

A pesar del intento de volver a la antigua costumbre, en la práctica no se logró nada. Varios casos sucedidos en este tiempo prueban que el rey siguió nombrando obispos e imponiéndolos, a pesar de la oposición de algunos obispos. El rey Sisebuto impone el obispo de Barcelona, contra la voluntad de Eusebio, metropolitano de Tarragona. Hace también volver a su puesto al obispo de Mentesa[25].

Los principios establecidos en el concilio IV de Toledo fueron firmados por San Isidoro y quizá redactados por su influjo. Sin embargo, el mismo San Isidoro se ve obligado a admitir la intervención del rey en la elección de los obispos. La sede de Tarragona quedó vacante por

[21] Cf. J. Vives, *Concilio II de Braga* c.3 p.159: Mansi, 10,482-83.
[22] Cf. J. Vives, *Concilio XII de Toledo* p.409-10: ML 84,486.
[23] Z. García Villada, o.c. II p.1.ª p.187.
[24] J. Vives, *Concilio IV de Toledo* c.19 p.198-200: Mansi, 10,625.
[25] Cf. Z. García Villada, o.c. II p.1.ª p.187-91.

muerte del metropolitano Eusebio. El célebre obispo de Zaragoza, San Braulio, escribe a San Isidoro para que pida al rey nombre un candidato que sea ejemplo para los demás. San Isidoro le contesta: «Sobre el nombramiento del obispo de Tarragona no conozco aún la intención del rey, ni él mismo sabe aún a quién elegir» [26]. J. Fernández Alonso comenta: «Por donde se ve claramente que la intervención real en sentido casi exclusivo se practicaba en el 632 con toda amplitud y que obispos tan representativos como San Braulio y, sobre todo, San Isidoro lo veían como cosa natural» [27]. Años después, San Braulio se queja ante Chindasvinto y hace todo lo humanamente posible para que no se lleve de su lado a su archidiácono Eugenio, a quien había nombrado obispo de Toledo [28]. La admisión de esta intromisión regia no dejaba de ser una debilidad de los obispos. El concilio XII de Toledo, año 681, acabó con la cuestión concediendo el derecho de elección al rey y al metropolitano de Toledo.

b) **Obligaciones del obispo**

El obispo era ordenado siempre para una diócesis particular. A ella quedaba ligado para toda su vida. En ella debía trabajar, preocupándose de sus sacerdotes y fieles. Era, como hemos dicho, el responsable de la vida religiosa de su diócesis. Se prohíbe a los obispos pasar de una diócesis a otra ni por propia iniciativa ni invitado y obligado por otro obispo. Debe permanecer en el lugar que Dios ha querido y en la iglesia que se le ha encomendado, según lo establecido en los cánones antiguos. Se impone la pena de excomunión al obispo que después de consagrado no quiere desempeñar el episcopado ni quiere tomar posesión de la iglesia que le ha sido confiada. En caso de que siga resistiendo a pesar de la excomunión, el concilio debe terminar lo que se hace con él [29].

Los concilios describen a grandes rasgos las obligaciones del obispo para con todos sus súbditos. El concilio I de Braga reserva para el obispo la bendición del crisma y la consagración de iglesias y altares. El sacerdote que se atreva a hacer alguna de estas cosas debe ser depuesto. La carta de Montano de Toledo a los presbíteros de Palencia es muy dura precisamente porque se han atrevido a bendecir el crisma. De ahí que les recomiende no apropiarse las atribuciones del obispo [30].

Una de las obligaciones más graves que tenía el obispo era la de visitar su diócesis todos los años [31]. El fin de esa visita es remediar las necesidades espirituales de los súbditos y, sobre todo, ver si sus sacerdotes cumplen con la obligación de enseñar al pueblo. El obispo puede trasladar con toda libertad a los presbíteros o diáconos de las iglesias

---

[26] E. Flórez, *España sagrada* vol.30 p.327.
[27] J. Fernández Alonso, *La cura pastoral en la España romano-visigoda* (Madrid 1955) p.62.
[28] Cf. San Braulio, *Epist. XXXI Braulionis ad Chindasvintum regem:* ML 80,677-78.
[29] Cf. J. Vives, p.89.
[30] Cf. Montano de Toledo, *Epist. prima:* ML 65,51.
[31] Cf. J. Vives, *Concilio IV de Toledo* c.36 p.205: Mansi, 10,629.

rurales a la iglesia catedral. A él corresponde nombrar arcipreste, arcediano y primicerio para su iglesia catedral.

Existía otro grupo de personas con el que el obispo mantenía estrechas relaciones: los monjes. Tales relaciones hay que concebirlas de forma muy distinta a como se desarrollarán en los tiempos de la exención. Los contactos entre el obispo y los monjes son muy frecuentes, como lo prueban las actas de los concilios. Los monasterios estaban bajo la autoridad del obispo. Las únicas limitaciones que imponen los cánones a la autoridad del obispo en los monasterios es que no se entrometa en la administración de los bienes del monasterio, y mucho menos que usurpe tales bienes [32]. Parece ser que la sumisión de los monasterios a los obispos había dado ocasión a algunos abusos. Algún obispo había considerado los bienes de los monasterios como cosa propia. De ahí que el concilio IV de Toledo castigue con la pena de excomunión a los obispos que hagan en los monasterios algo en contra de los antiguos cánones. El mismo canon 51 enumera los derechos que los obispos tienen sobre los monasterios. El obispo nombra el abad y los demás cargos del monasterio. Debe animar a los monjes para que lleven una vida santa, y es obligación suya también corregir las violaciones de la regla.

El concilio X de Toledo denuncia algunos abusos que cometieron los obispos al ejercer los derechos sobre los monasterios. Uno de ellos era el nombrar, con criterios demasiado humanos, los abades y demás cargos del monasterio. Los así nombrados se preocupaban más de aprovecharse de las riquezas de los monasterios que de imponer la disciplina y la observancia de la regla. Se dio el caso de que un obispo nombró para tales cargos a sus familiares o amigos, otorgándoles beneficios que no les correspondían. De ahí que se castigue con un año de excomunión al obispo que así abusa de sus derechos en el nombramiento de abades. Y para evitar que nadie se apropie de los bienes de los monasterios, establece que quien tal cosa haga debe devolverlos duplicados [33].

La diócesis formaba una unidad en la que no cabían divisiones. Todo quedaba bajo el régimen del obispo. También los monasterios debían estar sometidos a esa unidad de régimen. Por eso, al obispo correspondía establecer la regla por la que habían de regirse los monasterios [34]. Los abades deben obedecer al obispo, aunque hayan obtenido la exención del obispo anterior. Cuando el obispo haga la visita canónica, están obligados a recibirle y agasajarle según sus posibilidades. El obispo puede, si lo cree conveniente, transformar una iglesia en monasterio. Se debe preocupar de la restauración de los que están en ruinas. Puede fundar y construir nuevos monasterios.

c) Colegialidad del episcopado

Es cierto que el obispo era elegido y consagrado para una diócesis particular y a ella quedaba ligado íntimamente durante toda su vida, sin

[32] Cf. J. Vives, *Concilio IV de Toledo* c.51 p.208-09: Mansi, 10,631.
[33] Cf. J. Vives, *Concilio X de Toledo* c.3 p.310-11: Mansi 11,35.
[34] Cf. J. Vives, *Concilio de Lérida* c.3 p.56: Mansi, 11,35.

permitírsele pasar a otra. Era una especie de matrimonio espiritual que no se podía disolver. La voluntad divina había querido que fuese ordenado para una determinada diócesis, y en ella debía permanecer. Hemos dicho que era el jefe supremo en su diócesis, pero esto no quiere decir que en ella gozase de una autonomía completa, pudiendo hacer o deshacer a su antojo. La diócesis no era para ellos un territorio aislado dentro de la Iglesia española. El obispo debía rendir cuenta de su modo de obrar ante su metropolitano y, sobre todo, ante el concilio provincial. La provincia eclesiástica era una unidad que debía marchar al unísono.

Esta organización llevaba consigo grandes ventajas, y no era la menor facilitar las deliberaciones en común en los concilios provinciales para tratar de resolver los problemas que se presentaban en la provincia. Es muy significativo el empeño que se pone en celebrar con frecuencia concilios provinciales [35] y la grave obligación que tienen todos los obispos de asistir a ellos. Lo mismo ocurre cuando el metropolitano les llama para hacerles alguna consulta o por cualquier otro motivo. El mismo obispo, en los casos graves que surgiesen en su diócesis, debía consultar a algunos de los obispos vecinos.

Los obispos debían atenerse a las normas votadas en los concilios y regir la diócesis según sus directrices. Era el conjunto de obispos de la provincia, unidos al metropolitano, quien dirigía todo el territorio eclesiástico. Cada obispo en particular era el encargado de llevar a la práctica, en su propia diócesis, lo acordado en el concilio. Exactamente lo mismo que sucede en el ámbito de la provincia, ocurre en el nacional. No es necesario forzar el texto de bastantes cánones de los concilios visigóticos para descubrir una conciencia de colegio episcopal nacional en los obispos españoles.

Pienso que la mejor prueba de la conciencia de colegialidad nacional son los mismos concilios nacionales. El episcopado vio que la mejor manera de atajar todos los males y corregir los abusos colectivos e individuales, aun de los mismos obispos, era la celebración periódica de concilios. Sobre todo cuando se trata de decidir en cuestiones de fe o en cosas de interés general para la Iglesia española, se debe convocar un concilio nacional [36]. En las decisiones de los concilios se refleja la estructura colegial del episcopado.

El fin de los concilios era dar unidad a la Iglesia visigótica. Se lee en el canon 11 del concilio VIII de Toledo: «Por eso, los decretos de los Padres que nos precedieron juzgaron que para arrancar de raíz todas las disputas debía celebrarse una reunión sinodal para que los conflictos prolongados por la diversidad de pareceres tengan allí su fin donde el santo Espíritu reunió a todos en asamblea. Iluminados, pues, por este santo Espíritu y para que ninguno en adelante pueda poner en peligro o destruir los estatutos generales, decretamos, unidos en el mismo sentir, que cualesquiera cosas que estén ya establecidas, o que hubieran de serlo por definición de la autoridad universal, acerca de la fe o de los

---

[35] Cf. J. Vives, *Concilio IV de Toledo* c.3: p.188-89: Mansi, 10,616-17.
[36] Cf. J. Vives, *Concilio IV de Toledo* c.3 p.189: Mansi, 10,616-17.

asuntos eclesiásticos, ninguno se atreva en adelante a contradecirlas, ni ninguno trate de cambiarlas, ni ninguno se esfuerce por no cumplirlas. Pues si alguno, bajo pretexto de religión, las desobedeciere o criticare, las destruyere o fuere envidioso de ellas en vez de prestarse, más bien, voluntariamente a favorecerlas, se lamentará, castigado con la pérdida de su puesto y de la sagrada comunión. Y cuando se celebre algún santo concilio o pacíficamente se decida alguna cosa entre los obispos, si el número menor, por ignorancia o por desprecio, se separa del parecer de la mayoría, amonestados, cederán a la sentencia de los más o serán apartados, para su confusión, de la asamblea de aquéllos y sufrirán la sentencia de excomunión durante un año» [37].

Son los mismos concilios quienes ponen especial interés y obligan bajo penas graves a que los obispos asistan al concilio nacional para enseñar y aprender las cosas que tienen relación con la utilidad común de la Iglesia. Sólo se excusan las ausencias en caso de enfermedad u otra causa realmente grave. El que no asiste es «culpable de haber faltado a la asamblea fraternal» [38].

Este empeño en que los obispos asistan al concilio nacional se explica por la convicción que tienen de que en el concilio es el colegio episcopal quien delibera en común. Pero no basta asistir. Deben tomar parte activa en las sesiones. Todos deben conocer los problemas y cooperar en la búsqueda de las soluciones adecuadas. Las decisiones comunes deben ser tomadas por todos. Las decisiones en asuntos graves deben ser tomadas en común. Y esas decisiones comunes deben ser aprobadas por todos. «Ningún obispo saldrá de la reunión antes de la hora de levantar la sesión y nadie se atreva a disolver el concilio sin que antes se hayan determinado todas las cosas. De modo que todo aquello que ha sido decidido por común deliberación será firmado de la propia mano de todos los obispos. Porque entonces se creerá que Dios ha estado presente entre sus obispos cuando los asuntos eclesiásticos se concluyen con aplicación y tranquilidad, lejos de todo alboroto» [39].

De esta forma, a pesar de haber sido elegidos y consagrados para una diócesis particular, los obispos intervienen como colegio y se sienten responsables de la marcha de toda la Iglesia española. Como persona particular, el obispo no puede hacer nada en una diócesis que no sea la suya. Pero como miembro del colegio episcopal y del concilio tiene el deber de cooperar con los demás o intervenir en los asuntos eclesiásticos. De esta forma nada le es extraño en la Iglesia y es responsable de su doctrina y su disciplina. Se pueden encontrar más textos que de una forma u otra prueban la convicción que tenían los obispos de formar un colegio querido por Dios dentro de su Iglesia.

[37] J. Vives, *Concilio VIII de Toledo* c.11 p.284-85: Mansi, 10,1220.
[38] Cf. J. Vives, p.92: Mansi, 9,852.
[39] J. Vives, *Concilio IV de Toledo* c.4 p.190: Mansi, 10,618.

B) *El obispo en la vida civil*

El obispo, a partir de la conversión de Recaredo y de todo el pueblo visigodo al catolicismo, era un hombre poderoso no sólo en el ámbito eclesiástico, sino también en la sociedad civil. De la estrecha unión entre la Iglesia y el Estado nació el que los obispos desempeñasen cargos civiles importantes. Nos extenderemos un poco al tratar de este asunto, porque, sin duda, es el período de la historia de la Iglesia española en el que los obispos han estado más comprometidos con el poder civil.

El obispo intervenía no solamente como miembro del episcopado y del concilio nacional, sino también de forma personal, en la actividad política y administrativa de la nación. Las leyes le concedían importantes actividades públicas en la vida cotidiana. Así veremos, p.ej., que con toda seguridad eran miembros del Aula Regia como grandes del reino y que formaban parte de los tribunales instituidos para juzgar las faltas de las clases elevadas.

a) **El obispo como juez**

Desde los primeros años del cristianismo, el obispo fallaba en algunas causas judiciales entre los cristianos cuando las partes litigantes acudían a él. Más aún, la jerarquía y los sínodos aconsejaban con frecuencia acudir al obispo en tales casos, pues confiaban que el obispo juzgaría con más justicia y ecuanimidad que los tribunales civiles. «Pronto fue el obispo, jefe de la comunidad cristiana, el verdadero juez de los fieles, ya que sólo él podía, mediante la *excommunicatio*, garantizar el cumplimiento de sus decisiones judiciales. La fe cristiana era la verdadera garantía de la eficacia de estas decisiones, que carecían de toda sanción y posibilidad de ejecución civil» [40].

Así, las causas jurídicas se resolvían casi en familia antes de recurrir a los tribunales civiles. Naturalmente, las penas impuestas a los que no aceptaban el fallo del obispo eran estrictamente eclesiásticas. Un ejemplo dentro de España lo tenemos en el concilio I de Toledo, año 397-400: «Si algún poderoso despoja a un clérigo, a un religioso o a algún pobre y, citado ante el tribunal del obispo, no quisiera comparecer, envíese prontamente notificación escrita a los obispos de la provincia y a todos aquellos a quienes sea posible para que sea tenido por excomulgado hasta que comparezca y devuelva lo ajeno» [41].

En España, los juicios de los obispos son reconocidos por el Estado solamente después de la conversión de Recaredo. A partir de entonces comienza el obispo a actuar como juez en causas judiciales propiamente dichas. Aclaremos, sin embargo, que los obispos no poseían facultades judiciales por ser obispos. Ni siquiera por señorío territorial. Los poderes legales de los obispos eran una delegación real. «Análoga a la de los

[40] M. TORRES LÓPEZ, *La Iglesia en la España visigoda*, en *Historia de España*, dir. por M. Pidal, vol.3 (Madrid 1963) p.326.
[41] J. VIVES, *Concilio I de Toledo* c.11 p.22: MANSI, 3,1000.

laicos era la situación de los obispos y clérigos en general respecto a su posible nombramiento como *iudices privati,* y también podían recibir como aquéllos, a título de *asertores pacis,* jurisdicción delegada del rey para casos concretos» [42].

1) *Juez en cuestiones religiosas*

El obispo era la suprema autoridad eclesiástica dentro de la diócesis, y, por lo tanto, le competía el dirimir todas las cuestiones estrictamente religiosas. Inspeccionaba la forma de proceder de sus fieles y podía imponer sanciones canónicas a quien no cumpliese bien con sus obligaciones. El obispo era el juez natural de todos los clérigos. El debía resolver todos sus pleitos. Parece ser que esta costumbre había caído en desuso en tiempo del concilio III de Toledo, año 589. El concilio se lamenta de este olvido y manda que tal costumbre se vuelva a poner en práctica. «Una falta inveterada y un abuso arraigado hasta tal punto dio paso a atrevimientos ilícitos, que los clérigos, olvidando a su obispo, citan a los tribunales civiles a otros clérigos. Por lo tanto, mandamos que en adelante no se proceda así, y si alguien se atreviere a obrar de este modo, pierda el pleito y sea privado de la comunión» [43].

El concilio, por tanto, obliga a todos los clérigos a acudir al tribunal del obispo. El clérigo, lógicamente, perdería el pleito aun ante las autoridades civiles, pues las leyes conciliares, al ser aprobadas y publicadas por el rey, adquirían valor civil. No era necesario que las disputas entre clérigos fueran estrictamente religiosas. A veces, esas disputas podían llegar más adelante, quizá hasta el punto de intentar quitarse la vida uno a otro. Aun en ese caso es el obispo el encargado de juzgar y castigar. «Si los clérigos trataren de darse muerte unos a otros, sean castigados severamente por el obispo, atendiendo a la afrenta que con tal exceso haya sufrido el prestigio del oficio eclesiástico» [44].

Naturalmente, si el condenado consideraba que su condena había sido injusta, podía recurrir contra la sentencia. Pero debía hacerlo al concilio, exponiendo allí las razones por las que se cree inocente. El clérigo que apelaba al concilio estaba obligado a someterse completamente al fallo que diera a su caso. El concilio era el tribunal supremo para los clérigos. Para los clérigos era el último tribunal de apelación.

Se prohibía terminantemente al clérigo recurrir a otro tribunal para la revisión de la sentencia, aunque ese tribunal fuese nada menos que un tribunal de palacio formado por nobles. La condena, solamente por el hecho de recurrir a un tribunal no eclesiástico, era severísima. Independientemente de que tuviese o no razón, sólo por el hecho de recurrir a un tribunal civil y presupuesto que la pena que anteriormente le había sido impuesta era la excomunión, se le condenaba a no recibir jamás el perdón y se le quitaba toda esperanza de una futura reconcilia-

---

[42] M. Torres López, *Lecciones de historia del derecho español* II (Salamanca 1935) p.308.
[43] J. Vives, *Concilio III de Toledo* c.13 p.129: Mansi, 9,996.
[44] J. Vives, *Concilio de Lérida* c.11 p.58: Mansi, 8,614.

ción. El recurrir a un tribunal civil se consideraba como un desprecio al concilio.

Normalmente, las penas impuestas por el obispo eran penas exclusivamente canónicas cuando las faltas eran de tipo religioso. Pero, por el hecho de ser juez de los clérigos a él sometidos aun en cuestiones materiales, las penas podían ser temporales. En todo caso, no se le permite al obispo extralimitarse en los castigos. Naturalmente, no faltaron obispos que abusaron de esta potestad. Sobre todo, del poder de azotar a los culpables. El concilio III de Braga se queja de que algunos obispos «se han cebado en tantos golpes con algunos de sus súbditos honorables cuantos hubieran podido merecer los mismos malhechores, y, por esto, aquellos que ya alcanzaron los grados eclesiásticos, esto es, presbíteros, abades o diáconos, fuera del caso de delitos mayores y mortales, no deben ser castigados con azotes, pues no es digno que a cada momento cualquier prelado como quisiere y le agradare castigue a sus súbditos más honorables con azotes y aflicciones» [45].

El canon reprueba este abuso, poniendo de relieve que se debe corregir y reprender con moderación. El obispo pierde el respeto que le deben sus súbditos si castiga imprudentemente. Además, el castigo excesivo no es de provecho. Las penas que se imponen al obispo que abusa de esta forma son graves: excomunión y destierro. Por derecho propio, el obispo era también juez en las transgresiones de la disciplina religiosa de sus fieles.

2) *Juez en cuestiones mixtas*

Las leyes del Estado concedían al obispo, además, que solos o en unión con los jueces seglares pudiesen juzgar y castigar con penas externas los delitos religiosos o mixtos. Aunque el término *iudex* usado en la terminología jurídica de la época sea a veces demasiado ambiguo, aquí lo encontramos siempre como una persona seglar que ejerce unas funciones judiciales en unión del obispo, ambos con obligación de investigar, juzgar y castigar el mal. Calificamos con el apelativo de delitos mixtos a aquellas faltas que en aquella época eran consideradas como una transgresión de las leyes eclesiásticas y civiles al mismo tiempo.

De la estrecha unión entre la Iglesia y el Estado nace una cooperación mutua en el deseo de extirpar toda clase de transgresiones de las leyes. Así, se forma una especie de tribunal mixto, compuesto por el obispo y el juez secular. Ambos deseaban la ayuda de la otra parte para desarraigar con más éxito toda clase de abusos. La Iglesia se apoya en el poder civil para corregir faltas religiosas. Recordemos que San Isidoro concedía al poder civil la facultad de intervenir cuando la Iglesia no tiene fuerza coactiva para hacer respetar la disciplina que impone a sus fieles. Quizá no se hacía demasiado caso a los castigos estrictamente canónicos. De ahí que la Iglesia intente que la autoridad civil se interese en la represión de estas faltas. El poder civil se apoya en la Iglesia para

---

[45] J. VIVES, *Concilio III de Braga* c.6 p.377: MANSI, 10,158.

castigar abusos de orden material. La autoridad, prestigio y competencia de los obispos hacía que los reyes se sirviesen de ellos para mantener el orden y la justicia. «La Iglesia no sólo prestó a la monarquía sus doctrinas y le dio sus consejos y preceptos, sino que le cedió sus jueces» [46].

El obispo, junto con el juez seglar, adquiría así el poder de condenar a penas aflictivas, azotes y multas. Una cosa curiosa se advierte en la legislación. Es una forma eficaz de conseguir la cooperación del poder civil en la represión de tales faltas. Se concedían al poder civil ventajas materiales. Y así, encontramos que las multas impuestas por esta causa se le adjudicaban al poder secular. Tal medida, naturalmente, debió de animar mucho a los jueces seglares.

Así vemos que, para corregir una falta estrictamente religiosa, el concilio de Narbona, año 589, legisla «que ningún hombre, sea ingenuo, siervo, godo, romano, sirio, griego o judío, haga ningún trabajo en domingo. No se unzan los bueyes, a no ser que sobreviniere una necesidad de cambiar de lugar, y si alguno se atreviere a hacerlo, si se trata de un ingenuo, pague al conde de la ciudad seis sueldos; si de un siervo, recibirá cien azotes» [47].

Igualemente, en el concilio de Sevilla, año 590, vuelven a aparecer juntos el obispo y el juez secular en el empeño de que los sacerdotes, diáconos y demás clérigos vivan castamente y alejen de sí a toda mujer extraña y no tengan familiaridades con sus criadas. El poder civil ayuda al obispo que no ha podido reprimir tales abusos. En este concilio se premia la intervención del juez secular con la posesión de las mujeres que han pecado con clérigos. «Dado que algunos obispos, no guardando el decreto del concilio de Toledo promulgado poco ha (se refiere el canon 5 del concilio III de Toledo), se muestran menos solícitos para con sus súbditos, tuvimos por bien que, si los presbíteros, diáconos o clérigos no apartaren de sí la compañía de mujeres extrañas o la familiaridad de las criadas al ser avisados por su obispo, como segunda providencia, los jueces, apoderándose de las dichas mujeres, con la anuencia y permiso del obispo, las aplicarán en su provecho, para que el poder judicial reprima este abuso que el obispo no podía impedir, prestando, sin embargo, juramento los jueces a los obispos de que en modo alguno las restituirán a los clérigos. Y si las devolvieren, los mismos jueces serán castigados con la pena de excomunión» [48].

No sólo los actos que son propiamente faltas religiosas, sino también aquellos otros que denotan una cierta irreligiosidad, caían bajo la jurisdicción de obispos y jueces seglares. El concilio III de Toledo manda que «debe extirparse radicalmente la costumbre irreligiosa que suele practicar el pueblo en las fiestas de los santos, de modo que las gentes que deben acudir a los oficios divinos entréganse a danzas y canciones

---

[46] T. Andrés Marcos, *La constitución, transmisión y ejercicio de la monarquía hispano-goda en los concilios de Toledo* (Salamanca 1928) p.78.
[47] J. Vives, *Concilio de Narbona* c.4 p.147: Mansi, 9,1015.
[48] J. Vives, *Concilio I de Sevilla* c.3 p.152-53: Mansi, 10,450-51.

indecorosas. Con lo cual no sólo se dañan a sí mismos, sino que estorban a la celebración de los oficios religiosos. Que esta costumbre se vea desterrada de toda España, lo encomienda muy de veras el concilio, al cuidado de los obispos y de los jueces» [49]. Encontramos aquí un ejemplo más de cooperación entre el poder civil y el eclesiástico. Probablemente, el poder eclesiástico solo no podía prohibir tales bailes y cánticos, y tiene que acudir al poder civil para lograrlo.

1) *La idolatría.*—Otra falta que caía bajo la jurisdicción del obispo y del juez seglar era la idolatría. El concilio III de Toledo se queja de que éste es un mal muy extendido en España y la Galia. El concilio, con el consentimiento del rey Recaredo, encarga a los obispos y a los jueces perseguir esta falta. Les concede amplios poderes en su cometido. «Cada obispo en su diócesis, en unión del juez del distrito, investiguen minuciosamente acerca del dicho sacrilegio y no retrasen en exterminar los que encuentre, y a aquellos que frecuentan tal error, salva siempre la vida, castíguenlos con las penas que pudieren, y, si descuidaren obrar así, sepan ambos (obispo y juez) que incurrirán en la pena de excomunión, y, si algunos señores descuidaren en desarraigar este pecado en sus posesiones y no quisieren prohibírselo a sus siervos, sean privados también ellos, por el obispo, de la comunión» [50].

El concilio XII de Toledo, año 681, vuelve a recordar a los obispos y jueces su obligación de perseguir la idolatría. Y a la excomunión añade otros castigos, si no cumplen con su deber. «Por lo tanto, todo sacrilegio de idolatría y cualquier otra cosa en contra de la santa fe que los hombres necios, esclavizados por el culto del diablo, practican, por intervención del obispo o del juez, dondequiera que se descubriere alguno de estos sacrilegios, sea arrancado de raíz, y, una vez arrancados, sean aniquilados; y castiguen con azotes a todos aquellos que concurren a un horror de esta naturaleza y, cargándolos con cadenas, los entreguen a sus señores, siempre que sus dueños prometan, mediante juramento, que ellos los vigilarán tan cuidadosamente, que no les sea posible en adelante cometer tal crimen. Pero si sus dueños no quisieren recibir bajo su palabra a los mencionados reos, entonces serán presentados delante del rey por aquellos que les impusieron el castigo, para que la dignidad real tenga libre facultad de donarlos; y los dueños de ellos que, habiéndoseles sido denunciados los horrores de tales siervos, hayan diferido el castigo, sufrirán la pena de excomunión, y sepan que perdieron todos sus derechos sobre aquel siervo a quien no quisieron castigar. Y, si fueren acaso personas libres las que estuvieren complicadas en estos errores, serán castigados con la pena de excomunión perpetua y enviados a un severo destierro» [51].

Más explícito aún es el concilio XVI de Toledo, año 693. Hace alusión a los cánones dados contra la idolatría en los concilios anteriores. Recuerda a los obispos, presbíteros y jueces la obligación que tienen de

---

[49] J. VIVES, *Concilio III de Toledo* c.23 p.133: MANSI, 9,999.
[50] Ibid., c.16 p.130: MANSI, 9,996-97.
[51] J. VIVES, *Concilio XII de Toledo* c.11 p.399: MANSI, 11,1037-38.

extirpar tales hechos. Lo manda, además, el rey Egica. Veamos lo que dice el canon para obligar al obispo y al juez a ser solícitos en el cumplimiento de esta obligación. «Y si el obispo, presbítero o juez a cuya jurisdicción perteneciere aquel sitio, teniendo noticia de un crimen público o privado de cualquier carácter sacrílego, descuidare el corregirlo con pronta voluntad, privado de la dignidad de su puesto, será sometido a la penitencia durante el espacio de un año, volviendo, después de cumplida, a su puesto; de tal modo que durante el año que estuvo suspendido de su oficio y puesto elija el príncipe para este caso alguien que, lleno del temor de Dios y, a imitación de Finees, abrasado en el celo espiritual, en unión de los jueces, como ya hemos dicho, extirpe por todos los medios cualquier sacrilegio que hallare y aparte la ira del Señor de todo el pueblo. Y si alguno, en defensa de tales sujetos, se opusiere a los obispos o a los jueces para que no puedan corregir como es su deber o extirpar como conviene los sacrilegios, y no se prestare, más bien, a ser con éstos investigadores, vengadores y extirpadores de un crimen tan grave, sea anatema en presencia de la individua Trinidad, y además, si fuere persona noble, pague tres libras de oro al sacratísimo fisco, y, si persona inferior, sea azotado con cien golpes y vergonzosamente rasurado, y, además, le será tomada, en favor del fisco, la mitad de todos sus bienes» [52].

Los últimos concilios citados, como puede verse, no sólo recuerdan sus obligaciones a los obispos y jueces seglares, sino que castigan, además, la negligencia de otras personas que tienen el deber de cooperar con los obispos y jueces en la supresión de la idolatría. Es como si quisieran recordar a todos los ciudadanos el deber que tienen de cooperar en este asunto. Quizá sólo se citen los casos más flagrantes de indolencia, como son los amos que saben que sus siervos son idólatras y no les castigan. Y con mayor razón castigan a quienes por cualquier causa impidan que el juez o el obispo cumplan con su obligación de aniquilar la idolatría. La oposición y la negligencia merecen severos castigos.

2) *Los judíos.*—El problema judío era una preocupación constante tanto para la Iglesia como para el Estado. Se consideraba el judaísmo como un peligro para la fe católica y un peligro grave también para la unidad política, recientemente inaugurada. Era, por tanto, un problema mixto que tanto el Estado como la Iglesia intentaban hacer desaparecer. Ambos tenían gran interés en que se cumpliesen las leyes dadas contra los judíos para que éstos no pudiesen hacer ningún daño ni a la Iglesia ni a la nación. El Estado encargó a sus jueces, y la Iglesia a sus obispos, que vigilasen sobre el cumplimiento de esas leyes y que se encargasen de castigar los posibles delitos cometidos por los judíos. Trataremos el tema más ampliamente al hablar de la cuestión judía.

3) *Infanticidio y maleficio.*—Otro crimen que caía bajo la jurisdicción del obispo y los jueces seglares era el infanticidio. Parece ser que era un crimen que se cometía con alguna frecuencia. Afirma el concilio III de Toledo, año 589: «Entre las muchas quejas que se han presentado al

[52] J. Vives, *Concilio XVI de Toledo* c.2 p.499-500: Mansi, 12,70-71.

concilio hay una que encierra tanta crueldad, que apenas si la pueden sufrir los oídos de los obispos reunidos, y se trata de que, en algunos lugares de España, los padres, ansiosos de fornicar e ignorando toda piedad, dan muerte a sus propios hijos. Y si les resulta molesto aumentar el número de sus hijos, apártense, más bien, de toda relación carnal, puesto que, habiendo sido instituido el matrimonio para la procreación de los hijos, se hacen culpables de parricidio y fornicación, lo que demuestran asesinando su propia prole; que no se unen para tener hijos, sino para saciar su liviandad. Por lo tanto, habiendo tenido noticia el gloriosísimo señor nuestro el rey Recaredo de tal crimen, se ha dignado su gloria ordenar a los jueces de tales lugares que investiguen, en unión del obispo, muy diligentemente acerca de un crimen tan horrendo y lo prohíban con toda severidad. Por eso, este santo concilio encomienda también a los obispos de dichos territorios, aún más afligidamente, que, junto con el juez, investiguen con más cuidado dicho crimen y lo castiguen con las penas más severas, exceptuando tan sólo la pena de muerte» [53].

Es el mismo rey Recaredo quien ordena a los jueces y obispos perseguir tal falta. El concilio aprueba la ordenación del rey y manda que el obispo y el juez pongan todo su empeño en descubrir los casos de infanticidio y castigar a los culpables con rigor. Las penas a imponer se dejan a su arbitrio. Solamente se exceptúa la pena de muerte.

El juez y el obispo estaban encargados también de descubrir y castigar los casos de maleficio. El concilio de Mérida nos habla de que hay sacerdotes que cuando enferman echan la culpa a algún maleficio que contra ellos ha hecho alguno de sus siervos. Y ellos mismos se toman la venganza. El concilio intenta evitar que los sacerdotes se hagan justicia con su propia mano, y legisla que, «si algún presbítero dijere ser víctima de una tal maldad, hágalo saber a su obispo, y, éste, señalando algunos hombres buenos de su confianza, mande al juez que investigue acerca de esto. Y si, en efecto, se encontrase fundamento para este crimen, póngalo en conocimiento del obispo, y, dictando éste su sentencia, de tal modo será arrancado el mal, que ningún otro se atreva a cometer un delito semejante. Y si alguno no observare lo establecido en esta norma, será castigado con la pena de excomunión y arrojado del clero» [54]. El canon intenta evitar dos abusos: el que el sacerdote se constituya en juez de su propia causa, castigando quizá a siervos inocentes, y el pecado de maleficio, castigando de tal modo al culpable, que en lo sucesivo nadie se atreva a cometerlo. Como puede verse, se creía en la existencia y eficacia de los maleficios.

De todo lo dicho se deduce que el obispo podía, en unión de los jueces seculares, perseguir y castigar crímenes que a veces no eran estrictamente religiosos. Estas atribuciones se las conceden las leyes civiles y los cánones de los concilios, que en muchos casos no son más que la aprobación de la voluntad del rey.

---

[53] J. VIVES, *Concilio III de Toledo* c.17 p.130: MANSI, 9,997.
[54] J. VIVES, *Concilio de Mérida* c.15 p.336: MANSI, 11,83-84.

3) El obispo, juez en los delitos de la alta sociedad

El obispo fue considerado siempre como el protector de los desvalidos. Su deber era defender a los pobres y desamparados de los abusos de los poderosos. Ya hemos visto que, según el concilio I de Toledo, el obispo debía privar de la comunión a los poderosos que despojasen de sus bienes a los clérigos, religiosos o pobres. Era lo único que el obispo podía hacer entonces para castigar a los culpables. Las leyes civiles no le permitían otra cosa.

Ahora se vuelve a recordar a los obispos el deber que tienen de velar para que no se cometan atropellos contra los pueblos y los pobres. El obispo se debe preocupar de que también a éstos se les haga justicia. Quizá la estima, el poder y el trato continuo con las clases más distinguidas de la nación les habían hecho olvidar sus obligaciones para con los humildes.

El concilio IV de Toledo, año 633, manda que «los obispos no rehúsen el cuidado que Dios les ha impuesto de proteger y defender al pueblo. Y, por lo tanto, cuando vean que los jueces y poderosos se convierten en opresores de los pobres, primeramente les reprenderán como obispos, y, si no quisieren enmendarse, comuniquen al rey las insolencias de aquéllos, para que a los que no inclinó a la justicia la amonestación del obispo, les refrene de su maldad el poder real. Y si algún obispo descuidare esto, sea reo delante del concilio» [55]. Tengamos en cuenta que, como anota K. Zeumer, la palabra *pobres* equivale a *oprimidos* por los poderosos [56]. También en algunos concilios merovingios encontramos bastantes cánones en los que se defiende a la clase sencilla contra las arbitrariedades, rapiñas y crueldades de los poderosos.

Ya no es sólo el poder de castigar abusos con correcciones y penas eclesiásticas. El obispo, en caso de que el pecador no haga caso de su corrección, tiene la obligación de denunciar y poner en conocimiento del rey los abusos que se cometen.

Pero el obispo no actuaba sólo como protector de pueblos y pobres. En muchos casos eran jueces en otra clase de delitos de la alta sociedad. Dice el mismo concilio IV de Toledo: «Muchas veces, los príncipes encomiendan sus asuntos a los obispos en contra de algunos reos de alta majestad» [57]. Normalmente, esos reos de alta majestad eran siempre nobles. Hagamos resaltar que, según las palabras del canon, los obispos no formaban parte de estos tribunales por derecho propio; al menos en este tiempo. Forman parte de tales tribunales por nombramiento regio. «Por encargo del rey pueden hacer de jueces ellos mismos, al menos en los delitos de lesa majestad, con tal que se prometa con juramento el indulto de la última pena y no se prepare sentencia de muerte» [58].

[55] J. Vives, *Concilio IV de Toledo* c.32 p.204: Mansi, 10,628.
[56] Cf. K. Zeumer, *Historia de la legislación visigoda* (Barcelona 1944) p.166.
[57] J. Vives, *Concilio IV de Toledo* c.31 p.203: Mansi, 10,628.
[58] T. Andrés Marcos, *La constitución, transmisión y ejercicio de la monarquía hispano-goda en los concilios toledanos* (Salamanca 1928) p.78.

Los reyes confiaban en los obispos, y estaban seguros de que juzgaban equitativamente. Uno de los delitos más graves y corrientes en que solían caer los nobles y las clases altas de la nación eran delitos de traición al rey. El soberano entraba así en conflicto con sus propios súbditos. Como el rey era nombrado por elección, no faltaban nunca descontentos que ambicionaban el trono para sí o, al menos, no estaban conformes con la persona del elegido. El sentido democrático, como es natural, no estaba suficientemente desarrollado. Para probar esto basta ver los monarcas que fueron destronados por alguna sublevación o intriga palaciega y la gran cantidad de veces que los concilios tienen que legislar contra los conspiradores, los que desean el trono para sí y para proteger a los familiares y amigos de los reyes anteriores.

De esta situación nacían dos clases de delitos. El de aquellos que intentaban hacer algo contra el rey y eran descubiertos a tiempo. La justicia podía excederse con ellos. De todas formas era necesario investigar la responsabilidad de cada uno. Y el delito de aquellos que, logrado su intento de subir al poder, tomaban injustas represalias contra el rey anterior, sus amigos, servidores y familiares. «Las pasiones políticas de los distintos bandos que gobernaban el país llevaban a excesos lamentables. Cuando un partido se apoderaba del mando, perseguía encarnizadamente a los del bando contrario» [59].

En el concilio IV de Toledo, año 633, los Padres pidieron al rey, Sisenando, que en los delitos de lesa majestad «ninguno de vosotros dará sentencia como juez único en las causas capitales y civiles, sino que se ponga de manifiesto la culpa de los delincuentes en juicio público, por el consentimiento del pueblo con las autoridades, guardando vosotros la mansedumbre sin irritación de nadie, para que vuestra autoridad sobre ellos se funde más en la indulgencia que en la severidad» [60].

A primera vista aparecen en el párrafo citado, como muy bien observa T. Andrés Marcos: «*a)* pluralidad de jueces en las causas de muerte y confiscación de bienes, para bien acertar; *b)* cierta cooperación popular en el juicio = *consensu publico;* cooperación no directa, según nuestro parecer, sino mediante los rectores, como representantes del pueblo, y *c)* necesidad de pruebas evidentes» [61].

Parece ser que la intención del concilio era que el rey no se excediese en castigar delitos que habían sido cometidos contra él. Había que evitar también que la justicia apareciese como una venganza personal. De ahí que el concilio desee que la pena a los reos de alta traición no la imponga el mismo rey, sino un tribunal compuesto por varias personas.

No es de extrañar, pues, que en muchos de estos casos intervinieran los obispos como jueces. Su cultura, religiosidad y sentido de la justicia les hacían ser los más aptos para dirimir esta clase de delitos. Generalmente, los obispos eran ajenos a estas intrigas de palacio, y, como personas neutrales, eran los más aptos para imponer la justicia. Los mismos

[59] Z. García Villada, *Historia eclesiástica de España* II p.1.ª p.119.
[60] J. Vives, *Concilio IV de Toledo* c.75 p.220: Mansi, 10,640.
[61] T. Andrés Marcos, o.c. p.76-77.

nobles aceptaban la intervención de los obispos. En cualquier momento podían encontrarse en dificultades o por ser acusados de algo o por ser perseguidos por los nobles de tendencias contrarias.

En los casos de delitos de alta traición parece ser que se recurría a toda clase de medios para arrancarle al acusado una confesión de su culpa. Para evitar que se cometiesen injusticias tanto en obtener confesiones por la fuerza como en las sentencias judiciales, el concilio XIII de Toledo, año 683, manda que, excepto en los casos de flagrante delito, cuando la falta es claramente conocida y quién la cometió, en las causas de los nobles «aquel que es acusado, conservando las prerrogativas de su categoría y sin sufrir antes los perjuicios reseñados más arriba, será presentado en la pública deliberación de los obispos, de los grandes y de los gardingos, e, interrogado con toda justicia, si fuera culpable del delito, sufra las penas que las leyes señalan para el crimen que se le ha descubierto, y, si fuere inocente, sea declarado tal por el juicio de todos» [62].

El resto de este canon citado es un verdadero ejemplo del modo de proceder judicial y de respeto a los derechos judiciales de los acusados. En primer lugar, los Padres del concilio se lamentan y constatan que los nobles se han visto privados de sus oficios y dignidades en muchos casos porque alguien les obligó a confesarse culpables de algo. Por supuesto, sin haber cometido tal delito.

En opinión de M. Torres, es éste un privilegio de extraordinaria importancia que aparece arrancado al rey [63]. El canon pasará a ser ley civil por haber sido insertado en la *Novella* de Ervigio (XII 1,3), que es una copia de la ley en confirmación del concilio. Se dice en dicha ley: «El segundo título dice: 'De los obispos, y también de los próceres de palacio y de los gardingos que son acusados, con qué garantías judiciales conviene que sean interrogados', respecto a los cuales la mansedumbre de nuestra majestad juzgó que no debían ser sometidos a ninguna clase de tormentos, conforme a lo establecido en el dicho canon, antes de la audiencia pública, sino que todos los que de ahora en adelante fueren acusados deberán ser juzgados, indiscutiblemente, conforme a lo escrito en el referido capítulo. Por lo tanto, creemos que debe ser observado particularmente lo siguiente: que cualquier cosa que se hiciere contra lo contenido en esta nuestra norma y establecido en el canon antedicho, ya fuere hecho contra la persona de alguno o sentenciado respecto de los bienes de una persona acusada, conforme a lo prescrito en dicho canon, no tendrá ninguna validez, por lo cual dicha persona juzgada de otro modo distinto del que hemos decretado pueda perder el derecho a testificar propio de su categoría o verse privado de sus propios bienes» [64].

Los concilios son muy duros castigando faltas contra el rey, la patria o el pueblo. Cuando aquí tienen que salir en defensa de personas que

---

[62] J. Vives, *Concilio XIII de Toledo* c.2 p.417: Mansi, 11,1064-65.
[63] M. Torres López, *Lecciones de historia del derecho español* II (Salamanca 1935) p.173.
[64] J. Vives, *Concilio XIII de Toledo* p.438: Mansi, 11,1078-79.

han sido acusadas precisamente de eso, es que las injusticias fueron bastante claras. Los concilios son duros porque se creen en el deber de arrancar de raíz este mal por causar un gran daño al pueblo. Esto da a entender que hubo casos de oficiales palatinos, etc., que cumplían perfectamente con sus deberes y perdieron el puesto por acusaciones injustas. En esto, a veces, se veían envueltos los mismos reyes.

El rey Ervigio intentó terminar con estos abusos y pidió al concilio citado que estudiase el tema. El concilio, respondiendo a la petición del rey, decreta que los que pertenecen al Oficio Palatino y los clérigos no pueden ser privados de sus cargos ni por estratagemas urdidas por el rey ni por cualquier otra autoridad seglar. Exceptúa el caso de que la culpa del causado sea verdaderamente clara. Para evitar todo eso, el concilio reserva el juicio de tales personas a un tribunal compuesto de obispos y grandes del reino, que muy bien podía ser un concilio nacional. Antes de ser juzgado, el considerado culpable no debe ser castigado con penas corporales o azotes, no se le debe someter a tormento, ni ser privado de sus bienes, ni ser encarcelado.

Pero como era posible que algunos de los acusados vivieran en lugares donde era fácil el poder escaparse, y esto supondría un gran daño para la seguridad de la nación, el concilio admite para estos casos una especie de libertad condicionada, mandando que se les vigile cuidadosamente, pero sin que esto coarte su libertad. De todas formas, no se les debe encarcelar. Evitando así el que puedan huir, se les mantiene en una discreta vigilancia. Pide, además, el concilio que no se aplace el juicio de forma ilegal. Sería injusto tener apartado al acusado de su mujer, hijos y bienes por esta causa.

Todo lo dicho vale también para todas las personas libres. «También de las restantes personas libres que no ocuparon cargos en palacio, y, sin embargo, parecen poseer la dignidad de libres, conviene guardar el mismo orden, las cuales, aunque, como suele suceder, sean azotadas por el príncipe por algunas culpas pequeñas, sin embargo, no perderán por esto el derecho de testificar, ni serán privadas de las cosas que se les deben» [65].

Este mismo procedimiento debe seguirse en los delitos de alta traición. Nadie puede hacer excepciones. Todo juicio hecho de otra manera carece de validez. «Y si algún rey de ahora en adelante descuidare por temeridad la observancia de este decreto conciliar, promulgado, como creemos, por espíritu divino, o prefiere maliciosamente desconocerlo, de modo que se condene a alguna de las personas referidas de otra manera distinta de la prescrita, o se le asesinare con maliciosas estratagemas, o degradándola se la prive del puesto de su dignidad, sea, con todos los que gozosamente consintieron con él, anatematizado perennemente en la presencia del Padre, Dios altísimo, y de su Hijo unigénito, y del Espíritu Santo, y sea, además, condenado a abrasarse con los fuegos divinos y eternos. Y además, cualquier cosa que contra lo preceptuado en esta nuestra sentencia se ejecutare en la persona de

[65] Ibid., c.2 p.418: Mansi, 11,1065.

cualquiera o se decidiere acerca de los bienes de la persona acusada, carezca de toda validez, en el caso de que aquella persona, habiendo sido juzgada de otro modo distinto del que hemos decretado, hubiere perdido la facultad de testificar o visto confiscados sus bienes» [66].

Todas estas medidas tomadas en bien de la justicia no quitan a los reyes el poder de corregir a sus colaboradores. Si se lo quitasen, se cometerían muchos abusos de toda índole. Lo que no quiere el concilio es que los reyes castiguen injustamente. El concilio cita concretamente a los que no han sido acusados del delito de alta traición, pero se les prueba, sin embargo, que son ineptos para el cargo que desempeñan, o no llevan buenas intenciones en las gestiones que se les han encomendado, o cumplen negligentemente sus obligaciones. En estos casos tiene el rey facultad para corregirles, pero sin infamarles ni quitarles sus bienes. El rey debe castigarles apartándoles del cargo que desempeñan. Y en su puesto debe colocar a quienes considere más aptos.

Una cláusula más en favor de los acusados existía ya desde los tiempos del concilio VI de Toledo, año 638. Se exige que en todo juicio exista un acusador legal. Es decir, con todos los requisitos legales para poder acusar a alguien. Así, ningún sospechoso podía ser torturado hasta que se presentase el acusador. En caso de que éste no reuniera todas las exigencias establecidas, no se podía admitir la acusación. Y en todo caso, antes de dar una sentencia, había que examinar bien las normas de las leyes y de los cánones para calibrar la gravedad del delito [67].

De lo dicho se deduce que los obispos intervenían en los juicios contra los que habían cometido delitos de alta traición. Se da, además, un progreso en la legislación. En el concilio IV de Toledo, año 633, se declara que los obispos intervenían en estos casos exclusivamente a petición de los reyes. En el concilio XII de Toledo, año 681, se legisla que en todo juicio en que se traten delitos de alta traición deben estar presentes algunos obispos. Forman parte del tribunal. Se llega a legislar que, si en algún juicio no se guarda esta forma y las garantías judiciales antes descritas, el juicio carece de validez.

4) Restricciones a la actuación episcopal en los juicios

El concilio de Tarragona, año 516, antes de que los juicios de los obispos tuviesen validez ante las autoridades civiles, ya delimita la actuación de los obispos en los juicios. Prohíbe a los obispos juzgar en domingo. Y en ningún caso puede hacerlo en las causas criminales. «Que ningún obispo, o presbítero, o clérigo se atreva a fallar en domingo cualquier pleito que le haya sido presentado, y no se ocupe en otra cosa que en celebrar los oficios solemnes debidos al Señor. Los otros días de la semana, con anuencia de las partes, les es permitido juzgar y fallar aquello que juzguen justo, con excepción de las causas criminales» [68].

[66] Ibid.
[67] J. VIVES, *Concilio VI de Toledo* c.11 p.241: MANSI, 10,667.
[68] J. VIVES, *Concilio de Tarragona* c.4 p.35: MANSI, 8,541-42.

Ya hemos dicho que el obispo debía castigar a sus clérigos, cuando lo merecían, con moderación. El concilio III de Braga, año 675, prohíbe al obispo castigar a sus clérigos con azotes, excepto en el caso de delitos mayores y mortales. La razón que da el concilio es que «no es digno que a cada momento cualquier prelado, como quisiere y le agradare, castigue a sus súbditos más honorables con azotes y aflicciones, no sea que, castigando imprudentemente a los miembros que le están sometidos, él mismo se despoje de la debida reverencia de los súbditos, conforme a aquello que dijo un cierto sabio: 'El que es castigado suavemente guardará reverencia al que lo castigó; pero con la aspereza de una reprensión excesiva no recibirá ni la reprensión ni provecho alguno', y, por tanto, si alguno, ensoberbecido por los poderes de la potestad que ha recibido, de otro modo de como ha sido prescrito y sólo por su malicia creyere que deben ser azotados los referidos y honorables súbditos, según el límite de los azotes que hubiere impuesto sufrirá la pena de excomunión y también de destierro» [69].

Las penas que se imponen a los obispos que no respetan este canon son graves. Pero parece ser que la prohibición de castigar a sus súbditos con penas externas se refiere sólo a los juicios en que el obispo intervenía como juez único. Esos serían los juicios de cuestiones estrictamente religiosas. Hemos visto cómo, en unión de los jueces seglares, podía castigar con penas externas y corporales a los culpables de cometer faltas perseguidas por la Iglesia y el Estado. El canon exceptúa las penas capitales. Pero en los juicios en que era ésa la condena, el obispo no actuaba como juez único.

Los abusos de poder por parte de los obispos no debieron ser raros. El concilio de Mérida, año 666, pide, una vez más, a los obispos que pongan límite a su ira y no se atrevan a mutilar a los clérigos por cualquier motivo. En caso de que algún clérigo cometiese algún delito que merezca tal castigo, la causa debe ser llevada al juez de la ciudad. Añade dicho concilio: «Y porque es muy justo que el obispo no imponga penas crudelísimas, lo que se comprobare delante del juez ser verdadero, sea castigado con el rigor de la disciplina, pero sin deshonrosa decalvación; y aquel que cometió alguno de los delitos que las leyes condenan gravemente, será donado por el obispo a sus fieles servidores, o, si le pluguiere al obispo, tenga facultad para venderlo» [70].

El canon empieza a hablar de mutilación, pero después cambia de rumbo. Ya no especifica la pena que el juez debe imponer al culpable que mereciera la mutilación. En cambio, recuerda, una vez más, al obispo que no debe imponer penas demasiado crueles. El concilio hace otra excepción a las penas que se pueden imponer. Los culpables no pueden ser decalvados. La decalvación era una pena infamante en la legislación visigoda. Consistía en rasurar al condenado todo el cabello. Inhabilitaba para desempeñar cargos públicos. El concilio XI de Toledo, año 675, repite que, según lo mandado en

---

[69] J. Vives, *Concilio III de Braga* c.6 p.377: Mansi, 11,158.
[70] J. Vives, *Concilio de Mérida* c.15 p.336: Mansi, 11,84.

anteriores disposiciones, es mejor emplear la benevolencia que la severidad con los que necesitan corrección. Es mejor atraerles por el convencimiento que por las amenazas, por la caridad y no por la fuerza. Puesto este prólogo, el concilio se lamenta de que algunos obispos actúan más por odio que por deseo de corrección. Llegan a castigar a sus súbditos en juicios secretos, sin querer escuchar a los acusados. Para corregir esto, el concilio decreta: «No debe, por lo tanto, en adelante permitirse a las voluntades perversas que aparenten lo que fingen, y cuantas veces alguno de los súbditos debe ser corregido, debe el obispo emplear con él la disciplina pública, y, si prefieren los rectores otra cosa, se acudirá a la ayuda de dos o tres hermanos espirituales para que sea examinada la clase de delito y se determine la penitencia. Sin embargo, de tal modo, que, si este tribunal especial decretare que el delincuente es digno del destierro o reclusión, la penitencia que el obispo delante de tres hermanos impondrá al transgresor deberá ir suscrita con la firma de propia mano de aquel que dictó la sentencia, y así resultará que ni los transgresores sufrirán la destrucción de toda su vida sin prueba suficiente ni los rectores acusados tendrán por qué ruborizarse por la ruina de cualquiera» [71].

Se refiere exclusivamente a los juicios por motivos religiosos. No nombra para nada a los jueces seglares, que, normalmente, deberían intervenir si el delito tuviese carácter civil. El concilio, para evitar abusos personales que desacreditan la dignidad del obispo, ordena que también los juicios eclesiásticos sean públicos. Sería preferible, además, que juzguen la causa varios obispos, para actuar con más ecuanimidad. Para evitar suspicacias es preferible también que se conozca la falta, el castigo y quién impuso tal penitencia.

También en su intervención en juicios no estrictamente religiosos se imponen a los obispos ciertas restricciones. El concilio III de Toledo, año 589, mandaba a los obispos y jueces investigar diligentemente los casos de infanticidio y castigarlos con las penas más graves. Sin embargo, les prohíbe imponer la pena de muerte. La razón de esta prohibición de dictar condenas de muerte nos la da esquemáticamente el concilio IV de Toledo, año 633: «Muchas veces, los príncipes encomiendan sus asuntos a los obispos en contra de algunos reos de alta majestad; pero porque los obispos han sido elegidos por Cristo para el ministerio de la salvación, solamente admitirán que los reyes les nombren jueces cuando se prometa bajo juramento el perdón de la pena capital, no cuando se prepare una sentencia de muerte. Y si algún obispo, en contra de este decreto, participare en las sentencias capitales de otros, sea reo de la sangre derramada, delante de Cristo, y ante la Iglesia pierda su propio grado» [72].

El canon se refiere sólo expresamente a los juicios contra los culpables de delitos de lesa majestad. El obispo podía ser juez único en las causas religiosas. Actuaba, junto con el juez civil, en algunas causas mix-

---

[71] J. Vives, *Concilio XI de Toledo* c.7 p.361: Mansi, 11,141-42.
[72] J. Vives, *Concilio IV de Toledo* c.31 p.203: Mansi, 10,628.

tas. Forma parte del tribunal en los delitos de alta traición, pero a condición de que la pena impuesta no sea la de muerte.

En el concilio XI de Toledo, año 675, se vuelve a recordar a los obispos la prohibición de mutilar a los clérigos como pena impuesta en sus juicios. Se les prohíbe también, una vez más, formar parte de un tribunal si la pena que se ha de imponer al culpable es la de muerte. «No es lícito a los que tratan los sacramentos del Señor mezclarse en los juicios de sangre, y, por lo tanto, se ha de poner coto a los excesos de los tales, para evitar que, movidos por un atrevimiento imprudente, se atrevan a dictar sentencia acerca de algún delito que deba ser castigado con la pena de muerte, o causen algunas mutilaciones en los miembros de cualquier persona por sí o mandando a otros ejecutarlas. Y si alguno de los tales, sin acordarse de estos preceptos, cometiere algo parecido contra cualquier persona, privado del honor del orden alcanzado y de su cargo, será mantenido en perpetua reclusión, al cual, sin embargo, en los últimos momentos de su vida no se le negará la comunión a causa de la misericordia del Señor» [73].

De todo lo dicho se deduce que el interés principal de la Iglesia era que las penas impuestas por los obispos cuando actuaban como jueces fuesen de utilidad para los culpables y les indujesen al arrepentimiento. Desea que en todos los juicios brillen la justicia y la benevolencia. Las penas que se imponen a los obispos que no cumplen los preceptos referentes a sus actuaciones como jueces son extraordinariamente duras.

5) *Los obispos deben enseñar a los jueces*

La confianza que los reyes tenían en los obispos era ilimitada. Por muchas razones, se fiaban más de ellos que de sus mismos funcionarios civiles. A pesar de muy raras excepciones, el episcopado visigodo se mantuvo en un alto nivel moral y cultural. Los reyes conocían estas cualidades, y no dudaron en sacarles todo el provecho posible.

Los reyes eran los primeros interesados en que se hiciera justicia a todos. De la competencia de sus colaboradores dependía en gran manera que su régimen fuese o no querido por sus súbditos. En este aspecto de enseñar a los demás, los obispos podían realizar una gran labor. «Los obispos eran los consejeros más competentes que el rey podía elegir; estaban familiarizados con las instituciones romanas, en las que el reino godo se había iniciado, y, sobre todo, estaban familiarizados con el derecho romano; además, en sus diócesis disfrutaban de una posición y prestigio que hacía de ellos, prácticamente, los jefes de las ciudades» [74].

Al poder eclesiástico se unían los poderes civiles que el Estado le concedía. «Según las leyes civiles, estaba el obispo, en realidad, sobre los

---

[73] J. Vives, *Concilio XI de Toledo* c.6 p.360: Mansi, 11,141.
[74] A. K. Ziegler, *Church and State in visigothic Spain* (Wáshington 1930) p.123. Cf. E. Magnin, *L'Église wisigothique au VIIeme siècle* (París 1912) p.159-60.

jueces y aun sobre los gobernadores, ocupando en la sociedad el segundo puesto después del monarca. Sólo el rey y el obispo estaban dispensados por el código visigodo de la obligación de comparecer ante los tribunales civiles, debiendo tramitarse sus causas, en consideración a su dignidad, por terceras personas» [75]. Todo ello hacía que el obispo se encontrase en una posición privilegiada respecto a las autoridades civiles. Así, vemos que las leyes civiles admitían el recurso al obispo cuando alguna de las partes creía que el tribunal civil había sido parcial en el juicio [76]. Después del obispo sólo se podía recurrir al rey.

La rectitud moral y el conocimiento de las leyes que tenía el obispo hacían de él el maestro de todos sus súbditos, no sólo en cuestiones religiosas, sino aun jurídicas y administrativas. Los mismos reyes reconocieron muy pronto esta superioridad de los obispos. Por eso no es extraño que el concilio III de Toledo, año 589, legisle que «los jueces de los distritos y los encargados del patrimonio fiscal, por mandato del gloriosísimo señor nuestro, acudirán también al concilio de los obispos en la época del otoño el 1.º de noviembre para aprender a tratar al pueblo piadosa y justamente, sin cargarles con prestaciones ni imposiciones superfluas tanto a los particulares como a los siervos fiscales, y, conforme a la amonestación del rey, inspeccionen los obispos cómo se portan los jueces con sus pueblos, para que avisándoles se corrijan o den cuenta al rey de los abusos de aquéllos» [77]. Es decir, los jueces y recaudadores deben ir al concilio para aprender allí sus deberes para con el pueblo. Los obispos debían preocuparse de que los funcionarios civiles conociesen las leyes y fuesen justos al aplicarlas.

El concilio especifica que no se debe gravar al pueblo con tributos excesivos. Un ejemplo concreto de la intervención de los obispos en estos asuntos lo encontramos en el célebre decreto *De fisco barcinonense*. Transcribimos el texto: «A los sublimes y magníficos señores, hijos y hermanos numerarios, Artemio y todos los que contribuyen al fisco en la ciudad de Barcelona: Habiendo sido elegidos para el cargo de numerarios en la ciudad de Barcelona, de la provincia Tarraconense, por designación del señor e hijo y hermano nuestro Escipión, conde del patrimonio, en el año séptimo del feliz reinado de nuestro glorioso señor el rey Recaredo solicitasteis de nosotros, según es costumbre, la aprobación en nombre de los territorios que están bajo nuestra administración. Por lo tanto, por el testimonio de esta nuestra aprobación decretamos que tanto vosotros como vuestros agentes y ayudantes debéis exigir al pueblo, por cada modo legítimo, nueve silicuas, y por vuestros trabajos, una más. Y por los daños inevitables y por los cambios de precios de los géneros en especie, cuatro silicuas, incluyendo en ello la cebada. Todo lo cual, según nuestra determinación y conforme lo dijimos, debe ser exigido tanto por vosotros como por vuestros ayudantes y agentes; pero no pretendáis exigir o tomar nada más. Y si alguno no

[75] Z. García Villada, *Historia eclesiástica de España* II p.1.ª p.199.
[76] Cf. *Fuero juzgo* II 1,28, ed. Real Acad. Española (Madrid 1815) p.15-16.
[77] J. Vives, *Concilio III de Toledo* c.18 p.131: Mansi, 9,997.

quiere conformarse con esta nuestra declaración o se descuidare en entregarte en especie lo que te conviniere, procure pagar su parte fiscal, y si nuestros agentes exigiesen algo más por encima de lo que el tenor de esta nuestra declaración señala, ordenaréis vosotros que se corrija y se restituya a aquel que le fue injustamente arrebatado» [78]. Firman el documento cuatro obispos. No se limita a hacer un llamamiento a la justicia y a pedir que no se exija más de lo debido. Concretiza muy detalladamente la cuantía de lo que se puede exigir en justicia, y, por tanto, de lo que cada uno debe aportar.

6) *El obispo debe vigilar a las autoridades seculares*

Las atribuciones del obispo respecto a las autoridades civiles no se limitan al deber de enseñar. Supuesto que esas autoridades conocen sus obligaciones, el obispo debe vigilar para ver si las cumplen. En caso de que no sea así, las leyes civiles y los concilios dan facultades a los obispos para actuar contra los que no obran según las leyes. Este nuevo honor y obligación de los obispos dentro de la vida civil es una consecuencia lógica de lo que hemos dicho en el apartado anterior.

Ya hemos dicho también que el obispo era el protector de los pueblos y de los pobres. Escribe G. Martínez: «El fundamento sociológico de esta institución hay que buscarlo en el instinto del desvalido social de buscar la protección y hacer intervenir en su favor a las personas detentadoras de los valores espirituales, sean éstos religiosos, morales, patrióticos o intelectuales, para frenar las que ellos juzgan demasías de la autoridad estatal, monopolizadora del poder coactivo». Y un poco más abajo prosigue: «En un primer estadio, la actividad episcopal, protectora del débil, no rebasa los límites de la autoridad moral, aunque esto no quiere decir que pueda ser despreciada sin graves consecuencias, y las medidas coactivas de la misma se limitan al terreno religioso» [79].

Es exactamente lo que ocurrió en la España visigoda hasta la conversión de Recaredo. A partir de entonces, las decisiones del obispo comienzan a tener valor civil. La autoridad de que gozaba el obispo era el arma más apropiada para poner freno a los abusos de las autoridades civiles. Cuando esta autoridad adquiere un poder reconocido y apoyado por las leyes civiles, los funcionarios estatales quedan en inferioridad manifiesta frente al obispo.

No fueron los reyes visigodos los primeros que elevaron esta costumbre eclesiástica al rango de institución civil. Antes que ellos lo había hecho ya Justiniano [80]. Escribe M. Torres: «En otro aspecto, que aún no

---

[78] J. Vives, p.54. Lo coloca a continuación del concilio de Barcelona. Pero no es posible que pertenezca a este concilio, que se celebró el año 540. En el decreto se dice que ha sido dado en el año séptimo de Recaredo, que corresponde al año 592. En Mansi aparece detrás del concilio II de Zaragoza (Mansi, 10,473). La fecha coincide con la celebración de este concilio.

[79] G. Martínez, *Función de inspección y vigilancia del episcopado sobre las autoridades seculares en el período visigodo-católico:* Rev. Esp. de Derecho Canónico 15 (1960) p.581.

[80] Cf. Justiniano, *Novella* 86, ed. Osenbruggen (Leipzig 1858) t.3 p.390-91.

se refiere plenamente al *privilegium fori,* los obispos visigóticos adquirieron cierta jurisdicción y una inspección general sobre los jueces. Del examen de los textos que a ella se refieren se deduce claramente que no tienen, ni remotamente, carácter señorial y que en realidad se debe a la relación íntima de la Iglesia y el Estado visigótico —aunque no es peculiar de éste— y a cierto carácter de funcionario público que adquiere el obispo a consecuencia de esa íntima unión, pero que tampoco es peculiar del derecho hispano-godo» [81].

Tan pronto se efectúa el cambio en España, que en el concilio III de Toledo, apenas realizada la conversión de Recaredo, ya se habla de un decreto dado por el mismo rey en el que se manda a los jueces presentarse al concilio para allí aprender a tratar al pueblo. El concilio se hace eco de este decreto de Recaredo. Repite la obligación de jueces y recaudadores de asistir al concilio. Y añade: «... y, conforme a la amonestación del rey, inspeccionen los obispos cómo se portan los jueces con sus pueblos, para que avisándoles se corrijan o den cuenta al rey de los abusos de aquéllos. Y, en el caso de que avisados no quieran enmendarse, les aparten de la comunión de la Iglesia. Y deliberen los obispos y magnates qué tribunal deberá instituirse en la provincia, para que no sufra perjuicio» [82].

Tanto el decreto de Recaredo como el canon del concilio ponían a los jueces y recaudadores bajo la autoridad del obispo. A los obispos les impone la obligación de vigilar para que no se cometan abusos. El obispo, en caso de que estas autoridades no cumplan bien con su obligación, puede imponerles castigos canónicos. Si no se enmiendan con estos castigos, debe ponerlo en conocimiento del rey.

El último párrafo transcrito va más adelante aún. Se habla de que el obispo y los nobles instituyan un tribunal en la provincia para que ésta no sufra detrimento. Se trataría de un tribunal que señalase lo que cada uno puede aportar al fisco, estableciendo así una norma que ni los jueces ni los recaudadores pueden transgredir, bajo pena de ser acusados por abusar de sus poderes. El mismo rey hace lo posible para que los obispos cumplan con esta nueva obligación. Recuerda a los obispos su deber de hacer conocer al rey los abusos de las autoridades civiles. En caso de que no lo hagan serán juzgados por el concilio. Además, y por si lo anterior no les mueve a cumplir escrupulosamente con esta obligación, deberán resarcir de su propia hacienda los daños que los jueces hayan causado.

Las facultades concedidas a los obispos en este asunto eran demasiado comprometidas. Se necesitaba un gran tacto para realizarlas sin levantar resentimientos. «Las facultades de vigilancia e intervención concedidas por Recaredo a los obispos, que llegaban hasta poder destituir y deponer a los *comites* o *iudices* de las provincias, iban demasiado lejos y subordinaban prácticamente la autoridad civil de cada territorio al obispo correspondiente. Ni era conveniente a la Iglesia este exceso de

[81] M. Torres López, *Lecciones de historia del derecho español* II (Salamanca 1935) p.308.
[82] J. Vives, *Concilio III de Toledo* c.18 p.131: Mansi, 9,997.

intromisión, ni fácil de ejecutar en la práctica, pues, al fin y al cabo, el magistrado poseía la fuerza material para imponer su decisión y hacer caso omiso de la intervención episcopal, a la que no quedaba otro camino abierto que el recurso a la autoridad superior del rey» [83].

A pesar de poseer la fuerza material, no era probable que las autoridades civiles ignorasen la intervención del obispo, vista la consideración y el apoyo que Recaredo estaba dispuesto a prestar a los obispos. No era fácil que les fuesen bien las cosas si el obispo se decidía a acusarles ante el rey. Estamos de acuerdo en que era una intromisión excesiva. Más aún, era una carga inmensa para los obispos, no tan fácil de realizar. Además, visto que la Iglesia tenía que recurrir al poder civil para atajar abusos religiosos o mixtos, difícilmente podría obtener esa cooperación si la autoridad civil podía verse envuelta en cualquier momento en conflictos con el obispo por fallos propios verdaderos o supuestos.

De todas formas, por una u otra razón, los siguientes reyes y los cánones de los concilios, sin eximir al obispo de su deber de vigilar y denunciar ante el rey los abusos de los magistrados civiles, limitan el poder de los obispos en cuanto al castigo de los culpables. Es probable que fuesen los mismos obispos quienes tratasen de librarse de semejante compromiso.

Una limitación del poder episcopal en el asunto que tratamos la encontramos ya en el concilio IV de Toledo, año 633. Se insiste en que el obispo es el protector nato de los pueblos y de los pobres. Por eso, ante los casos de injusticia debe actuar contra los opresores; pero debe hacerlo como obispo, como pastor de almas. Es decir, con la represión y con penas canónicas. Se les daba así a los causantes de las injusticias la posibilidad de enmendarse antes de que el asunto pasase adelante. Es una forma práctica de aprender el oficio por la corrección del obispo. En caso de que no hubiese enmienda, el obispo debe poner los hechos en conocimiento del rey. La razón es que así «a los que no inclinó a la justicia la amonestación del obispo, les refrene de su maldad el poder real» [84]. Este canon limita el poder del obispo a un plano meramente espiritual. Eso sí, no le exime del deber de vigilancia que debe ejercer sobre las autoridades civiles. Pero ya no dice que sea el encargado de juzgar y castigar a los jueces. Esto se deja a la potestad regia.

Este canon es una repetición de lo que ya se había establecido en el canon tercero del mismo concilio. En él se constituye al concilio provincial como tribunal de apelación para todos aquellos que tengan alguna queja contra los obispos, los jueces, los poderosos o cualquier otra persona. El concilio intentará aclarar el caso. Y podrá dar una sentencia. Pero de todo ello debe responsabilizarse y llevarlo a la práctica el ejecutor regio. G. Martínez escribe comentando este canon: «A la intervención de los obispos reunidos en concilio provincial se les concede en este canon mayor alcance que a la de cada obispo por separado, pues puede

---

[83] G. Martínez, art.cit. p.584-85.
[84] J. Vives, *Concilio IV de Toledo* c.32 p.204: Mansi, 10,628.

llegar hasta a emitir un dictamen condenatorio; pero al reservarse la ejecución al delegado regio es la autoridad civil la que en última instancia ha de autorizar o desautorizar el dictamen conciliar» [85].

El mismo G. Martínez atribuye este cambio a la influencia de San Isidoro. «El concilio IV de Toledo muestra aquí, como en tantos otros puntos, ese equilibrio de poderes, esa moderación propia de la época isidoriana, que los partidismos políticos y luchas de facciones de los últimos años de la monarquía harán saltar hechos añicos» [86]. A partir de este tiempo, no encontramos en los concilios legislación acerca de la actuación de los obispos en caso de que los jueces cometan injusticias en perjuicio de sus súbditos. En cambio, la legislación civil es bastante abundante.

Durante un cierto tiempo, las leyes civiles siguen admitiendo la intervención del obispo en caso de que alguna de las partes litigantes crea que el juez ha actuado parcialmente. Pero debe seguirse un proceso más civil. Antes de llegar hasta el obispo, se ha de ir recurriendo hasta la máxima autoridad de la provincia o territorio. En caso de que quien ha juzgado parcialmente sea el mismo conde, entonces deberá entrar el obispo en juego como cojuzgador. La sentencia deben emitirla ambos: obispo y conde. Contra esta sentencia sólo se puede apelar al rey [87].

M. Torres aclara que «a esta jurisdicción pública del obispo y a su general inspección de los jueces en ciertos casos son fundamentales las leyes del libro II 1,24 de Chindasvinto, II 1,30 de Recesvinto, II 1,30 de Ervigio y II 1,31 de Chindasvinto, para cuya exacta interpretación es básico el estudio de Zeumer, que puso de manifiesto su relación, a veces estrecha, con la *Novella* 86 de Justiniano. Establece la primera de dichas leyes (II 1,24) que, en caso de que una de las partes litigantes considere sospechoso a cualquier juez ordinario, aun a los más elevados, se una al mismo para resolver el litigio el obispo, sentenciando ambos conjuntamente; contra esta sentencia se podrá apelar al rey, estando el apelante a las consecuencias si la apelación no resulta justificada. El propio Chindasvinto en la ley II 1,31 presenta al obispo como juez ante el que se puede apelar de los jueces inferiores, quedando siempre libre al rey la avocación a sí del asunto en todo momento» [88].

Las mismas leyes prevén el caso de que aun el juez civil y el obispo den, de común acuerdo, una sentencia injusta. En este caso, el rey debe castigar a ambos. La pena era devolver al recurrente la cosa que estaba en litigio, y que se le había quitado, y entregarle, además, otro tanto del mismo valor, tomándolo de los bienes propios del obispo y del juez [89].

Pero el obispo no era sólo juez en compañía del conde. La ley II 1,30 de Recesvinto nos le presenta como juez de apelación a él solo. Es

---

[85] G. MARTÍNEZ, art.cit. p.585.

[86] Ibid., p.585.

[87] Cf. K. ZEUMER, *Leges nationum germanicarum* I: Mon. Ger. Hist., *Leges visigothorum* II 1,24.

[88] M. TORRES LÓPEZ, *Lecciones de historia del derecho español* II (Salamanca 1935) p.308.

[89] Cf. K. ZEUMER, *Leges visigothorum antiquiores* II 1,28 (Hannoverae et Lipsiae 1894) p.57.

en caso de que algún juez haya sido comprado por dinero o por amistad y falla injustamente en el pleito. El citado M. Torres puntualiza en este sentido: «La ley II 1,30 en su forma recesvindiana establece una jurisdicción propia del obispo por la que podía intervenir, haciéndose acompañar de otros *viri honesti*, en cualquier asunto, no de los *pobres* en sentido actual, como es la interpretación frecuente, sino de los judicialmente oprimidos por los potentes o los *iudices,* según la interpretación de Zeumer. En la redacción ervigiana de esta misma ley se establece, en primer lugar, una intervención del obispo análoga a la de la ley II 1,24, y, en caso de una sentencia injusta del juez, puede el obispo, por sí mismo y en instancia de apelación, sentenciar de nuevo» [90].

No se permite, además, que el juicio sea llevado adelante. Entonces, el obispo o el conde deben privar a ese juez de su potestad judicial, y, si no quisiere retractar la sentencia según se lo hayan indicado el obispo o el conde, ese juez debe resarcir al damnificado con dos libras de oro de su propia hacienda [91]. Aquí no aparece como cojuzgador, formando un solo tribunal con el conde. Se habla de la posibilidad de intervención, en ciertos casos, de dos tribunales: el del obispo y el del conde. Parece ser que ambos podían actuar con el mismo derecho.

La ley II 1,30 de Ervigio nos aclara más el procedimiento que se debe seguir. Recuerda que el obispo, por voluntad divina, tiene el deber de preocuparse por los pobres y oprimidos. Por eso, en primer lugar, debe reprender paternalmente a los jueces que perjudican al pueblo con juicios injustos. El fin de esa corrección es que el juez cambie la sentencia. Pero puede darse el caso de que el juez no haga caso de la amonestación del obispo. Entonces, y presupuesto que el juez haya dado una sentencia injusta o se sospecha que intenta hacerlo, el obispo de la provincia debe convocar al susodicho juez y a otros obispos o varones ecuánimes, y juntos deben dar una sentencia lo más justa posible.

Si el juez se muestra contumaz y no quiere en forma alguna reformar la sentencia, entonces conviene que el obispo dé una sentencia suya propia y declare también la sentencia que ha dado el juez, resaltando lo que él ha corregido. Hecho esto, debe enviar al rey toda esta documentación. Enviará, además, a la persona que apeló contra la sentencia del juez. Todo esto con el fin de que el rey conozca perfectamente el proceso, y así vea lo que procede sentenciar [92]. Nótese que en este caso ya no se deja la revisión de la sentencia al obispo solo. Se legisla que convoque a otros obispos o personas ilustres para juzgar en común. Subrayemos también que el poder del obispo no puede anular por sí mismo una sentencia dada por un funcionario civil. El obispo debe persuadir al juez para que revoque la sentencia injusta. Pero, si éste se niega a hacerlo, el obispo por su propia autoridad no puede obligarle. Se limitará a dar su opinión e informar al rey de todo lo ocurrido. El rey es quien tiene la última palabra en el asunto.

---

[90] M. Torres López, o.c. p.308.
[91] Cf. *Fuero juzgo* II 1,28, ed. Real Acad. Española (Madrid 1815) p.15-16.
[92] Cf. K. Zeumer, *Leges nationum germanicarum* I: Mon. Ger. Hist., *Leges visigothorum* II 1,30.

Debe notarse también que la ley II 1,30 exige especialmente que el obispo envíe al rey un informe detallando los puntos en los que disiente del fallo del juez. K. Zeumer, comentando esta ley, escribe: «Según el derecho de la ley ervigiana, la apelación por sospechas contra el juez y la queja, tratada, al parecer, de manera análoga como la demanda por denegación de justicia, se regula, en sus líneas generales, de la manera siguiente: se permite, según parece, apelación o queja contra el juez inferior al juez superior, al *comes civitatis* o al *dux;* de éste pasa al obispo. El obispo y el juez deben entonces tratar conjuntamente la causa. Si se ponen de acuerdo para un fallo en común, sólo le queda al apelante contra esta sentencia, como última instancia, la apelación al rey. Si no se ponen de acuerdo para fallar en común, el obispo tiene derecho a emitir un fallo especial propio, que envía al rey, con un informe y la sentencia del juez laico de la que disiente, a través del apelante, para que el monarca dé una sentencia definitiva» [93].

Comentando estas leyes, escribe G. Martínez: «Aquí, el procedimiento se ha perfeccionado, dividiéndose en dos fases: en la primera, tendente a evitar recursos superfluos al monarca, el obispo interviene directamente delante del juez para obtener una modificación de la decisión, de común acuerdo por vía pacífica. Si fracasa la primera fase, en lugar de un simple aviso al rey dado por el obispo, éste deberá enviar al monarca una respuesta razonada de la nueva sentencia, el cual, en última instancia, es el único capaz de modificar el fallo de la autoridad civil inferior. Con el procedimiento recesvindiano se alcanza un equilibrio perfecto entre los diversos objetivos de esta institución jurídica: control del juez por otra autoridad independiente, no subordinación de la autoridad civil a la eclesiástica; evitar el demasiado fácil recurso al monarca, exigiendo una fase previa y la propuesta razonada de modificación de sentencia; reserva de la decisión final del rey» [94].

Las cosas cambiaron pronto en favor de los obispos. La monarquía fue apoyándose cada vez más en ellos, con perjuicio de las autoridades civiles. La cosa puede explicarse porque las divisiones entre los nobles se agravaban cada vez más. El rey se veía obligado a buscar el apoyo de los obispos. Eran más leales que los nobles. Creemos que, más que desear acrecentar el poder de los obispos, los reyes intentaban debilitar a la nobleza, que cada vez era más propensa a las rebeliones. Y, por desgracia, los obispos iban adquiriendo poco a poco nuevas obligaciones, con detrimento de sus deberes pastorales.

Las leyes dadas por Ervigio rompen el equilibrio mantenido hasta entonces entre los poderes judiciales de los nobles y los de los obispos. Las decisiones de los obispos adquieren un carácter ejecutivo. Estas leyes vuelven a recordar que el obispo es el protector de los pueblos y de los oprimidos. Es cierto que en este menester debe estar asistido por varios hombres honrados. Pero al conde del territorio, sin embargo, no

[93] K. Zeumer, *Historia de la legislación visigoda* (Barcelona 1944) p.169.
[94] G. Martínez, art.cit. p.587.

le queda más remedio que aceptar el fallo del obispo. Debe, además, ejecutar la pena impuesta por el obispo, bajo pena de pagar de su hacienda una multa, en favor del obispo, en relación con el valor de la cosa que estaba en litigio.

Para evitar abusos y porque, quizá, los obispos no eran a veces jueces imparciales, la misma ley condena al obispo con una multa, y también al conde del territorio en caso de que en un juicio se hayan puesto fraudulentamente de acuerdo para dar una sentencia injusta [95]. Esta legislación es, para G. Martínez, un signo de debilidad política de la monarquía. «Estamos, pues, ante una autoridad regia maltrecha y desgarrada en luchas intestinas y discusiones de palacio, que vende sus favores y abdica sus prerrogativas para captarse el apoyo de los grupos de influencia y fuerzas sociales. También en el punto particular que estamos estudiando vemos confirmada la ya conocida línea política de halagos y abdicaciones que, en relación con los obispos y la Iglesia, se trazó el rey godo Ervigio... Con la reacción ervigiana se reforzará aún más la injerencia episcopal en asuntos judiciales profanos; la tal injerencia sigue la misma curva evolutiva que se repetirá muchas veces en la historia: lo que comienza siendo una intervención justa y espiritualmente motivada, se transforma en un favor o privilegio clerical, para acabar en instrumento del poder civil para sus propios fines políticos» [96].

No le falta razón para hacer tal afirmación, pues el sucesor de Ervigio, Egica, obliga a los obispos hasta a buscar a los siervos fugitivos y a castigar a quienes les hayan encubierto. Un poder que se afirmaba querido por Dios para proteger al pobre, termina siendo un perseguidor de los pobres. El obispo ya no es el protector de los pobres y oprimidos; se convierte, si no en un perseguidor de los desvalidos, al menos en un instrumento que el poder civil usa a su antojo para actuar contra estos desgraciados. Al menos eso era lo que intentaba el poder civil para mantener un orden social que se derrumbaba.

La ley obligaba a todos los que tenían alguna potestad judicial a intentar descubrir a los fugitivos. El obispo o el conde del lugar que tenían conocimiento de que alguien no cumplía con esta obligación debían castigarle públicamente con doscientos azotes. Si algún obispo, conociendo el caso, ya por amistad o ganado por dinero, no cumple con esta obligación que le impone la ley, debe, delante del conde o los jueces, imponerse a sí mismo una excomunión de treinta días. Durante este tiempo no puede comer ni beber nada, a excepción de un trozo de pan de cebada y un poco de agua, pero ya por la tarde [97].

Para resumir todo lo que hemos dicho hasta aquí sobre la influencia del obispo en la vida civil, podemos afirmar con E. Pérez Pujol: «Los

---

[95] Cf. K. ZEUMER, *Leges visigothorum antiquiores* II 1,28 p.57.
[96] G. MARTÍNEZ, art.cit. p.588-89.
[97] Cf. *Fuero juzgo* IX 1,21 p.122-23.

abusos de gobierno, recusaciones, sentencias injustas, todo podía ser enmendado por el poder episcopal, siempre bajo la suprema autoridad del monarca» [98].

b) Los obispos en el Aula Regia

Las asambleas de príncipes eran muy frecuentes en los antiguos Estados germánicos, sobre todo en los que tenían ·un marcado carácter republicano, sin excluir tampoco esta clase de reuniones de los Estados de tipo monárquico. En ellas, los nobles deliberaban con el rey, o ellos solos, sobre los temas que debían someterse al juicio de la asamblea general. En estas asambleas generales residía el poder político. Tenían, entre otras atribuciones, las facultades de dictar leyes, por las que se regía todo el pueblo, y elegir a sus propios caudillos. Hay noticias ciertas de la existencia de tales reuniones a lo largo de toda la historia de los godos. Los reyes godos siempre tuvieron en gran estima tales asambleas y se sirvieron de ellas para gobernar. Desde muy antiguo, los reyes godos consultaban en los asuntos importantes a sus *seniores*. Recordemos, p.ej., que Recaredo, en el mensaje dirigido al concilio III de Toledo, llama *seniores* a los magnates que asisten con él a dicho concilio.

Los visigodos, al establecerse en España, encontraron un pueblo romanizado. El derecho, las asambleas y el modo de vida eran típicamente romanos. Si a esto añadimos que los visigodos no destruyeron ni las instituciones, ni el derecho, ni el modo de vida de los españoles, debemos concluir que, aunque en un principio cada uno de los pueblos, visigodo y español-romano, tuviese sus propias instituciones y derecho, después, con la convivencia pacífica, el derecho y las instituciones fueron unificándose poco a poco, hasta que se forma un cuerpo de leyes e instituciones común a todos los habitantes del territorio español. La conversión de Recaredo dio el impulso definitivo a esa unificación.

Así, creemos que también las asambleas de tipo germánico y las de tipo romano se aúnan con el pasar del tiempo en España. De esta forma encontramos asambleas con elementos romanos y germánicos en el período visigodo. Una de esas asambleas era el Aula Regia. Opina M. Torres: «En el Estado visigótico, creemos que el *aula regia* tiene relación con el *senatus* de tipo germánico, pero no debe olvidarse la existencia y el recuerdo del *consistorium* del Bajo Imperio y de las grandes influencias romanas y bizantinas en la organización de la casa del rey, y, a través de ella, en el *aula regia*. Tampoco debe olvidarse una interesantísima noticia de una asamblea de nobles y obispos provinciales convocada por Alarico en Aduris para la redacción del *Breviario*» [99].

Además del cambio que producía la mezcla de derechos e instituciones, se iba dando un cambio paulatino debido a las circunstancias de la vida. La subida social de gentes que antes no significaban nada en la

---

[98] E. Pérez Pujol, *Historia de las instituciones de la España goda* vol.3 (Valencia 1896) p.346.
[99] M. Torres López, *Lecciones de historia del derecho español* II (Salamanca 1935) p.247.

vida política, los grupos de personas favorecidos por los reyes, la gente nueva que ocupa, por nombramiento real, un cargo importante en palacio; familias nobles que se arruinan y otras que poco a poco van entrando en la alta sociedad, van haciendo que paulatinamente cambien las instituciones. Sánchez Albornoz ve una nueva fuerza de renovación en la lucha entre la nobleza y la monarquía. Es una lucha unas veces abierta y otras solapada, pero siempre dinámica. Son dos fuerzas que luchan para imponerse. La monarquía intenta hacerse cada vez más poderosa. La nobleza trabaja por obtener nuevas prerrogativas. Es un tira y afloja que modifica paulatinamente las instituciones. Esa lucha hace fracasar todos los intentos de los reyes de hacer hereditaria la corona y hace que la nobleza desempeñe un papel importante en el gobierno de la nación. Otras veces, los reyes logran casi aniquilar a la nobleza. Pero se ven obligados a crear una nobleza nueva, que pronto será tan exigente o más que la antigua. «Pero el crecimiento de las fuerzas políticas y sociales nuevas, nacidas del seno de la propia monarquía, requería siempre algunos años. Durante ellos, la realeza, tras sus aparentes grandes victorias contra la aristocracia, su hija mimada y rebelde, intentaba obtener ventajas políticas del triunfo conseguido. Quizá con ocasión de alguna de esas victorias fue transformándose el *aula regia* o *palatium* en el órgano político medular de la vida institucional del Estado... Con su colaboración ejerció la monarquía su potestad soberana durante el último siglo de la historia hispano-goda» [100].

Una nueva influencia en el derecho y en las instituciones se notará a partir de la conversión de Recaredo al catolicismo. Elementos típicamente canónicos y eclesiásticos comienzan a ser aceptados en el código de derecho civil y a influenciar las asambleas del reino. «Nosotros creemos que el *aula regia,* tal como aparece organizada en el derecho visigótico, es una nueva prueba de la mezcla de elementos germánicos, romanos y eclesiásticos que caracteriza a toda la organización y el derecho de esta época» [101]. La asamblea más importante durante el período que estudiamos es el *aula regia*. Aparece en los concilios y en la legislación civil y es la asamblea que asesora y ayuda a los reyes. A veces se la llama también *Palatium Regis* y *Officium Palatinum,* porque algunos de sus miembros desempeñaban los más altos cargos de palacio.

El Aula Regia la componen los oficiales palatinos y otros miembros que no desempeñan cargos en palacio. Unos serían los *seniores,* que no ejercen cargos en palacio y parece ser que tenían alguna relación personal con el rey. No forman parte del Aula Regia por derecho propio. Normalmente eran jueces, gobernadores, condes. Otros miembros serían los que los textos legales llaman próceres, que no es fácil precisar qué cargos desempeñaban. San Isidoro les define como los principales de la ciudad. Desde luego, sus cargos son de naturaleza civil. También son miembros los gardingos, que son los altos jefes del ejército.

---

[100] C. Sánchez Albornoz, *El Aula Regia y las asambleas políticas de los godos:* Cuad. de Hist. de España 5 (1946) p.21.
[101] M. Torres López, o.c. p.247.

A estos miembros hay que añadir, casi con toda seguridad, a algunos obispos. Recordemos que el canon sexto del concilio VII de Toledo mandaba que, «por reverencia al rey y por el honor de la sede real y para consuelo de la misma ciudad metropolitana, los obispos cercanos a la ciudad de Toledo, según aviso que recibirán del mismo metropolitano, deben residir en dicha ciudad un mes cada año, exceptuando los tiempos de la siega y la vendimia» [102]. Nos atrevemos a afirmar que la presencia de esos obispos circunvecinos en la ciudad de Toledo no era solamente por reverencia al rey y para consuelo de la ciudad metropolitana. Con toda probabilidad iban allí como consejeros del metropolitano y del mismo rey. Es muy probable también que el metropolitano de Toledo formase parte del Aula Regia. Escribe M. Torres: «También los obispos debieron de llegar a formar parte del *aula regia,* especialmente en sus reuniones solemnes, celebradas en algunas ocasiones y convocadas especialmente con tal carácter» [103]. Sería un grupo de ellos.

Quizá, analizando las atribuciones del Aula Regia, quede más clara nuestra afirmación. La actuación más importante del Aula Regia es el derecho que tienen todos sus miembros de intervenir en la elección del rey. Aunque no era éste un derecho exclusivo del Aula Regia, pues por las leyes y los cánones que nos hablan de la elección real puede deducirse que otros nobles que no pertenecen a ella tomaban parte en la elección. Entre las personas que tenían derecho a intervenir en la elección de los reyes encontramos a los obispos, como hemos visto anteriormente.

El Aula Regia tenía también una función legislativa. Es cierto que para que las leyes tuviesen valor era necesaria la aprobación del rey y su inclusión en el código. De ahí que la función legislativa del Aula Regia no fuese absoluta. Pero no se puede negar que el rey la consultaba en cuestiones legales, que colaboraba en la redacción de las leyes. Estas se publicaban ante el Oficio Palatino y los obispos. También en este punto encontramos a los obispos unidos al Aula Regia. No es solamente en los concilios de Toledo donde los reyes piden con frecuencia a los obispos y a los nobles allí presentes que revisen las leyes, anulen lo que les parezca inútil y den fuerza a las leyes que todavía tengan valor. Recesvinto encargó a San Braulio la revisión de todo el código y le pidió que lo ordenase y dividiese en capítulos. Cuando Recesvinto promulgó el código con el nombre de *Liber iudiciorum,* declaraba que había sido compuesto por el Oficio Palatino y los sacerdotes del Señor [104].

Algunos obispos asistían, además de a los concilios, a juntas especiales con los nobles para ayudar al rey en asuntos legislativos. Escribe Sánchez Albornoz: «En el ejercicio de algunas de las funciones legislativas y judiciales que cumplía el Aula Regia, la hemos visto, además, colaborar con los prelados del reino. Al principio se reunieron sólo los

---

[102] J. Vives, *Concilio VII de Toledo* c.6 p.256: Mansi, 10,770.
[103] M. Torres López, o.c. p.249.
[104] Cf. K. Zeumer, *Leges nationum germanicarum* I: Mon. Ger. Hist., *Leges visigothorum* II 1,5.

obispos y los palatinos de mayor jerarquía. Con los *sacerdotes Dei* y los *maiores palatii* debían los reyes conceder la gracia del perdón a los condenados por los más graves delitos contra el príncipe o la patria, según decretó Chindasvinto» [105].

El Aula Regia era un tribunal que ayudaba a los reyes en la administración de la justicia. También aquí aparecen los obispos junto al Aula Regia. Los mismos reyes admiten la importancia y agradecen la ayuda que el Aula Regia les presta. Varias veces lo demuestran en los mensajes dirigidos a los concilios. «Y también a vosotros, varones ilustres, que una antiquísima costumbre escogió de entre el Oficio Palatino para asistir a este santo sínodo, a los que adorna una ilustre nobleza y un sentido de equidad, os designó como cabezas del pueblo, y a los que tengo como compañeros en el gobierno, leales en los contratiempos y esforzados en las prosperidades, y por los que la justicia aplica las leyes, la misericordia las suaviza, y contra el rigor de las normas, la moderación de la equidad alcanza la templanza de la ley» [106]. El Aula Regia legislaba, gobernaba, juzgaba y amnistiaba con el rey.

El Aula Regia indagaba la culpabilidad en los delitos políticos. En los delitos de alta traición, ya hemos dicho que la Iglesia exige a los reyes que no actúen por su propia cuenta. Por ser, generalmente, delitos contra su propia persona, es fácil que se excedan en los castigos. Podrían incluso ser engañados por un falso testimonio. Por eso se encarga al Aula Regia que investigue y juzgue la culpabilidad de los acusados. Nos habla de esto el canon segundo del concilio XIII de Toledo, que adquiere valor de ley civil al ser confirmado por el rey [107]. Es la ley civil XII 1,3. Afirma M. Torres: «Por el *canon* y la *ley* se establece un antejuicio público, en el que actúa como tribunal el *aula regia* —obispos, señores y gardingos—, y sólo después del cual, y en caso de ser considerado culpable el acusado, podrá el rey, por sí o sus funcionarios ordinarios, aplicar los preceptos legales normales para delitos de tipo político. La importancia de esta función judicial del *aula* es manifiesta y tiene, además, la característica de ser una importante limitación del poder real» [108].

Corolario de esta obligación del Aula Regia es el derecho que tienen todos los obispos, oficiales palatinos y gardingos de ser juzgados por sus colegas. Una vez más, los obispos aparecen íntimamente unidos al Aula Regia. Obligaciones y derechos judiciales son idénticos. Algunos obispos y el Aula Regia son quienes llevan los casos judiciales, en todas sus etapas, contra los nobles, y en especial cuando se trata de delitos de alta traición. Lo lógico, pues, es pensar que algunos obispos pertenecían al Aula Regia. En todos los casos señalados, y también en la obligación de jurar fidelidad personalmente ante el rey, encontramos unidos al Aula Regia y a algunos obispos. Creemos que tal hecho no se debe sólo a que

[105] C. Sánchez Albornoz, art.cit. p.100.
[106] J. Vives, *Concilio VII de Toledo* p.265: Mansi, 10,1208-1209.
[107] Cf. J. Vives, *Concilio XIII de Toledo* p.437-40; Mansi, 11,1078-80.
[108] M. Torres López o.c. p.249-50.

los obispos son equiparados a la más alta nobleza palatina, pues esto valía para todos los obispos. Aquí se trata no de todos los obispos, sino de un grupo que actúa constantemente junto al Aula Regia. Y en las atribuciones propias del Aula Regia. Todo esto nos inclina a afirmar que algunos obispos formaban parte de ella. Parece demasiado ilógico no darles entrada en una institución con la que actúan constantemente y en temas de capital importancia para toda la nación. M. Torres, después de hablar del poder de vigilancia que tienen los obispos sobre los jueces, escribe: «La misma participación de los obispos en el Aula Regia es otra manifestación de esta situación en la vida pública» [109].

Sin embargo, creemos honesto admitir que no hemos encontrado ningún texto legal donde se diga taxativamente que los obispos formaban parte del Aula Regia. Sánchez Albornoz, p.ej., niega que perteneciesen a ella. Admite que, en los casos antes señalados, el Aula Regia y los obispos actúan juntos y que alguno de los sufragáneos de la provincia Cartaginense formaba parte del Oficio Palatino. A pesar de todo eso, no admite que formasen parte del Aula Regia. La razón es la oposición tajante en que colocan los textos legales y conciliares a los obispos y el Aula Regia. Y de ahí concluye que, ya que no hay excepción que incluya a los obispos en el Aula Regia, que «junto a ésta, hacia mediados del siglo VII surgió una institución nueva integrada por los miembros ilustres del Aula: señores, próceres y jefes del Oficio Palatino, y por los miembros ilustres de la clerecía: los prelados» [110].

Sobre la oposición en que, según él, colocan los textos conciliares y legales a los obispos y al Aula Regia, cabrían otras explicaciones, que no significan forzosamente la exclusión de los obispos del Aula Regia. En los textos conciliares, desde luego, esa oposición a que se refiere Sánchez Albornoz tiene su razón de ser. Ya hemos dicho que sólo pertenecerían al Aula Regia unos cuantos obispos. Así, p.ej., en los mensajes regios es normal que se nombre al Aula Regia y a los obispos, ya que estos últimos no entraban todos en la primera denominación, y no sería lógico encuadrar a todos los obispos bajo un título que sólo correspondería a la minoría. En los textos legales se podía pensar en que a cada grupo se le nombraba por el título que mejor le definía. Aunque algunos obispos formasen parte del Aula Regia, su oficio y denominación propia era la de obispo.

Si es cierta la opinión de Sánchez Albornoz, nos encontramos con una nueva institución que en la práctica suplanta al Aula Regia. El mismo afirma que esas nuevas juntas las convocaban los reyes visigodos «para platicar y resolver cuestiones de justicia y de gobierno de la máxima importancia» [111]. Para eso precisamente era para lo que los reyes reunían al Aula Regia. Habría que admitir entonces que el Aula Regia quedaba reducida a una institución decorativa. Además, los miembros del Aula Regia y de esas otras juntas serían exactamente los mismos,

[109] Ibid., p.309.
[110] C. Sánchez Albornoz, art.cit. p.102.
[111] Ibid., p.100.

excepto los obispos, que formaban parte de esas juntas, pero no del Aula Regia.

De todas formas, ya pertenecieran los obispos al Aula Regia, lo que nos parece seguro, ya pertenecieran solamente a esas otras instituciones que prácticamente suplantaban al Aula Regia, no importa demasiado a nuestro propósito. Es éste el ver la influencia que el obispo ejercía en la vida civil. En ambos casos, varios obispos formaban parte de una asamblea a la que los reyes consultaban en cuestiones políticas, judiciales y de gobierno de la nación. Asamblea que, además, era un tribunal que debía investigar la culpabilidad de los reos de delitos de alta traición y que además cooperaba en la formación de las leyes. Ocurría casi lo mismo en la Iglesia merovingia. Los obispos se habían introducido en la administración del reino. Muchos aparecen como cancilleres, embajadores y jueces. Como tales toman parte en el consejo real y adquieren un influjo decisivo en la administración de justicia y en la dirección de la política interior y exterior.

Una idea de lo pronto que los obispos comenzaron a intervenir en asuntos civiles nos la da la ley XII 1,2 de Recaredo [112]. Por ella, el obispo puede nombrar nada menos que al *defensor civitatis*. Muy acertadamente escribe M. Torres: «Conocidísima es la ley XII 1,2 de Recaredo, por la que adquirimos noticia del nombramiento del *defensor* de algunas ciudades por el obispo. Hay que tener en cuenta que no se dice elegido por el obispo y el pueblo, sino por el obispo o el pueblo. Esa facultad del obispo es prueba de la decadencia de la vida municipal, del interés de la masa general con respecto a ella y, finalmente, del aumento del poder del obispo en la ciudad» [113].

En ciertos aspectos, como, p.ej., el judicial, se llegó a comparar al obispo con el mismo rey. Así, una ley civil establece que, cuando el príncipe o el obispo tienen algún litigio con otras personas, deben elegirse procuradores que les representen ante los tribunales, ya que parece desdecir de su gran dignidad el que alguna persona menos noble les contradiga en el pleito que se trata de resolver [114].

4. LOS SACERDOTES

Montano de Toledo escribía a los presbíteros de Palencia: «Dios quiso que fuerais nuestros ayudantes en nuestra labor...» [115] Esta concepción del sacerdocio no es nueva. «Ya desde los orígenes de la Iglesia se les contempla como auxiliares del obispo en cuanto se refiere al culto y al gobierno mismo de la grey cristiana. Son sus consejeros y se hallan en una comunión tan estrecha, que aun el sacrificio eucarístico, ejerci-

[112] Cf. K. ZEUMER, *Leges nationum germanicarum* I: Mon. Ger. Hist., *Leges visigothorum* XII 1,2.

[113] M. TORRES LÓPEZ, o.c. p.260.

[114] Cf. K. ZEUMER, *Leges nationum germanicarum* I: Mon. Ger. Hist., *Leges visigothorum* II 3,1.

[115] MONTANO DE TOLEDO, *Epistola prima:* ML 65,52.

cio de su poder más sagrado, lo realizaban en concelebración. Sólo más tarde, con la expansión numérica y geográfica del cristianismo, fueron los presbíteros adquiriendo una personalidad más independiente» [116]. El concilio de Elvira nos dice que ya entonces había sacerdotes al frente de algunas iglesias. Más tarde, en el año 516, cuando se celebra el concilio de Tarragona, sabemos que ya había sacerdotes en los pueblos. Este concilio mandó que asistieran al sínodo sacerdotes rurales [117].

El oficio del sacerdote es enseñar, celebrar y distribuir los santos misterios. Su principal obligación es atender a las necesidades espirituales de sus feligreses. Por eso, el concilio IV de Toledo establece que «todos los clérigos ingenuos por servicio de la religión sean inmunes de toda convocatoria y trabajo público, para que, más libres, sirvan a Dios y no sean apartados de los trabajos eclesiásticos por ningún estorbo» [118].

Por eso tienen la obligación de celebrar misa para el pueblo. Ya entonces se daba el caso de iglesias pobres que por sí mismas no podían mantener un presbítero, y el obispo se veía obligado a poner a un mismo sacerdote al frente de varias iglesias. Este sacerdote debe hacer un esfuerzo para celebrar misa los domingos en todas las iglesias que tiene encomendadas. La pobreza de la iglesia no debe ser un obstáculo para que no se celebre en ella la santa misa. «Por lo tanto, juzgamos, tras conveniente deliberación, que en todas y cada una de las iglesias al frente de las cuales estuviere un presbítero por mandato de su obispo, procure aquél celebrar el sacrificio a Dios todos los domingos... Y si algún presbítero descuidare el cumplimiento de esta norma, tan pronto llegare a oídos del obispo esta acusación por cualquiera, el tal presbítero será castigado con la pena de excomunión» [119].

El interés por que los fieles no se vean privados de los cultos sagrados es grande. De ahí que se llegue a legislar muy concretamente dónde debe haber sacerdote. Dice el concilio XVI de Toledo: «Y creemos, además, que es necesario que establezcamos que en modo alguno se encomienden a un presbítero varias iglesias, porque solo para tantas iglesias no puede tener los oficios divinos ni asistir al pueblo con su ministerio sacerdotal, ni administrar debidamente los bienes de las mismas; sino que se guardará esta norma: que la iglesia que poseyere diez o más esclavos tenga a su frente un sacerdote, y la que no llegare a diez esclavos, se agregue a otras iglesias» [120].

Los libros litúrgicos llaman a los sacerdotes doctores de los pueblos y rectores de sus súbditos para que lleven a todos a la verdadera vida. De ahí el empeño que ponen los concilios en procurar que los sacerdotes estén bien instruidos en las verdades de la fe. No era extraño que en aquella época hubiera clérigos ignorantes. Las invasiones de los bárbaros, la inestabilidad política, etc., habían hecho decaer el grado de cul-

---

[116] J. Fernández Alonso, *La cura pastoral en la España romano-visigoda* (Madrid 1955) p.38.
[117] Cf. J. Vives, *Concilio de Tarragona* c.13 p.38: Mansi, 8,543.
[118] J. Vives, *Concilio IV de Toledo* c.47 p.208: Mansi, 10,631.
[119] J. Vives, *Concilio de Mérida* c.19 p.338-39: Mansi, 11,85-86.
[120] J. Vives, *Concilio XVI de Toledo* c.5 p.502: Mansi, 12,72-73.

tura. Por eso es digna de alabanza la insistencia con que los concilios exigen que los sacerdotes estén bien instruidos y preparados para desempeñar dignamente su ministerio.

Ya el concilio II de Toledo manda que los niños que han sido entregados por sus padres a la Iglesia, «una vez tonsurados y entregados para el ministerio de los elegidos, deben ser instruidos por el prepósito que les ha sido señalado en las cosas de la Iglesia, bajo la inspección del obispo» [121]. Los concilios mandan que todos los clérigos deben ser instruidos en las disciplinas eclesiásticas y llegan a prohibir que los ignorantes sean promovidos a las órdenes sagradas. La ignorancia era un impedimento para ser ordenado [122].

Naturalmente, lo que se exige es el conocimiento del dogma, sagrada Escritura, moral, liturgia, cánones. Se llega a decir que la ignorancia es la madre de todos los errores. Los obispos combaten la ignorancia de los clérigos e intentan poner remedio a los abusos que en esta materia se cometen. «En la octava discusión encontramos que algunos encargados de los oficios divinos eran de una ignorancia tan crasa, que se les había probado no estar convenientemente instruidos en aquellas órdenes que diariamente tenían que practicar. Por lo tanto, se establece y decreta con solicitud que ninguno en adelante reciba el grado de cualquier dignidad eclesiástica sin que sepa perfectamente todo el salterio, y además los cánticos usuales, los himnos y la forma de administrar el bautismo; y aquellos que ya disfrutan de la dignidad de los honores y, sin embargo, padecen con la ceguera una tal ignorancia, o espontáneamente se pongan a aprender lo necesario o sean obligados por los prelados, aun contra su voluntad, a seguir unas lecciones» [123].

El canon enumera el mínimo que debe saber cualquiera que desee ser promovido a alguna orden sagrada. Casi lo mismo repite el concilio XI de Toledo, año 675, poniendo de relieve la importancia que tiene para la misión del clero el conocimiento de las verdades divinas. Pone de relieve además que cuanto mayor es el oficio que se desempeña dentro de la jerarquía eclesiástica, tanto mayor es la obligación de conocer tales verdades.

Como era frecuente el caso de que los padres entregasen a sus hijos desde los primeros años para que fuesen sacerdotes, los concilios se preocupan de la educación de tales niños. Se legisla en el concilio IV de Toledo: «Cualquier edad del hombre, a partir de la adolescencia, es inclinada al mal; pero nada más inconstante que la vida de los jóvenes. Por esto convino establecer que, si entre los clérigos hay algún adolescente o en la edad de la pubertad, todos habiten bajo el mismo techo junto a la iglesia, para que pasen los años de la edad resbaladiza no en la lujuria, sino en las disciplinas eclesiásticas, confiados a algún anciano muy probado, a quien tengan por maestro en la doctrina y por testigo

---

[121] J. Vives, *Concilio II de Toledo* c.1 p.42: Mansi, 8,785.
[122] J. Vives, *Concilio IV de Toledo* c.19 p.199: Mansi, 10,785.
[123] J. Vives, *Concilio VIII de Toledo* c.8 p.281-82: Mansi, 10,1218.

de su vida» [124]. Hablaremos después más extensamente de la formación del clero.

El sacerdote está espiritualmente ligado a su obispo y no puede separarse de él. Ya el concilio I de Toledo establecía que ningún clérigo es libre para abandonar a su obispo y entrar en comunión con otro. Los sacerdotes deben respetar y obedecer a su obispo. Tienen también la obligación de recibirle y honrarle, según sus posibilidades, cuando hace la visita canónica [125]. La obediencia al obispo se prescribe, sobre todo, en materias espirituales; ya dijimos que el ministerio sacerdotal se concibe como una ayuda al obispo, que es el responsable de la vida espiritual de la diócesis. Por eso, el sacerdote, además de cumplir las normas que dé el obispo, debe rendirle cuenta de su forma de actuar en la iglesia. En las iglesias de la ciudad, el obispo puede fácilmente conocer cómo se desenvuelven sus sacerdotes. En las iglesias rurales es más difícil. Por eso debe preocuparse de que sus sacerdotes vayan a ellas suficientemente instruidos, y éstos, a su vez, deben informar a su obispo cómo cumplen con su ministerio. «Cuando son ordenados los presbíteros para las iglesias rurales, recibirán de su obispo el libro ritual para que vayan instruidos a las iglesias que les han sido encomendadas, no sea que por ignorancia profanen los sacramentos divinos, de modo que, cuando vinieren a las letanías o para el concilio, den razón a su obispo de cómo ejercitan el oficio encomendado o cómo bautizan» [126].

Los sacerdotes estaban también ligados a la iglesia para la que habían sido ordenados. Esta ley se mitigó después al permitirse al obispo trasladar presbíteros de las iglesias rurales a la iglesia catedral [127]. Algunos sacerdotes asistían al concilio provincial, aunque no sabemos el papel que desempeñaban. Se prohibía terminantemente al sacerdote, bajo pena de deposición, consagrar el crisma o alguna iglesia. Tampoco se les permitía conferir las órdenes sagradas mayores.

---

[124] J. Vives, *Concilio IV de Toledo* c.24 p.201: Mansi, 10,626.
[125] Cf. J. Vives, *Concilio de Mérida* c.11 p.333: Mansi, 11,81-82.
[126] J. Vives, *Concilio IV de Toledo* c.26 p.202: Mansi, 10,627.
[127] J. Vives, *Concilio de Mérida* c.12 p.333: Mansi, 11,82.

CAPÍTULO V

LOS CONCILIOS DE TOLEDO

FUENTES Y BIBLIOGRAFIA

FUENTES.—Ver capítulo cuarto.
BIBLIOGRAFÍA.—Z. GARCÍA VILLADA, *Historia eclesiástica de España* II p.1.ª
(Madrid 1932); M. TORRES LÓPEZ, *La Iglesia en la España visigoda,* en *Historia de
España,* dir. por M. Pidal, vol.3 (Madrid 1963); *Lecciones de historia del derecho
español* II (Salamanca 1935); E. PÉREZ PUJOL, *Historia de las instituciones sociales de
la España goda* vol.3 (Valencia 1896); R. D' ABADAL, *Els concilis de Toledo,* en
Homenaje a Johannes Vincke I (Madrid 1962-63); G. MARTÍNEZ, *Los concilios de
Toledo,* en *Anales Toledanos* III (Toledo 1971); *La Colección Canónica Hispana.* I:
Estudio (Madrid 1966); J. ORLANDIS, *La Iglesia en la España visigótica y medieval*
(Pamplona 1976); J. FERNÁNDEZ ALONSO, *La cura pastoral en la España romano-
visigoda* (Madrid 1955); A. K. ZIEGLER, *Church and State in visigothic Spain* (Wás-
hington 1930); E. MAGNIN, *L'Eglise wisigothique au VIIe siècle* (París 1912); K.
ZEUMER, *Historia de la legislación visigoda* (Barcelona 1944); A. GARCÍA GALLO,
Manual de historia del derecho español. I: *El origen y la evolución del derecho* (Madrid
1964); J. V. SALAZAR ARIAS, *Dogmas y cánones de la Iglesia en el derecho romano*
(Madrid 1954); J. MORENO CASADO, *Los concilios nacionales visigodos, iniciación de
una política concordataria* (Granada 1946); T. ANDRÉS MARCOS, *La constitución,
transmisión y ejercicio de la monarquía hispano-visigoda en los concilios toledanos* (Sa-
lamanca 1928); CH. MOUNIER, *L'Ordo de celebrando concilio wisigothique:* Revue des
Sciences Religieuses 37 (1963) p.250-71; M. MARCO Y CUARTERO, *Los concilios de
Toledo* (Madrid 1856); J. M. MONTALBÁN, *Indole y naturaleza de la institución real
y de los concilios de Toledo durante la monarquía goda* (Madrid 1858); J. V. AMILI-
BIA, *Concilios de Toledo. Cortes antiguas y modernas* (Madrid 1866); L. CALPENA Y
AVILA, *Los concilios de Toledo en la constitución de la nacionalidad española* (Madrid
1918).

Hemos hablado ya de la convicción que tenían los obispos españoles
de formar un colegio. Estaban persuadidos de que todos eran responsables de la vida espiritual y de la observancia de la disciplina eclesiástica en toda la nación. Todos debían cooperar para solucionar los problemas que se presentasen. Y la mejor forma de resolver los problemas
era discutirlos reuniéndose en concilio. De la amplitud e importancia de
esos problemas dependía que se convocara un concilio general o provincial.

Es interesante ver la gran cantidad de concilios celebrados en España desde la conversión de Recaredo hasta la caída de España bajo el
poder de los árabes. Son veintiséis desde el año 589 al 711. Al menos
aquellos de que tenemos noticia. A pesar de que varias veces se estableció detalladamente los intervalos con que debían celebrarse los concilios

tanto generales como provinciales, éstos, en la práctica, no se celebraron con regularidad matemática. Casi siempre se reunieron para responder a una necesidad concreta.

Los concilios generales gozaban de la máxima autoridad dentro de la Iglesia española. Una vez aprobado un canon o establecida una determinada forma de actuar, todos estaban obligados a obedecer y cumplir lo establecido en tanto que tal ley no fuese revocada. En el concilio III de Toledo, año 589, se hace distinción entre concilios generales, en los que se deben discutir las cuestiones de fe y asuntos que afecten a toda la Iglesia española, y los provinciales, que deben tratar de los demás asuntos. Los concilios generales eran la expresión más clara de la unidad de la Iglesia española. «Lo que les daba el carácter de generales era el número de los asistentes y los asuntos tratados» [1]. Notemos que siempre en aquella época se les llamaba concilios generales y no nacionales. A los concilios nacionales asistían los obispos de todo el reino visigodo, a los provinciales solamente los obispos de la provincia eclesiástica donde se celebraba.

1. LA CONVOCACIÓN DEL CONCILIO

Los reyes visigodos ejercieron siempre el derecho a convocar concilios. Era un derecho o costumbre que nadie discutió durante la época visigoda. «Los obispos no solamente no combatieron esta prerrogativa, sino que en sus expresiones demuestran estar absolutamente de acuerdo con ella» [2]. Por otra parte, ni en España ni en el resto de los países cristianos aparecía como una intromisión ilícita en los asuntos eclesiásticos. La costumbre de que el emperador convocara el concilio comenzó con Constantino. Los reyes de todos los países siguieron practicando esta costumbre como un derecho inherente a la Corona. Los concilios merovingios calificados de nacionales eran convocados por el rey, o al menos daba su consentimiento. En España, los reyes no sólo convocaban los concilios nacionales, sino que, a veces, convocaban los concilios provinciales o daban el consentimiento para la celebración. Se reúnen así el de Zaragoza del año 592, el III de Zaragoza, el de Narbona, el III de Braga y el X de Toledo.

Tampoco los papas se opusieron a esta prerrogativa regia. «En los concilios de Toledo, la orden real aparece repetidísimamente, y en verdad, más que privilegio, era un derecho de la realeza en aquella época, y por ello no hay motivo alguno para pensar que los obispos hubieran podido verlo con disgusto ni hubiesen intentado hacerlo desaparecer. Como prueba del carácter general —perfectamente compatible con las normas canónicas de la época— de esta facultad, podemos citar la epístola de San León II al rey Ervigio recomendándole la reunión de un

---

[1] Z. García Villaba, *Historia eclesiástica de España* II p.1.ª (Madrid 1932) p.108.
[2] Ibid., p.109.

concilio nacional hispano para la aprobación de los cánones del concilio III de Constantinopla, de los años 680-81, contra los monotelitas. Y no se olvide que el concilio había de ser fundamentalmente dogmático» [3].

El concilio III de Toledo fue convocado por Recaredo. Su fin principal era anunciar a todo el pueblo su conversión al catolicismo y reformar las costumbres eclesiásticas. «Habiendo el mismo rey gloriosísimo, en virtud de la sinceridad de su fe, mandado reunir el concilio de todos los obispos de sus dominios para que se alegrasen en el Señor de su conversión y por la de la raza de los godos, y dieron también gracias a la bondad divina por un don tan especial, el mismo santísimo príncipe habló al venerable concilio en estos términos: 'No creo, reverendísimos obispos, que desconozcáis que os he llamado a la presencia de nuestra serenidad con objeto de restablecer la disciplina eclesiástica. Y, como quiera que hace muchos años que la amenazadora herejía no permitía celebrar concilios en la Iglesia católica, Dios, a quien plugo extirpar la citada herejía por nuestro medio, nos amonestó a restaurar las instituciones eclesiásticas conforme a las antiguas costumbres'» [4].

Sisenando reúne el concilio IV de Toledo, año 633. «Habiéndonos reunido los obispos, en el nombre del Señor, en la ciudad de Toledo, llevados por el amor de Cristo y ayudados por la diligencia del religiosísimo Sisenando, rey de España y de la Galia, para que con sus disposiciones y mandatos tomáramos, de común acuerdo, algunas medidas acerca de determinados puntos disciplinares de la Iglesia, dimos gracias primeramente al Dios omnipotente, Salvador nuestro, y a continuación a su siervo el ya nombrado excelentísimo y glorioso rey, cuya entrega a Dios es tan grande, que no sólo se ocupa solícito en las cosas humanas, sino también en los negocios divinos» [5]. Chintila hace que se reúnan los concilios V y VI de Toledo, años 636 y 638. Se dice en el VI: «Reunidos nosotros los obispos de las Españas y de las Galias por las provechosas exhortaciones del sumo, ortodoxo y gloriosísimo rey Chintila...» [6].

El concilio VII de Toledo, año 646, lo convoca Chindasvinto. «Habiéndonos reunido en la ciudad de Toledo, en nombre de la santa Trinidad, el concilio, convocado tanto por nuestra devoción como por indicación del cristianismo y amante de Cristo, nuestro rey Chindasvinto, para determinar algunos puntos referentes a la disciplina eclesiástica» [7]. Recesvinto convoca el concilio VIII de Toledo, año 653. Se dice al principio de las actas que se celebró el año quinto de Recesvinto. Y añade: «Habiendo reunido a todos nosotros la ordenación de la voluntad divina, por mandato serenísimo del príncipe, en la basílica de los santos apóstoles Pedro y Pablo para celebrar la sagrada asamblea conciliar...» [8].

[3] M. Torres López, *La Iglesia en la España visigoda*, en *Historia de España*, dir. por M. Pidal, III (Madrid 1963) p.305.
[4] J. Vives, *Concilio III de Toledo* p.107: Mansi, 9,977.
[5] J. Vives, *Concilio IV de Toledo* p.186: Mansi, 10,614-15.
[6] J. Vives, *Concilio VI de Toledo* p.233: Mansi, 10,661.
[7] J. Vives, *Concilio VII de Toledo* p.249: Mansi, 10,763-64.
[8] J. Vives, *Concilio VIII de Toledo* p.260: Mansi, 10,1206.

Ervigio reúne los concilios XII y XIV de Toledo, años 681 y 684. Se dice al principio del XII: «En el nombre del Señor, actas sinodales del concilio Toledano XII, celebrado en la ciudad regia, era 719, el año primero del ortodoxo y serenísimo señor nuestro el rey Ervigio. Habiéndonos reunido en esta asamblea por mandato del referido príncipe... Luego dio infinitas gracias a Dios omnipotente por la reunión del concilio, porque habían cumplido su glorioso mandato de reunirse en asamblea y se habían llenado de gozo por haberse vuelto a encontrar» [9]. Prácticamente, lo mismo se dice en el concilio XIV de Toledo. «Habiendo ordenado, por mandato esforzado e invicto de su majestad el serenísimo y esclarecido príncipe Ervigio, glorioso amante de la verdadera fe e hijo amable de la Iglesia, en cumplimiento de su promesa, que nos congregáramos nosotros todos en concilio para refutar el dogma pestífero de Apolinar, acerca del cual le había dado noticias el pontífice de Roma, dio este especial decreto» [10].

El papa León II pide a los obispos españoles que se adhieran a la condena del monotelismo hecha en el concilio III de Constantinopla. La carta le llega a Ervigio cuando se acaba de disolver el concilio XIII de Toledo. El invierno, además, es muy duro, y no es fácil volver a reunir a todos los obispos. Ervigio decide entonces, y es el decreto a que alude el párrafo citado, convocar un concilio al que asistan todos los obispos de la provincia Cartaginense y al menos un representante de las demás provincias para que éstos conociesen lo acordado en Toledo y lo diesen a conocer a los demás obispos de su propia provincia, y así fuese aprobado por todos.

Afirma García Villada que «no hay más que dos concilios, el XIII y el XV, en los que no se menciona expresamente la orden de convocación por parte del rey, aunque debió de existir, como en los demás» [11]. En el caso del concilio XIII existió ciertamente. No se dice nada de la convocación al principio del concilio, pero al final, en la acción de gracias, se escribe: «También tributamos infinitas gracias al invictísimo y religiosísimo rey Ervigio, por cuyo mandato clementísimo nos hemos reunido en esta asamblea» [12].

Leemos en las primeras líneas del concilio XVI de Toledo, año 693: «Tributamos, ante todo, gracias devotísimas al Señor de todas las cosas por habernos permitido alegrarnos con el mutuo encuentro y concedernos el consuelo del beso recíproco de la paz, y con los corazones henchidos, y también con nuestras voces, le presentamos nuestras oraciones, para que del mismo modo que nos había consolado a todos nosotros concediéndonos el abrazarnos mutuamente, así también dé firmeza, por la comunicación de su fe, al serenísimo y religiosísimo ya mencionado príncipe Egica, por cuyo mandato se ha reunido esta

---

[9] J. Vives, *Concilio XII de Toledo* p.380: Mansi, 11,1023.
[10] J. Vives, *Concilio XIV de Toledo* p.441: Mansi, 11,1086-87.
[11] Z. García Villada, o.c. p.109.
[12] J. Vives, *Concilio XIII de Toledo* c.13 p.431: Mansi, 11,1075.

asamblea de nuestra fraternidad» [13]. La acción de gracias del concilio XVII de Toledo, año 694, manifiesta que tambén este concilio había sido convocado por Egica.

Es decir, de los concilios generales, el único que no sabemos con certeza quién lo convocó fue el XV. Pero muy bien podemos pensar que sería Egica, ya que se celebró durante su reinado. Una cosa llama la atención en todas las convocatorias de los concilios: es que siempre se hace alusión a la voluntad divina y a la del príncipe, como si éste fuera un intérprete de los deseos de Dios. Era el pensamiento de la época. Podemos terminar este apartado diciendo, con García Villada, que «tan fuertemente arraigado estaba este privilegio, que el rey daba y revocaba a su antojo la orden de la reunión, sin que alzara por ello la más mínima protesta» [14].

2. ASISTENCIA AL CONCILIO

Todos los interesados debían responder a la convocación del concilio. Hemos visto que los obispos tenían obligación de asistir al concilio cuando eran convocados. Debían asistir tanto al concilio general como al provincial. Ya hemos hecho alusión también a que los obispos no eran dispensados fácilmente de esta obligación. Para obtener dispensa debía existir una razón realmente grave. Los castigos impuestos a los obispos que sin razón suficiente dejasen de asistir al concilio eran bastante duros. La no asistencia era considerada como una falta contra la comunión y solidaridad que debía existir entre los obispos. A pesar de todo, el número de los obispos asistentes a los concilios oscila bastante.

Todos los obispos, pues, tenían obligación grave de asistir al concilio. También asistían algunos abades. Ciertos sacerdotes iban en representación de sus obispos legítimamente impedidos. Lo más curioso, sin embargo, es que a casi todos los concilios generales asistieron personas seglares. Eran, por lo general, nobles pertenecientes al Oficio Palatino o al Aula Regia. Los concilios de Toledo no son únicos en esto. También a los concilios galos asistían los nobles. Por eso, también sus decisiones, como en España, al ser aprobadas por el rey, pasaban a ser leyes del reino.

En el concilio III de Toledo, año 589, estuvieron presentes el rey, la reina y varios nobles. Al admitir la fórmula del concilio de Calcedonia, firma el rey: «Yo Recaredo, rey, reteniendo de corazón y afirmando de palabra esta santa y verdadera confesión, la cual, idénticamente por todo el orbe de la tierra, la confiesa la Iglesia católica, la firmé con mi mano derecha con el auxilio de Dios». Y también la reina: «Yo Bado, reina gloriosa, firmé con mi mano y de todo corazón esta fe que creí y admití» [15]. Al llegar la hora de la profesión de fe de los obispos, presbí-

---

[13] J. VIVES, *Concilio XVI de Toledo* p.482: MANSI, 12,60.
[14] Z. GARCÍA VILLADA, o.c. II p.1.ª p.109.
[15] J. VIVES, *Concilio III de Toledo* p.116: MANSI, 9,983.

teros y nobles convertidos del arrianismo, les dirigió la palabra un obispo católico. Todos ellos estaban presentes en el concilio. Además del rey y de la reina, firmaron Afrila, prócer y varón ilustre; Fonsa, varón ilustre; Afrila, varón ilustre; Aila, varón ilustre; Ela, varón ilustre. Y del mismo modo firmaron también todos los nobles del pueblo godo [16].

Sisenando se presentó al concilio IV de Toledo, año 633, «junto con sus magnificentísimos acompañantes» [17]. En el canon cuarto de este concilio se explica el orden que hay que guardar. Una vez sentados los obispos, entran los presbíteros y luego los diáconos. «Después entrarán los seglares que, según elección del concilio, sean dignos de estar presentes» [18]. Tomando estas últimas palabras literalmente, parece ser que los concilios podían admitir a los seglares que quisiesen. Naturalmente, serán distintos de los que el rey manda asistir por su propia iniciativa. Sin embargo, ninguno de estos seglares firma la actas del concilio.

Según este concilio, asistían a las sesiones sacerdotes y diáconos. La costumbre se remonta hasta el concilio de Elvira, al que asistieron diáconos. Perduraba todavía tal costumbre. El concilio de Tarragona del año 516 manda que los obispos traigan al sínodo algunos sacerdotes de la iglesia catedral, alguno de los presbíteros rurales e incluso algunos seglares fieles. Lo difícil es precisar el papel que estos sacerdotes, diáconos y laicos piadosos desempeñaban en el concilio. Seguramente que no era más que un papel consultivo, informativo y como testigos de lo que se establecía en el concilio. Ninguno de estos sacerdotes, diáconos y seglares firma las actas del concilio. Solamente lo hacían los obispos y los representantes de los obispos ausentes. Y en algunos concilios, sobre todo cuando se comienza a tratar en ellos casi exclusivamente temas políticos, firman también los nobles del Oficio Palatino.

Chintila se presenta al concilio V de Toledo, año 636, «en compañía de los nobles y señores de su palacio» [19]. Pero ni el rey ni los nobles firman las actas. En el concilio VI de Toledo, año 638, no encontramos ninguna alusión a la presencia de los seglares. Tampoco en el VII. En el concilio VIII de Toledo, año 653, se les vuelve a mencionar. Un párrafo de la alocución del rey se refiere a ellos. «Y también a vosotros, varones ilustres, que una antiquísima costumbre escogió de entre el Oficio Palatino para asistir a este santo sínodo, a los que adorna una ilustre nobleza y un sentido de equidad, os designó como cabezas del pueblo y a los que tengo como compañeros en el gobierno, leales en los contratiempos y esforzados en las prosperidades, y por los que la justicia aplica las leyes, la misericordia las suaviza y, contra el rigor de las normas, la moderación de la equidad alcanza la templanza de la ley, a vosotros os pongo por testigos y os conjuro por todo y sólo aquel admirable misterio de la única sacrosanta fe, por el que también he conjurado a la asamblea de todos los venerables Padres, a que sigáis una norma de

---

[16] Cf. ibid., p.123: Mansi, 9,989.
[17] J. Vives, *Concilio IV de Toledo* p.186: Mansi, 10,615.
[18] Ibid., c.4 p.189; Mansi, 10,617.
[19] J. Vives, *Concilio V de Toledo* p.226: Mansi, 10,653.

tanta verdad y discreción justísima, para que, no alejándoos en vuestro pensar del consentimiento de los Padres presentes y de los hombres santos, cualquier cosa que conozcáis está vecina a la inocencia, o que roza con la justicia, o que no es ajena a la piedad, o que es agradable al sólo Dios, os dignéis incluirla sin dilación, con modestia y buena intención, sabiendo que en todo aquello que sigáis mis buenos deseos os hacéis agradables a Dios, y yo, al confirmar estos vuestros decretos, por mi benevolencia me hago agradable a Dios juntamente con vosotros [20]. Firman las actas de este concilio dieciocho varones ilustres del Oficio Palatino.

Al concilio IX de Toledo, al que sólo asistieron obispos de la provincia Cartaginense, asisten y firman las actas cuatro varones ilustres del Oficio Palatino. Las actas del concilio XII de Toledo, año 681, fueron firmadas nada menos que por quince varones ilustres del Oficio Palatino. Pero, por las palabras del rey en el mensaje que dirige al concilio, parece ser que asistieron más seglares. «Acerca de los demás asuntos y negocios que deben ser instituidos por nuevas leyes, redactad lo que convenga en artículos de claro contenido, para que, toda vez que están presentes los religiosos gobernadores de las provincias y los duques de los órdenes clarísimos de toda España, conociendo por presencia personal las decisiones por vosotros promulgadas, las pongan de manifiesto en toda la amplitud de las regiones que les están encomendadas por medio de las inatacables decisiones de los tribunales, porque, habiendo asistido personalmente, comprendieron las perspicuas determinaciones de vuestra boca». Inmediatamente prosigue el rey: «Igualmente os reúno a todos: a vosotros, Padres santísimos, y a vosotros, varones ilustres del Aula Regia, a quienes nuestra alteza ha elegido para que asistáis a este concilio» [21].

Por el número de asistentes seglares y por la clase de temas tratados, se puede afirmar, como lo hace A. Echánove, que el concilio XII de Toledo «es el momento en que los concilios comienzan a tomar el desagradable aspecto de Cortes del reino» [22]. Aunque en realidad nunca fueron verdaderas Cortes. Más numerosos aún son los asistentes seglares al concilio XIII de Toledo, año 683, al menos los que firman las actas. Son veintiséis en total. Al concilio XV de Toledo, año 688, asisten diecisiete nobles. Y en el concilio XVI de Toledo, año 693, firman las actas dieciséis.

Cuando Egica leyó el mensaje dirigido al concilio XVII de Toledo, año 694, dijo: «He aquí, santísima y reverendísima asamblea episcopal de la Iglesia católica y honorable episcopado del culto divino, y también a vosotros, honra ilustre del palacio real y numerosa reunión de los magníficos varones a quienes nuestra alteza mandó que asistierais a esta honorable asamblea...» [23] Y el canon primero de este concilio legisla: «...

[20] J. Vives, *Concilio VIII de Toledo* p.265: Mansi, 10,1208-1209.
[21] J. Vives, *Concilio XII de Toledo* p.383-84: Mansi, 11,1026.
[22] A. Echánove, *Precisiones acerca de la legislación conciliar toledana sobre los judíos:* Hispania Sacra 14 (1961) p.276.
[23] J. Vives, *Concilio XVII de Toledo* p.522: Mansi, 12,93.

creemos oportuno establecer que, en el comienzo de cualquier asamblea, durante tres días dedicados al ayuno se trate entre ellos, sin la presencia de ningún seglar, del misterio de la santísima Trinidad y de otras cosas espirituales y de la enmienda de las costumbres episcopales, de tal modo que, concluidas las deliberaciones de los asuntos sobredichos en el temor del nombre divino durante tres días, con aplicación irreprochable se trate de los asuntos restantes con la ayuda de la misma santa Trinidad» [24].

¿Es que hasta entonces habían asistido los seglares a las deliberaciones sobre cuestiones de fe? ¿O se trata solamente de prevenir para que en el futuro no pudieran hacerlo? Hemos visto que, cuando los concilios son una institución estrictamente religiosa, asisten a ellos algunos seglares escogidos. «Cuando la institución conciliar adquirió nuevos caracteres en la época visigoda católica, la tradición se mantuvo, y parece evidente que se siguió dando la participación de un elemento secular, representativo del laicado cristiano, claramente diferenciado de aquellos personajes políticos o funcionarios públicos que por título muy distinto acudían a ciertas sesiones conciliares» [25]. El concilio IV de Toledo habla de su presencia. Estos seglares quedaban ahora excluidos legalmente de las reuniones celebradas los tres primeros días.

Parece ser que en los concilios había dos clases de reuniones. En una se trataría de asuntos religiosos, y en la otra, de asuntos seculares. Los nobles asistirían activamente a estas segundas. Quizá materialmente habían asistido también a las deliberaciones sobre asuntos religiosos, aunque, lógicamente, en ellas tenían pocas cosas que decir. De todos modos, en el canon se intenta que en el futuro los seglares, tanto los elegidos por el concilio, si es que todavía se respetaba la tradición, como los nobles, no estén presentes en las deliberaciones de los tres primeros días del concilio. Si se prohíbe, es porque algún seglar asistiría a tales deliberaciones, aunque no tomase parte activa. Si ahora intentan evitarlo, es porque creen que es un abuso. De todos modos, este canon, además de tardío, no debió de herir mucho a los nobles, pues los temas de discusión de los últimos concilios, como puede verse hojeando los cánones, eran casi exclusivamente políticos.

Durante todo este período, el Estado toleró y favoreció la intromisión de la Iglesia en asuntos civiles. En cambio, la Iglesia no aceptó de tan buena gana la intromisión del Estado en sus asuntos. Solamente accedió a gusto cuando se vio impotente para alcanzar sus propios fines. Un caso típico que aclara lo que hemos afirmado son las acusaciones religiosas contra Wamba. Mientras los obispos realizan, sin escrúpulos y con la anuencia regia, funciones civiles, no toleran que Wamba, por las razones que él creyera convenientes, cree obispados en pueblos donde anteriormente no había obispos.

En los primeros concilios, la actuación de los seglares fue muy limitada. En el concilio III de Toledo, año 589, se reduce a abjurar solem-

---

[24] Ibid., c.1 p.528: Mansi, 12,96-97.
[25] J. Orlandis, *La Iglesia en la España visigótica y medieval* (Pamplona 1976) p.178.

nemente del arrianismo y suscribir fórmulas de fe católica. En los siguientes concilios parece que su asistencia es meramente pasiva. No creemos que los seglares tuvieran ocasión de intervenir, y ni siquiera firman las actas. Cuanto más políticos se van haciendo los concilios, más nobles asisten a ellos. A medida que los asuntos seculares se van haciendo tema de discusión conciliar, aumentan las intervenciones de los seglares. En el concilio VIII de Toledo, año 653, ya se habla de que los Padres y los nobles sigan la misma norma, que aúnen su modo de pensar y traten de las cosas que declaran la inocencia, la justicia, la piedad, etcétera. Pero todo esto se refiere a la forma de actuar contra los conspiradores. Se pide, pues, unanimidad para resolver un tema político.

En el concilio XII de Toledo, el rey Ervigio escribe en el mensaje: «Igualmente os reúno a todos, a vosotros Padres santísimos y a vosotros varones ilustres del Aula Regia, a quienes nuesta alteza ha elegido para que asistáis a este concilio, poniendo por testigo el nombre divino y considerando el día terrible para todos del futuro juicio, para que, sin acepción alguna de personas ni favoritismo, sin un solo átomo de torcida intención ni inclinación alguna de pisotear la verdad, discutáis oralmente, con equilibrada consideración, lo que ha llegado hasta vosotros para ser fallado, y lo comprobéis también con un más equilibrado juicio, para que, habiendo tenido antes esta deliberación prudente de todos vosotros acerca de las causas que os han sido presentadas, puedan fijarse algunos artículos bien intencionados, de modo que a vosotros, a quienes el amor a la equidad os hizo fervientes en el despacho de los negocios, también la práctica de las obras justas os una para asociaros perennemente con Dios, a fin de que, contento yo con vuestras buenas obras, recoja el fruto en la presente vida y goce con vosotros de los deleites de las eternas mansiones»[26]. Todo lo que el rey les ha propuesto tratar son temas exclusivamente políticos o mixtos: el asunto oscuro de su subida al trono, la cuestión de los judíos y la situación de los castigados por su predecesor, Wamba, con la pérdida de la nobleza y el derecho a testificar por no haber respondido a la llamada al ejército.

En el concilio XIII, año 683, no se hace mención de la intervención de los seglares. Tampoco en el XV. Sí se vuelve a hacer alusión en el concilio XVI de Toledo, año 693. En el mensaje que Egica dirige a este concilio se dice: «A esto solo os conjuramos por el indistinto poder del omnipotente Dios; a vosotros, honorables obispos de Dios, y a todos los ilustres señores del Aula Regia, a los que el mandato de nuestra serenidad y la ocasión oportuna hizo que asistiesen a este concilio: que, al ventilar los referidos negocios que se presentaren a la audiencia de vuestra asamblea, no hagáis acepción alguna de personas ni de regalos, ni ninguna injuria o tibieza impida el promulgar la justicia que es Dios, sino que, fallando con la pura balanza de la justicia los pleitos judiciales y teniendo ante vuestros ojos los justos juicios de Dios, procuréis otorgar a cada uno lo que le corresponde, para que por esto alcancéis para

---

[26] J. Vives, *Concilio XII de Toledo* p.384: Mansi, 11,1026.

nuestra mansedumbre los deseados premios de la misericordia divina, y seáis honorables ante nosotros por la rectitud de vuestro juicio, y gocéis siempre ante Dios del mérito de las buenas obras» [27]. La intervención de los nobles se reduce también aquí a asuntos estrictamente políticos o mixtos. El rey, en los párrafos anteriores, ha pedido ayuda para reinar con rectitud. Se ha preocupado por la restauración de las iglesias que estaban en ruinas, no sólo porque es una falta de los obispos, sino porque es causa de que los judíos ridiculicen a la religión cristiana. Ha pedido que se persiga la idolatría y la homosexualidad. También que se legisle contra los traidores. Desea que se juzguen con rectitud las causas de los que han recurrido al concilio. El rey no pide a los nobles que intervengan en asuntos religiosos.

El mismo Egica pide al concilio XVII de Toledo que trate primero de las cosas de la santa fe. Quizá por eso legislaron los Padres que debían estar solos para tratar tales temas. El rey desea que a continuación se ponga freno a la maldad de los judíos «por medio de la asamblea general de todos vosotros y de nuestros nobles» [28]. Y repite que desea que se juzguen rectamente los pleitos de quienes han apelado al concilio.

En conclusión, podemos decir que los seglares asistieron a los concilios y tomaron parte activa cuando se trataron cuestiones civiles o mixtas. En las cuestiones religiosas parece ser que, aunque asistiesen alguna vez, eran meros oyentes. E. Pérez Pujol concede a los nobles que asisten a los concilios voto decisivo solamente en las cuestiones de carácter secular [29].

3. EL «TOMO» REGIO

El rey intervenía en el concilio. Solía presentarse ante la asamblea cuando ya ésta estaba reunida. Pronunciaba un corto discurso; en general, para dar las gracias a los Padres por haber acudido a su convocatoria. Hecho esto, el rey entregaba el «Tomo» regio y se ausentaba. No asistía a las discusiones. El «Tomo» regio era el mensaje real con el que se abrían las deliberaciones de los concilios de Toledo a partir de la conversión de Recaredo al catolicismo. En este mensaje, el monarca proponía al concilio las cuestiones espirituales, y, sobre todo, temporales que debían discutir y resolver e insinuaba orientaciones acerca de cómo debían resolverlas. Era una invitación al concilio para que afrontase los asuntos más importantes, que generalmente eran el motivo de la convocatoria. «En él viene a exponerse el índice de los asuntos, a veces de carácter muy diverso, que habían de tratarse» [30].

---

[27] J. Vives, *Concilio XVI de Toledo* p.488: Mansi, 12,63-64.
[28] J. Vives, *Concilio XVII de Toledo* p.524: Mansi, 12,95.
[29] E. Pérez Pujol, *Historia de las instituciones sociales de la España goda* vol.III (Valencia 1896) p.302.
[30] M. Torres López, *La Iglesia en la España visigoda*, en *Historia de España*, dir. por M. Pidal, III (Madrid 1963) p.305.

Normalmente, estos asuntos tenían un carácter legal o político e intentaban un fin muy concreto: corregir abusos. «Los 'Tomos' regios de los concilios puede decirse que fueron verdaderas exposiciones de principios legales generales que el rey presentaba a los obispos —y a su Aula— para que no les faltase la sanción canónica» [31]. Tales exposiciones de principios legales eran, unas veces, repetición de leyes ya existentes a las que se pretendía dar nueva fuerza, y otras veces, proposiciones de nuevas leyes que, redactadas por el concilio y después aprobadas por el rey, terminaban siendo incorporadas al código de leyes civiles. El concilio respondía a los deseos del rey y estudiaba profundamente los temas propuestos.

En realidad son los reyes quienes proponen los temas que se deben tratar en los concilios. Exactamente igual que ocurrió con la costumbre de la convocatoria, tampoco contra esta proposición de cuestiones a tratar en los concilios se levantaron protestas. Sin embargo, esto no quiere decir que única y exclusivamente se podían tratar tales cuestiones. El rey proponía las cuestiones que le interesaban y preocupaban, y los concilios siempre trataron de darlas una solución. «Por medio del 'Tomus', el rey invita al concilio a tratar de los asuntos que a la monarquía urgen e interesan en el momento de la convocatoria» [32]. No obstante, los asistentes podían proponer nuevas cuestiones. Y, sobre todo, los obispos eran muy libres de tratar los temas eclesiásticos que considerasen oportunos.

Según nuestra opinión, el «Tomo» regio no era, a veces, obra exclusiva del rey. En algunos de ellos se notan tales conocimientos teológicos, que parece imposible que el rey haya redactado una tal declaración. En el concilio III de Toledo, año 589, se dice: «fue recibido, pues, por todos los obispos de Dios el pliego de la fe sacrosanta que les presentaba el rey...» [33]. En él se explica de tal forma el misterio de la Trinidad refutando los errores arrianos, que hay que ver detrás de esta redacción la figura de algún experto en teología. Casi lo mismo podríamos decir del «Tomo» presentado por Recesvinto al concilio VIII de Toledo, el año 653, por las referencias que hace a la sagrada Escritura, a los Concilios y a los Padres.

4. Temas tratados en los concilios

Los temas tratados en los concilios son variadísimos: liturgia, sacramentos, moral, cánticos religiosos, idolatría, judaísmo, temas de justicia social, obligaciones políticas, castigos a los transgresores de las leyes, etc. Hicieron, sobre todo, un esfuerzo notable por combatir toda clase de

---

[31] M. Torres López, *Lecciones de historia del derecho español* vol.2 (Salamanca 1935) p.250.
[32] J. Moreno Casado, *Los concilios nacionales de Toledo. Iniciación de una política concordataria* (Granada 1946) p.20.
[33] J. Vives, *Concilio III de Toledo* p.108: Mansi, 9,978.

abusos y defectos tanto de carácter religioso como temporal. Lo normal es que toda clase de temas religiosos y aun mixtos sean tratados en los concilios. Lo sorprendente es el gran número de veces, sobre todo a partir del concilio XII de Toledo, año 681, que se tratan temas judiciales y políticos. Estos comienzan a hacerse numerosos en el concilio VIII de Toledo, año 653, y son casi tema exclusivo a partir del concilio XII de Toledo.

Esta facilidad en tratar temas políticos, unida a la presencia de los laicos en las asambleas, la convocación por parte del rey y su confirmación, hacía que los concilios, sin perder su significado de asambleas religiosas, adquiriesen un importante significado civil. «Los concilios, que, presididos y aun convocados por el rey, cosa no peculiar de los visigodos, no dejaron de ser tales, adquirieron por esta circunstancia un carácter político, que ha dado lugar a confusiones, y que se pone principalmente de manifiesto por la aparición en ellos, junto al rey, de su *aula;* por tratarse a veces de asuntos no religiosos, dada la circunstancia de estar reunidos los poderes verdaderos del Estado, y, finalmente, por aceptar el rey, mediante leyes confirmatorias, los acuerdos no meramente religiosos que podían afectar al orden político» [34].

A pesar de la importancia de los concilios en la vida política, es exagerado llamarles *Cortes* del reino, como ha ocurrido a veces. Contra este apelativo dado alguna vez a los concilios de Toledo, argumenta M. Marco y Cuartero que para que una asamblea se pueda llamar *Cortes* es necesario que estén representadas todas las fuerzas de la nación por cierto número de individuos suficientemente habilitados. Admite que el clero tenía sus representantes; que, además de las materias religiosas, deliberaba sobre cuestiones civiles y políticas. La nobleza, en cambio, no contaba en tales asambleas con un número suficiente de miembros, ni éstos representaban a toda su clase. Además, no había proporción entre los asistentes eclesiásticos y los civiles [35]. Lo mismo afirma E. Pérez Pujol: «El Oficio Palatino estaba muy lejos de ser una verdadera representación nacional y ni aun lograba representar de un modo genuino y completo los derechos de la nobleza» [36].

Los concilios, pues, no limitaron sus deliberaciones a materias eclesiásticas, sino que trataron temas civiles de gran importancia. Como hemos visto, no eran los obispos quienes tenían especial interés en tratar tales temas. Eran los mismos reyes quienes pedían ayuda para solucionarlos. Recesvinto pide al concilio VIII de Toledo, año 653: «Todo aquello que en los textos legales os parezca corrompido, o superfluo, o indebidamente conservado, con la aprobación de nuestra serenidad, lo reforméis de acuerdo con la verdadera justicia y las necesidades de la vida; aclaréis con inteligencia meridiana algunas de las oscuridades y dudas de los corazones, y de tal modo os esforcéis por decidir con templanza y

---

[34] M. Torres López, *Lecciones de historia del derecho español* II (Salamanca 1935) p.250.
[35] Cf. M. Marco y Cuartero, *Los concilios de Toledo* (Madrid 1856) p.9.
[36] E. Pérez Pujol, *Historia de las instituciones sociales de la España goda* III (Valencia 1896) p.329.

piedad de acuerdo con las normas de nuestros mayores, todas las reclamaciones de cualquier tipo y las cuestiones acerca de las órdenes que fueron llevadas a vuestra presencia, que a mí, anhelante de participar en el fruto de las buenas intenciones, me toque la suerte de los bienaventurados, y a vosotros, que no habéis desoído mis súplicas, os acoja la patria de la eterna bienaventuranza y la visión de la divina felicidad os acompañe eternamente» [37]. Recesvinto da al concilio toda clase de poderes, reservándose el derecho de aprobar lo que en él se decida en lo que respecta a la creación de nuevas leyes, reforma de las existentes, aclaración de aquellas leyes que no sean lo suficientemente claras y el poder de hacer justicia en las causas que hayan sido llevadas al concilio.

No fue éste un caso aislado, porque Ervigio hace una petición semejante al concilio XII de Toledo, año 681. «Y también os ruego de una manera general lo siguiente: que cuanto en las leyes de nuestra gloria parezca absurdo o contrario a la justicia, sea corregido por vuestro parecer unánime. Acerca de los demás asuntos y negocios que deben ser instituidos por nuevas leyes, redactad lo que convenga en artículos de claro contenido, para que toda vez que están presentes los religiosos gobernadores de las provincias y los duques de los órdenes clarísimos de toda España, conociendo por presencia personal las decisiones por vosotros promulgadas, las pongan de manifiesto en toda la amplitud de las regiones que les están encomendadas por medio de las inatacables decisiones de los tribunales, porque, habiendo asistido personalmente, comprendieron las conspicuas determinaciones de vuestra boca» [38]. Poco añade, como puede verse, la petición de Ervigio a la ya hecha por Recesvinto. Quizá lo único es que exige más claramente que se formulen nuevas leyes.

Egica hizo al concilio XVI de Toledo, año 693, la siguiente petición: «Toda vez que gobernáis con exquisita vigilancia la Iglesia santa católica, me ayudéis en mis deseos y me otorguéis vuestro precioso auxilio, por los méritos de vuestro pontificado, en el gobierno de los pueblos, y aportéis el refuerzo de vuestros consejos, para que pueda, confiado en la ayuda de vuestra santidad, seguir reinando en paz y gobernar con piadosa y discreta moderación a la nación que me ha sido encomendada» [39]. No se olvida tampoco de pedir al concilio que se ocupe de las leyes civiles. «Y todas las cosas que en los cánones o en las leyes civiles se hallen menos acertadas o se ve claramente que han de resultar superfluas o perjudiciales, poniéndoos de acuerdo con nuestra serenidad, reformadlas en un mediodía resplandeciente, quedando inmutable en todo caso lo prescrito en las leyes que desde el tiempo del predecesor y señor nuestro el rey Chindasvinto, de feliz memoria, hasta los años del señor y príncipe Wamba, inspiradas en la razón, se sabe que contribuyeron a una sincera justicia y a mejor resolución de los litigios» [40].

[37] J. Vives, *Concilio VIII de Toledo* p.264-65: Mansi, 10,1208.
[38] Vives, *Concilio XII de Toledo* p.383-84: Mansi, 11,1026.
[39] J. Vives, *Concilio XVI de Toledo* p.484: Mansi, 12,61.
[40] Ibid., p.487: Mansi, 12,63.

Egica, como antes lo había hecho Recesvinto, pone algunas restricciones al concilio. En primer lugar hay que contar con la opinión del rey en la reforma de las leyes. En segundo lugar no permite que se toquen algunas leyes ya existentes. Así, deja al concilio menos libertad que la que había concedido Ervigio al concilio XII de Toledo. Claro que Ervigio se presentó al concilio en condiciones más precarias y tenía que atraerse la voluntad de todos los obispos y grandes del reino. No solamente en la reforma teórica de las leyes el rey daba un margen de libertad y pedía ayuda al concilio. También pide apoyo político para gobernar y exige la solución concreta y justa de los casos judiciales presentados al concilio. Las apelaciones al concilio no eran raras. Podía hacerlo todo el que no estaba conforme con la sentencia del juez secular o del obispo. Por otra parte, el concilio, por asistir a él también nobles seglares, era un tribunal mixto. Podía, por tanto, dictar toda clase de sentencias, aun aquellas que no se permitían a un obispo en particular. A este tribunal no le faltaba ni la sabiduría en las deliberaciones ni la fuerza civil para hacer cumplir la sentencia.

Recesvinto pide al concilio no sólo la reforma de las leyes, sino que, después de conjurarle por la Trinidad, exige que «cualquier causa que llegare a vuestros oídos a través de las reclamaciones de quienquiera que sea, la decidáis de acuerdo con nosotros, empleando el rigor de la justicia misericordiosamente y la templanza de la misericordia justísimamente» [41]. Pero tampoco en este asunto deja Recesvinto completa libertad al concilio. La sentencia debe darla de acuerdo con el rey. Prácticamente, lo mismo exige Ervigio al concilio XII de Toledo, año 681. «Igualmente os reúno a todos; a vosotros, Padres santísimos, y a vosotros, varones ilustres del Aula Regia, a quienes nuestra alteza ha elegido para que asistáis a este concilio, poniendo por testigo al nombre divino y considerando el día terrible para todos del futuro juicio, para que, sin acepción alguna de personas ni favoritismo, sin un solo átomo de torcida intención ni inclinación alguna de pisotear la verdad, discutáis oralmente con equilibrada consideración lo que ha llegado hasta vosotros para ser fallado, y lo comprobéis también con un más equilibrado juicio, para que, habiendo tenido antes esta deliberación prudente de todos vosotros acerca de las causas que os han sido presentadas, puedan fijarse algunos artículos bien intencionados, de modo que a vosotros, a quienes el amor a la equidad os hizo fervientes en el despacho de los negocios, también la práctica de las obras justas os una para asociaros perennemente a Dios, a fin de que, contento yo con vuestras buenas obras, recoja el fruto en la presente vida y goce con vosotros de los deleites de las mansiones eternas» [42].

También en este punto Ervigio deja más libertad al concilio que la concedida por Recesvinto. No habla para nada del acuerdo que debe haber entre la sentencia del concilio y la del rey. A juzgar por las palabras transcritas, el concilio era completamente libre para emitir cual-

[41] J. Vives, *Concilio VIII de Toledo* p.264: Mansi, 10,1208.
[42] J. Vives, *Concilio XII de Toledo* p.384: Mansi, 11,1026.

quier clase de sentencia. El rey, explícitamente, no se reserva ninguna intervención. Toda la responsabilidad de los juicios recaería así sobre el concilio. No ocurría lo mismo con los artículos que redactasen para obtener valor civil. Estos debían ser aprobados por el rey.

Igual petición y semejantes conjuros hace Egica a los asistentes a los concilios XV y XVI de Toledo. En su mensaje al concilio XV de Toledo hace alusión a aquellos a quienes las represiones de Ervigio inhabilitaron para reclamar. Pide al concilio que resuelva el caso de estas personas. Pide que el concilio falle todos los asuntos judiciales que se hayan presentado y les conjura para que nada les aparte de la justicia. Los asistentes al Concilio son los llamados a juzgar las reclamaciones de los pueblos y las acciones de los hombres malvados [43].

Llama la atención, en primer lugar, que sobre este tema hagan los reyes tantos y tan graves conjuros, sobre todo recordando a los Padres el día del juicio final, para que sean rectos en sus juicios. Era una cuestión que, por lo visto, interesaba mucho a los reyes. Prácticamente vienen a decir que de ellos dependía su salvación eterna y su justo o injusto reinado sobre la nación. Otra cosa que llama poderosamente la atención son las continuas amonestaciones para que los asistentes al concilio no se dejasen corromper con regalos. Los reyes les recuerdan que ni los favoritismos ni la acepción de personas deben ser obstáculos para emitir una sentencia justa. Quizá eran demasiado frecuentes los casos de corrupción de los jueces. Al hablar del fallo de la legislación antijudía, veremos que, en parte, fracasó porque el dinero de los judíos hizo que las leyes no se cumpliesen al pie de la letra. Los jueces obran mal no sólo emitiendo una sentencia injusta, sino también cuando aplazan los juicios sin motivo alguno. Afirma San Isidoro: «A menudo, los malos jueces, movidos de su codicia, o aplazan o corrompen el juicio y no terminan los asuntos promovidos por las partes hasta vaciar los bolsillos de los litigantes» [44].

El mensaje de Egica al concilio XVII de Toledo, como antes en el XVI, habla casi exclusivamente de dos temas: los judíos y los traidores. El rey había descubierto «los manejos a que se dedicaban los judíos visigóticos, de acuerdo con los que se habían refugiado en el norte de Africa para facilitar a los árabes la invasión de nuestra Península» [45]. Es natural que sea ésta la causa de que Egica exija la aplicación estricta de las leyes. «No creemos que se pueda dudar de la existencia de esta conjura, pues en otro caso quedaría sin explicación ninguna el cambio de actitud de Egica para con los judíos, ya que en los primeros años de su reinado se caracterizó precisamente por su tolerancia. Creemos que no hay necesidad alguna de hablar de fanatismo para comprender la actitud de Egica» [46].

De esta forma, tanto los judíos como los traidores estaban implica-

[43] Cf. J. Vives, *Concilio XVI de Toledo* p.487-88: Mansi, 12,63.
[44] San Isidoro, *Sentencias* III 52,11: ML 83,725.
[45] M. Torres López, *El reino hispano-visigodo*, en *Historia de España*, dir. por M. Pidal, III p.132.
[46] Ibid., p.132.

dos en delitos de lesa majestad. Quizá por eso no se hace ninguna alusión a la opinión real en tales juicios. Recordemos que en este mismo concilio, al hablar de la reforma de las leyes, el rey exigía un acuerdo entre lo que dictaminase el concilio y el pensamiento del rey. Ahora, en la cuestión práctica del juicio de tales personas, Egica parece dejar completa libertad al concilio. Para explicar esto recordemos que el concilio IV de Toledo había pedido a Sisenando y a los futuros reyes que no actuasen como jueces únicos en las causas capitales y civiles, para que resplandeciera más la justicia y las penas no pareciesen una venganza personal.

Egica deja el castigo de tales culpas en manos del concilio. Va más allá de lo que pedía el concilio IV de Toledo. Ni siquiera forma parte del tribunal. Las traiciones y los manejos de los judíos tenían conmovida la opinión pública. Podía estar seguro de que los castigos iban a ser ejemplares. Egica habla claramente en su mensaje de las actuaciones políticas de los judíos. «Fortísimas razones obligan a nuestra gloria a oponerse a los judíos con todas nuestras fuerzas, porque se afirma que, en algunas partes del mundo, algunos se han rebelado contra sus príncipes cristianos y muchos de ellos fueron muertos por los reyes cristianos por justo juicio de Dios, y sobre todo porque poco ha, por confesiones inequívocas y sin género alguno de duda, hemos sabido que éstos han aconsejado a los otros judíos de las regiones ultramarinas para todos, de común acuerdo, combatir al pueblo cristiano, deseando la hora de la perdición de éste para arruinar la misma fe cristiana; todo lo cual os será patente por las mismas confesiones que os van a ser dadas a conocer» [47]. Egica deseaba que se hiciese justicia a todos. Pero espera que los juicios y decisiones del concilio sean tales, que arranquen de raíz tal maldad. Sin embargo, Egica no desea penas excesivamente duras. Pide oraciones a los Padres para que en adelante nadie cometa tales faltas y no sea necesaria la aplicación de la justicia. No desea que muera ninguno de sus súbditos. Le interesa que todos cooperen para lograr la prosperidad del pueblo y de la patria, siempre en peligro por tales intrigas.

Las palabras de Egica nos dan a conocer que las conspiraciones contra los reyes eran frecuentísimas. Por eso no es extraño que sea ésta una gran preocupación, unida a la ya tradicional del problema judío, y más aún cuando éstos comenzaron a tomar represalias políticas. No es extraño tampoco que los reyes intentasen resolver tales problemas con la ayuda de los concilios. Eran su único apoyo seguro. De ahí que en los últimos años de la monarquía visigoda se conviertan estos temas en una obsesión de reyes y concilios, suplantando a los temas religiosos, que normalmente deberían haber sido las cuestiones discutidas. No quiere decir esto que se olvidasen los asuntos religiosos de una cierta importancia para la buena marcha de la Iglesia. En los concilios provinciales se nota mucho menos la influencia de la política y los temas en ellos tratados son eminentemente religiosos.

---

[47] J. Vives, *Concilio XVII de Toledo* p.524: Mansi, 12,94.

5. Los concilios son fuentes de derecho eclesiástico

La Iglesia visigótica se rigió, como es natural, por las epístolas pontificias. Es cierto que las dirigidas directamente a los obispos españoles son muy escasas. «Es, sin embargo, indudable que algunas existieron y se han conservado, o, al menos, hay noticia de ellas, e igualmente es evidente que en las colecciones canónicas visigóticas se recogieron abundantemente las decretales o epístolas pontificias anteriores a su redacción utilizando colecciones anteriores» [48].

También se admitieron en el régimen de la Iglesia visigótica los cánones de los concilios ecuménicos. En los concilios de Toledo se hace alusión con frecuencia a dichos concilios. Los concilios celebrados en esta época fueron conocidos y recibidos por la Iglesia visigoda y admitidos sus cánones en las colecciones canónicas españolas. No sólo se admitieron los cánones de los concilios ecuménicos. Se admitieron también cánones de concilios celebrados en otras iglesias locales, sobre todo de la Galia y del norte de Africa. Aunque no es fácil determinar cuándo fueron recibidos en España.

Ya hemos dicho que los concilios generales de Toledo se reunían para resolver problemas importantes para toda la Iglesia española. De ahí que también éstos fueran fuente de derecho para la Iglesia visigótica. Cada uno de los cánones era una regla que obligaba en conciencia para la buena marcha de la Iglesia. Las penas impuestas a quienes no los cumplían eran correlativas a la importancia de lo establecido en el canon. Se hacen, además, muchas alusiones a cánones de concilios anteriores, casi siempre para reforzarlos y exigir su cumplimiento. Todo esto nos lleva a admitir que en la legislación de los concilios se tenía en cuenta lo legislado en los anteriores. Esto no era difícil gracias a las colecciones canónicas.

La existencia de estas colecciones viene atestiguada por varios concilios. Se dice en el concilio I de Braga, año 561: «Se leyeron del códice, delante del concilio, tanto los cánones de los concilios generales como de los particulares» [49]. Y en el concilio IV de Toledo, año 633, se legisla al establecer la fórmula según la cual se debe celebrar el concilio: «Y, sentados todos en sus lugares en silencio, el diácono, vestido con el alba, abriendo en medio de ellos el libro de los cánones, leerá en voz alta los capítulos referentes a la celebración de los concilios» [50]. De todas las colecciones existentes en España, la más famosa es, sin duda, la llamada *Hispana*, la *Collectio canonum ecclesiae Hispanae*.

Esta famosa colección ha sido atribuida a San Isidoro, pero no hay pruebas concluyentes para afirmarlo. «La primera redacción contenía un prefacio, un índice, los concilios griegos y los africanos, los cánones de diez concilios galos y de catorce españoles, el último de los cuales es

<hr />

[48] M. Torres López, *La Iglesia en la España visigoda*, en *Historia de España*, dir. por M. Pidal, III p.309.
[49] J. Vives, *Concilio I de Braga* p.70: Mansi, 9,776.
[50] J. Vives, *Concilio IV de Toledo* c.4 p.190: Mansi, 10,617-18.

el concilio IV de Toledo; los *Capitula Martini,* las *Sentencias,* atribuidas al concilio de Agde, y 104 decretales. En su estado definitivo —téngase en cuenta que fue adicionada en su parte conciliar—, reflejado en la mayor parte de los manuscritos, contiene también la *Definitio fidei* del VI concilio ecuménico en la versión enviada a España por León II, seguida de cinco epístolas pontificias, varios concilios galos hasta el V de Orleáns, del año 549, y la serie completa de los hispanos, más algunos documentos referentes al II y III de Toledo, que no aparecían en la redacción primitiva» [51].

Como esta colección no era manejable, se redactó una especie de resumen, dividido en seis libros, a los que luego se añadieron otros cuatro. Y para facilitar más aún el uso de estas colecciones, los cánones comenzaron a clasificarse no por orden cronológico, sino según su contenido. Es lo que se llamó *Excerpta canonum.* Estas colecciones eran una especie de derecho canónico por el que se regía la Iglesia española.

6. Lazo de unión entre la Iglesia y el Estado

Los concilios de Toledo eran las reuniones donde se discutían las más importantes cuestiones religiosas y políticas. Y donde se llevaba a su más alto grado la unión entre la Iglesia y el Estado iniciada por Recaredo. «La conversión de Recaredo inició una relación estrecha, íntima, entre la Iglesia y el Estado, que, examinada justamente y a la luz de las ideas de la época, no permite, sin embargo, ni llamar nacional a la Iglesia visigótica del siglo VII, en el sentido de ser Iglesia dirigida y gobernada por el monarca, ni teocrático al Estado visigótico, en el sentido translaticio de dicho término, y queriendo significar con él que la Iglesia —los obispos y los concilios— tuviese realmente las riendas del gobierno y de la vida política y jurídica del Estado según los principios constitutivos del mismo» [52].

En aquella época no existe el problema del predominio, sino el de la cooperación para lograr ambos, Iglesia y Estado, sus propios fines. Ni uno ni otro dudan en pedirse ayuda. En los concilios se estudian los problemas más importantes y se buscan conjuntamente las soluciones más adecuadas. «La Iglesia y el Estado colaboran y se ayudan en el cumplimiento de sus respectivos fines. La Iglesia, por medio de sus obispos, más cultos normalmente que los reyes y los laicos en general, suministra ideas políticas y bases para normas le derecho, y todo ello como natural consecuencia de su superior cultura, pero sin que ello autorice a afirmar que la Iglesia imponga sus doctrinas y domine al Estado. Este presta a la Iglesia su ayuda, legisla para ella y en armonía con ella ejercita derechos —por medio del rey, encarnación del Estado—; derechos que para la época, y dadas las ideas dominantes

---

[51] M. Torres López, *La Iglesia en la España visigoda,* en *Historia de España,* dir. por M. Pidal, III p.311.
[52] Ibid., p.302.

—ideas que tienen su origen en el imperio romano y en sus relaciones con la Iglesia desde Constantino—, ni sorprenden ni suponen una intromisión abusiva del monarca en la esfera propia de la Iglesia» [53]. Tampoco se consideraba abusiva la intromisión de la Iglesia en asuntos civiles. La razón de esas injerencias mutuas es que entonces no existe oposición entre los fines de la Iglesia y los del Estado. Ambos se complementan mutuamente. Es en los concilios de Toledo donde más se nota la intromisión del Estado en asuntos eclesiásticos y de la Iglesia en asuntos civiles. Claro que entonces la distinción no era tan clara como nos puede parecer hoy.

Precisamente por ser el lazo de unión entre la Iglesia y el Estado emanaban del concilio cánones y leyes, o principios de leyes civiles, que prácticamente eran idénticos. Así, encontramos cánones y leyes civiles con el mismo contenido. La razón de esto la da J. Moreno Casado: «Cánones y leyes civiles, con un mismo contenido, no son otra cosa sino expresión de la voluntad concorde de las dos potestades» [54]. En los concilios de Toledo, la Iglesia y el Estado se ponen de acuerdo para legislar sobre las más diversas cuestiones que afectaban a la nación. El problema más importante era la misma legislación por la que se debía regir todo el pueblo visigodo.

El rey desempeña un papel importante en los concilios, asisten laicos, etc. Con razón afirma J. Moreno Casado: «Claramente aparecen en estos hechos —convocatoria del concilio, intervención de laicos en sus tareas, presentación del Tomo regio— la participación del poder civil en asuntos eclesiásticos, más acentuada en otros aspectos, según hemos de ver, así como la Iglesia también interviene en cuestiones por completo ajenas a las que hoy estimamos que le incumben» [55]. Por otra parte, los concilios de Toledo eran la gran ocasión que se brindaba al clero de intervenir en asuntos civiles. El clero participaba en el gobierno y administración del Estado. Lo hacía por petición expresa del rey. El mismo Recaredo pide a los Padres en su alocución al concilio III de Toledo, año 589: «Por lo demás, y para extirpar las costumbres de los insolentes, de acuerdo nuestra clemencia con vosotros, determinad en severas disposiciones, y prohibid con una disciplina más rígida aquellas cosas que no deben tolerarse, y confirmad con una norma inmutable aquellas cosas que deben ser hechas» [56].

San Isidoro fue uno de los que más contribuyeron al esclarecimiento de conceptos legales. «El libro V de las *Etimologías* es un alarde de esos conocimientos. Con singular maestría esclarece allí el metropolitano de Sevilla los conceptos de ley (divina y humana), de derecho (natural, civil y de gentes), de costumbre y privilegio, de las cualidades que han de

---

[53] Ibid., p.302.
[54] J. MORENO CASADO, *Los concilios nacionales de Toledo. Iniciación de una política concordataria* (Granada 1946) p.31.
[55] Ibid., p.19.
[56] J. VIVES, *Concilio III de Toledo* p.124: MANSI, 9,990.

tener las leyes para que sean provechosas al pueblo, de los juicios con todos sus formalidades, de los crímenes y de las sanciones penales» [57].

El código de leyes civiles se había engrandecido poco a poco. Sisebuto, Sisenando y Chintila lo aumentan con algunas leyes. Más leyes dictó Chindasvinto sobre las más variadas materias de derecho público y privado, «planteando y resolviendo innumerables cuestiones que afectan a los órdenes político, civil, penal y a la organización y procedimientos judiciales» [58]. Recesvinto intentó ordenar todo este volumen de leyes. Y se lo pidió al concilio VIII de Toledo. «... y todo aquello que en los textos legales os parezca corrompido o superfluo o indebidamente conservado, con la aprobación de nuestra serenidad, lo reforméis de acuerdo con la verdadera justicia y las necesidades de la vida» [59].

El rey deseaba una revisión de las leyes. El concilio legisló sobre los temas que el rey deseaba. Pero no llevó a cabo la revisión completa del código. Al menos no aparece en las actas. García Villada da por seguro que «los Padres, accediendo a la petición del soberano, nombrarían una ponencia que atendiera a su redacción definitiva» [60]. Es, desde luego, una suposición. Lo que sí es cierto es que San Braulio trabajó personalmente en la revisión y enmiendas del código civil. El mismo Recesvinto se lo envió para que lo corrigiera. San Braulio, disculpándose de su tardanza, se queja de que eran tantas las faltas que tenía el códice, que hubiera sido mejor escribirlo todo de nuevo [61].

Pero Recesvinto no deseaba sólo una corrección literal del libro. Más que nada, quería que San Braulio lo ordenase y dividiese en títulos. San Braulio lo hizo a pesar de todas las dificultades. Cuando Recesvinto promulgó en el año 654 el código con el nombre de *Liber iudiciorum*, al presentarlo al pueblo declaraba que había sido compuesto por el Oficio Palatino y los sacerdotes del Señor [62]. No hay duda de que la colaboración de los obispos fue esencial para la confección del *Liber iudiciorum*. Muchas de las leyes dadas en los concilios fueron pasando poco a poco al código civil. «En cuanto al fondo, la labor de los juristas eclesiásticos se manifestó corrigiendo unas leyes, eliminando las inadecuadas o superfluas y adicionando otras» [63].

Es, en definitiva, lo que pedían los reyes a los Padres cuando les rogaron que revisasen las leyes de la nación. A partir del concilio VIII de Toledo, año 653, los concilios legislan sobre las más diversas materias civiles, y siempre a petición de los mismos reyes. Los concilios ayudaban a los reyes a gobernar, cooperaban en la elaboración de las leyes y eran un tribunal mixto en el que se fallaban las causas de todo tipo que se presentaban al mismo Concilio.

---

[57] Z. García Villada, *Historia eclesiástica de España* II p.1.ª (Madrid 1932) p.184.
[58] Ibid., p.186.
[59] J. Vives, *Concilio VIII de Toledo* p.264: Mansi, 10,1208.
[60] Z. García Villada, o.c. II p.2.ª p.187.
[61] Cf. E. Flórez, *España sagrada* t.30 (Madrid 1775) p.374-75.
[62] Cf. K. Zeumer, *Leges nationum germanicarum* I: Mon. Ger. Hist., *Leges visigothorum* II 1,5.
[63] Z. García Villada, o.c. II p.2.ª p.188.

Creemos, por tanto, que la unión más íntima entre la Iglesia y el Estado se daba en los concilios de Toledo, y, sobre todo, en la acción legislativa de éstos. Ambos se esmeraban en lograr unas leyes justas. El Estado sometía las leyes civiles a la opinión del concilio. La Iglesia, en cambio, aceptaba que el Estado, y, sobre todo, el rey, interviniese en asuntos estrictamente eclesiásticos. Los resultados de la cooperación entre la Iglesia y el Estado fueron bastante buenos. La sabiduría de los obispos y el poder espiritual de la Iglesia fue fundamental para el sostenimiento del poder político. Es cierto que tuvo algunos inconvenientes, pero en aquella época eran inevitables. No era fácil llevar a la práctica los ideales expuestos en las leyes. La unión entre la Iglesia y el Estado llevó al reino a un grado de civilización y cultura muy alto para aquella época [64].

7. Confirmación de los concilios

Las actas de los concilios eran firmadas al final por todos los asistentes. Esas firmas de los obispos confirmaban lo acordado. A veces, los obispos «hacían la confirmación por medio de una fórmula que se puede decir que estaba estereotipada» [65]. Pero esto no excluía que los obispos firmasen las actas. En el concilio IV de Toledo aparece esa fórmula en la que los obispos dan fuerza de ley a los cánones que acaban de redactar. «Acordado, pues, lo que ha sido reseñado más arriba, y con la anuencia del religiosísimo príncipe, tuvimos por bien que bajo ningún pretexto se viole por ninguno de nosotros lo que ha sido establecido, sino que con acertado parecer se guarde todo ello. Todo lo cual, por ser conveniente para utilidad de nuestra alma, lo confirmamos y damos perennidad con nuestra propia firma» [66]. Casi igual es la fórmula empleada en los concilios XII y XIII de Toledo.

En esta fórmula se hace alusión a la anuencia regia en la confirmación de los concilios. Es que uno de los derechos que tenía el rey era el de confirmar los concilios. Es cierto que, en los temas estrictamente eclesiásticos, el valor real de los cánones no aumentaba por el hecho de ser confirmados por el rey, pero podía ser urgido su cumplimiento aun con penas temporales. Pero el rey era libre para confirmar o no los concilios. De hecho, una ley expresa en confirmación del concilio la encontramos sólo en el III, XII, XIII, XV, XVI y XVII. Es curioso que falte en el IV-VIII, la época de equilibrio entre los poderes eclesiásticos y civiles. Las leyes de confirmación de concilios son las leyes que dan los reyes para confirmar los cánones dados en un determinado concilio para hacer que tuvieran valor civil. Así resultaba que las leyes civiles, que se redactaban también en forma de cánones, podían ser exigidas con penas eclesiásticas. Y las leyes estrictamente eclesiásticas, al ser

[64] Cf. A. K. Ziegler, *Church and State in visigothic Spain* (Wáshington 1930) p.132-33.
[65] Z. García Villada, o.c. II p.1.ª p.120.
[66] J. Vives, *Concilio IV de Toledo* p.221-22; Mansi, 10,641.

aprobadas por el rey, adquirían valor civil, y los transgresores castigados con penas temporales. De esta forma se daba una fuerza especial tanto a los cánones como a las leyes civiles.

Recaredo firmó las actas del concilio III de Toledo. Y publicó una ley confirmando todo el concilio. «El gloriosísimo y piadosísimo señor nuestro rey Recaredo: La divina verdad, que nos hizo amantes de todos los súbditos sometidos a nuestro real poder, inspiró primeramente en nuestro corazón el que mandáramos presentarse a nuestra alteza a todos los obispos de España para restaurar la fe y disciplina eclesiástica. Y, habiendo deliberado con toda cautela y diligencia, sabemos que se ha determinado, con maduro sentido y profunda inteligencia, cuanto toca a la enmienda de las costumbres y a la conservación de la fe; por lo tanto, mandamos con nuestra autoridad a todos los hombres sometidos a nuestro reinado que a nadie le sea permitido despreciar y que ninguno se atreva a prescindir de nada de cuanto ha sido establecido en este santo concilio, celebrado en la ciudad de Toledo el año cuarto de nuestro feliz reinado. Pues las determinaciones que tanto han agradado a nuestros oídos y que tan de acuerdo con la disciplina eclesiástica han sido establecidas por el presente concilio, sean observadas y se mantengan en vigor tanto para los clérigos, como para los laicos, como para cualquier clase de hombres» [67]. Sigue después un resumen de los 23 cánones redactados y las penas a imponer a los transgresores. Si es clérigo, debe ser excomulgado. Si el transgresor es un laico de elevada posición, debe entregar al fisco la mitad de sus bienes. Si es de categoría inferior, perderá todos sus bienes y enviado al exilio.

El que exista una ley para confirmar el concilio III de Toledo no debe extrañar demasiado. Es un acontecimiento especial en la historia de España. Algunos concilios merovingios habían sido confirmados por los reyes. Lo mismo habían hecho los emperadores. Teodosio, Teodosio II y Marciano habían confirmado lo establecido en los concilios I de Constantinopla, el de Efeso y el de Calcedonia. Quizá trataban los Padres de comparar el concilio de Toledo a esos grandes acontecimientos eclesiales. La confirmación del rey significaba la ratificación de su conversión y la de todo su pueblo y daba un carácter civil y social a esa conversión y a todo lo que se había tratado en el concilio. El catolicismo pasaba así a ser la religión oficial.

Hasta el concilio VIII de Toledo, año 653, no se vuelve a encontrar una alusión a la confirmación regia de los concilios. Pero no existe ninguna ley en confirmación del concilio. Recesvinto había prometido en el mensaje dirigido al concilio aprobar y ejecutar todo lo que en él se decidiese. «Os prometo, verdadera e incondicionalmente, mi asentimiento para que cualquier cosa conforme a la justicia, a la piedad o a la conveniente discreción que quisiereis decretar o cumplir de acuerdo con nosotros, todo lo llevaré a cabo con el favor de Dios, y lo confirmaré y lo defenderé contra toda queja y oposición con la autoridad

---

[67] J. Vives, *Concilio III de Toledo* p.133-34: Mansi, 9,999-1000.

real» [68]. Pero Recesvinto, no sabemos por qué, no cumplió su promesa y no hay ley de confirmación.

No volvemos a encontrar una ley que confirme en bloque todo lo establecido en un concilio hasta el XII de Toledo, año 681. Quizá la razón principal fuera que Ervigio quería dar valor civil a todo lo que el concilio había legislado contra la persona y la obra de su predecesor, Wamba, y legitimar así civilmente su subida al trono. Es decir, lo confirma por razones exclusivamente políticas. Lo mismo podemos decir de los siguientes concilios confirmados por los reyes. Es la época en que los reyes tienen que apoyarse en la Iglesia para poder gobernar y mantenerse en el trono. Inmediatamente después del mensaje regio y antes de los cánones del concilio aparecen las siguientes palabras de Ervigio: «Gran provecho se adquiere para los pueblos y para el reino de nuestra raza si estos decretos de las reuniones sinodales, así como han sido redactados en el favor de nuestra devoción, del mismo modo también se vean confirmados con la eficaz aprobación de nuestra ley indestructible, para que aquello que por mandato serenísimo de nuestra alteza ha sido promulgado en forma de diversos capítulos por los venerables Padres y clarísimos señores de nuestro palacio, sea defendido de los contrarios por el edicto de esta nuestra presente ley, y esta ley no es otra cosa que los mismos cánones distribuidos en títulos de la siguiente manera...» [69] A continuación vienen los cánones del concilio con sus correspondientes títulos y las firmas de los obispos.

Sigue inmediatamente después el decreto de confirmación dado por el rey. «Y, habiendo sido decretados y terminados todos estos acuerdos sinodales, les damos la debida reverencia y honor y procuramos unir a ellos la patente confirmación de nuestra autoridad, y, por lo tanto, ninguno, desde el día de hoy, esto es, desde el 25 de enero del año primero de nuestro reinado, se atreva a despreciar estas determinaciones conciliares, ninguno deje de observarlas y ninguno se atreva a pisotear los derechos de las mismas constituciones. Ningún temerario se opondrá a estos decretos, ni ningún presuntuoso o despreciador quitará la fuerza de ley a estas constituciones; sino que por todos y en todas las provincias de nuestro reino tendrán fuerza de ley, en virtud de la autoridad regia, estas decisiones de los cánones promulgadas en los tiempos de nuestra gloria, y serán tenidas bien presentes, tal como han sido redactadas en todas las provincias de nuestro reino, por la protección irrevocable de los tribunales. Si alguno viola estos estatutos, tenga entendido que él mismo se condena como violador; esto es, que, según la voluntad de nuestra majestad, queda excomulgado de nuestra asamblea y además perderá la décima parte de todos sus bienes, que será aplicada al fisco. Y, si no tuviere bienes de donde poder cobrar la sanción pecuniaria antedicha, sin que esto signifique ninguna infamia para sí, será azotado con 50 golpes. Fue dada esta ley, en confirmación del concilio de Toledo, el día 25 de enero del año primero del feliz reinado de

[68] J. Vives, *Concilio VIII de Toledo* p.265-66: Mansi, 10,1209.
[69] J. Vives, *Concilio XII de Toledo* p.384-85: Mansi, 11,1040.

nuestra majestad. En el nombre del Señor, yo Flavio Ervigio, rey, firmé este edicto de nuestra ley, promulgado en confirmación de este concilio»[70].

No tiene nada de extraño este interés de promulgar en bloque todos los cánones del concilio. El primer beneficiado era el propio rey Ervigio, que así robustecía su posición en la nación frente a los partidarios del depuesto Wamba. El máximo empeño del concilio fue legitimar la subida al trono de Ervigio. La Iglesia se ponía al lado de Ervigio. Como si esto no fuera suficiente, los Padres del concilio XIII de Toledo, año 683, vuelven a confirmar lo establecido en el concilio XII de Toledo. Ervigio confirma también solemnemente las actas del concilio XIII. El decreto es prácticamente idéntico al que dio para confirmar las actas del concilio XII de Toledo en cuanto a su obligatoriedad, su extensión y al castigo que impone a los transgresores.

Egica promulgó una ley para confirmar el concilio XV de Toledo. Usa una fórmula más breve que las anteriores. «Prestando nuestro favor a las diversas y distinguidas actas sinodales compuestas durante nuestro reinado, de las cuales hemos podido beber la abundante doctrina sacrosanta de la fe y por las que hemos sabido que ha sido rota la cadena del juramento indisoluble, decretamos por esta ley que promulgamos lo siguiente: que todo aquello que ha sido establecido con fuerza de ley estable por los cánones, se observe por todos con atento y diligente esmero. Y si alguno quisiere oponerse a estas decisiones, perderá la décima parte de sus bienes y además quedará excomulgado»[71]. En este concilio sólo se trataron prácticamente dos cuestiones: la de la respuesta enviada por San Julián a Roma, en nombre de todo el episcopado español, para unirse a la condena del monotelismo y la petición que había hecho el mismo Egica para verse libre del juramento hecho a Ervigio de ayudar siempre a sus hijos.

Egica confirmó también las decisiones del concilio XVI de Toledo, año 693. Además de algunos cánones de tipo religioso, se condenaba en este concilio la actitud política de los judíos, las conjuraciones contra los reyes, en especial la conspiración del metropolitano de Toledo, Sisberto, y se intentaba proteger de posibles represalias a los familiares de los reyes. Egica se limita a ordenar que se cumpla todo lo legislado en el concilio. Pero la pena pecuniaria que se impone a los transgresores de las leyes conciliares es más grave. El mismo Egica en el concilio anterior, y siguiendo la costumbre introducida en el concilio XII, había impuesto la confiscación de la décima parte de los bienes de los transgresores. Ahora eleva la pena a un quinto de la propia hacienda. Curiosamente, en el concilio XVII de Toledo no especifica la pena económica que se debe imponer a los transgresores de los cánones. Dice solamente que se les debe condenar a alguna pena aflictiva.

Los reyes, como puede verse, no confirmaron siempre los concilios. En algunos concilios no hay confirmación regia. Los concilios confir-

[70] Ibid., p.403: Mansi, 11,1041.
[71] J. Vives, *Concilio XV de Toledo* p.471: Mansi, 12,22.

mados por los reyes, excepto el III de Toledo, tienen un marcado carácter político. De todos los concilios confirmados por los reyes, el único que trató temas exclusivamente eclesiásticos fue el III de Toledo. Con seguridad, Recaredo tuvo motivos políticos para su conversión, y quizá intentara darla más fuerza con la convocación de un concilio, para de esta forma animar a los grandes del reino para que le siguieran en su nueva fe religiosa. El rey intentaba con la confirmación dar más fuerza a la unidad política de la nación. Pero el concilio como tal no hizo ninguna clase de política, y se limitó a corregir abusos y reorganizar libremente la vida de la Iglesia, adaptándose a las nuevas circunstancias, sabiéndose ahora la Iglesia apoyada por el Estado.

En los demás concilios confirmados por los reyes prevalecen los temas políticos sobre los religiosos. Sobre todo en el concilio XII de Toledo, donde Ervigio tiene el problema de haber usurpado el trono a Wamba, y en el XV, en el que Egica no se atreve a desligarse por sí mismo del juramento hecho a Ervigio de ser siempre fiel a los familiares de éste. Ambos acuden al concilio para que les resuelva sus problemas personales. Esto aparte de que las sublevaciones son tan frecuentes en los últimos años de la monarquía visigoda, que los reyes se ponen en manos de los obispos y acuden a ellos en busca de apoyo para poner remedio a los males que atacan a la monarquía. La nobleza estaba profundamente dividida en bandos políticos, y el rey no podía fiarse más que de los de su propio partido. De ahí que los reyes intentasen legislar a través de los concilios. La legislación sería así mejor aceptada por todos. De esta forma, además, iba respaldada por la autoridad de la Iglesia.

8. Valor civil de los cánones

De todo lo dicho en el apartado anterior se deduce que el rey intentaba dar a los cánones de los concilios confirmados por él algo más que el valor eclesiástico. Muchos de los temas de esos cánones no hubieran sido tratados en los concilios si no hubiera sido por petición expresa del rey. Quedaban fuera de la competencia eclesiástica. Lo que ocurría es que así el rey no aparecía en primer plano, y los cánones, más que una imposición civil, parecían casos de conciencia, que era obligatorio aceptar por convicción religiosa. Así había menos oposición por parte de las distintas facciones políticas. El rey se servía del concilio para elaborar leyes civiles. Pero no olvidemos que al concilio asistían muchos nobles pertenecientes al Aula Regia y que algunos obispos, con toda probabilidad, formaban parte de este organismo.

Los cánones conciliares, aunque aprobados por los obispos y los nobles asistentes, sólo tenían valor eclesiástico. Obligaban en conciencia, pero las transgresiones sólo se podían castigar con las penas canónicas que el mismo concilio hubiera impuesto. M. Torres afirma que «los concilios de Toledo no fueron una asamblea legislativa civil; los cánones conciliares no tenían de por sí ninguna eficacia civil» [72]. Un concilio, de por sí, no es una asamblea legislativa civil. Pero, si consideramos que a esa asamblea asiste el Aula Regia, que el mismo rey pide a los asistentes al concilio que legislen en materias civiles, el concilio era una asamblea legislativa civil a cuyas decisiones solamente faltaba el último requisito para convertirse en verdaderas leyes civiles: la aprobación del rey.

Los concilios dictaban unas normas legales, que después se convertían en verdaderas leyes. No tiene nada de extraño que el rey se aproveche así de la superior cultura de los obispos. Las deliberaciones conciliares eran la base de una ulterior legislación. Aunque los cánones no se modificasen en nada, era absolutamente necesaria la aprobación del rey para que se pudieran convertir en leyes del reino. Poco más o menos era lo que los reyes prometían en sus mensajes a los concilios. Veamos, p.ej., lo que dice Recesvinto al concilio VIII de Toledo: «Reunidos todos vosotros, dignos representantes de los competentes ministros del culto divino y de los gobernadores de palacio y ligados con la invocación del nombre divino, os prometo, verdadera e incondicionalmente, mi asentimiento para que cualquier cosa conforme a la justicia, a la piedad o a la conveniente discreción que quisiereis decretar o cumplir de acuerdo con nosotros, todo lo llevaré a cabo con el favor de Dios, y lo confirmaré y defenderé contra toda queja y oposición con la autoridad real» [73]. Y éste fue uno de los concilios que no fueron confirmados por el rey.

Con la confirmación real, estas normas obligaban no sólo en conciencia y bajo penas eclesiásticas, sino que los funcionarios civiles quedaban obligados a velar por su cumplimiento. Debían cumplirlas ellos y hacer que las cumpliesen los demás, bajo penas civiles, que casi siempre se redujeron a la pérdida de una parte importante de los propios bienes de fortuna. Es decir, las decisiones conciliares adquirían fuerza de ley civil por medio de la ley de confirmación del concilio. Sólo esa ley confirmatoria, dada en forma de edicto o también por la inclusión de los cánones en el *Liber iudiciorum,* como, p.ej., ocurre con el concilio XIII de Toledo, que aparece en el *Liber iudiciorum* XII 1-3, daba a las decisiones conciliares el carácter de ley civil. «Así se ve que en muchos casos aparecen en el *Liber iudiciorum* leyes semejantes a determinados cánones conciliares de Toledo. Esas leyes, y por la autoridad real que las sancionaba, no los cánones con que pudieran relacionarse, eran las verdaderamente civiles. A veces incluso las leyes civiles son anteriores a los cánones que se ocupan de temas análogos» [74].

Esta última observación de M. Torres es acertada, ya que los concilios repiten leyes ya establecidas en el código civil. Así, p.ej., los cánones 14 y 18 del concilio III de Toledo copian lo dispuesto anteriormente por Recaredo. En los cánones 10 y 12 del concilio VIII de Toledo se habla

[72] M. Torres López, *La Iglesia en la España visigoda,* en *Historia de España,* dir. por M. Pidal, III p.306.
[73] J. Vives, *Concilio VIII de Toledo* p.265-66: Mansi, 10,1209.
[74] M. Torres López, o.c. p.306.

de la distinción entre los bienes del reino y los bienes del rey y sobre la elección del rey. De todo eso se había ocupado la ley II 1,6 del *Liber*. La importancia legal de los concilios de Toledo aumentó a partir del reinado de Ervigio. Entonces más que nunca, el Estado necesitaba la ayuda de la Iglesia, y, sobre todo, necesitaba la sanción canónica de las leyes civiles. De ahí que sean mucho más frecuentes las peticiones de revisión de las leyes civiles y son también más frecuentes las *leyes en confirmación del concilio*. Basta hojear los concilios XII y XIII de Toledo para darse cuenta de esto [75].

Una prueba clara de que esa intervención eclesiástica en la legislación civil no era una injerencia impuesta por el creciente poder de los obispos, sino un deseo explícito de los reyes, la tenemos en los mensajes que los reyes presentaron a los concilios. En ellos se pide a los obispos que elaboren leyes o revisen las ya existentes. Y como último acto para dar validez a la intervención eclesiástica estaba la confirmación, por parte del rey, de lo establecido en el concilio. No pensemos, sin embargo, que esa intervención de la Iglesia en la elaboración de las leyes comenzó en los últimos años de la monarquía visigoda. Estamos de acuerdo con lo que escribe M. Torres: «Desde la publicación solemne de la conversión de Recaredo, en el concilio III de Toledo se repiten constantemente las relaciones íntimas entre las leyes civiles y los cánones conciliares, unas veces recogiéndose en éstos disposiciones de los monarcas, y otras sirviendo aquéllos de base a leyes reales, o siendo confirmados y convertidos en leyes por disposiciones generales de confirmación» [76].

Una de las tareas más importantes realizadas por los concilios fue la elaboración de leyes. Los temas no religiosos que en ellos se trataban, si no eran ya leyes, tenían una gran probabilidad de llegar a serlo. El hecho de ser tratados en el concilio no daba a los asuntos valor de leyes civiles. Pero sí podemos decir que, con mucha frecuencia, el paso de un proyecto de ley por las discusiones conciliares era una etapa obligatoria para llegar a ser algún día ley civil con todo su valor. De lo dicho se deduce que, si bien los concilios cooperaban en la elaboración de las leyes, no poseían una potestad legislativa absoluta. Y mucho menos se puede atribuir tal potestad sólo a los obispos. Recordemos que en la discusión de temas no religiosos estaban presentes los miembros del Aula Regia. Pero ni aun la presencia de estos últimos daba valor civil a los cánones. Todo ello, sin embargo, daba a los concilios un cierto carácter político. Aunque estrictamente no se les puede calificar de asambleas políticas. «Los concilios de Toledo no fueron, pues, *asambleas políticas visigóticas,* aunque a veces los reyes acudiesen a ellos para conseguir el refuerzo de la sanción canónica de sus leyes y otras dieran carácter civil a los cánones conciliares. El detalle más importante es, a nuestro juicio, la circunstancia de que, paralelamente, se encuentren en las leyes civiles y en los cánones conciliares disposiciones sobre el mismo tema.

---

[75] Cf. M. Torres López, *Lecciones de historia del derecho español* II (Salamanca 1935) p.118.

[76] Ibid., p.117.

Ello prueba que ni las leyes tenían por sí efectos canónicos, ni los cánones efectos civiles, pues en otro caso no hubiese sido necesario ese paralelismo. La misma gran importancia tienen las *leges in confirmatione concilii editae*, sin las que los cánones carecían de efectos civiles» [77].

Esta relación entre leyes y cánones la explica satisfactoriamente M. Torres cuando escribe: «Esta interdependencia de cánones y leyes tiene explicaciones que nos parecen claras. De una parte la superior cultura de los eclesiásticos, que lógicamente había de conducir a que se acudiese a ellos para muchos problemas jurídicos; de otra, la misma participación real en los concilios, que quitaba, naturalmente, todo recelo. Pero, además, es lo cierto que, dados la significación social de la Iglesia y su gran poder, interesaba a los reyes lograr para sus disposiciones legales una especie de sanción canónica, espiritual, como a la Iglesia una sanción civil de sus cánones. Si a esto unimos que, como dijimos, en los Estados medievales el fin religioso es uno de sus elementos constitutivos, y la Iglesia, institución que en modo alguno ve el Estado como ajena y como sin interés para él, se comprende la estrecha relación estudiada, y cuyo sentido jurídico hemos procurado desentrañar» [78].

---

[77] Ibid., p.250.
[78] M. Torres López, *La Iglesia en la España visigoda*, en *Historia de España*, dir. por M. Pidal, III p.306.

CAPÍTULO VI

VIDA CRISTIANA Y CURA PASTORAL

FUENTES Y BIBLIOGRAFIA

FUENTES.—SAN ISIDORO, *Etimologías;* ed. L. Cortés (BAC, Madrid 1951): ML 82,73-728; *Sentencias,* en *Santos Padres españoles,* ed. J. Campos-E. Roca (BAC, Madrid 1971): ML 83,537-738; *De ecclesiasticis officiis:* ML 83,739-826; SAN ILDEFONSO, *De cognitione Baptismi,* en *Santos Padres españoles,* ed. J. Campos-I. Roca (BAC, Madrid 1971): ML 96,111-72; MANSI, *Sacrorum Conciliorum nova et amplissima collectio,* ed. Akademische Cruck- U. Verlagsanstalt vol.8-12 (Graz 1960); J. VIVES, *Concilios visigóticos e hispano-romanos* (Barcelona-Madrid 1963); M. FÉROTIN, *Le «Liber Ordinum» en usage dans l'Église wisigothique du Veme au XIeme siècle* (París 1904); *Le Liber mozarabicus sacramentorum et les manuscrits mozarabes* (París 1912); A. LORENZANA, *Breviarium Gothicum* (París 1850); *Missale mixtum* (París 1850); J. PÉREZ DE URBEL-A. GONZÁLEZ RUIZ, *Liber Commicus:* Monumenta Hispaniae Sacra, series liturgica, 2 y 3 (Madrid 1950 y 1955); *Ioannis Biclarensis Chronica:* Mon. Ger. Hist., *Auct. Ant.* XI, ed. T. Mommsen (Berlín 1894); ML 72,859-70; PAULO DIÁCONO, *Vitae Patrum Emeritensium:* ML 80,115-64; ed. J. N. GARVIN (Wáshington 1946); SAN BRAULIO, *Epist. XXI, eiusdem Braulionis nomine Concilii VI Toletani scripta ad Honorium I:* ML 80,667-70; TAJÓN DE ZARAGOZA, *Sententiarum libri V:* ML 80,727-9£0; K. ZEUMER, *Leges nationum germanicarum* I; Mon. Ger. Hist., *Leges visigothorum,* ed. K. Zeumer (Hannover-Leipzig 1902); *Leges visigothorum antiquiores,* ed. K. Zeumer (Hannover-Leipzig 1894).

BIBLIOGRAFÍA.—Z. GARCÍA VILLADA, *Historia eclesiástica de España* II p.1.ª y 2.ª (Madrid 1932-33); J. FERNÁNDEZ ALONSO, *La cura pastoral en la España romano-visigoda* (Madrid 1955); *La disciplina penitencial en la España romano-visigoda desde el punto de vista pastoral:* Hispania Sacra 4 (1951) p.243-311; L. ROBLES, *Anotaciones a la obra de San Ildefonso «De cognitione Baptismi»* en *La patrología toledano-visigoda.* XXVII Semana Española de Teología (Madrid 1970) p.263-335; I. LOBO, *Notas histórico-críticas en torno al «De cognitione Baptismi», de San Ildefonso:* Rev. Españ. de Teol. 27 (1967) p.139-58; F. J. LOZANO SEBASTIÁN, *San Isidoro de Sevilla. Teología del pecado y la conversión* (Burgos 1976); *La disciplina penitencial en tiempos de San Isidoro de Sevilla:* Rev. Esp. de Teología 34 (1974) p.161-213; G. MARTÍNEZ DÍEZ, *Algunos aspectos de la penitencia en la Iglesia visigodo-mozarábica,* en *La patrología toledano-visigoda.* XXVII Semana Española de Teología (Madrid 1970) p.121-34; S. GONZÁLEZ RIVAS, *La penitencia en la primitiva Iglesia española* (Salamanca 1950); M. CARDA PITARCH, *La doctrina y práctica penitencial en la liturgia visigoda:* Rev. Esp. de Teología 6 (1946) p.223-47; P. MARTÍN HERNÁNDEZ, *El pensamiento penitencial de Tajón:* Rev. Esp. de Teología 6 (1946) p. 185-222; J. GUILLÉN, *La eucaristía en los Padres y escritores españoles,* en *España eucarística* (1952) p.23-39; J. A. GEISELMANN, *Isidor von Sevilla und das Sakrament der Eucharistie* (München 1933); W. S. PORTER, *The mozarabic unction and the other Rites of the Sick:* Laudate 22 (1944) p.81-89; R. BIDAGOR, *Sobre la naturaleza del matrimonio en San Isidoro:* Miscelánea Isidoriana (Roma 1936) p.258-321. Sobre la liturgia ver: *Diccionario de historia eclesiástica de España* vol.2 p.1318-20; S. GONZÁLEZ, *La formación del clero en la España visigoda:* Miscelánea Comillas 1 (Santander 1943) p.373-393; F. MARTÍN HERNÁNDEZ, *Escuelas de formación del clero en la España visigoda,* en *La patrología toledano-visigoda.* XXVII

Semana Española de Teología (Madrid 1970) p.65-98; U. DOMÍNGUEZ DEL VAL, *El candidato al sacerdocio en los concilios de Toledo:* La Ciudad de Dios 155 (1943) p.261-90; C. CANAL, *La escuela cristiana de Sevilla durante la dominación visigoda* (Sevilla 1894); S. GAMARRA MAYOR, *La formación de los clérigos en orden a la obediencia en la España romano-visigoda:* Scriptorium Victoriense 10 (1963) p.121-60; J. ORLANDIS, *La Iglesia visigótica y medieval* (Pamplona 1976); G. MARTÍNEZ DÍEZ, *El patrimonio eclesiástico en la España visigoda:* Miscelánea Comillas 32 (1959) p.7-200; J. FONTAINE, *Fin et moyen de l'enseignement ecclésiastique dans l'Espagne wisigothique,* en *La scuola nell'Occidente latino dell'alto medioevo.* Settimane di Studio del Centro Italiano sull'alto medioevo (Spoleto 1972) p.145-202.

1. LA VIDA SACRAMENTAL DEL PUEBLO VISIGODO

No intentamos hacer un estudio teológico completo de todos y cada uno de los sacramentos. El tema excedería los límites de esta historia por su complejidad y amplitud. Nos limitaremos a hablar un poco, sobre todo, del bautismo, la penitencia y la eucaristía por su especial importancia en la vida cristiana y por las exigencias que para su recepción se imponen al cristiano.

a) El bautismo

Es el sacramento de la iniciación a la vida cristiana. El hombre se incorpora por él a la Iglesia y a la vida de la gracia. Quien lo recibe es lavado por la gracia y pasa a una vida nueva. Es un paso del estado de pecado al estado de la gracia. Dios quiso que la gracia del sacramento del bautismo fuese concedida por medio del elemento en el que al principio estaba el Espíritu. El agua es el elemento natural que mejor significa la acción interna de la gracia en este sacramento. Pues como el agua limpia exteriormente el cuerpo, el bautismo limpia interiormente el alma. Tal misterio se realiza siempre en el nombre del Padre, del Hijo y del Espíritu Santo [1].

El bautismo limpia y perdona el pecado original. Borra también los pecados personales que se hayan cometido antes de recibirlo. Es el principio de una conversión que debe durar toda la vida, como afirma San Isidoro: «Todos los fieles están de acuerdo en que, aun después del bautismo, por el que se borran los pecados, debemos convertirnos a Dios todos los días mientras nos hallamos en este mundo. Conversión que, a pesar de tenerla que realizar cada día, nunca la habremos realizado suficientemente» [2].

El bautismo tiene tal importancia en la vida cristiana, que su recepción necesita una preparación seria. La obra de San Ildefonso *De cognitione baptismi* va dirigida especialmente a los adultos que se preparaban para la recepción del bautismo y a los clérigos que tienen el deber de instruir y preparar a todos aquellos que desean recibir este sacramento.

---

[1] Cf. SAN ISIDORO, *Etimologías* VI 19,43-52: ML 82,256.
[2] SAN ISIDORO, *Sentencias* I 22,4: ML 83,589.

Esto nos demuestra que en esta época había todavía algunas conversiones del paganismo o del judaísmo. No se trataba de conversiones del arrianismo, que no debían rebautizarse. Pero como la mayoría de los que se iban a bautizar eran niños, esta catequesis pastoral iría dirigida también a los padres y padrinos de los bautizandos. Esta catequesis debía hacerse en reuniones especiales con los catecúmenos, dialogando con ellos, orando y animándoles a la aceptación de la fe.

Hay, por tanto, un tiempo de preparación a la recepción del bautismo. La duración concreta podía variar. Este catecumenado está dividido en dos partes. La primera se compone del grupo de los *audientes*, y entran en él todos los que se preparan a la recepción del bautismo. Durante este período van recibiendo una formación elemental de los más importantes principios de la fe, obligaciones del cristiano, etc. Al mismo tiempo se va exigiendo a este grupo el cambio de vida que el bautismo significa. Es tiempo de conversión moral a una vida digna y de arrepentimiento y penitencia por los pecados de la vida pasada. Es un tiempo de preparación remota para la recepción del bautismo.

La segunda parte del catecumenado corresponde al grupo de los *competentes*. Son los que conjuntamente han pedido el bautismo. Es el grupo de los que van a recibir pronto el bautismo y, habiendo recibido ya el símbolo, piden la gracia de Dios. Esta recepción del símbolo de la fe consistía en que, en los veinte días anteriores al bautismo, el sacerdote los dedicaba casi exclusivamente a explicar a los catecúmenos el símbolo de la fe. Escribe el concilio de Braga del año 572: «... los catecúmenos acudan los veinte días anteriores al bautismo a la purificación de los exorcismos, y en todos esos veinte días se enseñará a los catecúmenos muy especialmente el símbolo que comienza: 'Creo en Dios Padre omnipotente'»[3]. Durante este tiempo, los catecúmenos aprendían el *Credo* de memoria. Deben seguir ejercitándose en las prácticas ascéticas como preparación inmediata para recibir dignamente el bautismo. La formación de este grupo debe ser más profunda. Por eso se les debe explicar especialmente el contenido del símbolo de la fe, que tendrán que aprender de memoria. En el siglo VI se entraba en este grupo veinte días antes de la Pascua. En el siglo VII se entraba dos semanas antes.

El obispo se encargaba de hacer saber a sus fieles que, si alguno se iba a bautizar o tenía niños para bautizarlos, se presentasen el domingo a la misa de la iglesia principal. Se les imponían las manos y se apuntaba el nombre de los bautizandos. En tiempo de San Isidoro, la entrega del símbolo a los *competentes* se celebraba el domingo de Ramos, para que aquellos que tan pronto van a recibir la gracia conozcan bien la fe que profesan[4]. Ese mismo día se realizaban las ceremonias de los exorcismos, la triple insuflación, la imposición del nombre y la unción en los oídos y en los labios con el óleo bendecido por el obispo. A la ceremonia de la entrega del símbolo se la daba una importancia especial. Fina-

---

[3] J. VIVES, *Concilio II de Braga* c.1 p.81: MANSI, 9,838.
[4] Cf. SAN ISIDORO, *De ecclesiasticis officiis* I 28,2: ML 83,763.

lizaba con la etapa de la enseñanza oral. Según el *Liber commicus*, la explicación del *Credo* se realizaba durante los veinte días que precedían al bautismo. El *competente* lo debía aprender de memoria, porque en él encontraba un resumen de toda la doctrina cristiana. Y el día de Jueves Santo debía realizar la *redditio symboli*, que consistía en la recitación del *Credo* ante el obispo o el sacerdote. Era una especie de último examen, en el que el candidato demostraba su conocimiento de la doctrina cristiana.

En la primitiva Iglesia española, igual que en todas las demás iglesias, la administración solemne del bautismo se celebraba durante la vigilia de Pascua. San Ildefonso atestigua que en este tiempo sólo es lícito bautizar en las festividades de Pascua y Pentecostés. Se hace excepción, claro está, en los casos de necesidad.

El día de la vigilia pascual, a la hora de nona se tocan las campanas para reunir al clero y al pueblo. Comenzaba la vigilia pascual. El clero se revestía con el alba. El obispo reparte los cirios y comienza las ceremonias en la sacristía, donde se produce la nueva luz, con la que se encienden la lámpara y el cirio bendecido. A continuación, el obispo, el clero y el pueblo encienden sus velas. Ya en el altar, se comenzaban las lecturas. Al comenzar la tercera, el obispo y los demás clérigos se dirigían al bautisterio. El obispo bendecía el agua, que había sido recogida de los ríos. Venían luego los interrogatorios de la renuncia a Satanás y a sus pompas y la profesión de fe de los bautizandos. Al fin se realizaba el bautismo por inmersión.

San Ildefonso nos habla de la discusión habida en España sobre si esa inmersión debía hacerse una o tres veces. Profuturo de Braga había consultado al papa Vigilio sobre el asunto. Este afirma ser costumbre apostólica que se haga por triple inmersión [5]. San Leandro vuelve a consultar a San Gregorio Magno, quien piensa que en España es más prudente no usar la triple inmersión, por ser ésa la costumbre arriana, para significar, en contra de los arrianos, la unidad de naturaleza de las tres divinas personas [6].

Terminado el rito de la inmersión, se volvía al altar, donde tenía lugar la crismación, a la que sigue la imposición de manos y la bendición, por cuyo rito se infunde el Espíritu Santo. Estos últimos ritos, ¿serían el complemento del bautismo, significando su parte positiva de la recepción de la gracia y del Espíritu? Parece ser que se identifica la unción con el crisma con el rito que comunica el Espíritu Santo, cuyo efecto es el poder llevar el nombre de cristiano. Ni San Isidoro ni San Ildefonso hablan del tiempo que media entre el bautismo y la unción con el crisma. Dan a entender que se hacían en una misma ceremonia. Así, el sacramento de la confirmación se administraba a continuación del bautismo. Confirmación y bautismo formaban parte de una misma ceremonia. Los días siguientes a la recepción del bautismo, los bautizados debían ir a la iglesia a hacer algunos actos religiosos.

[5] PAPA VIGILIO, *Epist. ad Profuturum* 2: ML 84,831.
[6] Cf. GREGORIO MAGNO, *Epist. XLIII ad Leandrum episcopum Hispalensem:* ML 77,498.

Los padrinos, sobre todo si el bautizado era un niño, desempeñaban un papel importante en todos estos ritos. Debían ser dos. Y ellos son quienes renuncian a Satanás y a sus obras y recitan el *Credo,* en la ceremonia de la *redditio symboli,* en nombre de su ahijado. «Aquellos efectivamente que reciben con religioso amor del seno de la madre Iglesia, esto es, de la fuente del bautismo, a los engendrados por el Espíritu Santo como hijos adoptivos, es preciso que antes de ser bautizados y después de que lo fueren los instruyan en adelante no sólo con el ejemplo, sino también con las palabras. Y así como renacen de la misma fuente ambos sexos, así ambos sexos que reciben a los renacidos deben poseer la práctica de la enseñanza de la salvación. Incluso deben tener conciencia de que son garantes de ella, pues responden por ellos que renuncian al diablo, a sus ángeles y a sus obras, afirmando que ellos creen en el nombre de la Trinidad. Por eso, tanto los que reciben como los que son recibidos por ellos deben guardar con toda escrupulosidad el pacto que hicieron con Dios en el sacramento del bautismo, para que, en cuanto guardan lo que está preceptuado en la regeneración, reciban lo que está prometido en la remuneración» [7]. Su deber, por tanto, es educarles en la fe, antes y después del bautismo, tanto con las palabras como con el ejemplo.

En la Iglesia visigoda existía la costumbre de hacer algún regalo al obispo o sacerdote con motivo de la administración del bautismo. La legislación conciliar tuvo que intervenir en el asunto para prohibir que se recibiesen regalos de los cristianos pobres, y menos que se exigiesen como si fuesen obligatorios. Muchos cristianos pobres, por no poder hacer el regalo, no bautizaban a sus hijos. El concilio XI de Toledo prohibirá el recibir regalos, aun los voluntarios, hechos por personas pudientes. Imponía unos meses de excomunión a los clérigos que los recibían y al obispo que lo permitía.

b) La penitencia

La gracia y la pureza recibidas en el bautismo se pierde con el pecado mortal. En la época visigoda, igual que hoy, el hombre no tenía la suficiente fuerza de voluntad para resistir a la tentación y dominar sus pasiones. El hombre peca, y por eso necesita una segunda conversión, un retorno a Dios, abandonado por el pecado. La Iglesia pone a disposición del pecador el sacramento de la penitencia. Veamos, pues, cómo se practicaba en este período de la Iglesia visigoda.

El tema es de capital importancia para el desarrollo y perfección de la vida cristiana, y por eso encontramos muchos textos, tanto en los cánones conciliares como en los escritores españoles, sobre todo en San Isidoro, referentes al pecado y a la penitencia como medio para salir de él. «La amplitud que San Isidoro dedica en sus escritos al tema del pecado no tiene otra finalidad que la de provocar el arrepentimiento. La decisión de volverse a Dios, de convertirse, se facilita cuando el pecador

---

[7] SAN ILDEFONSO, *De cognitione baptismi* c.114: ML 96,159.

descubre la enormidad de su culpa. De ahí que el obispo de Sevilla no ahorre calificativos en la descripción del mísero estado del pecador, para que de este modo se mueva a conversión» [8]. Para San Isidoro, la conversión es algo que el cristiano debe realizar todos los días, porque, sin duda, todos los días comete faltas y equivocaciones en sus relaciones con Dios y con los demás. El hombre siempre encontrará en su vida algo que perfeccionar.

La conversión a Dios comienza con el dolor, que nace del recuerdo de los pecados cometidos, y el temor al juicio de Dios. Tener conciencia del pecado cometido es el primer paso que da el hombre para lograr la conversión. Esa conciencia de pecado, para que sea fructífera, debe llevar al pecador al deseo de perdón y lleva consigo el poner en práctica todos los medios posibles para lograrlo. El hombre se acusa de sus malas acciones, y, al reconocer su maldad, ha comenzado a ser bueno, porque todo ello le impulsará a hacer penitencia por los pecados cometidos. El cristiano reconoce su debilidad y se somete al poder de Dios. Todo este proceso y el dolor que causa la penitencia desemboca en un arrepentimiento sincero por haber despreciado los dones divinos. El hombre debe arrepentirse de no haber obrado el bien y de haber hecho el mal. La mejor penitencia que el cristiano se puede imponer es arrepentirse de tal forma, que no vuelva a pecar en el futuro [9].

La conversión significa siempre volver a Dios, de quien el pecador se había apartado. Al poner tanto énfasis en el arrepentimiento, la conversión exige un cambio de vida, el paso de una vida pecadora a la vida de la gracia. El cambio de vida es posible siempre que se desee sinceramente, porque, por muy graves que sean los pecados cometidos, siempre hay esperanza de obtener el perdón de Dios. No se puede poner en duda la bondad de Dios y su misericordia. Pero ese movimiento hacia Dios se debe iniciar inmediatamente que se tiene conciencia de pecado.

Consecuencia lógica del dolor y del arrepentimiento es la confesión que el cristiano hace de sus pecados. El cristiano debe confesar sus pecados al sacerdote para recuperar la gracia perdida. A la confesión debe seguir la penitencia para borrar totalmente el pecado [10]. Durante este período, ya se practicaba la confesión privada y secreta. La carta que el papa San León escribe a los obispos de Campania, y que formó parte del código canónico visigodo, lo atestigua. «Quiero que se arranque por todos los medios un intolerable abuso cometido por algunos, que va directamente contra la regla apostólica. Me refiero a la penitencia pedida por los fieles. No se lea públicamente la confesión escrita en libelos con la especificación de cada pecado, puesto que basta a los sacerdotes, para conocer la culpa de las conciencias, la confesión hecha en secreto. Y, aunque es laudable la plenitud de la fe, que por temor de Dios no se

---

[8] J. F. Lozano Sebastián, *San Isidoro de Sevilla. Teología del pecado y la conversión* (Burgos 1976) p.157.
[9] Cf. San Isidoro, *Sentencias* II 13,1-13: ML 83,614-16; Tajón, *Sententiarum libri quinque* III c.9: ML 80,861.
[10] Cf. San Isidoro, *De ecclesiasticis officiis* II 17,6-7: ML 83,802-803; Tajón, *Sententiarum libri quinque* III c.48: ML 80,905-906.

avergüenza ante los hombres, sin embargo, porque hay pecados que hechos públicos pueden dañar a los penitentes, extírpese esta reprobable costumbre, no sea que se aparten muchos de la penitencia por vergüenza o por temor a que se descubran sus actos a sus enemigos y sean castigados por las leyes. Basta, pues, aquella confesión que se hace primero a Dios, luego al sacerdote, que es intercesor por los delitos de los penitentes. Pues fácilmente se podrá mover a muchos a la penitencia si la conciencia del confesado no llega a oídos del pueblo» [11]. Se exige, pues, la confesión secreta y el sigilo sacramental.

En la confesión debían declararse no solamente los pecados graves de acción o de omisión, sino también los veniales e imperfecciones cuotidianas. Esta confesión y absolución secreta la daban los sacerdotes siempre que los fieles lo pedían. No faltaron quienes abusaron de esta facilidad en perdonar los pecados. El concilio III de Toledo, año 589, reprende a aquellos que toman esta facilidad de absolución como una licencia para pecar con más libertad. Da la impresión de que a estos penitentes les faltaba el debido arrepentimiento. Se debe presuponer, además, que las faltas confesadas y vueltas a cometer eran graves, como para merecer ser apartados de la comunión. No serían aquellas que San Isidoro califica de abusos cuotidianos, sin los que no podemos vivir en esta vida. El concilio pide que se vuelva a la antigua disciplina y que el penitente sea apartado de la comunión y vaya con los demás penitentes a recibir la imposición de manos. Evidentemente, se trataba de faltas merecedoras de excomunión y de penitencia pública. Al terminar el tiempo de la penitencia, se le debe admitir nuevamente a la comunión. Aquellos que vuelven a cometer tales faltas deben ser castigados con la severidad de los cánones antiguos. Consistía en privarles de la comunión hasta el fin de su vida [12].

Para San Isidoro, la palabra *penitencia* significa, sobre todo, las privaciones y sacrificios que el pecador se impone a sí mismo como castigo por los pecados cometidos. Habla pocas veces de la penitencia canónica. Sí lo hace con frecuencia la legislación conciliar; p.ej.: el canon citado del concilio III de Toledo. Es evidente que el concilio habla de una penitencia pública que se debe imponer a quienes han cometido faltas graves. «La idea de pública no expresa un contenido jurídicamente diverso de cualquiera otra clase de penitencia, en concreto de la privada, sino que se refiere a la modalidad especial con que en los casos que genéricamente se especifican era administrada; era cosa pública, en el sentido obvio y natural de la palabra practicada ante los ojos de todos los fieles con ejercicios de particular humildad y mortificación en relación con la gravedad de' la culpa y durante un tiempo más o menos largo, circunstancias todas por las que el penitente hacía en público confesión de pecador arrepentido en demanda de perdón» [13].

[11] San León Magno, *Epist. LXXIII ad episcopos per Campaniam:* ML 84,786.
[12] Cf. J. Vives, *Concilio III de Toledo* c.11 p.128: Mansi, 9,995.
[13] J. Fernández Alonso, *La disciplina penitencial en la España romano-visigoda desde el punto de vista pastoral:* Hispania Sacra 4 (1951) p.245.

La penitencia impuesta por los pecados graves debía realizarse en público. La penitencia por los pecados menos graves se hacía en privado. Naturalmente, y de acuerdo con la carta de San León a los obispos de Campania, no se debía publicar la clase de falta grave que el pecador había cometido. Bastaba con que los demás supiesen que había cometido un pecado grave y hacía penitencia por él. Ni los autores eclesiásticos ni la legislación conciliar concuerdan plenamente en enumerar la clase de pecados que merecen tal penitencia. Quizá influían las circunstancias concretas de la vida. En general, podemos decir que se trataba de los pecados graves cometidos contra la fe, la vida ajena o propia y contra la castidad: idolatría, homicidios, fornicación, etc. Eran objeto de penitencia pública aunque se hubieran cometido en privado y no fuesen conocidos de los demás.

Una vez cometido el pecado grave, el pecador verdaderamente arrepentido pide la penitencia. En caso de que no lo haga voluntariamente, se le debe convencer para que la pida. Entonces se le declaraba excomulgado y se le agregaba al grupo de los penitentes. La excomunión llevaba consigo la privación de la eucaristía y la asistencia a la parte sacrificial de la misa, ya que al terminar el evangelio y la homilía debían abandonar el templo. Ocupan, además, un lugar separado de los demás fieles. La agregación al grupo de los penitentes se realizaba en una ceremonia en la que se le tonsuraba y se le imponía el hábito de penitente. Estos signos externos deben llevarlos mientras dure el tiempo de la penitencia. Se les privaba de la asistencia a aquellos actos que pudiesen significar alegría o diversión. Es una vida de llanto, tristeza y dolor por el pecado cometido. Se prescriben, sobre todo, ayunos, oraciones, mortificaciones y limosnas. Todo ello debía ser un ejemplo eficaz para que los demás fieles no pecasen gravemente.

La duración del período de penitencia dependía de la gravedad del pecado cometido. En algunos casos sólo se daba la comunión al final de la vida. En los últimos concilios se reduce el tiempo y rigor de esta penitencia canónica. Indudablemente, influye en esto el auge que comienza a tomar la penitencia privada, la opinión de San Isidoro y San Ildefondo, que piensan, acertadamente, que, más que el tiempo material, importa la disposición del penitente, el interés con que practica la penitencia y la sinceridad del arrepentimiento y el dolor que le ha producido su pecado [14]. En estos últimos concilios aumentan considerablemente las penas corporales y la simple excomunión para los pecados a los que antes se imponía, además, una penitencia canónica. Durante el tiempo de penitencia, el sacerdote imponía con frecuencia las manos sobre los penitentes y recitaba una fórmula de invocación a Dios pidiendo el perdón de los pecados. En vez de la comunión, se les entregaba un trozo de pan bendito.

La decadencia de la penitencia pública es evidente en el concilio XVI de Toledo. Los obispos quieren castigar un nuevo abuso. «Porque

---

[14] Cf. San Isidoro, *De ecclesiasticis officiis* II 17,2: ML 83,802; San Ildefonso, *De cognitione baptismi* c.82: ML 96,141.

se ha introducido la grave costumbre de la desesperación de algunos hombres que, cuando son castigados con cualquier pena por alguna negligencia o encarcelados para satisfacer con la penitencia, y purgar así su crimen, de tal modo les ataca la tentación de la desesperación, que prefieren ahorcarse o quitarse la vida con arma blanca u otros medios mortíferos, y, si no es por algún cambio de circunstancias, el diablo ejecuta en ellos su propósito. Por lo tanto, deseando poner término a estos pésimos consejos y aplicar un conveniente remedio a tal enfermedad, decreta la sacratísima reunión de nuestra asamblea que aquel que cayere en tales trampas, si por casualidad escapare a la muerte, será alejado por todos los medios de la comunidad de los católicos y del cuerpo y sangre de Cristo durante dos meses, porque conviene que por las penas de la penitencia se vuelva a la primitiva esperanza y salvación el que intentó entregar su alma al diablo por medio de la desesperación» [15]. Algunos pecadores ya no soportaban la dureza de la penitencia pública. Como puede verse, el castigo que se impone por el intento de suicidio es solamente de dos meses de excomunión y penitencia, cosa que anteriormente se hubiera castigado con varios años.

El grupo de los penitentes no estaba abandonado por los responsables de la cura pastoral. Por el contrario, les dedicaban una atención especial para vigilar el cumplimiento de sus obligaciones penitenciales, consolarles, ayudarles en su vuelta a Dios y animarles con la esperanza del perdón. Así se lograba, además, que se entregasen con sinceridad a su vida de penitencia. El mismo San Isidoro, cuando habla de la penitencia, la enfoca casi siempre en un sentido pastoral. El sacerdote no sólo tiene la obligación de corregir al pecador con más o menos dureza según la gravedad de su culpa, sino que debe dirigirle con gran tacto desde el momento en que comienza su conversión a Dios para que no se desanime en el camino emprendido. Con estos penitentes nunca debe olvidarse la caridad y la misericordia.

Todo este proceso debía llevar a la verdadera conversión a Dios y a la reconciliación del pecador. «Toda la acción penitencial que acabamos de describir se ordenaba a la reconciliación del pecador con Dios y con la Iglesia. La ceremonia tenía lugar, como norma general, en cualquier época del año, al cumplirse el plazo de la penitencia impuesta o al juzgar el obispo o el sacerdote que se había demostrado claramente el arrepentimiento de las culpas cometidas y el serio propósito de perseverar en la virtud; desde luego, nunca se concedía sin estas disposiciones ascéticas en el penitente; y por eso, elemento indispensable previo a la reconciliación era el juicio favorable del clero sobre la fidelidad a las prácticas penitenciales y sobre el espíritu con que habían sido observadas, de lo cual podían juzgar muy bien si ellos, a su vez, habían cumplido como debían su deber de vigilar y atender cuidadosamente a los penitentes» [16].

[15] J. Vives, *Concilio XVI de Toledo* c.4 p.501: Mansi, 12,71-72.
[16] J. Fernández Alonso, *La disciplina penitencial en la España romano-visigoda desde el punto de vista pastoral:* Hispania Sacra 4 (1951) p.270.

El encargado de realizar la reconciliación era el obispo. Pero en el concilio III de Toledo, año 589, encontramos que, por delegación episcopal, ya lo hacían también los sacerdotes. La ceremonia se celebraba durante la misa. Como la penitencia había sido pública, también debía serlo la reconciliación. En la homilía se hablaba de la grandeza del perdón y se exhortaba al penitente a mantenerse en estado de gracia. Se le imponían las manos, al tiempo que se recitaba una fórmula en la que se declaraba que quedaba completamente limpio de sus pecados. El penitente recibía la eucaristía, y con ello terminaba el período de penitencia y la ceremonia de la reconciliación.

El penitente volvía a estar en comunión con la Iglesia, pero su vida ya no podía ser exactamente igual a como había sido antes de ser penitente. Su vida debía ser ascética y mortificada. Los que habían recibido la penitencia canónica no podían desempeñar algunos cargos públicos, formar parte del clero ni hacer uso del matrimonio. Es evidente que la prohibición más dura era la de abstenerse completamente de la vida matrimonial, especialmente si se trataba de penitentes jóvenes. La dureza de estas consecuencias hizo, sin duda, que no se incluyera en el orden de penitencia a quienes no dieran pruebas de poder soportarlo y que se evolucionara hacia formas menos duras de penitencia [17]. Por esta razón no habla casi San Isidoro de la penitencia pública y sí lo hace muchas veces de aquella penitencia privada que el pecador practica por propia iniciativa. El concilio VI de Toledo, año 638, se verá obligado a condescender y hacer una excepción con los penitentes jóvenes, permitiéndoles reemprender la vida conyugal para evitar que puedan caer en adulterio. La dureza de sus consecuencias y la resistencia que los penitentes opusieron a aceptarla contribuyeron a que esta clase de penitencia fuese cayendo en desuso.

Algunas personas, en cambio, pidieron libremente ser admitidas por devoción en el orden de los penitentes sin haber cometido ningún pecado grave. Aceptaban la vida y las consecuencias y exigencias de la penitencia pública. Mucho más generalizada estuvo la costumbre de recibir esta penitencia a la hora de la muerte, aunque no se hubieran cometido faltas graves. Otros, aunque las hubiesen cometido, la retrasaban hasta última hora por temor a no poder soportar su dureza y sus consecuencias. Así, resultaba que una penitencia que se quería imponer como medio para obtener el perdón, se dejaba para cuando no se podía practicar. Esto creaba a la Iglesia española un problema pastoral expresado por San Isidoro: «No dudamos que al final el hombre es justificado por la compunción de la penitencia. Pero como esto sucede rara vez, hay que temer no vaya a ser que mientras la penitencia esperada se retrasa hasta el fin, llegue la muerte antes de que ayude la penitencia» [18]. La esperanza de una penitencia a última hora podía retardar la conversión del pecador y no dejaba tiempo para los actos de penitencia

---

[17] Cf. F. J. Lozano Sebastián, *La disciplina penitencial en tiempos de San Isidoro de Sevilla:* Revista Española de Teología 34 (1974) p.208.
[18] San Isidoro, *De eccl. officiis* II 17,9: ML 83,804.

y mortificaciones, a los que él daba tanta importancia. Esta penitencia recibida a la hora de la muerte se llamaba Viático y se confería al mismo tiempo que la reconciliación.

Contribuía también a dejar para última hora la recepción de la penitencia el hecho de que ésta era irrepetible. En la primitiva Iglesia se administraba una sola vez en la vida. Tal costumbre se observó en España durante todo el período visigodo. Hemos visto que el concilio III de Toledo intentó restaurar la costumbre tradicional de imponer la penitencia pública a quienes habían cometido pecados graves. Y a quien volviese a pecar gravemente había que aplicarle la severidad de los cánones antiguos, que solamente permiten dar la comunión al reincidente al final de la vida [19]. El concilio IV de Toledo, año 633, hace de la penitencia pública una especie de institución religiosa que no se puede abandonar para volver a la vida seglar [20]. Lo mismo repite el concilio VI de Toledo. Nunca se insinúa la posibilidad de una segunda recepción de la penitencia. Aun aquellos que por su juventud se les permitía reemprender la vida matrimonial, debían volver de nuevo a las exigencias del estado de penitentes cuando la edad les permitiera guardar la continencia exigida [21]. La consecuencia de todo esto ya ha quedado señalada: prácticamente, todos los fieles dejaban y retrasaban la recepción de la penitencia hasta la hora de la muerte.

Pero la penitencia pública comenzaba ya a aplicarse con menos rigor. «Los textos isidorianos muestran el rigor de la penitencia canónica tal como la habían establecido los antiguos cánones. Pero del hecho de que en el terreno doctrinal no se hubiera experimentado gran evolución, no se sigue que en la práctica ocurriese así. El sentido realista de los pastores de almas trata de evitar que los pecadores sean agregados al *ordo paenitentium,* con lo cual venían a encontrarse en un estado de postración ya irreparable». «Los obispos preferían negar la penitencia pública a las personas jóvenes a tener que excomulgarles perpetuamente a causa de una recaída posterior» [22]. San Isidoro pensaba que la remisión de los pecados depende más de la sinceridad del arrepentimiento que de la reconciliación pública. Ya hemos dicho que la penitencia pública es menos dura en los últimos concilios.

Todo el pueblo cristiano visigodo celebraba el día de Viernes Santo una paraliturgia penitencial. Por influencias extrañas, se había dejado de celebrar en algunas partes. El concilio IV de Toledo, año 633, manda que en ese día se predique el misterio de la cruz y que el pueblo pida en alta voz el perdón de sus pecados para poder recibir, limpio de toda culpa, el cuerpo y la sangre del Señor el día de Resurrección [23].

---

[19] Cf. J. Vives, *Concilio III de Toledo* c.11 p.128: Mansi, 9,995.
[20] Cf. J. Vives, *Concilio IV de Toledo* c.55 p.210: Mansi, 10,632.
[21] Cf. J. Vives, *Concilio VI de Toledo* c.8 p.239-40: Mansi, 10,666.
[22] F. J. Lozano Sebastián, art.cit. p.168.
[23] Cf. J. Vives, *Concilio IV de Toledo* c.7 p.193: Mansi, 10,620.

c) La eucaristía

La razón principal por la que se insiste con tanto empeño en no perder la gracia bautismal y en su recuperación por medio de la penitencia en caso de que se hubiera perdido, es por la obligación grave que el cristiano tiene de estar unido a Cristo y a su Iglesia, y, por consiguiente, a los demás cristianos. Hemos visto que a quienes habían cometido pecados graves se les privaba de la recepción de la comunión, no participaban con los demás fieles cuando comenzaba la parte sacrificial de la misa y aun en la iglesia estaban separados de los demás cristianos. El pecado grave imposibilitaba para recibir el sacramento de la eucaristía con los demás cristianos.

La eucaristía es un sacrificio y un sacramento en el que Cristo se ofrece como sacrificio y se da como alimento al cristiano. Y éste debe participar tanto del sacrificio como del sacramento. Después transcribiremos algunos textos preciosos de San Isidoro y San Ildefondo. La Iglesia visigoda creía profundamente en la presencia real de Cristo en la eucaristía. «Es un sacrificio porque se consagra en memoria de la pasión que Cristo realizó por nosotros; de donde le llamamos, por precepto suyo, cuerpo y sangre de Cristo, que, siendo de los frutos de la tierra, es santificado y se hace sacramento o sagrado por la operación invisible del Espíritu de Dios. Al sacramento del pan y del cáliz llaman los griegos «eucaristía». «El sacramento consiste en una celebración en que lo que se hace se hace de tal manera, que significa otra cosa que se ha de recibir santamente. Son sacramentos el bautismo, el crisma, el cuerpo y la sangre» [24].

Este sacrificio fue instituido por Cristo cuando, antes de ser entregado, dio a sus apóstoles su cuerpo y su sangre y les mandó que siguieran realizándolo. Su fin es la santificación del cristiano. El pan y el vino se convierten en el cuerpo y sangre de Cristo al ser santificados por el Espíritu Santo. El cáliz se ofrece mezclado con agua porque significa la unión de Cristo y del cristiano. El agua representa al pueblo cristiano que se une a Cristo. Y como ese agua no se puede ya separar del vino, tampoco la Iglesia puede separarse de Cristo. Por eso, copiando a San Cipriano, afirma San Isidoro: «Así, al consagrar el cáliz, no se puede ofrecer ni vino solo ni agua sola. Si se ofrece sólo vino, la sangre de Cristo está sin nosotros; si se ofrece sólo agua, el pueblo cristiano está sin Cristo. Cuando se mezclan ambos elementos, se realiza un misterio espiritual y celestial». «Este mismo sacramento significa la unidad del pueblo cristiano, pues como muchos granos de trigo molidos forman un solo pan, así en Cristo, que es el pan celestial, hay un solo cuerpo, al que está unido el nuestro» [25].

Casi con las mismas palabras se expresa San Ildefondo: «Por tanto, aquí, porque Cristo es el pan de vida que descendió del cielo y da vida al mundo, pedimos con razón en esta oración del padrenuestro que este

---

[24] SAN ISIDORO, *Etimologías* VI 19,38-39: ML 82,255.
[25] SAN ISIDORO, *De eccl. officiis* I 18,5-6: ML 83,755-56.

pan, el mismo Cristo, se nos dé cada día, para que los que permanecemos y vivimos en Cristo no nos separemos de su santificación y de su cuerpo. Pues ¿qué más quiere Dios sino que cada día habite Cristo en nosotros, que es el pan de vida y pan bajado del cielo?» Hace después una alusión al maná y al agua de la roca, y prosigue: «Aquí, de Cristo, colgado del madero de la cruz, manó agua y sangre, y esto es lo que bebemos para tener vida eterna. Y en esto que dice el mismo Señor: 'El que come mi carne y bebe mi sangre está en mí y yo en él' (Jn 6,57), declaró lo que había afirmado. Esto es, pues, comer el alimento y beber aquella sangre: mantenerse en Cristo y poseer dentro de sí a Cristo que permanece. Y, por esto, el que no permanece en Cristo y en el que no está Cristo, ése, sin duda, ni come su carne ni bebe su sangre aunque coma y beba, para su propio juicio, el sacramento de tan alto misterio» [26]. Repite la idea de muchos granos que forman un mismo pan y un mismo cáliz. Los sacrificios, los ayunos, el bautismo y la acción del Espíritu Santo han ido formando esa unidad. «Así, Cristo Señor, para significar que nosotros le pertenecemos, quiso consagrar en su mesa el misterio de la paz y de nuestra unidad. El que recibe el sacramento de unidad y no tiene el vínculo de la paz, no recibe el sacramento para sí, sino el testimonio contra sí» [27].

El significado, pues, de la eucaristía es bien claro. Es el sacramento que nos da la vida y nos une a Cristo, haciendo que formemos un solo cuerpo con El. Y al mismo tiempo nos une a los demás cristianos, haciendo que todos, unidos entre sí y con Cristo, formemos su Cuerpo místico. De ahí que para recibir dignamente la eucaristía debamos estar en paz con Dios y con los hombres. Por eso, todos aquellos fieles que no han cometido ningún pecado grave deben acercarse a comulgar todos los días, pues eso significa el pedir a Dios que nos dé el pan de cada día. Y es conveniente recibirlo, si se hace con devoción y humildad y no por presunción y soberbia. En caso de que se hayan cometido pecados mortales que aparten de este sacramento, es necesario hacer primero la debida penitencia, y después recibir este sacramento como una medicina saludable. Por consiguiente, si el cristiano no ha cometido pecados que merezcan la excomunión, no se le debe separar de la eucaristía, pues es el sacramento que da la vida. Hay que tener mucho cuidado, no sea que, al separarle del cuerpo de Cristo, se le aparte del camino de la salvación [28].

Tales ideas, excelentes en sí, para evitar que los sacerdotes alejasen a los fieles de la comunión sin motivos suficientes y para animar a éstos a comulgar diaria o frecuentemente, podían dar lugar a comuniones sacrílegas, pues los sacerdotes podían controlar fácilmente quiénes comulgaban y quiénes no. Algunos fieles, por miedo a la penitencia pública, podían recibir indignamente la eucaristía para no verse obligados a ha-

---

[26] SAN ILDEFONSO, *De cognitione baptismi* c.136: ML 96,168-69.
[27] Ibid., c.138: ML 96,170.
[28] Cf. SAN ISIDORO, *De eccl. officiis* I 18,7-8: ML 83,756.

cer dicha penitencia [29]. De ahí las continuas advertencias para que quienes han cometido pecados graves no se acerquen a comulgar, pues en estas condiciones no se recibe a Cristo, sino la propia condenación.

La celebración eucarística era la forma más solemne de orar de la Iglesia visigótica. Comenzaba la misa cantándose, por el celebrante y el coro, una antífona, que equivale al introito romano. El diácono pide al pueblo que ore y guarde silencio y se pide perdón a Dios por todos los pecados. El sacerdote leía la oración de la misa del día. A continuación seguían las lecturas. La primera era del Antiguo Testamento, que en Pascua se sustituye, por mandato del concilio IV de Toledo, por una lectura del libro del Apocalipsis, que el mismo concilio manda sea aceptado como inspirado. La segunda lectura era de las epístolas de San Pablo o de las canónicas. La tercera era un trozo de los evangelios. En medio de las dos primeras lecturas se recitaba el *Benedictus* o el canto de los tres jóvenes. Después del evangelio se rezaban las laudes. Después de todo esto se tenía una homilía, en la que se explicaba el significado de la festividad que se celebraba.

El diácono mandaba salir a los catecúmenos y a los penitentes públicos. Comenzaba la segunda parte de la misa con la ofrenda del pan y el vino. Puestas las ofrendas sobre el altar, se rezaba una oración colectiva en la que se pedía por todos los miembros de la Iglesia. Recitada esta oración, el subdiácono leía los nombres de los santos, del fiel que había encargado la misa y su familia y de los difuntos por quienes se aplicaba. Después de recitados estos nombres, se pedía por ellos y se les daba el ósculo de paz. Al acercarse la hora de la consagración, se invitaba a los fieles a guardar silencio y a postrarse en tierra. Y, estando así, el sacerdote recitaba, en voz baja, la fórmula de la consagración, que eran las palabras de 1 Cor 11,23-26.

A la consagración seguía la ceremonia de la fracción del pan, que el sacerdote dividía en siete partes, que significaban la encarnación, natividad, pasión, muerte, resurrección, gloria y reino de Cristo. Se recitaba el símbolo de Calcedonia con el *Filioque* y luego el padrenuestro. Mientras, el sacerdote recitaba algunas preces e introducía una parte de la hostia en la sangre de Cristo. Comulgaba primero el sacerdote, y luego todos los demás fieles, que deben sumir allí mismo el trozo de cuerpo de Cristo que se les ha dado. El llevarlo para sumirlo en casa se consideraba como un sacrilegio [30]. Después de la comunión se recitaban dos oraciones y el diácono despedía al pueblo. Así, se celebraba la eucaristía con respeto y devoción. El pueblo tomaba parte contestando a los saludos del sacerdote y siguiendo las indicaciones que les hacía el diácono según las distintas ceremonias, que el pueblo intenta vivir.

Los cristianos visigodos debían cumplir escrupulosamente con la obligación de asistir a misa los domingos. Durante esta época que estudiamos, ningún concilio tuvo que corregir abusos de este tipo, y es ló-

---

[29] Cf. F. J. Lozano Sebastián, *San Isidoro de Sevilla. Teología del pecado y la conversión* (Burgos 1976) p.203.
[30] Cf. J. Vives, *Concilio XI de Toledo* c.11 p.363-64: Mansi, 11,143-144.

gico que lo hubieran hecho de haber tenido motivos para ello. El concilio de Narbona, año 589, prohibía trabajar en domingo, excepto en caso de grave necesidad, sin duda para que el pueblo cumpliese mejor con sus obligaciones religiosas y dedicase todo el día al Señor. El concilio de Mérida, año 666, manda que los clérigos deben decir misa los domingos en todas las iglesias que tienen encomendadas. La pobreza del pueblo no puede ser un obstáculo para que no haya misa. Y, en caso de que no haya misa encargada, se deben recitar los nombres de los bienhechores que han ayudado a construir el templo [31].

Los concilios tuvieron que corregir algunos abusos que se introdujeron en cuanto a los elementos que se consagraban en la misa. El concilio III de Braga, año 675, castiga a penitencia y con la pérdida del cargo a los sacerdotes que, en vez de vino, consagran un racimo de uvas. Otros consagran leche en vez de vino, y algunos se atreven a dar la eucaristía mojada en vino. No sabemos cómo se habían introducido tales costumbres. Todas estas costumbres son contrarias a lo establecido por Dios y a las instituciones apostólicas. Sólo se puede consagrar pan y vino y dárselo a los fieles por separado, ya que así lo hizo el mismo Cristo [32].

Más tarde, el concilio XVI de Toledo, año 693, tiene que salir al paso de un nuevo error. Algunos sacerdotes, por ignorancia o negligencia, consagran solamente la corteza del pan haciéndola trozos y redondeándoles. El pan que se consagra debe ser íntegro, limpio y especialmente preparado para ello, y más bien pequeño, para que, si sobra algo, pueda ser guardado en un sagrario pequeño. Es un pan distinto del que se usa para el consumo diario. A los transgresores de este precepto se les castiga con un año de excomunión [33].

d) **Los demás sacramentos**

Ya hemos dicho que el sacramento de la confirmación se administraba a continuación del bautismo, y, por tanto, ambos sacramentos requerían la misma preparación por parte del cristiano que deseaba recibirlos. El sacramento de la confirmación constaba de la unción y de la imposición de manos. En la unción se usaba el crisma bendecido por el obispo. Debía realizarla el obispo. Aunque a partir del siglo IV se concede a los presbíteros poder confirmar, pero sólo en el caso de que no esté presente el obispo. Se considera a la confirmación como un sacramento que complementa al bautismo y derrama en el cristiano la virtud del Espíritu Santo.

Una cosa parecida ocurría con el sacramento de la extremaunción con respecto al sacramento de la penitencia que se recibía a la hora de la muerte. La extremaunción, por su carácter de sacramento penitencial, estaba prácticamente como absorbida por la penitencia. Los textos

[31] Cf. J. Vives, *Concilio de Mérida* c.19 p.338-39: Mansi, 11,85-86.
[32] Cf. J. Vives, *Concilio III de Braga* c.1 p.372-74: Mansi, 11,153-55.
[33] Cf. J. Vives, *Concilio XVI de Toledo* c.6 p.503-504: Mansi, 12,73-74.

litúrgicos hablan de una unción hecha con óleo, mezclado con incienso y otros perfumes, bendecido solemnemente en la fiesta de los santos Cosme y Damián. Según las fórmulas de la bendición y de la unción, se esperaba que este sacramento confiriera la gracia y también la salud corporal. Quizá por eso se bendecía este óleo en la fiesta de esos santos médicos, cuyo culto estaba muy extendido en todo el Occidente.

El matrimonio es un sacramento instituido por Dios para la propagación del género humano. Tanto por exigencia del sacramento como del contrato, debe ser una unión monógama, porque su significado espiritual es la unión de Cristo con la Iglesia. La unión es indisoluble. San Isidoro se queja de que muchos se casan más por interés y por pasión que por verdadero amor [34]. El matrimonio se celebraba en domingo. La víspera se bendecía la casa y el lecho nupcial. En las oraciones de la ceremonia se pedía por ellos para que cumpliesen dignamente con sus obligaciones matrimoniales.

En la Iglesia visigoda existió, además de los grados eclesiásticos enumerados al hablar de la jerarquía eclesiástica, toda la gama de clérigos menores, que cada uno en su propio oficio estaban al servicio de la iglesia y del culto. A todos ellos se les exigen ciertas cualidades morales y el conocimiento y fiel cumplimiento del oficio que tienen encomendado. Las órdenes menores las podía conferir un simple presbítero. El subdiaconado lo confería el obispo, aunque no con la imposición de manos. No se consideraba el subdiaconado como verdadero sacramento. Se les entregaba el lavabo, la patena, el cáliz y las epístolas de San Pablo como símbolo de su oficio en la Iglesia. Sí se imponían las manos a los diáconos en el rito de su ordenación. También se les imponía la estola en el hombro izquierdo y se le entregaban los evangelios. Su oficio consistía en asistir al sacerdote en las celebraciones sacramentales, el bautismo, la confirmación, la eucaristía, dirigir la liturgia, etc. De los obispos y sacerdotes ya hablamos al tratar de la jerarquía eclesiástica. La esencia de la ordenación del presbítero y de la consagración del obispo estaba en la imposición de las manos y en la oración en que se pedía al Señor que infundiera el Espíritu Santo en el ordenado o consagrado. Sus funciones ya las vimos al hablar de la jerarquía eclesiástica.

2. LITURGIA

La liturgia visigótica es, sin duda, el tema más estudiado de todo este período tanto en su origen y carácter como en las particularidades de cada uno de sus ritos. La bibliografía es abundantísima. Esta liturgia ha recibido diversos nombres: *mozárabe*, por haber sido usada por los cristianos que vivían en los territorios dominados por los árabes; *toledana*, por haber florecido, sobre todo, en la ciudad de Toledo, e *isido-*

---

[34] Cf. SAN ISIDORO, *De eccl. officiis* II 20: ML 83,809-14.

riana, por haberse atribuido su composición a San Isidoro. Creemos que el nombre que mejor la define es el de *visigótica,* por haberse formado, adquirido carácter propio y haber llegado a su esplendor durante este período.

Es evidente que las primeras fórmulas y ritos litúrgicos entraron en España con los primeros evangelizadores. En su esencia procede de Roma en cuanto a los ritos sacramentales, y, sobre todo, en cuanto a la celebración de la eucaristía. Durante los primeros siglos no existe una unidad litúrgica absoluta. Respetando lo esencial de cada rito sacramental, las iglesias particulares son libres de ir introduciendo nuevas fórmulas y ceremonias que mejor se adapten a la idiosincrasia del pueblo que las practica. Una liturgia no se forma de repente ni aparece desde el principio con todas sus particularidades. La liturgia visigótica se fue elaborando lenta y gradualmente, enriqueciéndose poco a poco con nuevos elementos.

Durante los primeros siglos encontramos gran diversidad de ritos dentro de las iglesias locales españolas, lo que no dejaba de ser peligroso. De ahí el interés que ponen los obispos en lograr la unificación. Un ejemplo es el concilio de Gerona del año 517, en el que se manda que en toda la provincia eclesiástica Tarraconense se observen los ritos y ceremonias tal y como se celebran en la iglesia de Tarragona para que haya uniformidad tanto en la celebración de la misa como en la administración de los sacramentos, los cánticos y las oraciones [35]. Lo mismo hace el concilio I de Braga, año 561, para toda la provincia de Galicia. Y en el II de Braga, año 572, se exige al obispo, al visitar la diócesis, que examine el modo en que sus clérigos bautizan, celebran la misa y los demás sacramentos. Sin duda, para que se administren del modo establecido y se conserve la unidad litúrgica [36].

Estos primeros intentos de unificación litúrgica regional son repetidos a escala nacional en el concilio IV de Toledo, año 633. En él se manda: «Después de la confesión de la verdadera fe que se proclama en la santa Iglesia de Dios, tenemos por bien que todos los obispos que estamos enlazados por la unidad de la fe católica, en adelante no procedamos, en la administración de los sacramentos de la Iglesia, de manera distinta o chocante, para evitar que nuestra diversidad en el proceder pueda parecer, delante de los ignorantes o de los espíritus rastreros, como error cismático y la variedad de las iglesias se convierta en escándalo para muchos. Guárdese, pues, el mismo modo de orar y de cantar en toda España y Galia. El mismo modo en la celebración de la misa. La misma forma en los oficios vespertinos y matutinos. Y, en adelante, los usos eclesiásticos entre nosotros, que estamos unidos por la fe y en el mismo reino, no discreparán, pues esto es lo que los antiguos cánones decretaron: que cada provincia guarde unas mismas costumbres en los cánticos y misterios sagrados» [37].

[35] Cf. J. Vives, *Concilio de Gerona* c.1 p.39: Mansi, 8,549.
[36] Cf. J. Vives, *Concilio II de Braga* c.1 p.81: Mansi, 9,838.
[37] J. Vives, *Concilio IV de Toledo* c.2 p.188: Mansi, 10,616.

Los Padres ven en la diversidad litúrgica un verdadero peligro de cisma, o, al menos, de una posible mala interpretación de la unidad de fe, que es el argumento principal que usan para exigir la unanimidad en todas las manifestaciones litúrgicas. La liturgia es la manifestación externa de la fe. Por tanto, todos aquellos que profesan una misma fe deben expresarla con las mismas ceremonias litúrgicas. Acuden también al argumento patriótico. Todos forman un mismo reino, que significa unidad política y unidad religiosa. Es decir, ya disfrutan de unidad política y religiosa, que es preciso demostrar con la unidad litúrgica. España debía ser una en todos los aspectos. La diversidad litúrgica podía ser germen de cismas, éstos de herejías, y todo ello podía llevar a divisiones políticas. Dentro del clima de unidad que se había iniciado en todos los aspectos de la vida y se estaba perfeccionando en España gracias, en gran parte, a San Isidoro, no se podía dejar libre a la voluntad de cada obispo un elemento tan importante como es la manifestación externa de la fe. Se imponía la unidad litúrgica en todas sus manifestaciones.

En algunos puntos, el concilio desciende a detalles. «El concilio se ocupó luego en algunos casos litúrgicos concretos. Se establecieron las normas para la celebración del concilio. Se mandó que tres meses antes de la Epifanía convinieran entre sí los metropolitanos qué día se había de celebrar la Pascua; se ordenó que se administrara el bautismo por simple inmersión; que se tuvieran oficios el Viernes Santo y se ayunara todo ese día; que se bendijeran el fuego y el cirio pascual el Sábado Santo; que se dijera en voz alta todos los días en los oficios divinos el paternóster; que se suprimiera en la cuaresma el *Aleluya;* que el gradual de la misa se recitara no después de la epístola, sino después del evangelio; que no se rehusase cantar himnos; que en todas las misas solemnes se entonase el cántico de los tres jóvenes del horno de Babilonia; que al fin de los salmos no se dijera *Gloria Patri,* sino *Gloria et honor Patri;* que, al terminar los responsorios que indican alegría, se añadiera el *Gloria;* que entre las lecturas de las vigilias y de las misas se introdujera la del Apocalipsis; que los sacerdotes debían comulgar después de haber dado la bendición al pueblo. Otras determinaciones se tomaron relativas a la formación del clero» [38].

El intento de lograr la unidad litúrgica no se dejaba a la buena voluntad de cada uno. El concilio prescribe métodos prácticos, y, entre ellos, el más eficaz, sin duda, fue el legislar que a todos los sacerdotes que habían sido ordenados para desempeñar su ministerio en las iglesias rurales se les diera, antes de enviarles allí, el *libro ritual* para que no profanasen los sacramentos celebrándolos o administrándolos de forma indebida. Y eso se lograba celebrándolos según el modo establecido. Por la forma de expresarse el concilio, se deduce que ese libro ya estaba compuesto y era conocido y usado por todos. Los sacerdotes tienen la obligación de dar cuenta a su obispo de cómo celebran y administran los sacramentos cuando vienen a la ciudad para asistir al concilio o para

---

[38] Z. García Villada, *Historia eclesiástica de España* II p.2.ª (Madrid 1933) p.33-34; J. Vives, *Concilio IV de Toledo* c.3-18 p.188-98: Mansi, 10,616-24.

rezar las letanías. No se dice nada de los sacerdotes que ejercen su ministerio en la ciudad, sin duda porque, al estar cerca de su obispo, éste puede conocer directamente su modo de actuar. Se impone un ritual común para todas las iglesias españolas. Los obispos eran los encargados de vigilar si se cumplían sus prescripciones. Una de las principales obligaciones que tienen cuando realizan la visita a la diócesis es investigar cómo celebran y administran los sacramentos sus clérigos. Más tarde, el concilio XI de Toledo, año 675, exigirá también la unanimidad en el rezo del oficio divino cuando se reza en público con asistencia de fieles. Deberán de realizarlo tal y como se celebra en la iglesia metropolitana. Y debe hacerse así aun en los monasterios a los que se ha concedido un rito propio.

Esta imposición de la unidad litúrgica no frenó el movimiento de renovación y perfeccionamiento que se nota durante todo el siglo VII. Tampoco cortó la inspiración creativa de los autores españoles. Los libros siguen enriqueciéndose con nuevas piezas litúrgicas: misas, himnos, oraciones, etc. Los grandes obispos de la España visigótica Pedro de Lérida, San Leandro, Juan de Zaragoza, San Isidoro, Conancio de Palencia, Eugenio de Toledo, San Ildefondo y San Julián van dejando en los libros litúrgicos huellas de su saber y de su inspiración. Los documentos de la época atestiguan su labor litúrgica y su celo por la digna celebración del culto. Es decir, se exigía la uniformidad en los ritos fundamentales y se respeta y anima la libertad y creatividad en las partes variables de esos ritos.

En lo esencial, la liturgia visigoda es semejante a la romana. En las partes variables tiene un carácter especial, que se adapta a la forma de ser de los compositores y del pueblo visigodo. En la liturgia visigoda hay elementos típicamente orientales, debidos, sin duda, a las relaciones que existen con el Oriente cristiano, a que la parte sudeste de la Península está bajo el dominio de Bizancio hasta el reinado de Suintila (621-31) y al hecho de que los visigodos fueron arrianos, y trajeron con ellos formas cultuales orientales, que los obispos católicos, después de la conversión de los visigodos al catolicismo, respetaron cuando no se oponían ni al dogma católico ni a la esencia de la liturgia tradicional. Tiene también puntos comunes con el rito ambrosiano de Milán.

La forma de orar pública en la Iglesia visigoda podía ser de tres clases. La *oración litánica*, en la que el presidente de la asamblea invita a los asistentes a orar por las intenciones, que él va exponiendo en voz alta. Después de cada intención hacía una pausa y el pueblo contestaba con una fórmula suplicatoria. Es una forma de orar idéntica, prácticamente, a las peticiones que hoy hacemos después de la homilía. La *oración colectiva*, en la que el celebrante invita al pueblo a orar. La asamblea ora en silencio; generalmente, con los brazos en cruz. Al final, el celebrante recita una oración como resumen a la oración de todos los fieles. La *oración eucarística*, que es la más solemne de todas y la recita el celebrante en nombre de todos los asistentes. En la práctica es la parte preparatoria del sacrificio eucarístico. En ella, el pueblo escucha, se asocia mentalmente a la oración y responde a las invitaciones del celebrante. Es el amén, la respuesta a los saludos del sacerdote o el diálogo que precede al prefacio.

Para realizar mejor esta forma de oración fueron formándose los distintos libros litúrgicos. Así, aparece el *Libro de los sacramentos,* llamado también *Libro de los misterios,* que contiene las fórmulas para la celebración del sacrificio eucarístico, que deben recitar el obispo o el sacerdote. El *Liber comicus* era el leccionario de la época, con los textos del Antiguo y Nuevo Testamento que se debían leer en la misa. El *Antifonario,* que contiene los cánticos que preceden, acompañan o siguen a la comunión. Existe, además, el *Liber ordinum,* con las fórmulas para la administración de los sacramentos y sacramentales. Es el ritual que el concilio IV de Toledo mandó entregar a todos los sacerdotes rurales antes de enviarles a sus parroquias. También hay un *Breviario* para la recitación de las horas canónicas.

El año litúrgico comenzaba con el Adviento, a mediados de noviembre, como preparación para la Navidad y la Epifanía. Después viene el tiempo de penitencia de la Cuaresma y Semana Santa, como preparación para la Pascua, la Ascensión y Pentecostés. El domingo era el día del Señor, y se dedicaba a celebrar el culto en común, sobre todo la misa. Sin duda para que todos quedasen libres ese día y pudieran asistir a las celebraciones litúrgicas, se establece en el concilio de Narbona, año 589, «que ningún hombre, sea ingenuo, siervo, godo, romano, sirio, griego o judío, haga ningún trabajo en domingo. No se unzan los bueyes, a no ser que sobreviniere una necesidad de cambiar de lugar, y si alguno se atreviere a hacerlo, si se trata de un ingenuo, pague al conde de la ciudad seis sueldos; si de un siervo, recibirá cien azotes» [39].

Los restantes días del año quedaban para celebrar algunas fiestas de la Virgen y de los santos. Al principio eran las fiestas de San Juan Bautista, los apóstoles y mártires. Después se fueron añadiendo las fiestas de otros santos famosos: San Martín de Tours, San Agustín, San Jerónimo. Y más tarde se añaden santos españoles: San Leandro, San Isidoro, San Eugenio, San Ildefonso y San Julián. Para saber el día en que caían las fiestas se fueron confeccionando calendarios litúrgicos para uso del clero. Así podía éste, además, anunciar al pueblo la fecha de las próximas festividades, los oficios que se iban a celebrar y rogarle su asistencia. Parece que la asistencia a misa en las fiestas de precepto se observaba escrupulosamente. Los cánones conciliares nunca tuvieron que corregir abusos de este tipo.

La riqueza de misas era extraordinaria, como puede verse en el *Liber sacramentorum.* Había una para cada domingo, cada feria, cada festividad y cada mártir. Había varias misas del común y 58 misas votivas. En la celebración de la misa resalta la labor del diácono dirigiendo las diversas ceremonias para que el pueblo participe y siga atentamente el momento del rito que se celebra.

---

[39] J. Vives, *Concilio de Narbona* c.4 p.147: Mansi, 9,1015.

Sobre el modo de celebrar y administrar los sacramentos y sobre el sacrificio de la misa, ya hemos hablado al tratar de la vida sacramental del pueblo visigodo. Sobre el modo de recitar el oficio divino poseemos pocas noticias hasta el siglo VII. En este siglo ya aparece reglamentada su recitación. El oficio que recitaban los monjes constaba ya de las siguientes horas canónicas: prima, tercia, sexta, nona, vísperas, maitines, que se rezan a media noche, y laudes, por la mañana temprano [40]. San Isidoro habla también de las completas, que se rezan antes de acostarse. Para el clero secular, la reglamentación no era tan rigurosa. El oficio se acortaba y aun se dispensaba cuando tenía demasiado trabajo pastoral.

Los ritos del entierro de los difuntos eran realmente conmovedores. Las ceremonias y oraciones son una mezcla de miedo a la muerte y al juicio divino, de resignación cristiana y de esperanza en la misericordia divina, que en voz alta y lastimera se suplica para el difunto y para los que viven todavía.

En todas las ceremonias litúrgicas había partes cantadas, para dar más solemnidad al misterio que se celebraba. Por eso, la Iglesia, a ejemplo de los salmistas que componían y cantaban salmos en el Antiguo Testamento, se ha preocupado de que se formen cantores que con sus cantos eleven los afectos y el corazón de los hombres hacia Dios. San Isidoro exige al cantor una voz buena y agradable, adecuada para cantar melodías sagradas y que lleve a los oyentes a un mayor dolor de sus culpas [41]. El coro de cantores podía estar formado por pocos, muchos o por todo el pueblo.

En la liturgia visigoda existen bendiciones para personas como el abad o la abadesa de un monasterio, para la ceremonia de la imposición del velo a las vírgenes consagradas a Dios. Y existe también una extensa colección de bendiciones varias de objetos y lugares destinados al culto, de frutos y primicias del campo, casas, naves, utensilios, etc. Todo podía y debía ser bendecido.

La liturgia de este período es eminentemente pastoral. Quizá un poco prolija y retórica. Pero con la intención de que el cristiano corriente comprenda inmediatamente y sin grandes esfuerzos el significado del rito que se celebra. Es cierto que esta liturgia tiene una preocupación dogmática por explicar los misterios de la fe, pero se propone, sobre todo, hacer comprender la influencia que esas verdades deben tener en la vida diaria del cristiano. Al mismo tiempo que se preocupa de que los ritos, ceremonias y oraciones sean un medio apto por el que el cristiano conozca mejor las verdades de fe, se esfuerza por conseguir que se ponga en contacto con Dios y adapte su vida a las exigencias del mensaje cristiano. Es una liturgia dirigida al pueblo, que con sus sentimientos, repeticiones de frases de alabanza o petición de perdón trata de mantener la atención de los fieles, facilitar su participación activa y

---

[40] *Regula communis* c.10: ML 87,1118; SAN ISIDORO, *De eccl. officiis* I c.19-23: ML 83,757-60.
[41] SAN ISIDORO, *De eccl. officiis* II c.12: ML 83,792.

la elevación del alma a Dios. Trata de despertar el sentimiento, la emoción y los afectos del hombre sencillo para con Dios.

3. LA PASTORAL

La definición que San Isidoro hace de la palabra *sacerdote* nos da a entender que las obligaciones pastorales son su esencia y finalidad principal. «*Sacerdote* es nombre compuesto del griego y del latín, y significa *el que da lo sagrado;* como *rey* se dice de *regir,* así *sacerdote* se dice de *santificar,* pues consagra y santifica» [42]. En esta época se da todavía, indistintamente, el nombre de *sacerdote* tanto al obispo como a los presbíteros. El obispo, como principal responsable, o el presbítero, como su ayudante inmediato, son los encargados de planificar y llevar a la práctica la cura pastoral en la diócesis y en todas y cada una de las parroquias. Todos los demás clérigos son simples ayudantes de ambos casi exclusivamente en las ceremonias litúrgicas. El pueblo cristiano tiene necesidad de vivir la vida sacramental, porque lo exigen sus deberes para con Dios. Y el sacerdote tiene la obligación grave de celebrar y administrar los sacramentos al pueblo que tiene encomendado.

San Isidoro es un hombre tremendamente práctico y realista. Hemos visto que, para él, el rey y la monarquía y todos los demás cargos civiles no son buenos ni se justifican si no son un servicio a los demás. Igualmente, el *sacerdocio* no es simplemente un honor o un oficio. El ejercicio del sacerdocio es, ante todo, un *servicio* que se presta a los fieles cristianos. La misma idea expresa Tajón de Zaragoza al afirmar que el sacerdote, más que un jefe, es el pastor del rebaño [43]. Afirmaba San Isidoro que no era buen rey el que no regía rectamente. Y no será buen sacerdote aquel que no administra lo sagrado y santifica al pueblo. El sacerdocio no tiene como fin el honor y provecho propio, sino la utilidad del pueblo. «Con múltiples engaños sorprende Satanás a aquellos que, destacando por su probidad de vida y discreción, no quieren dirigir y aprovechar a los demás, y, cuando se les impone la cura de almas, la rechazan pensando que es más prudente llevar una vida tranquila que aplicarse al provecho de las almas. Decisión que toman, no obstante, engañados por las argucias del diablo, que les ilusiona bajo apariencia de bien, a fin de que, mientras les aleja del ministerio pastoral, no aprovechen en modo alguno a quienes podían instruir con palabras y ejemplos» [44]. Es decir, que ni con el pretexto de la propia santificación se puede rechazar la cura pastoral, que consiste en ser útiles a los demás con la predicación y con el ejemplo.

Esta es la razón por la que no se puede admitir al sacerdocio a los pecadores y a los ignorantes e inexpertos. Los pecadores no pueden instruir con el ejemplo. Y los ignorantes no pueden enseñar al pueblo por medio de la predicación [45]. De ahí que, como veremos, el candidato al sacerdocio se educaba en las escuelas episcopales de formación del

---

[42] San Isidoro, *Etimologías* VII 12,17: ML 82,291-92.
[43] Tajón, *Sententiarum libri quinque* II c.32: ML 80,822.
[44] San Isidoro, *Sentencias* III 33,2: ML 83,705.
[45] Ibid., III 35,1: ML 83,707.

clero para ir perfeccionándose en la práctica de las virtudes y adquiriendo la ciencia necesaria para desempeñar dignamente el ministerio de la predicación.

Ya hemos hablado de la pastoral sacramental y litúrgica. Ahora nos ocupamos especialmente de la predicación y enseñanza al pueblo. San Isidoro dedica a este tema los capítulos 33 al 46 del libro tercero de las *Sentencias*. En ellos habla especialmente de la obligación de la predicación, de las cualidades y virtudes exigidas a los predicadores y del método que se debe seguir al enseñar al pueblo. Intentamos comentar los textos más significativos. Es esencial, ante todo, que la virtud y la ciencia vayan unidas. Sin la ciencia no se puede instruir al pueblo, y, si el sacerdote no vive lo que predica, hace inútil toda su ciencia. Además, el pueblo imita fácilmente los pecados de quienes le rigen, y llegará a pensar que, cuando el predicador no cumple lo que enseña, es porque no tiene gran importancia. Y así será causa, por su mal ejemplo, de que el pueblo llegue a despreciar la doctrina que predica.

El sacerdote tiene obligación grave de predicar la verdadera doctrina. Los obispos porque son los sucesores de los apóstoles, y, como ellos, deben de predicar el Evangelio. El sacerdote debe hacerlo porque el predicar es su oficio propio [46]. Son los responsables de la vida cristiana de sus fieles. Y son culpables cuando los pueblos que tienen encomendados son malos y nos les instruyen para sacarles de la ignorancia si por ella obran mal. Son culpables también cuando no les reprenden por los pecados que hayan cometido por malicia o por ignorancia. El sacerdote tiene la obligación grave de enseñar y de corregir a sus fieles. Su oficio propio es el de enseñar, que lleva consigo, además, el oponerse con su ciencia a quienes niegan o contradicen las verdades de la fe, por la obligación grave que tienen de proteger espiritualmente a sus fieles para que las falsas doctrinas no perjudiquen su vida cristiana.

Este deber de proteger y ayudar al pueblo sencillo es casi una obsesión de la Iglesia visigoda. Hemos hablado ya de la obligación de los obispos de proteger civilmente a los débiles y a los judicialmente oprimidos, es decir, a aquellos que no pueden defenderse por sí mismos de las injusticias de los poderosos. Después veremos la obligación de ayudar económicamente a los pobres para que puedan subsistir. Ahora nos encontramos con el deber de la Iglesia de oponerse a las doctrinas perniciosas que pueden dañar la fe del pueblo. El sacerdote es el buen pastor que defiende a su grey.

Pero la predicación es algo más. Es también defensa del pueblo y del pobre ante situaciones injustas. La predicación debe ser comprometida y de denuncia de todos los abusos, vengan de donde vengan. Y el sacerdote debe hacerlo sin temor a las posibles represalias y venciendo los respetos humanos. No resistimos la tentación de copiar literalmente a San Isidoro: «Al que hace distinción con la persona del poderoso y teme decirle la verdad, se le aplica la sentencia de culpa grave. Porque muchos sacerdotes, por miedo al poderío, ocultan la verdad y se apartan del bien obrar, y de la predicación de la justicia por temor a cualquier dificultad o porque les intimida el poder. Mas ¡ay, oh dolor! El motivo de su miedo es o porque se ven envueltos en el afecto a las cosas temporales, o porque les intranquiliza alguna mala acción. Muchos prelados

---

[46] San Isidoro, *De eccl. officiis* II 7,1: ML 83,787.

de la Iglesia, temerosos de perder la amistad o de incurrir en la odiosidad, no denuncian a los pecadores y rehúyen corregir a los opresores de los pobres; ni se asustan de la rigurosa cuenta que han de dar, por cuanto dejan de hablar en defensa del pueblo a ellos encomendado. Cuando los poderosos oprimen a los pobres, los buenos sacerdotes, para redimir a éstos, les prestan el auxilio de su protección; ni temen las molestias de la enemistad de nadie, sino que denuncian en público a los opresores de los pobres, les reprenden y les excomulgan, y apenas si temen los artificios que éstos emplean para hacerles daño aun cuando puedan perjudicarles, porque *el buen pastor da su vida por sus ovejas* (Jn 10,11). Como el pastor solícito suele proteger de las fieras a sus ovejas, así también el sacerdote de Dios debe cuidar la grey de Cristo, para que el enemigo no la devaste, el perseguidor no la infeste, ni perturbe la vida de los pobres la ambición de cualquier poderoso. Por el contrario, los malos pastores no cuidan de las ovejas, sino que, como se lee en el Evangelio acerca de los asalariados, ven acercarse al lobo y huyen (Jn 10,12). Porque entonces huyen cuando callan ante los poderosos y temen enfrentarse a los malos. Si guardan silencio a este respecto, se les declarará culpables de la maldad de aquéllos» [47]. Sobra todo comentario. Ningún autor moderno podría exigir una predicación más valiente y comprometida.

Tanto la enseñanza como la corrección de los pecadores debe realizarse de forma pedagógica. Es necesario tener en cuenta la situación, formación y cualidades de la persona a que se debe instruir o corregir. Al pueblo inculto y sencillo habrá que explicarle las verdades de la fe de una forma sencilla, clara y fácil de comprender, y no atosigarle con explicaciones demasiado profundas. A las personas cultas se les debe exponer la doctrina de acuerdo con sus conocimientos. La predicación debe adaptarse a las características del auditorio para que sea verdaderamente eficaz.

El mismo método hay que seguir cuando se trata de corregir a los pecadores. Algunos se corregirán con una simple advertencia paternal. Cuando esto no sea suficiente, habrá que emplear métodos más duros. Es preferible, cuando sea eficaz, emplear la dulzura y la persuasión, haciendo que el pecador comprenda la malicia de su falta. Tan grave como la obligación que el sacerdote tiene de enseñar y predicar es el deber que tiene de corregir las faltas de sus fieles. Y por eso tiene que investigar las posibles faltas del pueblo que le está encomendado, pero con el único fin de corregirle y de atraerle a la buena vida. Aun cuando sea necesario el llegar a privar de la comunión a algún pecador, el sacerdote no puede abandonarle a su propia suerte, y tendrá que visitarle, agotando todos los recursos a su alcance para lograr su arrepentimiento. El fin de todo este proceso es que el pecador llegue a la conversión a Dios y cambie de vida [48].

Por todo lo dicho, parece ser que San Isidoro está hablando de una enseñanza, corrección y apostolado casi personal, de tú a tú con todos y cada uno de los fieles. Exige el conocimiento personal del estado en que se encuentran todos y cada uno de sus feligreses para ir enseñándoles

---

[47] San Isidoro, *Sentencias* III 45,2-5: ML 83,714.
[48] Ibid., III 45-46: ML 83,711-17.

poco a poco, según su capacidad, la doctrina cristiana y corrigiéndoles todos sus defectos personales.

El sacerdote debe predicar con la palabra y con el ejemplo. Por eso debe leer la Escritura y los cánones, imitar los ejemplos de los santos, vivir en paz con todos, no ser ni demasiado duro ni demasiado blando con los fallos de sus fieles. Así, cuando predique a los demás, «su palabra debe ser pura, simple, muy grave, honesta, sincera, suave y agradable, sabiendo explicar los misterios y las verdades de fe y las virtudes de la continencia y la justicia, sabiendo exhortar a cada uno según su estado, es decir, que sepa qué, cuándo, cómo y a quién habla» [49]. Hay que conocer perfectamente lo que se dice y explicarlo con una gran prudencia. Eso además de la técnica y cualidades naturales que San Isidoro exige aun a los simples lectores, cuya voz debe ser fuerte y agradable y sabiendo dar la entonación debida a las frases que se leen, de tal modo que el pueblo entienda y viva los sentimientos que aparecen en el texto sagrado. Estas cualidades debe poseerlas también el predicador. Tajón de Zaragoza añade, además, el argumento afectivo, afirmando que el predicador debe hacer que el pueblo le ame para que le escuche con agrado, y poder llevarle así al amor de Dios [50].

La predicación es el mejor medio de enseñar la doctrina cristiana al pueblo y conseguir la conversión de éste cuando ha pecado. Pero además es el único medio lícito para intentar la conversión de quienes no profesan la fe católica. El único reproche que San Isidoro hace a la actuación del rey Sisebuto es el haber obligado a los judíos a convertirse por la fuerza, a quienes se debía haber atraído a la fe por medio de la predicación y el convencimiento [51]. Años más tarde, y por el mismo motivo de la conversión de los judíos, el papa Honorio I escribe una dura carta a los obispos españoles acusándoles de ser demasiado blandos con los judíos. Y llega a decirles que son como perros que no saben ladrar para defender su rebaño del peligro que los judíos suponen para la fe. La respuesta que San Braulio escribe en nombre de todos los obispos españoles es no sólo una defensa de su actuación con los judíos, sino también expresa la convicción que tienen los obispos españoles de que sólo por medio de la predicación se puede lograr una conversión sincera. No han sido tan indolentes que hayan olvidado el deber de la predicación, pues lo han cumplido según aconsejaban las circunstancias, pero han preferido usar métodos suaves en la conversión de los judíos, pues la experiencia ha demostrado que con los duros castigos que les impuso el rey Sisebuto no se ha logrado nada; sólo conversiones falsas. Y el único método válido es el de la predicación. Los obispos españoles están tranquilos, porque han cumplido con el deber de la predicación [52].

También la legislación conciliar recuerda a los sacerdotes el deber de la predicación. El concilio IV de Toledo legisla: «La ignorancia, madre de todos los errores, debe evitarse, sobre todo, en los obispos de Dios, que tomaron sobre sí el oficio de enseñar a los pueblos...; y conozcan, por lo tanto, los obispos la Escritura santa y los cánones, para

---

[49] San Isidoro, *De eccl. officiis* II 5,17: ML 83,785.
[50] Cf. Tajón, *Sententiarum libri quinque* II c.33: ML 80,826.
[51] Cf. San Isidoro, *Historia Gothorum* 60: ML 83,1073.
[52] Cf. San Braulio, *Epistola XXI eiusdem Braulionis nomine Concilii VI Toletani scripta ad Honorium I:* ML 80,667-70.

que todo su trabajo consista en la predicación y en la doctrina y sea la edificación de todos tanto por la ciencia de la fe como por la legalidad de su conducta» [53]. La predicación es la tarea propia del sacerdote. Casi lo mismo repite el concilio XI de Toledo cuando escribe: «Por lo tanto, debemos todos nosotros reflexionar atentamente en el puesto que ocupamos y en la responsabilidad del cargo que hemos recibido, para que los que hemos aceptado el oficio de la predicación no descuidemos con otras ocupaciones el estudio de las cosas sagradas» [54].

La visita pastoral que el obispo realiza en su diócesis es una buena oportunidad para ejercer el ministerio de la enseñanza y de la predicación. Enseñar a los clérigos, para que administren los sacramentos según el modo establecido. Y predicar a los fieles, para que eviten toda clase de pecados y cumplan con sus obligaciones religiosas [55].

La predicación se realiza en forma de catequesis para grupos reducidos que se preparan a recibir los sacramentos de la iniciación cristiana. Vimos, p.ej., el período de preparación necesario para el bautismo, el significado de la entrega y devolución del símbolo de la fe. En el caso de que los bautizandos fueran niños, esa catequesis debía realizarse después por parte del sacerdote, de los padres y de los padrinos. Especial atención se prestaba también al grupo de los penitentes, para obtener, por medio de la enseñanza y de la predicación, su dedicación sincera a una vida de penitencia para lograr un profundo arrepentimiento, su conversión a Dios y un cambio de vida. El sacerdote debía estar en contacto con ellos para instruirles y animarles.

Esta formación cristiana se iba perfeccionando paulatinamente por medio de la predicación normal, que se realizaba dentro de la misa y como parte integrante de la misma. Se seguía explicando al pueblo las verdades de la fe contenidas en la festividad que se celebraba, el sentido de las lecturas hechas en la iglesia, que se exigía escuchar con devoto silencio; la práctica de las virtudes cristianas y la huida de los vicios. La instrucción religiosa se hacía a través de la liturgia, explicando el pueblo el sentido del misterio y de las ceremonias litúrgicas con que se celebraba.

Para ayuda de los sacerdotes existía ya un *libro de sermones,* que contenía homilías de los Santos Padres, y que se leían después del evangelio de la misa en los domingos, fiestas más importantes y en alguna ocasión en que por reunirse el pueblo por algún motivo especial, como podían ser las rogativas para pedir la lluvia, era una ocasión muy propicia para predicar al pueblo, que por tal motivo está especialmente dispuesto a escuchar los buenos consejos. El clero cumplía de esta forma con la principal obligación de su estado, que era la predicación, como proclaman los escritores españoles y la legislación conciliar.

4. Formación del clero

Hemos dicho al hablar de la jerarquía eclesiástica que el obispo era el principal responsable de la cura pastoral de toda la diócesis, que de-

---

[53] J. Vives, *Concilio IV de Toledo* c.25 p.202: Mansi, 10,626-27.
[54] J. Vives, *Concilio XI de Toledo* c.2 p.355: Mansi, 11,138.
[55] Cf. J. Vives, *Concilio II de Braga* c.1 p.81: Mansi, 9,838.

bía solucionar los problemas y dificultades. Sus obligaciones principales son el procurar que se celebren los sacramentos según está establecido en los cánones. Comprobar si sus sacerdotes y fieles conocen las verdades de la fe y adoctrinar a los ignorantes. Los sacerdotes son los colaboradores directos. Su oficio es enseñar, celebrar y distribuir los santos misterios. En los libros litúrgicos se les llama doctores de los pueblos para que lleven a todos a la verdadera fe. De ahí el empeño que los escritores españoles y la legislación conciliar ponen en procurar que los sacerdotes estén bien instruidos en las verdades de la fe.

La responsabilidad del sacerdote era inmensa. De él dependía, en gran parte, la intensidad con que sus feligreses vivieran la vida cristiana. Debía celebrar, administrar y hacer comprender el valor y la necesidad de una íntima vida sacramental. Debía explicar el significado de las celebraciones litúrgicas y hacer que el pueblo asistiese y participase activamente en ellas. Enseñar y explicar gradualmente al pueblo las verdades de la fe. En una palabra, era el encargado y responsable de llevar a la práctica todo lo dicho sobre la vida sacramental, litúrgica y pastoral. Todas estas obligaciones no podía cumplirlas dignamente sin la adecuada formación científica y religiosa.

Los obispos españoles se dieron cuenta de que todo esto no se podía realizar sin una formación seria y sistemática. Era una labor que no se podía dejar ni al sentido común ni a la buena voluntad. No sólo en el terreno intelectual, sino también en el religioso y moral. El sacerdote debía ser un maestro y un modelo de vida cristiana. No era por el simple prurito de saber, lo exigía su ministerio espiritual. Por esta razón comenzaron a fundarse y a multiplicarse las escuelas para la formación del clero. Ya no era suficiente, como en los primeros siglos, elegir para sacerdote a alguno de la comunidad.

Los monasterios fueron los medios de conservación y transmisión de la cultura. Es normal que también en los monasterios se fueran desarrollando escuelas a las que asistían los jóvenes para estudiar, tanto los que querían ser clérigos como los que se inclinaban a oficios o cargos seculares. Las escuelas para formar clérigos exclusivamente seguirían este modelo de las escuelas monacales y nacerían poco después. Ocurre esto tan pronto en España, que el concilio II de Toledo, año 527, legisla que, «respecto de aquellos que fueron consagrados a la vida clerical desde los primeros años de su infancia por voluntad de sus padres, decretamos que se observe lo siguiente: que, una vez tonsurados y entregados para el ministerio de los elegidos, deben ser instruidos, por el prepósito que les ha sido señalado, en las cosas de la Iglesia bajo la inspección del obispo» [56]. Asistieron ocho obispos a este concilio, entre ellos Justo de Urgel, que en su *Comentario al Cantar de los Cantares* se había quejado de la ignorancia del clero. Empezaban así los obispos a tomar las medidas necesarias para combatirla.

El concilio nos demuestra que en este tiempo había niños que por

---

[56] J. VIVES, *Concilio II de Toledo* c.1 p.42: MANSI, 8,785.

voluntad de sus padres iban para clérigos. Igual ocurría en los monasterios orientales y en las escuelas monásticas de Lerins y Marsella, aunque no todos llegasen a ser monjes. Pero el concilio no quiere vocaciones forzadas, y así continúa diciendo que a los dieciocho años se pregunte a esos niños si quieren casarse. Es decir, pueden elegir libremente su estado de vida. Los que decidan guardar castidad y quedarse serán ordenados de subdiáconos a los veintiún años. Si son considerados dignos a los veinticinco años, serán ordenados de diáconos. A los treinta serán sacerdotes. Seguramente, al decidirse libremente por la vida clerical, era cuando comenzaba propiamente la formación eclesiástica.

Los obispos demuestran un gran sentido común al redactar el canon segundo. «Del mismo modo, se tuvo por bien establecer que ninguno de aquellos que reciben esta educación, forzados por cualquier ocasión, se atrevan, abandonando su propia iglesia, a pasar a otra. Y el obispo que acaso se atreviere a recibirles sin conocimiento del propio obispo, sepa que se hace reo ante todos sus hermanos, porque es muy duro que uno arrebate y se apropie al que otro desbastó de la rusticidad y de la debilidad de la infancia» [57]. Esos clérigos se debían a la iglesia que había hecho el sacrificio de educarles y mantenerles durante el largo período de su formación.

Nos encontramos, pues, ante una verdadera escuela clerical, sobre todo a partir de la recepción del subdiaconado. Pero estas ordenaciones no se cumplieron con exactitud en todas partes. El concilio de Braga del año 561 manda que no se ordene de sacerdote a aquel que al menos durante un año no haya ejercido un ministerio inferior familiarizándose con la disciplina eclesiástica, porque es absurdo que quien todavía no ha aprendido lo suficiente, se atreva a enseñar a los demás.

Poco a poco, y con las imperfecciones lógicas, iban formándose estas escuelas en las demás provincias eclesiásticas [58]. Durante el período de formación, los aspirantes al sacerdocio viven en común en la *casa de la iglesia,* bajo la dirección del *prepósito,* que es un clérigo sabio y ejemplar, y bajo la vigilancia directa del obispo, que se encarga de su formación intelectual y religiosa. Al mismo tiempo van aprendiendo su oficio asistiendo a las celebraciones litúrgicas. Los primeros documentos que hablan de estas escuelas de formación no nos dicen expresamente qué materias se enseñaban en ellas. Al mismo tiempo siguieron floreciendo las escuelas monacales, y de ellas salieron los grandes obispos de esta época: Martín de Dumio, Juan Biclarense, San Leandro, San Isidoro, San Eladio, Justo, Eugenio, San Ildefonso y San Fructuoso.

El impulso definitivo a estas escuelas de formación lo dio el concilio IV de Toledo, año 633, cuya influencia en este tema fue fundamental en toda la Edad Media y llegará hasta el concilio de Trento. Es superfluo tratar de probar la influencia de San Isidoro, que en infinidad de textos trata de convencer a los clérigos de la necesidad y obligación que

---

[57] Ibid., c.2 p.43: MANSI, 8,785.
[58] Cf. J. FERNÁNDEZ ALONSO, *La cura pastoral en la España romano-visigoda* (Madrid 1955) p.77-81.

tienen de preocuparse de su formación intelectual y espiritual. Transcribimos literalmente el canon que trata de la formación del clero: «Cualquier edad del hombre a partir de la adolescencia es inclinada al mal; pero nada más inconstante que la vida de los jóvenes. Por esto convino establecer que, si entre los clérigos hay algún adolescente o en la edad de la pubertad, todos habiten en el mismo techo junto a la iglesia, para que pasen los años de la edad resbaladiza no en la lujuria, sino en las disciplinas eclesiásticas, confiados a algún anciano muy probado, a quien tengan por maestro en la doctrina y por testigo de su vida. Y, si hubiere entre ellos algún huérfano, sea protegido por la tutela del obispo, para que su vida sea salva de cualquier atentado criminal, y sus bienes, de las injusticias de los malvados. Y los que se opusieren a esto serán encerrados en algún monasterio, para que los ánimos inconstantes y soberbios sean reprimidos con severa norma» [59].

Además de la formación espiritual adecuada, se prescribe la enseñanza de las disciplinas eclesiásticas. Algo más explícito es el canon siguiente. Después de afirmar que la ignorancia es la madre de todos los errores, y, por tanto, es importante poner todos los medios para evitarla, sobre todo en los obispos, añade que éstos deben conocer la sagrada Escritura y los cánones. La razón es que toda su ocupación debe ser la predicación y la enseñanza de los demás con su doctrina y con su ejemplo. Es lógico deducir que, si el sacerdote era el ayudante del obispo en la cura pastoral, a los sacerdotes se les exigiesen los mismos conocimientos.

Quizá con más dureza se expresa el mismo San Isidoro. «Como se impide a los inicuos y pecadores alcanzar el ministerio sacerdotal, así se aleja de tal cargo a los ignorantes e inexpertos. Los primeros corrompen la vida de los buenos con sus ejemplos, los segundos no saben corregir a los malos por su incapacidad. Porque ¿cómo podrán enseñar lo que ellos mismos no aprendieron? Rehúse aceptar el cargo de enseñar quien no sabe hacerlo. Ciertamente, la ignorancia de los prepósitos no conviene a la vida de los súbditos» [60]. Si se debe alejar de su oficio a los ignorantes, mucho menos se puede permitir que sean ordenados. Son incapaces de desempeñar dignamente sus obligaciones pastorales. La misma opinión comparte Tajón de Zaragoza cuando afirma que «es necesario que quien se dedica al oficio de la predicación no se aparte del estudio de los libros sagrados» [61].

El concilio VIII de Toledo, año 653, vuelve a criticar muy duramente la ignorancia de algunos clérigos. «En la octava discusión encontramos que algunos encargados de los oficios divinos eran de una ignorancia tan crasa, que se les había probado no estar convenientemente instruidos en aquellas órdenes que diariamente tenían que practicar. Por lo tanto, se establece y decreta con solicitud que ninguno en adelante reciba el grado de cualquier dignidad eclesiástica sin que sepa per-

[59] J. Vives, *Concilio IV de Toledo* c.24 p.201-202: Mansi, 10,626.
[60] San Isidoro, *Sentencias* III 35: ML 83,707.
[61] Tajón, *Sententiarum libri quinque* II c.32: ML 80,822.

fectamente todo el salterio y, además, los cánticos usuales, los himnos y la forma de administrar el bautismo; y aquellos que ya disfrutan de la dignidad de los honores y, sin embargo, padecen con la ceguera de una tal ignorancia, o espontáneamente se pongan a aprender lo necesario o sean obligados por los prelados, aun contra su voluntad, a seguir unas lecciones» [62]. Parece ser que eran casos aislados. Pero los concilios se habían tomado el asunto muy en serio. Ahora se establece el mínimo indispensable para recibir las primeras órdenes: saber el salterio, los cánticos más usados, los himnos y la forma de bautizar. Los ya ordenados, o por propia voluntad u obligados por su obispo, deben aprender todo lo concerniente al oficio que desempeñan. Prácticamente, lo mismo repite el concilio XI de Toledo, año 675, exigiendo que los metropolitanos vigilen a los obispos, y éstos a los sacerdotes y demás clérigos, recordándoles el deber que tienen de instruir a los ignorantes y de obligarles, aunque no quieran, a dedicarse al estudio [63].

Hemos dicho que en la liturgia visigótica había bendiciones y oraciones para todo. La oración que se rezaba sobre el joven que comenzaba sus estudios decía así: «Señor Jesucristo, tú que abriste la boca a los mudos e hiciste elocuentes las lenguas de los niños, abre la boca de este tu siervo para que reciba el don de la sabiduría, a fin de que, aprovechando con toda perfección las enseñanzas que hoy se le empiezan a dar, te alabe por los siglos de los siglos» [64]. La enseñanza comenzaba aprendiendo a leer y seguía con el estudio de la gramática. Con esto conocía el sentido de las palabras y las frases, si éstas quedan sin sentido o si lo hacen completo. Todo esto, además de una voz clara, exige San Isidoro al que se va a ordenar de lector. Para estos alumnos escribió San Julián su *Ars grammatica*.

Después de estos conocimientos elementales, se profundizaba en el estudio de la gramática, y se comenzaba con la retórica y la dialéctica para perfeccionar el latín, conocer la literatura y los primeros elementos de filosofía. A continuación se estudiaba la aritmética, la geometría, la música y la astronomía. Todo ello ordenado, para los clérigos, a poner los fundamentos para su formación teológica. Hemos visto que el concilio IV de Toledo habla sólo de conocimiento de las Escrituras sagradas y de los cánones. Pero es evidente que en la frase trata de resumir todos los conocimientos necesarios para desempeñar eficazmente el ministerio pastoral. San Isidoro en sus escritos añade explícitamente esos elementos necesarios para la cura pastoral.

Para esa formación se usaban, sin duda, las obras de los escritores españoles, y muchas de ellas fueron escritas con esa finalidad. San Isidoro, en su *De ecclesiasticis officiis,* explica el origen, significado y obligaciones de los clérigos, de los sacramentos, de algunas fiestas religiosas, etcétera, que los estudiantes podían aprender en teoría y luego practi-

[62] J. VIVES, *Concilio VIII de Toledo* c.8 p.281-82: MANSI, 10,1218.
[63] Cf. J. VIVES, *Concilio XI de Toledo* c.2 p.355-56: MANSI, 11,138.
[64] M. FÉROTIN, *Le «Liber Ordinum» en usage dans l'Église wisigothique du Veme au XIeme siècle* (París 1904) col.38-39.

car en las ceremonias litúrgicas. Todo esto lo comenta más ampliamente en algunos puntos San Ildefonso en el *De cognitione baptismi*. En los libros séptimo y octavo de las *Etimologías*, de San Isidoro, encontraban los alumnos las ideas fundamentales sobre la Trinidad, Cristo, los ángeles, la Iglesia, la gracia y las virtudes. Y para estudiar más profundamente la teología tenían los tres libros de las *Sentencias*, del mismo San Isidoro, como resumen perfecto de la doctrina teológica y moral de la Iglesia. Para las verdades de la vida futura estaba el *Prognosticon futuri saeculi*, de San Julián. Para el estudio de la sagrada Escritura contaban, sólo de autores españoles, con los *Comentarios al Cantar de los Cantares*, de Gregorio de Elvira, y el de Justo de Urgel, los de Apringio y Beato de Liébana al Apocalipsis y las varias obras que San Isidoro dedicó a temas escriturísticos. Y, en cuanto al conocimiento de la legislación conciliar, decretales pontificias, costumbres sobre la celebración y administración de los sacramentos y sacramentales, disponían de la colección *Hispana*. En el libro tercero de las *Sentencias* podían encontrar, después de ordenados de sacerdotes, un magnífico manual de pastoral [65].

Ni los escritores españoles ni la legislación conciliar descienden a detalles sobre los métodos pedagógicos. Lógicamente podemos decir que se aplicaban los mismos principios que San Isidoro propone para una buena pastoral. Es imprescindible acomodarse a la capacidad de los alumnos, profundizar gradualmente en los temas explicados, conocer la psicología de los jóvenes y, si son niños, tener paciencia con ellos. No eran raros los castigos y azotes para corregir a los díscolos y animar a los vagos. Parece ser que los castigos eran ejemplares, pues algunos alumnos por miedo a ellos se refugiaron en las iglesias como lugar sagrado [66].

Al mismo tiempo que la progresiva formación intelectual, a los candidatos al sacerdocio se exige un progreso gradual en su vida moral y espiritual. Vimos que el concilio II de Toledo exigía, en primer lugar, al candidato a las órdenes sagradas su intención de guardar castidad. Cuando han probado la sinceridad de su promesa, pueden ser ordenados de subdiáconos, y, si su conducta sigue siendo buena, de diáconos a los veinticinco años. Los treinta años, según San Isidoro, es la mejor edad para ser ordenados de sacerdotes. La santidad de vida es tan importante como la ciencia. El sacerdote debe enseñar con su sabiduría y con sus ejemplos. De otro modo, su apostolado sería imperfecto.

El concilio IV de Toledo mandaba que los clérigos jóvenes estuviesen bajo la dirección de algún clérigo entrado en años, que, al mismo tiempo que les forma intelectualmente, les dirija en su vida espiritual con su ejemplo y sus consejos. Es una mezcla de profesor y de director espiritual. Al mismo tiempo, cuando sea necesario, deberá testificar la santidad de vida de sus alumnos. San Isidoro expone lo que sería el ideal de sacerdote: «Las leyes de los Padres mandan que los clérigos,

---

[65] Cf. F. Martín Hernández, *Escuelas de formación del clero en la España visigoda*, en *La patrología toledano-visigoda*: XXVII Semana Española de Teología (Madrid 1970) p.89-90.
[66] Cf. J. Vives, *Concilio de Lérida* c.8 p.57: Mansi, 8,613.

apartados de la vida ordinaria, se abstengan de los placeres del mundo. No asistan a los espectáculos y fiestas profanas; huyan de los convites fastuosos, conformándose con una mesa sobria y honesta. De ninguna manera se entreguen a la usura, al fraude y a la avaricia, reprimiendo el amor al dinero como fuente de todos los vicios. Debe evitar los negocios y ocupaciones seculares y mortificar la ambición a los puestos honrosos. No acepte remuneración por el desempeño de sus funciones sagradas, ni se manche con engaños y murmuraciones, con odios, emulaciones o envidias. Sus mirada sea modesta; su conversación, discreta; su andar, humilde; su vestido, sencillo. Todo ello debe reflejar el pudor de su alma, abominando toda impureza de palabra o de obra. No visitará a las viudas o a las vírgenes ni tratará con mujeres extrañas, trabajando continuamente para conservar sin mancha la castidad de su cuerpo. Preste la debida obediencia a los mayores; no se ensoberbezca con vana jactancia. Por último, dedíquese a la lectura y a la enseñanza de la doctrina, los salmos, los himnos y cánticos, pues tales deben ser los que se han consagrado al servicio divino, que, al mismo tiempo que se dedican al estudio, deben dar al pueblo la gracia de la predicación» [67]. Son las exigencias que encontramos dispersas por toda la legislación conciliar. Al darle el cargo, la Iglesia le desea el espíritu de la discreción y la abundancia de la medicina celestial para vivir rectamente, instruir con su palabra y corregir las costumbres de todos aquellos que tiene encomendados [68].

Estas escuelas episcopales, junto a las monásticas y a las más modestas parroquiales, fueron, sin duda, la causa principal del gran esplendor que alcanzó la Iglesia visigoda en el siglo VII. El clero, a pesar de los casos denunciados por los mismos concilios, estaba bien preparado para su labor apostólica. De esas escuelas salieron hombres eminentes en sabiduría y santidad, que, a su vez, se convertían en maestros de las nuevas generaciones y en los principales animadores y promotores de dichas escuelas. Es obligado mencionar a Masona, en Mérida; San Leandro y San Isidoro, cuya influencia domina prácticamente toda la época, en Sevilla; San Eladio, Justo, San Eugenio, San Ildefonso y San Julián, en Toledo; San Braulio y Tajón, en Zaragoza; San Fructuoso de Braga. Las citadas ciudades fueron los más famosos centros de formación del clero. Aunque menos famosas, casi todas las diócesis españolas tuvieron sus propias escuelas y nombres ilustres.

5. LOS BIENES ECLESIÁSTICOS

La Iglesia visigoda necesitaba de recursos económicos para su mantenimiento y su apostolado. El mantenimiento de los clérigos, los gastos para la formación del clero, el culto, la construcción y reparación de iglesias y las obras de caridad no podían realizarse sin una base econó-

[67] SAN ISIDORO, *De eccl. officiis* II 2: ML 83,777-79.
[68] Cf. M. FÉROTIN, *Le Liber Ordinum...* col.53.

mica. Desde el principio de la Iglesia, los cristianos cooperaban con sus propios bienes a solucionar el problema económico de la Iglesia. Y también lo hacían los cristianos visigodos con sus ofrendas o con donación de bienes raíces.

La Iglesia como institución podía poseer cualquier clase de bienes y administrarlos para sufragar sus gastos. En esta época, la Iglesia ya poseía un patrimonio propio. Parte de esos bienes provenía de la oblación de ofrendas. En la Iglesia visigoda esas ofrendas se celebraban regularmente. El concilio de Mérida del año 666 habla de que, según la costumbre y la generosidad de cada uno, se ofrece dinero en la misa los domingos y días festivos, que se debe entregar al obispo para que éste lo reparta equitativamente [69]. Quizá la fórmula más normal en estas ofrendas era entregar una cantidad de dinero, a ejemplo de las contribuciones al fisco, que se pagaban en metálico, aunque esta forma de hacerlo no descarta que también se hiciesen ofrendas en especie, sobre todo en las iglesias rurales. En la misa se oraba por quienes las habían presentado. Se recibían también en la iglesia las ofrendas que pudieran ser más cuantiosas, como los diezmos. Estos diezmos, durante el siglo VII, no son obligatorios, sino una práctica piadosa que los fieles realizaban no muy frecuentemente. Ningún concilio hace alusión al diezmo ni a su obligatoriedad. Y el que lo hacía podía darlos donde mejor le pareciese. Tampoco hablan los escritores visigodos y los concilios de las primicias, aunque sí lo hacen los libros litúrgicos.

Dentro de estas ofrendas podemos incluir los que hoy se llaman *derechos de estola*. Eran las ofrendas que los fieles hacían con ocasión de la administración de algún sacramento o sacramental. La Iglesia visigoda nunca permitió al clero reclamar esas ofrendas por administrar los sacramentos. Pero la costumbre de ofrecerlas, sobre todo con ocasión del bautizo de algún hijo, estaba muy extendida, y la Iglesia no fue capaz de desarraigarla por completo. La primera prohibición de recibir dinero por ello aparece en el concilio de Elvira. La costumbre persistió, y el concilio II de Braga, año 572, permitió que se recibiesen las que se hacían voluntariamente; pero prohibió que los clérigos las exigiesen como algo obligatorio, ya que por esta razón muchos pobres que no tenían nada que dar no llevaban a bautizar a sus hijos. La situación no cambió, porque, al aceptarse las que se ofrecían libremente, los pobres que no tenían nada que ofrecer se sentían coaccionados, y preferían no bautizar a sus hijos antes que pasar la vergüenza de no llevar nada a la iglesia. Por eso vuelve a intervenir enérgicamente el concilio XI de Toledo, año 675, en el que se afirma el deber grave de administrar gratuitamente los sacramentos y castiga con la excomunión por dos, tres o cuatro meses, según las circunstancias, a los clérigos que han aceptado esos regalos ofrecidos libremente [70]. Así se terminaba jurídicamente con este problema práctico.

La Iglesia condena también el que el obispo reclame ofrendas por la

---

[69] Cf. J. Vives, *Concilio de Mérida* c.14 p.335: Mansi, 11,83.
[70] Cf. J. Vives, *Concilio XI de Toledo* c.8 p.361-62: Mansi, 11,142.

bendición del crisma y, sobre todo, por la administración del sacramento del orden. Esto era simonía, y los concilios la denuncian sin ambages. El concilio VIII de Toledo, año 653, imponía la pena de deposición y reclusión perpetua en un monasterio al obispo que hubiese sido elegido y consagrado simoníacamente. Y quienes habían recibido el dinero eran depuestos, si eran clérigos, y excomulgados perpetuamente, si eran seglares. Para evitar toda simonía se prescribe en el concilio XI de Toledo que todo obispo debe jurar antes de su consagración que no ha comprado el episcopado. Los casos de simonía no fueron muy raros, y no era fácil castigarlos, por falta de pruebas. Pensaban los Padres que era más fácil y práctico exigir el juramento citado al futuro obispo. El dinero así recaudado no iba a parar a los fondos de la Iglesia, sino a engrosar el patrimonio particular de quien confería simoníacamente los grados eclesiásticos.

La Iglesia visigoda poseía bienes inmuebles dedicados al culto y como vivienda de los clérigos: templos, cementerios, monasterios, palacios episcopales y casas para los clérigos, etc., y tierras propias, que explotaba en su beneficio. El patrimonio eclesiástico fue formándose paulatinamente por medio de donaciones. Era el modo de adquirir más importante. A veces, los nobles visigodos donaban a la Iglesia parte de sus posesiones. También lo hicieron los reyes. Estas donaciones en favor de la Iglesia estaban respaldadas por las leyes civiles y afirmadas por la legislación eclesiástica [71]. Las donaciones no podían exceder de una quinta parte, si el donante tenía herederos forzosos: hijos o nietos. Si el donante no los tenía, podía hacer a la Iglesia heredera de todos sus bienes.

También aumentaba el patrimonio eclesiástico por medio de las fundaciones, que en la práctica son una forma de donación, pues, en vez de enriquecer una iglesia ya constituida, se construye una nueva, dotándola de bienes suficientes para su mantenimiento. La dote de esa iglesia formaba parte del patrimonio eclesiástico. Prácticamente, no existía en esta época la llamada *iglesia propia.* La administración de esa iglesia y sus bienes pasaba al clérigo que la regía [72]. En esto, la legislación conciliar no hizo ninguna concesión.

Cada iglesia tenía su propio patrimonio eclesiástico, y lo administraba independientemente de otras parroquias. «Los obispos visigodos nunca se preguntaron si diócesis y basílicas formaban varios sujetos distintos de propiedad, o uno solo bajo diversas modalidades; a ellos lo que les interesaba y lo que repetidamente les ocupó en varias de sus deliberaciones conciliares era dónde y cómo había que aplicar las rentas de esos bienes» [73]. Aunque no podían hacerlo independientemente del obispo. Este tiene algunos derechos: vigilar la administración del patrimonio, percibir un tercio de la renta para reparar dichas iglesias, aparte

---

[71] Cf. J. Vives, *Concilio IV de Toledo* c.15 p.242-43: Mansi, 10,668.
[72] Cf. J. Vives, *Concilio III de Toledo* c.19 p.131: Mansi, 9,998.
[73] G. Martínez Díez, *El patrimonio eclesiástico en la España visigoda:* Miscelanea Comillas 32 (Santander 1959) p.51.

de sus obligaciones religiosas y disciplinares, como son el ordenar y designar el clero de estas iglesias; vigilar el culto y la administración de los sacramentos y hacer la visita canónica.

En la ciudad episcopal no hay nada más que un patrimonio. Aunque existan varias basílicas, no hay nada más que un patrimonio, que es el episcopal, pues el primer rector de todas esas basílicas era el obispo. El clero que atiende esas iglesias lo hace temporalmente y por delegación del obispo. La administración de los bienes de todas las iglesias de la ciudad corresponde al obispo con sus colaboradores. «El patrimonio de la iglesia urbana o catedralicia continuó durante toda la época visigoda íntegramente bajo la administración directa del obispo y de sus auxiliares. Aquél asignaba a cada uno de los clérigos y familiares de la iglesia una parte de las tierras cultivables, y de los siervos, en calidad de estipendio, percibía los frutos de aquellas otras fincas agrícolas reservadas para la explotación directa, y cobraba las rentas de otros terceros lotes otorgados en arrendamiento. Bajo su dirección se dividían también las colectas, y sobre él recaía, igualmente, la obligación de repartir la ayuda necesaria a los menesterosos y los gastos de culto y de reparación de las iglesias urbanas» [74]. En las parroquias rurales es el párroco el encargado de administrar los bienes, bajo la inspección del obispo. Todos debían ser diligentes en conservar y administrar bien los bienes de la iglesia.

Igual que ocurría con los bienes propios del rey y los bienes del Estado, ocurría con los bienes propios del obispo o del sacerdote y los bienes de la Iglesia. La legislación hace una distinción neta entre los bienes propios y los bienes de la iglesia que administra. El obispo y el sacerdote podían hacer lo que quisieran con sus propios bienes, pero no con los de la iglesia. Los bienes de la iglesia debían pasar íntegros al sucesor en el cargo. A veces, la legislación conciliar tuvo que defender estos bienes de la avaricia de obispos y clérigos vecinos y de los herederos del difunto. El concilio de Valencia manda que el obispo que ofició en los funerales haga un inventario de los bienes de la iglesia y lo envíe al metropolitano [75]. Las mismas leyes civiles exigieron que los obispos y rectores de iglesias hiciesen dicho inventario en presencia de cinco testigos que lo avalasen con sus firmas al tomar posesión del cargo [76].

Es natural que la Iglesia exigiese una buena administración y la conservación por todos los medios del patrimonio eclesiástico, ya que esos bienes eran el medio de vida de los clérigos y de subvencionar los gastos de la iglesia. De ahí que estuviese alerta contra los malos administradores y contra las obras benéficas excesivas para remediar una necesidad pasajera, pues podían comprometer la subsistencia de una iglesia. Las mismas leyes civiles ponían cortapisas a la enajenación de los bienes de la Iglesia. El concilio III de Toledo, año 589, insiste en que los bienes de la Iglesia son inalienables, aunque permite al obispo hacer donaciones a los monjes, convertir una iglesia en monasterio y dotarle

[74] Ibid., p.108.
[75] Cf. J. Vives, *Concilio de Valencia* c.2 p.61-62: Mansi, 8,621.
[76] Cf. K. Zeumer, *Leges visigothorum antiquiores* 5,1.2 p.144.

convenientemente, con tal de que esa generosidad no disminuya notablemente el patrimonio de la iglesia episcopal [77]. El concilio IX de Toledo, año 655, fijará la cantidad que puede donar en la quincuagésima parte de los bienes.

Entre los bienes que poseía la Iglesia estaban los siervos que trabajaban sus tierras. Su importancia en la economía era grande. El concilio IV de Toledo sólo admite la manumisión de los siervos si previamente el obispo había aumentado el patrimonio de la iglesia, o de sus propios bienes, o, si carecía de ellos, con las adquisiciones que hubiese hecho durante su obispado [78]. No es extraña esta reticencia en conceder la manumisión a los siervos, ya que éstos eran quienes trabajaban y hacían producir las tierras de la Iglesia.

Los clérigos podían dedicar el tiempo libre que les dejaban sus ocupaciones eclesiásticas a ejercer algún trabajo o actividad que les permitiera ganar algún dinero, siempre que esa actividad no estuviese prohibida por los cánones. Pero, cuando la mayoría de la población se hizo católica, los clérigos, sobre todo los de las ciudades y pueblos grandes, debían emplear todo su tiempo al servicio de la Iglesia. Afortunadamente, en el siglo VII, según atestiguan los concilios de Mérida, año 666, y el XVI de Toledo, año 693, el patrimonio eclesiástico era suficiente para cubrir las necesidades del clero aun en las iglesias rurales. Cuando no sucedía así, se acumulaban varias iglesias, las suficientes, para poder sustentar al párroco. También los clérigos menores percibían lo suficiente para el sustento diario. Generalmente, estos clérigos menores eran siervos de la iglesia manumitidos que no sólo ayudaban en los oficios litúrgicos, sino que ayudaban al rector en otros menesteres y probablemente trabajaban en los campos de la misma iglesia [79].

Esos siervos así manumitidos podían llegar hasta el sacerdocio. Este es un dato interesante que prueba que el patrimonio eclesiástico no era excesivo y que los clérigos no entraban al servicio de la Iglesia por miras económicas. Además, la mayor parte de los obispos visigodos procedía de los monasterios, donde al entrar habían renunciado a los bienes familiares que pudieran tener o heredar en el futuro.

Los bienes de la iglesia de Mérida, comparados con los del metropolitano Fidel, son una miseria, y, sin esos bienes del metropolitano, sus clérigos hubieran tenido que vivir en la miseria [80]. Y no es fácil pensar que en toda la provincia eclesiástica hubiera iglesias más ricas que la de Mérida. Con el patrimonio del obispo era la más rica de España. El concilio III de Toledo permite que sólo se celebre al año un concilio provincial, por causa de los largos viajes que supone y por la pobreza de las iglesias de España [81]. La situación no debió de cambiar mucho a pesar de la conversión de los visigodos al catolicismo. El concilio de

---

[77] Cf. J. Vives, *Concilio III de Toledo* c.3-4 p.125-26: Mansi, 9,993-94.
[78] Cf. J. Vives, *Concilio IV de Toledo* c.69 p.215: Mansi, 10,636.
[79] Cf. J. Vives, *Concilio de Mérida* c.18 p.338: Mansi, 11,85.
[80] Cf. *Vitae Patrum Emeritensium* c.4 y 6: ML 80,128-34.
[81] Cf. J. Vives, *Concilio III de Toledo* c.18 p.131: Mansi, 9,997.

Mérida, año 666, habla de algunas iglesias que no poseen bienes materiales [82].

Los bienes de la Iglesia tenían una finalidad bien determinada. «Además de la construcción y reparación de los edificios cultuales, como basílicas y cementerios; de los gastos ordinarios del mismo culto y de los libros y ornamentos necesarios para su celebración; de la manutención del clero ocupado en la cura de almas y de los jóvenes aspirantes a la clericatura, del sostenimiento de monjes y vírgenes que vivían consagrados a Dios, todavía pesaban sobre la Iglesia las enormes cargas de la caridad y previsión, que hoy han pasado a manos del Estado u otros organismos públicos o paraestatales bajo el nombre de asistencia social. Porque durante muchos siglos, pobres, peregrinos, viudas, huérfanos, ancianos, enfermos y toda suerte de necesitados han esperado su alivio únicamente de manos de la Iglesia; cuando la sociedad familiar no alcanzaba a cubrir su indigencia, el único refugio abierto a su angustia era el palacio episcopal, las puertas del clero, el atrio de los monasterios» [83]. La legislación conciliar visigoda enumera todas estas necesidades que había que remediar con las rentas de los bienes de la Iglesia.

Para atender a esos conceptos se dividía la renta del patrimonio de las iglesias rurales en tres partes. Dos terceras partes quedaban para la manutención del clero local. La otra tercera parte se entregaba al obispo, pero éste quedaba obligado a reparar las iglesias rurales. Si el obispo renunciaba a esta parte en favor del clero local, es éste el que debe correr con el gasto de la reparación de la iglesia. Los obispos no podían exigir nada más de esas iglesias. En la iglesia catedral y demás iglesias de la ciudad es el obispo quien reparte las rentas para el sostenimiento del clero, para las necesidades del obispado, la escuela episcopal y la reparación de iglesias.

Llama la atención que en la división jurídica de las rentas de los bienes eclesiásticos no se reserve explícitamente alguna parte a las obras de caridad con los necesitados. Pero la Iglesia no se olvidaba de ellos. «La asistencia caritativa y benéfica quedaba a la discreción del obispo y del clero; pero sobre ellos pesaba el gravísimo deber moral de repartir entre los necesitados una buena parte de las rentas eclesiásticas que ellos recibían no sólo para su propia sustentación, sino también para los pobres, peregrinos, viudas y enfermos» [84]. En la ciudad es el obispo, personalmente o por medio de sus ayudantes, quien debe cumplir con esta obligación para con los pobres. En los pueblos es el párroco quien debe socorrer a los pobres con parte de las rentas eclesiásticas reservadas al clero. Y con mucha frecuencia hacían caridad también con las rentas de los bienes propios.

Los concilios recuerdan a los clérigos la obligación de ayudar a los necesitados con los bienes de la Iglesia. Siempre que se respeten los

---

[82] Cf. J. Vives, *Concilio de Mérida* c.16 p.336-37: Mansi, 11,84.
[83] G. Martínez Díez, *El patrimonio eclesiástico en la España visigoda:* Miscelanea Comillas 32 (Santander 1959) p.83.
[84] Ibid., p.100.

derechos de la Iglesia, pueden socorrer a los pobres y a los necesitados y peregrinos [85]. Los bienes de la Iglesias son los bienes de los pobres. Para el concilio IV de Toledo es una obligación dar a los pobres lo necesario para la vida, es obligación de justicia para con aquellos que, habiendo donado algo a la Iglesia, se han arruinado posteriormente [86]. Los bienes de la Iglesia son el alimento de los pobres [87]. Así, los bienes que los fieles habían dado generosamente a la Iglesia volvían, en parte, a mitigar la miseria de los más necesitados. La Iglesia, por medio de los obispos y sacerdotes, no sólo era la protectora de los pobres en el sentido de oprimidos o desvalidos judicialmente ante los poderosos, sino también en el sentido de pobres de bienes materiales, de quienes se preocupa para que no les falte lo suficiente para subsistir.

No se trataba sólo del problema de los pobres habituales. En esta época, la dependencia de la agricultura es total. Las sequías, las inundaciones, una mala cosecha, podía ser causa de hambre en una región determinada o en toda la nación. Las fuentes de la época se hacen eco de algunas de estas calamidades. El Biclarense habla de los desastres que causó la guerra entre Leovigildo y Hermenegildo en los lugares en que se desarrolló. A partir del año 580, y por largo tiempo, una plaga de langosta asoló los campos de la región carpetana. En tiempo de San Braulio, las malas cosechas y las incursiones de los enemigos eran causa de hambre entre el pueblo [88]. El valle del Ebro estaba siempre expuesto a las incursiones y devastaciones de los vascones. La *Continuatio Hispana* habla del gran hambre que devastó el país en tiempo de Ervigio. Durante el reinado de Egica fue la peste, que debió de hacer tales estragos en la provincia Narbonense, que el mismo Egica exceptúa a los judíos de esta provincia de las sanciones que proponía para los demás judíos [89].

El único testimonio que tenemos de una institución asistencial estable en favor de los pobres es el hospital de la iglesia de Mérida. La causa de que no hubiera más es la ya aludida pobreza de la Iglesia visigoda. Por el autor de la *Vitae Patrum Emeritensium* conocemos el origen de sus riquezas. El obispo Paulo, que había sido médico, salvó la vida, por medio de una operación quirúrgica, a una mujer de rango senatorial. El matrimonio, agradecido, deja su fortuna al obispo, la mitad entonces mismo y la otra mitad al morir. El obispo la acepta a condición de que sus rentas se destinen a la ayuda de los pobres [90]. Al morir el obispo Paulo le sucede su sobrino Fidel, que a la hora de la muerte perdona las deudas y hace nuevas limosnas a los pobres. A la muerte de éste, esa fortuna pasa a formar parte del patrimonio eclesiástico.

Masona, el gran obispo de Mérida, se encuentra con esa fortuna y se esfuerza por institucionalizar la ayuda a los pobres. Y tiene la idea de

---

[85] Cf. J. Vives, *Concilio III de Toledo* c.3 p.126: Mansi, 9,993.
[86] Cf. J. Vives, *Concilio IV de Toledo* c.38 p.205-206: Mansi, 10,629.
[87] Cf. J. Vives, *Concilio VI de Toledo* c.15 p.243: Mansi, 10,668.
[88] Cf. San Braulio, *Epistola III ad Isidorum:* ML 80,650.
[89] Cf. J. Vives, *Concilio XVII de Toledo* p.525: Mansi, 12,95.
[90] Cf. *Vitae Patrum Emeritensium* c.4: ML 80128-30.

construir un gran hospital. Masona le dota generosamente, dándole como patrimonio numerosas tierras. «Y, no contento todavía con ello, ordenó que de cuantos presentes y obsequios llegasen al atrio episcopal procedentes de cualquier santuario de la diócesis, la mitad se destinara al servicio de los enfermos. La atención del hospital se hallaba encomendada a una plantilla de médicos y enfermeros, los cuales no tan sólo habían de recibir a los pacientes que acudían allí en demanda de asistencia, sino que debían recorrer la ciudad para hacerse cargo de las personas dolientes y llevarlas a la institución benéfica. En fin, y éste es un rasgo muy digno de nota para aquella época: el hospital estaba abierto, sin discriminación alguna, a toda clase de personas: lo mismo libres que siervos, cristianos que judíos; la única condición requerida era que se tratase de enfermos necesitados» [91]. La iglesia de Mérida era la única en España que podía mantener una obra asistencial de tal envergadura.

Tanto el obispo Fidel como Masona prestaban, sin interés, pequeñas cantidades de dinero a personas en apuro momentáneo, cosa que Masona institucionaliza con una especie de caja de crédito. Masona, además, reparte vino, aceite, miel, etc., a los pobres que llaman a su puerta, llegando a romper la vasija del pobre cuando es demasiado pequeña para obligarle a presentarse con otra más grande. Y siguió practicando la caridad aun en los momentos difíciles del destierro. Aumentó más aún su caridad para con los pobres en los últimos años de su vida.

Otros obispos de la Iglesia visigoda brillaron también por su caridad con los pobres. El diácono Redento, al narrarnos la muerte de San Isidoro, nos dice que entonces aumentó su caridad para con los pobres repartiendo limosnas durante todo el día. Y al final manda distribuir entre los necesitados el dinero que le queda [92]. Prácticamente, lo mismo nos dicen los biógrafos de San Eladio y San Julián de Toledo. San Fructuoso de Braga, al hacerse monje, reparte sus muchas riquezas entre las iglesias, sus libertos y los pobres.

Igualmente, los monasterios practicaban la caridad con los pobres. Sabemos que los monjes que vivían en la ciudad visitaban a los enfermos y encarcelados y ayudaban a los pobres. La Regla de San Isidoro manda que, cuando alguien quiere entrar en un monasterio, debe entregar sus bienes al monasterio o a los pobres. El monasterio debe repartir entre los pobres lo que sobra de la comida y la tercera parte del dinero que ingresa en el monasterio [93]. La Regla de San Fructuoso prescribe que, cuando los monjes reciben ropa o calzado nuevo, deben entregar lo viejo a los pobres. La *Regla común* obliga al candidato a monje a entregar todos sus bienes a los necesitados.

La Iglesia practicaba y promovía la caridad, pero bien entendida. No admitía fácilmente excesos que pudieran poner en peligro la seguridad

[91] J. ORLANDIS, *La Iglesia en la España visigótica y medieval* (Pamplona 1976) p.226; *Vitae Patrum Emeritensium* c.9: ML 80,139.

[92] Cf. ML 82,69.

[93] Cf. SAN ISIDORO, *Regla de San Isidoro*, en *Santos Padres españoles*, ed. J. Campos e I. Roca (BAC, Madrid 1971) c.9 y 20 p.106 y 119: ML 83,879 y 890.

económica de los clérigos, y menos si esa caridad se hacía sin motivos suficientes. Este es el caso del obispo de Dumio, Ricimiro. Es un hombre caritativo que nombra heredera de su patrimonio a la iglesia de Dumio a condición de que anualmente se repartan íntegramente entre los pobres las rentas de esos bienes. Pero comenzó a repartir también parte de los bienes de la iglesia. Manumitió algunos siervos, dándoles algunos bienes y quinientos esclavos. Mandó distribuir entre los pobres todos los bienes muebles que había en palacio. Algunas cosas habían sido malvendidas para sacar dinero y darlo a los pobres. La iglesia de Dumio, que en realidad no se había beneficiado en nada con la donación de los bienes de Ricimiro, había perdido gran parte de su patrimonio.

Las quejas de la iglesia de Dumio llegaron al concilio X de Toledo, año 656. El concilio trata de reparar los daños de una manera prudente. «Conocidos estos daños, y dado que todo lo necesario al ajuar de la casa había sido regalado de un modo tan indiscreto que no había quedado nada para la dignidad de la iglesia, y esto cuando los pobres no tenían ninguna necesidad grave, pues en este caso tal necesidad sería tomada como ley santa para gastarlo todo tan totalmente; y que por aquellos libertos tampoco había sido dado nada como indemnización, según la norma canónica; ni por los esclavos ni por las demás cosas dadas a aquellos libertos, aparecía no haber dejado nada a la iglesia en reparación, sino que de tal modo había dejado sus bienes en favor de los pobres, que las necesidades eclesiásticas no podían obtener de ellos ni la más mínima utilidad, determinamos, tanto por juzgarlo razonable como por seguir la norma de los decretos de los Padres, declarar nulo el contenido de dicho testamento; si no totalmente, al menos con una mitigación razonable. En efecto, constándonos que el referido Ricimiro obispo ha causado tantos daños a los bienes de la iglesia, todos sus bienes que dejó destinados en favor de los pobres servirán con todos sus frutos a la iglesia de Dumio todo el tiempo necesario para que el entero daño que padeció el palacio episcopal en su ajuar sea totalmente reparado, y, una vez realizada la reparación del daño, se observen de nuevo todas las cláusulas del testamento como fueron dispuestas» [94].

El concilio da a entender que, si hubiera habido una necesidad grave, todo hubiera sido lícito. Pero no la había. Los bienes ya estaban en poder de los pobres, y no era cuestión de hacerles devolverlos. La solución es anular, en parte, el testamento de Ricimiro. Los bienes que dejó en beneficio de los pobres serán destinados a la iglesia de Dumio hasta que con sus rentas se repare el daño que la caridad excesiva de Ricimiro ha causado a esta iglesia. Cuando se haya reparado, las rentas de esos bienes volverán a aplicarse en beneficio de los pobres. En los demás asuntos, San Fructuoso, su sucesor, puede hacer lo que crea conveniente.

Durante este período, la Iglesia pagaba los impuestos correspondien-

---

[94] J. Vives, *Concilio X de Toledo* p.323: Mansi, 11,42.

tes a la Hacienda Pública. Bien claro aparece en el concilio XVI de Toledo, año 693. Dice Egica en el mensaje dirigido al concilio: «Pues también vuestras honorificencias cuidarán de promulgar que ningún obispo, para pago de los tributos reales, toque los bienes de las iglesias de la diócesis, ni se atreva a exigir de ellas ningunas aportaciones o contribuciones, sino que contribuirá al tesoro real con los acostumbrados obsequios tributarios de las fincas de su sede»[95]. Se ve que algún obispo poco escrupuloso había pagado sus impuestos con los bienes de otras iglesias que no estaban directamente bajo su administración. El concilio castigará a quien tal haga a un mes de excomunión.

6.   DEFECTOS PRINCIPALES

A pesar del alto nivel que había alcanzado la Iglesia visigoda comparándola con otros países y del trabajo de los clérigos y de los grandes obispos de la época, tenía también, como es natural, sus defectos. Y es necesario enumerarlos para dar una visión exacta del estado de la Iglesia española en el siglo VII. Recorriendo la legislación conciliar, encontramos que las faltas que aparecen con más frecuencia son algunos casos de avaricia por parte de algunos obispos, pecados contra la castidad por parte de clérigos y seglares y la idolatría, que todavía practica el pueblo más atrasado e ignorante, junto con algunas prácticas supersticiosas.

a)   La avaricia de algunos obispos

Ya hemos hecho alusión a las prohibiciones de recibir y, sobre todo, de exigir regalos por la administración de los sacramentos. Hablamos ahora de aquellas cosas que los obispos exigían indebidamente y que no presuponían la simonía. Ya el concilio III de Toledo, año 589, advierte a los obispos para que no exijan en la diócesis nada más que aquello que permiten los cánones antiguos y les prohíbe imponer a sus clérigos prestaciones personales ni tributos especiales. Si esto sucede, los clérigos deben ponerlo en conocimiento del metropolitano para que éste corte por lo sano tales abusos[96].

Los cánones antiguos permitían a los obispos recibir la tercera parte de las rentas de las iglesias. Pero con ese dinero estaban obligados a reparar y mantener en buen estado dichas iglesias. Según el concilio IV de Toledo, año 633, algunos obispos empleaban esas rentas en provecho propio, de lo que resultaba que algunas basílicas que estaban en ruinas no se reparaban. Si se presenta alguna denuncia sobre este asunto, será el mismo concilio quien se encargue de hacer justicia[97]. Casi lo mismo repetirá en el año 666 el concilio de Mérida.

Esta legislación no debió de surtir mucho efecto, al menos en algunos casos. El concilio XVI de Toledo, año 693, vuelve a legislar sobre el

[95] J. VIVES, *Concilio XVI de Toledo* p.485: MANSI, 12,62.
[96] Cf. J. VIVES. *Concilio III de Toledo* c.20 p.132: MANSI, 9,998.
[97] Cf. J. VIVES, *Concilio IV de Toledo* c.33 p.204: MANSI, 10,628.

asunto. El mismo rey Egica, en el mensaje dirido al concilio, se queja de que muchas iglesias rurales están en ruinas, lo que es motivo de que los judíos ridiculicen a la religión cristiana. Pide que los obispos se encarguen de repararlas con el dinero de las tercias que reciben. El concilio responde a los deseos de Egica e impone una excomunión de un mes al obispo que no cumpla lo establecido[98]. Ningún obispo podrá exigir nada más a las iglesias rurales.

b) La castidad de los clérigos

La preocupación de la legislación conciliar desde el concilio de Elvira por imponer el celibato es constante. Se recomienda a los clérigos una y otra vez que sólo tengan en su casa mujeres de su propia familia. No solamente tienen que guardar el celibato, sino que los demás deben estar convencidos de que lo guardan. Eso en teoría. En la práctica, la misma asiduidad en reiterar las condenas de las transgresiones demuestra que se lograba bastante poco. «En los cánones de los concilios se advierte la resistencia con que el clero se sometió a esta disciplina y la escasa observancia, por parte de los clérigos inferiores al obispo, de los cánones en que se prescribía con las más duras penas; tan escasa, que los concilios al insistir en su obligatoriedad, no imponen la sanción, por lo general, más que a aquellos que en adelante la infringieran. Tampoco entre los obispos faltaron las caídas de esta clase, como lo demuestran, en concreto, el caso a que se refiere San Isidoro en su carta a Eladio y el posterior de Potamio de Braga, sobre el que volveremos en seguida. Pero lo cierto es que una parte selecta del clero —seguramente, sin embargo, la inferior en número— y, desde luego, la Iglesia jerárquica, los obispos, fueron siempre decididos propugnadores de la disciplina celibataria»[99].

Solamente conocemos tres casos de obispos que tuvieron dificultades con la castidad. De la caída del obispo de Córdoba nos habla San Isidoro en la carta al obispo San Eladio de Toledo y a los obispos reunidos con él para que el sínodo le imponga el castigo conveniente. Para San Isidoro, ya ha perdido el nombre y el oficio de obispo al pecar contra la castidad. Pide que el sínodo le deponga de su obispado y le imponga una penitencia perpetua. Es mejor que sea juzgado y condenado a hacer penitencia en esta vida que ser condenado eternamente en la otra[100].

El segundo caso es el de Potamio, arzobispo de Braga. El mismo Potamio escribió una carta al concilio X de Toledo, año 656, confesando su pecado. El mismo comparecerá ante el concilio para reafirmar su confesión y declarar que hacía ya nueve meses que había renunciado al gobierno de su iglesia y se había recluido en una celda para hacer penitencia de su pecado. El concilio no le priva del honor del obispado,

---

[98] Cf. J. Vives, *Concilio XVI de Toledo* c.5 p.502: Mansi, 12,72-73.
[99] J. Fernández Alonso, *La disciplina penitencial en la España romano-visigoda desde el punto de vista pastoral:* Hispania Sacra 4 (1951) p.291-92.
[100] Cf. San Isidoro, *Epístola V ad Helladium:* ML 83,902.

porque ya lo había hecho él personal y libremente. Decreta que se consagre a practicar rigurosa penitencia durante toda su vida para que pueda alcanzar el perdón de su pecado y la salvación eterna. San Fructuoso, obispo de Dumio, se hará cargo también de la sede de Braga y será el metropolitano de toda la provincia eclesiástica de Galicia. Y termina el concilio con este aviso para todos los clérigos: «Ni tampoco, hermanos, hemos creído ajeno a la utilidad de la iglesia el copiar este decreto, para que sepáis que cualquiera que haya recibido las órdenes del diaconado, del presbiterado o del episcopado y dijere haberse manchado con un pecado mortal, debe ser removido de las dichas órdenes como culpable en todo caso, sea por haber confesado la verdad, sea por haber mentido falsamente» [101]. En el canon cuarto del concilio VIII de Toledo se habla de la caída de otro obispo. No tenemos más noticias del caso.

Los concilios encargan a los obispos que vigilen cuidadosamente la castidad de sus clérigos y corten de raíz cualquier abuso. El castigo normal que se impone a los que han faltado contra la castidad es apartarle del oficio que desempeña y recluirle en un monasterio para que haga allí penitencia durante toda su vida. El obispo debe vender como esclavas a las mujeres que han cohabitado con clérigos. El concilio III de Toledo mandaba dar el dinero así obtenido a los pobres. En caso de que los obispos no cumplan con la obligación de prohibir a sus sacerdotes, diáconos y subdiáconos cohabitar con mujeres extrañas, o estos clérigos no hagan caso al obispo, deben intervenir los jueces seglares, y por la fuerza separar a esas mujeres de los clérigos y tomarlas como esclavas [102].

Hemos visto que a los jóvenes candidatos a las órdenes sagradas se les exigía la promesa de guardar castidad antes de recibir el subdiaconado. Pero en la Iglesia visigoda se podía llegar al sacerdocio después de haber estado casado y viviendo aún la esposa. El estar casado no era impedimento. Esta es la razón por la que se exige a los sacerdotes que están casados que vivan castamente y no usen del matrimonio. No debían vivir en la misma casa, y, en el caso de que vivieran juntos, debía vivir con ellos algún familiar como testigo de su castidad. Al concilio VIII de Toledo llegaron denuncias de que los clérigos faltaban a la castidad con sus esposas o con otras mujeres. El concilio encarga a los obispos que vigilen e investiguen para ver si sus clérigos guardan la castidad, y, si se prueba que alguno ha pecado contra ella, deben castigarle de tal forma que nunca más se atreva a pecar. No especifica qué clase de castigo. Las mujeres que han sido cómplices en este pecado pueden ser vendidas y serán separadas de ellos de tal forma, que nunca puedan volver a encontrarse. El sacerdote que no se enmiende será encerrado en un monasterio para que haga penitencia hasta el final de su vida [103].

---

[101] J. Vives, *Concilio X de Toledo* p.321: Mansi, 11,41.
[102] Cf. J. Vives, *Concilio de Toledo* c.5 p.126-27: Mansi, 9,994; *Concilio I de Sevilla* c.3 p.152-53: Mansi, 10,450-51; *Concilio IV de Toledo* c.43 p.207: Mansi, 10,630.
[103] Cf. J. Vives, *Concilio VIII de Toledo* c.5 p.278-79: Mansi, 10,1216-17.

El concilio IX de Toledo, año 655, se queja de que la legislación anterior no ha conseguido nada. No ha desarraigado los abusos. Endurece los castigos, añadiendo a las penas canónicas tradicionales que se imponían a los clérigos incontinentes el que los hijos nacidos de estas uniones ilícitas nunca podrán heredar los bienes de sus padres y durante toda su vida serán siervos de la iglesia a que pertenecía su padre [104]. No creemos que este endurecimiento de la legislación terminara con el problema de la castidad. El concilio siguiente, como hemos visto, tenía que afrontar el caso de Potamio, metropolitano de Braga.

c) **La castidad del pueblo cristiano**

El pueblo visigodo no fue capaz de adaptar completamente su vida a las exigencias de la moral cristiana en lo referente al sexto mandamiento. Parte del pueblo cristiano, igual que el clero tuvo también sus problemas con la virtud de la castidad. Las continuas disposiciones de la legislación conciliar exigiendo la práctica de esta virtud e imponiendo castigos a los transgresores, nos hace pensar que era el defecto más generalizado en la Iglesia visigoda. Los concilios especifican casi todos los pecados posibles contra esta virtud, imponiendo penas espirituales y materiales a los pecadores; penas que varían según la clase de pecado que se haya cometido y según los distintos concilios. En general, los primeros celebrados, a partir del concilio de Elvira, son más rígidos y duros.

El concilio de Elvira condenó con penas muy duras el aborto, el adulterio, el incesto y la fornicación. Más cerca ya de la época que nos ocupa, el concilio II de Braga, año 572, vuelve a tratar del tema del aborto, imponiendo a la mujer que lo haga penitencia pública durante diez años. Con la misma pena se castiga el intento de hacerlo y el intento de evitar el embarazo tanto dentro del matrimonio legítimo como en el adulterio. La misma pena de diez años se impone a todos los cómplices. Esa pena se debe a la misericordia de los obispos, ya que los cánones antiguos imponían una penitencia hasta la hora de la muerte, y sólo entonces se podía dar la comunión al pecador [105]. A los adúlteros se les imponían siete años de penitencia. Más duramente se castiga a quienes han cometido pecados de bestialidad.

El concilio III de Toledo, año 589, aborda el problema del infanticidio. Los padres dan muerte a sus propios hijos para seguir realizando el acto sexual. El concilio cree que éste es el único motivo por el que se cometen esos crímenes. «Y si les resulta molesto aumentar el número de sus hijos, apártense, más bien, de toda relación carnal, puesto que, habiendo sido instituido el matrimonio para la procreación de los hijos, se hacen culpables de parricidio y fornicación los que demuestran asesinando su propia prole que no se unen para tener hijos, sino para saciar su liviandad» [106]. Es éste uno de los delitos que llamamos mixtos, en

---

[104] Cf. J. Vives, *Concilio IX de Toledo* c.10 p.302-303: Mansi, 11,29.
[105] *Capitula Martini;* cf. J. Vives, *Concilio II de Braga* c.77 p.104: Mansi, 9,858.
[106] J. Vives, *Concilio III de Toledo* c.17 p.130: Mansi, 9,997.

cuya extirpación intervenían la Iglesia y el Estado. Recaredo había ordenado a los jueces seculares investigar y castigar, junto con los obispos, esta falta. El concilio ratifica la decisión del rey. Jueces y obispos conjuntamente deben castigar este delito con las penas más severas, exceptuando sólo la pena de muerte.

Jueces y obispos debían hacer desaparecer de toda España la costumbre que el pueblo tenía de hacer bailes en las fiestas de los santos. La razón es porque es una costumbre irreligiosa, y los fieles que debían acudir a los oficios religiosos no lo hacen y van a bailar y cantar canciones obscenas. Así, se hacen daño a sí mismos, y, además, con el ruido que hacen estorban la celebración de los actos religiosos [107].

La legislación contra estas faltas disminuye, y prácticamente no volvemos a encontrar nada hasta el concilio XVI de Toledo, año 693, en el que se hace una durísima condena de la homosexualidad. «Ahora bien, porque esta funesta práctica y el vicio del pecado sodomítico parece haber inficionado a muchos, nosotros, para extirpar la costumbre de esta práctica vergonzosa, abrasados por el celo del Señor, todos de común acuerdo, sancionaremos que todos los que aparecieren ejecutores de una acción tan criminal y todos aquellos que se hallaren mezclados en estas torpezas y, obrando contra naturaleza, hombres con hombres cometieren esta torpeza, si alguno de ellos fuere obispo, presbítero o diácono, desposeído del grado del propio honor, será condenado a destierro perpetuo; pero si otras personas, de cualquier orden o grado, se les hallare complicadas en crímenes tan afrentosos, sufrirán, no obstante, el rigor de aquella ley que se promulgó en contra de los tales, y, separados de la asamblea de los cristianos, corregidos, además, con cien azotes y vergonzosamente rasurados, serán condenados al destierro perpetuo; de tal modo que, a no ser que una digna satisfacción penitencial les permitiere recibir al fin de su vida el cuerpo y la sangre de Cristo o los restituyere a la sociedad de los cristianos, tanto aquellos que deshonraron el culto debido a la religión como aquellos otros hombres de cualquier grado, como dijimos, sepan que ni al fin de su vida, conforme a lo establecido en los cánones, serán consolados con la recepción de la comunión ni agregados a la comunidad cristiana» [108]. Es decir, quien cometiera tal pecado debía ser agregado al grupo de penitentes hasta el fin de su vida, y sólo entonces, si había hecho sincera penitencia, se le perdonaba el pecado y se le admitía a la comunión. Es una de las faltas por las que se debe hacer penitencia perpetua. Y a ella se unían las penas corporales. Es el pecado más duramente castigado en la legislación conciliar.

d) **Idolatría y prácticas supersticiosas**

La idolatría es un fenómeno que se da especialmente entre los cristianos más atrasados cultural y religiosamente, que no han logrado

---

[107] Ibid., c.23 p.133: MANSI, 9,999.
[108] J. VIVES, *Concilio XVI de Toledo* c.3 p.500-501: MANSI, 12,71.

comprender todo el significado y exigencias del cristianismo. El avance del cristianismo fue lento, especialmente en los ambientes rurales. Para muchos convertidos al cristianismo, su nueva fe no significaba una ruptura completa con su antigua religión ni el abandono absoluto y repentino de sus antiguas divinidades y prácticas religiosas. Para un hombre educado en una religión politeísta era normal esta mezcla de religiones. Desligar a un pueblo recién convertido de las creencias y prácticas religiosas heredadas de sus antepasados llevaba, por lo general, muchísimo tiempo, quizá varias generaciones, de intensa formación y acción pastoral. Este fenómeno de cristianos que todavía siguen dando culto a sus divinidades paganas se da en la Iglesia visigoda del siglo VII, según atestiguan los cánones de los concilios. Y, como hemos visto, era uno de los pecados por los que se imponía la penitencia pública y perseguido tanto por la Iglesia como por el Estado.

Es curioso que la legislación contra la idolatría la encontramos en el concilio III de Toledo y luego en dos de los últimos concilios de la época. El concilio III de Toledo, año 589, se queja de que es un mal muy extendido en España y en la Galia. El concilio, de acuerdo con Recaredo, encarga a los obispos y a los jueces seculares la persecución de esta falta. Pueden castigarla con las penas que les parezcan oportunas, excepto la pena de muerte. En caso de que no cumplan fielmente con su deber y quienes se les opongan y dificulten esta tarea serán excomulgados [109].

El concilio XII de Toledo, año 681, considera la idolatría como un pecado muy grave, que causa la muerte espiritual del pecador. El adorar a los ídolos es dar culto al diablo. Hemos visto que la idolatría era una falta mixta que debían castigar la Iglesia y el Estado. Por eso, el juez secular o el obispo tienen el deber de castigar a los idólatras. Si estos adoradores de los ídolos son siervos, deben ser azotados y entregados a sus señores, que se deben comprometer, mediante juramento, a vigilarles de tal modo, que no les sea posible volver a cometer tal delito en el futuro. Si los señores no hacen ese juramento, los reos de idolatría deben ser presentados al rey para que éste les done a quien quiera. Los dueños de esos siervos idólatras pierden todo derecho sobre ellos y deben ser excomulgados por no haberles castigado. Si los idólatras son personas libres, deben ser excomulgados a perpetuidad y desterrados [110].

Casi lo mismo repite el concilio XVI de Toledo, año 693. Los ídolos que citan ambos concilios son las piedras, árboles y fuentes. Este concilio, con la aprobación y mandato de Egica, pide a los jueces y obispos que vigilen y castiguen con más celo los casos de idolatría, haciendo todo lo posible para desarraigarla. Todos los dones ofrecidos en las reuniones idolátricas serán entregados a las iglesias vecinas. Si el obispo o el juez del lugar donde se han practicado idolatrías tienen conocimiento de los hechos y nos los castiga inmediatamente, se le privará del

---

[109] Cf. J. Vives, *Concilio III de Toledo* c.16 p.130: Mansi, 9,996-97.
[110] Cf. J. Vives, *Concilio XII de Toledo* c.11 p.398-99: Mansi, 11,1037-38.

puesto que ocupa y será sometido a penitencia durante un año. Hay castigos también para quienes obstruyen la acción de la justicia. Si es un noble quien se opone al juez o al obispo al realizar su labor contra la idolatría, se le anatematiza y condena a pagar tres libras de oro al fisco. Si quien se opone es alguien de menor categoría, se le darán cien azotes, será decalvado para que no pueda desempeñar cargos públicos y se le confiscarán la mitad de sus bienes [111].

Menos graves, pero mucho más frecuentes, eran las prácticas supersticiosas. Parece ser que las supersticiones más usuales se centraban en el deseo de conocer el futuro y el apartar la influencia en la propia vida de espíritus malos y de maleficios. En el concilio de Braga se impone a quien consulta adivinos o sortílogos con esta intención una penitencia de cinco años. En los cánones siguientes enumera una serie de prácticas que califica de tradiciones de los gentiles. Los cristianos no deben consultar los astros para celebrar el matrimonio, construir una casa o plantar árboles. Tampoco deben celebrar las calendas ni recitar fórmulas mágicas y supersticiosas cuando recogen hierbas medicinales ni cuando las mujeres tejen la lana [112].

El concilio de Narbona, año 589, afronta el mismo problema, porque va contra la fe y la disciplina católica. Cualquiera que consulte adivinos, tanto en casa de éstos como en la suya propia, será excomulgado y condenado a pagar una multa de seis onzas de oro al conde de la ciudad. A los adivinos se les azotará duramente en público y se les venderá como esclavos. El precio de la venta se repartirá entre los pobres. La actuación de los adivinos es un engaño al pueblo. El concilio nos habla también de la costumbre, bastante extendida entre algunos cristianos, de hacer fiesta el jueves en honor a Júpiter [113].

Tan arraigada debía de estar la costumbre de consultar adivinos, que parece ser que no solamente el pueblo ignorante la practicaba. Cabía la posibilidad de que también lo hiciera el clero. Es el caso que prevé el concilio IV de Toledo, año 633, cuando legisla que, si se descubre que algún obispo, presbítero, diácono o cualquier otro clérigo ha consultado adivinos de cualquier clase, debe ser depuesto del oficio que desempeña y encerrado en un monasterio para que haga allí penitencia durante toda su vida por el sacrilegio que ha cometido [114]. Como puede verse, esas prácticas supersticiosas eran una de las faltas que se castigaban con mayor severidad.

El concilio V de Toledo, año 636, condena a quienes consultan a los adivinos para conocer el futuro, y, sobre todo, para prever los infortunios de los reyes, porque esos actos son opuestos a la vitud de la religión. Y porque a esas consultas se mezclaban ritos maléficos con intención de provocar la caída de los reyes. Sobre la creencia en la eficacia de los maleficios encontramos dos datos curiosos. El concilio de Mérida,

[111] Cf. J. VIVES, *Concilio XVI de Toledo* c.2 p.498-500: MANSI, 12,70-71.
[112] *Capitula Martini;* cf. J. VIVES, *Concilio II de Braga* c.71-73 p.105-106: MANSI, 9,857,58.
[113] Cf. J. VIVES, *Concilio de Narbona* c.14-15 p.149-50: MANSI, 9,1017-18.
[114] Cf. J. VIVES, *Concilio IV de Toledo* c.29 p.203: MANSI, 10,627.

año 666, legisla contra esos actos. Algunos sacerdotes, cuando se ponen enfermos, echan la culpa al maleficio que sobre ellos ha hecho algún siervo suyo. El concilio manda que se investigue, y, en caso de que sea verdad, se debe castigar duramente al culpable [115]. El concilio XVI de Toledo, año 694, castiga a los obispos que se han atrevido a decir misa de difuntos por los vivos con la intención de que aquel por quien ha sido celebrada la misa muera inmediatamente por la eficacia del sacrificio celebrado [116]. La conclusión que se puede sacar es que era bastante corriente, aun entre el clero, la creencia en la eficacia de los maleficios.

[115] Cf. J. Vives, *Concilio de Mérida* c.15 p.336: Mansi, 11,83-84.
[116] Cf. J. Vives, *Concilio XVII de Toledo* c.5 p.531: Mansi, 12,99.

CAPÍTULO VII

EL MONACATO

FUENTES Y BIBLIOGRAFIA

FUENTES.—MANSI, *Sacrorum Conciliorum nova et amplissima collectio,* ed. Akademische Druck- U. Verlagsanstalt, vol.2-12 (Graz 1960); J. VIVES, *Concilios visigóticos e hispano-romanos* (Barcelona-Madrid 1963); SAN AGUSTÍN, *Epist. 48, Augustinus Eudoxio abbati monachorum insulae Caprariae:* ML 33,187-89; BAQUIARIO, *De reparatione lapsi:* ML 20,1037-62; OROSIO, *Historiarum adversus paganos libri VII* 36: CSEL V 534; SEVERO DE MENORCA, *Epistola Severi episcopi de iudaeis:* ML 20,731-46; SIRICIO, *Epistola 1 ad Himerium Tarraconensem episcopum:* ML 13,1131-47; SULPICIO SEVERO, *Dialogus* III 2: CSEL I 208; *Vitae Patrum Emeritensium,* ed. J. N. GARVIN (Wáshington 1946): ML 80,115-64; SAN LEANDRO, *De institutione virginum,* en *Santos Padres españoles* II, ed. J. Campos-E. Roca (BAC, Madrid 1971): ML 72,873-94; SAN ISIDORO, *Regla,* en *Santos Padres españoles* II, ed. J. Campos-E. Roca (BAC, Madrid 1971): ML 83,867-94; SAN FRUCTUOSO, *Regla,* en *Santos Padres españoles* II, ed. J. Campos-E. Roca (BAC, Madrid 1971): ML 87,1097-1110; *Regla común,* en *Santos Padres españoles* II, ed. J. Campos-E. Roca (BAC, Madrid 1971): ML 87,1111-30.

BIBLIOGRAFÍA.—Z. GARCÍA VILLADA, *Historia eclesiástica de España* II p.1.ª (Madrid 1929 y 1932); A. MUNDO, *Il monachesimo nella Peninsola Iberica fino al secolo VII,* en *Settimane di Studio del Centro Italiano di Studi sull'Alto medioevo* vol.4 (Spoleto 1957); J. PÉREZ DE URBEL, *Los monjes españoles en la Edad Media,* 2 vols. (1933-34); J. ORLANDIS, *Estudios sobre instituciones monásticas medievales* (Pamplona 1971); ID., *La Iglesia en la España visigótica y medieval* (Pamplona 1976); J. M. COLOMBÁS, *El concepto de monje y vida monástica hasta finales del siglo V,* en *Studia monastica* (Montserrat 1959) p.257-342; J. FERNÁNDEZ ALONSO, *La.cura pastoral en la España romano-visigoda* (Madrid 1955); J. M. FERNÁNDEZ CATÓN, *Manifestaciones ascéticas de la Iglesia hispano-romana del siglo IV* (León 1962); F. MARTÍNEZ, *L'ascétisme chrétien pendant les trois premiers siècles* (París 1913); G. SEGUÍ VIDAL, *La carta-encíclica del obispo Severo de Menorca* (Roma 1937); M. COCHERIL, *Études sur le monachisme en Espagne et en Portugal* (Lisboa 1975); M. MARTINS, *O monacato de Sao Fructuoso de Braga* (Coímbra 1950); A. LINAGE CONDE, *El ideal monástico de los Padres visigodos:* Ligarzas 1 (1968) p.79-97; *Pobreza, castidad y obediencia en el monacato visigodo,* en *Studia Silensia* I. XIV Semana de Estudios Monásticos (Silos 1975) p.29-56; L. ROBLES, *Isidoro de Sevilla, escritor monástico,* en *Studia Silensia.* Homenaje a Fr. Justo Pérez de Urbel (Silos 1977) p.39-72; J. CAMPOS, *La «Regula Monachorum», de San Isidoro:* Helmántica 12 (1961) p.61-101; R. SUSÍN ALCUBIERRE, *Sobre las fuentes de la «Regula Isidori»:* Salmanticensis 14 (1967) p.389-412; A. ROBLES SIERRA, *San Valerio del Bierzo y su corriente de espiritualidad monástica:* Teología Espiritual 9 (1965) p.7-52; J. PÉREZ DE URBEL, *San Martín y el monaquismo:* Bracara Augusta 8 (1957) p.50-67; C. DÍAZ Y DÍAZ, *La vida eremítica en el reino visigodo,* en *España eremítica.* Actas de la VI Semana de Estudios Monásticos (Pamplona 1970) p.49-62; G. M. GIBERT, *El eremitismo en la Hispania romana:* ibid., p.41-48.

A) *El ascetismo en España*

Estudiamos el ascetismo como un movimiento continuo de perfección que termina en la organización de la vida monástica. Por esta razón nos fijamos sólo en aquellos elementos ascéticos que después serán el fundamento de la vida religiosa. El ascetismo desemboca de forma natural en el monaquismo. El deseo ardiente de llegar a la perfección y la huida del mundo hacen surgir la vida monástica como la forma más adecuada de unión con Dios. España no es una excepción, y ya en el concilio de Elvira se nota la existencia de un ascetismo riguroso. Intentamos ahora ver cuándo el ascetismo español llega a tal perfección, que ya reúne en sí todos los elementos necesarios para formar la vida monástica.

Naturalmente, esa vida monástica española no puede ser muy perfecta a finales del siglo IV y principios del V. Son los primeros conatos de una organización que progresa poco a poco. De ahí que muchas veces sea difícil saber si se trata de ascetismo o de vida monástica. Por otra parte, los documentos relativos al monaquismo español de los cinco primeros siglos son muy escasos y se limitan a afirmar la existencia de monjes en España, haciendo alguna alusión al género de vida que practican tales monjes. No tenemos descripciones detalladas de su vida. Por eso no sabemos nada de su legislación, en caso de que existiera.

1. LA CONTINENCIA CLERICAL

El canon 33 del concilio de Elvira es el primer documento conocido en el que se impone la continencia a los clérigos. Se la impone claramente a los obispos, sacerdotes y diáconos. Respecto a los subdiáconos y otros clérigos menores, no se puede afirmar con certeza. No intentamos estudiar hasta dónde se extiende este canon. Lo importante es la realidad que el canon expresa y su importancia para conocer el estado del ascetismo español. Dice el canon: «Decidimos prohibir totalmente a los obispos, presbíteros y diáconos y a todos los clérigos que ejercen el ministerio sagrado el uso del matrimonio con sus esposas y la procreación de hijos. Aquel que lo hiciere será excluido del honor del clericato» [1].

Dos cosas debemos notar: *a)* el concilio no disuelve el matrimonio del clérigo; *b)* el concilio impone la continencia, pero no el celibato eclesiástico. Después del concilio de Elvira encontramos sacerdotes casados. Lo único que se les exige severamente es que hayan vivido castamente con su esposa y que después de la ordenación vivan en continencia absoluta. La decisión del concilio hace pensar que existía un fuerte movimiento en favor de la continencia eclesiástica. No creo que sea exagerado admitir que los obispos que asisten al concilio de Elvira guardan ya esa continencia que tratan de imponer a los demás, o al menos ven en ella una perfección a la que todo clérigo debe llegar.

[1] J. VIVES, *Concilio de Elvira* c.33 p.7: MANSI, 2,11.

Todos los cánones del concilio de Elvira son eminentemente ascéticos. Se ve en ellos un marcado rigorismo contra todo lo que sea relajación, apartamiento de lo que debe ser la vida de un cristiano. El rigorismo extremo de algunos cánones que tratan de corregir los pecados más graves ha hecho dudar a muchos de su ortodoxia. No obstante, la ortodoxia del concilio de Elvira está bien probada.

Si el concilio es exigente con todos los cristianos, no es de extrañar que lo sea más aún con los clérigos. El clérigo debe ser un ejemplo para sus fieles, y se le exige una mayor perfección. No es posible deducir de las palabras del concilio la situación en que quedaba la esposa del clérigo. Probablemente, seguía viviendo con él, pero su vida debía ser tal, que no infundiera ninguna sospecha. El concilio es más explícito al enumerar otras mujeres que pueden vivir con el sacerdote. Puede vivir con sus hermanas y tener consigo a sus hijas vírgenes. Pero tampoco en este caso debía existir ninguna sospecha. La prohibición de tener en su casa vírgenes que no pertenezcan a su familia es absoluta. Ni aun por razón de dirección espiritual. El concilio veía en esta convivencia un peligro para ambos.

Las prescripciones del concilio de Elvira no tuvieron un éxito absoluto. Los concilios posteriores celebrados en Zaragoza hacia el año 380 y en Toledo el año 400 siguen tomando medidas para evitar las caídas de los clérigos. En el año 385, entre ambos concilios encontramos la intervención del papa Siricio. En su carta a Himerio de Tarragona se queja de que bastantes sacerdotes siguen procreando hijos no sólo con las mujeres legítimas, sino también de uniones ilícitas con otras mujeres. El papa repite la legislación del concilio de Elvira. Y dice que es una ley indisoluble [2]. El clérigo debe observar esta ley desde el día de su ordenación sacerdotal. La razón que el papa aduce es de orden ascético: para ser más agradables a Dios en sí mismos y en los sacrificios que se le ofrecen todos los días. No faltan en la carta del papa las amenazas para aquellos que no observen esta ley. En adelante, ya no será indulgente con este pecado. Será necesario castigar con fuerza el abuso que no se ha podido corregir con otros métodos [3]. Esta ley del concilio de Elvira entrará, unos años más tarde, a formar parte de la vida monacal y será uno de sus principales fundamentos.

2. LA VIRGINIDAD

No podía faltar este tema en un concilio tan eminentemente ascético. Desde los primeros tiempos del cristianismo, la virginidad fue considerada como una práctica ascética. La tradición cristiana veía en la virginidad uno de los medios más adecuados para lograr la unión con Dios. En la virginidad se busca la entrega total a Cristo. Es la renuncia no sólo de las pasiones, sino de todo deseo lícito de matrimonio. La

[2] Cf. SIRICIO, *Epist. ad Himerium...* VII: ML 13,1132.
[3] Cf. ibid.: ML 13,1139.

virgen mortifica su carne para que ésta no sea un obstáculo en su deseo de perfección, de unión con Dios. Dos cosas demuestra claramente el concilio de Elvira: la existencia de un número elevado de vírgenes consagradas y la distinción entre éstas y las demás doncellas, que deben permanecer vírgenes hasta su matrimonio.

El concilio de Elvira distingue dos clases de vírgenes. Unas son las vírgenes que podríamos llamar seculares, que no han hecho voto de virginidad, pero deben guardar continencia absoluta antes del matrimonio por una exigencia de la ascesis cristiana, obligatoria para todos. Otras son las que se han dedicado, consagrado a Dios por medio de un voto. A unas y otras impone el concilio una grave penitencia en caso de pecar contra la castidad.

En el canon 14 habla de las vírgenes seculares. Se refiere a las doncellas que han perdido su virginidad cometiendo un pecado de fornicación. Para estas vírgenes caídas, el concilio impone dos clases de penitencia según la manera de proceder de la virgen que ha pecado. Si se casa con el varón que la ha violado, después de algunos años de penitencia debe ser admitida a la comunión, sin imponerla otra penitencia especial. Sería solamente el castigo por un simple acto de fornicación, que tan duramente se castigaba en este tiempo. Se trata de una caída aislada, que solamente va contra la pureza requerida antes del matrimonio.

Si esa virgen que ha perdido su virginidad peca más veces con distintos hombres, debe imponérsele una penitencia adecuada y admitirla a la comunión después de cinco años. En este caso, el concilio castigaría una especie de prostitución. O al menos veía en esta actitud una permanencia continuada y voluntaria en el pecado [4].

El castigo que se impone a las vírgenes consagradas es mucho más grave. Pero, aun en este caso, el concilio prescribe dos clases de penitencia según la actitud que tome la virgen consagrada después de haber pecado. Todas pierden el «pacto de virginidad». Pero unas no se dan cuenta del valor de ese pacto que han roto y siguen pecando. Es el caso de permanencia voluntaria en el pecado, es obstinación en el mal, tan contraria a la concepción que de la vida cristiana se tenía en aquel tiempo. Se veía en el caso una especie de apostasía. Por eso no es extraño que el castigo fuese duro: privación de la comunión aun en la hora de la muerte.

Las otras vírgenes consagradas también pecan y rompen el «pacto de virginidad», pero se dan cuenta de su pecado y se arrepienten. En este caso se les puede admitir a la comunión a la hora de la muerte. Pero a condición que no hayan vuelto a pecar contra la castidad y hayan hecho penitencia. Así, su caída habrá que atribuirla, más bien, a la flaqueza humana. Es un pecado que no volverán a repetir.

Señalaremos que el concilio impone una condición muy importante en este canon 13 para que la virgen que ha pecado pueda ser admitida

---

[4] Cf. J. Vives, *Concilio de Elvira* c.13 p.4: Mansi, 2,8.

a la comunión final de su vida, que nos da a conocer la naturaleza y efectos que llevaba consigo el voto de virginidad y la seriedad con que lo recibía la Iglesia. Lo veremos a continuación. La condición a que nos referimos exige a la virgen que ha pecado no volver a realizar el acto sexual [5]. La dureza con que se castigaba la pérdida de la virginidad demuestra la gran estima que se tenía por ella.

a) El voto de virginidad

Un número bastante elevado de mujeres hacían voto de virginidad. El hecho de que el concilio hable de ellas da a entender que no eran casos aislados. El concilio les llama «vírgenes que se han consagrado a Dios» y después habla del pacto que han roto al pecar [6]. En latín medieval, el verbo *voveo* que usa el concilio significa ofrecer algo. Así, se habla de dedicación de templos. Pero al dedicar algo a Dios se incluye en este significado la noción de bendición y de consagración. Al hacer su voto, una virgen se hacía una cosa sagrada y consagrada a Dios. El voto de virginidad era una oblación de sí misma a Dios [7].

No sabemos exactamente en qué consistía la ceremonia de emisión del voto de castidad. Pero de lo dicho anteriormente se pueden deducir los actos más significativos: promesa de la doncella de guardar perpetua virginidad, bendición y consagración de la virgen y aceptación de ese voto por parte de la Iglesia, imponiéndola el velo de las vírgenes. No sabemos tampoco si la ceremonia se realizaba delante de toda la comunidad cristiana o solamente delante de la autoridad eclesiástica. Pero lo que sí podemos afirmar es que no era una cosa estrictamente privada. Es decir, al menos la autoridad eclesiástica tenía conocimiento de esa promesa de virginidad, ya que legisla públicamente sobre ella en caso de transgresión. Como dice Vizmanos, «sea por solemnidad de su pronunciamiento delante de los fieles, sea por su ulterior promulgación hecha por el obispo, sea por la consiguiente publicidad de la noticia, era suficientemente notorio que la virgen pudiera ser señalada con el dedo en la comunidad de los fieles; y juntamente lo bastante oficial para que los pastores se sintieran obligados a intervenir con la plenitud de su autoridad episcopal en caso de transgresión» [8]. Nos encontramos, pues, ante un lazo de unión entre la virgen consagrada y Cristo. Lazo definitivo que la virgen no puede romper sin cometer un grave pecado de infidelidad.

La severidad con que se castigaba la transgresión y la existencia de ese voto de castidad demuestra claramente la estima que se tenía por la virginidad y el alto grado de perfección a que había llegado el ascetismo español. Afirma E. Martínez: «Este canon dice mucho en favor del estado del ascetismo en España a finales del siglo III. La disciplina de los

---

[5] Cf. ibid.
[6] Cf. ibid.
[7] Cf. Du Cange, *Glossarium mediae et infimae latinitatis* (París 1938) t.3 p.34.
[8] F. B. Vizmanos, *Las vírgenes cristianas de la Iglesia primitiva* (BAC, Madrid 1949) p.146.

votos, que marca por sí misma el progreso del ascetismo, estaba en España probablemente más desarrollada que en otras partes. La virgen consagrada que se casa no es solamente adúltera e infiel a Cristo, como dice San Cipriano, sino que no puede contraer matrimonio legítimo, y, en caso de no arrepentirse, no se le podrá dar la comunión ni en caso de muerte» [9].

b) La virginidad, matrimonio con Cristo

Hemos visto cómo el concilio de Elvira niega la comunión en la hora de la muerte a las vírgenes consagradas que, habiendo pecado, no hacen penitencia ni se abstienen totalmente de acto sexual. Esto equivale a decir que la virgen consagrada quedaba incapacitada para contraer legítimo matrimonio. La razón de esta prohibición tan severa debemos verla en la concepción que en aquel tiempo se tenía de la virginidad. La virginidad es un matrimonio con Cristo. El voto liga indisolublemente a la virgen con Cristo.

En los escritos de los Santos Padres encontramos infinidad de expresiones en las que se habla de las vírgenes como esposas de Cristo. Veamos, p.ej., algunos testimonios anteriores o contemporáneos del concilio de Elvira para no correr el peligro de ser influenciados por la mentalidad, mucho más rica y desarrollada, de los Padres posteriores.

Dice Orígenes: «Como una virgen esposa de Cristo...» [10] A las vírgenes que no quieren cubrirse el rostro, Tertuliano les induce a hacerlo, pues, aunque esto es una costumbre de las mujeres casadas, «la virgen no miente al hacerlo, pues se ha desposado con Cristo y a El ha entregado su carne. Obra, pues, según la voluntad de tu marido, el cual, si manda que las mujeres de otro cubran su rostro con el velo, mucho más lo exigirá a las propias» [11]. San Atanasio afirma que la Iglesia católica acostumbra a llamar a las vírgenes consagradas esposas de Cristo [12]. Para San Cipriano, la virgen que peca es adúltera no de un marido cualquiera, sino de Cristo [13]. Y éste era también el argumento que las doncellas usaban para convencer a sus familiares en caso de que éstos se opusieran a su voto de virginidad: he elegido el mejor esposo, Cristo. No puede dudarse que la virginidad era considerada como un verdadero matrimonio con Cristo.

Esta forma de considerar la virginidad lleva consigo la firme persuasión de que la virgen que comete un pecado carnal es adúltera. Un ejemplo claro, anterior al concilio de Elvira, lo encontramos en San Cipriano: «Si alguna fuese hallada pecadora, haga penitencia plena de su crimen, puesto que ha sido adúltera no de un marido cualquiera, sino

---

[9] E. MARTÍNEZ, *L'ascétisme chrétien pendant les trois premiers siècles* (París 1912) p.108.
[10] ORÍGENES, *In Genesim homilia III* c.6: ML 12,181.
[11] TERTULIANO, *De velandis virginibus* c.16: ML 2,911.
[12] ATANASIO, *Apologia ad Constantium imperatorem* n.33: MG 25,640.
[13] CIPRIANO, *De habitu virginum* 20: ML 4,459.

de Cristo» [14]. El mismo modo de considerar la virginidad puede verse en todos los Santos Padres que después hablaron de ella.

La Iglesia española se hace eco de este sentir universal de la Iglesia. El concilio de Elvira, al imponer tan duras penitencias a la virgen pecadora, tiene ante sus ojos esta concepción de la virginidad. La virgen que peca comete un adulterio. Y, por tanto, una infidelidad a Cristo, de quien es esposa. Por eso se le exige hacer penitencia durante toda su vida y abstenerse del acto carnal. Una sola caída puede ser achacada a la flaqueza humana, pero apartarse de Cristo para entregarse a un hombre es inconcebible, y por eso no se le puede dar la comunión ni en la hora de la muerte. Una última consecuencia de este modo de concebir la virginidad es que la virgen consagrada, aunque haya roto el pacto de virginidad, no puede contraer legítimo matrimonio.

El concilio de Elvira no hace expresamente esta prohibición, pero creemos que queda incluida en la exigencia expresa de abstenerse del acto sexual para poder ser admitida en la comunión de la Iglesia. Para la virgen seglar, la mejor solución de su caso era casarse con el varón que la había violado. Para las vírgenes consagradas, tal solución es imposible. El único remedio es el arrepentimiento y la abstención total del acto carnal. La infidelidad no les desliga del voto emitido. Es muy significativo que, además de exigirles hacer penitencia durante toda su vida, el concilio excluya de forma tan absoluta y explícita la repetición del acto sexual. Sería completamente irracional permitir a la virgen casarse legítimamente para después no permitirle realizar el acto propio del matrimonio.

El concilio I de Toledo, celebrado el año 400, confirma estas afirmaciones. Tengamos en cuenta que el concilio de Toledo es mucho menos rigorista en cuanto a las penitencias que impone que el concilio de Elvira. Así, p.ej., el concilio de Elvira solamente permite dar la comunión a las vírgenes caídas al fin de su vida. En cambio, el concilio de Toledo les impone solamente una penitencia de diez años. Pues bien, el concilio de Toledo niega a las vírgenes la posibilidad de contraer legítimo matrimonio. Dice en el canon 16: «La devota que haya contraído matrimonio no puede ser admitida a penitencia si no se separa de su cómplice antes que haya muerto» [15]. El mismo concilio les concederá la reconciliación solamente al fin de su vida.

La devota es la virgen consagrada [16]. La condición para ser admitida a la comunión es la separación del marido, que para el concilio, como puede verse, no es tal, sino un cómplice en su pecado, en una situación anormal, que debe subsanarse en caso de que quieran volver a la Iglesia.

Un testimonio valioso de lo dicho nos lo da Baquiario en su obra *De reparatione lapsi*. Trata de una virgen consagrada que ha cometido un pecado de fornicación. El cómplice de la virgen es un monje. Baquiario

---

[14] ID., *Epist. ad Pomponium* n.4: ML 4,370.
[15] J. VIVES, *Concilio I de Toledo* c.16 p.23-24: MANSI, 3,1001.
[16] Cf. DU CANGE, *Glossarium mediae et infimae latinitatis* t.3 p.90.

trata de influir y convencer a los superiores para que se le reciba en el monasterio, y así se sienta más animado a cumplir su penitencia y no pierda la esperanza de un perdón completo. Para remediar la situación, alguien propone al monje el matrimonio con la virgen. Baquiario rechaza resueltamente tal solución. Ese matrimonio es imposible. La virgen consagrada es esposa de Cristo. Si el monje se casa con ella, insulta a Cristo [17]. Cristo no puede tolerar que un hombre posea a quien se le ha entregado por esposa. Y así, la única solución es restituir a Cristo lo que es suyo [18].

Pero, a pesar de lo desarrollada que está la doctrina del voto de virginidad, no encontramos elementos en el concilio de Elvira que nos hagan pensar en una cierta vida de comunidad entre las vírgenes. Vivirían una vida normal dentro de su familia y en la comunidad de que formaran parte. Es probable que tuvieran algún distintivo externo, como, p.ej., el velo. Su alejamiento del mundo es, más bien, interior. Son renuncias voluntarias al contacto con el mundo. «En definitiva, pues, la profesión de la virginidad no obligaba más que a la guarda de esa pureza virginal que se había consagrado a Dios, conservando plena libertad de movimientos para vivir la vida del mundo y de la familia en todo cuanto no fuera pecado o se opusiera directamente a la virtud consagrada» [19].

Defender esa virginidad fue una de las grandes preocupaciones de la Iglesia y de los Padres. Son muchos los escritos en los que ensalzan la virginidad y descubren los peligros en los que la virgen puede encontrarse. La Iglesia cuida con esmero la virginidad. Las mismas vírgenes comienzan un apartamiento más perfecto del mundo. Para estar más seguras empiezan a reunirse con bastante frecuencia. Se ayudan mutuamente en la búsqueda de la perfección y llegan a formar verdaderas comunidades de vírgenes. Es éste un hecho muy importante para la formación y extensión del cenobitismo en Occidente.

No obstante, la aparición del cenobitismo no llevó consigo la desaparición de la virginidad practicada en el seno de una familia y sin lazos de unión con algún monasterio. Vemos que hacia el año 385, cuando escribe el papa Siricio a Himerio de Tarragona, y después en el concilio I de Toledo se hace mención de estas vírgenes que viven en sus propias casas. Es natural que muchas vírgenes hicieran voto de virginidad y no desearan entrar en un monasterio por alguna razón. De hecho, tales vírgenes existían independientes de los monasterios de monjas.

B) *Primeros años del monaquismo en España*

Hemos visto el gran desarrollo y perfección que alcanza el ascetismo español en el siglo IV. Vamos a tratar de ver ahora si a finales de este

---

[17] Cf. Baquiario, *De reparatione lapsi:* ML 20,1055.
[18] Ibid., 1058.
[19] J. Fernández Alonso, *La cura pastoral en la España romano-visigoda* (Madrid 1955) p.455.

mismo siglo y principios del V se encuentra ya en España una vida monástica más o menos organizada.

1. EVOLUCIÓN DEL CONCEPTO DE MONJE

La palabra *monje* proviene del griego, y nominalmente indica la idea de soledad, separación y aislamiento. Este es el nombre que se daba a los cristianos que, deseosos de perfección, para lograrla más fácilmente se retiraban a lugares solitarios para entregarse libremente a la penitencia y prácticas de piedad sin ser molestados por nadie. La palabra significaba, ante todo, soledad física, alejamiento del trato con los demás hombres. De ahí que fuera el nombre más común dado a todos los que llevaban una vida solitaria. Importaba poco el género de vida o penitencias que el solitario practicase. Bastaba el aislamiento para recibir el nombre de monje. En sentido estricto y según su significación genuina, sólo podía aplicarse al anacoreta mientras vive aislado de los demás.

La gran cantidad de monjes que pronto llenaron los desiertos orientales y su diverso género de vida comenzó poco a poco a cambiar el significado de la palabra *monje*. Muchos de ellos empiezan a practicar una soledad menos rígida. Unos por relajamiento y otros debido a su gran fama de santidad, motivo por el cual se les unían discípulos para recibir sus enseñanzas, comenzaron, en cierto modo, a tener algún contacto con los demás. «A bien pocos de tales monjes se les podía dar este nombre conservando su acepción primitiva técnica de solitario. Esta es, sin duda, la principal razón de que se abriera camino y empezara a privar otra explicación del término» [20].

El deseo ardiente de perfección de los nuevos monjes les hacía buscar insistentemente a los anacoretas más famosos en santidad, y, una vez encontrados, no querían separarse de ellos. Buen ejemplo es San Antonio. El Santo se retira al desierto a hacer vida solitaria. Pero pronto se reúne a su alrededor un buen número de discípulos. San Antonio debe aceptar sus peticiones y dirigirles. Viven en chozas aisladas, pero ya forman una especie de comunidad en torno a su maestro. Más aún, San Antonio no renuncia a intervenir en el mundo cuando lo cree necesario para los cristianos. En la persecución de Maximino Daya, año 311, alentaba y afianzaba la fe de los cristianos.

En la práctica, pues, no duró mucho la acepción primitiva rígida del significado de la palabra *monje*. San Antonio, obligado por las circunstancias, inaugura una nueva forma de vida monacal que, sin romper con el anacoretismo, se abre un poco al cenobitismo. Es cierto que el elemento de comunidad es todavía muy pobre, pero ya los anacoretas tienen algún trato entre sí, aunque sólo sea el ir juntos a oír al maestro. Nacen así las colonias de anacoretas.

Por este mismo tiempo, Eusebio de Cesarea se hace eco del cambio

[20] G. M. COLOMBÁS, *El concepto de monje y vida monástica hasta finales del siglo V*, en *Studia Monastica* I (Montserrat 1959) p.266.

en la significación de la palabra *monje* cuando escribe: «El monje es 'monotropos', es decir, no tiene más que una manera de ser; no adopta ora una conducta, ora otra, sino que se mantiene fiel a la misma, la que lleva a la cima de la virtud» [21]. Como puede verse, ya se atiende más a la uniformidad de vida, a seguir siempre una línea fundamental en el camino de la perfección, sin cambios radicales en la manera de vivir y de actuar. Es una unidad de conducta. Se pasa de la idea de soledad a la de unidad e indivisión [22].

Las colonias de anacoretas se desarrollan, y cuando están en su apogeo aparece el gran organizador San Pacomio. También va al desierto con el deseo de hacerse anacoreta. Pero pronto se le unen muchos discípulos. San Pacomio organiza con ellos el primer cenobio con una vida monástica comunitaria bien organizada. La obra de San Pacomio lleva consigo un cambio transcendental en la concepción de la vida monástica. Se pasa de la idea de soledad a la de comunidad. Este importante cambio en la concepción de la vida monástica no comporta el cambio de nombre. A los que abrazan este género de vida se les sigue llamando monjes, aunque también aparece el nombre de cenobitas. Podemos decir que el nombre genérico siguió siendo el de monje.

Uno de los más acérrimos defensores del significado primitivo de la palabra *monje* fue San Jerónimo. Conoció la vida anacorética en Egipto y vivió algunos años en la Tebaida al lado de los ermitaños. Conoce la vida anacorética en toda su pureza. Si a esto añadimos su carácter inclinado a la soledad y penitencia, no es extraño que sea tan duro al hablar de los monjes que no guardan la soledad.

Según él, el monje, por definición, debe estar solo. Por eso siempre se apoya en la etimología de la palabra *monje* cuando quiere demostrar que el lugar propio del monje está en la soledad. «Si de verdad quieres ser lo que te llamas, monje, esto es, solitario, ¿qué haces en las ciudades, que no son viviendas propias de solitarios, sino de la muchedumbre?» [23]. «Interpretar el vocablo *monje,* es decir tu nombre; ¿qué haces entre la gente tú, que debes estar solo?» [24]

San Jerónimo distingue tres clases de monjes. Los cenobitas, que viven en común; los anacoretas, que viven separados en el desierto, y los que ni son anacoretas ni cenobitas. Viven en las ciudades en pequeños grupos de dos o tres. Viven libres y su proceder es afectado y fingido [25]. Entre ellos se daban toda clase de abusos. Muchos de ellos habitan en las ciudades y en los castillos. Y algunos entre sus familiares. A éstos se dirigen las censuras que San Jerónimo hace a los monjes. Son los que por nombre debían ser anacoretas y no lo son.

San Jerónimo no rehúsa el nombre de monje a los cenobitas. Hemos visto que los nombra y pone en primer lugar al describir las clases de

---

[21] Eusebio de Cesarea, *Comment. in Psal.* 67,7: MG 23,689.
[22] Cf. G. M. Colombás, art.cit. p.266.
[23] San Jerónimo, *Epistola 58* 5,1: ML 22,583.
[24] Ibid., *Epistola 14* 6,1: ML 22,350.
[25] San Jerónimo, *Epistola 22* c.34: ML 22,419.

monjes. Más aún, basta leer la magnífica descripción que hace de la vida de los cenobitas para darse cuenta de que San Jerónimo no tiene que oponer nada a esta clase de vida [26]. El nuevo significado del nombre, pues, se encuentra también en San Jerónimo. Exige la soledad para los anacoretas. Pero, para él, los cenobitas también son verdaderos monjes, siempre que lleven una vida uniforme.

Es evidente que aun en Oriente, donde más pujante estuvo el anacoretismo, el significado de la palabra *monje* sufre una transformación profunda. Del concepto de alejamiento del mundo practicado en la soledad y sin trato con los demás anacoretas, se pasa al concepto de huida del mundo para llevar una vida comunitaria uniforme, con unidad de medios y de fin.

En el Occidente, el cambio es mucho más notable. La vida anacorética no se practicó con la misma intensidad que en Oriente. Ni el carácter del hombre occidental ni el clima son muy propicios para esta clase de vida. Conocemos bastantes occidentales que practicaron el anacoretismo en Oriente, pero los casos de anacoretismo practicado en Occidente son muy raros. Al menos, una vida anacorética practicada por años.

Por otra parte, cuando el monaquismo comenzó a introducirse en el Occidente, ya florecía en Oriente el cenobitismo. Por eso no es de extrañar que en Occidente aparezca la vida cenobítica casi sin haber pasado por el anacoretismo. El Occidente conoce el monaquismo principalmente a través del cenobitismo. De ahí que la palabra *monje* no tenga en el Occidente el significado estricto de soledad, ausencia de todo trato con los demás [27].

San Agustín, al explicar el significado de *monos*, hace más hincapié en el sentido de unidad que en el de soledad. Aplicada al monaquismo, la definición es válida aun en el cenobitismo, porque, a pesar de ser muchos en la comunidad, viven como si fueran un solo hombre. «Tienen una sola alma y un solo corazón. En el monasterio hay muchos cuerpos, pero no hay más que un solo corazón. Por eso, los que se han separado de la comunidad, los que no quieren habitar con sus hermanos, no pueden ser llamados monjes» [28].

La idea de soledad pasa a segundo plano, para hacer recaer la esencia de la vida monástica en la idea de unidad. Los mismos medios, el mismo fin. En una palabra, unidad de vida en común. «Como se ve, es el monje —según San Agustín— 'uno solo'; pero no en cuanto permanece solo, sino en cuanto está tan íntimamente unido con otros, que forma con ellos una misma cosa» [29]. San Agustín admira a los anacoretas. Pero, para él, lo más perfecto es la vida cenobítica [30].

Casiano en sus *Collationes* también distingue tres clases de monjes: los cenobitas, que viven en comunidad y son gobernados por un supe-

[26] Ibid., c.35: ML 22,419-20.
[27] G. M. COLOMBÁS, art.cit. p.263.
[28] SAN AGUSTÍN, *Enarrationes in Psalm.* 132,6: ML 37,1733.
[29] G. M. COLOMBÁS, art.cit. p.267.
[30] Cf. SAN AGUSTÍN, *De moribus Ecclesiae catholicae* 31,67: ML 32,1338.

rior; los anacoretas, que primero han sido cenobitas y, llegados ya a una gran perfección, se han ido a vivir a lugares apartados, y los sarabaítas, monjes egipcios que se creían inspirados directamente por Dios y se dedicaban a realizar las mayores rarezas [31].

Es curioso que aun de los anacoretas diga Casiano que primeramente han vivido en cenobios. El cenobita que desea esta clase de ascetismo se retira a un lugar apartado del monasterio y no muy lejano de él, sin romper los lazos que le unen a la comunidad. De todos modos, al afirmar que los anacoretas han sido antes cenobitas, parece dar a entender que no da el nombre de monjes a todos los que practican el anacoretismo y que el concepto de monje había quedado ligado, en cierto modo, al cenobitismo.

Sin embargo, en la práctica se daba el nombre de monje a una muchedumbre heterogénea de personas. Bajo el concepto de monje se englobaba el cenobitismo, el anacoretismo y, quizá, falsos monjes que no eran ni una cosa ni otra. Algunas veces es imposible saber si los textos hablan de cenobitas o anacoretas. Sin embargo, creemos lícito pensar que se trata de cenobitas cuando en el texto se hace alguna alusión a la vida comunitaria de los monjes.

2. EL CANON SEXTO DEL CONCILIO DE ZARAGOZA

El concilio de Zaragoza nos aporta la primera noticia de la existencia de monjes en España. Y, por la manera de expresarse el concilio, se puede pensar que se trataba de un movimiento bien organizado. Nos referimos al canon sexto, que dice así: «Si algún clérigo, por una supuesta vanidad o soltura, abandonase espontáneamente su oficio y quisiere parecer como más observante de la ley siendo monje que clérigo, debe ser expulsado de la Iglesia, de modo que no será admitido en ella sino después de mucho tiempo de ruegos y súplicas» [32].

El estado monacal de que habla el concilio es tenido en gran estima no sólo por el pueblo, que es más impresionable, sino que también hay sacerdotes que lo creen superior al sacerdocio. Y seguramente hubo casos de sacerdotes que se hicieron monjes. Esto, naturalmente, podía crear graves problemas a la Iglesia. Si estos hechos ocurrían con frecuencia, podía darse el caso de que alguna comunidad de fieles se quedase sin sacerdotes. Creemos que lo que se condena en el concilio es abandonar, por propia cuenta y riesgo, los deberes pastorales sin el debido permiso del obispo.

El concilio de Elvira castigaba con la privación de la comunión por algún tiempo a los que no asistían al culto dominical. El concilio de Zaragoza urge también los deberes cultuales. Por eso, la prohibición del concilio de Zaragoza nos hace pensar que no se trataba de un simple ascetismo practicado en algún lugar apartado, ya que el sacerdote,

---

[31] Cf. CASINO, *Collationes* 18,4: ML 49,1093.
[32] J. VIVES, *Concilio de Zaragoza* c.16 p.17: MANSI, 3,635.

igual que los demás ascetas, debía asistir a la celebración eucarística. Y sería absurdo condenar a un sacerdote que cumple con sus obligaciones y, además, desea ingresar en un estado que la opinión común cree más perfecto.

La prohibición, tal y como está redactada en el citado canon, induce a creer que se trata de entrar en un estado en el que ya no se pueden realizar las obligaciones contraídas con una determinada comunidad al hacerse sacerdote y que por su misma organización hace imposible realizarlas. El sacerdote podía muy bien llevar una vida ascética retirada, como hacían muchas vírgenes consagradas, y al mismo tiempo cumplir con sus deberes pastorales. Además, el concilio usa una frase que no creemos pueda interpretarse como dirigida a quien quiere practicar un simple anacoretismo. Hace una referencia a la ley que observan los monjes. La palabra *ley* podía tener tres significados en este tiempo: el derecho escrito, un juicio o la sentencia de un juez, una costumbre admitida por todos [33].

No tenemos pruebas suficientes para afirmar que se trataba de un derecho escrito, que en este caso equivaldría a una regla monacal, a una legislación monástica. Será difícil también interpretarla como un juicio o la sentencia de un juez, que en este caso, por tratarse de monjes, sería el superior que impone una regla, una norma de vida. Y esto porque carecemos de datos sobre superiores famosos cuya costumbre u opinión fuese norma de vida para sus súbditos o imitadores que se pongan bajo su dirección.

Pero la palabra *ley* puede legítimamente interpretarse como una costumbre admitida por todos. Se trataría de una forma de vida regulada por unas costumbres practicadas por los monjes. Nos encontramos, pues, ante una uniformidad de prácticas monásticas. Aun con esta significación, es difícil creer que se trata de simples anacoretas. En líneas generales, la única cosa común que se encuentra en los anacoretas es el deseo de perfección y el alejamiento del mundo. En lo demás, cada uno se organiza su vida como mejor le parece, según sus posibilidades y aspiraciones particulares.

Las vírgenes consagradas que viven en el seno de una familia van estrechando poco a poco los lazos de unión con las demás vírgenes de la comunidad. Practican el ascetismo en grupos. Tienen sus reuniones, que duran más o menos tiempo, pero sin alejarse de la ciudad. Lo mismo ocurrió con el ascetismo masculino. Las primeras referencias sobre este ascetismo las encontramos en las controversias priscilianistas. Y sabemos que los priscilianistas realizaban un ascetismo comunitario.

De ahí que se pueda afirmar que, si no existía ya un cenobitismo bien organizado, al menos se trataba de una forma de vida que ya había superado el anacoretismo, y sólo faltaba llegar a una vida común definitiva. No olvidemos que los priscilianistas hacían vida común al menos durante grandes temporadas. Pero no eran sólo los priscilianis-

[33] Cf. Du Cange, *Glossarium mediae et infimae latinitatis* (París 1937-38) vol.5 p.77.

tas quienes realizaban esto. En todo caso, la carta del papa Siricio a Himerio de Tarragona, como veremos a continuación, nos da a conocer que existía un monaquismo completamente ortodoxo. En dicha carta, al mismo tiempo que condena los abusos priscilianistas, desea que sean ordenados sacerdotes los monjes cuya fe y vida sean irreprensibles [34].

Otra prueba preciosa de lo dicho nos la da Sulpicio Severo. Dice que Martín de Tours se opuso a que el emperador mandase un ejército a España a castigar a los priscilianistas. Una de las razones es porque, al castigar a los herejes, perecerían una gran cantidad de santos. Pues, si no se hace una inquisición profunda, se corre el peligro de juzgar sólo por las apariencias externas o por el vestido y no por la verdadera fe [35].

Esto nos hace pensar que, en las prácticas externas, el priscilianismo no se distinguía mucho del monaquismo ortodoxo. Y, al parecer, ya llevaban un vestido especial, que tampoco les distinguía de los demás monjes. Podemos, pues, afirmar que en este tiempo existía ya en España un monacato con una organización bastante precisa. Y, según todos los indicios, con bastantes elementos de vida comunitaria.

3. LA CARTA DEL PAPA SIRICIO A HIMERIO DE TARRAGONA

El papa Siricio escribe a Himerio de Tarragona el año 385, unos años después del concilio de Zaragoza. La carta es un segundo documento de valor inestimable para delinear la historia del monacato español.

Es cierto que los monjes no salieron muy bien parados del concilio de Zaragoza. La aparición del priscilianismo, con sus reuniones y su ascetismo exagerado y a veces ridículo, practicado sin verdadero convencimiento y apoyado en premisas heréticas, ensombreció al ascetismo español y al monacato. Dice Pérez de Urbel que la causa principal de la ojeriza con que a fines del siglo IV miraban muchos a los monjes, la tienen los priscilianistas, que, juntamente con los sarabaítas y los giróvagos, dieron motivos justificados para los ataques [36].

Si encima añadimos las acusaciones que el priscilianismo hacía a la jerarquía española por su falta, según ellos, de espíritu de sacrificio y deseos de perfección, se explicará, en cierto modo, la manera de proceder del concilio de Zaragoza condenando en bloque todas las prácticas priscilianistas, en vez de tratar de asentarlas en bases ortodoxas. Más exagerados fueron los obispos Idacio de Mérida e Itacio de Ossonoba. Sabemos que su vida no era muy ejemplar, y, probablemente, a ellos, más que a ningún otro, iban dirigidas las críticas priscilianistas. Ambos, bajo el pretexto de perseguir la herejía, hacían sufrir a los ascetas y monjes ortodoxos. Vigilancio de Barcelona perseguía a los monjes por no estar de acuerdo con los principios en que se fundaba el monacato.

---

[34] Cf. Siricio, *Epistola ad Himerium...*: ML 13,1144.
[35] Cf. Sulpicio Severo, *Dialogus* III 2: CSEL I 208-209.
[36] Cf. J. Pérez de Urbel, *Los monjes españoles en la Edad Media* vol.1 (Madrid 1945) p.136.

La intervención de la autoridad suprema de la Iglesia es, pues, muy oportuna. Manda que se castigue a los pecadores, pero al mismo tiempo quiere que los buenos monjes sean ordenados sacerdotes. El papa interviene como mediador entre la jerarquía y el monacato. Distingue entre los monjes que de verdad merecen un castigo ejemplar, de aquellos cuya santidad de vida puede ser una ayuda para la perfección de los demás. El afán de combatir la herejía, encubierta bajo una capa de ascetismo y deseo de perfección, no debe ser obstáculo para que los monjes dignos sean ordenados sacerdotes. Estando los ánimos tan sobresaltados como estaban entonces en España, con intereses creados por medio, se corría el peligro de destruir el verdadero monacato al intentar extirpar la herejía.

Los monjes, convencidos de que el alejarse del mundo es mucho más perfecto que permanecer en él y deseosos de llegar a un alejamiento perfecto, se niegan instintivamente a ser ordenados de sacerdotes e intervenir en el culto con los demás cristianos. No querían aparecer en público, pues era distraerse de su aislamiento. Si alguno se ordena o ha sido sacerdote antes de hacerse monje, ejercita esas funciones dentro de la comunidad en que vive [37].

El papa quiere que en este aspecto se cumpla su voluntad por encima de las negativas de los monjes y del poco aprecio que los obispos sentían por ellos a finales del siglo IV. Su deseo es tajante: quiere que los monjes ejemplares sean ordenados de sacerdotes [38]. La carta del papa Siricio añade otro elemento importante: una cierta vida de comunidad. Habla de un grupo específico y bien diferenciado, que no debe ser confundido con los clérigos, vírgenes o simples ascetas [39].

Algunos monjes y monjas se han apartado de su ideal sublime de santidad y han caído en una grave relajación. El trato mutuo les ha llevado a engendrar hijos. El papa manda que sean expulsados del monasterio y no se les admita en las reuniones litúrgicas. La expulsión, al menos temporal, de los actos de culto hemos visto que se practicaba ya en España desde el concilio de Elvira. Especialmente en caso de adulterio y, sobre todo, cuando una virgen consagrada perdía su virginidad.

Ahora bien, el papa añade como castigo la separación del monasterio para estos monjes y monjas, que, como puede verse, es distinto de las reuniones litúrgicas, corrientes para los demás fieles. Las palabras *asamblea monástica* dan a entender que se trata de una comunidad estable, de la que pueden ser separados en caso de no cumplir unas leyes preestablecidas, del mismo modo que se podía ser separado de la comunión cristiana en caso de transgresión grave de alguna ley eclesiástica [40].

---

[37] Cf. A. MUNDO, *Il monachesimo nella Peninsola Iberica fino al secolo VII*, en *Settimane di studio del Centro Italiano di studi sull'alto Medioevo* vol.4 (Spoleto 1957).

[38] Cf. SIRICIO, *Epistola ad Himerium...*: ML 13,1144.

[39] Cf. J. M. FERNÁNDEZ CATÓN, *Manifestaciones ascéticas de la Iglesia hispano-romana del siglo IV* (León 1962) p.116.

[40] Cf. J. FERNÁNDEZ ALONSO, *La cura pastoral en la España romano-visigoda* (Madrid 1955) p.459.

Añadamos a esto que el papa manda que los pecadores sean encerrados en sus celdas. ¿Qué sentido podían tener estas palabras si se trata de anacoretas? El anacoreta ya vive solo. Y pasa casi toda su vida encerrado en algún lugar. Debería salir, al menos, para buscarse la comida diaria. Además, el cumplimiento del castigo debía dejarse a la conciencia del culpable, de cuya buena voluntad se podía dudar. No es verosímil tampoco que se puedan referir esas palabras a las vírgenes consagradas que viven en sus casas. Sus quehaceres diarios las obligarían a salir y tratar con los demás. Ni a los sacerdotes, de quienes habla en otro lugar para corregir el mismo abuso.

Nos encontramos ante un castigo nuevo que no ha sido impuesto anteriormente a ningún grupo de personas. Sólo se explica satisfactoriamente si va dirigido a una organización comunitaria. Se trata no de una expulsión del monasterio, sino de prohibirles el trato, la comunión con los demás. El paralelismo que el papa hace con la separación de la comunión de la Iglesia, nos hace pensar en esta posibilidad, que es la que mejor explica las palabras *en sus celdas* como lugar de castigo y penitencia. El monje o la monja que ha pecado no puede asistir con sus compañeros a los actos de comunidad y deben permanecer aislados en sus celdas [41].

El concilio de Zaragoza habló por primera vez de monjes. El papa Siricio nombra ahora por primera vez a las monjas. El nombre no se aplica a las vírgenes consagradas. El concilio de Toledo, en el año 400, se ocupa de las vírgenes consagradas que viven en sus casas. En caso de que éstas perdieran su virginidad, se les imponía un castigo, que consistía en apartarlas de la comunión durante diez años. Lo más natural es que, si el papa se hubiese referido a tales vírgenes, se hubiera repetido la condena dictada por el supremo jefe de la Iglesia.

El papa, al hablar de monjas, se refiere a un grupo especial que con su falta se hace acreedor a un mayor castigo. La separación del resto de la comunidad y el ser recluidas en sus propias celdas lleva directamente a la conclusión de que por este tiempo existía en España una vida cenobítica bastante bien organizada.

Todo lo dicho nos demuestra la existencia del cenobitismo en España. Pero no pensemos que ya había llegado a su perfección. Los hechos acaecidos nos hacen sospechar, p.ej., que la clausura no era guardada con demasiada rigidez, y era bastante fácil entrar en el monasterio, sobre todo bajo pretexto de aprovechamiento o ayuda espiritual. Así se explica la caída de monjes y monjas, fruto de las visitas mutuas. Quizá no se trataba de un único edificio, tal y como se construyeron después los monasterios [42]. Probablemente, se asemejaban mucho a las primeras fundaciones de San Pacomio, cuyos monasterios no se bastaban económicamente a sí mismos, y los monjes debían salir a vender sus productos.

---

[41] Cf. Siricio, *Epistola ad Himerium...*: ML 13,1137.
[42] Cf. J. Fernández Alonso, o.c. p.459.

4. La carta de San Agustín a los monjes de la isla Cabrera

No están de acuerdo los autores en la datación de esta carta. Pero para nosotros no tiene demasiada importancia que se haya escrito a finales del siglo IV o a principios del V. Pérez de Urbel la cree escrita en el año 418, porque en este tiempo es cuando San Agustín puede tener conocimiento de la existencia de este grupo de monjes en la isla Cabrera. La noticia la llevaría Orosio y los monjes que San Agustín nombra en la carta: Eustatio y Andrés.

Veamos el contenido de la carta. Ya el encabezamiento nos da a conocer la existencia de un superior. Es una carta escrita de comunidad a comunidad. Parece que existe una cierta igualdad entre ambas. San Agustín preside una, Eudoxio la otra. Los monjes que viven con San Agustín son cenobitas. ¿Por qué no también los de la isla Cabrera? La existencia de ese superior excluye que se trate de anacoretas propiamente dichos. Se tratará, al menos, de un grupo de monjes que practican una cierta vida comunitaria.

Si comparamos lo que San Agustín dice en esta carta a los monjes de la isla Cabrera con la descripción que hace del cenobitismo, veremos que en la carta menciona casi todos los elementos que forman la vida comunitaria. San Agustín, al describir el cenobitismo, habla de la vida santísima y castísima que llevan en común los monjes. Es una vida concorde en todo: oración, estudio, disputas científicas. Con su trabajo obtienen lo necesario para comer. Entregan el fruto de su trabajo a los decanos y éstos dan cuenta de todo al superior, que es la suprema autoridad [43]. En la carta a los monjes de la isla Cabrera también encontramos un superior, oración en común, trabajo y, sobre todo, la exhortación a la caridad mutua [44].

Escribe E. Martínez que se habla de estos monjes de tal manera, que se puede pensar en una perfecta organización cenobítica, aunque no se excluye con claridad el sistema de ascetismo monacal que encontramos en los últimos años del siglo IV: vida de solitarios con algunos actos en común y bajo la dirección de un superior [45].

Creemos que, aun en este último caso, se trata de un verdadero cenobitismo. No existiendo una regla común para todos los monasterios, la cantidad de actos en común dependerá mucho del carácter del superior y de la comunidad. En una habrá muchos actos en común, en otra solamente los principales, dejando otros muchos a la iniciativa privada.

San Agustín envidia la vida que llevan los monjes de la isla Cabrera, la paz y el sosiego en que viven estos monjes. Es una vida que él desearía vivir, pero se lo impiden sus obligaciones. Están libres de preocupaciones terrenas y completamente desligados del mundo. Ningún desvelo

[43] Cf. San Agustín, *De moribus ecclesiae catholicae* 31,67: ML 32,1338.
[44] Cf. ibid., *Epistola 48, ad Eudoxium...*: ML 33,187-89.
[45] Cf. E. Martínez, *L'ascétisme chrétien pendant les trois premiers siècles* (París 1913) p.461.

les distrae en sus oraciones, y por eso son más perfectas. Por esa razón, les pide que le tengan presente en ellas [46].

Si San Agustín ya vive en comunidad con algunos monjes y aun admira la vida que llevan los de la isla Cabrera, es porque considera tal género de vida más perfecto que el que le permiten a él practicar las circunstancias. Para San Agustín, como hemos visto, la vida monacal más perfecta es el cenobitismo. Ambas comunidades llevarían un género de vida muy parecido; pero los monjes de la isla Cabrera están más alejados del trato con los hombres, y por eso están libres de muchas preocupaciones.

En la carta de San Agustín se ve una idea principal. Quiere que no caigan en un peligro: hacer mucho o no hacer nada. No olvidemos que en este tiempo existían en Africa monjes que consideraban el trabajo como una cosa indigna de los hombres consagrados al trato íntimo con Dios. Quizá esta herejía de orden monástico se hubiera extendido también en España. San Agustín escribe a los monjes de la isla Cabrera para hacerles conocer los peligros de la ociosidad. Hay que saber dividir el tiempo entre el trabajo y la oración. Les aconseja la acción interior y exterior y la práctica de todas las virtudes [47].

San Agustín menciona el trabajo en su carta como un elemento importante en la vida monacal. La comunidad vive del trabajo, y por eso todos deben cooperar. Si no, se da el peligro de que quien trabaje mucho sea tentado de soberbia y quien trabaje poco viva una vocación demasiado fácil. Además, del fruto del trabajo deben dar limosnas a los indigentes.

Había monjes que se negaban a hacer ministerio pastoral. Recordemos la intervención del papa Siricio. Lo mismo hace ahora San Agustín. «Hermanos, perseverad en vuestras promesas, y si vuestra madre la Iglesia desea de vosotros algún trabajo, ni lo toméis con avidez ni lo despreciéis por pereza. Obedeced a Dios y atended primero a las necesidades de la Iglesia que a vuestro descanso» [48]. Subordina el ideal monástico de retiro y contemplación a las necesidades apostólicas de la Iglesia. El apostolado no rompe la quietud monástica. Tampoco falta en la carta el consejo de practicar el amor mutuo. Es el gran principio que pone como fundamento de la vida monástica: una sola alma y un solo corazón, que aquí expresa así: «y, ante todo, amaos mutuamente» [49]. Toda la carta da la impresión de ir dirigida a un grupo de cenobitas. Nada sabemos de su legislación. Probablemente, como dice Pérez de Urbel, no existe más que un profundo anhelo de perfección. Vemos a unos hombres que buscan la unión con Dios y se juntan para ayudarse a conseguirla [50].

---

[46] Cf. San Agustín, *Epist. ad Eudoxium...:* ML 33,188.
[47] Cf. J. Pérez de Urbel, *Los monjes españoles en la Edad Media* vol.1 (Madrid 1945) p.155.
[48] San Agustín, *Epistola 48 ad Eudoxium...:* ML 33,188.
[49] Ibid.
[50] Cf. J. Pérez de Urbel, o.c. vol.1 p.153.

5.　La carta-encíclica del obispo Severo de Menorca

La carta de San Agustín nos da a conocer la existencia de monjes en la isla Cabrera. La carta-encíclica del obispo Severo nos descubre que también existen monjes en Menorca. Tres de los escasos documentos que poseemos sobre el monacato español en esta época se refieren a monjes que viven en las islas Baleares. El monaquismo estaba muy desarrollado en estas islas.

El obispo Severo nos describe en su carta, escrita el año 417, la conversión de los judíos de Mahón [51]. Narra los hechos acontecidos aquellos días y algunos sueños que han tenido distintas personas referentes a la conversión de los judíos.

Uno de los que han soñado cosas maravillosas es Teodoro, jefe de los judíos. Soñó que se dirigía a la sinagoga. «En el camino, doce varones le preguntan: '¿Adónde vas? Hay ahí un león'. Al oír nombrar al león comencé a temblar. Y, mientras me preparaba a huir, encontré un lugar donde refugiarme, y allí vi unos monjes cantando salmos con admirable suavidad» [52].

Si el sueño fue verídico y no una ficción retórica del obispo Severo, demuestra que el monacato era bien conocido aun entre los no cristianos. Teodoro conocía no sólo la existencia de los monjes, sino también una de sus ocupaciones principales. Si es una ficción retórica de Severo, se afirma también la existencia del monacato en la isla, y el mismo Severo, con palabras propias, presenta en otro lugar de la carta a los monjes cantando salmos igual que en esta ocasión.

Seguí Vidal afirma que «nos consta por la carta que en Mahón, donde predominaban los judíos, había una comunidad de monjes, que tomaron parte en la destrucción de la sinagoga, cantando, apenas quemada, dentro de los muros con admirable suavidad». Y añade: «también puede sostenerse que estos monjes que aparecen en la carta tenían su monasterio en la ciudad episcopal de Ciudadela y acompañaron a Severo en su visita a Mahón» [53]. Que habitaran en una u otra ciudad es indiferente. Lo importante es que en la carta se afirma su existencia en la isla de Menorca. Y se añade una de sus principales ocupaciones: la salmodia.

Severo habla otra vez de los monjes cuando describe un prodigio que aconteció en aquellos días. Precisamente es un domingo cuando se produce el milagro mientras todos los fieles están en misa. «Testigos del prodigio, elegidos por Dios, son dos monjes que estaban tumbados en la hierba de un prado que hay junto a la puerta de la iglesia» [54].

Parece ser que los monjes no seguían al pueblo en el culto. Aun el domingo no oyen misa con los demás. Por otra parte, Severo habla de

[51] Cf. Severus, *Epistola de iudaeis:* ML 20,731-46, ed. G. Seguí Vidal, *La carta-encíclica del obispo Severo* (Roma 1937).

[52] Ibid.: ML 20,735; ed. Seguí Vidal, p.156.

[53] G. Seguí Vidal, *La carta-encíclica del obispo Severo* (Roma 1937) p.156.

[54] Severus, *Epistola de iudaeis:* ML 20,742; ed. Seguí Vidal, p.174.

ellos de tal forma, que no cabe sospechar que se trate de falsos monjes. Aunque no participan con los demás en el culto del domingo, los cree elegidos por Dios para presenciar el prodigio. Probablemente tenían sus sacerdotes propios y celebraban ellos solos la liturgia dominical. De lo contrario, parece demasiada osadía que dos monjes tomen el sol a la vista de todos, mientras los demás fieles cumplen con el precepto dominical.

6. El testimonio de Orosio

Orosio fue enviado por San Agustín a Palestina con el propósito de que al regresar pasara por Africa y se encaminara luego a Braga. Trae consigo parte de las reliquias de San Esteban. En el año 416 hablan de su llegada a Africa los Padres del concilio de Cartago [55]. Bien sea por causa de alguna tempestad, bien sea porque el mar estaba dominado por los vándalos que pasaban a Africa, no pudo llegar hasta Braga y se dirigió a las islas Baleares. La carta-encíclica de Severo hace alusión a la visita de Orosio. En los años 417-18 compuso su *Historia adversus paganos*.

Orosio, pues, pudo conocer personalmente el estado del monacato en las islas. Describe en su *Historia* las luchas de Mascecel contra Gildón, rebelde al imperio. Mascecel, al pasar por la isla Cabrera, hace que se le junten algunos siervos de Dios, que con sus oraciones, ayunos y canto de salmos hicieron que alcanzase la victoria [56].

Parece ser que el motivo principal del paso de Mascecel por la isla Cabrera es tomar consigo a esos siervos de Dios; probablemente, a causa de su fama de santidad. Orosio no llama expresamente monjes a estos siervos de Dios. Pero todo hace pensar que se trata de verdaderos monjes. Vimos cómo en casi todos los documentos se presenta la salmodia como una de las principales ocupaciones de los monjes. Aquí estos siervos de Dios aparecen cantando salmos. En la isla Cabrera hay monjes. Lo más natural es que también lo sean estos que Mascecel lleva consigo.

7. Baquiario y Eteria

Baquiario y Eteria son el primer monje y la primera monja con un nombre concreto y de quienes poseemos algunas noticias. Ambos, aunque por distinto motivo, llevan una vida errante. Los dos son de finales del siglo IV. Baquiario tiene que expatriarse porque se vio envuelto en la persecución desencadenada contra el priscilianismo. Aun fuera de España y porque seguía siendo sospechoso, tuvo que proclamar su fe y lo hizo en un escrito titulado *Profesión de fe,* perfectamente ortodoxo.

---

[55] Cf. G. Seguí Vidal, o.c. p.40.
[56] Cf. Orosio, *Historiarum adversus paganos, libri VII* 36: CSEL V 534.

En el exilio le llega la noticia de que un compañero monje a quien en su juventud había admirado por sus virtudes y observancia ha roto su *pacto*, ha abandonado el monasterio y vive en compañía de una monja. «Sintió Baquiario profundamente la caída de su antiguo amigo, y aún se aumentó más su dolor cuando supo que el abad Januario y los demás monjes se negaban a admitirle de nuevo en el monasterio, y que el desgraciado delincuente, desesperado por esta repulsa y por las amenazas de que era objeto por parte de la familia, se había determinado a legitimar la sacrílega unión» [57]. Baquiario escribe dos cartas. Una va dirigida al abad Januario, en la que pide misericordia y piedad para el monje que ha caído en la lucha. No se le debe dejar abandonado. La carta que dirige al monje caído es una exhortación a la penitencia y a la conversión. Se ofrece, si es necesario, a volver a España para ayudarle. Sobre todo, no debe dejarse arrastrar de la desesperación, porque Dios es misericordioso [58].

Eteria nace, probablemente, en Galicia, de familia noble emparentada con alguno de los altos funcionarios del imperio. Es una virgen consagrada a Dios y quizá la abadesa de un monasterio. La clausura entonces no es aún obligatoria, y un día nuestra monja siente el deseo irresistible de peregrinar a los Santos Lugares. Pasa por Constantinopla y Asia Menor. Permanece tres años en Jerusalén. De allí sale de vez en cuando para visitar los demás lugares bíblicos. Llega hasta Alejandría y recorre los monasterios de la Tebaida. Quiere verlo todo, sobre todo los lugares que guardan algún recuerdo bíblico y las colonias de monjes. Dirá de sí misma que es muy curiosa. En sus viajes la acompañan gran número de monjes, clérigos y a veces algún obispo. Los mismos soldados romanos la acompañan para protegerla cuando existía algún peligro. Todo esto prueba la nobleza de su linaje. Escribe a sus hermanas las monjas contándoles sus viajes y experiencias. Con sus cartas se formó el libro titulado el *Itinerario de Eteria* [59].

8. La Regla «Consensoria monachorum»

Tradicionalmente, se cree que es el primer intento de una organización monacal en España. Sería una regla compuesta por monjes priscilianistas, aunque algún tiempo se creyó que la había compuesto San Agustín. Se la ha visto como una especie de herejía monástica, porque contiene algunas disposiciones que no concuerdan del todo con la tradición monástica. C. J. Bishko piensa, en cambio, que «la *Consensoria monachorum* no es una regla agustiniana ni prisciliana, sino una forma de pacto galaico-portugués de alrededor de 675, en que se define la estructura de una comunidad monástica flojamente organizada e inestable,

---

[57] J. Pérez de Urbel, *Los monjes españoles en la Edad Media* I (Madrid 1945) p.110-11.
[58] Cf. Baquiario, *De reparatione lapsi:* ML 20,1037-62.
[59] Cf. ed. de Geyer: CSEL (Viena 1898) t.39 p.35-110.

formada por 'conversos' terratenientes que ponen sus posesiones bajo la endeble autoridad de un abad» [60].

No entramos a discutir la fecha de su composición. Tampoco creemos que se la pueda tachar de priscilianista sólo por el hecho de que cita con frecuencia la sagrada Escritura y algún texto no se encuentra en ella literalmente. Se puede pensar también que el autor, para dar más fuerza a lo establecido, quiera fundamentarlo en la autoridad de la sagrada Escritura. Por el contenido no se la puede calificar de priscilianista ni de ser un caso raro en la tradición monástica.

Más que una regla que intenta regular completamente la vida religiosa en el monasterio, es un compromiso que sus redactores se obligan a cumplir seriamente para reforzar la vida comunitaria. No toca otras cuestiones esenciales para el buen funcionamiento de un monasterio. Este compromiso ha llegado hasta nosotros. Probablemente, otros monasterios hicieron pactos semejantes para regular su vida religiosa. La Regla consensoria intenta reforzar la vida de comunidad. Establece que todos los monjes deben tener el mismo ideal, pensar del mismo modo y tener todas las cosas en común. Los que entran en el monasterio no deben preocuparse de las cosas temporales, y si alguno, por cualquier motivo, se sale del monasterio, no puede llevarse nada consigo. Si alguien quiere entrar en el monasterio, debe probar su intención, y el abad, con los demás monjes, debe comprobar si es apto para la vida comunitaria. Y en los párrafos que parece se añadieron después exige que los monjes no deben seguir doctrinas extrañas, y, si esto ocurre, se debe poner en conocimiento del abad. Si hay discusiones entre los monjes, debe cortarlas el abad. En caso de invasión de los enemigos y si los monjes no pueden huir juntos, todos deben ir donde esté el abad y entregarle los bienes que hayan podido salvar. Todos se obligan a observar lo establecido [61].

¿Se puede considerar extraña a la tradición monástica alguna de estas prescripciones? Es fácil encontrar párrafos semejantes en San Agustín, San Isidoro y San Fructuoso. Se ha dicho de esta Regla que rebaja la autoridad del superior. Es verdad que le recuerda que tiene obligación de cumplir este compromiso igual que los demás monjes. Pero ¿no exigen al abad mucho más las reglas de San Isidoro y San Fructuoso en cuanto al respeto a las leyes y observancias monásticas? El pacto que encontramos al final de la *Regla común* permitirá a los monjes acudir al obispo o al conde de la ciudad para que obliguen a corregirse al abad que no cumple la regla. El abad debe defender la unidad espiritual del monasterio y también la económica. Aun en caso de dispersión forzada, es la autoridad que aglutina a todos los miembros de la comunidad.

---

[60] C. J. BISHKO, en *Diccionario de historia eclesiástica de España* vol.3 (Madrid 1973) p.1858.
[61] Cf. *Regula Consensoria Monachorum:* ML 66,993-96.

9. La vida y organización de los monasterios

Los documentos de la época apenas dan noticias sobre la vida de los monjes y la organización de los monasterios. La vida religiosa aparece como un deseo de perfección y unión con Dios, que se logra más fácilmente con la renuncia al mundo, a los propios afectos y a los placeres. Esos hombres con un ideal común de perfección se juntan para lograrlo más fácilmente, y aparecen claras las ventajas de la vida comunitaria sobre las demás formas de vida religiosa. Esa vida comunitaria impone la renuncia de los bienes temporales, la castidad y el sometimiento a un superior. La profesión del monje y la consagración de la virgen son irrevocables. Se consideran como un contrato matrimonial que no se puede rescindir. Tanto el monje como la monja se han entregado a Dios, y quedan ligados a El para toda la vida.

Esta vida comunitaria no estaba aún perfectamente organizada. No hay una regla escrita que determine las obligaciones del monje y el desarrollo de la vida diaria del monasterio, ni las competencias de los superiores. Las costumbres del monasterio, propias o copiadas de otros, junto a la voluntad del superior o de algún monje santo, eran la regla por la que se regía el monasterio. Muchas cosas se dejaban a la iniciativa individual de los monjes.

Entre las ocupaciones diarias está, en primer lugar, la recitación del oficio divino y la oración. Era el medio más importante para lograr la unión con Dios. Severo de Menorca presenta a los monjes cantando bellas melodías. Esa oración se alimentaba con la lectura asidua de la Biblia. El trabajo realizado por los monjes no solamente era la forma de ganarse el sustento diario sin depender de los demás, sino que tenía un gran valor ascético. San Agustín, en la carta a los monjes de la isla Cabrera, les mandaba dedicarse al trabajo para evitar los peligros de la ociosidad. Con el trabajo se evitan muchas tentaciones, se mantiene la comunidad y se pueden hacer limosnas para ayudar a los indigentes.

C) *El monacato bajo los reyes arrianos*

No nos extenderemos muchos en este apartado, porque muchas de las cosas que se dirán al hablar del monacato en el siglo VII valen también para las últimas décadas del siglo VI. Las invasiones de los bárbaros y las luchas que durante todo el siglo V mantienen en el territorio español los pueblos invasores detienen el normal desarrollo del monacato. Los monjes se ven con frecuencia obligados a huir de los monasterios para salvar su vida. «Nada sabemos de las vicisitudes del monacato en aquellos días de lucha sin tregua entre los varios pueblos que se repartían la Península. La paz se hace a principios del siglo VI, y entonces empieza a brillar la luz a través de los cánones de los concilios» [62].

---

[62] J. Pérez de Urbel, o.c. I p.166-67.

Desde principios del siglo VI comenzamos a tener más noticias sobre el monacato. Desaparece la incomprensión entre los obispos y los monjes y aquéllos se convierten en protectores y a veces en fundadores de monasterios. Los concilios dedican algunos cánones a ordenar la vida monástica. Los obispos autorizan las fundaciones de monasterios, imponen las observancias y vigilan su cumplimiento e intervienen cuando hay algún abuso. El abad tiene una cierta independencia en el gobierno del monasterio. En lo único que no pueden intervenir los obispos es en la administración de los bienes del monasterio. El abad puede permitir a alguno de sus monjes ser ordenado clérigo para utilidad de la Iglesia [63]. Quizá en esta época los monjes mostraban demasiado interés por desempeñar ministerios eclesiásticos. El concilio de Tarragona, año 516, establece que sólo pueden hacerlo por mandato del abad.

Ya tenemos noticias concretas de la existencia y localización de monasterios. Existe un monasterio junto a Tarragona y otro en Valencia, el Servitano. San Millán, hijo de pastores y pastor también, deja su oficio y se va junto al ermitaño Félix. Instruido en la doctrina y prácticas ascéticas, hace vida de solitario en los montes Distercios. El obispo de Tarazona le ordena de sacerdote. Debido a su gran caridad, los demás clérigos le acusan de malversar los bienes de la iglesia. Se retira de nuevo a la soledad en el valle de Suso. Allí se va formando a su alrededor una comunidad de religiosos y religiosas. Muere el año 574. Los primeros seguidores de San Millán forman el monasterio de San Millán de la Cogolla.

Donde mayor número de monasterios encontramos es en la provincia eclesiástica de Galicia. El principal promotor de la vida monástica en esta región es San Martín de Dumio. Nace en Panonia. Visita los Santos Lugares y vive varios años en Oriente. Decide venir a Galicia. Aquí trabaja como sacerdote y monje. El Santo escoge para su retiro un lugar cercano a la ciudad de Braga. Atraídos por su fama, se le juntan varios discípulos, y nace así la famosa abadía de Dumio. La abadía recibió muy pronto el título de obispado. San Martín fue el principal artífice de la conversión del pueblo suevo. A ejemplo del monasterio de Dumio van surgiendo en la región otros monasterios que colaboran en su cristianización. Cerca de Arrasate existía el monasterio de San Martín de Asán, donde fue abad San Victoriano.

D) *El monacato en el siglo VII*

El monacato adquiere una gran pujanza durante este siglo. La gran labor realizada por San Millán y San Martín de Dumio será desarrollada y perfeccionada por San Leandro, San Isidoro, San Fructuoso y San Valerio. Las noticias sobre el monacato visigodo son ahora abundantes. Existen reglas que ordenan la vida monástica. Nos hablan del

---

[63] Cf. J. Vives, *Concilio de Lérida* c.3 p.56: Mansi, 8,612.

ideal monástico y de los medios para conseguirlo, de las virtudes que el monje debe practicar, de los castigos por las transgresiones, de las ocupaciones diarias del monje. La legislación conciliar sobre el monacato es también más abundante.

1. LAS REGLAS MONÁSTICAS

La organización de los monasterios españoles anteriores a la aparición de las Reglas de San Leandro, San Isidoro y San Fructuoso se hacía por las Reglas de San Pacomio, Casiano, San Agustín, San Benito. Quizá para la regulación de un monasterio se tomaban elementos de distintas reglas mezclados con costumbres peculiares del territorio en que estaba enclavado, según el carácter y finalidad que se proponía el fundador del monasterio. La influencia de unas regiones en otras es clara, sobre todo la de las más avanzadas en la organización monástica. Los monjes viajan, y se van transmitiendo ideas y formas de vida de unos monasterios a otros.

San Isidoro comienza su Regla diciendo: «Son muchas las normas y reglas de los antepasados que se encuentran acá y allá expuestas por los Santos Padres, y que algunos escritores transmitieron a la posteridad en forma excesivamente difusa u oscura. Por nuestra parte, a ejemplo de éstos, nos hemos lanzado a seleccionaros unas cuantas normas en estilo popular y rústico con el fin de que podáis comprender con toda facilidad cómo debéis conservar la consagración de vuestro estado»[64]. Afirma, con razón, L. Robles: «creemos que los monjes visigodos, y en concreto los de la *Regula,* no fueron ni benedictinos, ni jerónimos, ni agustinos, ni orientales. Los monjes hispanos de la época visigótica tuvieron una fisonomía propia y autóctona, aunque no exenta de influjos externos. Por ellos se podría hablar de la presencia de San Benito en Martín de Braga o en Isidoro de Sevilla, p.ej., como también de la presencia de Agustín o de Jerónimo»[65]. La finalidad de las reglas españolas fue, sin duda, el unificar la legislación monástica y adaptar lo más posible el ideal de perfección que perseguía el monacato a las circunstancias concretas y al carácter del monje español.

a) San Leandro († c.600)

La llamada *Regla* de San Leandro, más que una Regla, es un tratado de vida religiosa. Es el *Libro de la institución de las vírgenes y del desprecio del mundo,* que dirige a su hermana Santa Florentina. No intenta reglamentar la vida cotidiana del monasterio en que vive su hermana. En la primera parte hace el elogio de la virginidad y de las ventajas de las

---

[64] SAN ISIDORO, *Regla,* en *Santos Padres españoles* II, ed. de J. Campos e I. Roca (BAC, Madrid 1971) p.90: ML 83,867-68.
[65] L. ROBLES, *Isidoro de Sevilla, escritor monástico,* en *Studia Silensia* IV. Homenaje a Fr. Justo Pérez de Urbel (Silos 1977) p.44.

vírgenes consagradas sobre las demás mujeres. Ha elegido a Cristo por esposo y queda libre de los cuidados del mundo.

En la segunda parte, que divide en capítulos, desciende a detalles, no de organización práctica, sino para explicar las actitudes que una virgen consagrada debe adoptar para no poner en peligro su virginidad y su unión con Dios. La virgen debe evitar el trato con mujeres seglares y con hombres. Debe ser servicial y caritativa con las demás monjas, pudorosa; no calumniará ni será soberbia; será humilde, paciente y abstinente. Debe leer y orar continuamente. Llega a hablar del uso del vestido, de la carne, del vino y de los baños. La monja permanecerá siempre en el monasterio y por ningún motivo deseará volver al mundo. «Su ideal no es propiamente la penitencia, como parece ser el de San Martín, sino, más bien, la unión con Cristo. Riguroso cuando se trata de los principios fundamentales de la vida espiritual, el obispo de Sevilla se muestra condescendiente en ciertos detalles de mortificación y en lo que se puede considerar como exterior y secundario en el ideal monástico. Lo que importa, ante todo, es el apartamiento del mundo, el dominio de sí mismo, el silencio, la lección, la oración y la estabilidad en la vida común» [66].

b) La Regla de San Isidoro († 636)

Uno de los temas que más preocupaban a San Isidoro era el de la vida monástica. Indudablemente, se dio cuenta de su importancia dentro de la vida espiritual de la Iglesia. En varias de sus obras le vemos hablar de los distintos aspectos del monacato. En el *Liber differentiarum* estudia las diferencias que existen entre la vida activa y la vida contemplativa, comparando la vida monástica con las demás profesiones o géneros de vida. Vuelve a tratar el tema en el libro tercero de las *Sentencias,* en el que dedica varios capítulos a las cualidades que debe tener el monje. En las *Etimologías* habla de las distintas clases de monjes y del significado de la vida religiosa. En el *De Ecclesiasticis officiis* integra la vida monástica dentro del conjunto eclesial al estudiar los distintos géneros de vida religiosa que se dan dentro de la vida de la Iglesia.

San Isidoro escribe, además, una *Regla* para los monjes, que para él son especialmente los cenobitas. No es que desprecie las demás formas de vida religiosa; pero, para él, la más perfecta y la que menos peligros encierra es la vida común dentro de los muros de un monasterio. Allí es más fácil corregir las desviaciones y defectos personales y las virtudes servirán de ejemplo a los demás. Y será más fácil también guardar los votos de pobreza, castidad y obediencia. Recoge en su Regla las ideas propias sobre la vida monástica y, como dice en el prólogo, las normas y reglas que se encuentran dispersas en los Padres y escritores monásticos. Se ven influencias de las reglas anteriores: Casiano, San Benito, Regla Tarnatense. El mismo reconoce que no es del todo original y que trata de seleccionar y compendiar lo escrito anteriormente sobre el mo-

---

[66] J. Pérez de Urbel, o.c. I p.225.

nacato. Guarda una gran fidelidad a la tradición monástica. Trata de escribir y legislar de una forma sencilla, para que aun los más ignorantes puedan comprender y practicar los preceptos de la vida religiosa.

La sencillez y la claridad es una de las características de su Regla. Otra es su ecuanimidad y equilibrio. No prescribe grandes ayunos y penitencias. Es comprensivo para con los débiles y enfermos. Sabe que escribe no para hombres perfectos, sino para hombres que luchan por intentarlo. Escribe para ayudar a ser monje aun al más imperfecto. Por eso no pide grandes cosas, pero sí el fiel cumplimiento de las exigencias y obligaciones normales de la vida monástica. La tercera característica nos la da San Braulio al decir que la Regla de San Isidoro fue escrita teniendo en cuenta el carácter español [67].

La Regla de San Isidoro describe el monasterio como un lugar cerrado materialmente por un muro, en el que sólo hay una puerta de entrada al recinto monástico y otra que usan los monjes para ir hasta las fincas que cultivan, igualmente cercadas. Está separado espiritualmente del mundo por la renuncia que de él han hecho los monjes y por la clausura y todo lo que ésta exige. El monasterio comprende la iglesia con el coro, donde rezan los monjes; la sacristía, donde se guardan los ornamentos y libros sagrados; una sala capitular, donde se tiene la *colación* monástica; el dormitorio de los monjes, el comedor, una cocina junto a él y una despensa al lado de ésta, una biblioteca para la lectura espiritual de los monjes, los huertos que los monjes cultivan, con las dependencias necesarias para la vida campesina, como guardar herramientas, animales, etc. Unas celdas de castigo para los castigados, que podían ser monjes o extraños, ya que los monasterios se convirtieron en lugares de penitencia para clérigos y seglares que habían cometido alguna falta grave, sobre todo contra la seguridad del Estado. Tenía también una enfermería y un cementerio.

Los monjes para quienes legisla San Isidoro se ganan su sustento con el trabajo. Además de una comunidad espiritual, forman una comunidad económica que prácticamente se basta a sí misma. Tiene su patrimonio propio, y en esto es completamente independiente del obispo, con sus graneros para guardar las cosechas, bodegas para el vino, ganado para la labranza, cerdos, aves de corral y ovejas, que proporcionan carne, cuero y lana para el alimento, calzado y vestido de los monjes. Ellos mismos cultivan y preparan todo lo necesario para la vida diaria: fabrican el pan, curten y confeccionan el calzado, tejen la lana y cosen sus vestidos, reparan los edificios. Todos estos trabajos los realizan uno o varios monjes especializados [68].

Los trabajos más duros los realizan los siervos del monasterio. Todo lo que se produce es propiedad común y no se puede poseer nada personalmente, ni enajenar nada del monasterio.

Al frente de esta compleja organización monástica está el abad. Es, al mismo tiempo, el jefe y responsable de la disciplina y el padre de la

---

[67] Cf. SAN BRAULIO, *Renotatio Braulii:* ML 82,67.
[68] Cf. SAN ISIDORO, *Regla* c.21 ed.cit. p.120-22: ML 83,889-91.

comunidad. Debe ser un monje experimentado en la observancia de la vida religiosa, paciente, humilde y no muy joven, para que pueda imponerse aun a los viejos. Debe ser un ejemplo por su conducta y poseer un gran tacto para animar, corregir y ayudar a todos en el progreso espiritual. Será un hombre ecuánime que no se deje llevar por los afectos personales [69].

La segunda autoridad del monasterio es el prepósito. Ayuda al abad recibiendo lo que los monjes producen, supervisa la comida, el dormitorio y controla las salidas de los monjes del monasterio. Se preocupa de los monjes, de la marcha de los negocios y la administración de la hacienda, cultivo de los campos y cuidado de los ganados y de la construcción de nuevos edificios. Planifica y distribuye el trabajo de los monjes, atiende a los viajeros y reparte las limosnas entre los pobres. En la práctica es el administrador del monasterio.

Un anciano está encargado de la formación religiosa en general. Otro monje grave, santo, sabio y sensato está al cuidado de los jóvenes, a quienes debe instruir con su ciencia y con el ejemplo de sus virtudes. Es, en la práctica, el director y maestro de la escuela monacal. El sacristán está encargado de la iglesia, los ornamentos y de todo lo necesario para el culto. Es también el depositario del dinero y de los objetos valiosos de la comunidad. Reparte los vestidos a los monjes y controla a los bataneros, cereros y sastres. Un ropero le ayuda en la administración de la ropa y vigila el estado de la misma. Hay un portero para atender a los que llegan al monasterio. El despensero administra todo lo que se guarda en el almacén. Entrega al hebdomadario todo lo necesario para la cocina. Guarda para los pobres lo que sobra de la comida. Vigila los graneros y los rebaños de ovejas y piaras de cerdos, la lana, el lino, la alimentación del ganado y la preparación del calzado. El hebdomadario se encarga de la preparación del comedor y de tocar para los oficios diurnos y la conferencia de la tarde. El hortelano debe vigilar los huertos, las colmenas, escoger las semillas y avisar del tiempo más propicio para la siembra. El abad designa un monje para cuidar de los aperos y herramientas, que entrega y recoge al final del trabajo. Está a las órdenes del prepósito a quien da cuenta de su estado de conservación. Un enfermero sano y observante cuida de los enfermos.

Además de las virtudes exigidas a los simples fieles, San Isidoro quiere que sus monjes practiquen especialmente las virtudes que fomentan la vida comunitaria y eviten las faltas que puedan ponerla en peligro. El monje es un convertido que busca una unión más perfecta con Dios y renuncia al mundo y a todo lo que pueda impedir esa unión. Pero no se puede admitir, sin más, a todos los que llegan al monasterio. Impone un período de prueba de tres meses, en los que el candidato debe demostrar su rectitud de intención y que es humilde y paciente. Y como condición indispensable para ser admitido en el monasterio exige que el candidato haya distribuido sus bienes entre los pobres o los haya

---

[69] Cf. ibid., c.2 ed.cit. p.92: ML 83,870.

donado al monasterio y prometa por escrito que está dispuesto a permanecer para siempre en el monasterio. La profesión religiosa liga para siempre y puede hacerse de palabra o por escrito [70].

Las principales ocupaciones del monje son la oración, el trabajo manual y la lectura. Así el monje está ocupado todo el día, pues ésta es la mejor forma de combatir los vicios. De estas ocupaciones hablaremos más extensamente al ver cómo se desarrollaba la vida diaria en el monasterio. San Isidoro legisla sobre la comida y la forma de comportarse en la mesa, los ayunos, las fiestas, el hábito de los monjes, el lecho; sobre las faltas leves y graves y sus castigos correspondientes, hasta la excomunión, que consistía en apartar al culpable de la vida de comunidad, debiendo vivir en las celdas de castigo. Con la lectura de la Regla, el monje de San Isidoro sabía en cada momento lo que tenía que hacer y cómo comportarse. La vida monástica quedaba perfectamente reglamentada.

c) La Regla de San Fructuoso († 665)

San Fructuoso, monje, fundador de numerosos monasterios y obispo de Braga, escribe para sus monjes la *Regula monachorum*. Es una Regla más dura y exigente que la de San Isidoro. Escribe Pérez de Urbel: «Como no podía ser menos, San Fructuoso se aprovecha ampliamente de la autoridad de San Isidoro. Hacia el año 640, la regla isidoriana era ya conocida en las apartadas regiones de Galicia. Al reglamentar el trabajo y la lectura de los monjes, el metropolitano de Galicia sigue con todo respeto al de la Bética. La misma influencia se observa en lo que se refiere a la comida, el lecho monacal y a un gran número de detalles de la observancia. Algunas veces, la dependencia es literal. No hay que olvidar, sin embargo, que el legislador sevillano escribe para los monjes que se contentan con lo imprescindible de la vida monacal, mientras que el gallego se dirige a los ánimos generosos, que aceptan las antiguas tradiciones hasta en sus más mínimos detalles. Y así, al recoger las prescripciones de su antecesor, San Fructuoso las hace mucho más duras» [71]. En su redacción es mucho menos ordenada que la de San Isidoro. Hay en ella también influencia de San Benito.

Para no repetir, trataremos de resaltar solamente las diferencias con la Regla de San Isidoro. Con la rigidez y austeridad que le caracteriza, San Fructuoso exige con más fuerza al abad y al prepósito que guíen a los monjes con el ejemplo asistiendo siempre a los oficios y vigilias. El abad debe ser un hombre virtuoso en todos los sentidos y conocedor de todas las observancias monásticas [72]. Ni el abad ni el prepósito deben juzgar y castigar con acepción de personas, para evitar que los jóvenes e inocentes sean oprimidos por los viejos o maliciosos.

---

[70] Cf. ibid., c.3-4 ed.cit. p.93-95: ML 83,870-73.
[71] J. Pérez de Urbel, o.c. I p.433.
[72] Cf. San Fructuoso, *Regla*, en *Santos Padres españoles* II, ed. de J. Campos e I. Roca (BAC, Madrid 1971) p.157-58: ML 87,1108-09.

San Fructuoso exige una obediencia ciega aun para cosas imposibles y para las acciones más mínimas. También impone un riguroso silencio. Da una importancia especial a los delitos y castigos. El monje debe revelar al abad todas sus faltas e imperfecciones, aun lo que piensa o sueña, y aceptar de buena gana las mortificaciones y penitencias. El excomulgado no puede tratar ni juntarse con los demás, ni nadie puede hablar con él ni dirigirle palabras de compasión o piedad hasta que haya obtenido el perdón. El alborotador, iracundo o difamador que ha sido castigado varias veces y no se ha corregido, debe ser azotado y corregido duramente. Los desenfrenados deben ayunar con frecuencia dos o tres días y se les debe sancionar e imponer algún trabajo especial. Si no se corrige, debe ser azotado y encerrado en las celdas de castigo, donde recibirá una escasísima ración de pan y agua. Igual se ha de hacer con los desobedientes, murmuradores, glotones, etc. También se corregirá a los embusteros, ladrones, perjuros, agresivos y borrachos. A la tercera vez se les azotará duramente y se les excomulgará por tres meses. Es especialmente duro con los homosexuales. Una vez comprobada la falta, serán azotados públicamente y rapados ignominiosamente, la comunidad les escupirá en el rostro, encadenados y metidos en las celdas de castigo durante seis meses. Tres veces por semana se les dará un poco de pan al caer la tarde. Finalizado ese tiempo, pasará otros seis meses bajo la vigilancia de un anciano, y en una celda separada orará y trabajará ininterrumpidamente. Logrará el perdón con lágrimas y humillación, y, después de obtenido, será vigilado siempre por dos monjes espirituales, ·sin poder juntarse en privado con los jóvenes [73].

El ayuno y la abstinencia son más rígidos que en la Regla de San Isidoro. También la vigilancia que el abad o el prepósito hacen sobre los monjes para evitar la más mínima transgresión de la Regla. Se controlan muy meticulosamente las idas y venidas de los monjes a cualquier parte del monasterio. Prácticamente, no pueden moverse sin el permiso del abad o del prepósito. San Fructuoso exige para entrar en el monasterio un año de pruebas más duras que las que en tres meses exigía San Isidoro. La profesión se hace delante de toda la comunidad. El monje hace los votos y se compromete expresamente a cumplir todas las observancias del monasterio y a permanecer siempre en él. Sólo podrá salir con el permiso del abad. En todo lo demás, la Regla de San Fructuoso es, prácticamente, idéntica a la de San Isidoro.

d) **La «Regla común»**

Tradicionalmente, esta *Regla* se ha atribuido a San Fructuoso, sin duda por su inspiración en su Regla. Es obra de varios autores, entre ellos, quizá, San Fructuoso, y parece que no se redactó de una vez toda ella. Intenta ordenar la vida monástica de la congregación de monasterios que se formó con los monasterios existentes antes y los fundados por San Fructuoso en las comarcas de Braga y el Bierzo. Fue promul-

---

[73] Cf. ibid., c.12-15 ed.cit. p.151-55: ML 87,1105-1106.

gada en alguna reunión de abades de la congregación. Contiene una serie de ordenanzas que se deben observar en todos esos monasterios.

Los abades de la región deben reunirse para recitar las letanías, orar por sus súbditos y discutir los problemas más importantes. Servían estas reuniones para organizar y controlar la vida monástica existente dentro de su territorio. Intenta erradicar de la región los falsos monasterios, construidos y organizados por personas particulares sin el control de ninguna autoridad y con una finalidad nada religiosa ni edificante [74]. Son los monasterios familiares, de que hablaremos después. Cualquier fundación de monasterios debe ser aprobada por la asamblea de los abades y confirmada por el obispo. Ese obispo tiene estrecha unión con la congregación y es, sin duda, el obispo-abad de Dumio.

Como las reglas anteriores, habla de las cualidades que deben poseer los abades y aquellos que desean entrar en el monasterio. Se entretiene especialmente en explicar cómo deben actuar todos los que tienen alguna autoridad en el monasterio. Del trabajo de los monjes sólo habla para dar una palabra de ánimo y exigir que cumplan con escrupulosidad su trabajo los pastores que guardan los rebaños del monasterio. La producción de la tierra en que vivían y cultivaban no era suficiente para mantener a los monjes. Los pastores son verdaderos monjes, aunque no puedan asistir con los demás al oficio, a la oración y a las reuniones. Los patriarcas guardaron rebaños, San Pedro fue pescador y San José fue carpintero. «Por este motivo, éstos no deben descuidar las ovejas que tienen encomendadas, porque por ello logran no uno, sino muchos beneficios. De ellas se sustentan los enfermos, de ellas se nutren los niños, de ellas se sostienen los ancianos, de ellas se redimen los cautivos, de ellas se atiende a los huéspedes y viajeros, y además apenas tendrían recursos para tres meses muchos monasterios si sólo hubiese el pan cotidiano en esta región, más improductiva que todas las demás. Por lo cual, el que tuviere encargo de este servicio ha de obedecer con alegría de ánimo y ha de estar muy seguro de que la obediencia libra de cualquier peligro y se prepara como fruto una gran paga, así como el desobediente se acarrea el daño de su alma» [75]. El ganado era la base económica de estos monasterios.

El capítulo sexto de la *Regla común* es el más curioso. Trata de encauzar el movimiento ascético popular que ha condenado en el primero. «El capítulo sexto de la *Regla común* es uno de los más singulares que registra la tradición monástica. El epígrafe es revelador ya de por sí: *Qualiter debeant viri cum uxoribus ac filiis absque periculo vivere in Monasterio.* El contenido responde plenamente a este enunciado: se trata, en efecto, de un intento de abrir cauces disciplinares al fenómeno social y religioso del ascetismo familiar. Este tipo de ascetismo, mezclado con otros móviles menos limpios, había sido una de las principales causas de la aparición de los pseudomonasterios. Pero podía también orientarse

---

[74] Cf. *Regla común*, en *Santos Padres españoles* II, ed. J. Campos e I. Roca (BAC, Madrid 1971) c.1, p.173-74: ML 87,1111-12.

[75] Ibid., c.9 ed.cit. p.187-88: ML 87,1117-18.

rectamente, mediante la recepción de grupos familiares —matrimonios con sus hijos menores de siete años—, en monasterios regulares, donde pudiesen habitar de modo permanente en calidad de huéspedes, sujetos a la autoridad del abad y con un adecuado régimen de observancia» [76]. Esas familias deben estar completamente bajo la jurisdicción del abad, que es quien decide lo que deben observar. El monasterio se preocupará de ellos y de la educación de sus hijos. Vivirán establemente como huéspedes, bajo la obediencia del abad, y guardarán algunas, no todas, las observancias monásticas, ni con la misma rigidez de los monjes.

El capítulo 15 es una condena de los monasterios dobles en general. Los monjes no pueden habitar con las monjas en un mismo monasterio. Ni pueden tener la iglesia, comedor o cualquier otra dependencia en común. Un monje y una monja nunca podrán hablar en privado. El capítulo siguiente, en cambio, es la excepción de esta ley general. Habla de las normas que se deben guardar en la convivencia de las monjas y los monjes encargados de su tutela, que viven en el mismo monasterio. Ya no es un monje solo, como establecía el concilio II de Sevilla, año 619. Son unos cuantos monjes ancianos y perfectos que siempre fueron castos. Aun así, esos monjes deben habitar lo más lejos posible de las monjas.

2. LOS CONSEJOS EVANGÉLICOS

La vida religiosa es la expresión de un deseo de perfección, de un acercamiento más íntimo a Cristo. Es una evolución de la vida cristiana. Por eso, el monje no debe contentarse con la práctica de las virtudes cristianas. Su estado exige algo más; la práctica de los consejos evangélicos. Se libraba así de los obstáculos principales que podían impedir su unión con Dios. La vida monástica comunitaria exigía la práctica de la pobreza, la castidad y la obediencia.

a) **La pobreza**

Consecuencia lógica del ideal de unidad y uniformidad que exige la vida monástica era la comunidad de bienes. Los monjes persiguen un mismo fin, han elegido los mismos medios para conseguirlo y se han unido para lograrlo más fácilmente, y la pobreza es, al mismo tiempo, una expresión de esa unidad espiritual y un medio de conseguir una mayor unión con Dios al despreocuparse de los bienes materiales. Todos estos bienes son comunes en el monasterio. El monje no puede poseer absolutamente nada propio.

En su Regla, San Isidoro exige a sus monjes la pobreza, por ser una continuación de la vida que llevaban los apóstoles. «Es de desear en gran manera que los monjes, que son los que mantienen la forma apostólica de vida, así como constituyen una comunidad, así también tengan

---

[76] J. ORLANDIS, *Estudios sobre instituciones monásticas medievales* (Pamplona 1971) p.78.

un solo corazón en Dios, sin reclamar nada como propio ni ob ando con el más mínimo afecto de peculio, sino que, a ejemplo de los apóstoles, teniendo todo en común, progresarán si permanecen fieles a las enseñanzas de Cristo» [77]. Es decir, la pobreza es el signo de la unidad interior y una imitación de la vida apostólica.

No es extaño, por tanto, que la primera exigencia para que alguien pueda entrar en el monasterio sea la renuncia a los bienes propios. «Quienes, después de dejar el siglo, se convierten, con piadosa y saludable humildad, a la milicia de Cristo, primeramente deben distribuir todos sus bienes a los necesitados o agregarlos al monasterio. En ese momento, pues, entregan los siervos de Cristo su libertad a la milicia divina, porque entonces desarraigan de sí todo vínculo de esperanza mundana» [78]. El monje era libre para donar sus bienes a los pobres o al monasterio.

Los monjes trabajaban y vivían del fruto de su trabajo. Para mantener la vida comunitaria y la pobreza era necesario, por tanto, que el monje no guardase para sí nada del fruto de su trabajo. Entre los delitos contra la pobreza califica de leve el recibir ocultamente algún regalo. Es más grave «el que se apropia como suya una cosa; el que se enreda en cuestiones de dinero; el que posee cosas superfluas, fuera de lo consentido por la Regla» [79]. Eran también faltas leves contra la pobreza el romper algo sin querer, causar algún pequeño daño y usar los libros con negligencia.

Es esencial para la vida común que el monje no considere nada como propio y en su habitación no debe tener nada que no le haya sido concedido por el abad. El día de Pentecostés se hacía una renovación del voto de pobreza. Todo lo que adquiere el monje, aun los regalos personales, debe ponerlo en común, pues no lo adquiere el monje, sino el monasterio. Aun las obras de caridad deben hacerse con el conocimiento del abad. «Resulta, por lo tanto, que ni el abad ni ninguno de los monjes son titulares dominicales de bien alguno, sino que lo es el monasterio de todos» [80]. De ahí que no se permitía enajenar los bienes del monasterio o conceder la libertad a los siervos. Una tercera parte del dinero que entra en el monasterio es para los pobres. El resto se dedica a las necesidades de los monjes.

Las mismas exigencias encontramos en la Regla de San Fructuoso. Aun las cosas de uso personal deben ser comunes. «Todo lo que se refiere al vestido o aseo de los monjes no puede tenerlo ninguno como propio, sino que ha de guardarse en un almacén, bajo la custodia de un monje espiritual, el cual, cuando lo exigiere la necesidad, entregará a cada cual que lo pidiere las prendas convenientes de muda. Tampoco monje alguno dirá como expresando cosa propia: 'mi libro, mi mesa',

---

[77] SAN ISIDORO, *Regla* c.3 ed.cit. p.93: ML 83,870.
[78] Ibid., c.4 ed.cit. p.94-95: ML 83,871.
[79] Ibid., c.17 ed.cit. p.115: ML 83,886.
[80] A. LINAGE CONDE, *Pobreza, castidad y obediencia en el monacato visigótico*, en *Studia Silensia* I: «Los consejos evangélicos en la tradición monástica. XIV Semana de Estudios Monásticos (Silos 1975) p.37.

etcétera; y, si saliere tal palabra de su boca, quedará sujeto a pena. Nadie debe aparecer como teniendo algo propio en el monasterio, sino que todo debe ser común a los monjes, como consta en la Escritura» [81]. Ahora se castiga no sólo el poseer algo, sino el llamarlo propio.

La *Regla común* exige como primera condición para entrar en el monasterio que el candidato a monje haya repartido absolutamente todas sus posesiones entre los pobres. No se pueden dar a cualquier otra persona; deben entregarse a los pobres. Y se debe desprender hasta del último céntimo. Quien no cumple escrupulosamente estas exigencias no llegará a ser un buen monje y se le debe expulsar inmediatamente del monasterio [82]. La razón de todo esto y de no permitir que se entreguen los bienes al monasterio, como hacía San Isidoro, la da en el capítulo 18. Constata que en algunos monasterios se ha permitido al monje ingresar con sus propios bienes. Algunos monjes se han salido, y tratan de recuperar por la fuerza lo que habían llevado al monasterio, con lo que se perturba la paz comunitaria.

b) **La castidad**

La Regla de San Isidoro da por supuesto que todo aquel que entra en el monasterio se compromete a guardar castidad. Pone más énfasis en evitar todos aquellos actos o situaciones que puedan ponerla en peligro. Ni San Isidoro ni San Fructuoso hacen alusión al peligro que contra la castidad podía suponer el trato con mujeres. La clausura sería tan rigurosa, que el monje no tenía oportunidad de hablar con ellas fácilmente.

San Isidoro trata de evitar hasta los malos pensamientos y sueños eróticos, que, además, podían ser causa de polución nocturna. Si ésta ocurría, el monje debía considerarse culpable y decírselo al abad. Si no la declaraba, se castigaba al monje con una excomunión de tres días. Una falta considerada como más grave era el dormir dos monjes en la misma cama, jugar con los más jóvenes o besarlos. Tales faltas se castigan con azotes, a discreción del abad.

También San Fructuoso da por supuesta la obligatoriedad de la castidad. El monje debe declarar al abad sus malos sueños. Detalla, sobre todo, los peligros para la castidad derivados de la misma convivencia entre los monjes, sobre todo con los más jóvenes. Los monjes que sienten pasión por los niños o jóvenes, quien les ha besado o ha sido sorprendido en actitud vergonzosa y su culpa es evidente, pierde la tonsura y debe ser azotado en público y encerrado y encadenado en un calabozo durante seis meses. Durante este tiempo comerá solamente un poco de pan de cebada tres veces por semana. Terminado este tiempo vivirá otros seis meses en una celda separada, vigilado por un anciano ejemplar, dedicándose exclusivamente al trabajo y a la oración. Llorará

---

[81] San Fructuoso, *Regla* c.11 ed.cit. p.150-51: ML 87,1101-1102.
[82] Cf. *Regla común* c.4 ed.cit. p.179: ML 87,1113-14.

siempre su culpa y estará bajo la vigilancia de dos monjes espirituales, sin poder volver a juntarse con los jóvenes privadamente [83].

Para la *Regla común,* ya no es el homosexualismo el problema principal. «Pródiga en precauciones para el mantenimiento de la castidad es la *Regula communis.* Y son aquéllas de índole especial, por la singularidad de tal código intermonasterial. Concretamente, se refiere a los peligros existentes a causa de las relaciones de los cenobios masculinos y femeninos entre sí, dada la cierta *tuitio* que concede a los primeros sobre los segundos, compensada con la prestación de ciertos servicios de éstos a aquéllos» [84]. Cuando el abad, antes de la misa del domingo, pregunta a los monjes sobre su vida espiritual, ya admite que algunos se ven excitados vehementemente por el espíritu de fornicación.

Todo esto aparece más claramente en el capítulo 15. En él se prohíben los monasterios dobles y el tener la iglesia en común. Además expone detalladamente las precauciones que para salvar la castidad deben tomarse en las relaciones de los monjes con las monjas sometidas a su cuidado. No deben trabajar ni comer en común, ni usar la misma enfermería, ni hablar un monje y una monja a solas. La razón es porque no puede habitar con el Señor quien se junta frecuentemente con mujeres. Por tanto, el monje y la monja nunca deben hablar a solas aunque se junten en un viaje. La monja siempre que sale del monasterio debe ir con una compañera. El castigo que se impone por transgredir estas normas es de cien azotes. Al que reincide se le debe encarcelar y a quien no quiera enmendarse se le debe expulsar del monasterio [85].

En el capítulo siguiente admite que algunos monjes habiten en los monasterios femeninos. Tales monjes deben ser viejos y muy virtuosos y vivir lejos de las celdas de las monjas. Estas no pueden hablar con ellos sin el permiso de la abadesa. Monjes y monjas deben vivir tan castamente, que conserven su fama no sólo ante Dios, sino también ante los hombres, y sean ejemplo de santidad para todos.

c) La obediencia

Los monjes visigodos deben obedecer a los superiores del monasterio, sobre todo al abad. San Isidoro pide que se elija un abad ejemplar para que aun los mayores le obedezcan gustosos. Todos los monjes prestarán el honor debido al abad y obedecerán a los mayores [86]. Y en capítulo dedicado al trabajo de los monjes pide que nadie se dedique a trabajos privados y que todos trabajen para la comunidad, obedeciendo al abad sin murmurar. El capítulo sobre las penas califica las desobediencias como faltas leves.

Según San Fructuoso, el monje debe obedecer, hasta la muerte, de obra y de afecto aun en las cosas imposibles, igual que Cristo obedeció al Padre hasta morir. En el mismo capítulo prohíbe una serie de cosas

[83] Cf. SAN FRUCTUOSO, *Regla* c.15 ed.cit. p.154-55: ML 87,1106.
[84] A. LINAGE CONDE, art.cit. p.44.
[85] Cf. *Regla común* c.15 ed.cit. p.198-200: ML 87,1112-13.
[86] Cf. SAN ISIDORO, *Regla* c.3 ed.cit. p.93: ML 83,870.

que no se pueden hacer sin el permiso del abad [87]. Entre los monjes merecedores de castigo se encuentran los desobedientes. Se les impondrán ayunos de dos o tres días, sin hablar, y algún trabajo forzoso. Si no se corrigen con esto, se les debe azotar y encarcelar por largo tiempo y alimentar con muy escasa ración de pan y agua hasta que prometan corregirse.

La *Regla común,* en cuanto que ordena la vida de varios monasterios, presupone la obediencia de los abades y superiores a los preceptos de la *Regla.* El capítulo quinto lo dedica a la obediencia de los monjes. Los monjes obedecerán al superior, igual que Cristo fue obediente al Padre. «En primer lugar deben aprender a dominar su voluntad propia y a no obrar nada, aun lo más mínimo, a su propio arbitrio» [88]. De lo contrario, no se llega a la perfección. El postulante, para poder ser admitido en el monasterio, debe demostrar durante el año de prueba que es obediente en todo.

3. LA VIDA DIARIA EN EL MONASTERIO

Las principales ocupaciones diarias del monje visigodo eran la oración, que comprende la recitación del oficio divino, la meditación y las oraciones particulares; el estudio o lectura espiritual, que ayuda a la meditación, y el trabajo manual, que, además de ser un medio de santificación, era la base económica del monasterio y la forma de obtener el sustento diario de los monjes.

a) **La oración**

La oración es la ocupación principal del monje, y todos los demás quehaceres deben convertirse en oración. La recitación del oficio divino era la forma comunitaria de orar. Ya entonces comprendía los maitines y las laudes, que se rezan al amanecer; la prima, tercia, sexta y nona, que se rezan en sus horas respectivas; las vísperas, rezadas al anochecer, y las completas, que se rezan inmediatamente antes de ir a la cama. El monje acudirá puntualmente a todas las horas conónicas y no puede salir hasta que no se hayan terminado. Debe orar con recogimiento, procurando meditar lo que canta con la boca. El que falta a alguna hora canónica gozando de buena salud, será privado de la comunión [89]. Señala también San Isidoro un tiempo para la meditación. Terminadas las vísperas, los monjes seguirán reunidos, haciendo meditación o escuchando alguna plática sobre la sagrada Escritura y meditándola, hasta la hora de las completas. Y en el capítulo dedicado al trabajo pide que los monjes, mientras trabajan, mediten o canten salmos para mantener siempre fija la mente en Dios.

[87] Cf. SAN FRUCTUOSO, *Regla* c.6 ed.cit. p.146: ML 87,1103-1104.
[88] *Regla común* c.5 ed.cit. p.180: ML 87,1114-15.
[89] Cf. SAN ISIDORO, *Regla* c.6 ed.cit. p.100-102: ML 83,875-77.

Prácticamente, lo mismo prescribe San Fructuoso en su Regla. Todas las horas del oficio son obligatorias. El monje debe aprovechar todos los momentos del día para orar o meditar, aun durante el trabajo. La meditación comunitaria se hacía después de laudes hasta la salida del sol. La vida monástica es una vida de oración continua.

b) **El estudio**

La oración y la meditación del monje se nutrían con la lectura constante. El monje no estudia y lee para saber más, sino para orar y meditar mejor. De la lectura y la meditación dependerá su progreso en la vida espiritual. La lectura proporciona la materia adecuada para la meditación. Se trata, pues, de una lectura meditada, que en la literatura monástica se llamaba *lectio divina*. Si la oración es indispensable para el progreso espiritual, lo será también la lectura, que alimenta dicha oración. De ahí que San Isidoro piense que esa lectura debe ser breve y profunda, para que el monje pueda acordarse de ella y meditarla provechosamente.

Esta lectura meditada ocupaba un lugar especial en la vida de los monjes españoles. Las Reglas de San Isidoro y San Fructuoso reservan a esta ocupación buena parte del tiempo en el horario de la comunidad. En realidad, el monje debía leer y meditar en privado todo el tiempo que dejaba libre la recitación del oficio divino y el trabajo manual.

San Isidoro, por exigencias del clima y del trabajo manual, establece un horario para el verano y otro para el resto del año. San Fructuoso hace uno para la época de primavera y verano y otro para el otoño y el invierno. Según la Regla de San Isidoro, la lectura privada se realizaba durante el año desde el amanecer hasta las nueve de la mañana. En verano, desde las nueve a las doce de la mañana. Esta lectura era sustituida tres veces por semana por la conferencia que el abad dirigía a todos los monjes. Todos debían escuchar atentamente. Esta conferencia servía no sólo para instruir a los ignorantes, sino para corregir vicios y reformar las costumbres repasando las normas de las Reglas y de los Padres. Durante el año deja libre el tiempo después de las tres de la tarde para que se trabaje, se lea o se medite. En verano se dedica este tiempo al trabajo manual. Es el tiempo de la cosecha, y habría más cosas que hacer en el campo. Las cosas que el monje leía en privado y no comprendía podía preguntárselas al abad durante la conferencia, y también en la meditación común después de vísperas. El abad las explicará, y todos, no sólo el que ha preguntado, estarán atentos a sus palabras [90].

La Regla de San Fructuoso también reserva para la meditación y la lectura mucho tiempo del horario monástico. La meditación en común se hacía después de las laudes y la misa hasta la salida del sol. En primavera y verano se debía orar o leer desde las nueve hasta las doce de la mañana. Desde las tres de la tarde hasta las siete aproximadamente

---

[90] Cf. ibid., c.5-8 p.97-103: ML 83,873-77.

se trabajaba, si había alguna cosa que hacer. En caso contrario, los monjes maduros y experimentados pueden meditar o realizar algún trabajo dentro de sus celdas; los monjes jóvenes, reunidos en grupos con sus respectivos decanos, leerán o rezarán en común. Después de vísperas se leía, ante toda la comunidad, el libro de la *Regla* o las *Vidas de los Padres*. En otoño e invierno, los monjes se debían dedicar a la lectura hasta las nueve de la mañana, y luego, desde las tres de la tarde, se leía y se meditaba hasta la caída de la tarde [91].

La importancia que ambas Reglas dan a la meditación y lectura espiritual exigía la existencia de una biblioteca monástica, con libros adecuados y suficientes para satisfacer las necesidades de los monjes. San Isidoro la menciona expresamente, regulando su funcionamiento y exigiendo un gran cuidado con los libros. No menciona la biblioteca San Fructuoso, aunque es evidente que también existía en sus monasterios.

Dada la finalidad especial que la lectura tenía de alimentar la oración y la meditación, la biblioteca contendría, sobre todo, libros de carácter religioso: la sagrada Escritura, los escritos de los Santos Padres y literatura monástica. San Isidoro prohíbe a sus monjes leer libros heréticos o de autores paganos. Tales doctrinas era mejor ignorarlas [92]. A los monjes no les eran de ningún provecho. El sacristán se encargaba del cuidado de la biblioteca. Los monjes debían pedirle los libros por la mañana pronto y devolverlos después de vísperas. Entre los delitos leves se encuentra el haber tratado los libros con negligencia.

c) **El trabajo**

Las reglas españolas en lo referente al trabajo de los monjes, igual que en lo tocante a la oración y la lectura, siguen fielmente las tradiciones monásticas orientales y occidentales. El trabajo manual fue un elemento importante en la organización de la vida cenobítica. No sólo como medio de purificación ascética, sino también como medio de lograr, en lo posible, la independencia económica del exterior, procurando que el monasterio se bastase a sí mismo. San Isidoro y San Fructuoso tendrán en cuenta ambas cosas al hablar del trabajo manual.

San Isidoro, al hablar del trabajo de los monjes, comienza haciendo una apología sobre su necesidad y conveniencia. Parece ser que en algunos ambientes monásticos el trabajo manual no gozaba de mucha estima, y los monjes preferían dedicarse exclusivamente a la oración. Los patriarcas, San José, San Pedro y también los filósofos paganos realizaron trabajos manuales, y con ellos se ganaron la vida. Por eso, el monje no debe rehusar dedicarse a trabajos útiles al monasterio. El monje trabajará para ganarse su propio sustento y para remediar las necesidades de los pobres. Recordemos que a éstos se les entregaba la tercera parte de lo que entraba en el monasterio. Además, con el trabajo se evita la

---

[91] Cf. San Fructuoso, *Regla* c.2 y 4 p.139-41 y 143-44: ML 87,1100-1101 y 1102-1103.
[92] Cf. San Isidoro, *Regla* c.8 ed.cit. p.103: ML 83,877.

ociosidad, que es fuente de liviandad y de malos pensamientos. El trabajo es un medio eficaz para desarraigar los vicios.

Estima que cometen doble pecado los monjes que pudiendo trabajar no lo hacen, uno por no trabajar y otro por dar mal ejemplo a los demás. El monje que, gozando de buena salud, no trabaja ha de ser castigado. Probada la importancia del trabajo en la vida monástica, quiere que sus monjes se dediquen a él con alegría. Además, el trabajo manual no impide la oración, pues los monjes pueden santificarlo meditando o cantando salmos mientras lo realizan [93].

Los autores de la *Regla común* constatan también la oposición al trabajo de un cierto número de monjes que se dedican al pastoreo de los rebaños del monasterio. Estiman que ese trabajo no les sirve para nada en su vida espiritual. Nunca pueden estar con los demás monjes orando o trabajando. La *Regla* les recuerda el ejemplo de San Pedro y San José y el más apropiado para ellos: que los patriarcas apacentaron rebaños. Los beneficios de sus trabajos son evidentes, pues con las ovejas se alimenta a los niños y ancianos, los huéspedes y los viajeros. Muchos monasterios no podrían mantenerse más de tres meses si dependiesen solamente del producto de sus tierras. Por eso les pide que obedezcan y trabajen con alegría, pues esta actitud les libra de peligros y les hace merecedores de una gran recompensa [94].

Los monjes realizaban un trabajo de tipo manual. San Isidoro manda que el cultivo de las hortalizas y la preparación de los alimentos debían realizarlas los monjes. La labranza del campo y la construcción de edificios era incumbencia de los siervos del monasterio. Los monjes trabajaban los huertos de regadío, que en el caluroso clima andaluz podían dar más de una cosecha y tendrían ocupados a los monjes gran parte del año. Preparaban el pan y el vino de las comidas y realizaban los servicios de cocina. También se preparan los materiales y se confeccionan los vestidos y el calzado. Se ocupan también del mantenimiento y limpieza de los edificios. Todo el que tiene algún oficio en el monasterio debe realizarlo eficaz y concienzudamente. El prepósito era quien distribuía el trabajo entre los monjes [95].

San Fructuoso no pone ningún límite a la clase de trabajo que deben realizar sus monjes. El mismo, como fundador de monasterios, dirigía y trabajaba al frente de sus monjes preparando el terreno, acarreando materiales y supervisando la construcción de los monasterios. La agricultura no bastaba para mantener sus monasterios, y hubo que recurrir a la ganadería. Los mismos monjes apacentaban los rebaños.

El horario de trabajo variaba según la época del año. San Isidoro establece que en verano se trabaje desde las seis hasta las nueve de la mañana, y por la tarde, desde las tres hasta las siete. En esta época había muchas cosas que hacer en los huertos. En invierno se trabaja desde las nueve hasta las doce de la mañana. Según San Fructuoso, los

---

[93] Cf. ibid., c.5 ed.cit. p.97-100: ML 83,873-75.
[94] Cf. *Regla común* c.9 ed.cit. p.186-88: ML 87,1117-18.
[95] Cf. SAN ISIDORO, *Regla* c.21 ed.cit. p.120-22: ML 83,889-91.

monjes trabajarán desde las seis hasta las nueve de la mañana en primavera y verano. Pero, si lo que se está haciendo no se puede interrumpir, se reza tercia allí mismo y se continúa trabajando. Después de las tres de la tarde, si es necesario, se vuelve a la tarea. Durante el otoño y el invierno sólo se dedica al trabajo el tiempo comprendido entre las nueve y las doce de la mañana, suponiendo que haya alguna cosa que hacer. La tierra en que están enclavados sus monasterios es pobre, y el clima muy duro.

d) Actividades fuera del monasterio

El monasterio no era un islote dentro de la Iglesia. Era una parte integrante de la vida eclesiástica y el exponente más significativo de la vida cristiana. Los monjes forman parte de la vida eclesial de la diócesis, y por eso deben vivir y actuar de acuerdo con las normas dictadas por el obispo. Aun en el caso de que el obispo les haya concedido un oficio propio, no pueden celebrar los oficios públicos, vísperas, maitines y misa de modo distinto del que se practica en la iglesia principal [96].

Las relaciones entre los obispos y los monasterios eran, por lo general, muy estrechas. El obispo interviene en la vida monástica y los monjes desempeñan labores pastorales y de organización en la vida eclesial. En la carta que el papa Siricio escribe a Himerio, metropolitano de Tarragona, le pide que ordene de sacerdotes a los monjes ejemplares. San Agustín en su carta a Eudoxio aconseja a los monjes de la isla Cabrera aceptar los trabajos apostólicos que la Iglesia quiera encomendarles. El concilio de Tarragona del año 516 mandó que los monjes no ejercieran ningún apostolado fuera de su monasterio, a no ser por mandato de su abad. Unos años más tarde, el concilio de Lérida añade que para que un monje pueda ser ordenado clérigo es necesario el permiso de su abad y la aprobación de su obispo [97]. En esta época, los monjes realizan trabajos apostólicos. Sin dejar de ser monjes, pasan a la obediencia del obispo.

Los abades comienzan a intervenir en la legislación eclesiástica. En el concilio de Huesca del año 598 se manda que los abades y el clero se reúnan una vez al año con el obispo para ser instruidos por él. Poco a poco, los abades comienzan a asistir a los concilios. Al concilio VII de Toledo, año 646, asiste el abad Crispín en representación del obispo de Lisboa. Al concilio VIII de Toledo, año 653, asisten y firman las actas doce abades. Ninguno representa a ningún obispo en particular. Están allí en representación propia, como parte integrante de la Iglesia española. Y seguirán asistiendo a los demás concilios en número variable, excepto al de Mérida y al III de Braga.

El obispo intervenía en la vida de los monasterios. El concilio de Lérida, año 546, nos dice que las comunidades religiosas vivían bajo una regla aprobada por el obispo. Varios concilios les reconocerán el

---

[96] Cf. J. Vives, *Concilio IX de Toledo* c.3 p.356: Mansi, 11,138.
[97] Cf. J. Vives, *Concilio de Lérida* c.3 p.56: Mansi, 8,612.

derecho de elegir la regla que debían seguir los monasterios situados dentro de su jurisdicción. San Isidoro y San Fructuoso escriben sus propias reglas, que, según esta legislación, pueden imponer a todos los monasterios enclavados dentro de su jurisdicción eclesiástica. Pero no podían imponerla en otra diócesis si el obispo local no quería. Lo único que el obispo no podía hacer era entrometerse en la administración de los bienes del monasterio. En el canon undécimo del concilio II de Sevilla, año 619, se legisla que el obispo debe ser quien dé el visto bueno al monje que administrará los bienes de las monjas. El concilio IV de Toledo, año 633, que preside San Isidoro, declara que lo único que los cánones permiten al obispo es animar a los monjes para que lleven una vida santa, corregir las violaciones de la Regla y nombrar los abades y demás cargos del monasterio [98]. Intervenía, como puede verse, en las cosas más importantes para la buena marcha espiritual del monasterio.

La gran mayoría de los obispos visigodos de quienes tenemos noticias habían sido monjes o se habían educado en las escuelas monásticas. Al tomar posesión de la diócesis acostumbraban a llevarse consigo algún compañero para confiarle puestos importantes en su iglesia. Los obispos tenían, a veces, escasez de clero, y aprovechaban las visitas canónicas para ordenar algún monje y ponerle al frente de alguna parroquia. Así hicieron el obispo de Astorga y el de Tarazona con San Millán y un discípulo de San Valerio. Los obispos confiaban parroquias, sobre todo rurales, a la cura pastoral de los monjes.

El pueblo tenía gran aprecio a los monjes. Algunos sacerdotes que aspiran a la perfección desean hacerse monjes, y por eso el canon 50 del concilio IV de Toledo pide que, en lo posible, los obispos les concedan libertad para entrar en un monasterio. Los obispos confiaban en los monjes, y también lo hacían los reyes. Buscan en los monasterios a sus consejeros y embajadores. La embajada que envió Recaredo a San Gregorio Magno para notificarle su conversión y la de todo el pueblo visigodo al catolicismo estaba formada por varios abades de monasterios. El abad Sempronio fue el secretario del rey Chindasvinto. Y por este tiempo también vive en la Corte el abad Emiliano.

e) **Los monasterios femeninos**

Al hablar de los primeros años del monacato español, hemos visto que las vírgenes se van uniendo poco a poco, hasta llegar a formar una verdadera comunidad monástica. El concilio de Braga del año 572 trata bastante extensamente de las vírgenes consagradas a Dios, sobre todo para castigarlas en caso de que pequen contra la castidad y para prohibirles la familiaridad con los seglares. Pero en realidad sabemos muy poco de los monasterios femeninos, sin duda porque tuvieron poca influencia en la vida religiosa y política de la España visigoda y porque no tenemos ninguna Regla dirigida exclusivamente al monacato femenino.

---

[98] Cf. J. Vives, *Concilio IV de Toledo* c.51 p.208-209: Mansi, 10,631.

Ya hemos dicho que la Regla de San Leandro es, más bien, un tratado de vida religiosa y da pocas noticias sobre su forma de vida.

San Leandro manda a su hermana Florentina que no trate con mujeres casadas, porque viven una profesión distinta, y que sea servicial con las hermanas que viven con ella y nunca haga sufrir a ninguna. Debe leer y orar continuamente. Cuando tenga que realizar algún trabajo, procurará que otra le lea algo. A ser posible, permanecerá siempre en el mismo monasterio y llevará una vida comunitaria en todos los aspectos, pues los que viven en un monasterio bajo una regla conservan la vida de los apóstoles. Y un consejo para la superiora: que sea discreta para saber lo que puede exigir y conceder a cada una según las necesidades. No tendrá peculio propio, porque va en contra de la comunidad de bienes, obligatoria en el monasterio.

Todos estos consejos que San Leandro da a su hermana están conformes con lo que San Isidoro y San Fructuoso escribirán para los monjes. Las principales ocupaciones de las monjas son también la oración, la lectura y el trabajo. Las dos primeras pueden realizarlas igual que los monjes o mejor aún, ya que los trabajos que podían realizar eran menos duros que los de los monjes. San Leandro da a entender que una de ellas puede leer para las demás mientras las monjas trabajan.

El concilio II de Sevilla, año 619, se preocupa de los monasterios femeninos de la provincia Bética. Los monjes deben ayudarlas con sus consejos y administrar sus bienes. Para esta labor se debe elegir un monje muy probado, que sea su director espiritual y les instruya con su doctrina. Será nombrado por el abad y aprobado por el obispo. Al mismo tiempo administrará todas las fincas de las monjas, se encargará de construir los edificios necesarios y proveer al monasterio de todo aquello que necesite. Todo esto se hace con el fin de que las monjas se dediquen exclusivamente al provecho de sus almas, al culto divino y a sus tareas propias. Uno de los trabajos de las monjas era tejer y confeccionar los vestidos de los monjes de los monasterios que les ayudan espiritual y económicamente [99].

La *Regla común* recogerá toda esta legislación, exigiendo la absoluta separación entre las monjas y los monjes que viven en su monasterio. No podrán trabajar juntos, usar la misma enfermería ni hablar a solas un monje y una monja. Todo esto iba encaminado a evitar posibles faltas contra la castidad. Aun el monje que llega de visita deberá saludarlas a todas juntas. No habla de si las monjas hacían algún trabajo para los monjes.

4. OTRAS FORMAS DE VIDA RELIGIOSA

La pujanza que adquiere el monacato visigodo en el siglo VII hizo que todos, reyes, nobles, obispos, clero y fieles, le tuvieran en gran estima. No obstante, el cenobitismo no logró aglutinar y unificar todas las

---

[99] Cf. J. VIVES, *Concilio II de Sevilla* c.11 p.170-71: MANSI, 10,560-61.

formas de vida religiosa. Así, junto a ese cenobitismo reconocido y alabado por la Iglesia, aparecen los llamados monasterios familiares, los monasterios dobles, y encontramos también anacoretas, eremitas, los giróvagos, tantas veces condenados en los concilios, y los monjes escapados del monasterio.

a) **Los monasterios familiares**

Con frecuencia, la admiración por la vida monástica hizo que los reyes y los nobles dedicaran parte de sus bienes a la construcción y dotación de monasterios. Otras veces eran templos lo que construían. La Iglesia visigoda aceptaba de buen grado esta generosidad, siempre que se hiciese con el consentimiento del obispo y se pusiesen los nuevos edificios bajo su jurisdicción y la de un abad legítimamente instruido. De otra forma se convertían en *monasterios e iglesias propias* de la familia que los fundaba. La legislación eclesiástica nunca toleró estos abusos. El obispo era el responsable espiritual de su diócesis, y a él competía el ordenar y asignar el clero de las parroquias y pedirles cuentas de cómo realizaban la cura pastoral.

Este fenómeno aparece en la Iglesia visigoda a pesar de la oposición de la jerarquía. Algunos de esos monasterios quedaban en poder de la familia que los fundaba. Se habían fundado al margen de la jerarquía eclesiástica y monástica. En ellos vivían sus fundadores, sus familiares y amigos. Son varias las causas que motivan la aparición de este fenómeno. Una de ellas eran los abusos que algunos obispos cometieron con los monasterios. La *Regla común* habla de otra causa. Algunos presbíteros que quieren ser tenidos por santos se esfuerzan por construir monasterios junto a sus iglesias, pero con la torcida intención de no perder los diezmos y otras rentas eclesiásticas y, si esto es posible, adquirir nuevas riquezas [100].

La misma *Regla* indica otra causa con menos malicia por parte de los fundadores, pero con resultados parecidos. Constata que, por miedo al infierno, algunas personas organizan monasterios en sus propios domicilios y viven en comunidad con las mujeres, hijos, siervos y vecinos. Se comprometen bajo juramento a vivir en comunidad y consagran sus posesiones a algún mártir. Tal género de vida entrañaba un gran peligro por la confusión que sembraba en la vida monástica y para los que vivían en esos monasterios falsos. Creían ser verdaderos monjes, cuando en realidad vivían según su capricho, sin querer estar sometidos a ningún superior. Y sin haber entregado todos sus bienes a los pobres, como esta *Regla* prescribía para todos los monjes, tratan de quedarse con los bienes ajenos. Su mayor preocupación es el bienestar de sus mujeres e hijos.

Estas comunidades no estaban fundadas con un verdadero deseo de perfección. Les faltaba el espíritu de la vida comunitaria. El resultado final de muchas de esas comunidades se podía prever. Cuando pasaban

---

[100] Cf. *Regla común* c.2 ed.cit. p.175-77: ML 87,1112-13.

los primeros momentos de fervor, si es que lo había habido alguna vez, comenzaban las envidias, los rencores y las riñas. Los bienes que antes habían puesto en común son ahora motivo de luchas entre ellos. Comienzan a separarse y a llevarse cada uno sus bienes y, si es posible, los de los demás. Y quien no puede hacerlo por sí mismo pide ayuda a sus familiares y amigos seglares, llegando a la lucha armada. Los que se quedan en tales monasterios se eligen un abad que les deje hacer su propia voluntad [101].

Estos monasterios fundados con fines bastardos debían de ser bastante numerosos. Pero había sus excepciones. Familias enteras deseaban, con fines verdaderamente espirituales, vivir la vida religiosa. En la *Vida* de San Fructuoso se nos cuenta que, arrastradas por su ejemplo, familias enteras abandonaban sus casas y le seguían intentando ser recibidas en la vida monástica. A los varones les recibía en su monasterio y a las mujeres las enviaba al monasterio que había fundado para la virgen Benedicta y sus compañeras.

Este movimiento, por tanto, no se podía condenar en bloque. Tenía muchas cosas aprovechables y algunas familias sentían verdadera vocación religiosa. Para evitar los peligros del monasterio familiar o doble, pues en el monasterio familiar habitaban juntos hombres y mujeres, había que encauzar este movimiento popular por caminos más seguros y más acordes con la tradición monástica. La *Regla común* encuentra para este problema una solución singular.

Cuando alguna familia llega al monasterio con intención de entrar en la vida religiosa, todos sus miembros deben ponerse bajo la jurisdicción del abad, quien determina y les hará saber el género de vida que han de llevar. El monasterio se hacía cargo de sus necesidades, y, por tanto, no tendrán que preocuparse por el alimento o el vestido. No intentarán en adelante poseer ninguna clase de bienes, pues para entrar en el monasterio han abandonado los que ya poseían. Los esposos vivían separados y en continencia y sólo podían reunirse con sus hijos y hablar entre sí cuando el abad lo permitiera. El monasterio se hacía cargo de la educación y mantenimiento de los niños, aun los menores de siete años. A los muy pequeños se les permitía ir a ver a su padre o a su madre cuando quisieran. Vivirían establemente en el monasterio como huéspedes, bajo la obediencia del abad [102]. Se les exigía, pues, la práctica de la pobreza, la castidad y la obediencia.

Se formaba así una especie de ciudad monacal. Para estas familias cuadra perfectamente el *pacto* que aparece al final de la *Regla común*. El concilio de Zaragoza del año 691 pedirá que los monasterios no se conviertan en hospedería de seglares. A pesar del esfuerzo de la *Regla común* por dirigir a las familias hacia los monasterios legítimamente establecidos, los monasterios familiares siguieron existiendo.

[101] Cf. ibid., c.1 ed.cit. p.172-74: ML 87-1111-12.
[102] Cf. ibid., c.6 ed.cit. p.182-83: ML 87,1115-16.

b) Los monasterios dobles

Los monasterios dobles eran una clase de monasterios que albergaban una comunidad de monjes y otra de monjas claramente separadas la una de la otra, aunque bajo una misma autoridad. A veces podía tratarse de monasterios distintos, pero muy cercanos. Son, por tanto, distintos de los monasterios mixtos, en los que monjes y monjas vivían en común. Estos últimos nunca los aprobó la Iglesia.

Los monasterios dobles existían en España a finales del siglo VII. Las causas que hacen posible esta clase de monasterios son varias. La protección que los monasterios de monjes ejercen sobre los de monjas es una. Hemos visto que el concilio II de Sevilla, año 619, asignaba a esa labor un monje probado y santo. La *Regla común* admite que son varios los monjes que viven en los monasterios de monjas. Las habitaciones de monjas y monjes debían estar muy separadas, pero vivían en el mismo monasterio. Esta costumbre no era exclusiva de España. San Pacomio y San Basilio la favorecieron en Oriente, haciendo que los monasterios femeninos del desierto se construyesen junto a los de los monjes para que éstos las cuidasen espiritualmente y aun las defendiesen en caso de necesidad. No son dos comunidades completas las que conviven juntas. Los monasterios femeninos protegidos por los monjes eran monasterios dobles en la práctica. Varios monjes viven allí constantemente.

La proliferación de los monasterios familiares influyó considerablemente en la aparición de los monasterios dobles. Los monasterios familiares eran monasterios dobles, y, lo que es peor, en algunos casos serían monasterios mixtos. Hombres y mujeres vivían en las mismas dependencias bajo una misma autoridad. No solamente el hecho de la existencia de estos monasterios, sino la solución que la *Regla común* da a este típico movimiento religioso, favorecía la aparición de los monasterios dobles.

La *Regla común* admite hombres y mujeres en un mismo monasterio. Todos ellos están bajo la obediencia del abad. Es verdad que afirma que vivirán establemente en el monasterio como *huéspedes* y llevan una vida menos dura que la de los monjes. Se les exige la práctica de la pobreza, la castidad y la obediencia. Aunque todo esto no significa una verdadera profesión monástica, en la práctica se les consideraba como verdaderos monjes, y como tales aparecían ante los ojos del pueblo.

No tenemos ningún documento que hable de este asunto desde la publicación de la *Regla común* hasta la invasión árabe. Pero podemos afirmar que se caminaba hacia los monasterios dobles. En los pocos años que median desde la actuación de San Fructuoso hasta la aparición de la *Regla común,* se da un gran progreso en este sentido. San Fructuoso manda a los hombres al monasterio de monjes y a las mujeres las envía al monasterio de monjas. La *Regla común* les admite a todos en el mismo monasterio. Por otra parte, el monacato doble aparece en seguida en la España cristiana, y es bien sabido que, en los primeros años de la Reconquista, los cristianos del Norte tratan de organizarse según la vida e instituciones del desaparecido reino visigodo. Existían ya en éste todos los elementos que hicieron posible la aparición del monacato doble en España. Es lógico, por tanto, afirmar que en las últimas décadas del siglo VII existían en la España visigoda monasterios dobles.

c) Eremitas y anacoretas

El eremitismo es una forma de vida que, a pesar del desarrollo adquirido por el cenobitismo, sigue existiendo en España en el siglo VII. Unos se retiran a la soledad antes de haber entrado en un monasterio. Se les da el nombre de eremitas. Otros se retiran después de haber vivido en alguno de ellos buscando una vida más retirada. El anacoreta lleva una vida mitad eremítica y mitad cenobítica. Tal y como lo describe San Isidoro, es igual que un recluso. Es un monje que ha vivido ejemplarmente la vida cenobítica y, deseoso de una soledad absoluta, se retira a alguna celda o lugar cercano al monasterio para dedicarse constantemente a la oración y a la contemplación. Permanecía bajo la jurisdicción del abad del monasterio.

Ejemplos de ello tenemos en San Millán, que, al sentir la vocación a la vida contemplativa, se va a buscar a un santo ermitaño cerca del actual Haro. El mismo género de vida abraza Nacto en tiempo del rey Leovigildo. Lo mismo hace San Fructuoso en pleno siglo VII. Desde su juventud siente atracción por la vida solitaria, y, después de haber fundado y organizado numerosos monasterios, se retira a hacer vida de anacoreta al desierto para perfeccionar y desarrollar su vida espiritual. Más llamativo es el caso de San Valerio del Bierzo, que vive primero en el monasterio de Compludo, donde no logra la paz y tranquilidad que deseaba, y abandona el monasterio para llevar vida de eremita.

La soledad que practicaban estos monjes era libre como su vida. Podían recibir discípulos y cambiar de género de vida cuando quisiesen. Con frecuencia sólo duraba un tiempo determinado, después del cual el solitario volvía a su monasterio. Se dedicaba a la oración y la penitencia. No sabemos mucho de su vida. «Poco sabemos también de las penitencias a que se entregaban estos hombres religiosos: el pobre vestido, la escasa comida, el descuido corporal y los castigos físicos parecen ser el principal atractivo de la soledad. Fructuoso oraba continuamente tendido en el suelo o con los brazos en cruz, y otro tanto hacía Valerio, como seguramente» los restantes anacoretas del tiempo» [103]. La libertad con que podía actuar el eremita, el poder recibir regalos y disponer libremente de ellos, etc., y quizá abusos y personas poco ejemplares, hacen que la jerarquía eclesiástica se muestre, a veces, poco favorable a este género de vida.

La vida eremítica podía ser una fuga del monasterio. Hoy, la vida religiosa se abraza por libre elección. En la época visigoda, muchos religiosos lo son por elección de sus padres [104]. Es normal que estos religio-

---

[103] M. Díaz y Díaz, *La vida eremítica en el reino visigodo*, en *Analecta Legerensia*. I: «España eremítica». Actas de la VI Semana de Estudios Monásticos (Pamplona 1970) p.59.
[104] Cf. J. Vives, *Concilio IV de Toledo* c.49 p.208: Mansi, 10,631.

sos que están en el monasterio contra su voluntad aprovechasen cualquier ocasión para salir de él. Aunque fuera con la excusa de buscar la soledad.

San Isidoro en su Regla se muestra claramente contrario a este género de vida para aquellos que ya viven en comunidad. «Nadie solicitará para sí una celda separada apartada de la comunidad, para que, a pretexto de reclusión, le sea ocasión de vicio apremiante u oculto, y, sobre todo, para incurrir en vanagloria o en ansia de fama mundana, pues muchos quieren recluirse y ocultarse para adquirir nombradía, de modo que los de condición baja o ignorados fuera sean conocidos y honrados por su reclusión. Pues en realidad todo el que se aparta de la multitud para descansar, cuanto más se separa de la sociedad, tanto menos se oculta. Por tanto, es preciso residir en una santa comunidad y llevar una vida a la vista, para que, si hay algún vicio en ellos, pueda remediarse no ocultándolo. Por otra parte, si hay algunas virtudes, podrán aprovechar a la imitación de otros, en cuanto que, contemplando otros sus ejemplos, puedan educarse»[105].

Las medidas que el concilio IV de Toledo, año 633, toma contra los monjes vagantes intentan poner freno a la salida de los monjes de sus monasterios. Habla también de los religiosos errantes. Algunos no son ni monjes ni clérigos. «Al abuso de los religiosos de cada territorio que no se cuentan entre los clérigos ni entre los monjes, así como el de aquellos que andan vagando por diversos lugares, pondrá coto el obispo en cuya jurisdicción se sabe que residen destinándoles al clero o a los monasterios, a no ser a aquellos que, a causa de su edad o por razones de salud, sean dispensados por su obispo»[106]. No especifica los abusos, pero muy bien podían ser los reseñados más arriba: excesiva libertad, vanagloria, vivir a costa de los visitantes.

Mucho más explícito y claro es el concilio VII de Toledo, año 646. Los obispos alaban a los eremitas que llevan una vida santa. Pero constatan que algunos de ellos han adoptado tal género de vida por pereza y no son ejemplo para los fieles. A éstos se les debe sacar de sus celdas y llevarles al monasterio a que pertenecían, o, si no han sido monjes antes, al monasterio más próximo, para que aprendan a meditar las verdades divinas y puedan ser un ejemplo para los demás. Y legisla para el futuro: «Y en adelante, a cualquiera que quisiere llevar este santo modo de vida, no se le permitirá que lo consiga ni lo podrá alcanzar antes de haber vivido en un monasterio y haber sido más plenamente educado conforme a las santas reglas monacales y haya tenido ocasión de alcanzar la dignidad de una vida honrada y conocimiento de la santa doctrina; pero aquellos que fueren acometidos de una tan extrema locura que anden vagando por lugares inciertos y estén corrompidos por unas costumbres depravadas, sin tener absolutamente ninguna estabilidad de domicilio ni pureza de corazón, cualquiera de los obispos o de los clérigos inferiores que los hallare errando los entregará, si es posible, a los

---

[105] San Isidoro, *Regla* c.19 ed.cit. p.118: ML 83,888-89.
[106] J. Vives, *Concilio IV de Toledo* c.53 p.209: Mansi, 10,632.

padres de los monasterios para que los corrijan» [107]. El concilio no se fía de la buena voluntad de los eremitas y exige que antes de adoptar esta vida hayan vivido en un monasterio y dado pruebas de madurez espiritual, moral e intelectual. La Iglesia se inclinaba y favorecía abiertamente el cenobitismo.

d) **Aberraciones de la vida religiosa**

Junto a los verdaderos monjes aparecieron siempre los falsos monjes. La España visigoda no es una excepción. San Isidoro nos relata la vida que solían llevar esta clase de hombres y la legislación conciliar les impondrá duros castigos. San Isidoro prohíbe a sus monjes vivir como anacoretas, aislados de la comunidad, y, sobre todo, a aquellos que corren el peligro de caer en algún vicio, en vanagloria o en deseo de fama mundana [108].

No fueron raros los casos de monjes que se recluían en las afueras de las ciudades para llamar la atención y vivir de las ofrendas de los fieles. Su vida no era ejemplar. El concilio VII de Toledo, año 646, intervendrá para cortar abusos. Alaba a los anacoretas y ermitaños ejemplares, pero aquellos que no lo son deben ser sacados por la fuerza de los lugares que habitan y los obispos y abades deben obligarles a vivir en el monasterio a que pertenecían o al más cercano [109].

Otra clase de monjes son más inquietos y no paran en ningún sitio. Son los famosos giróvagos. Son monjes hipócritas que se aprovechan de su fingida santidad para asegurarse la vida. En su mayoría son monjes escapados de los monasterios y eremitas cansados de la soledad. Pasan de una provincia a otra, se hospedan en los monasterios o en las casas de los fieles. Engañan al pueblo contando historias inventadas y vendiendo falsas reliquias. El concilio IV de Toledo mandará que se les encierre en un monasterio. Más tarde, el concilio XIII de Toledo, año 683, prohibirá recibir en casa a los monjes fugitivos [110].

Los monjes que no sólo se habían salido del monasterio, sino que se habían atrevido a contraer matrimonio, eran obligados a volver al monasterio, y allí se les imponía una vida de penitencia [111]. La profesión monástica era un compromiso estable que el monje no podía romper por sí mismo [112]. En casos muy graves podía ser expulsado. El monasterio era el lugar de penitencia de todos estos monjes. Lo era también de los clérigos y seglares, sobre todo nobles, que habían cometido alguna falta especialmente grave. El rey Wamba, después de destronado, fue enviado a un monasterio.

[107] J. Vives, *Concilio VII de Toledo* c.5 p.256: Mansi, 10,769-70.
[108] Cf. San Isidoro, *Regla* c.19 ed.cit. p.118: ML 83,888-89.
[109] Cf. J. Vives, *Concilio VII de Toledo* c.5 p.255-56: Mansi, 10,769-70.
[110] Cf. J. Vives, *Concilio XIII de Toledo* c.11 p.429-30: Mansi, 11,1073-74.
[111] Cf. J. Vives, *Concilio IV de Toledo* c.52 p.209: Mansi, 10,631-32.
[112] Cf. ibid., c.49 p.208: Mansi, 10,631.

5. FUNDADORES DE MONASTERIOS

La figura principal del monacato visigodo del siglo VII es, sin duda, San Fructuoso. La biografía escrita por un contemporáneo lo hace de sangre real e hijo de un militar influyente en la política y con grandes posesiones en la comarca del Bierzo. Muertos sus padres, marcha a Palencia, donde se pone bajo la dirección del gran obispo Conancio. Allí estudia para clérigo. Al terminar se decide a poner en práctica la vocación monástica que había sentido cuando visitaba las posesiones de su padre en el Bierzo. Cerca de Astorga funda el famoso monasterio de Compludo. La fama del Santo y su atractivo personal había hecho que un gran número de personas le siguiera para entrar en la vida monástica. Poco después seguirán otras fundaciones, como San Pedro de los Montes, San Félix de Visona y el Peonense.

Dios le llamaba para ser fundador de monasterios. Siente siempre una gran pasión por la soledad. Pero a cualquier parte que va se le unen nuevos discípulos, para quienes funda nuevos monasterios. Era un monje peregrino. Al frente de sus discípulos no desdeñaba realizar los trabajos necesarios para la construcción de nuevos monasterios. Tampoco descuidaba la formación de sus monjes. De sus monasterios salieron muchos obispos. El mismo pasaba gran parte de su tiempo estudiando la Escritura y los escritos de los Santos Padres. Mantiene correspondencia y contacto con las más altas jerarquías eclesiásticas y civiles.

Arrastrado por su celo de reforma y fundaciones monásticas, emprendió un viaje hacia el sur, llegando hasta Sevilla y Cádiz. Cerca de esta ciudad funda el monasterio llamado Nono, y poco después, un monasterio femenino para una joven noble llamada Benedicta y otras vírgenes que se unieron a ella. Creyó San Fructuoso que con esto había terminado su misión de reformador y fundador de monasterios.

Proyecta un viaje a Oriente, que no puede realizar porque se le niega el permiso para salir de España. Interviene el mismo rey Recesvinto, quien, aconsejado por hombres prudentes de que un hombre de tal talla no se podía perder para España, le entretiene en Toledo, y el mismo año 656, para que no se pueda ir, le nombra obispo de la abadía de Dumio. Ese mismo año se convoca el concilio X de Toledo. En él, Potamio, metropolitano de Braga, confiesa una falta grave contra la castidad que le incapacitaba para ejercer sus funciones episcopales. El concilio decide que San Fructuoso se haga cargo también de la iglesia de Braga y sea el metropolitano de la provincia eclesiástica de Galicia [113]. Sabemos muy poco de su vida como metropolitano de Braga. El autor de la biografía nos dice que hacía muchas limosnas y seguía fundando monasterios. Murió el año 665.

San Fructuoso es uno de los hombres más grandes de la época. Sobre todo por el gran impulso que dio a la vida monástica. Funda y organiza monasterios de forma incansable. Vive intensamente la vida

---

[113] Cf. J. VIVES, *Concilio X de Toledo* p.321: MANSI, 11,41.

religiosa y se esfuerza por inculcar el mismo fervor a sus monjes. Con ese fin escribe su Regla.

San Valerio fue otro gran animador de la vida religiosa en los últimos años del reino visigodo. Es un hombre duro e intransigente. Nace en Astorga, y su juventud, según él nos dice, fue licenciosa. Tocado por la gracia, cambia de vida repentinamente. Abandona su tierra y sus amigos e ingresa en el monasterio de Compludo, recientemente fundado por San Fructuoso. Su carácter intransigente y su fervor de neoconverso hacen que no se sienta satisfecho en la vida cenobítica. No encuentra allí lo que busca. El está dispuesto al heroísmo y a los grandes sacrificios y penitencias, cosa que no se puede exigir a una comunidad numerosa. Y eso que los monasterios de San Fructuoso eran muy severos.

Valerio abandona el monasterio para vivir una vida más dura, más acorde con el ideal que se ha formado de la vida religiosa. Cerca de Astorga encuentra un lugar áspero y solitario, adecuado para practicar la ascesis más dura y sus deseos de soledad. Allí vivió tranquilo hasta que su fama se extendió por la comarca. Las gentes comienzan a visitarle y a llevarle vestidos y alimentos. Pero un presbítero llamado Flaíno le hace la vida imposible y tiene que esconderse en otra parte.

Unos buenos cristianos le llevan a la finca de Ebronanto, donde se construye una capilla y una celda. Ricimiro, el dueño de la finca, destruye la capilla y celda de Valerio para construir en el mismo lugar otra mejor. Ricimiro tenía la recta intención de que Valerio se ordenara de sacerdote y sirviese en aquella iglesia. El Santo se oponía por miedo a perder su libertad y por el gran peligro que veía en las riquezas. La muerte de Ricimiro le solucionó el problema. Fue ordenado un hombre poco o nada ejemplar llamado Justo, a pesar de la oposición de Valerio. Justo se convirtió en perseguidor acérrimo del Santo, no escatimando calumnias, injurias y golpes. Tuvo que refugiarse en casa de un diácono. Pero hasta allí llegaba la furia de su perseguidor. Al fin se refugia en el monasterio de San Pedro de los Montes. La persecución continúa ahora por parte de los monjes. No se fiaban de aquel penitente que no paraba en ninguna parte y en todas era perseguido. No toleraban su carácter duro e intransigente. Comenzaron negándole lo necesario para vivir y después pasaron a las agresiones a él y a sus discípulos. Esta lucha llegó a oídos del rey y de los obispos, que intervinieron reconociendo la inocencia de San Valerio.

Mejoran entonces sus relaciones con el monasterio. Muchos monjes reconocen la virtud de San Valerio, y él les ayuda, dirige y aconseja cuando se lo piden. El mismo abad Donadeo va con frecuencia a la puerta de su cueva a pedir instrucciones para sus monjes. Y él les escribía una carta, un tratado o contaba alguna experiencia propia. Este es el origen de varios de sus escritos. Así ayudaba a aquellos monjes con su doctrina y su experiencia. Por fin había encontrado la tranquilidad y la paz. Y en ella murió el año 695.

Su vida parece una copia de la que llevaban los monjes del desierto.

Su carácter intransigente y duro le lleva a practicar una vida ascética lo más rigurosa posible, sin ninguna concesión a la fragilidad humana. Y trataba de imponer esa vida a los demás. En todas partes encuentra enemigos, pero también muchos seguidores que tratan de imitar su vida. Las enemistades se explican en parte, porque las autoridades religiosas se inclinaban por el cenobitismo. El, personalmente, no fundó ni organizó ningún monasterio. Pero con su vida y sus obras contribuyó eficazmente a la propagación del monacato en la región del Bierzo.

Es obligado recordar la gran labor que en favor del monacato realizaron San Leandro y San Isidoro de Sevilla en la provincia Bética. No fundaron monasterios. Pero con su ayuda y sus escritos cooperaron grandemente a la difusión y esplendor que alcanzó la vida cenobítica en la España visigoda. Trazan y explican el ideal del monje y describen los medios y observancias que facilitan su realización. Hacen de los monasterios, además, centros de formación científica.

Otro tanto podemos decir de San Eladio, San Justo, San Eugenio y San Ildefonso, metropolitanos de Toledo, salidos todos ellos del famosísimo monasterio de Agali, edificado en las afueras de Toledo. En el cercano monasterio de San Félix se educó San Julián. En la provincia Lusitana conocemos el monasterio de Aquis y el Cauliense. Había también uno de monjes en Mérida. En Zaragoza es famoso el monasterio de Santa Engracia. Existían en toda la geografía española otros muchos monasterios que sería prolijo enumerar. Recordemos solamente que todos ellos, en especial los de Toledo, Sevilla y Zaragoza, eran escuelas de vida religiosa y centros de cultura y formación. De ellos salieron la mayor parte de los obispos de la época. La vida monástica fue causa principal del esplendor que alcanzó la Iglesia visigoda en el siglo VII.

CAPÍTULO VIII

PAGANISMO, JUDAISMO, HEREJIAS Y RELACIONES CON EL EXTERIOR

FUENTES Y BIBLIOGRAFIA

FUENTES.—J. VIVES, *Concilios visigóticos e hispano-romanos* (Barcelona-Madrid 1963); MANSI, *Sacrorum Conciliorum nova et amplissima collectio,* ed. Akademische Druck-U. Verlagsanstalt (Graz 1960) vol.8-12; K. ZEUMER, *Leges nationum germanicarum* I: Mon. Ger. Hist., *Leges visigothorum,* ed. K. Zeumer (Hannover-Leipzig 1902); *Leges visigothorum antiquiores* (Hannover-Leipzig 1894); *Fuero juzgo,* ed. Real Academia Española (Madrid 1815); SAN ISIDORO, *Etimologías,* ed. L. Cortés (BAC, Madrid 1951); ML 82,73-728; L. RIESCO TERRERO, *Epistolario de San Braulio* ep.21 (Sevilla 1975) p.109-15: ML 80,667-70; J. MADOZ, *Nueva recensión del «De correctione rusticorum», de Martín de Braga:* Estudios Eclesiásticos 19 (1945) p.335-53; *Epistolario de San Braulio de Zaragoza. Edición crítica* (CSIC, Madrid 1941).

BIBLIOGRAFÍA.—Z. GARCÍA VILLADA, *Historia eclesiástica de España* II p.1.ª (Madrid 1932); A. K. ZIEGLER, *Church and State in visigothic Spain* (Wáshington 1930); M. TORRES LÓPEZ, *La Iglesia en la España visigoda,* en *Historia de España,* dir. por M. Pidal, vol.3 (Madrid 1963); M. MENÉNDEZ PELAYO, *Historia de los heterodoxos españoles.* I (BAC, Madrid 1956); S. MAC-KENNA, *Paganism and pagan survivals in Spain up to the fall of Visigothic Kingdom* (Wáshington 1938); V. MARTÍNEZ, *El paganismo en la España visigoda:* Burgense 13 (1972) p.489-508; R. HERNÁNDEZ, *La España visigoda frente al problema de los judíos:* Ciencia Tomista 94 (1967) p.627-85; *El problema de los judíos en los Padres visigodos,* en *La patrología toledano-visigoda.* XXVII Semana Española de Teología (Madrid 1970) p.99-120; A. ECHÁNOVE, *Precisiones acerca de la legislación conciliar toledana sobre los judíos:* Hispania Sacra 14 (1961) p.259-79; J. L. LACAVE RIAÑO, *La legislación antijudía de los visigodos,* en *Simposio Toledo Judaico* I (Toledo 1972) p.31-42; J. JÚSTER, *La condition légale des juifs sous les rois visigoths,* en *Études d'Histoire juridique offertes à P. F. Girard* t.3 (París 1912); B. BLUMENKRANZ, *Juifs et chrétiens dans le monde occidental* (París 1960); J. M. LACARRA, *La Iglesia visigoda en el siglo VII y sus relaciones con Roma.* Le Chiese nei regni dell'Europa occidentale e i loro rapporti con Roma fino all'800, en *Settimane di Studio Cent. Italiano* VII,I (Spoleto 1960) p.353-84; A. C. VEGA, *El primado romano y la Iglesia española en los siete primeros siglos* (El Escorial 1942); J. ORLANDIS, *Las relaciones intereclesiales en la Hispania visigótica,* en *Communione intereclesiale. Collegialità. Primato. Ecumenismo* I (Roma 1972) p.403-4ᴛ; C. H. LYNCH-P. GALINDO, *San Braulio, obispo de Zaragoza (631-651). Su vida y sus obras* (Madrid 1950); P. GOUBERT, *Byzance et l'Espagne wisigothique (544-711):* Revue des Études Byzantines 2 (1944) p.5-78.

1. EL PAGANISMO

Una gran parte de la población de España era católica cuando fue invadida por los suevos, vándalos, alanos y visigodos. La organización eclesiástica era bastante buena. La evangelización de la Península había seguido las grandes rutas comerciales y de comunicación. La Bética, Galicia y el valle del Ebro eran las regiones en las que el cristianismo estaba más floreciente. El porcentaje de católicos era mayor en las ciudades que en los campos. Los pueblos del norte de España se habían resistido a la dominación política romana, a aceptar la cultura, y no se habían convertido al catolicismo. Seguirán oponiéndose a toda influencia política y religiosa durante todo el período visigodo.

El paganismo tenía aún sus adeptos y en algunas regiones el cristianismo había penetrado muy superficialmente. En territorio español quedaban, por tanto, muchas prácticas idolátricas y abundantes supersticiones enraizadas en el paganismo. Lo difícil en muchas ocasiones es saber si quienes practican los ritos idolátricos y supersticiosos son paganos o cristianos que todavía no han renunciado a sus antiguas prácticas religiosas.

Los pueblos invasores son todos ellos paganos, excepto los vándalos y visigodos, que son arrianos. Traen consigo sus prácticas religiosas y supersticiones, que harán revivir a las existentes en territorio español. Los primitivos cultos paganos que existían en la península Ibérica son muy parecidos a los de los pueblos germánicos, y el contacto de ambos pueblos les hará adquirir nueva fuerza. Los mismos visigodos, bajo una capa superficial de arrianismo, conservaban bastantes ritos paganos. Su conversión en masa no había sido muy profunda. «Con la conversión de Recaredo al catolicismo, el pueblo visigodo y los hispano-romanos van a quedar agrupados en un solo reino y bajo una misma religión, iniciándose una época fecunda en esperanzas por las tendencias pacíficas y religiosas que la inauguran. Se trata de un pueblo que sale del paganismo y comienza a recibir los rudimentos de la fe católica que le inculca una Iglesia joven y misionera, y la cual se ha visto obligada a tomar medidas en todos los órdenes para desterrar el paganismo y las prácticas arreligiosas de aquellos hombres» [1].

Aquellas conversiones en masa no significaban un cambio radical y absoluto en las convicciones y prácticas religiosas de todo el pueblo convertido. Los súbditos seguían a sus jefes en la nueva religión oficial, sin renunciar del todo a la antigua fe de sus antepasados. Para aquellos hombres educados en una religión politeísta era natural mezclar la fe en Cristo con el culto a sus anteriores divinidades. Ya hemos dicho que el desligar a un pueblo recién convertido de las creencias y prácticas religiosas heredadas de sus antepasados llevaba, por lo general, muchísimo tiempo, quizá varias generaciones, de intensa formación pastoral.

Aun presuponiendo que en las conversiones de los suevos y visigodos se hubiese realizado una intensa labor de catequesis con los reyes y personajes más ilustres, no se había hecho lo mismo con el pueblo llano. Este conocía el cristianismo exactamente igual después que antes de la conversión. La labor de catequesis y profundización en la fe, el culto y las prácticas religiosas debía hacerlas la Iglesia después de que el pueblo era oficialmente cristiano por esas conversiones masivas. Muchos de

[1] V. Martínez, *El paganismo en la España visigoda:* Burgense 13 (1972) p.492.

esos convertidos, aunque cristianos de nombre y oficialmente, seguían siendo realmente paganos.

Una prueba evidente de todo lo que hemos dicho es la actitud que toma la Iglesia inmediatamente después de la conversión de los suevos. Eran paganos al entrar en España. Hacia el año 450 se convierten al cristianismo con su rey Riquiario. Pero los reyes siguientes no son constantes y no se consolida la conversión. Al aliarse con los visigodos, los suevos se hacen arrianos. Su conversión definitiva al catolicismo tiene lugar el año 563. Como puede verse, cambiaron de religión con bastante facilidad. Pues bien, vemos que la Iglesia emprende una fuerte campaña para desarraigar la idolatría después de la conversión definitiva.

El concilio II de Braga, año 572, legisla que los obispos al visitar su diócesis deben reunir al pueblo y adoctrinarle para que abandone los errores de la idolatría[2]. En los *Capitula Martini*, que los Padres del mismo concilio admiten, se enumeran ya algunas prácticas idolátricas. Los cristianos no deben consultar adivinos ni sortílegos para alejar a los malos espíritus, ni conservar costumbres paganas, tener en cuenta el curso de los astros, la luna o las estrellas al construir sus casas, plantar los árboles o contraer matrimonio. No pueden celebrar las calendas y diversiones paganas, ni recitar fórmulas supersticiosas al recoger hierbas medicinales o al tejer la lana[3].

Polemio, obispo de Astorga, que había asistido al concilio, pidió a San Martín de Braga que compusiera un tratado que les sirviera de base para combatir la idolatría. Este escribió el opúsculo *De correctione rusticorum*. La idolatría es obra del demonio. Dios, al crear el mundo, creó también a los ángeles. Uno de ellos, al verse tan perfecto, no quiso adorar a Dios, sino que se creyó igual a El. Otros muchos ángeles siguieron su ejemplo. Por este pecado de soberbia, Dios les echó del cielo y quedaron convertidos en demonios. Dios creó después al hombre, prometiéndole que, si obedecía su mandato, iría, sin morir, al cielo, de donde habían sido echados los ángeles malos; si desobedecía, moriría. El diablo, envidioso de que el hombre pudiera ocupar su antiguo puesto, convenció al hombre para que no obedeciera el mandato de Dios. El hombre se dejó engañar, y en castigo fue expulsado del paraíso. Los hombres siguieron pecando, y Dios los castigó con el diluvio. Después, el género humano creció y volvió a olvidarse de Dios. Comenzó a dar culto a las criaturas: el sol, la luna, las estrellas, el fuego, el mar, las fuentes.

El diablo y los demás demonios, viendo entonces que el hombre se había olvidado de Dios y veneraba a las criaturas, comenzaron a aparecérsele en distintas formas y a pedir que se les ofreciesen sacrificios en las cimas de los montes y en las selvas y que se les adorase como dioses. Uno tomó el nombre de Júpiter, otro, de Marte; otro, de Saturno, etc. El hombre les construyó templos, imágenes y estatuas y consagró aras

---

[2] Cf. J. VIVES, *Concilio II de Braga* c.1 p.81: MANSI, 9,838.
[3] Cf. ibid., c.71-75 p.103-104: MANSI 9,857-58.

para ofrecerles sacrificios. Otros demonios se hacen adorar en el mar, en los ríos y en las fuentes.

El dar a los días de la semana el nombre de dioses paganos debe desterrarse. Es una locura que un cristiano no santifique el domingo, día en que resucitó el Señor, y lo haga cualquier otro día en nombre de una divinidad pagana y falsa. Enumera San Martín los actos idolátricos más comunes. «Desde otro punto de vista, es un documento curioso, tal vez el primer monumento del folklore español. En él desfilan las gentes que veneran a las polillas y a los ratones; que consideran el vuelo de las aves; que encienden cirios a las piedras, a los árboles, a las fuentes y por las encrucijadas; que observan las calendas y echan en el fuego la ofrenda sobre el tronco y ponen vino y pan en las fuentes; las mujeres que invocan a Minerva al tejer su tela y encantan la hierba con maleficios; los que observan las adivinaciones y los estornudos», etc. [4]

Dios envió a su Hijo para que atrajese a los hombres al culto del verdadero Dios. Cristo vendrá un día a juzgar a los hombres. Todos aquellos que han sido bautizados y han vuelto a dar culto a los ídolos, irán al infierno a padecer con los demonios, a quienes han venerado, en caso de que mueran sin haberse arrepentido y hecho la debida penitencia. Pide a los fieles que recuerden el pacto que han hecho con Dios al ser bautizados. En él prometieron renunciar al diablo y a sus secuaces y creer en el Padre, el Hijo y el Espíritu Santo, y esperar en la resurrección de la carne y en la vida eterna.

No se olvida de dar una palabra de ánimo a quienes se han apartado de la fe y han dado culto al diablo. La misericordia de Dios es infinita, y no se puede dudar de ella. Basta que se prometa al Señor de todo corazón que no volverá a adorar al diablo ni a apartarse del culto al verdadero Dios y que no cometerá ningún pecado grave. Si se cumple esta promesa, se debe esperar confiadamente el perdón de Dios [5].

Como puede verse, San Martín intenta demostrar que la idolatría es obra del demonio. El diablo engaña al hombre apartándole del culto al verdadero Dios y haciendo que le adore a él mismo. Si el hombre sigue en esa actitud, se condenará eternamente. Tendrá que cambiar radicalmente si quiere salvarse. Debe arrepentirse seriamente y no volver a cometer actos idolátricos.

La enumeración de ritos paganos que hace San Martín de Braga demuestra que a finales del siglo VI persistían en Galicia los mismos cultos que habían realizado los antiguos pueblos que habitaban la Península. El rito de la calendas era romano. Es de origen céltico el culto a las aguas, a los árboles y a las piedras, que era el más extendido entre las gentes sencillas. Por eso prohíbe encender velas junto a las rocas, árboles y fuentes, dejar ofrendas sobre los troncos o echar pan y vino en los manantiales.

El norte y noroeste de la Península fueron siempre los lugares de

---

[4] J. Madoz, *Nueva recensión del «De correctione rusticorum», de Martín de Braga:* Estudios Eclesiásticos 19 (1945) p.337.

[5] Cf. ibid., p.344-53.

mayor predominio de los cultos paganos, magia y supersticiones. Tales hechos se daban también en el resto del territorio visigodo. Los concilios generales se verán obligados a afrontar el problema de estos cristianos que no han renunciado a sus divinidades y ritos ancestrales. La fe y confianza en ellos sería tan grande o más que la que tenían en Dios. Las conversiones en masa habían hecho de ellos cristianos de nombre, aunque en realidad seguían siendo paganos.

El concilio III de Toledo, año 589, tomará, ante la conversión de los visigodos, la misma posición que el II de Braga había tomado después de la conversión de los suevos. Constata que la idolatría está muy extendida en casi toda España y en la Galia. Es un sacrilegio. La diferencia está en que ahora no se habla de la predicación y la catequesis para sacar a los idólatras de su error. Quizá las presupone, y habla solamente de las últimas medidas que se deben tomar contra los adoradores de los ídolos. La Iglesia y el Estado se ponen de acuerdo para exterminar la idolatría. El concilio legisla, con el consentimiento del rey, que los jueces seculares ayuden a los obispos en esta tarea. Se creía un peligro para la unidad religiosa y, por consiguiente, para la unidad política. El juez y el obispo deben investigar cuidadosamente los abusos de esta índole que se cometan en su territorio y castigarlos con las penas que les parezcan oportunas, excepto con la muerte. Si no cumplen con esta grave obligación, ambos incurren en la pena de excomunión. El mismo castigo se impone a los señores que no erradican la idolatría de sus territorios y permiten a sus siervos practicarla [6].

El concilio de Narbona, año 589, se ve obligado a legislar contra los adivinos y quienes les consultan. Los primeros serán azotados en público y vendidos como esclavos, repartiendo entre los pobres lo que se saque de su venta. Los consultantes serán excomulgados y pagarán seis onzas de oro al conde de la ciudad. Seguramente se le concedía eso al conde como premio a su cooperación en la represión de la idolatría, como se había legislado en Toledo. Así pondría más interés en cumplir con esta obligación. El concilio interviene para consolidar la disciplina de la fe católica [7]. Más directamente idolátrico es el hecho que condena en el canon siguiente. Constata que bastantes cristianos celebran el día quinto de la semana en honor de Júpiter. Ese día hacen fiesta y no trabajan. Si quien comete tal falta es persona libre, será excomulgado y hará penitencia pública durante un año, llorando su culpa y haciendo limosnas para que Dios perdone su pecado. Si se trata de algún siervo, se le castigará con cien azotes y su amo se encargará de que no vuelva a reincidir [8].

La descripción de la magia que hace San Isidoro en el capítulo octavo del libro noveno de las *Etimologías* tiene un carácter técnico; pero, sin duda, muchas de las formas explicadas habían arraigado en España. Las menciona el concilio IV de Toledo, que preside el mismo San Isi-

---

[6] Cf. J. Vives, *Concilio III de Toledo* c.16 p.130: Mansi, 9,996-97.
[7] Cf. J. Vives, *Concilio de Narbona* c.14 p.149: Mansi, 9,1017.
[8] Cf. ibid., p.150: Mansi, 9,1018.

doro, al prohibir a los clérigos que consulten cualquier clase de magos o adivinos. Si alguno lo hace, será depuesto del honor y oficio que desempeña y encerrado en un monasterio para que haga allí penitencia perpetua por el sacrilegio que ha cometido [9]. Tales actos no son una falta cualquiera, sino un sacrilegio. Los clérigos, actuando así, profanaban su persona, su oficio y su fe. Y eran un mal ejemplo para sus feligreses. No es extraño, pues, que se les castigue tan duramente.

El concilio V de Toledo, año 636, condenará todos los actos encaminados a conocer el futuro de forma ilícita. Es supersticioso y contrario a la virtud de la religión. Pero concretamente sólo condenará con la excomunión a quienes tratan de conocer el futuro de los reyes y prever sus desgracias para aprovechar el momento más oportuno de apoderarse de su trono [10].

Las leyes civiles colaboraron también con la Iglesia en la represión de la idolatría y supersticiones. «En ayuda de la legislación eclesiástica vino la civil. Chindasvinto, su hijo Recesvinto y Ervigio trataron de extinguir esta plaga con penas severísimas dirigidas contra los arúspices, aríolos, vaticinadores de la muerte de los reyes, magos, encantadores, nuberos o agentes de tempestades y tronadas, asoladores de las mieses, invocadores de los demonios, pulsadores o ligadores de hombres, a los que quitaban el habla y aun mataban a los hombres lo mismo que a los animales, llegando también a esterilizar los frutos de la tierra» [11]. Son las leyes 1-4 del título II, libro VI del *Fuero juzgo*. Hemos dicho que se creía en la eficacia de esas supersticiones. Se admitía que alguien, por medio de ellas, podía causar un daño grave a otro en su persona o en sus posesiones. Eran, por tanto, casos de injusticia que las leyes civiles debían especificar y castigar. Las penas que se imponen a los hombres libres por realizar alguno de los actos enumerados es la pérdida de todos sus bienes y su libertad. A los esclavos se les azotaba y atormentaba, expuestos a vergüenza pública, eran decalvados y encarcelados para siempre y podían ser vendidos en ultramar. Los hechos enumerados eran faltas contra la religión y la justicia. De ahí que estén castigados por la Iglesia y el Estado.

La idolatría y las supersticiones no eran fáciles de desarraigar. El concilio XII de Toledo, año 681, vuelve a insistir en el tema. Recuerda varios pasajes de la Escritura en que se condena la idolatría aun con la pena de muerte. Escribe: «Recordando estos preceptos del Señor, no para castigo de los delincuentes, sino para terror, no imponemos por este nuestro decreto la pena de muerte, sino que avisamos a los adoradores de los ídolos, a los que veneran las piedras, a los que encienden antorchas y adoran las fuentes y los árboles que reconozcan cómo se condenan espontáneamente a muerte aquellos que hacen sacrificios al diablo» [12]. Son las mismas creencias y ritos idolátricos que San Martín

---

[9] Cf. J. Vives, *Concilio IV de Toledo* c.29 p.203: Mansi, 10,627.
[10] Cf. J. Vives, *Concilio V de Toledo* c.4 p.228: Mansi, 10,655.
[11] Z. García Villada, *Historia eclesiástica de España* II p.2.ª (Madrid 1933) p.170.
[12] J. Vives, *Concilio XII de Toledo* c.11 p.399: Mansi, 11,1037-38.

de Braga había descrito y condenado cien años antes. La acción pastoral de la Iglesia no había logrado terminar completamente con estos errores. Vuelve a recalcar que la idolatría es dar culto al diablo y un sacrilegio. Es algo que hay que desarraigar y aniquilar. El concilio recuerda sus obligaciones a los obispos y jueces. Deben mandar azotar y encarcelar a los siervos idólatras, haciendo, además, prometer a sus dueños que les vigilarán estrechamente para que no vuelvan jamás a cometer esa falta. Si los culpables son personas libres, serán excomulgados a perpetuidad y desterrados.

El concilio XVI de Toledo, año 693, enumera las mismas formas de idolatría: «... ellos, engañados por diversas persuasiones, se convierten en adoradores de los ídolos, veneradores de las piedras, encendedores de antorchas, y rinden culto a los lugares sagrados de las fuentes y de los árboles, y se hacen augures o encantadores, y otras muchas cosas que sería largo narrar. Y porque él no es su criador, ni su señor, ni su redentor, conviene en extremo a los rectores de las iglesias de Dios velar para que aquellos a quienes el mismo enemigo había dominado mediante malignas persuasiones haciéndoles cometer diversos sacrilegios, sacándoles de las garras de este enemigo, los restituyan a su criador»[13]. Los Padres aceptan la legislación anterior por parecerles justa y razonable. Lo que piden encarecidamente es que los obispos, presbíteros y jueces seglares vigilen con más cuidado para que no se realicen tales actos. Si descubren algún caso de idolatría, lo castigarán inmediatamente según lo establecido por la ley. En caso de que el obispo o el juez conozcan algún caso y no lo castiguen en seguida, se les suspenderá de su cargo por un año, durante el cual harán penitencia pública. Hay castigos también para quienes se oponen a la labor de la justicia. Si se trata de un noble, se le excomulga e impone una multa de tres libras de oro, que debe pagar al fisco. Si es una persona de menor categoría, recibirá cien azotes, será decalvado y se le confiscarán la mitad de sus bienes.

La Iglesia visigoda no logró terminar con la idolatría. No volvemos a tener más noticias sobre este tema. Pero no creemos que se lograra en los años que restan hasta la invasión de los árabes lo que no se había conseguido en más de un siglo. El culto idolátrico estaba tan arraigado en algunas personas, que la acción conjunta del Estado y de la Iglesia durante los años más gloriosos de la monarquía visigoda no había podido desarraigar tal costumbre a pesar de la dureza de los castigos que imponían, y no es fácil que lo consiguiesen en este corto período, el más caótico e inestable de la historia del reino visigodo.

2. El judaísmo

La existencia y actuación de los judíos en el territorio visigodo fue una grave preocupación tanto para la Iglesia como para el Estado.

---

[13] J. Vives, *Concilio XVI de Toledo* c.2 p.498: Mansi, 12,70-71.

Prueba de ello es la abundante legislación conciliar y que los títulos II y III del libro XII del *Fuero juzgo* están dedicados íntegramente a la cuestión judía. Era un problema en toda Europa, y España no era excepción. Hablaremos después de la carta del papa Honorio I incitando a los obispos españoles a ser más duros con los judíos.

Los intereses de la Iglesia y los del Estado coinciden plenamente en este asunto. «Tampoco puede olvidarse que muchas veces la relación íntima de los cánones y de las leyes procede de un interés común paralelo, de la Iglesia y el Estado en un mismo asunto. Caso claro de esta circunstancia es la legislación visigótica antijudaica, en la que tan íntimamente se relacionan el interés religioso y el político, manifestándose incluso a veces en ciertas discrepancias entre la concepción puramente política del Estado, que no tiene inconveniente en imponer legalmente el bautismo obligatorio, y la Iglesia, que sólo puede aceptar una conversión libre y movida por íntimo convencimiento» [14]. Ambos coinciden en el interés por hacer entrar a los judíos en la unidad político-religiosa que se acaba de inaugurar. Generalmente están de acuerdo en los medios a utilizar, aunque a veces disientan en la forma de emplearlos.

En el concilio de Elvira encontramos ya alguna legislación contra los judíos, con un valor estrictamente canónico. Hasta la conversión de Recaredo tuvieron civil y políticamente pocas trabas judiciales. Recaredo comenzará a legislar contra ellos, prohibiéndoles tener esclavos cristianos. El concilio III de Toledo, año 589, repite la prohibición, añadiendo además que no pueden desempeñar cargos públicos [15].

A pesar de todas las razones espirituales que Recaredo da al concilio III de Toledo para explicar su conversión, estamos convencidos y hemos dicho ya que hubo otra de gran peso: el deseo de lograr una unidad religiosa como fundamento para alcanzar la unidad política. Esto no disminuye el valor de sus convicciones religiosas. Recaredo deseaba la igualdad de condición de los antiguos españoles, los godos y los romanos. Este deseo de unidad tenía que tener, por fuerza, consecuencias funestas para los judíos, ya que era un pueblo que no se mezclaba con los demás y tremendamente intransigente con su propia religión. «También influyó notablemente en la persecución de los judíos el deseo de unidad, de formar un conjunto compacto, homogéneo, en lo político y en lo religioso para asegurarse la paz y defenderse aunadamente contra las amenazas de invasión» [16]. En aquella época no se toleraban fácilmente las divergencias políticas o religiosas.

Visto el empeño que Recaredo pone en hacer que con él se conviertan todos los godos, no es de extrañar que intente también la conversión de los judíos. Que en la conversión de Recaredo hubo un motivo político, no se puede dudar. Escribe García Villada: «De todas suertes,

[14] M. Torres López, *La Iglesia en la España visigoda*, en *Historia de España*, dir. por M. Pidal, III (Madrid 1963) p.306-307.
[15] Cf. J. Vives, *Concilio III de Toledo* c.14 p.129: Mansi, 9,996.
[16] R. Hernández, *El problema de los judíos en los Padres Visigodos*, en *La patrología toledano-visigoda*. XXVII Semana Española de Teología (Madrid 1970) p.101.

al talento político de un hombre tan experto como Leovigildo no se podía ocultar que la divergencia de religión había de ser un semillero continuo de discordia entre los habitantes de España, por lo que era menester a toda costa trabajar por la unificación de creencias. Pensar en la implantación del arrianismo era una locura después que los suevos le habían abandonado, yendo a engrosar las filas de la Iglesia católica, con lo que la inmensa mayoría del país profesaba ya la fe de Roma. Para mantener en pie el reino visigodo no quedaba otro recurso, aun dentro de los círculos políticos, que tender a la unificación bajo la bandera de la catolicidad. El terreno estaba muy bien abonado. La situación en que se encontraba Recaredo al empuñar las riendas del gobierno le permitían dar ese paso transcendental sin arriesgar nada. Asociado al gobierno de la nación en vida de su padre, victorioso de un ejército franco y habiendo vivido y presenciado el triste fin de su hermano Hermenegildo, conocía perfectamente las desavenencias del país, y por su actitud prudente, moderada y recta gozaba de una autoridad completa entre todos los habitantes» [17].

De ahí que, aun políticamente, Recaredo estuviese interesado en atraerse a los judíos. No discutimos, y mucho menos negamos, el que los reyes tuviesen interés por la conversión de los judíos por motivos religiosos. Esos los presuponemos. Pero es cierto que les preocupaba tener dentro de su reino una minoría que no se mezclaba casi con el resto de los habitantes de la nación. Los judíos no inspiraban a los reyes mucha confianza ni religiosa ni políticamente. Esa es la razón por la que se organiza una coalición político-religiosa para tratar, con los medios más diversos, de atraer a los judíos a la religión católica y, por consiguiente, a la unidad política.

El rey Sisebuto dictó leyes aún más duras contra los judíos. Parece ser que éstos hasta entonces habían logrado esquivar la ley. Encarga a los jueces, obispos y al Aula Regia que hagan cumplir las leyes antijudías [18]. Sisebuto manda que a los judíos que no cumplan lo establecido en el concilio III de Toledo se les castigue con azotes, multas y aun la pérdida de toda su hacienda.

No sabemos ciertamente por qué razón actúa así Sisebuto. Desde luego, parece ser que no se había conseguido nada positivo con la legislación anterior. Recordemos además que la situación de los judíos en España había sido bastante segura durante el período arriano de la monarquía visigótica. De ahí que muchos se hubiesen establecido en territorio visigodo. Probablemente, Sisebuto se alarmó por su obstinación. «Quizá por la tolerancia que había predominado en la España visigoda hasta entonces, se había convertido, en cierto modo, en refugio de la población judía; y quizá en vista del número que habían alcanzado o acaso por la debilidad que Sisebuto creyó que podrían provocar en la estructura interna del reino, ello es que en el año 616 ordenó una con-

[17] Z. García Villada, o.c. II p.1.ª p.59-60.
[18] Cf. K. Zeumer, *Leges nationum germanicarum* I: Mon. Ger. Hist., *Leges visigothorum* XII 2,14 (Hannover-Leipzig 1902).

versión general de los judíos o la salida del territorio, con confiscación de bienes de los que se negasen»[19].

Esta actitud del gobierno visigodo, abstrayendo de la dureza de los castigos, es explicable. Son los primeros años del incipiente nacionalismo español. Con la conversión de Recaredo se había adquirido la conciencia de pueblo, de nación. La unidad de fe era parte integrante de la nueva unidad política. Esa había sido una de las razones que impulsaron a Recaredo a dar el paso definitivo. Se habían convertido los arrianos, que al fin y al cabo eran quienes detentaban el poder. ¿Cómo se iba a tolerar que la unidad no fuese completa por culpa de un pequeño grupo de habitantes de España?

El concilio IV de Toledo, año 633, hablando de los judíos que han sido cristianos y vuelven al judaísmo, dice: «Acerca de los cuales, por consejo del piadosísimo y religiosísimo príncipe y señor nuestro el rey Sisenando, decretó el santo concilio que tales transgresores, corregidos por la autoridad del obispo, sean traídos a la veneración del dogma cristiano, de modo que aquellos que no se enmienden por la voluntad propia les refrene el castigo del obispo, y aquellos que fueron circuncidados, si se tratare de sus hijos, sean separados de la compañía de sus padres; si de siervos, déseles la libertad en compensación de la afrenta corporal»[20]. Se les obligaba a seguir siendo cristianos. Se les quitaba, además, el derecho a testificar.

Se prohibía a todos los judíos desempeñar cargos públicos y tener siervos cristianos. Decretaba, además, que se separase a los hijos de sus padres para que no les contagie la maldad de éstos. Serían entregados a los monasterios o a familias muy cristianas, que les educarían en la verdadera fe. Parece ser que los Padres del concilio no consideraban todo esto como una coacción para que se convirtieran al catolicismo. De todas formas, si comparamos estos castigos con los impuestos anteriormente y los que se impondrían en el futuro, habría que calificarlos de suaves. Al menos respetan la persona y los bienes de los judíos. San Isidoro había criticado y condenado la actitud de Sisebuto al obligar a los judíos a convertirse por la fuerza. Tal conversión se debe lograr por medio de la razón y la predicación. Tales ideas aparecen en el concilio IV de Toledo. Proclaman los Padres que la fe debe ser aceptada libremente y no se puede forzar a nadie a creer. El hombre se tiene que salvar creyendo y respondiendo a la llamada de la gracia de Dios y con la conversión interior. Se les debe persuadir para que se conviertan, pero no se les puede obligar a hacerlo.

A pesar de la dureza de la legislación de este concilio, se recibirá poco después, año 638, la carta del papa Honorio I acusando a los obispos españoles de ser como perros que no saben ladrar ante el peligro que para la fe suponen los judíos. Parece ser que en este tiempo se da en toda Europa una fuerte reacción antijudía, provocada por el favor

---

[19] J. L. ROMERO, *San Isidoro de Sevilla. Su pensamiento histórico-político y sus relaciones con la historia visigoda:* Cuadernos de Historia de España 8 (1947) p.30.
[20] J. VIVES, *Concilio IV de Toledo* c.59 p.211-12: MANSI, 10,633-34.

que los persas otorgan a los judíos en Siria, Palestina y Egipto, donde se dieron matanzas en masa de cristianos [21].

Las penas canónicas importarían muy poco a los judíos, decididos a volver a su antigua religión. Como medida coactiva para impedir esa vuelta al judaísmo, se da poder al obispo para imponer castigos materiales. El obispo aparece como juez en las causas de los judíos por voluntad del rey y del mismo concilio.

El proselitismo y apego de los judíos a sus creencias vuelve a ser tema de discusión en el concilio VIII de Toledo, año 653. El mismo rey Recesvinto se dirige a los Padres con estas palabras: «Habiendo tratado todo aquello que se refiere a los seguidores de la verdadera fe, todavía una santa preocupación por la misma fe pide algo más de vuestra asamblea, refiriéndome con esto a aquellos que se hallan fuera de la Iglesia y que se sabe son indiferentes para nuestros dogmas, y los que, aunque Cristo desee ganar por mi medio, sin embargo, nadie duda que se trata de enemigos, al menos hasta que hayan obtenido lo que tan ardientemente deseo; me refiero, pues, a la vida y costumbres de los judíos, de los cuales sólo sé que por esta peste está manchada la tierra de mi mando, pues, habiendo el Dios omnipotente exterminado de raíz todas las herejías de este reino, se sabe que sólo ha quedado esta vergüenza sacrílega, la cual se verá corregida por los esfuerzos de vuestra devoción o aniquilada por la venganza de nuestro castigo» [22]. En el mismo concilio, y como condición para que un candidato pueda ser elegido rey, se exige: «Serán seguidores de la fe católica, defendiéndola de esta amenazadora infidelidad de los judíos y de las ofensas de todas las herejías» [23].

El concilio, como respuesta a la petición de Recesvinto para que actuasen contra los judíos, legisla: «Hemos juzgado necesario desplegar un gran celo en favor de aquellos por quienes Cristo no se desdeñó en entregar su alma, y, por lo tanto, secundado devotísimamente la clemencia del príncipe, que desea que el Señor consolide su trono real ganado para la fe católica la multitud de los que perecen, y reputando por indigno que un príncipe de fe ortodoxa gobierne a súbditos sacrílegos y que la multitud de los fieles se contamine con la de los infieles, ninguna otra cosa se establece acerca de ellos con este nuestro decreto sino que, tanto nosotros como nuestros sucesores, cumplamos con todas las fuerzas los decretos del concilio Toledano que se reunió en tiempo del rey Sisenando, de feliz memoria. Y cualquiera que quisiere apartarse de lo ordenado en dicho sínodo sepa que está condenado como verdadero sacrílego» [24]. Según sus mismas palabras, no añade nada nuevo a la legislación aprobada en el concilio IV de Toledo. Adopta una posición moderada.

---

[21] Cf. A. Echáno‘e, *Precisiones acerca de la legislación conciliar toledana sobre los judíos:* Hispania Sacra 14 (19(1) p.271.
[22] J. Vives, *Concilio VIII de Toledo* p.266: Mansi, 10,1209.
[23] Ibid., c.10 p.283: Mansi, 10,1219.
[24] Ibid., c.12 p.285: Mansi, 10,1220-21.

Los judíos preocupan a Recesvinto religiosa y políticamente. No duda en calificar a los judíos como enemigos. Para él es una deshonra religiosa y política que se haya logrado exterminar todas las herejías y mantener pura la fe y no se haya conseguido la conversión de los judíos. Lograr que acepten el catolicismo es consolidar la monarquía. En adelante será obligación de los reyes defender a la Iglesia de las asechanzas de los judíos. Como puede verse, los motivos principales que se aducen son la consolidación del trono real y el miedo de que el proselitismo judío gane para su causa a alguno de los católicos. R. Hernández escribe al hablar de las causas generales de la persecución de los judíos: «Los motivos de hostilidad son muy varios, y no es posible dar aquí cuenta detallada de todos ellos. Uno fue, sin duda, el proselitismo, con frecuencia acompañado de la fuerza, entre los esclavos y personas sometidas a su mando»[25]. Y un poco después añade: «El mundo más expuesto al proselitismo era el de los esclavos; por eso no deben extrañarnos la abundancia de leyes civiles y eclesiásticas castigando con severas penas las conversiones de los esclavos a la religión judía»[26]. De ahí que el concilio IV de Toledo prohibiera a los judíos tener esclavos cristianos.

Los judíos se unieron al traidor conde Paulo en su rebelión contra Wamba. Recesvinto no estaba equivocado al considerarlos como enemigos y al pensar que lograr su conversión era dar estabilidad al trono real. El rey Ervigio intentará, una vez más, resolver el problema judío. Promulga nuevas leyes contra ellos[27]. Los judíos debían abjurar de su fe delante del obispo.

Ervigio invita al concilio XII de Toledo, año 681, a examinar las leyes que él mismo ha dado contra los judíos y exhorta a los Padres a actuar con estas palabras: «... extirpad de raíz la peste judaica, que siempre se renueva con nuevas locuras; examinad también con la más pura intención las leyes que nuestra gloria promulgó poco ha contra la infidelidad de dichos judíos y añadid a las mismas leyes una cláusula confirmatoria, y promulgad estas decisiones contra los abusos de tales infieles reunidas en un solo cuerpo. Pues debemos cuidar mucho que tantas normas de los cánones antiguos que se han promulgado aun con anatema para extirpar los errores de éstos, no nos hagan cómplices de sus culpas si en los años de nuestro reinado se derrumba la obra de aquellos cánones, y más si en los años de nuestra majestad se pierde (lo que Dios no permita) la famosa garantía de la fe, instituida en aquella ley por la que el señor y predecesor nuestro, el rey Sisebuto, conminó a todos sus sucesores, con pena de perpetua maldición, si alguno de ellos permitiere que un siervo cristiano sirva o preste sus servicios a un judío»[28]. Ervigio seguía la legislación que Sisebuto y Recesvinto habían publicado contra los judíos. Prohibía emplear la pena de muerte.

---

[25] R. Hernández, art.cit. p.100.
[26] Ibid. p.104.
[27] Cf. K. Zeumer, *Leges.* I: Mon. Ger. Hist., *Leges visigothorum* XII 3,28.
[28] J. Vives, *Concilio XII de Toledo* p.382-83: Mansi, 11,1025.

El rey no encomienda a los jueces civiles, como ordinariamente había ocurrido hasta entonces, el deber de vigilar para que se cumpliera esta legislación, sino que hace responsables de su cumplimiento a los obispos y demás miembros del clero. Dice la ley de Ervigio: «El gran cuidado que se ha de tener en la observancia de todos estos preceptos y el ejercer la vigilancia sobre los pérfidos, se la encomienda encarecidamente nuestra majestad a aquellos a quienes se le confió igualmente la autoridad divina. Dice aquel Espíritu, cuya verdad llena todo el orbe de la tierra: 'Estarán presentes en mis tribunales y juzgarán acerca de mis leyes y mis mandatos'. Por tanto, decretamos que los sacerdotes deben cumplir todo lo que aquí ha sido establecido» [29].

Como consecuencia de las nuevas disposiciones, los judíos tenían la obligación de presentarse todos los sábados y fiestas suyas propias ante el obispo, el sacerdote o ante un cristiano autorizado para poder probar sin ninguna duda que no celebraban sus ritos [30]. Para que ni siquiera los clérigos fueran negligentes en el cumplimiento de esta obligación, se nombraron inspectores de entre ellos con el fin de vigilarse unos a otros. Aun los obispos pueden ser sancionados si no demuestran verdadero celo en la inspección de las actividades judías. Como castigo por su tolerancia o dejadez se les imponía una excomunión de tres meses y debía pagar una libra de oro al rey [31].

El concilio XII de Toledo confirmó las leyes promulgadas contra los judíos; no sólo las dadas por Ervigio, sino todas las promulgadas anteriormente [32]. Entre esas leyes hay prohibiciones estrictamente religiosas, como el no dejarles practicar sus ritos y obligarles a guardar el domingo y las demás fiestas cristianas. Otras son meramente civiles, como el prohibir a los cristianos que sirvan a los judíos o la obligación que se impone a éstos de dar la libertad a sus esclavos convertidos al cristianismo.

La intención del rey era que los obispos se encargasen de vigilar el cumplimiento de estas leyes. El concilio aprueba que todo el cuidado de castigar a los judíos se deje a sólo los obispos. Idem, de las penas de los obispos y de los jueces que descuidaren el cumplir lo mandado en las leyes contra los judíos. Idem, que los jueces no se atrevan a fallar alguna cosa relativa a los abusos de los infieles judíos sin la anuencia de los obispos...» [33]

Subrayemos que el concilio admite que todo el cuidado y responsabilidad de castigar a los judíos se deje en manos de los obispos. Pero no exime de sus obligaciones en este punto a todos los demás, ya que inmediatamente confirma las penas establecidas contra los jueces que se descuidaren en cumplir lo mandado en las leyes contra los judíos. Quizá por darse cuenta de que el problema era eminentemente reli-

---

[29] *Fuero juzgo* XII 3,23, ed. Real Academia Española (Madrid 1815) p.160-61; K. Zeumer, *Leges visigothorum antiquiores* XII 3,25.
[30] Cf. J. Vives, *Concilio IX de Toledo* c.17 p.305: Mansi, 11,30.
[31] Cf. *Fuero juzgo* XII 3,24 p.160-61.
[32] Cf. J. Vives, *Concilio XII de Toledo* c.9 p.395-97: Mansi, 11,1035-36.
[33] Ibid., c.9 p.397: Mansi, 11,1036.

gioso, se hace del obispo el juez principal en las causas de los judíos. Por eso se mandaría a los jueces civiles que no emitieran fallos en alguna cosa relativa a los abusos de los judíos sin la anuencia de los obispos.

De todo lo dicho se deduce que en los juicios contra los judíos había que contar con la opinión del obispo, siendo su criterio el que prevalecía al aplicar la forma de actuar contra ellos. Pero la preeminencia del obispo no disminuía las responsabilidades que tenían otras personas —como, p. ej., los jueces seglares— en la aplicación de las leyes contra los judíos.

Egica alude al problema judío en el mensaje que dirige al concilio XVI de Toledo, año 693. Declara que todas las leyes dadas anteriormente contra los judíos para lograr su conversión permanecen en vigor y deben ser aplicadas con todas sus exigencias. Según la última ley promulgada por Egica, no podían acudir al mercado a negociar con los cristianos. El rey prometía, además, que quien se convirtiera de corazón al catolicismo se vería libre de los impuestos especiales que como judío debía pagar al fisco [34]. Su parte la pagarían los demás judíos. Así no se resentía el erario público y con cada conversión se elevaban las tasas de los no convertidos.

El concilio aprueba la petición de Egica y declara: «Por lo tanto, y por exhortación y mandato del mismo, ordena la asamblea de todos nosotros que cuanto se sabe que se halla contenido en las determinaciones y leyes de aquellos que nos han precedido en la fe católica para doblegar la infidelidad de los judíos, se cumpla con ellos más escrupulosamente por todas las autoridades y por todos aquellos que regentan el poder judicial, y que también se observe con el mayor entusiasmo todo aquello que nosotros ahora disponemos» [35]. Esas disposiciones se reducen a ratificar la promesa que Egica había hecho de perdonar a los convertidos los impuestos que les correspondía pagar por ser judíos. Pagarán sólo las tasas normales, como cualquier hombre libre. Egica había establecido, además, en una ley civil que los judíos debían vender al fisco, al precio que el Estado impusiera, los edificios, tierras, viñas, olivares y todos los bienes inmuebles que hubieran comprado a los cristianos. El Estado se reservaba el derecho de revenderlos después a personas particulares católicas [36]. La operación podía ser un buen negocio para el Estado y para los compradores católicos. El malestar que causaron estas medidas fue grande. Los judíos se lanzaron abiertamente por el camino de la conspiración.

Los judíos son el tema principal del mensaje que Egica dirige al concilio XVII de Toledo, año 694. Los judíos conspiraban contra la monarquía y contra todo el pueblo visigodo. «Fortísimas razones obligan a nuestra gloria a oponernos a los judíos con todas nuestras fuerzas, porque se afirma que, en algunas partes del mundo algunos se han

---

[34] Cf. J. Vives, *Concilio XVI de Toledo* p.486: Mansi, 12,62-63.
[35] Ibid., c.1 p.497: Mansi, 12,69.
[36] Cf. K. Zeumer, *Leges...* I: Mon. Ger. Hist., *Leges visigothorum* XII 2,18.

rebelado contra sus príncipes cristianos y que muchos de ellos fueron muertos por los reyes cristianos por justo juicio de Dios y, sobre todo, porque poco ha, por confesiones inequívocas y sin género alguno de duda, hemos sabido que éstos han aconsejado a los otros judíos de las regiones ultramarinas para todos, de común acuerdo, combatir al pueblo cristiano, deseando la hora de la perdición de éste para arruinar la misma fe cristiana; todo lo cual os será patente por las mismas confesiones que os van a ser dadas a conocer» [37].

Esa conjuración hizo cambiar la actitud de Egica para con los judíos. Fue la razón principal de convocar un nuevo concilio en tan poco espacio de tiempo. La conjuración existió. «Las medidas que ya el año 694 adopta el concilio XVII contra los judíos tuvieron una base exclusivamente política, y encuentran su motivación en los manejos a que se dedicaban los judíos visigóticos, de acuerdo con los que se habían refugiado en el norte de Africa, para facilitar a los árabes la invasión de nuestra Península. No creemos que se pueda dudar de la existencia de esta conjura, pues en otro caso quedaría sin explicación ninguna el cambio de actitud de Egica para con los judíos, ya que en los primeros años de su reinado se caracterizó precisamente por su tolerancia. Creemos que no hay necesidad alguna de hablar de fanatismo para comprender la actitud de Egica» [38].

Egica se había mostrado benévolo con ellos al principio de su reinado. Había hecho todo lo posible para lograr su conversión convenciéndoles de su error. Más aún, reconoce que, en contra de las leyes anteriores, les había devuelto los esclavos cristianos que, por el mismo hecho de serlo, habían tenido que concederles la libertad. Se les había concedido todo eso con la condición de que se convirtieran sinceramente a la fe católica. Los judíos habían aceptado el pacto y habían dado una serie de garantías y se habían comprometido a aceptar el cristianismo con una declaración jurada. Pero no habían cumplido lo prometido, y seguían practicando sus ritos y ceremonias. Es evidente que no jugaban limpio. Habían abusado de la confianza del rey. Parece que buscaban endurecer los castigos con su forma de actuar. Si, aun comportándose bien, no conseguían que se les dejase en paz, mucho menos lo iban a lograr actuando con engaños y de mala fe. Mejor hubiera sido no comprometerse a nada.

El rey había sido engañado. Si a esto añadimos el decubrimiento de la conjura con los judíos extranjeros, no es extraña la reacción de Egica. Deja en libertad al concilio para que decida la forma de proceder contra ellos y con sus bienes. Está dispuesto a ejecutar todo lo que establezca el concilio. Y para darle más fuerza promete convertirlo en ley civil con validez perpetua. Egica tiene un detalle de comprensión y moderación. Todo lo que se legisle entrará en vigor inmediatamente, excepto para los judíos que viven en la Galia, es decir en los territorios

[37] J. Vives, *Concilio XVII de Toledo* p.524: Mansi, 12,94.
[38] M. Torres López, *El reino hispanovisigodo*, en *Historia de España*, dir. por M. Pidal, III p.132.

que los visigodos poseen al norte de los Pirineos. No quería añadir nuevas penalidades a una región que ya estaba casi despoblada por los delitos, las agresiones externas, la *Crónica* de Alfonso III nos habla de tres ataques de los francos a esta provincia durante el reinado de Egica, que consideraban territorio propio, y diezmada por la peste. A estos judíos les pide que ayuden con todos sus bienes al duque de la región y al fisco para remediar las necesidades de la provincia. Cuando cesen todas esas calamidades, se les aplicará la ley igual que a los demás en caso de que no se hayan convertido al catolicismo.

Egica deja en libertad al concilio para que decida los castigos que se deben imponer a los judíos. Estaban implicados ahora en un delito de lesa majestad. Quizá por eso no expone su propia opinión. En este mismo concilio, al hablar de la reforma de las leyes, exigía un acuerdo entre lo que dictaminase el concilio y su propia forma de pensar. En cambio, deja la cuestión judía en manos de los Padres. Se explica en parte recordando que el concilio IV de Toledo había legislado que los reyes no actuasen como jueces únicos en los juicios de delitos de alta traición, para que resplandeciera más la justicia y los castigos no pareciesen una venganza personal. Pero Egica ni siquiera forma parte del tribunal. Estaría convencido de que, cuando conociesen detalladamente los manejos de los judíos, iban a imponer unos castigos ejemplares.

El rey presentó al concilio pruebas suficientes de la conspiración de los judíos. Los asistentes quedan convencidos de su culpabilidad. Escriben: «... así también es necesario que lloren el haber incurrido en tan terribles castigos los que, mediante otros crímenes propios, no sólo pretendieron perturbar la seguridad de la Iglesia, sino que también se esforzaron, con atrevimiento tiránico, por arruinar a la patria y a todo el pueblo, de tal modo que, gozosos por creer llegada ya su hora, han causado diversos estragos entre los católicos. Por lo que este atrevimiento cruel y asombroso debe ser castigado con duras penas, y así, deben ser juzgados de modo conveniente, para que se castigue enteramente lo que se sabe había sido tramado con perversidad. Y así, mientras en este santo sínodo avanzábamos despacio ocupados en otros asuntos, de repente llegó hasta nuestra asamblea la noticia de la conspiración de estos infieles, de modo que no solamente habían manchado, en contra de su promesa, con la práctica de sus ritos, la túnica de la fe que les había vestido la santa madre Iglesia en las aguas bautismales, sino que quisieron también usurpar para sí el trono real, como hemos indicado, por medio de una conspiración. Y, habiendo sabido esta nuestra asamblea con todo detalle este crimen infausto por sus mismas confesiones, decretamos que en fuerza de este nuestro decreto sufran un castigo irrevocable» [39]. Egica presentó ante el concilio algunos de los conjurados, que confesaron su falta.

La impresión que causaron sus declaraciones debió de ser tremenda. De ahí que las penas que se les imponen sean realmente duras. Tienen en cuenta, como había hecho Egica, no sólo el desprecio por la fe cató-

[39] J. Vives, *Concilio XVII de Toledo* c.8 p.535: Mansi, 12,101-102.

lica, sino también su intento de arruinar a la patria y al pueblo de los godos. En castigo se les confiscan absolutamente todas sus posesiones y tanto ellos como sus esposas y descendientes serán expulsados de los lugares donde viven y exiliados y dispersados por todas las provincias de España como siervos de aquellos a quienes el rey quisiera donarlos. Jamás podrán volver a ser hombres libres, a no ser que se conviertan al catolicismo.

Lo verdaderamente nuevo en esta legislación no está en las penas impuestas, sino en la forma de llevarlas a la práctica. Se aplicaron a todos los judíos sin discriminación. De esa forma se castigaba a muchos inocentes, pues es lógico pensar que no todos ellos estaban al corriente ni participaron en la conjuración. Tales castigos no se les impusieron por ser judíos. Hubieran sido los mismos o parecidos, pero no menos severos, si los conjurados hubieran sido católicos. Recordemos, p.ej., los castigos que el concilio XVI de Toledo impuso a Sisberto, metropolitano de Toledo, por haber conspirado contra el mismo Egica. Se le privó del honor y del cargo, se le excomulgó para toda la vida, se le privó de todos sus bienes, que pasaron a poder del rey, y se le desterró a perpetuidad. Igual pena se impuso a todos sus colaboradores. Era el castigo normal de los traidores.

Aquellos que han recibido a los judíos en calidad de siervos se comprometerán con el rey, por medio de un documento firmado, a no dejarles celebrar sus ritos o ceremonias. Cuando los hijos de esos judíos lleguen a la edad de siete años, los entregarán a familias muy cristianas para que los eduquen en la verdadera fe. Y una decisión curiosa: tanto a los varones como a las hembras se les casará con un cónyuge cristiano. Quizá pensaban que lo que no se había conseguido de otra forma, se lograría con la mezcla de sangre. El rey confirmó todas las decisiones conciliares, con lo que adquirieron valor de leyes civiles.

Tampoco estas decisiones obtuvieron mejores resultados. Los judíos no se convirtieron al catolicismo. Y siguieron intrigando contra la monarquía visigoda. Ayudaron cuanto pudieron a la conquista musulmana. «Averiguado está que la invasión de los árabes fue inicuamente patrocinada por los judíos que habitaban en España. Ellos les abrieron las puertas de las principales ciudades. Porque eran numerosos y ricos, y ya en tiempos de Egica habían conspirado, poniendo en grave peligro la seguridad del reino. El concilio XVII los castigó con harta dureza, reduciéndolos a la esclavitud; pero Witiza los favoreció otra vez, y a tal patrocinio respondieron conjurándose con todos los descontentos. La población indígena hubiera podido resistir al puñado de árabes que pasó el Estrecho; pero Witiza los había desarmado, las torres estaban por tierra, y las lanzas, convertidas en rastrillos. No recuerda la historia conquista más rápida que aquélla. Ayudábanla a porfía godos y judíos, descontentos políticos, venganzas personales y odios religiosos» [40]. Los

---

[40] M. MENÉNDEZ PELAYO, *Historia de los heterodoxos españoles* I (BAC, Madrid 1956) p.301.

mismos historiadores árabes admiten claramente la colaboración hecha por los judíos.

La *Continuatio Hispana* atestigua que Witiza comenzó su reinado perdonando a todos los castigados por haber promovido o participado en sublevaciones. Esta benevolencia se extendió también a los judíos. Pero no cambiaron por eso su actitud contra el Estado. Cuando el ejército visigodo es derrotado y destruido el año 711, junto al lago de la Janda, por los árabes, éstos ya no encuentran una oposición general y organizada, sino sólo la que aisladamente ofrecen algunas regiones y ciudades. En todas ellas encontrarán la ayuda eficaz de los judíos, que facilitarán la rápida conquista árabe. Así, a la traición del conde D. Julián, Oppas, Sisberto y los hijos de Witiza contra el rey D. Rodrigo se sumó la de los judíos.

Los judíos no formaron parte de la unidad político-religiosa que se había iniciado con Recaredo. Más aún, irritados por las constantes presiones que por este motivo se ejercían sobre ellos, la combatieron abiertamente. El pueblo judío vivía separado de los demás. Durante esta época está en una situación jurídica, social y religiosa inferior a la de los demás habitantes del territorio visigodo.

Las leyes civiles y religiosas antijudías coartaban su libertad. Es verdad que estas leyes no se aplicaron siempre con la misma rigidez. Hemos visto cómo se les coaccionaba política y religiosamente para lograr su conversión. A eso se unían las trabas y cortapisas que se les ponían para celebrar su propio culto. «En cuanto a las prácticas y ceremonias judaicas, como la circuncisión, ejercicio de su culto y congregación de sus asambleas, guarda de sus fiestas, y en particular del sábado; lectura de sus libros y respeto de sus limitaciones en los alimentos, encontramos en el período arriano la misma o mayor libertad que en la época romana. El *Breviario* llega a establecer que en sus fiestas no se les cite en justicia, ni se les obligue a dar prestación de trabajo alguno. En el período católico hay que distinguir los momentos de absoluta intolerancia, en los que, naturalmente, no se permitían prácticas judías, de los de tolerancia relativas. En éstos, o se toleraron, en cierto modo, las prácticas judías, o aun, sin imponer conversión, se prohibieron. Así en la época de Recesvinto. En los momentos en que la conversión se hizo obligatoria, no hay ni que decir que no se permitieron las prácticas judías. En esos períodos no hubo en realidad *legalmente* judíos, sino sólo conversos, a los que, naturalmente, se les obligaba a las prácticas cristianas» [41]. El proselitismo judío siempre fue castigado con severidad; a veces, incluso con la pena de muerte.

Se intenta hacer desaparecer su derecho y sus costumbres. Con frecuencia no se les permite la construcción y reparación de las sinagogas. Se les prohíbe el uso de sus formas externas en la celebración del matrimonio. En los matrimonios mixtos de judíos y cristianos, los hijos deben ser obligatoriamente católicos. El concilio IV de Toledo, año 633,

---

[41] M. Torres López, *Instituciones sociales,* en *Historia de España,* dir. por M. Pidal, III p.197.

suprime el bautismo obligatorio de estos niños. Recesvinto lo establecerá años después. Sisebuto obligaba también al cónyuge judío a hacerse cristiano bajo pena de destierro y separación forzosa.

Las limitaciones en cuanto a ejercer algún dominio sobre los cristianos eran antiguas. Se restringen más aún durante este período. Sisebuto prohibía rigurosamente a los cristianos trabajar para los judíos. No podían ser sus colonos. Ervigio no permitía a los judíos ser jefes de empresas donde hubiera algún cristiano. Imponía a los transgresores la pena de decalvación, cien azotes y la pérdida de la mitad de su fortuna. Egica les prohibió, además, toda clase de comercio con los cristianos. Si no se podía trabajar para ellos ni ser sus colonos, mucho menos se podía permitir que un cristiano fuera esclavo de un judío. Sin duda, era ésta la limitación económica más importante. Los siervos tenían una gran importancia económica. Era una mano de obra numerosa y barata. Prácticamente sólo costaba la manutención. Los documentos de la época los presentan dedicados, sobre todo, a los trabajos agrícolas. Recordemos, p.ej., que la Regla de San Isidoro asigna a los siervos del monasterio los trabajos más duros en el campo y la construcción de los edificios. Se les emplea también en la industria, el comercio, las labores domésticas y todo tipo de trabajos manuales. «La importancia económica del siervo se aprecia en múltiples textos que tratan, por las maneras más diversas, de asegurar al dueño no ya la propiedad de su siervo, sino también su integridad personal y capacidad de trabajo. Así, encontramos disposiciones para impedir la fuga de siervos; para compensar los daños físicos que puedan sufrir; para sustituirlos en caso de muerte o inutilización» [42]. Al prohibir a los judíos tener siervos cristianos, se les limitaba su poderío económico. Tendrían que buscarse esclavos de su misma religión o paganos, menos numerosos y fáciles de encontrar. Y siempre estaban en peligro de perderlos, pues cualquier día podía ocurrírseles convertirse al cristianismo, y, por el simple hecho de hacerlo, quedaban libres. Estas leyes, dadas por Sisebuto el año 612, fueron renovadas varias veces, pero no se cumplieron eficazmente. Hemos visto que el mismo Egica confiesa que al principio de su reinado les permitió tener siervos cristianos.

La vida diaria de los judíos no era tan dura como aparece en la legislación civil y eclesiástica. Ni una ni otra se cumplían en la práctica con la misma severidad con que se exigían en teoría. Pero toda esa legislación les hacía vivir en una situación de inferioridad con respecto a los demás habitantes del territorio visigodo y en un clima de inseguridad, pues en cualquier momento se podía exigir el cumplimiento literal de las leyes, con graves consecuencias para su persona y sus posesiones. Con esa legislación dura aplicada a medias no se logró su conversión al catolicismo ni su cooperación política con la monarquía. Lo único que se consiguió fue que cada día odiasen más a la Iglesia y al Estado. Cada vez defendían con más fanatismo sus convicciones religio-

---

[42] Ibid., p.215.

sas y raciales. Los concilios reconocerán abiertamente su fracaso. Se quejarán insistentemente que la legislación anterior no ha surtido ningún efecto.

Los reyes habían puesto mucho interés en que los obispos y los jueces fallasen todos los asuntos judiciales sin apartarse de la justicia. Egica insiste mucho en el mensaje que dirige al concilio XVI de Toledo para que no se dejen corromper con regalos. Ni esto, ni los favoritismos, ni la acepción de personas deben ser la causa de una sentencia injusta. Quizá fueran demasiado frecuentes los casos de corrupción de los jueces. Es evidente que, a pesar de esas peticiones y de las amenazas que se hacen a obispos y jueces para que cumplan escrupulosamente con esas obligaciones, las leyes no fueron urgidas con demasiada severidad. El dinero de los judíos hizo que toda esa legislación no se aplicara estrictamente.

Recesvinto y Ervigio se quejan del poco celo demostrado en la solución del problema judío. A. Echánove, aludiendo al canon 58 del concilio IV de Toledo, donde se dice que muchos sacerdotes y laicos, habiendo recibido dones de los judíos, fomentan la perfidia de éstos, comenta: «La avaricia, pues, tanto de seglares como de clérigos de cualquier categoría, era en sí misma una rémora contra la que el concilio debía luchar durante todo el siglo VII. De nada servían las medidas para extirpar el judaísmo si el oro de los hebreos ataba después las manos. Y ésta es la razón por la que se repiten las amenazas incansablemente y continúan aplicándose ineficazmente. Como, no obstante, los judíos vivían continuamente irritados por aquellas mediocres aplicaciones, se fueron creando ambientes desagradables que encendían anhelos de venganza progresivamente mayores. Cuando la monarquía fue debilitándose y el abismo psicológico creado por siempre nuevas leyes se hizo insalvable, los judíos, que habían conservado sus fuerzas casi íntegras merced a la venalidad cristiana, vieron llegada su hora, y actuaron en consecuencia, lubrificando monetariamente la subversión política. Eran las consecuencias no sólo de una legislación imprudente, sino, además, de la indecisa y quebrantada ejecución» [43]. El concilio excomulgaba a quienes se dejaban sobornar.

La observación vale para toda la legislación antijudía. Implícita o explícitamente, todos los concilios reconocen que hasta su celebración apenas se ha conseguido nada. Intentan remediar las cosas, pero éstas siguen igual. Ni la Iglesia logró su conversión ni el Estado incorporarlos definitivamente a la unidad política del país. Políticamente se exacerban cada vez más contra los reyes. Vimos que se unieron al rebelde conde Paulo en su levantamiento contra Wamba, en tiempo de Egica organizan una rebelión en connivencia con los judíos del norte de Africa y desarrollan un papel importante en la ocupación de España por los árabes. Religiosamente, al menos en su interior, siempre fueron fieles a sus

[43] A. ECHÁNOVE, art.cit. p.274.

ritos y creencias. Muchas de las conversiones que se realizaron fueron ficticias.

El problema judío no era exclusivo de España. Ni la actitud que toman la Iglesia y el Estado visigodo contra los judíos difiere mucho de lo hecho en otras partes. Escribe R. Hernández: «La actitud seguida por los monarcas y por los obispos de España con respecto a los judíos en el siglo VII no desentona del ambiente general europeo de aquel entonces tanto en lo político como en lo religioso. En todos los países encontramos aplicada la violencia hasta en sus máximos grados: reyes que urgen la elección entre el bautismo o la muerte, o entre conversión o destierro, y obispos que dificultan a los hebreos la vida para que el castigo les conduzca a la Iglesia o que les prometan ciertas ventajas en caso de aceptar el bautismo. La diferencia con el caso de España descansa, fundamentalmente, en la continuidad de las medidas adoptadas, explicable por la misma continuidad del sistema político y la función de la Iglesia dentro del mismo. Una nota que pone a los católicos españoles del siglo VII por encima de los otros países en esta materia es la elaboración de un brillante conjunto de escritos polémicos, de los que puede decirse por completo ausente todo fanatismo, sea de origen racial, sea de origen religioso. Con ello, los teólogos hispano-visigodos nos enseñan que sus pugnas intelectuales no fueron estériles, pudiendo legar a las generaciones venideras las bases para una síntesis doctrinal de apologética antijudía de gran interés»[44].

Modernamente, y con toda razón, se pueden poner muchos reparos a toda la legislación antijudía y al fin que se proponía, que era coaccionar a los judíos para que se convirtieran al catolicismo. Los legisladores estaban convencidos de que era lícito emplear esos medios para lograr el fin deseado. Entonces no se pensaba siquiera en la libertad y tolerancia religiosa. Desgraciadamente, la idea de San Isidoro de intentar su conversión sólo con la razón y la predicación no excluyó el empleo de esos medios coactivos. El mismo empeño que los cristianos pusieron en convertirlos, pusieron los judíos en defender y conservar sus creencias y ceremonias. Fracasaron en su intento las leyes, la predicación y los escritos teológicos antijudíos, en los que los escritores visigodos intentaron convencerles de su error con argumentos teológicos, históricos y escriturísticos. La Iglesia y el Estado visigodo no lograron su propósito.

3. LAS HEREJÍAS

Las herejías no fueron problema para la Iglesia visigoda en este período. Ningún español defendió doctrinas heterodoxas. Tampoco encontraron eco en territorio visigodo las herejías surgidas en otros lugares. El arrianismo, que había sido la religión oficial de los visigodos hasta el año 589, desapareció casi repentinamente con la conversión de Recaredo, a quien siguió todo su pueblo, excepto muy raras excepcio-

---

[44] R. HERNÁNDEZ, art.cit. p.120.

nes. Ni siquiera el clero arriano opuso gran resistencia al cambio de fe. Al menos no la mencionan los documentos de la época. Las rebeliones que se formaron contra Recaredo tenían un carácter más político que religioso. La finalidad que se proponían los sublevados, más que restaurar la fe arriana, era apoderarse del trono. Todas ellas fueron maniobras políticas que trataron de aprovechar en su favor el descontento que hubiera podido producir la conversión de Recaredo. Witerico (603-10) intentó restablecer el arrianismo durante su reinado. Su fracaso fue absoluto. Las fórmulas de fe que aparecerán en casi todos los concilios eran solamente una confesión de fe para proclamar su ortodoxia. No significaban que hubiera aparecido algún error contra la doctrina católica y hubiera que combatirlo.

La excepción a lo dicho puede ser un obispo desconocido. No sabemos exactamente qué obispo afirmó que el alma humana y los ángeles no eran espirituales. Le conocemos sólo por la réplica que le hace Liciniano de Cartagena. Liciniano murió a finales del siglo VI. Cabe pensar que el tal obispo viviría, poco más o menos, por la misma época y, con mucha probabilidad, sería español. Afirmaba que solamente Dios es espiritual y todo lo demás es corpóreo. Por tanto, el alma racional y los ángeles no eran espirituales.

Sabemos todo esto por la *Epistola ad Epiphanium* [45]. La firman Liciniano y Severo, obispo de Málaga. El destinatario era diácono, quizá de la diócesis de ese obispo, que no nombran por cortesía. Había pedido una aclaración sobre el asunto. «La doctrina del prelado de Cartagena es rotunda y contundente. Al error del ignorado obispo opone dos clases de argumentos, uno de autoridad y otro de razón. Con numerosísimos testimonios escriturísticos prueba que los ángeles son llamados en la Biblia *espíritus*. Lo mismo sucede con el alma, a la que se da también el nombre de *mens*. En armonía con la tradición bíblica está la razón» [46].

Los Padres de la Iglesia habían afirmado la espiritualidad del alma humana. Pero la verdad es que sus explicaciones eran demasiado oscuras y poco precisas en muchos casos. Dicen con frecuencia que el alma está compuesta de una materia sutilísima distinta de la corpórea. Tertuliano y Arnobio afirmaron claramente la corporeidad del alma. El asunto estaba entonces mucho más oscuro que ahora.

Liciniano derrocha ingenio para probar que ni los ángeles ni el alma humana son corpóreos. Los cuerpos ocupan un lugar. Tienen tres dimensiones. No se puede afirmar que ocurra lo mismo con el alma y con los ángeles. Tampoco se puede decir que su esencia está compuesta de diversos elementos. Además, en muchos pasajes de la sagrada Escritura se afirma que los ángeles son espíritus. El mismo Evangelio (Mt 10,28) afirma que el cuerpo muere, pero el alma no puede morir. De ahí deduce Liciniano que el alma no es algo corpóreo. Ese obispo desconocido admite que Dios es espíritu. Ahora bien, el alma es imagen de Dios,

---

[45] Cf. LICINIANO, *Epistola ad Epiphanium:* ML 72,691-700.
[46] Z. GARCÍA VILLADA, o.c. II p.2.ª p.165.

como Él mismo afirma (Gén 1,26-27). El alma, por tanto, no puede ser un cuerpo. Afirmar lo contrario es ir contra la sagrada Escritura.

Parece ser que uno de los argumentos que usaba el obispo era que el alma debe estar contenida en algún lugar. Liciniano le pide que diga qué lugar puede ser ése. Si es el cuerpo quien la contiene, resulta que aquél es más perfecto que ésta. Y es absurdo decir que el cuerpo es más excelente que el alma. Por tanto, es el alma la que contiene, y el cuerpo el contenido. El alma rige y vivifica al cuerpo, con mayor razón tiene que contenerle. Toda el alma está completa en todas las partes del cuerpo, tanto en las más grandes como en las más pequeñas. Y así, toda el alma ve, oye, huele, toca y gusta, y, cuando mueve al cuerpo en el espacio, ella no se mueve en el lugar. Por eso distingue tres naturalezas: la de Dios, que ni está en tiempo ni en lugar; la del espíritu racional, que está en tiempo, pero no en lugar; la de la materia, que está en lugar y en tiempo.

El adversario replicará que el alma no puede existir fuera del cuerpo y que su cantidad está limitada por la de éste. Resultaría entonces que el hombre sería más sabio cuanto mayor fuera su cuerpo. Y la experiencia demuestra que muchas veces son más inteligentes los pequeños que los grandes. La cantidad del alma no se mide por la del cuerpo. Si no tuviera más magnitud que el cuerpo, ¿cómo puede contener en sí tantas y tan grandes ideas? Todo lo que se ha visto: cielo, tierra, montes, ríos, ciudades, queda grabado en el alma. La razón es clara. El alma es incorpórea y contiene todas esas cosas *de un modo no local*. El alma no tiene cantidad, porque no es cuerpo. Liciniano, pues, prueba la espiritualidad del alma por el poder de abstracción que ésta tiene. Por él forma las ideas universales inmateriales y percibe lo espiritual e incorpóreo. «Por eso, conforme a la verdad de la recta fe católica, creemos que Dios, incorpóreo, hizo unas cosas incorpóreas y otras corpóreas, y sujetó lo irracional a lo racional, lo no inteligente a lo inteligente, lo injusto a lo justo, lo malo a lo bueno, lo mortal a lo inmortal» [47].

Liciniano aparece en otro asunto menos importante, pero más curioso. En el siglo IV se había extendido en Oriente la leyenda de que Cristo había escrito una carta a Abgar de Edesa, y la Virgen otra a los habitantes de Mesina. Ocurrió lo mismo en Ibiza a finales del siglo VI. El obispo Vicente admitió como auténtica una carta que se decía escrita por el mismo Cristo. Llegó a leérsela en público a sus fieles. Más tarde escribe a Liciniano de Cartagena y le envía la carta para que la conozca.

En mala hora lo hizo. Liciniano le echa una reprimenda muy dura. Le ha llenado de tristeza que haya dado crédito a tal carta y que la haya leído desde el púlpito. El comenzó a leerla delante del portador, y, no pudiendo aguantar tantas tonterías juntas, la rompió allí mismo inmediatamente. Le admira que después de las profecías, los evangelios y la epístolas de los apóstoles haya dado crédito a una carta escrita por uno cualquiera. Ni la doctrina ni el estilo valen para nada. La carta reco-

---

[47] Cf. LICINIANO, *Epist. ad Epiphanium:* ML 72,696.

mendaba que se guardase el domingo y no se hiciese absolutamente nada. Liciniano ve en ello influencias judías. Piensa que, si el cristiano no va a la iglesia ese día, está mejor trabajando en su huerto que bailando y torciendo de mala forma los miembros bien hechos por Dios.

Cristo no se entretiene en enviar cartas. Es suficiente lo que nos ha revelado El mismo o por medio de los profetas y los apóstoles. Ni siquiera a éstos les enviaba cartas del cielo. El Espíritu Santo les iluminaba. Por tanto, no debe creer en tales supercherías inventadas por el diablo. Le aconseja que se arrepienta de haber creído tal patraña y haberla leído en público. Si aún tiene esa carta en su poder, debe romperla delante del pueblo [48].

La controversia sobre los *Tres capítulos* halló un cierto eco en España. Reciben este nombre los escritos de Teodoro de Mopsuestia, de Teodoreto de Ciro y la carta de Ibas de Edesa. Se les acusaba de admitir dos personas en Cristo y negar la comunicación de idiomas. Nestorio recogió estas doctrinas, que condenó el concilio de Efeso, año 431. El monofisismo nace como reacción al nestorianismo. Para defender la unidad personal negaba que en Cristo hubiera dos naturalezas. El concilio de Calcedonia, año 451, condenó el monofisismo. Teodoreto de Ciro e Ibas de Edesa comparecieron ante el concilio acusados de nestorianismo. Pero hicieron una profesión de fe completamente ortodoxa y volvieron a sus sedes sin ser condenados.

Teodoro Askidas, origenista, convenció al emperador Justiniano (527-66) que la mejor manera de atraer a la fe ortodoxa a los monofisitas era condenar a los llamados *Tres capítulos*. El emperador lo hizo en un decreto publicado el año 544 y enviado a todas las iglesias del imperio. En Oriente fue admitida fácilmente, pero en Occidente encontró mucha oposición por creerse que comprometía lo hecho en el concilio de Calcedonia.

El emperador trató de atraerse a los occidentales, especialmente al papa Vigilio. Este tuvo que ir a Constantinopla. Bajo presiones publicó el *Iudicatum,* en el que condenaba abiertamente los *Tres capítulos.* Era una debilidad, pero no contenía ningún error dogmático. Pero en Occidente se consideró como un triunfo del monofisismo. Se llegó a culpar al papa de herejía, y el sínodo de Cartago del año 550 le excluyó de su comunión mientras no se retractase. El papa entonces creyó oportuno derogar el decreto y pidió al emperador que un concilio solucionase la cuestión. Sin el consentimiento y asistencia del papa, se reunió el concilio de Constantinopla del año 553, que condenó los *Tres capítulos* y amenazaba a quienes los defendiesen con la deposición y la excomunión. El papa publicó el *Constitutum,* condenando sesenta proposiciones de Teodoro de Mopsuestia, pero prohibiendo la condenación de los otros dos capítulos. El emperador le acusó de nestorianismo y le desterró. Unos meses después, el papa se convenció de que la condenación de los *Tres capítulos* no iba en contra de las decisiones de Calcedonia.

---

[48] Cf. Liciniano, *Epistola ad Vincentium episcopum:* ML 72,699-700.

Por eso en su segundo *Constitutum* admitió las decisiones del concilio II de Constantinopla.

La Iglesia africana se opuso tenazmente a esta condena. Las principales figuras de la oposición son los obispos Facundo, Verecundo, los diáconos Liberato y Ferrando y el historiador Víctor de Túnez. A España llegó la controversia de forma confusa y a través de los escritores africanos. Solamente San Isidoro se hace eco de ella en el *De viris illustribus*. Al hablar de Justiniano, dice de él, entre otras cosas, que publicó un rescripto contra el sínodo del Ilírico y otro contra los obispos africanos que defendían al concilio de Calcedonia. Estos datos los toma casi literalmente de Víctor de Túnez. Vuelve a hablar de la controversia en los capítulos dedicados a Teodoro de Mopsuestia, Verecundo, Ferrando, Facundo y Víctor de Túnez. En España, pues, se conoció la controversia a través de los escritores africanos. No es extraño, pues, que coincidan en el modo de pensar.

Ni San Isidoro ni ningún otro español defendieron con este motivo ideas contrarias al dogma. «Realidad histórica incuestionable es que la Iglesia hispana, y concretamente San Isidoro, varias decenas de años después de la definitiva resolución del papa Vigilio, lamentaba, por influencia de autores africanos, la condenación por Justiniano de los *Tres capítulos*, defendía rotundamente al concilio de Calcedonia de lo que sólo en apariencia era un ataque a su autoridad e incluso excluía, tal vez por todo esto, de la *Colección canónica Hispana* al concilio II de Constantinopla. Todo ello no significa, sin embargo, ni una negación de la autoridad dogmática superior del obispo de Roma, admitida claramente por la *Hispana* y por San Isidoro, como veremos luego, ni la aceptación formal de doctrinas nestorianas, que bien claramente condenó el concilio de Efeso, recibido en nuestra Iglesia con plena autoridad»[49]. Lo que ocurría es que veían, igual que los africanos» toda la controversia de los *Tres capítulos* bajo la idea de admitir o no lo hecho en el concilio de Calcedonia. Los españoles consideraban intocable a este concilio por su carácter dogmático. En él se había absuelto a Teodoreto de Ciro e Ibas de Edesa después de que hicieron una confesión de fe ortodoxa retractándose de sus doctrinas. Se absolvió a las personas. En Constantinpla se condenaron sus doctrinas erróneas. Ambos concilios realmente no se contradecían entre sí.

San Isidoro, al hablar de Teodoro de Mopsuestia, afirma que Justiniano publicó el edicto contra los *Tres capítulos* influenciado por los *obispos acéfalos*, que no querían admitir el concilio de Calcedonia. El mismo define así la herejía de los *acéfalos:* «Los *acéfalos,* que quiere decir sin cabeza, porque se desconoce el autor de esta herejía. Rechazan los tres capítulos del concilio de Calcedonia, niegan la dos naturalezas en Cristo y predican, en la persona del mismo, una sola naturaleza»[50]. Eran los

---

[49] M. TORRES LÓPEZ, *La Iglesia en la España visigoda,* en *Historia de España,* dir. por M. Pidal, III p.288.
[50] SAN ISIDORO, *Etimologías* VIII 5,66, ed. L. Cortés (BAC Madrid 1951) p.195: ML 82,304.

monofisitas, que seguían a Pedro Mongo, y recibieron ese nombre en Alejandría al quedar privados de su jefe.

Esta herejía llega a España en la persona de un obispo sirio llamado Gregorio. Nada más sabemos de su vida. Desconocemos también por qué razón se presenta al concilio II de Sevilla, año 619. Nos dice de él: «En la duodécima causa se nos presentó ante nosotros cierto sirio de la herejía de los acéfalos que afirmaba ser obispo y que negaba la existencia de dos naturalezas en Cristo, y afirmaba que la deidad podía padecer, y como apareciese a nuestros ojos su confusión y su error tan grande, presentándole los textos acerca de la encarnación de nuestro Señor Jesucristo y leyéndole algunos lugares de los Santos Padres, a continuación le exhortamos, con todo fervor y modestia sacerdotal, a abrazar la rectitud de la verdadera fe, el cual, rehusando el asentimiento a estas saludables advertencias pertinazmente y tras muchas y largas controversias, finalmente, iluminado por la gracia divina, abjuró de su propia herejía delante de todos los presentes y confesó dos naturalezas y una persona en uno mismo e idéntico Señor nuestro Jesucristo, creyendo que la naturaleza de la divinidad era impasible y que en sólo la humanidad aceptó las debilidades de la pasión y de la cruz. Así, pues, convertido y admitido, hizo la confesión de fe que admitía, acompañándola de juramento, y apareció limpio de todos sus errores; y, gozándonos por esta buena obra, dimos gracias a Cristo por haberle traído con la divina gracia, de la maldad herética, a la verdadera fe, al cual le deseamos que, permaneciendo en la fe de Cristo, se conserve pura y devotamente» [51].

Los textos que se le presentaron para convencerle de su error son, sin duda, los que aparecen en el canon siguiente. Tratan de demostrar la existencia de dos naturalezas y una sola persona en Cristo y que la divinidad es impasible. Se proponen atraer a la verdadera fe a aquellos que podían haber sido engañados con estos errores. No conocemos la extensión que esta herejía pudo tener en esta época en España. Los Padres del concilio II de Sevilla le dan mucha importancia. Pero no sabemos si se debe a la gravedad de sus afirmaciones o a que hubiera encontrado adeptos en España. Nos inclinamos por lo primero. Comienzan exponiendo gran cantidad de pasajes escriturísticos que prueban la existencia de las dos naturalezas y que fue la humana quien padeció. Añaden luego textos de San Hilario, San Ambrosio, San Atanasio, San Gregorio, San Basilio, San Cirilo, San Agustín, San León y San Fulgencio [52]. No se vuelve a mencionar esta herejía en el período visigodo.

La herejía monotelita, que se fragua en Oriente durante este período, no encuentra seguidores en España. Fue condenada en el concilio III de Constantinopla, celebrado en los años 680-81. El papa San León II pidió a la Iglesia española que se adhiriese a lo hecho en Constantinopla. Los obispos españoles condenaron el monotelismo en térmi-

---

[51] J. VIVES, *Concilio II de Sevilla* c.12 p.171-72: MANSI, 10,561.
[52] Cf. ibid., c.13 p.172-85: MANSI, 10,561-68.

nos que no fueron entendidos completamente en Roma. Esto fue motivo de un lamentable incidente entre la Iglesia española y la Santa Sede. Lo estudiaremos más detenidamente al hablar de las relaciones con Roma.

En este período, la Iglesia española, pues, se mantuvo dentro de la más pura ortodoxia. Esta fue una de sus principales preocupaciones. Recordemos que uno de los fines de los concilios generales era el tratar cuestiones de fe cuando fuese necesario. Las numerosas fórmulas de fe prueban que la Iglesia española aceptaba plenamente todo lo definido en los concilios ecuménicos. Y, por lo que hemos visto, reaccionaba rápida y eficazmente contra cualquier brote aislado que se produjera de doctrinas heterodoxas.

4. RELACIONES CON ROMA

La conciencia de colegio nacional que tenían los obispos españoles no les hace pensar que son la suprema autoridad dentro de la Iglesia española. Los concilios nacionales y los obispos reconocen la autoridad de los concilios universales y la autoridad del papa. Los concilios nacionales ponen mucho empeño en que sus doctrinas y decisiones estén de acuerdo con el pensamiento de la Iglesia universal.

El concilio III de Toledo, p.ej., prohíbe todo aquello que prohíben los antiguos cánones y manda que permanezcan en vigor las determinaciones de los santos concilios y las cartas sinodales de los santos prelados romanos [53]. Expresiones parecidas se pueden encontrar en los demás concilios. Mandarán, igual que en las iglesias orientales, que se recite el símbolo de la fe del concilio de Constantinopla. Aludirán muy frecuentemente a los cánones primitivos de la Iglesia. Pondrán especial interés en seguir los pasos de la Iglesia universal, sobre todo no apartándose de ella en cuestiones de fe. Los concilios de Toledo proclaman que su doctrina no es otra que la de Nicea, Constantinopla, Efeso y Calcedonia.

Durante todo el período visigótico no faltan testimonios de reconocimiento hacia la Iglesia de Roma, aunque no sean muy numerosos. Ni todos estén fundados en términos de plena cordialidad. La Iglesia visigoda siempre aceptó el principio de unidad de la Iglesia católica: unidad de fe, en el dogma, en la liturgia, en las costumbres. Nunca hubo diferencias de orden doctrinal entre la Iglesia visigoda y Roma. Ni se negó el primado o el poder de intervención de la Santa Sede en los asuntos de la Iglesia española.

Pero durante este período es evidente que las relaciones entre España y Roma bajan considerablemente en cantidad y cordialidad. Las razones que lo explican son varias. En primer lugar podríamos mencionar el acercamiento y posterior identificación de la Iglesia española con la monarquía visigoda y la oposición de ambas al imperio de Oriente,

---

[53] Cf. J. VIVES, *Concilio III de Toledo* c.1 p.124-25: MANSI, 9,992.

que ocupa parte del territorio visigodo. Roma en este tiempo estaba bajo la política imperial. La segunda causa es el florecimiento de la Iglesia visigoda y su fuerza interna, que le permite solucionar por sí misma sus propios problemas, especialmente los de carácter pastoral y disciplinar. Así, no era necesario recurrir a Roma con tanta frecuencia. «El resultado de este proceso fue la configuración de una vigorosa Iglesia nacional, con clara conciencia de su propia personalidad y de su coherente unidad. Una fe, una Iglesia, un reino, es el lema que proclama el concilio IV toledano, presidido por San Isidoro, y que bajo muchos aspectos fue un auténtico concilio constituyente. Se establece en él la unidad litúrgica para todas las iglesias de España; y la razón suprema de esa unidad de culto no es otra, según declaran los obispos, sino que todos están ligados por el doble vínculo de profesar una misma fe y pertenecer a un mismo reino» [54].

Otras razones que explican, en parte, esta escasez de correspondencia son las dificultades de las comunicaciones y porque, gracias a la frecuencia de los concilios, en España no existían los mismos abusos que en otras partes. Señalemos además que el discutir alguna vez no lleva consigo necesariamente la negación del primado de Roma. Recaredo comunica al papa el hecho de su conversión tres años después, el año 590. El papa no contesta hasta el año siguiente. Otra vez Recaredo pide a San Gregorio que escriba al emperador Mauricio para arreglar los derechos que el imperio tenía en la Bética. Gregorio se excusa de responderle con tanto retraso por no haber encontrado ninguna nave que viniera a España.

No hubo motivos especiales o dificultades que consultar con Roma en este período. Cuando los hubo, se había preguntado a Roma la forma de proceder. Recordemos el caso de Profuturo de Braga, que en el 538 consulta al papa Vigilio sobre varios asuntos litúrgicos. San Leandro consulta a San Gregorio Magno sobre el problema de la simple o triple inmersión en el rito bautismal. Los papas León, Zenón y Hormisdas habían enviado legados a España para solucionar asuntos dogmáticos o disciplinares. Ahora los obispos españoles no creen necesario recurrir a Roma para solucionar sus problemas. La Santa Sede, salvo en los dos casos que estudiaremos, tampoco interviene directamente en la vida eclesiástica de la España visigoda.

Realmente se han exagerado las fricciones entre la Iglesia visigótica y Roma. Duchesne, fundado en estas disensiones, afirma que la Iglesia española era una Iglesia nacionalista, independiente y opuesta a Roma [55]. Aduce como prueba la escasa correspondencia entre España y Roma en este período. Creemos que este argumento no prueba nada, pues, como hemos visto, se pueden dar razones de más peso que explican esa falta de cartas. Tampoco prueba gran cosa el decir que Roma sostuvo mucha más correspondencia con otros países. Las circunstancias

---

[54] J. ORLANDIS, *Las relaciones intereclesiales en la Hispania visigótica*, en *Comunione intereclesiale. Collegialità. Primato. Ecumenismo* (Roma 1972) p.420-21.
[55] Cf. L. DUCHESNE, *Origines du culte chrétien*, 5.ª ed. (París 1909) p.40-41.

eran distintas. E. Magnin se queja de la falta de correspondencia entre España y la Santa Sede, pero no admite el nacionalismo semicismático que se atribuye con frecuencia a la Iglesia visigoda [56].

El apelativo de *Iglesia nacional* que se la ha dado muchas veces debe entenderse no como una Iglesia independiente u opuesta a Roma, sino como una Iglesia fuertemente organizada, estrechamente unida al poder político y con fuerza suficiente para resolver sus propios problemas. Los obispos españoles se reúnen frecuentemente en concilio. Todas las decisiones se toman colegialmente. Son los responsables de la fe, la pastoral y la disciplina de todo el territorio nacional. Los concilios legislaban y juzgaban con más autoridad que la que podía tener un obispo en su diócesis. Al tomarse las decisiones en común había menos posibilidad de equivocación y, por tanto, menos necesidad de que Roma tuviese que intervenir en los asuntos de la Iglesia española. Los concilios eran también tribunales de apelación a los que todos, fieles, clérigos y obispos, podían acudir a pedir justicia, lo que, evidentemente, disminuía las quejas o apelaciones a Roma. Esta Iglesia no consultaba a Roma cuando sabía de qué forma actuar y no pedía consejos cuando no los creía necesarios.

A pesar de todo, no faltó intercambio de cartas cuando las circunstancias lo requerían. Hemos citado la correspondencia entre Recaredo y San Gregorio Magno con motivo de la conversión de aquél al catolicismo. Esto nos hace pensar que si hubo poca correspondencia entre Roma y España, es porque no había motivos graves para ello. Cuando Roma lo creyó necesario, se puso en contacto con los obispos españoles. Dos veces que esto ocurrió estuvieron bastante tensas las relaciones entre la Iglesia española y Roma.

El año 638, estando reunido el concilio VI de Toledo, llega a los Padres una carta del papa Honorio I. El papa les incita a defender la fe y, sobre todo, a no permanecer mudos, como perros que no saben ladrar, ante el peligro que los judíos representan para la fe. A. K. Ziegler afirma que la negligencia de que acusa el papa a los obispos españoles es tema de conjeturas y que por el mal humor que se palpa en la carta y por el aire de inocencia injuriada que cree ver en ella, afirma que pierde valor el reconocimiento que San Braulio hace de la autoridad del papa [57].

Lo que aparece claro es que la carta no hace mención de la predicación, cumplimiento de los deberes episcopales, etc. En cambio, se extiende en aclarar la posición de los obispos españoles respecto a esos enemigos de la fe, que no pueden ser otros que los judíos. La carta de San Braulio es una respuesta a la enviada por el papa. Creemos lógico, por tanto, que ambas tratasen del mismo asunto. Si San Braulio se empeña en defender la actitud de los obispos con los judíos, es que ésa era la acusación que les hacía el papa. Afirma claramente en la respuesta

---

[56] Cf. E. MAGNIN, *La discipline de l'Église wisigothique au VIIeme siècle* (París 1912) p.23-31.

[57] Cf. A. K. ZIEGLER, *Church and State in visigothic Spain* (Wáshington 1930) p.51.

que la carta que había traído el diácono Turnino era una recomendación para que fuesen más firmes en la defensa de la fe y más ardorosos en atajar la plaga de los renegados. Es una alusión directa al problema judío.

La respuesta la redactó San Braulio en nombre de todos los obispos españoles [58]. Los concilios y los escritores visigodos admiten explícitamente el primado romano. En la carta de San Braulio se reconoce abiertamente la primacía y el magisterio infalible del papa. Pero en este caso concreto aceptan las palabras del papa como un consejo de ser más responsables en el cumplimiento de sus deberes pastorales, pero no como una norma a seguir para lograr la conversión de los judíos.

El tono de la carta es realmente duro. No admiten la acusación que se les hace por su conducta con los judíos. No son tan inútiles que hayan olvidado sus deberes. Pero piensan que hay que corregir con suavidad. No aceptan que les llame *perros que no saben ladrar*. Eso no va con ellos, porque cuidan vigilantes de sus fieles y espantan con sus ladridos a los lobos y a los ladrones. Están tranquilos, porque han cumplido con el grave deber de predicar. Además han publicado y ejecutado las penas y castigos que las leyes imponían a los judíos. Todo esto no es una disculpa a su conducta o un intento de engañar al papa. Para probarlo le mandan las actas de los concilios anteriores y del actual, el VI de Toledo.

Los obispos españoles disienten de la opinión del papa y defienden su parecer. «Sin embargo, tampoco de nosotros se había adueñado una indolencia tal, que, olvidados de nuestro deber, ningún estímulo de la gracia celestial lograra conmovernos, sino que, de acuerdo con las circunstancias de los tiempos, los predicadores desarrollaron su acción; y en lo que no hemos logrado poner apaciguamiento, sepa vuestra beatitud que hemos actuado con indulgencia más bien que con despreocupación o miedo, conforme aconseja el Apóstol cuando dice: 'Corrigiendo con mansedumbre a los que piensan de modo distinto, por si Dios les concede arrepentimiento para reconocer la verdad y logran liberarse de los lazos del diablo'. Por ello hemos querido actuar con medidas hábiles, de modo que a los que veíamos que no se someterían con rígidos castigos, pudiéramos doblegarlos con la dulzura cristiana y someter con el bálsamo continuado e ininterrumpido de las predicaciones su genuina dureza» [59].

La respuesta prueba que la carta del papa había dolido a los obispos españoles. Y tenían cierta razón en sentirse molestos. Si se hojean los cánones de los concilios, se verá que el problema que planteaban los judíos era, quizá, el que más les preocupaba. Se habían esforzado realmente para encontrar una solución. Además de la predicación habían usado medios coactivos. El concilio IV de Toledo, cinco años antes, ha-

[58] Cf. SAN BRAULIO, *Epistola XXI eiusdem Braulionis nomine Concilii VI Toletani scripta ad Honorium I:* ML 80,667-70; L. RIESCO TERRERO, *Epistolario de San Braulio* ep.21 (Sevilla 1975) p.109-15.
[59] L. RIESCO TERRERO, *Epistolario de San Braulio* ep.21 p.109-11: ML 80,668.

bía dado una serie de decretos contra ellos. Se les había prohibido desempeñar cargos públicos. No se les admitía como testigos. Se les prohibía tener esclavos cristianos. Los fieles debían tener por extraño a la Iglesia a quien les ayudase de cualquier forma. Llegan a decretar que a los hijos de los judíos se les separe de sus padres para evitar que se contagien de la maldad de éstos. Prohíben el trato de los judíos conversos con los demás judíos [60].

A esto debemos añadir lo que se estableció en el concilio VI de Toledo, que se estaba celebrando cuando llegó la carta del papa. Los Padres se alegran de que los judíos comienzan a ceder. La razón es la siguiente: «Pues todo el mundo sabe que, por inspiración del mismo Dios, el excelentísimo y cristianísimo príncipe, inflamado del ardor de la fe y en unión de los obispos de su reino, ha determinado extirpar de raíz las prevaricaciones y supersticiones de aquéllos, no permitiendo vivir en su reino al que no sea católico» [61]. Y en el mismo canon se exige que los futuros reyes no tomen posesión del trono hasta que hayan jurado que no permitirán que los judíos violen la fe católica y que no les favorecerán de ninguna manera.

Los obispos españoles habían hecho lo que en conciencia estimaban lícito para atraer a los judíos. La legislación, como puede verse, era muy dura. Pero los obispos visigodos no deseaban pasar más adelante, como indicaba el papa en su carta. La razón de este modo de proceder la había expuesto el concilio IV de Toledo: «Acerca de los judíos, manda el santo concilio que en adelante nadie les fuerce a creer, pues Dios se apiada de quien quiere y endurece a quien quiere. Pues no se debe salvar a los tales contra su voluntad, sino queriendo, para que la justicia sea completa. Y del mismo modo que el hombre, obedeciendo voluntariamente a la serpiente, pereció por su propio arbitrio, así todo hombre se salve creyendo por la llamada de la gracia de Dios y por la conversión interior. Por lo tanto, se les debe persuadir a que se conviertan no con la violencia, sino usando del propio arbitrio y no tratar de empujarles» [62]. En la carta esperan que «los que no han podido ser doblegados con métodos rígidos, puedan ser convencidos con promesas cristianas y con asiduidad y perseverancia en la predicación» [63]. Los obispos españoles se habían convencido de que las severísimas leyes dadas por Sisebuto contra ellos para lograr su conversión no habían obtenido resultados positivos. Cuando Suintila les permitió volver del destierro y se mostró más tolerante que su antecesor, la mayoría de los judíos convertidos volvió a sus antiguas observancias.

La legislación vigente es dura con los judíos. Y envían al papa toda esa legislación para que vea que no son condescendientes con ellos. Los obispos españoles sospechan que el papa está mal informado. Exponen con claridad todo lo que piensan sobre el asunto. Para ellos, el papa ha

---

[60] Cf. J. Vives, *Concilio IV de Toledo* c.58-65 p.211-14: Mansi, 10,633-35.
[61] J. Vives, *Concilio VI de Toledo* c.3 p.236: Mansi, 10,663-64.
[62] J. Vives, *Concilio IV de Toledo* c.57 p.210: Mansi, 10,633.
[63] L. Riesco Terrero, o.c. ep.21 p.111: ML 80,668.

oído falsos rumores levantados por algún calumniador anónimo y mal-
intencionado. Aunque hayan dado motivo a la carta del papa, esperan
que éste no haya dado crédito a tales bulos. Para demostrarle que las
malas lenguas no perdonan a nadie, le hacen saber que ha llegado a
ellos el rumor, aunque no lo han creído, de que el mismo papa, por
medio de un rescripto, ha permitido a los judíos bautizados volver a las
prácticas de su antigua religión.

Todavía se atreve San Braulio, al final de la carta, a pedir al papa
que recapacite, por la gran responsabilidad que tiene, en el castigo tan
grande que quiere que se imponga a los apóstatas. Los antepasados
nunca impusieron penas tan severas. No sabemos exactamente qué castigos quería imponer el papa a los judíos relapsos. Ni ese mismo castigo
se puede imponer por cualquier clase de delitos. Si la pena les parece
dura a aquellos obispos que aceptaban la legislación antijudía del concilio IV de Toledo y ellos mismos aprueban la decisión real de no permitir que viva en su reino nadie que no sea católico, tal castigo debía ser
excesivamente severo. Ni la tradición ni el Evangelio recomiendan actuar así.

El segundo roce entre los obispos españoles y Roma se produjo
cuando, terminado el concilio III de Constantinopla, año 680-81, el
papa San León II envió una carta a los obispos españoles [64]. Anuncia en
ella que les envía las actas de dicho concilio y pide que sean aprobadas y
firmadas por todos los obispos españoles. En ese concilio se había condenado el monotelismo, que afirmaba que en Cristo no había más que
una voluntad.

Cuando las cartas llegaron a España hacía poco que había finalizado
el concilio XIII de Toledo, año 683. No era fácil volver a reunir a
todos los obispos. Además, el invierno era muy crudo y habían caído
grandes nevadas [65]. De ahí la imposibilidad de cumplir inmediatamente
los deseos del papa. El rey Ervigio mandó entonces que se reuniera un
concilio provincial en Toledo con los obispos de esta provincia, y al que
debía asistir un representante de cada una de las otras provincias eclesiásticas. Después debían celebrarse concilios provinciales en las demás
provincias para que todos los obispos supiesen, por las relaciones de los
representantes que habían acudido al concilio de Toledo, lo que allí se
había acordado. A través de estos representantes era como si todos los
obispos españoles hubieran firmado las actas.

Los obispos reunidos en Toledo estudiaron minuciosamente las actas
y las cotejaron con la doctrina de los concilios ecuménicos anteriores.
Las aprobaron y aceptaron todo lo que en la definición dogmática se
decía respecto a las dos naturalezas, a las dos voluntades y a las dos
operaciones en Cristo. Afirman que todo ello encaja en la más pura
ortodoxia y en la tradición apostólica [66]. Por esta razón, las actas de

---

[64] Puede verse el texto en ML 84,142.
[65] Cf. J. Vives, *Concilio XIV de Toledo* c.3 p.442: Mansi, 11,1087-88.
[66] Cf. ibid., p.442-43: Mansi, 11,1087-88.

este concilio se deben poner en la colección canónica oficial después del concilio de Calcedonia.

Los obispos españoles aceptan las actas no porque las haya admitido el papa, sino porque están en conformidad con los concilios ecuménicos anteriores. No es de extrañar esta forma de proceder, porque el dogma de la infalibilidad no estaba entonces demasiado claro. Además, ningún obispo español había asistido al concilio, y, por consiguiente, no sabía cómo se habían desarrollado las discusiones. Para ellos era una medida de prudencia y seguridad el comprobar que las actas no se apartaban de lo definido por los concilios anteriores y de lo admitido por la tradición. Una vez asegurados de esto, no dudan en aprobarlas y firmarlas.

El concilio XIV de Toledo, año 684, aprobó las actas y las firmaron todos los presentes. Pero los obispos españoles no se conformaron con eso. Quisieron aclarar, en términos más conspicuos, el sentido de su fe [67]. Para ello publicaron una alocución [68], y a la respuesta que enviaron al papa aprobando las actas del concilio III de Constantinopla añadieron una *Apología*. La había redactado San Julián, metropolitano de Toledo [69].

En la alocución, que dirigen a toda la Iglesia, afirman que en Cristo hay una sola persona con dos naturalezas, cada una con sus propiedades individuales. Esas naturalezas son indivisas e inseparables y al mismo tiempo inconfusas e inconvertibles. Cristo es verdadero Dios y verdadero hombre. Hay en El dos naturalezas y, por consiguiente, dos voluntades, una divina y otra humana. Al mismo tiempo se da en Cristo *la comunicación de idiomas,* ya que todas las operaciones y atributos de su naturaleza divina y humana hay que atribuirlos a la misma persona [70]. Esta doctrina es difícil de comprender. Por eso prefieren los obispos que no se discuta sobre ella con los herejes. Es mejor creerla sencillamente. El concilio anatematiza a todos aquellos que disminuyen en algo la divinidad de Cristo o quitan algo de su humanidad, excepto el pecado.

El diácono Pedro llevó a Roma la *Apología* y las actas del concilio III de Constantinopla firmadas por los obispos españoles. Cuando llegó a Roma, ya era papa Benedicto II, y estimó que en ella había algunas expresiones inexactas. Se las comentó a un enviado español que llegó a Roma poco después. Este se lo comunicó inmediatamente a los obispos españoles. El primer punto que el papa objetaba era: «... hemos sabido que en aquel libro respuesta con nuestra fe que habíamos enviado por medio de Pedro, diácono regionario de la Iglesia romana, pareció al referido papa que nosotros habíamos puesto imprudentemente el primer capítulo, donde decíamos a propósito de la divina esencia: la voluntad engendró a la divina voluntad, como la sabiduría a la sabiduría, lo cual, pasándolo por alto aquel varón en una lectura rápida y descui-

---

[67] Cf. ibid., c.4 p.443: Mansi, 11,1088.
[68] Cf. ibid., c.8-10 p.445-46: Mansi, 11,1089-90.
[69] Cf. Z. García Villada, o.c. II p.1.ª apéndice n.1 p.333-38.
[70] Cf. J. Vives, *Concilio XIV de Toledo* c.8-9 p.445-46: Mansi, 11,1089-1090.

dada, creyó que estos mismos nombres, esto es, voluntad y sabiduría, habían sido puestos por nosotros no según la esencia, sino según lo relativo o según la comparación de la mente humana» [71]. Está claro que ellos lo entienden según la esencia. Además, han tomado la frase del libro quince del *De Trinitate,* de San Agustín.

El segundo punto que el papa creía equivocado era que los obispos españoles hablaban en la *Apología* de la existencia de tres substancias en Cristo. Achacan a ignorancia el que se pongan objeciones a esta afirmación. Los Santos Padres han escrito, a veces, que en Cristo hay una o dos substancias, pero es porque han tomado la parte por el todo. Ellos no han hecho más que seguir a San Cirilo y San Agustín, que, aquilatando los conceptos, han demostrado que en Cristo hay tres substancias: la divina, el alma y el cuerpo. Y en el mismo Evangelio aparece la divinidad de Cristo y su humanidad con un alma y un cuerpo [72]. A las restantes dificultades del papa, igual que a las dos anteriores, explicadas ahora más profundamente, se respondió hace dos años. Cabe pensar que entonces lo explicaron exactamente igual que ahora. La doctrina y las palabras, casi literalmente, están tomadas de San Ambrosio y San Fulgencio.

Los obispos españoles, pues, afirman que han revisado profundamente lo escrito en la *Apología* y no han encontrado nada que se oponga al dogma católico. Piensan que al papa le ha podido inducir a engaño o un equívoco o una lectura superficial del opúsculo [73]. Cuando se reúne el concilio XV de Toledo, año 688, hacía ya dos años que los obispos habían enviado a Roma una explicación de los puntos que no habían satisfecho al papa. «Pues, ciertamente, los cuatro capítulos particulares, acerca de los cuales se nos envió para que los probásemos sólidamente, hace ya dos años que se los presentamos para su información a aquél, indicando qué es lo que había sido tomado de cada Padre y reuniendo en el mismo libro de nuestra respuesta la doctrina de los Padres católicos» [74].

Los obispos españoles no habían recibido ninguna noticia de Roma. El silencio les había irritado. Cansados ya de que no se entiendan o no quieran entender sus aclaraciones, se expresan con frases duras y poco corteses y hacen saber que no disputarán más sobre el asunto. «Ahora bien, si después de esto aún disienten en algo de las mismas enseñanzas de los Padres, apoyados en los cuales se ha defendido esta doctrina, no se debe ya disputar con ellos sino por vía directa, siguiendo la huella de nuestros antepasados, nuestra respuesta será sublime, mediante el juicio divino, para los que aman la verdad, aunque la tengan por rebelde los adversarios y los ignorantes» [75].

A. K. Ziegler escribe al juzgar estos hechos: «El hecho de que mien-

---

[71] J. Vives, *Concilio XV de Toledo* p.453: Mansi, 12,10-11.
[72] Cf. ibid., p.456-64: Mansi, 12,12-17.
[73] Z. García Villada, o.c. II p.1.ª p.157; cf. J. Vives, *Concilio XV de Toledo* p.455: Mansi, 12,12.
[74] Cf. ibid., p.464: Mansi, 12,17.
[75] Ibid.

tras los prelados españoles reconocen la autoridad de la Santa Sede se sienten ofendidos por la intervención de Roma en sus asuntos eclesiásticos, no era buen signo desde el punto de vista de la catolicidad» [76]. Creemos que lo que hizo la Santa Sede era algo más que intervenir en los asuntos eclesiásticos de España. No se trataba de una simple intervención. Era dudar claramente de la ortodoxia de los obispos españoles. Y creemos natural que éstos se defendiesen y hasta cierto punto que se irritasen cuando no reciben respuesta de Roma después de haber mandado las aclaraciones exigidas. Llevaban dos años esperándola.

F. Görres aprovecha la ocasión para hacer culpable de todo el asunto a San Julián y calificarle de rebelde a la Santa Sede [77]. P. B. Gams opina que la actitud de San Julián llevaba directamente al cisma y cree providencial la caída del pueblo e Iglesia visigótica bajo el poder de los árabes [78]. Ambos parecen admitir que San Julián era el líder que dirigía y dominaba a todo el episcopado español. De todos modos es exagerado hablar de rebeldía y de cisma. Actos como éste ha habido muchos en la historia y no se ha llegado a tal extremo. Lo insólito es que se hubiese dudado de su ortodoxia y los obispos españoles se hubieran callado.

El problema nació simplemente de un malentendido entre ambas partes. Es cierto que los obispos españoles se mostraron duros y poco afables en muchas expresiones. Pero es cierto también que en Roma no entendieron completamente el sentido de la *Apología* que los obispos españoles enviaron. Tampoco fueron muy solícitos en contestar a los españoles cuando enviaron las explicaciones de los escritos, aunque las cartas puede ser que no llegasen por otras circunstancias. De hecho, con la explicación se dieron por contentos en Roma, ya que el incidente se olvida.

Más todavía: el papa siguiente, Sergio, quizá por quitar la posible mancha de heterodoxia que podía haber caído sobre los obispos españoles, mandó que la segunda *Apología* la leyesen todos y llegó a mandársela al emperador de Oriente. El mismo papa escribe una carta a San Julián diciéndole que todo lo que había escrito era exacto.

5. RELACIONES CON OTRAS IGLESIAS

Las relaciones de la Iglesia visigoda con la francesa y africana son las normales. Quizá menos frecuentes que en épocas anteriores. La razón, sin duda, es que la Iglesia visigoda se encuentra ahora en un mejor nivel de organización y vitalidad y sentía menos necesidad de intercambios con ellas. Ya hemos dicho, sin embargo, que los obispos espa-

---

[76] A. K. ZIEGLER, *Church and State in visigothic Spain* (Wáshington 1930) p.52.

[77] Cf. F. GÖRRES, *Der primas Julien von Toledo (680-690): Eine Kirchen-Kultur und Litterargeschichtliche Studie:* Zeitschrift für wissenschaftliche Theologie 46 (1903) p.524-53.

[78] Cf. P. B. GAMS, *Die Kirchengeschichte von Spanien* (Regensburg 1862-79) vol.2 p.2.ª p.200.

ñoles aprovecharon la legislación conciliar de estas Iglesias cuando la necesitaron para resolver sus propios problemas.

Más importancia tienen las relaciones con Bizancio. Desde que los bizantinos se establecen en el sudeste español en tiempo de Atanagildo hasta que fueron definitivamente expulsados por Suintila, varias diócesis estuvieron algún tiempo bajo la dominación bizantina: Cartagena, Baza, Guadix, Urci, Elche, Murcia, Sevilla, Córdoba, Medina-Sidonia, Niebla, Ecija, Cabra, Málaga, Martos, Granada y Faro. Esto creaba algunas dificultades a la organización eclesiástica.

Parece ser que hubo un tiempo en que los españoles iban a Constantinopla con alguna frecuencia. San Leandro pasó allí algunos años. Había ido a pedir refuerzos para Hermenegildo cuando se declaró la guerra entre él y su padre Leovigildo. San Gregorio Magno afirma que coincidió allí con él y con otros muchos españoles [79]. En esta época se encuentra allí también Liciniano de Cartagena, que muere envenenado por sus enemigos. La diócesis de Liciniano estaba bajo dominio bizantino, y, por tanto, no podía estar allí desterrado por Leovigildo.

Con esa embajada de San Leandro estuvo a punto de cometerse de nuevo el error político de Atanagildo cuando pide ayuda al emperador contra su oponente Agila. Justiniano aprovecha la ocasión para apoderarse del sudeste español. San Isidoro afirma que su hermano estuvo allí desterrado. La explicación más sencilla es que, estando en Constantinopla, Hermenegildo, cuya causa defendía, fue vencido por su padre. Y entonces, o no se atrevió o Leovigildo le prohibió volver a territorio visigodo. Hermenegildo se alió con los bizantinos. No sabemos la cuantía de la ayuda militar que éstos pudieran prestarle en la guerra contra su padre. Le abandonaron sin escrúpulos cuando vieron su causa perdida.

La Iglesia española se mantiene completamente independiente de Bizancio y con una cierta autonomía respecto a Roma. El imperio perdía poco a poco influencia política en España. Se terminó prácticamente con la conversión de Recaredo al catolicismo y la inauguración y fortalecimiento de la unidad religiosa y política. Bizancio no tenía ya ningún motivo válido para intervenir en España. Ni siquiera como defensor del catolicismo. La monarquía visigoda realizaba las aspiraciones políticas y religiosas de todos los habitantes de España.

Los reyes visigodos están en lucha con los bizantinos. Intentan recobrar los territorios que éstos poseen en España. Con Recaredo permanecen las cosas como estaban. Los imperiales conservan sus posesiones. Pero no realizan nuevas conquistas. El rey visigodo estaba demasiado ocupado con la conversión de su pueblo, con la estabilidad interior y consolidando lo hecho por su padre. Witerico reanuda la guerra sin éxito. Sisebuto (612-21) vuelve a la carga con más éxito. El emperador Heraclio tiene que firmar la paz. No le quedaban más que algunas posesiones en los Algarbes. Suintila, que había dirigido la campaña de Sisebuto, les arrebataría estas últimas posesiones al ser elevado al trono.

---

[79] Cf. SAN GREGORIO MAGNO, *Dialogus* III 31: ML 77,289.

Paradójicamente, el reino visigodo se bizantiniza, al mismo tiempo que lucha contra el invasor. La influencia se nota, p.ej., en la Corte de Toledo. El trono y los vestidos reales imitan a los del *basileus*. También los nombres y las costumbres. El rey convoca los concilios, como hace el emperador en Constantinopla. Se nota influencia también en algunos aspectos del arte. El derecho, las instituciones y las costumbres se romanizan.

Capítulo IX

LA CULTURA

FUENTES Y BIBLIOGRAFIA

FUENTES.—Todas las obras de los escritores españoles de esta época. Especialmente las citadas en este capítulo. Sus ediciones críticas pueden verse en *Diccionario de historia eclesiástica de España*, 4 vols. (CSIC, Instituto Enrique Flórez, Madrid 1972-75).

BIBLIOGRAFÍA.—Z. GARCÍA VILLADA, *Historia eclesiástica de España* II p.2.ª (Madrid 1933); *La cultura literaria del clero visigodo:* Estudios Eclesiásticos (1929) p.250-63; M. DÍAZ Y DÍAZ, *La cultura de la España visigoda del siglo VII*, en *Settimane di Spoleto* vol.5 (1958) p.813-44; *Aspectos de la cultura literaria en la España visigoda*, en *Anales Toledanos* III (Toledo 1971); L. ROBLES, *La cultura religiosa de la España visigoda:* Escritos del Vedat 5 (1975) p.9-54; *Isidoro de Sevilla y la cultura eclesiástica de la España visigótica. Notas para un estudio del libro de las Sentencias:* Archivos Leoneses 47-48 (1970) p.13-185; J. FONTAINE, *Isidore de Séville et la culture classique dans l'Espagne wisigothique*(París 1959); M. CRUZ HERNÁNDEZ, *San Isidoro y el problema de la cultura hispano-visigoda:* Analecta de Estudios Medievales 3 (1966) p.413-24; G. MARTÍNEZ, *La Colección canónica hispana, I: Estudio* (Madrid 1966); J. PÉREZ DE URBEL, *Las letras en la España visigoda*, en *Historia de España*, dir. por M. Pidal, III (Madrid 1963) p.435-90; *San Isidoro de Sevilla: su vida, su obra y su tiempo* (Barcelona 1945); AA. VV., *La patrología toledanovisigoda.* XXVII Semana Española de Teología (CSIC, Madrid 1970); AA. VV., *Miscellanea Isidoriana. Homenaje a San Isidoro de Sevilla en el XIII Centenario de su muerte* (Roma 1936); AA. VV., *Isidoriana. Estudios sobre San Isidoro de Sevilla en el XIV centenario de su nacimiento* (León 1961); J. MADOZ, *San Isidoro de Sevilla. Semblanza de su personalidad literaria* (León 1960); C. H. LYNCH-P. GALINDO, *San Braulio, obispo de Zaragoza (631-651). Su vida y sus obras* (Madrid 1950) Para cada autor y tema en particular véase el antes citado *Diccionario de historia eclesiástica de España*, 4 vols. (CSIC, Instituto Enrique Flórez, Madrid 1972-75).

Hemos visto el elevado nivel religioso a que llegó la Iglesia visigoda en el siglo VII y su gran influencia en la vida social y política de España. Dedicamos ahora unas páginas a estudiar el nivel cultural de la Iglesia española en este período y su influencia en la sociedad contemporánea. Podemos afirmar que fue la Iglesia visigoda quien primero y mejor se recuperó de la crisis intelectual producida por las invasiones de los bárbaros.

1. EL AMBIENTE CULTURAL

Ya hemos hecho alusión, al tratar de la formación del clero, del interés que ponía la Iglesia en que todos aquellos que tenían alguna clase de cura pastoral fueran suficientemente sabios para desempeñar dignamente el oficio que se les había encomendado. Para eso se habían creado las escuelas episcopales, parroquiales y monacales. Eran las únicas escuelas que existían entonces. La mayor parte de los alumnos son clérigos, aunque no exclusivamente. La escuela entonces no es obligatoria. Solamente los hijos de nobles o familias acomodadas podían permitirse el lujo de estudiar. «Hemos de comenzar afirmando que la formación de la sociedad visigótica no es colectiva ni uniforme, sino personal e individual. No podemos pensar en una sociedad organizada, sino en una sociedad que busca organizarse y formarse. La cultura de la España visigótica está reducida a pequeños núcleos y centrada en cabezas aisladas. Tampoco podemos caer en el espejismo de que la cultura visigótica sea exclusiva de la clase sacerdotal porque las principales figuras representativas de la misma pertenezcan a ella. También encontramos grupos de laicos cultos, comenzando por el rey Sisebuto, autor del poema sobre los eclipses y la *Vita Desiderii*. Siguiendo por Chindasvinto, que lleno de entusiasmo por la poesía, hace revisar a Eugenio de Toledo el poema cosmogónico de Draconcio y le pide el epitafio para su esposa. Y Wamba, quien hace grabar sobre las puertas de Toledo unos cuidadosos dísticos en conmemoración de la reconstrucción y ensanche de sus murallas. Una dama de la aristocracia pide a Braulio los libros de Tobías y Judit» [1].

La finalidad primordial de esas escuelas era la formación del clero. Los profesores eran clérigos. Es natural, por tanto, que se diera especial importancia a las ciencias eclesiásticas. Los hombres más cultos de aquella época eran los clérigos, y, por tanto, es comprensible que dieran un impulso especial a la cultura religiosa y eclesiástica, aunque no olvidasen otras ciencias. Por eso, casi toda la producción científica es de tipo teológico, exegético, canónico, y, en menor grado, histórico y literario. San Isidoro es la figura principal de la Iglesia visigoda en el campo cultural.

Todos los centros de formación tenían su biblioteca propia. En ellas había libros suficientes para la formación de los alumnos, en especial los escritos por los Santos Padres. Cuando faltaba algún libro de especial interés, no reparaban en medios para conseguirlo. Los obispos españoles aprovechan sus viajes a otras ciudades españolas o al extranjero para traer consigo los códices que faltan en sus bibliotecas. San Leandro, a su vuelta de Constantinopla, se trae para España las obras de su gran amigo San Gregorio Magno. Las *Morales,* sobre todo, despertaron un gran interés. San Leandro enseña esas obras al obispo Liciniano de Cartagena, que inmediatamente pide una copia de las mismas. Estas *Morales* de San Gregorio influirán notablemente en varios escritos de San Isidoro y en las *Sentencias* de Tajón de Zaragoza.

Liciniano de Cartagena enviará una embajada hasta Jerusalén para adquirir todos los escritos de San Jerónimo. El rey Chindasvinto pagó los gastos de viaje a Tajón de Zaragoza para que fuese a Roma a adqui-

[1] L. ROBLES, *La cultura religiosa de la España visigoda:* Escritos del Vedat 5 (1975) p.26-27.

rir las nuevas obras de San Gregorio que no existían en España. Las copió y volvió inmediatamente con ellas. San Braulio se las pide en seguida para copiarlas en su escuela de Zaragoza. «San Braulio tuvo en este movimiento intelectual una parte principalísima, no por sus propios trabajos, sino por el ánimo que infundió a sus compañeros y por el ahínco que siempre puso en enriquecer su biblioteca. Recordemos las cartas que se cruzaron entre él y Recesvinto a propósito del célebre manuscrito que le envió el monarca para que lo corrigiera» [2]. Era el código de leyes civiles. Por las cartas del mismo San Braulio conocemos el frecuente intercambio de libros que existía entre las bibliotecas españolas. San Fructuoso llevaba consigo muchos códices en sus viajes, y cuando llega a ser metropolitano de Braga enriquece notablemente la biblioteca. Quirico de Barcelona pide encarecidamente a Tajón su libro de las *Sentencias.* Con la misma insistencia que libros, se piden, a veces, pergaminos para copiarlos.

La correspondencia entre San Braulio y San Isidoro es un buen ejemplo del interés que existía por los libros. San Isidoro le envía el *Libro de los sinónimos* y pide a cambio el comentario de los salmos 51 al 60, de San Agustín. San Braulio no queda satisfecho, porque lo que había pedido con insistencia eran las *Etimologías,* del mismo San Isidoro. Se las había pedido varias veces y no las había recibido. Cansado de la tardanza, le escribe una vez más: «Si no me equivoco, han pasado ya siete años desde que te estoy pidiendo, a lo que recuerdo, los libros de los *Orígenes,* escritos por ti, tú, cuando estaba contigo, me engañaste con mil evasivas, y, después que me separé de ti, no me has contestado al objeto, sino sutiles pretextos, diciéndome unas veces que aún no estaban terminados; otras, que no tenías copias; otras, que mi carta se había perdido, y otras muchas excusas, hemos llegado hasta el día de hoy, y seguimos sin que mi petición haya tenido resultado. Por ello voy a cambiar mis súplicas por quejas, de suerte que lo que no he conseguido con ruegos, lo logre zahiriéndote con reproches. A veces, en efecto, los mendigos sacan provecho de sus gritos intemperantes. ¿Por qué, pues, mi señor, no quieres darme lo que te pido? Has de saber una cosa: no te voy a dejar, dando a entender que no me importa lo que me niegas, sino que insistiré y volveré a insistir hasta que reciba y consiga, de acuerdo con la invitación de nuestro Redentor, que dice; 'Buscad, y encontraréis'; y añade: 'Llamad, y se os abrirá'. He buscado y busco; aun estoy llamando; por eso doy voces para que me abras. Me consuela el descubrimiento de esta táctica; tal vez tú, que no hiciste caso a mis súplicas, atiendas mis reproches. En consecuencia, te sirvo tus propios argumentos, que bien conoces; no me atrevo, presumiendo como un necio, añadir nada nuevo, porque soy un ignorante y tú un sabio. Pero no me avergüenza, pese a mi torpeza, hablar contigo, porque me acuerdo del consejo del Apóstol, que nos manda soportar con agrado al ignorante». Le recuerda que no puede tener escondidos los talentos que Dios le ha dado,

---

[2] Z. García Villada, *Historia eclesiástica de España* II p.2.ª (Madrid 1933) p.93-94.

porque le pedirá cuenta de ellos. Esos dones que posee no son sólo para él, sino también para provecho de los demás. El sólo es el administrador de esas riquezas. No puede ser avaro. Y continúa San Braulio: «Pero vuelvo al único remedio que tengo y que ya he citado, es decir, a la impertinencia, en la que se refugian los traicionados en la amistad y los desprovistos de los dones de los miembros relevantes. Oye, pues, mi voz, no obstante la distancia que nos separa. Devuelve, devuélveme lo que me debes, porque eres siervo, siervo de Cristo y de los cristianos, para que puedas ser allí el mayor de todos nosotros, y no rehúses hacer partícipes a nuestras almas, sedientas y atormentadas por el ansia del saber, de la gracia que sabes te ha sido confiada en razón de nosotros». «Te hago saber, en consecuencia, que los libros de las *Etimologías* que te solicito están ya, aunque mutilados e incompletos, en manos de muchos. Por eso te ruego que me envíes una copia íntegra, corregida y bien ordenada, no sea que, llevado por mi ansiedad, me vea obligado a tomar de otros vicios por virtudes» [3]. San Braulio no se conformaba con cualquier cosa, y pedía el libro completo, revisado por el mismo San Isidoro. Al fin, le envió las *Etimologías,* junto con otros libros. Pero las mandó sin corregir a causa de su mala salud, diciendo que tenía pensado enviárselas para que él mismo las corrigiera.

2. La Sagrada Escritura

El estudio de los clérigos visigodos estaba ordenado a una mejor comprensión de la Sagrada Escritura para desempeñar dignamente sus tareas pastorales. Los escritores eclesiásticos le dan también una importancia especial, porque, junto con la autoridad de los Santos Padres, es el fundamento de su teología. Sus escritos están llenos de citas de la Biblia. Todos los escritores españoles de esta época tocan temas exegéticos. Tajón de Zaragoza compuso unos comentarios al Nuevo Testamento que todavía no han sido identificados con seguridad. El mismo dedica una buena parte de sus *Sentencias* a explicar el método que se debe emplear para estudiar fructuosamente las Escrituras. San Ildefonso de Toledo trata temas bíblicos en el *De cognitione baptismi*. San Julián hace un verdadero tratado exegético en su obra *De comprobatione sextae aetatis*. En el *Antekeimenon* se propone dar una explicación a los pasajes del Antiguo y Nuevo Testamento que parecen oponerse entre sí. En sus explicaciones recurre con frecuencia a otros Santos Padres, en especial San Agustín y San Gregorio Magno.

San Isidoro fue el autor que abordó más temas escriturísticos. «La labor escriturística de San Isidoro, como toda la suya, fue excepcional extensiva e intensivamente. Nada se le ocultó de cuanto los Padres antiguos habían escrito sobre el canon, la inspiración y los diferentes métodos exegéticos. Pasemos por alto lo del canon, tratado en el capítulo

---

[3] L. Riesco Terrero, *Epistolario de San Braulio* ep.5 (Sevilla 1975) p.67-75: ML 80,651-54.

anterior. En cuanto a la inspiración, afirma él hecho, sin especificar su naturaleza. Para Isidoro es de fe que el autor de las Escrituras fue el Espíritu Santo, porque aquel mismo escribió que dictó a sus profetas lo que habían de escribir. No especifica el papel desempeñado por el escritor sagrado, no estando aún en su tiempo completamente dilucidada esta cuestión» [4]. Enumera los libros canónicos del Antiguo y Nuevo Testamento y sus respectivos escritores [5].

La Sagrada Escritura, además del sentido histórico, tiene también una interpretación mística y espiritual y otra moral, que son los efectos que debe producir en cada uno cuando la lee. Se comienza a estudiar la Escritura en su contexto histórico, luego se pasa al sentido místico, y se termina con la aplicación moral. La mejor forma de llegar a entender correctamente la Biblia es leerla asiduamente. Y cuanto más se lee, más frutos produce [6]. Esa lectura asidua llevó a San Isidoro a conocer perfectamente la Escritura. «Isidoro penetró el sentido interno de la Escritura, llegando a adquirir un conocimiento profundo de ella. Testigos, sus prólogos y sus resúmenes a los libros sagrados; testigos, siete o más obras que dedicó a este asunto, abarcando en ellas todos sus aspectos: el _histórico_, en la biografía de los Padres del Antiguo y Nuevo Testamento; el _alegórico_, en sus explicaciones o alegorías de los nombres, caracteres y personajes bíblicos; el _espiritual_, en sus _Libri quaestionum;_ el _místico_, en su _Comentario al Cantar de los Cantares_, en la interpretación de los números que salen en la Escritura y en la Exposición del significado de los principales acontecimientos narrados en los libros de Moisés, Josué, Jueces, Samuel, Reyes, Esdras y Macabeos» [7].

Muestra especialmente su conocimiento de la Escritura en las introducciones y explicaciones a cuestiones especiales que se plantea tanto del Antiguo como del Nuevo Testamento. Y todo ello a pesar de no dominar el hebreo y el griego. Quizá fue ésta la causa principal de que no fuese un verdadero creador con criterio propio en cuestiones exegéticas.

Los escritores españoles de esta época no usan una versión bíblica distinta a la de otros territorios. Encuentran abundantes citas bíblicas en los escritos de los Santos Padres que les precedieron, y que les sirven de fuente para sus escritos. Los españoles citan la Biblia a través de ellos, con las mismas palabras y dando al texto bíblico idéntica interpretación. Para los escritores españoles, conocer bien la Biblia significa no sólo conocer el texto, sino conocer las interpretaciones que se han dado de él [8]. El presbítero Yactato consultó a San Braulio algunas cuestiones bíblicas difíciles de entender. Este le responde que, meditando constantemente la sagrada Escritura y leyendo las explicaciones de San Agus-

[4] Z. García Villada, o.c. II p.2.ª p.125.
[5] Cf. San Isidoro, _De ecclesiasticis officiis_ I c.11-12: ML 83,745-50.
[6] Cf. San Isidoro, _Sentencias_ III 9,1-2, en _Santos Padres españoles_, ed. J. Campos e I. Roca (BAC, Madrid 1971) p.430-31: ML 83,680-681.
[7] Z. García Villada, o.c. II p.2.ª p.125-26.
[8] Cf. L. Robles, art.cit. p.46-47.

tín, San Jerónimo, San Hilario y otros, tiene argumentos suficientes para disipar todas sus dudas [9].

Los escritores visigodos no intentaban ser originales. No tienen ningún escrúpulo en recoger lo escrito por Padres anteriores sobre un tema concreto que les interesa y refundirlo para darlo una nueva forma según lo exigen las circunstancias que les impulsan a escribir tal tratado. Saben que no son originales, y lo reconocen abiertamente. En el prólogo que San Isidoro hace a sus *Quaestiones in Vetus Testamentum* dice que ha ido recogiendo cosas de aquí y de allá, añadiendo y cambiando algo, haciendo una unidad en forma de breve compendio. Leer ese tratado es leer lo que han escrito los antiguos [10]. «En él nos define ciertamente su método de trabajo; método que creemos hay que hacer extensivo a todas sus obras y a gran parte de los escritores de su época. Si, por un lado, es recopilación, por otro es también resumen y adaptación. Nuestros escritores visigóticos no son hombres creadores, intelectuales que piensan por cuenta propia, sino por cuenta ajena. Son intelectuales que resumen, sintetizan y condensan lo que otros han creado. Isidoro de Sevilla, tras haber definido su método, señala a continuación los autores que maneja: Orígenes, Victorino, Ambrosio, Jerónimo, Agustín, Fulgencio, Casiodoro y Gregorio. Como puede verse, son autores cercanos a él. Todos ellos son escritores cristianos. Declaraciones parecidas podemos encontrar en los prólogos al *De natura rerum, De ecclesiasticis officiis,* epístola a Sisebuto, prólogo a los *Orígenes»* [11]. San Julián, en la dedicatoria del *Prognosticon* a Idalio, afirma que todo lo que encontrará allí son ejemplos y doctrina de los mayores. El escribe a su manera lo que ha leído en sus libros.

Todos los escritores españoles sienten un gran respeto por los autores anteriores, sobre todo los Santos Padres. No se atreverán a defender una doctrina u opinión distinta. La fidelidad a su doctrina es para ellos señal de seguridad. Y se sienten orgullosos de que el leer sus libros sea igual que releer las obras de los Santos Padres. Cuando escriben un tratado, escogen y seleccionan los textos que les interesan, los combinan entre sí, añaden, retocan, resumen y, sobre todo, adaptan a las circunstancias concretas. Tienen gran interés en explicar la doctrina de tal forma, que todos puedan entenderla fácilmente.

Los autores españoles citan frecuentemente la Sagrada Escritura, aun en los libros que no tratan directamente temas bíblicos. La Biblia es su principal fuente de inspiración y en ella fundamentan sus afirmaciones. Es normal que incurran en errores de interpretación, porque la exégesis está poco desarrollada y porque intentan dar a todos los textos un sentido espiritual o místico. Los escritores visigodos conocen bien la Sagrada Escritura directamente y a través de las interpretaciones de los Santos Padres, que les sirven de base en sus escritos.

---

[9] Cf. L. Riesco Ter ¿ero, o.c. ep.9 p.77-79: ML 80,655.
[10] Cf. San Isidoro, *Quaestiones in Vetus Testamentum:* ML 83,207-209.
[11] L. Robles, art.cit. p.48-49.

3. La teología

a) **Apologética**

La teología de los primeros años del siglo VII tiene un marcado carácter polémico. El principal problema de la Iglesia en España había sido el arrianismo de los godos. San Isidoro nos dice que su hermano San Leandro, durante su destierro en Constantinopla, escribió dos libros con muchas pruebas escriturísticas contra los arrianos. Vuelto a España, publica otro tratado siguiendo el método de poner primero la sentencia de los adversarios para refutarla inmediatamente [12]. El mismo San Isidoro dedica del capítulo tres al cinco del libro octavo de las *Etimologías* a trazar la historia de las herejías. Según San Braulio, escribió un libro sobre ellas. También se atribuye a San Ildefonso un tratado sobre las propiedades de las personas de la Trinidad.

Hemos dicho que el peligro del arrianismo en la España visigoda había desaparecido en la práctica con la conversión de Recaredo. Los obispos siguen insistiendo en el tema para evitar cualquier posible rebrote de la herejía. Prácticamente, en todos los concilios se hará al principio una confesión de fe afirmando explícitamente la divinidad y consubstancialidad del Hijo según la más estricta ortodoxia católica. Veamos, p.ej., el concilio IV de Toledo, año 633: «Según la divina Escritura y la doctrina que hemos recibido de los Santos Padres, confesamos que el Padre, y el Hijo, y el Espíritu Santo son una divinidad y una substancia. Creyendo la Trinidad en la diversidad de personas y predicando la unidad en la divinidad, no confundimos las personas ni separamos la substancia. Decimos que el Padre no ha sido hecho ni engendrado por nadie. Afirmamos que el Hijo no ha sido hecho, sino engendrado. Y confesamos que el Espíritu Santo no ha sido creado ni engendrado, sino que procede del Padre y el Hijo. Asimismo, que el mismo Señor Jesucristo, Hijo de Dios y creador de todas las cosas, engendrado antes de los siglos de la substancia del Padre, bajó del Padre, al final de los tiempos, para la redención del mundo...» [13]

El problema que planteaba a la Iglesia española la existencia de judíos en su territorio dio origen a bastantes escritos teológicos antijudíos. La Iglesia visigoda se convenció de que la única forma válida de lograr su conversión sincera era utilizar la razón y la predicación. Con esta finalidad se escribieron esos tratados. Se intentaba hacerles ver sus errores en la interpretación de las profecías sobre el Mesías. Si se lograba eso, se había dado un gran paso en su conversión.

San Isidoro afronta el problema en un tratado que titula *De fide catholica ex Veteri et Novo Testamento contra iudaeos.* Se lo dedica a su hermana Florentina. Dice que ha creído conveniente recoger todos los testimonios del Antiguo Testamento sobre la divinidad, encarnación,

---

[12] Cf. San Isidoro, *De viris illustribus* 33: ML 83,1103-1104.
[13] J. Vives, *Concilio IV de Toledo* c.1 p.187: Mansi, 10,615.

pasión, muerte y resurrección de Cristo para afianzar la fe con la autoridad de los profetas y demostrar a los judíos el error en que están.

En primer lugar, San Isidoro prueba que Cristo es Dios. Ha sido engendrado por el Padre. Para ello explica el concepto teológico de la generación eterna del Verbo. Ese Verbo se hace hombre por medio de la generación temporal en el seno de la Virgen. Era de la descendencia de Abraham, de la tribu de Judá y de la estirpe de David. Cristo nació en Belén de una virgen. Nació pobre e hizo signos y milagros. Fue vendido y traicionado por un discípulo, apresado, juzgado y condenado a muerte. Fue sepultado, resucitó y subió a los cielos. Está a la derecha del Padre, su reinado no tendrá fin y un día vendrá a juzgar al mundo. San Isidoro enumera todas las manifestaciones divinas y profecías del antiguo Testamento que atribuyen todo lo expuesto al Mesías para demostrar que todas ellas se han cumplido ya en Cristo. Por tanto, el Mesías no vendrá, como creen los judíos, porque ya ha venido, se ha encarnado, ha vivido entre nosotros, ha muerto y nos ha redimido, resucitó y está en el cielo, y de allí vendrá a juzgar a los hombres. El Mesías anunciado por los profetas es Cristo.

En el libro segundo habla de la universalidad de la redención. Todos los hombres han sido llamados a formar parte del reino de Cristo. Ya en el Antiguo Testamento aparece claro que Dios llama no sólo al pueblo judío, sino a todas las gentes. Todos deben aceptar a Cristo. Los judíos no creyeron en El, y entonces llegó el momento de predicar a los gentiles. Pero también el pueblo judío aceptará a Cristo al final de los tiempos. Para animarles a la conversión trata de demostrar que las leyes, ritos y prescripciones del Antiguo Testamento se han perfeccionado en el Nuevo [14]. La obra tiene un marcado carácter apologético y trata de convencer a los judíos de la veracidad de sus afirmaciones y de que ellos están equivocados. San Isidoro expone el tema con profundidad teológica y exegética.

La obra de San Ildefonso *De virginitate perpetua sanctae Mariae adversus tres infideles* tiene también carácter apologético. Uno de esos infieles es un judío. Prueba que el Hijo de María es Dios e intenta aclarar el misterio de la encarnación. Pero sobre todo, como indica el título, defiende, contra los ataques de esos infieles, la virginidad de María antes, durante y después del parto.

San Julián escribió una obra apologética contra los judiós que tituló *De comprobatione sextae aetatis*. Si San Julián era de sangre judía, como parece, la obra cobra un valor especial, que demuestra el interés por convertir a sus hermanos de raza. «En la introducción expone el autor el motivo, el fin y la estructura de la obra. Dentro de la sociedad cristiana de los visigodos, dice, se va extendiendo el veneno y el cáncer del error y ceguera de los judíos, que creen y propalan como peste que Cristo, el Hijo de Dios, no ha nacido, sino que debe ser todavía esperado, y añaden que el cómputo de los años desde el principio del

---

[14] Cf. SAN ISIDORO, *De fide catholica ex Veteri et Novo Testamento contra iudaeos:* ML 83,449-538.

mundo arroja los correspondientes solamente a la edad quinta, y, por tanto, no hemos entrado aún en la edad sexta, en la que nacerá Cristo» [15].

Los esfuerzos eclesiásticos y las medidas políticas tomadas contra los judíos para lograr su conversión habían fracasado. El rey Ervigio (680-87) encarga a San Julián refutar los errores judíos. El Santo acepta el encargo y escribe la obra citada. Prueba en el libro primero, con argumentos sacados del Antiguo Testamento, que el Mesías ha nacido ya. En el segundo presenta la doctrina del Nuevo Testamento, que asegura que ya ha llegado la plenitud de los tiempos, pues el Verbo ha tomado ya carne humana, según predijeron la ley y los profetas.

En último lugar, San Julián usa el argumento cronológico que da el título a la obra. «El elemento judío español, como el de otras partes, sostenía que el Mesías no había aún venido al mundo. Para apoyar su tesis se escudaba en aquella concepción del mundo antiguo basada en las semanas de Daniel, según la cual Cristo habría de encarnarse en la sexta edad. Ahora bien, para los judíos del siglo séptimo, cada edad se componía de mil años, y el mundo de entonces no había llegado a los cinco mil, por lo que todavía estaba en la quinta edad, deduciendo de todo esto que aún faltaba no poco tiempo para la venida del Mesías. La argumentación, por lo sutil, escapaba a la capacidad del vulgo» [16]. San Julián escribe precisamente para que el pueblo no pueda ser engañado.

San Julián se propone probar que el mundo se encuentra ya en la sexta edad. El fundamento de toda su argumentación es que el cómputo de esas edades no se puede hacer dando a cada una de ellas una duración de mil años, como hacen los judíos. El cómputo hay que hacerlo por el número de generaciones que indica la Sagrada Escritura. La primera edad va desde Adán hasta el diluvio y tiene diez generaciones. La segunda, desde el diluvio hasta Abraham, con otras diez generaciones. La tercera, desde Abraham hasta David, y comprende catorce generaciones. La cuarta llega hasta la transmigración a Babilonia, con catorce generaciones. La quinta termina con el nacimiento de Cristo, y tiene también catorce generaciones. La sexta edad abarca desde Cristo hasta el fin del mundo. No se puede saber cuántas generaciones y años tendrá esta edad.

Según San Julián, pues, en aquella época el mundo estaba ya en la sexta edad y no en la quinta, como afirmaban los judíos. Además, según el texto bíblico de los Setenta, desde el principio del mundo hasta el año en que escribe han pasado más de seis mil años. Por tanto, el argumento usado por los judíos para negar que el Mesías haya nacido ya no tiene ninguna validez. El Mesías ha nacido ya y es Cristo. Cree que los judíos no tienen ninguna razón sólida que justifique su forma de pensar y su obstinación en no convertirse al cristianismo. San Julián

---

[15] J. CAMPOS, *El «De comprobatione sextae aetatis libri tres», de San Julián de Toledo*, en «La patrología toledano-visigoda»; XXVII Semana española de Teología (Madrid 1970) p.246.
[16] Z. GARCÍA VILLADA, o.c. II p.2.ª p.148-49.

demuestra en este tratado un gran ingenio y profundos conocimientos bíblicos, históricos y cronológicos.

b) Dogmática y moral

Los escritores visigodos concedieron una importancia especial a la teología dogmática. Hemos hecho alusión a las fórmulas de fe que aparecen en los concilios, basadas en los símbolos niceno, constantinopolitano, efesino y calcedonense. Hemos citado parte de la fórmula de fe del concilio IV de Toledo, donde se fija la doctrina trinitaria. A veces, los Padres glosan y explicitan más su doctrina explicando palabras y conceptos que podían ser mal interpretados, o simplemente para hacer más fácil su comprensión. La fórmula de fe del concilio XI de Toledo, año 675, es un verdadero tratado de teología dogmática [17]. En ella se explica la unidad substancial de las divinas personas, la distinción de éstas entre sí, la generación eterna del Hijo y la forma de procesión del Espíritu Santo. Aclara el concepto teológico de *relación,* en que consiste la paternidad del Padre, la filiación del Hijo y la procesión del Espíritu Santo. «Sigue la fórmula enumerando otras cualidades que son propias de las tres divinas personas, en cuanto que tienen la misma substancia, como la *operatio ad extra,* y luego entra a exponer de lleno el misterio de la encarnación, precisando bien que la que se encarnó fue solamente la segunda persona, la cual asumió nuestra naturaleza enteramente, salvo el pecado, de modo que en una sola persona estaban unidas la naturaleza divina y la humana. El misterio de la concepción se obró milagrosamente, por medio del Espíritu Santo, en las entrañas de María, que permaneció virgen antes, en y después del parto, siendo todo un misterio insondable a nuestro entendimiento. No deja de explayar la llamada *comunicación de idiomas en Cristo* y termina con la enumeración de los artículos de la fe relativos a la pasión, muerte, resurrección y ascensión del Salvador, a la Iglesia católica, al bautismo, a nuestra resurrección en la misma carne que poseemos en vida, al juicio final y a la pena y premio que han de corresponder a cada uno de los hombres según sus merecimientos» [18].

Estas fórmulas de fe no sólo intentaban evitar un posible rebrote del arrianismo, sino el que las herejías que ya se habían producido o se estaban fraguando en Oriente —macedonianos, monofisitas, monotelitas— hallasen eco en España. La fidelidad más absoluta a la ortodoxia católica es el denominador común de la teología de los escritores visigodos.

Las *Sentencias* de San Isidoro son el tratado más completo de teología. Es la obra que más influencia tuvo en la evolución de la teología de la Edad Media. Es una suma teológica y fue compuesta como manual de teología. Como hemos dicho anteriormente, también aquí selecciona

---

[17] Cf. J. Vives, *Concilio XI de Toledo* p.346-54: Mansi, 11,132-37.
[18] Z. García Villada, o.c. II p.2.ª p.157.

los escritos de los Santos Padres, ordenándolos y sistematizándolos. «La innovación que dentro de la literatura sentencial representan las *Sentencias* de San Isidoro estriba principalmente en el método utilizado. Se trata de exponer la doctrina tradicional de los Padres sobre las verdades cristianas según un orden sistemático y, por tanto, rellenando las lagunas que toda compilación lleva consigo. El valor que el Hispalense concede a San Agustín, San Gregorio, San Jerónimo, etc., le lleva a utilizar constantemente los escritos de éstos —incluso literalmente— en lugar de hacer su propia elaboración. Es el criterio de razonar mediante *auctoritates* comúnmente aceptado. Las fuentes principales de *Sententiae* son, con mucho, San Agustín y San Gregorio. Los destinatarios de la obra, a juzgar por las características de ésta, serían, probablemente, los clérigos de la escuela episcopal de Sevilla» [19].

El primer libro tiene un carácter eminentemente dogmático. Comienza hablando de Dios y sus atributos: ser supremo, inmutable, inmenso, omnipotente, invisible, creador del mundo. Aprovecha seguidamente para tratar de los seres creados: el tiempo, el mundo, el origen del mal, los ángeles y los hombres, el alma y los sentidos corporales. Los capítulos 14 y 15 los dedica a Cristo y al Espíritu Santo. Habla a continuación de la Iglesia, los herejes y los paganos, de la sagrada Escritura y de los principios exegéticos, del credo y del padrenuestro. El capítulo 22 es un tratado de los sacramentos del bautismo y la eucaristía. En los últimos capítulos de este libro estudia los novísimos. Es evidente que no sigue un orden tan sistemático como el de la teología moderna, pero es más lógico que los escritores anteriores.

El libro segundo es un tratado de moral y ascética individual. En primer lugar explica lo que es la verdadera sabiduría y las virtudes teologales. A continuación habla de la gracia y la predestinación. Desde el capítulo 7 hasta el 13 aborda el tema de la conversión necesaria cuando el hombre ha pecado, del ejemplo que nos dan los santos para realizarla y de la penitencia, que debe llevar al hombre al cambio de vida. Trata de la desesperación del pecador, del abandono de Dios y la recaída en el pecado. Dedica los capítulos 17 al 25 al tema del pecado, su gravedad, el hábito de pecar y faltas de pensamiento. Viene luego el tema de la conciencia, la intención del alma y las sensaciones del cuerpo. En los capítulos 32 al 37 explica las virtudes y los vicios en general. Dedica los últimos capítulos de este libro al problema de los pecados capitales: soberbia, lujuria, avaricia y gula, para terminar hablando de las virtudes de la castidad y la abstinencia. Es decir, son los temas fundamentales en moral: la gracia, las virtudes, los vicios, el pecado y todo el proceso de conversión a Dios que se debe realizar cuando se ha pecado y perdido la gracia.

El libro tercero desciende a más detalles, y se preocupa especialmente de la moral social, moral práctica, pastoral y derecho. Analiza unos cuantos estados de vida y los deberes que llevan consigo. Co-

---

[19] F. J. Lozano Sebastián, *San Isidoro de Sevilla. Teología del pecado y de la conversión* (Burgos 1976) p.35-36.

mienza hablando de los castigos de Dios y la paciencia con que se deben soportar, la tentación y los remedios para vencerla. Después trata de la oración, su necesidad y ventajas, de la lectura espiritual para conocer mejor a Dios y del coloquio espiritual, que facilita el aprendizaje de las verdades divinas. El primer estado de vida que analiza es el de los monjes, su perfección, defectos y peligros. Enumera después los vicios y virtudes que tienen una dimensión social: la jactancia, la hipocresía, la envidia, el odio, el amor y la amistad. Explica a continuación las obligaciones de los prepósitos en relación con los fieles que tienen encomendados, de los doctores eclesiásticos, sus cualidades, virtudes y modo de enseñar. Expone después las obligaciones de los sacerdotes con sus feligreses. Analiza los deberes de los súbditos en relación con el poder temporal y de las obligaciones de los gobernantes y sus principales virtudes, que son la justicia y la paciencia. Dedica los capítulos 52 al 56 a describir las virtudes y cualidades de los jueces y sus faltas principales, que son la parcialidad en las sentencias y el dejarse sobornar. Para San Isidoro tiene una gravedad especial el oprimir a los pobres y desvalidos. Los justos deben soportar las tribulaciones con alegría y no poner su esperanza en los bienes de este mundo. Para animar a todos a practicar las virtudes recuerda que sólo se puedē obrar el bien en esta vida, y ésta es muy breve. En el último capítulo afronta el tema de la muerte [20].

Toda esta doctrina teológica debe completarse con otros temas que tocó más extensamente en otras obras, como *De ecclesiasticis officiis, Synonima, Libri differentiarum,* etc., y, sobre todo, en la *Etimologías.* Esta obra es el gran diccionario enciclopédico de la época. Abarca todas las ramas del saber. No podía faltar en ella algún capítulo dedicado a la ciencia por excelencia de la época: la teología. En el libro séptimo trata de Dios, los nombres que se le han dado y su significado; de sus atributos: omnipotente, inmortal, incorruptible, inconmutable, eterno, invisible, impasible, simple, sumo bien, perfecto y creador. Hace a continuación una perfecta síntesis de Cristología. El capítulo tercero es un resumen de la doctrina sobre el Espíritu Santo. Lo mismo podemos decir del capítulo cuarto, dedicado a la Trinidad. Habla después de las creaturas. En primer lugar habla de los ángeles y sus diversas clases; luego, de los hombres y su estado en el Antiguo y Nuevo Testamento: patriarcas, profetas, apóstoles, mártires, clérigos, monjes y fieles cristianos. Es un libro eminentemente teológico en el que expone brevemente las ideas explicadas en otros libros, especialmente en la *Sentencias.*

También el libro octavo tiene, en parte, carácter teológico. Es un tratado de eclesiología. Explica su significado y afirma que desde el principio recibe el calificativo de *católica.* La Iglesia quedó constituida el día en que el Espíritu Santo bajó sobre los apóstoles. Expone las diferencias con la sinagoga. Explica después la etimología de las palabras *dogma* y *religión* y la esencia de las virtudes teologales. Las herejías y los

[20] Cf. SAN ISIDORO, *Sentencias* ed.cit. p.226-525: ML 83,537-738.

cismas son algo opuesto a la Iglesia. Especial interés tiene el capítulo quinto. Enumera en él todas las herejías que hasta entonces se habían producido, dando la nota distintiva de cada una de ellas. El resto del libro lo dedica a las sectas judías y al paganismo [21].

El método empleado por San Isidoro sirvió de ejemplo a Tajón de Zaragoza († 680) para escribir sus *Sententiarum libri quinque*. Tajón confiesa explícitamente, en el prólogo que dirige a Quirico de Barcelona, que intenta resumir en un solo volumen las ideas de San Gregorio Magno. De San Agustín tomará muy pocas cosas. Intenta hacer una síntesis de toda la ciencia teológica, comenzando por la esencia de Dios y terminando en el fin de este mundo. Hace este resumen para aquellos que no quieren leer muchas cosas, para los que no tienen tiempo de hacerlo y para aquellos que, aunque quieran y puedan leer mucho, no disponen de los medios necesarios para adquirir muchos volúmenes. A todos éstos recomienda Tajón que no dejen de leer su obra [22].

Tajón de Zaragoza comienza su libro hablando de Dios: su inmutabilidad, eternidad, inmensidad, omnipotencia. Dedica un capítulo a cada una de las personas divinas y otro a la Trinidad. Trata después de los ángeles y sus diversas clases, de la creación del mundo y del hombre, del estado del primer hombre y de su caída. Comienza el libro segundo con el tema de la encarnación de Cristo, su predicación, muerte y resurrección. Prosigue con los apóstoles y su predicación, el nacimiento de la Iglesia y los sacramentos del bautismo y la eucaristía. Explica también las virtudes teologales y la gracia, las cualidades, deberes y competencias de los superiores y sacerdotes. En el libro tercero trata de algunos estados de vida y las virtudes; en el cuarto expone los vicios y pecados. Lo más importante del libro quinto son los últimos capítulos, que dedica a los novísimos [23]. La obra de Tajón es, en algunos puntos, más ordenada y sistemática que la de San Isidoro.

c) **Escatología**

No hablamos ahora de los sacramentos por creer suficiente lo dicho en el capítulo sobre la vida sacramental. Será suficiente, para dar una visión bastante completa de la teología de la época visigoda, hablar un poco más detenidamente de los novísimos. San Isidoro y Tajón dedicaron algunos capítulos a este tema. Pero, sin duda, quien más profundamente lo estudió fue San Julián († 690) en su *Prognosticon futuri saeculi*. Es el primer tratado completo de las últimas realidades del hombre. Tuvo un gran eco en la Edad Media.

San Julián recoge la doctrina de los Padres, especialmente San Agustín y San Gregorio, sistematizando y haciendo una síntesis que se pueda leer sin demasiado esfuerzo. La obra nació de una conversación

---

[21] Cf. SAN ISIDORO, *Etimologías,* ed. L. Cortés (BAC, Madrid 1951) 1.7-8 p.160-96: ML 82,259-305.
[22] Cf. TAJÓN, *Sententiarum libri quinque:* ML 80,728-30.
[23] Cf. ibid.: ML 80,727-990.

entre San Julián e Idalio, obispo de Barcelona. A éste le pareció tan interesante lo dicho por San Julián, que le pidió lo pusiera por escrito. Con toda seguridad, los dos decidieron el título de los capítulos y la materia que comprendería cada uno de ellos.

El primer libro está dedicado al tema de la muerte, que entró en el mundo por el pecado de Adán. Consiste en la separación del alma y el cuerpo. Solamente muere el cuerpo. La única muerte del alma es el pecado. El hombre teme naturalmente la muerte del cuerpo. El cristiano no debe temerla, porque vive de la fe. En el libro segundo explica qué ocurre con el alma antes de la resurrección del cuerpo. Comienza hablando del cielo y el infierno. Las almas de los justos van al cielo inmediatamente después de la muerte; las de los malos van al infierno. Las almas de aquellos que no han sido tan buenos como para ir al cielo inmediatamente ni tan malos como para ir al infierno, expían sus faltas en otro lugar. Es el purgatorio. La Iglesia puede orar eficazmente por esas almas. Para San Julián, pues, hay una retribución inmediata según los méritos de cada uno. De ella participa sólo el alma. Es una escatología intermedia. Después, con la resurrección del cuerpo, llegará la escatología final del hombre completo. Implica un aumento intensivo de bienaventuranza al realizarse el deseo del alma de estar unida con el cuerpo y perfeccionar así la visión beatífica. El libro tercero lo dedicará a tratar de la resurrección y del juicio final [24].

Las concepciones escatológicas de San Julián tienen también un carácter colectivo y eclesial. Con la muerte, el cristiano encuentra una nueva familia. El gozo o la pena aumenta al encontrar almas que se han conocido en la tierra, y también a aquellas que no se ha conocido. Llega a decir que la felicidad completa se da sólo cuando han llegado al cielo todos los miembros del Cuerpo místico de Cristo [25]. Admite también una escatología cósmica, ya que este mundo será destruido, pero será sustituido por un cielo y una tierra nuevos. El cielo y el infierno no son lugares corpóreos. «La lectura del *Prognosticon* nos ha hecho descubrir en él una sensibilidad que no dudaríamos en calificar de moderna. Hemos querido recoger principalmente los elementos en que esa sensibilidad se manifiesta: aspectos colectivos y eclesiales de la escatología, escatología cósmica, una visión teológica bastante poco ligada con las concepciones cosmológicas de la época, atisbos interesantes en la teología de la muerte o el purgatorio» [26].

Los escritores visigodos fundamentan su teología en la Biblia y en los Padres. Pero no son meros plagiarios. Dan unidad a los textos escogidos para probar las verdades que les interesan. El respeto por la autoridad y la tradición no quiere decir que no aporten nada propio. Al menos, la sistematización y el método son propios. Las *Sentencias* de San

---

[24] Cf. SAN JULIÁN, *Prognosticon futuri saeculi libri tres:* ML 96,453-524.
[25] Cf. ibid., l.2 c.28: ML 96,490-91.
[26] C. POZO, *La doctrina escatológica del «Prognosticon futuri saeculi», de San Julián de Toledo,* en *La patrología toledano-visigoda,* XXVII Semana Española de Teología (Madrid 1970) p.219.

Isidoro y de Tajón son los primeros manuales de teología. Hacen una síntesis casi perfecta de la dogmática, la moral y, en el caso de San Isidoro, también de la pastoral. Ordenan la teología según la dinámica de la historia de la salvación. «Pero no termina aquí esta orientación realista y práctica. Isidoro y sus discípulos realizan su gran esfuerzo doctrinal mirando a dar solución a los problemas precisos y concretos de tipo pastoral, de tal modo que han construido una teología teniendo en cuenta las estructuras sociales de su pueblo visigodo. Escribieron y actuaron según el signo de su tiempo. Hoy la hubiesen adaptado a las exigencias de nuestros días, porque su teología es eminentemente pastoral. Isidoro estudiaba la teología a la luz de la pastoral. De ahí que la teología de Isidoro y demás escritores de esta época no es una teología descarnada y separada de la vida de sus días y de sus problemas urgentes. Cuando escriben, Isidoro y discípulos no olvidan que antes de nada son pastores» [27].

4. EL DERECHO

La influencia de la Iglesia en todos los aspectos de la vida fue enorme. No podía ser menos en la cuestión del derecho tanto eclesiástico como civil. La Iglesia intervino al dictar las normas que regían la vida cristiana y la civil. Intervenía en las primeras por derecho propio, y en las segundas porque la monarquía no dudó en aprovecharse de la mayor cultura de los obispos para adaptar leyes antiguas a las nuevas circunstancias o crear otras nuevas que regulasen la vida civil.

a) **El derecho eclesiástico**

Hemos hablado ya del asunto al ver que los concilios eran fuente de derecho eclesiástico. La Iglesia española se regía por la legislación de los concilios ecuménicos y por las epístolas pontificias. Se aprovecha también la legislación de otras iglesias locales, sobre todo la iglesia gala y africana. Pero todo esto no era bastante. La Iglesia española vivía circunstancias especiales, se encontraba con problemas y situaciones concretas que debía regular, dirigir, alabar o condenar. Para eso se reunían los concilios generales y provinciales. El derecho eclesiástico visigodo estaba siempre al día. Los concilios se reunían con frecuencia y solucionaban los problemas que hubieran aparecido. Si el problema ya había sido tratado por la legislación anterior, se aplicaba ésta. Para ello disponían de la colección *Hispana* y después de un extracto sistemático que recibió el nombre de *Excerpta canonum*. «Aquí se recoge por libros y títulos cuanto en los cánones y epístolas papales hay referente a la elección y formación del clero, a los monjes, a los procedimientos judiciales, al modo de administrar el bautismo y de celebrar los demás oficios divi-

---

[27] U. DOMÍNGUEZ DEL VAL, *Características de la patrística hispana en el siglo VII*, en *La patrología toledano-visigoda*, XXVII Semana Española de Teología (Madrid 1970) p.31.

nos, al matrimonio, a los deberes de los clérigos, a los príncipes, a Dios y a la fe, a los herejes e idólatras. Con esta abundantísima y sistemática tabla de materias podían los sacerdotes enterarse en breve tiempo de lo que había dispuesto acerca del dogma y de cada uno de los principales casos que podían ocurrir en el ejercicio de su ministerio. Era como un compendio de moral y derecho canónico a la vez» [28]. La *Hispana* es la colección canónica más rica y completa de aquella época. Es también la más ordenada y armónica. No se pueden comparar con ella las colecciones aparecidas en otros países.

Es, sin lugar a dudas, la mejor colección canónica de toda la Iglesia en los diez primeros siglos. Es la que contiene mayor número de concilios y decretales de los papas en documentos absolutamente genuinos y fiables. Se fue acrecentando poco a poco y existen varias recensiones. «La recensión isidoriana, de la que no poseemos ningún manuscrito, se compuso en ambiente de la Bética al acabar el concilio IV de Toledo. Una serie de fuertes indicios convergen en apuntar la paternidad de San Isidoro, sin que exista un argumento apodíctico» [29]. G. Martínez, en una buena monografía sobre la *Hispana*, estudia todos los problemas que esta colección puede plantear, especialmente su árbol genealógico y el problema de su paternidad, que adjudica a San Isidoro. Hace un juicio crítico sobre las conclusiones a que han llegado en este punto los autores españoles y extranjeros que han tocado el tema. Analiza las fuentes conciliares y decretales que contiene. Y también la gran difusión e influjo que ejerció en épocas posteriores [30].

La polémica sobre el autor de la *Hispana* es bastante reciente. Toda la tradición medieval piensa que es San Isidoro. «Por otra parte, Isidoro manifestó siempre un gran interés por la legislación eclesiástica y la tradición medieval le atribuye la paternidad. La crítica de nuestros días discute la autenticidad; y así, mientras Maassen, G. Le Bras y J. Tarré niegan la autenticidad, Sejourné la defiende con calor, y Madoz últimamente ha aportado nuevos argumentos a su favor. Negar una intervención directa y personal de Isidoro en la misma es muy difícil» [31].

La *Hispana* nace en plena época isidoriana. «Representa la pervivencia y conjunción del universalismo romano con la legislación sobre los problemas nuevos del día en un período conceptuado como individualista y de dispersión. Del influjo de la *Hispana* en épocas posteriores da buena idea el hecho de que siempre que al movimiento pendular de universalismo y particularismo se inclina por la primera opción, los compiladores de colecciones canónicas vuelvan su vista hacia la *Hispana*. Más que obra de un sólo autor, la *Collectio Hispana* parece la obra de una época, de la jerarquía visigótica dentro y fuera de los concilios. No existe aún evidencia sobre la identidad del compilador. Es cosa sabida

[28] Z. García Villada, o.c. II p.2.ª p.136.
[29] G. Martínez, *La Colección canónica hispana*, en *Diccionario de historia eclesiástica de España* vol.1 (CSIC, Instituto Enrique Flórez, Madrid 1972) p.445.
[30] Cf. G. Martínez, *La Colección canónica hispana. I: Estudio* (Madrid 1966).
[31] U. Domínguez del Val, *Isidoro de Sevilla*, en *Diccionario de historia eclesiástica de España* vol.2 (Madrid 1972) p.1214.

que San Isidoro de Sevilla ocupó un lugar destacado dentro de esa jerarquía. Aparte de su participación en todos los aspectos religiosos e incluso políticos de la época visigótica, San Isidoro reúne todavía dos importantes méritos para el historiador del Derecho canónico. El primero consiste en haber recogido en sus *Etimologías* toda una serie de conceptos de derecho romano que ejercerán gran influjo en el período clásico de la canonística del Medioevo» [32].

Hemos recogido literalmente estas opiniones por compartirlas plenamente. Especialmente en cuanto a la participación de San Isidoro en la formación de la *Hispana*. El que ésta sea de origen español no se puede ya poner en duda. Repetimos que todos los indicios apuntan a una participación directa de San Isidoro en su redacción. No quiere decir esto que fuese el único. Muy bien pudo hacerse en un concilio. La influencia de San Isidoro en esta época es enorme en el aspecto cultural, religioso y político. Es el hombre que mejor conoce el derecho romano. Y en todas sus obras se nota un interés especial por que la legislación eclesiástica sea clara, justa y ordenada.

En su primera redacción, la *Hispana* contenía los concilios griegos y africanos, diez concilios galos y catorce españoles. El último de ellos en esa redacción es el concilio IV de Toledo. Estaban también los *Capitula Martini,* que aparecen a continuación del concilio II de Braga; las *Sentencias,* atribuidas al concilio de Agde, y 104 decretales, hasta San Gregorio Magno. En la última redacción comprende hasta el concilio XVII de Toledo, año 694.

Los concilios aplicaban esta legislación mientras no hubiera motivo suficiente para cambiarla. Los concilios generales eran la máxima autoridad dentro del territorio español. Los concilios provinciales lo eran sólo para la provincia eclesiástica. Aplicaban las leyes más o menos rigurosamente según las circunstancias. Donde más fluctuaciones se notan es en los cánones que tienen un carácter político, sin duda porque en este tema dependían del parecer del rey y de los nobles. Un ejemplo claro es el problema del castigo y perdón de los traidores. La legislación canónica visigoda determinaba claramente los derechos y obligaciones de cada uno, tanto instituciones como individuos. Todos sabían perfectamente a qué atenerse. Si se trataba de un asunto sobre el que no había legislación anterior, los obispos reunidos decidían por su cuenta la forma de proceder, procurando adaptarse lo más posible al espíritu de la legislación anterior.

La claridad de la legislación, el empeño que los obispos ponían en que las leyes eclesiásticas fuesen justas, la no acepción de personas a la hora de legislar o de aplicar la ley, fue la causa de que no hubiese grandes abusos disciplinares en la Iglesia visigoda. Los abusos que, a pesar de todo, aparecieron fueron condenados inmediatamente. Las leyes eclesiásticas debían ser obedecidas por todos: obispos, sacerdotes,

---

[32] A. García García, *Derecho canónico*, en *Diccionario de Historia eclesiástica de España* vol.2 p.734-35.

clérigos, monjes y fieles. No se dudaba en corregir y castigar aun a las más altas jerarquías cuando habían transgredido alguna ley.

b) El derecho civil

El derecho de los pueblos germánicos se transmitía de una generación a otra por tradición oral. Pero al ponerse en contacto con el imperio romano fueron escribiendo sus normas jurídicas. Debían adaptar sus leyes a las nuevas circunstancias políticas, sociales, económicas y religiosas. La primera ley escrita es el código de Eurico (465-84) al sentirse rey de un pueblo que ha adquirido un territorio propio que debe organizar legalmente. Pero su código regía sólo para los visigodos, sin tener en cuenta a los hispano-romanos, que seguían viviendo bajo las leyes romanas. Alarico II, para evitar confusión, manda hacer una compilación, que fue promulgada el año 506 en Aduris por una asamblea de obispos y nobles elegidos por el rey.

El asentamiento definitivo de los visigodos en los territorios conquistados hace nacer la tendencia a una unidad legislativa válida para todos los súbditos de la monarquía visigoda. Se acentuó esta tendencia durante el reinado de Leovigildo (572-86). No olvidemos que el sueño de su vida fue el lograr la unidad política y religiosa de toda España. Esto exigía también imponer la unidad legislativa. Leovigildo no logró su objetivo por querer hacer del arrianismo la religión del reino. Revisó el código de Eurico, corrigiendo en las leyes todo aquello que parecía no haber sido establecido por este rey, añadiendo muchas leyes y abrogando otras que ya eran superfluas [33]. El código de Leovigildo no ha llegado hasta nosotros. Muchas de sus leyes aparecerán en el *Liber iudiciorum*.

Las circunstancias concretas cambian con la conversión de Recaredo y de todo el pueblo visigodo al catolicismo. El código de Eurico había tenido en cuenta el derecho eclesiástico arriano; ahora había que contar con el derecho católico. Desde Leovigildo hasta Recesvinto no hay ninguna nueva compilación ni ninguna nueva reforma importante del código. Recaredo añade tres leyes. Una sobre los judíos, otra para castigar los infanticidios y la tercera para recordar a los jueces que no pueden imponer a los pueblos nuevos impuestos. De Sisebuto (612-21), el rey letrado de quien dice San Isidoro que fue brillante en palabras, docto en el pensamiento y bastante instruido en cuanto a conocimientos literarios [34], hay dos leyes sobre el problema de los judíos. Chindasvinto añade 98 leyes sobre diversas cuestiones. Recesvinto (653-72) se propone ordenar toda la legislación existente. Pide al concilio VIII de Toledo, año 653, que reformen todo aquello que en los textos legales aparezca corrompido, superfluo o indebidamente conservado, y que lo hagan de acuerdo con la verdadera justicia y las necesidades de la vida [35].

---

[33] Cf. San Isidoro, *Historia gothorum* c.51: ML 83,1071.
[34] Cf. ibid., 60: ML 83,1073.
[35] Cf. J. Vives, *Concilio VIII de Toledo* p.264: Mansi, 10,1208.

El concilio resolvió los problemas civiles que el rey había presentado, pero no revisó todo el Código civil. Era una obra que necesitaba más tiempo del que estuvo reunido el Concilio.

Recesvinto pedía una última revisión del código. San Braulio lo había corregido y ordenado por encargo del mismo Recesvinto. San Braulio había muerto el año 651, y, por tanto, no estaba en el concilio VIII de Toledo. Asiste a él su sucesor, Tajón. La preocupación de Recesvinto, pues, es anterior al concilio. Seguramente pidió a San Braulio que hiciera la revisión al poco tiempo de haber sido asociado al trono por su padre Chindasvinto. La asociación tuvo lugar el año 649. El rey pediría al concilio que diera los últimos retoques al trabajo realizado por San Braulio.

San Braulio había corregido las erratas de los copistas. Pero el rey no se conformó con eso, y San Braulio lo dividió en títulos según las diversas materias [36]. Recesvinto escribirá una carta a San Braulio dándole las gracias por el trabajo realizado. El Código civil fue promulgado el año 654. El rey declaró que había sido compuesto por el Oficio Palatino y los obispos. Recibió el nombre de *Liber iudiciorum* por ir destinado exclusivamente a ser aplicado en los tribunales de justicia. Trata principalmente de derecho civil, penal y procesal. No se podía usar ningún otro código en la administración de justicia. Con él desaparecía la *lex romana,* pues éste se aplica tanto a los visigodos como a los hispano-romanos. La Iglesia contribuyó eficazmente en la elaboración de este código español, que aparece impregnado de espíritu cristiano.

Recesvinto dio cuatro leyes después de la publicación del *Liber.* Otras cuatro dio Wamba, entre ellas la famosa sobre el servicio militar, que tan mal sentó al clero y fue una de las causas de su destronamiento. Se proponía con ella atajar la decadencia del poderío del pueblo visigodo, que no cumplía con sus obligaciones militares para con la patria.

El rey Ervigio pide al concilio XII de Toledo, año 681, una nueva reforma de la legislación [37]. Obispos y nobles llevan a cabo esta labor. Modifican 84 leyes, corrigiendo palabras o frases. Otras veces hacen una redacción completamente distinta. Al libro XII se añade un título, formado por 28 leyes dirigidas a los judíos. Se añadieron tres leyes de Wamba y seis de Ervigio. Abrogan cuatro leyes. Parece ser que no hubo más revisiones del *Liber iudiciorum.* Egica pidió al concilio XVI de Toledo, año 693, que reformara lo que en las leyes hubiera de superfluo o perjudicial [38]. Pero no se conserva ningún documento que pruebe que la revisión se realizó.

La Iglesia influyó también en el espíritu de la legislación. Era la depositaria del derecho romano, y era fiel a su espíritu, conservado por los obispos que legislaban en los concilios. Tenía que influir en el derecho visigótico. San Isidoro poseía profundos conocimientos de derecho romano, como demuestra en el libro V de las *Etimologías.* «El libro V de

[36] Cf. L. Riesco Terrero, *Epistolario de San Braulio* ep.40 (Sevilla 1975) p.153.
[37] Cf. J. Vives, *Concilio XII de Toledo* p.383: Mansi, 11,1026.
[38] Cf. J. Vives, *Concilio XVI de Toledo* p.487: Mansi, 12,63.

sus *Etimologías* es un alarde de esos conocimientos. Con singular maestría esclarece allí el metropolitano de Sevilla los conceptos de ley (divina y humana), de derecho (natural, civil y de gentes), de costumbre y privilegio, de las cualidades que han de tener las leyes para que sean provechosas al pueblo, de los juicios con todas sus formalidades, de los crímenes y de las sanciones penales. Algunas de estas afirmaciones teóricas pasaron al código recesvindiano, y todo el tratado se puso durante la Edad Media a la cabeza del *Fuero juzgo,* siendo luego reproducido por Graciano» [39].

San Isidoro escribe que «la ley debe ser honesta, justa, posible, conforme a la naturaleza y a las costumbres patrias, conveniente al lugar y tiempo, necesaria, útil, clara, no sea que induzca a error por su oscuridad, y dada no para el bien privado, sino para utilidad común de los ciudadanos» [40]. Los reyes y los legisladores visigodos se esforzaron por lograr que el código civil reuniese estas cualidades. Las leyes se dan para el bien común, y, por tanto, todos deben obedecerlas. El mismo rey, aunque es el supremo legislador humano, no puede dispensarse del cumplimiento de las leyes. Ni puede imponer leyes a sus súbditos buscando sólo el beneficio propio. Ni puede hacer que se le concedan cosas que se prohíben a los súbditos [41]. El bien común de la nación está por encima de los intereses del rey. Este no puede deformar ni aprovecharse de las leyes. Todas estas ideas aparecerán en la ley II 1,2 del *Fuero juzgo.*

El *Liber iudiciorum* representó un avance considerable con respecto a los códigos anteriores. Habría que calificarlo de insuficiente para regir una sociedad moderna. Pero para organizar casi perfectamente la vida diaria de aquel tiempo era más que suficiente. Los juristas impregnaron el *Liber* de ideas cristianas y humanas sobre el derecho. Todos los hombres tienen sus derechos y obligaciones. La ley les reconocerá y defenderá sus derechos y les obligará a cumplir sus deberes. La ley es una norma superior que todos deben acatar. Ya no es la ley de una raza, sino la legislación promulgada para todos los habitantes del territorio visigodo.

5. LA HISTORIA

Los escritores visigodos de este período tocaron también temas históricos. El primero que encontramos es Juan Biclarense. Escribió una *Crónica* que abarca del año 567 al 590. El Biclarense conoció las historias de Eusebio de Cesarea, San Jerónimo, Próspero de Aquitania y Víctor de Túnez. Habían escrito la historia de casi todos los pueblos con gran brevedad. El los toma como modelos y se propone narrar los hechos ocurridos en su tiempo para que sean conocidos por la posteridad.

[39] Z. GARCÍA VILLADA, o.c. II p.2.ª p.184.
[40] SAN ISIDORO, *Etimologías* V c.21 ed.cit. p.115: ML 82,203.
[41] Cf. SAN ISIDORO, *Sentencias* III 1-2 ed.cit. p.499: ML 83,723.

El Biclarense sólo contará los acontecimientos que ha visto personalmente y los que le han narrado personas de toda confianza. Esta afirmación y la brevedad del tiempo que comprende su *Crónica* le dan un gran valor histórico.

Nos cuenta los principales hechos ocurridos en Constantinopla, Roma, Galia y España, con la sucesión de reyes, príncipes, papas y obispos más célebres en estos países. Se ocupa también de las legaciones, guerras, conjuraciones, pestes y persecuciones religiosas. Fiel a su idea de narrar principalmente lo que ha visto personalmente, del año 567 al 576 cuenta casi exclusivamente los hechos ocurridos en Constantinopla por haber vivido allí durante esos años. A partir del año 576 se encuentra ya en España, y entonces dedica casi todo su interés a la historia visigoda.

La *Crónica* comprende todo el reinado de Leovigildo y algunos años de Recaredo. Nos da breves noticias de las guerras y hechos más importantes del reinado de Leovigildo, en especial de la guerra contra su hijo Hermenegildo. Prueba de la imparcialidad del Biclarense es que, a pesar de haber sido desterrado nueve años a Barcelona por oponerse a la política religiosa de Leovigildo, habla de él con admiración. Y en el plano político condena la rebelión de Hermenegildo contra su padre. Con más entusiasmo aún habla del reinado de Recaredo. Es el rey que se ha convertido y ha logrado la conversión de todo el pueblo visigodo al catolicismo. Ha dado a todo el territorio visigodo la unidad y la paz religiosa dentro de la Iglesia católica. Nos habla de las conjuraciones de Uldila y Gosvinta y la de Argimundo contra el rey Recaredo. Dedica un párrafo especial a describir la gran labor del concilio III de Toledo [42].

San Isidoro trató también temas históricos. En el *Chronicon* hace una historia mundial desde el principio del mundo hasta el año 615 de nuestra era. Se aprovecha de las historias de Flavio Josefo, San Justino, Eutropio, Rufo Festo, Eusebio de Cesarea, San Jerónimo, Idacio, San Agustín y Casiodoro. Divide la obra, como San Agustín, en seis edades. Enumera los nombres y acontecimientos más importantes de cada una. En la cronología se sirve de San Jerónimo [43]. Sus ideas históricas están impregnadas del providencialismo agustiniano, tan común en la época. Los acontecimientos son producto de la voluntad de Dios.

Más interesante para nosotros es la *Historia de regibus gothorum, wandalorum et suevorum* [44]. Es una obra esencial para conocer la historia de los pueblos invasores de España. Comprende desde el reinado de Atanarico, aunque antes hace un breve resumen del origen e historia de los godos, hasta el año 526, en que reina Suintila. En la historia de los vándalos y suevos copia, muchas veces literalmente, a Orosio, Idacio y Víctor de Túnez. Se sirve del Biclarense para el período comprendido entre los años 567 y el 585. Es original sólo al narrar los reinados de

---

[42] JUAN BICLARENSE, *Ioannis Biclarensis Chronicon:* ML 72,859-70.
[43] Cf. SAN ISIDORO, *Chronicon:* ML 83,1017-58.
[44] Cf. SAN ISIDORO, *Historia de regibus Gothorum, Wandalorum et Suevorum:* ML 83,1057-82.

Liuva, Witerico, Gundemaro, Sisebuto, Recaredo II y Suintila. San Isidoro conoce perfectamente este período, ya que desempeña un papel primordial en el desarrollo religioso y político de España.

San Isidoro cuenta sucintamente los principales acontecimientos, especialmente las guerras, y hace un pequeño juicio crítico de la actuación de cada uno de los reyes. Así, Leovigildo es un gran legislador y hombre de armas que pacifica el territorio visigodo y lo extiende considerablemente a costa de los enemigos y llega a reinar casi en toda España. Pero en su actuación hay un gran borrón: el haber perseguido a la Iglesia católica cuando intentó hacer la unidad religiosa en el arrianismo. Recaredo es todo lo contrario a su padre. Es un hombre tranquilo que conserva en paz todos los territorios conquistados por su padre. Su gran mérito es el haberse convertido al catolicismo con todo su pueblo. Es un hombre religioso, bueno y caritativo con todos. Sisebuto es un rey cristiano y versado en casi todas las ramas del saber. El único error grave de su actuación es el haber obligado a los judíos a convertirse por la fuerza. Tal conversión debía haberse hecho con la predicación y el convencimiento. La gran gloria del rey Suintila es el haber sido el primero que reinó sobre todo el territorio español al conquistar las posesiones que quedaban al imperio de Oriente en el sudeste español. Suintila es un rey justo y caritativo con todos [45].

San Isidoro comprendió la importancia del momento histórico en que vivía. El era un admirador del imperio romano y el mejor conocedor de la cultura romana. Pero se dio cuenta que la labor del imperio en la historia había terminado. Era la hora de los nuevos pueblos. San Isidoro lo vio con claridad, y se alineó decididamente al lado de la monarquía visigoda. Su admiración por Leovigildo, que ensancha el territorio visigodo y se anexiona a los suevos; por Recaredo, que realiza la unidad espiritual, y por Suintila, que logra definitivamente la unidad territorial, es evidente. San Isidoro coopera activamente en la constitución y organización del reino. Narra con alegría las guerras y acontecimientos que llevan al reino visigodo a dominar en toda España y a reforzar su unidad religiosa y política. La unidad que representaba el imperio quedaba asegurada por la catolicidad de la Iglesia dentro de la independencia de los nuevos reinos. Desea un reino visigodo unido y fuerte, capaz de hacer frente a los enemigos exteriores. Al final de su historia dedicará una alabanza entusiasta a las virtudes del pueblo godo. Su ilusión por lograr y mantener la unidad étnica, religiosa y política es evidente. San Isidoro cooperaba para que fuese una realidad.

El libro *De viris illustribus* tiene importancia como fuente para la historia eclesiástica. En él da, además, noticias de interés literario. Imita en este libro lo hecho por San Jerónimo y continuado después por Genadio. Narra brevemente la vida y escritos de algunos personajes ilustres que habían sido omitidos por ambos y, sobre todo, de aquellos que vivieron después de ellos [46]. Aparecen muchos obispos españoles,

---

[45] Cf. ibid., 49-64: ML 83,1070-74.
[46] Cf. San Isidoro, *De viris illustribus:* ML 83,1081-1106.

entre ellos su hermano San Leandro. El último es Máximo de Zaragoza.

San Ildefonso escribe un libro con el mismo título. En la práctica es una continuación de San Isidoro. A excepción de San Gregorio Magno, todos los personajes son españoles. Aparecen en él los grandes obispos españoles del siglo VII: San Isidoro, San Eladio, San Justo, los dos Eugenio de Toledo, San Braulio. Traza brevemente la vida de cada uno de ellos y enumera sus escritos. Ambas obras, ésta y la de San Isidoro, tienen un gran valor para conocer la vida eclesiástica de la época y las obras literarias, muchas de las cuales se han perdido [47].

San Julián de Toledo escribe la *Historia de la rebelión del conde Paulo contra Wamba*. No es, como las anteriores, una narración de hechos por su valor propio, sin preocuparse de sus motivos y sus consecuencias. El mismo afirma al principio que escribe para que la virtud sirva de estímulo a las nuevas generaciones e imiten las virtudes de sus antepasados. Trata de desanimar a los revoltosos en sus intentos de nuevas sublevaciones contra los reyes. Se propone, pues, un fin práctico e intenta hacer de la historia la maestra de la vida. Por esa razón contrapone el valor militar, las dotes de gobierno y bondad de Wamba, a la doblez, traición y maldad del conde Paulo, que se pasa al enemigo e intenta usurpar el trono de Wamba, a quien se lo debía todo. Paulo fue vencido, decalvado, y se le hizo entrar en Toledo de forma ignominiosa para escarmiento de posibles traidores presentes y futuros.

San Julián no tergiversa por ello la verdad histórica. Con un concepto moderno de la historia, describe las causas de la sublevación de Paulo. Una es el carácter levantisco de la provincia Narbonense. La segunda es que en aquella provincia había muchísimos judíos. La tercera, que los reyes galos consideraban aquella provincia como territorio propio, y no cejaban en sus intentos por anexionársela. Allí es enviado Paulo para sofocar una rebelión. Paulo vence, y, creyéndose lo suficientemente fuerte, niega la obediencia a Wamba [48]. La narración está llena de vida. Da muchos detalles de interés para conocer las costumbres de la época.

6. EL «TRIVIUM» Y EL «QUATRIVIUM»

El *trivium* y el *quatrivium* era el programa tradicional en las escuelas de la época. Son las siete disciplinas de las artes liberales. San Isidoro trata de ellas en las *Etimologías*. Comienza, como es lógico, con la gramática. Hace un estudio sobre las letras, las partes de la oración, la métrica, lo signos de puntuación, la ortografía, la analogía y los vicios gramaticales. Habla también de diversos géneros literarios: prosa, verso, historia y fábula. La retórica es la ciencia del bien decir. Se deben usar las palabras adecuadas, evitando términos vulgares. Para hablar bien es necesario ingenio, ciencia y práctica constante. Explica la forma de ex-

---

[47] Cf. SAN ILDEFONSO, *De viris illustribus:* ML 96,195-206.
[48] Cf. SAN JULIÁN, *Historia rebellionis Pauli adversus Wambam Gothorum regem:* ML 96,759-808.

poner con elegancia algún tema, así como los vicios y defectos que debe evitar el orador.

La dialéctica es la disciplina ordenada a conocer las causas de las cosas. Es la parte de la filosofía llamada lógica. La filosofía es el conocimiento de las cosas humanas y divinas, unido al ejercicio de una vida recta. Divide la filosofía en tres partes. La filosofía natural o física, que trata del conocimiento de la naturaleza. La filosofía moral o ética, que trata de las costumbres, y la filosofía racional o lógica, que busca la verdad tanto en las cosas como en las costumbres. Estudia a continuación las introducciones de Porfirio, los *Predicamentos* o *Categorías* de Aristóteles y los silogismos dialécticos y definiciones de Mario Victorino [49].

En el libro tercero de las *Etimologías,* San Isidoro expone las ciencias que constituían el *quatrivium.* Son la aritmética, la geometría, la música y la astronomía. La aritmética es la ciencia que trata de los números. Esta ciencia tenía especial importancia para San Isidoro. Los números sirven para resolver problemas y entender la Sagrada Escritura. Toda la vida está influenciada por ellos, pues con ellos contamos el tiempo. Estudia a continuación las divisiones y clases de números. La geometría trata de las líneas, intervalos, extensión y figuras. Explica después las distintas figuras geométricas. Tanto en aritmética como en geometría, San Isidoro es un mero compilador del saber antiguo. Pero, aun con todas las limitaciones, es superior a todos los autores contemporáneos.

La música es la disciplina de los números en relación con los sonidos. Es pericia en la modulación, en el sonido y en el canto. La música adquirió tal importancia, que el desconocerla parecía tan mal como no saber las letras. Se empleaba no sólo en las celebraciones litúrgicas, sino en todos los acontecimientos especiales de la vida y en los banquetes. La música impregna toda la vida y el universo. Divide la música en armónica, rítmica y métrica.

La astronomía es la disciplina que estudia los astros, el curso de las estrellas, sus figuras y relaciones entre sí y con la tierra. No hay que confundirla con la astrología, ya que ésta tiene una parte de superstición al querer averiguar el futuro por medio del movimiento de los astros. En medio de todo el universo está la tierra [50]. Expresa perfectamente todos los conocimientos astronómicos de la época.

La tierra es el centro del mundo. San Isidoro dedica gran parte de las *Etimologías* a describir lo que hay en ella. Habla del hombre, creado por Dios y compuesto de alma y cuerpo, y, por consiguiente, con una vida interior y otra exterior. El alma es espiritual. El cuerpo es mortal. Enumera los sentidos y las partes del cuerpo humano. En el libro XI hace un curioso tratado de anatomía. Para proteger ese cuerpo y restaurar la salud está la medicina. A ella dedica el libro cuarto. Define y describe todas las enfermedades conocidas y a continuación habla de los remedios y medicinas. Hay tres métodos de curación: dietético, farma-

[49] Cf. San Isidoro, *Etimologías* l.1-2 ed.cit. p.46-72: ML 82,73-154.
[50] Cf. ibid., l.3 p.75-98: ML 82,153-184.

céutico y quirúrgico. El libro XII es un tratado sobre los animales. A falta de mejor criterio para su clasificación, vemos que incluye en el primer grupo a los herbívoros, pacíficos y domesticables. El segundo lo forman los carnívoros, agresivos y, en general, no domesticables. Luego habla de las serpientes, de los peces, de las aves y de los insectos.

San Isidoro trata también de geografía. Como complemento a la astronomía desciende a estudiar el entorno geográfico de la tierra y luego la tierra misma. El mundo comprende el cielo, la tierra y todo cuanto hay en ellos. Todo fue creado por Dios. La materia de las cosas está compuesta de átomos. Describe el cielo, sus partes y círculos. Dedica varios capítulos a los fenómenos atmosféricos: el aire, las nubes, el trueno, el rayo, la lluvia, la nieve, el granizo, el viento con sus direcciones y nombre de cada uno. Los últimos capítulos de este libro XIII los dedica al agua, su diversidad, los mares, océano, golfos, estrechos y ríos. El libro siguiente es un estudio de la tierra. Son curiosas las opiniones sobre su movimiento. El océano la rodea por todas partes. Está dividida en tres partes: Asia, Europa y Africa. Explica detalladamente las regiones y naciones que hay en cada una de ellas. De cada nación describe su situación geográfica, pueblos que la habitan, los principales ríos y montañas, sus características climatológicas, su fertilidad y principales productos, la ganadería, los metales y piedras preciosas en caso de que las haya. Lo mismo hace al hablar de las islas. En el libro siguiente nos da San Isidoro interesantes noticias sobre las ciudades más famosas del mundo. Establece la diferencia entre la ciudad y los demás centros habitados. Pasa luego a describir las construcciones defensivas de las ciudades, las calles y las plazas, los edificios públicos, privados y religiosos.

Siguiendo en su grografía económica descriptiva, hace en el libro XVI un estudio de las piedras preciosas y los metales. Nos habla de sus propiedades y de los lugares en que son más abundantes. Para los minerales añade su forma de extracción y los usos más comunes. En el libro siguiente, dedicado a la agricultura, comienza enumerando los trabajos necesarios para el cultivo de los campos. Pasa después a hablar de los cereales, las legumbres, las viñas, los árboles y lugares donde se encuentran, las plantas aromáticas y las propiedades de algunas de ellas, las hortalizas. Gran parte de la doctrina de estos últimos libros la toma de Plinio.

San Isidoro ha leído no solamente a los Santos Padres, sino a los escritores paganos que han tocado estos temas. En casi todas sus ideas depende de ellos. Tampoco aquí intentaba San Isidoro ser original, sino hacer un compendio lo más exacto posible del saber antiguo. Es evidente que esas ciencias son muy imperfectas comparadas con los conocimientos que modernamente tenemos de ellas. San Isidoro no podía tener los mismos conocimientos que un astrónomo o un geógrafo moderno. Para juzgar equitativamente sus conocimientos no se le puede comparar con lo que se sabe hoy, sino con lo que se sabía en su tiempo.

7. LA POESÍA

Casi todos los autores visigodos escribieron alguna vez en poesía. San Isidoro, San Máximo y San Braulio escribieron algunos versos. Tajón de Zaragoza encabeza sus *Sentencias* con unos hexámetros para animar a leer su obra. El rey Sisebuto termina sus cartas con dísticos rebuscados. También San Ildefonso y San Julián escribieron versos. La mayor parte de los poemas podemos calificarlos de prosa medida.

El hombre que más vena poética tiene es, sin duda, San Eugenio. Consideramos acertado a J. Pérez de Urbel cuando escribe: «Hay entre sus poesías algunas destinadas a expresar de una manera gráfica las enseñanzas isidorianas para mayor facilidad de los discípulos. Su valor poético es muy escaso. Tiene un poema didáctico dirigido al monarca, en el cual tampoco brilla muy alto la inspiración. Donde realmente se eleva a gran altura es en sus poesías íntimas; cuando canta la paz, el amor, la fragilidad de la vida, su terror delante de la muerte, las angustias de su alma y el heroísmo de los santos. Brotan de su pluma acentos conmovedores, llenos de sinceridad. No es extraño a las dulzuras legítimas de la tierra; todo lo contrario, las ama, las recoge con avidez. Las bellezas de la creación hacían vibrar su alma. Gustaba el placer de recitar versos entre las frondas del Ebro y el Tajo; miraba con ternura a la golondrina, «huésped del verano», y consideraba como un crimen tocar sus nidos; como los monjes de las viejas leyendas, se extasiaba escuchando el ruiseñor, «compañero de la noche y amigo del canto», según una expresión suya, en que traduce los nombres que le daban los griegos y godos. Ese canto le hacía olvidar sus dolores y le obligaba a exclamar: «¡Oh Cristo!; bendito seas y glorificado por este deleite con que regalas a tus servidores». Es la emoción humana delante de la naturaleza; una emoción fresca, nueva, juvenil, llena de candor y de sinceridad; una emoción distinta de la que nos producen los poetas de la decadencia romana. Con Sedulio, Draconcio, Merobaudes y Sidonio Apolinar había llegado, insensiblemente, el crepúsculo de la Edad Antigua. En Eugenio encontramos el primer representante de un orden nuevo, de una emoción más religiosa, más sensible y, si se quiere, más mística»[51].

La rima entra como un nuevo elemento en la poesía visigoda. Se encuentra en los epitafios desde principios del siglo VI. Comienza a introducirse poco a poco y llega a invadirlo todo después de la muerte de San Isidoro. Se la considera como un elemento de armonía, y aparece en las leyes, los cánones, fórmulas litúrgicas, la teología y la epigrafía. Basta ver los himnos de autores españoles que aparecen en el *Himnario litúrgico*. Quirico de Barcelona, San Braulio, San Leandro, San Isidoro, San Eugenio, San Ildefonso y San Julián son los autores de tales himnos.

[51] J. PÉREZ DE URBEL, *Las letras en la época visigoda*, en *Historia de España*, dir. por M. Pidal, t.3 (Madrid 1963) p.478-79.

8. Los destinatarios de la cultura

Los escritores visigodos tenían en su mente las escuelas episcopales, parroquiales y monacales. Los profesores y estudiantes eran los lectores habituales de sus obras. Sus escritos servían principalmente para la formación del clero, ya que los alumnos aspirantes a las órdenes sagradas eran más numerosos que los laicos. A través de estos clérigos, que estaban en contacto constante con el pueblo por la predicación y la catequesis, tales ideas llegaban hasta los fieles.

Ese pueblo no era un grupo homogéneo. En el territorio visigodo coexistían varias razas. Y esa diversidad se nota en la dirección que en algunos puntos tomó la cultura visigoda. El derecho intentaba no sólo poner al día las leyes, sino hacer un código común para visigodos e hispano-romanos. La teología apologética trataba de atraer a los judíos al catolicismo y a la unidad político-religiosa que habían logrado los visigodos y los hispano-romanos.

Llamamos hispano-romanos a todos aquellos que poblaban España antes de las invasiones de los bárbaros. Aunque pudieran pertenecer a razas diferentes, todos ellos habían aceptado la romanización en la vida, cultura y costumbres. Este pueblo no desapareció, y los invasores respetaron sus costumbres y sus instituciones. En su mayor parte eran ya católicos antes de las invasiones. Es un pueblo más culto que el invasor, y sigue administrando justicia y conserva su organización, lengua, cultura y religión. Algunos hispano-romanos llegaron a desempeñar altos cargos en el ejército y en el gobierno de provincias y ciudades.

Los godos son el pueblo invasor. Ellos y los suevos se afincan definitivamente en España. Terminada la guerra de conquista y las primeras crueldades y fricciones inevitables, comienza la convivencia pacífica. En un principio, godos e hispano-romanos viven separados y no faltan los recelos. Está prohibido el matrimonio con personas de la otra raza. Pero poco a poco comienzan a aceptarse mutuamente. Los visigodos aceptan la lengua de los hispano-romanos, su cultura superior y costumbres. El cambio resultó relativamente fácil, porque el pueblo visigodo había vivido muchos años en contacto con el imperio romano.

Las principales causas de la división eran varias. La primera, evidentemente, era el considerar a los visigodos como extranjeros. Además, el tener un derecho distinto, la prohibición de matrimonios entre unos y otros, la diferencia de religión. Estas causas fueron desapareciendo paulatinamente. A pesar de la prohibición, se celebraron algunos matrimonios entre godos e hispano-romanos. «El mestizaje a que da lugar en el suelo patrio terminó por crear un ideal nuevo frente a Roma, llegando a perderse la conciencia hispana de su romanidad» [52]. La segunda causa de separación que desapareció fue el considerar a los visigodos como extranjeros. Cuando los ejércitos del emperador Justiniano conquistan hacia el año 550 parte del sudeste español serán vistos por la mayor

[52] L. Robles, art.cit. p.16.

parte de los españoles, tanto godos como hispano-romanos , como extraños que atacan su propio territorio. Muchos hispano-romanos se alinearán con los visigodos en la lucha contra los invasores. También la Iglesia, que en un principio estuvo al lado de los hispano-romanos, acabó aceptándoles y terminará alabando sus virtudes y las de todo el pueblo español [53].

La tercera causa de separación que desapareció fue la diversidad de fe. Todo lo hecho en favor de la unidad de ambos pueblos estuvo a punto de venirse abajo en el reinado de Leovigildo, precisamente el rey que con más ilusión buscaba la unidad absoluta de todo el reino. Intentó hacer la unidad religiosa en el arrianismo. El mismo admitió su fracaso al final de su vida. Su hijo Recaredo realizó el ideal de su padre, pero en el catolicismo, con un éxito absoluto en el año 589.

Faltaba conseguir la unidad de legislación. A partir de Recaredo aumenta la tendencia a la igualdad social y jurídica. Consecuencia de todo ello es que las leyes ya no se daban para una raza sola, sino para todos los habitantes del territorio español. El *Liber iudiciorum* igualaba a todos los españoles ante la ley. Era el único código que se podía usar en los tribunales civiles del reino. El no hacerlo era castigado con una fuerte multa. Terminaba así con la dualidad de derechos y de tribunales. El *Liber iudiciorum* consiguió la unidad legislativa. Recesvinto abrogó la ley que prohibía el matrimonio entre godos e hispano-romanos.

El tercer pueblo que habitaba en territorio visigodo era el judío. Ya hemos hablado de él. Los esfuerzos por hacerle entrar en la unidad político-religiosa española resultaron inútiles. La oposición de los judíos a integrarse en la comunidad nacional tuvo como consecuencia, en el plano político, la aparición de leyes antijudías, y, en el plano religioso, la literatura polémica, que intentaba convencerles de sus errores y facilitar su conversión al catolicismo.

La diversidad de raza, derecho y religión que existió en el reino visigodo condicionaba las características de la cultura española de esta época. Los escritores procurarán solucionar los problemas que tal estado de cosas planteaba. Sus ideas influyeron en la vida diaria, sobre todo en el plano jurídico y religioso. Repitamos que, en general, los autores españoles no son creadores. Aprovechan todo lo bueno escrito anteriormente sobre el tema que les preocupa, lo ordenan, resumen y adaptan a las nuevas circunstancias concretas que les impulsan a escribir.

[53] Cf. San Isidoro, *Historia Gothorum:* ML 83,1057-58 y 1075-76.

CAPÍTULO X

ARTE VISIGOTICO ESPAÑOL

Por PABLO LÓPEZ DE OSABA

BIBLIOGRAFIA

ABERG, N., *Die Franken und Westgoten in der Völkerwanderungszeit* (Upsala-Leipzig-París 1922); ALMEIDA, Fernando de, *Arte visigodo en Portugal* (Lisboa 1962); BROU, L., *L'antiphonaire wisigothique:* Anuario Musical (1950); ID., *Les fragments wisigothiques de l'Université de Cambridge:* Hispania Sacra (1950); ID., *Le Psautier liturgique wisigothique:* Hispania Sacra (1955); CAMPS CAZORLA, Emilio, *El arte hispanovisigodo, en Historia de España,* de R. Menéndez Pidal, vol.3 (Espasa-Calpe, Madrid 1940); FERRANDIS, José, *Artes decorativas visigodas, en Historia de España,* de R. Menéndez Pidal, vol.3 (España-Calpe, Madrid 1940); GÓMEZ MORENO, Manuel, *Prémices de l'art chrétien espagnol:* L'information d'histoire de l'art (París 1964); GROSSE, R., *Las fuentes de época visigoda y bizantina:* Fontes Hispaniae Antiquae 9 (Barcelona 1947); HÜBNER, Aem., *Inscriptiones Hispaniae Christianae* (Berlín 1871); ID., «Supplementum» (Berlín 1901); IÑIGUEZ, Francisco, *Algunos problemas de las viejas iglesias españolas:* Cuadernos de Trabajos de la Escuela Española de Historia y Arqueología en Roma, VII (CSIC, Madrid 1953); PALOL, P. de, *Arqueología paleocristiana y visigoda* (Madrid 1953); ID., *Tarraco hispanovisigoda* (Tarragona 1953); ID., *Esencia del arte hispánico de la época visigoda: romanismo y germanismo:* I goti in Occidente (Spoleto 1956); ID., *Arte hispánico de la época visigótica* (Barcelona 1968); PUIG I CADAFALCH, J., *L'art visigotique et ses survivances* (París 1947); SALAZAR, Adolfo, *La música de España* vol.1 (Austral, Madrid 1953); SCHLUNK, Helmut, *Arte visigodo:* Ars Hispaniae 2 (Madrid 1947); ZEISS, Hans, *Die Grabfunde aus dem spanischen Westgotenreich* (Berlín-Leipzig 1934).

Son importantes las siguientes publicaciones:

Archivo Español de Arqueología (CSIC).
Boletín del Seminario de Arte y Arqueología de la Universidad de Valladolid.

ARTE VISIGÓTICO

El propósito de estas líneas es dar al lector que se enfrente con la tarea de comprender y profundizar la historia eclesiástica visigótica una visión que por necesidad debe ser somera. Intentar ser original en este apretado resumen, con ausencia forzada de fotos, a la vista de los importantes tratados dedicados íntegramente al tema, es decir, al proceso creativo de esta época, es, por lo menos, osadía que puede hacer sonreír. Vaya, pues, por delante que se trata de dar una visión resumida, casi raíz cúbica, de lo mucho y bien que se ha dicho sobre el tema. La bibliografía inicial puede poner al interesado en la pista para posteriores ahondamientos.

En historia del arte, la historia de este período se encuentra con dificultades muy importantes, que son evidentes a cualquiera que intente analizar con cierto detenimiento nuestra historia. No sólo el tiempo, enemigo en muchos casos de las obras en sí, sino la misma incuria humana, las guerras y destrucciones, las modificaciones de buena fe, hacen, a veces, irreconocibles obras del pasado, con lo que se hace muy difícil la explicación de lo que debió de ser esta época de la cultura española. Obras completas de nuestro período quedan muy pocas. Civiles, ninguna. Las que hoy podemos contemplar no fueron las más sobresalientes —las ha preservado el hecho de estar alejadas de los núcleos importantes—. Quedan muchos e importantes restos: en museos, trasplantados a otras edificaciones, que, si no nos dan la visión total, por lo menos nos hacen apreciar detalles y estimulan la imaginación. Por ellas y por las fuentes escritas podemos hacernos una idea de lo que fue la vida cultural de esta época hispánica.

Lo que hoy llamamos arte visigótico es un apartado del arte pre-rrománico español. El ramirense y el mozárabe serían las otras tendencias que desembocaran en el románico.

El arte visigótico fue un último intento por hacer prolongable el arte anterior, en franca decadencia de la romanidad. Los visigodos intentaron mantener lo más perenne, convirtiéndolo en elementos fundamentales sobre los que poder articular sus creaciones, que, si son de intención distinta, lo son, en cambio, iguales en espíritu.

Esto no quiere decir que la sociedad romana no recibiera una transfusión de vitalidad con los pueblos del Norte; pero tres factores importantes de esta gente joven son herencia de la época anterior: el derecho, la lengua y el arte.

Sin embargo, si la arquitectura se hace con manos hispano-romanas, una serie de pequeños objetos, de aderezos y preseas sí serán típicamente visigóticos, con lo que se establecen ya, en un comienzo, dos direcciones precisas de creación: una, la arquitectónica y ornamento de la misma, con tendencia romana; la otra, una orfebrería compuesta de alfileres, fíbulas, broches, que son típicamente del pueblo invasor.

La oficialidad de este arte visigodo se realizará plenamente cuando Toledo sea capital de la civilización visigótica. Esto llevó su tiempo, y precisamente por ello deben distinguirse dos épocas definidas: una que va desde 415 hasta 589, fecha de la conversión de la Corte al catolicismo; la otra, desde 589 hasta el 711, año de la invasión musulmana.

En el primer período, los restos religiosos pertenecen a la segunda mitad del siglo VI, y no puede decirse que tengan el carácter hispánico propio que alcanzaron después, más bien siguen modelos africanos de ábsides contrapuestos romano-cristianos.

Los nombres de Alcaracejos, en Córdoba; Vega del Mar, en Málaga;

Casa Herrera, en Badajoz; Aljezares, en Murcia y Saelices *(Cabeza del Griego),* en Cuenca, son ejemplos de esta época constructiva.

Las áreas más importantes de la geografía visigótica fueron la Bética y la Lusitania, y en especial su capital, Emérita Augusta. Posteriormente, Toledo. Pero harán falta tres siglos (IV, V y VI) para hacer cuajar todas las influencias en un arte más personal y potente, que tendrá su más brillante culminación en el último tercio del siglo VI y en el VII.

Las fechas político-militares confirman esta cronología. Desde finales del siglo V (466-84), Eurico se considera dueño de España. Hasta la completa identificación de los visigodos en nuestra tierra con la conversión de Recaredo durante el concilio III de Toledo (589) transcurre el mismo tiempo que convertirá las relaciones paleocristianas hispánicas —todavía bajo la influencia mediterránea (romano-africanas)— en formas nuevas y cada vez más propias y distintas de las que la circundaban.

Ya hemos adelantado que el derecho, la lengua y la organización administrativa son reliquias y gérmenes de la cultura anterior, a cuyo calor se desarrolla el reino visigodo. El arte hispano-visigodo tiene sus raíces en el arte provincial romano, en el que el cristianismo ha influido decisivamente, que, a su vez, es hispano y no germánico. Son ciento veintidós años aproximadamente, que se aprovecharán al máximo gracias al poder político de los connaturalizados invasores.

Historia

Dos factores importantes deben tenerse en cuenta a la hora de calibrar la cultura visigoda. De un lado, los invasores en los primeros asentamientos —que, según la *Crónica* cesaraugustana, se realizaron en 494 y 497, cuando Eurico se consideraba dueño de Hispania— fueron muy inferiores en número a los dominados, que ya eran población romanizada y cristiana y que fueron la plataforma base para la creación del nuevo reino. De otra parte —tras el asentamiento a la muerte de Alarico (comienzos del siglo VI [507])—, la comunidad germánica, en su manera especial de serlo, verá, como consecuencia, la causa de su ruina temprana.

Entre 409 y 585, los suevos ocupan gran parte de la península hispánica en el área norte-oeste, y que estarán en una constante lucha con los visigodos. Estos, sin embargo, tendrán su centro fuera de la Península durante casi un siglo (desde el 415, entrada de Ataúlfo en la Tarraconense, hasta el 511, en que comienza la regencia de Teodorico) por medio de un dominio más o menos efectivo a través de gobernadores, que se prolonga hasta el reinado de Mayoriano (457-61). Durante dicho período no habrá tropas imperiales ni funcionarios en Hispania y los visigodos actúan por cuenta propia. Cuando lo hagan será en beneficio propio. La legislación prohíbe los matrimonios mixtos por la diferencia de religiones: cristiana la de los hispanos, arriana la de los invasores. Esto creó una serie de problemas que sólo con la unidad podían resolverse. Leovigildo lo logra en lo político venciendo a los suevos y ocupando el terreno a los bizantinos (los imperiales). El segundo en la unión será con Recaredo en el concilio III de Toledo.

Con la capitalidad de Toledo, el arte áulico se desarrolla poderosamente. Conviene decir, sin embargo, que una dualidad clara se hace patente en el arte de esta época: el arte de la pintura, escultura y arquitectura será de ascendencia hispano-romana, como hemos indicado; en cambio, la línea germánica se mantiene en los objetos de ajuar personal, procedentes de los talleres de orfebrería visigótica. En este apartado debe incluirse armas, fíbulas, broches, collares, anillos y las joyas de Guarrazar.

Características

Ante los restos existentes, el arte hispano-visigótico deja traslucir una tendencia ornamental. Son restos de templos, hoy desaparecidos, que enlazan lo paleocristiano tardío con lo áulico. Son, p.ej., los plafones, no sólo pertenecientes a muros, sino como cancelas de presbiterio y los capiteles; por lo general, corintios.

Otra característica importante es la tendencia a la plasticidad. La bella ornamentación mosaística africana, prolongación de la tradición romana, pasa a la Península, en forma de relieve, por medio del tallado a bisel con dos planos de talla. Existen varios ejemplos, como los plafones de la iglesia de Aljefares, en Murcia.

La tendencia geometrizante frente a la vegetal, y, sobre todo, a la figuración, muy escasa entre las muestras conservadas, es también nota importante, como lo es también el ladrillo con relieve hecho en molde de variadísima temática paleocristiana, y que se usa desde el siglo V al VII.

Focos de irradiación

Toledo será el punto de convergencia hacia el cual tenderán las escuelas diversas de arte que formarán el arte áulico. Posteriormente, desde la capital se irradiará un arte que cubrirá —sobre todo en lo cortesano— los rincones del reino.

Es muy difícil señalar lo que es del siglo VI o anterior a él. Se da una uniformidad técnica de gustos estéticos y de repetición temática. Uno de los focos ha dejado ejemplo en la basílica de Saelices *(Cabeza del Griego)*. Se dan en esta basílica dos tipos de ornamentación. Una, la de placas con pavos reales, cráteras y motivos derivados directamente de la ornamentación del mosaico; y otra, de raíz más clásica y con más personalidad, de esquemáticas formas al bisel lineales, frente a la recargada pictórica de las últimas iglesias áulicas en su irradiación periférica; llegan a Gerona y Véziers.

Córdoba y Sevilla presentan caracteres peculiares. Córdoba había sido una gran ciudad romana y fue un centro cristiano poderoso. La calidad de sus obras se prolongó en el período cristiano. Importó sarcófagos de los talleres constantinianos y tuvo templos importantes, hoy desaparecidos, pero que han dejado abundantes restos. Sabemos por los autores, Eulogio es uno de ellos, de la basílica de San Félix y Acisclo, San Zoilo, Santa Eulalia y San Vicente, situada en la actual mezquita (según la crónica musulmana), que en un principio, con la llegada de los musulmanes, se partió, y posteriormente se tomó entera. En la mezquita actual, una serie de capiteles hablan elocuentemente de los tiempos hispano-visigodos.

Quizá uno de los focos más importantes de actividad creadora fue Mérida. Por los textos literarios, y especialmente *De vita et miraculis patrum emeritensium*, un día atribuida a Pablo el Diácono, conocemos la actividad creadora y constructora de los obispos en aquella ciudad. Mérida tuvo obispo desde muy pronto; posiblemente, desde el siglo III; sus edificios denotan un exquisito gusto romano. Desde Augusto hasta la última etapa quedaron prototipos y muestras magníficas, que los cristianos del siglo VI supieron copiar solicitados por aquellos ejemplos. La basílica de Santa Eulalia fue cantada por Prudencio, que describe sus maravillosos mosaicos y sus espléndidos mármoles de suelo y techumbre. Fidel, metropolitano de Mérida [1], construyó dos torres en la fachada de este templo. Los textos de la *Vita et miraculis* reflejan la actividad de Fidel y el lirismo de Prudencio; restauró la fábrica del edificio (Santa Eulalia) y la embelleció levantando un alto techo. Dio más amplitud al pórtico de entrada y ornamentó las columnas con cuidados y primorosos adornos, revistiendo el pavimento y todas las paredes con mármoles brillantes y cubriendo todo con un bellísimo artesonado» (VI 7 y 8). De todo esto no queda nada, como tampoco de las iglesias de Santa María, Catedral, y de Santa Jerusalén tradicional. De ésta se conserva sólo la lápida de consagración.

Quizá los ejemplos más bellos del arte hispano-visigodo sean las pilastras de Mérida. Eran frecuentes en el mundo clásico romano, en el Africa cristiana y en las estelas romano-orientales-bizantinas. Existen ejemplos emeritenses, empezados cuando la reforma constantiniana y terminados en época visigoda.

Otro tipo de placas con brillante ornamentación orientalizante aparece en la representación de un gran crismón, con superficie imitando pedrería y, en algún caso, flanqueado por pavos reales, alusión iconográfica a la inmortalidad. En general es un arte influido por la suntuosidad sasánida y bizantina, cuyos modelos se dan en los manuscritos y en las ricas telas importadas de Oriente. La irradiación emeritense alcanzará a Tortosa y a Portugal, donde el arte hispano-visigodo recibe la influencia bizantina y siria, abundando su ornamentación en grifos enmarcados en conjuntos vegetales. Ejemplos lusitanos son Beja de Elvas y Simes.

A la época de Leovigildo se atribuyen una serie de edificaciones en Toledo de carácter civil y religioso, así como a la de Atanagildo la construcción de templos (el que estaba donde hoy se encuentra el Cristo de

---

[1] Metropolitano de Mérida en el segundo cuarto del siglo VI. Le sucedió en la silla Masona, otro gran impulsor en la construcción.

la Luz). San Ildefonso reseña de esta época el templo de Santa Eulalia y el de Santa Justa.

Recaredo parece ser el gran constructor de su época. Dos años antes de su conversión se le atribuye el haber edificado Santa María la Real o catedral, aunque la inscripción del claustro (de 587) no parece ser de la época.

A Liuva se le atribuye la construcción de San Sebastián; a Sisenando, Santa Leocadia, en la Vega Baja, cantada por Eulogio; a Tulga, los templos de San Lucas, San Telmo y San Ginés; a Ervigio, el de la Virgen María.

De lo civil no sabemos nada. Los escritores árabes, con su imaginación brillante, hablan de su magnificencia. Se pensó en exageraciones orientales, pero el descubrimiento del tesoro de Guarrazar da prueba de que existía un fondo de verdad en las descripciones de tanta pompa teñida de admiración bizantina.

Arquitectura visigótica

Introducción

Las notas esenciales del arte constructivo visigodo son dos: la utilización de un aparejo que, si no es sillería en el sentido más clásico de la palabra, siempre supone la piedra labrada, por lo general, con instrumentos de boca ancha, de sillares desiguales. Los sillares se juntan a hueso o con fina lechada, que, una vez acoplados, forman muro liso sin contrafuertes. El resultado, con curiosas variantes, hizo que se hablara desde antiguo de las excelencias de la construcción gótica.

La segunda característica esencial de las construcciones visigodas es el arco de herradura. Hoy sabemos que arcos semejantes se encontraban en las estelas anteriores que podemos contemplar en varios museos nacionales.

El valor tipo del arco de herradura tiene dos notas diferentes: el primero, la prolongación de la curva interna por debajo del centro, que viene a ser un tercio del radio. Este valor admite variantes que están en relación con el grado de decoración y el de las necesidades realmente arquitectónicas. La segunda característica del arco, la desviación del trasdós, que no sigue paralela al intradós, sino que cae verticalmente sobre las impostas, con lo que fortalece la efectividad del arco de los arranques.

Otra característica, ésta de menor importancia, es el despiece de dovelas en número par, con lo que el punto medio de la rosca del arco se hace por medio de una junta y no por una clave. Estas características y otras de menor importancia diferencian el arco visigodo del empleado posteriormente por los árabes y mozárabes.

En cuanto a los bóvedas, debe señalarse la tendencia a este tipo de cubierta, con apoyos de hondo sabor clásico. Se emplean bóvedas de cañón de generatriz semicircular o aperaltada; en algunos casos, de herradura; bóveda de aristas normal; capialzada o de tipo lombardo, y la bóveda vaída. El aparejo suele ser diverso, pero dentro de la tradición romana. Las hay de sillares, de dovelas de piedra de toba y de ladrillos a modo de dovelas.

Otros elementos internos de estructura son las columnas y pilastras sobre las que se tiende el arco. Los fustes de las columnas son de una sola pieza cuando provenían de construcciones romanas anteriores. En algunos casos, si son pequeñas, forman una sola pieza basa, fuste y capitel, presentando una talla tosca y rudimentaria.

En las columnas grandes de tradición latina, basa y capiteles son partes separadas. Los capiteles son romanos, y, por lo general, corintios otros, con tendencia bizantina; son cúbicos y almohadillados.

Los siglos V y VI

La arquitectura hispano-visigoda presenta varios estadios. Al primero de éstos pertenece el de *Cabeza de Griego,* en Saelices (Cuenca). Fue descubierta en la segunda mitad del siglo XVIII. Por proporciones pertenece a una de las mayores que se conocen. Constaba de tres naves, separadas por diez columnas a cada lado; los brazos, estrechos, sirvieron como enterramiento. El ábside, en forma de arco de herradura muy cerrado, pudo ser de la cripta, así como el breve crucero, de fuertes muros. Encima debió de estar situado el ábside propiamente dicho, y que hoy desconocemos. La construcción debió de ser de grandes sillares cuidadosamente dispuestos. La misma disposición presentan otras iglesias africanas de finales del IV y principios del V, lo que puede hacer pensar que esta iglesia sea de la misma época.

Mucho más tardía es la basílica de Aljezares, en las cercanías de Murcia. Cercana al cuadrado, como serán posteriormente (16 × 13 m.); la nave carece de «eje procesional» y su presbiterio semicircular la emparenta con tipos norteafricanos. Un baptisterio circular con piscinas y unas basas de columnas, correspondientes posiblemente a un pórtico, es lo más destacable.

La tradición de dos ábsides contrapuestos es típicamente norteafricana. De ella se conservan en el suelo hispano algunos ejemplos; son San Pedro de Alcántara, en Málaga; Alcaracejos, en Córdoba; Casa Herrera, en Mérida.

Esta composición hace que el sentido de eje se pierda, para dar acceso a la iglesia por puertas situadas en el norte o en el sur. Modalidad esta que no es única en Europa. En ocasiones, el ábside occidental se inscribe en un rectángulo, dejando unos espacios o sacristías con entradas por las naves laterales. En la iglesia de San Pedro de Alcántara, de Alcaracejos, se da otra particularidad: la de los pórticos de acceso a las naves norte y sur, que sirvieron de enterramiento.

Arquitectura del siglo VII

Las iglesias que de esta época quedan en pie acusan ya, en estructura y planta, una personalidad propia. La geografía de estas construcciones las sitúa en el norte de Castilla y Galicia. Son San Juan de Baños, San Pedro de la Nave, San Comba de Bande, Quintanilla de la Viñas, San Fructuoso de Montelios (Portugal) y San Pedro de la Mata, cerca de Orgaz (Toledo).

Característica común a todos ellos es técnica de sillería sentada a hueso, ábside rectangular saliente y arco de herradura.

Hay que señalar y adelantar que el arco de herradura se encuentra ya labrado en estelas de época romana e incluso en la planta de iglesias anteriores. La sillería fue un tipo de construcción que sólo puede ser comprendida por una tradición romana ininterrumpida y vigente en Hispania desde la época anterior. En cuanto al arco de herradura, también debe señalarse que en el siglo III lo conocían en Asia y Asiria. Las proporciones de éste —que se generalizan desde el siglo VII— quedaron suficientemente establecidas y estudiadas por el profesor Gómez Moreno.

San Juan de Baños, San Pedro de Balsemao y Quintanilla de las Viñas fueron basílicas, en tanto que San Fructuoso de Montelios, San Pedro de la Mata, Santa Comba de Bande y San Pedro de la Nave son iglesias cruciformes.

San Juan de Baños

«Precursor D(omi)ni, martir baptista Iohannes, posside constructam in eterno Munere sede(m) quam devotus ego rex Reccesvinthus amator / nominis ipse tui proprio de iure dicavi / tercii post dec(imu)m regni comes inclitus anno / sexcentum decies era nonagesima noben».

Esta inscripción se conserva en la basílica de San Juan de Baños, enmarcada por cuatro piedras y escrita en bella letra de la época. La importancia de la placa radica en proporcionarnos la fecha de construcción (551) y la persona que la encargó: Recesvinto.

San Juan de Baños es una basílica de tres naves casi cuadrada (10,85 × 11 m.), precedida de porche en el oeste y ábside central con otros dos —uno a cada lado—, accesibles desde los pasillos y separados entre sí. En el interior, cuatro arcos sobre columna a cada lado separan la nave central de las laterales. El espacio diáfano interior con sus arcos de herradura, los capiteles cimacios, la piedra de sillería y los frisos —todos ellos en una distribución sin rigidez y de sencilla armonía— recuerda a iglesias orientales y africanas, desconocidas, sin embargo, en Occidente.

La disposición del porche, con su arco de entrada finamente labrado, con cruz en relieve en la clave, viene precedido por otro de entrada al templo adintelado; es también especial y no se encuentran precedentes en el arte visigótico. También se piensa que esta disposición pudo venir de ejemplos africanos; pero, si el problema de relacionarlos con iglesias orientales parece ser acertado, no lo es, sin embargo, el de su llegada a la Península.

La cabecera de la iglesia, en sus partes laterales con acceso sólo desde las naves, es realmente singular y corresponde a tipos orientales.

Venían a ser pequeñas capillas reservadas a un reducido número de personas.

En su concepción y estructura, la basílica de San Juan de Baños, aun teniendo conexiones con antecedentes de otras tierras, es, sin embargo, algo absolutamente nuevo, fruto y reflejo del gran núcleo de actividad y preocupación cultural evolutiva que fue Toledo desde finales del siglo VI.

Catedral de Palencia. Cripta

La zona existente debajo del coro, la cripta, de la catedral de Palencia es un espacio de tres metros de ancho por diez metros y medio de longitud, con cubierta horizontal. Su parte oriental se cierra por un muro más moderno, delante del cual dos columnas con capiteles forman tres arcos de herradura. Los muros norte y sur también dejan ver puertas con arcos de la misma clase. Otra edificación que antecede a ésta es de origen romano. Por las apariencias, la construcción debió de ser de tipo religioso (si esta construcción fue el *martyrium* de San Antolín, es algo que supone Schlunk). El hecho de tener la actual catedral encima y la tradición sobre el traslado de reliquias de San Antolín en el 672 por el rey Wamba desde Narbona, nos confirman en la realidad religiosa de la construcción.

Estilísticamente, se puede llegar a concluir que la obra es de la segunda mitad del siglo VII. Las columnas tienen basamentos antiguos, pero los capiteles e impostas se hicieron *ad hoc,* relacionados con ejemplos del VII existentes en Córdoba y Mérida.

Iglesias cruciformes: San Pedro de la Mata

El mal estado de la iglesia, los expolios y las distintas reconstrucciones han desfigurado la primaria edificación, que, no obstante, conserva el trazado primitivo. Parece ser que por la época del rey Wamba (672-81), y por su decoración y trazado, se asemeja a la de Santa Comba de Bande.

La forma de la iglesia es como un rectángulo, en el que se ha inscrito una planta en forma de cruz, y de la que en su parte oriental sobresale el ábside. Su decoración de palmetas y racimos en los frisos es hoy todavía visible, así como relieves geométricos hoy empotrados.

Santa Comba de Bande

Situada en las cercanías de Bande, en la provincia de Orense, la iglesia de Santa Comba, tras su restauración, nos da una idea clara de su estructura. La planta es cruciforme, orientada correctamente, y se prolonga por el lado oriental mediante una capilla rectangular, y por el occidental, con un pórtico también rectangular. En los costados del brazo oriental de la nave central se abren dos puertas, que lo comunican con dos habitaciones rectangulares. Están cubiertas por bóvedas de cañón. La intersección de nave central y crucero se prolonga en el techo hacia arriba, formando un triforio delimitado por cuatro grandes arcos torales de herradura. El techo es de grandes ladrillos de tipo romano, siguiendo el modelo de la bóveda de aristas capializada, tipo este usado bastante en las construcciones lombardas desde las edificaciones de Rávena.

La capilla mayor queda unida a la iglesia por un arco de herradura que se apoya sobre dos parejas de columnas.

Los capiteles de éstas, una celosía y un friso son todo su ornamento. En tanto que dos de los capiteles son romanos provinciales, los otros son bastante rústicos. El friso, en cambio, es de una bella labra de racimos y palmetas.

El tipo de planta de esta iglesia, con sus dos aposentos adosados al muro oriental de los brazos, plantea un problema interesante que de momento no se ha resuelto. Se ha apuntado que pudieran ser aposentos de peregrinos o de monjes. Estos espacios son absoluta novedad dentro del tipo de planta, ya sea europeo o africano.

La iglesia, por último, es citada en un documento del monasterio de Celanova (982). En este documento se dice que Alfonso III encomendó a su hermano Odoario la repoblación de su territorio. Odoario dejó una villa a su primo Odoyno, diácono, y en ella había una iglesia de Santa María y otra de Santa Comba, virgen y mártir, abandonadas desde hacía doscientos años.

San Pedro de la Nave

Es, quizá, la iglesia más famosa de la época. Aun cuando sigue los esquemas de Santa Comba de Bande y San Pedro de la Mata, su realización y presencia es muy superior.

El trazado de planta es idéntico: crucero, nave central, cámaras laterales en la misma y ábside rectangular saliente. El crucero, sin embargo, queda ampliado en vestíbulos al norte y sur. El cuerpo de la nave central es basilical con tres naves, que, sin embargo, no desembocan en el crucero, sino que terminan en muro con ventanas que comunican a él. Los recintos cerrados comunican solamente con el antepresbiterio. Se nota, pues, una clara separación en cada una de las partes, típica de la tradición visigoda.

Desde el punto de vista arquitectónico, en San Pedro de la Nave se nos dan datos interesantes. El abovedado, a base de sillares grandes y no con ladrillo romano, es importante; el uso de pilastras parece ser más una necesidad que un gusto al no haber edificaciones importantes romanas de las que se pudieran extraer columnas. Curioso es el uso de ventanas en el interior, que en realidad debieran ser puertas de paso.

Aunque San Pedro de la Nave está muy en la línea de la arquitectura visigoda, significa, sin embargo, un paso hacia adelante comparándola con las anteriores reseñadas, y, por tanto, debe de ser más moderna que aquéllas.

La ornamentación es de una gran riqueza, aunque deban forzosamente distinguirse dos tipos. El primero, arcaizante; más refinado y posiblemente de otro taller el segundo. Los del primer grupo son de un tipo más conocido: rosetas, estrellas, hélices, motivos geométricos y racimos toscos. Los del segundo comprenden las columnas del crucero con sus basas y capiteles y los frisos en las impostas. Se dan en ellos tallos con hojas y racimos labrados profundamente; pájaros, cuadrúpedos y máscaras. Las aves están muy estilizadas y pueden acusarse modelos orientales y quizá influencia bizantina. Debe destacarse la representación de figuras (Pedro, Pablo, Felipe y Tomás) de cuerpo entero, con sus rótulos correspondientes en dos de los capiteles; hay, además, cuatro cabezas, la escena de Daniel en el foso de los leones y el sacrificio de Isaac.

El estilo de estas figuras se ha relacionado con las existentes en Quintanilla de las Viñas y el capitel de los símbolos de los evangelios de Córdoba. Desde el punto de vista iconográfico, los problemas quedarían resueltos si existiesen manuscritos visigóticos que hubiesen podido servir de ejemplo estilístico. Que estos temas —el del sacrificio de Isaac— sirvieron para posteriores ilustraciones, parece claro. Las miniaturas españolas del siglo X representan casi exactamente el citado tema. También el tema de Daniel con los brazos levantados y los leones a sus pies es frecuente. Antecedentes de estas representaciones se encuentran en Egipto y Africa del Norte. Se ha hecho notar el error de la representación: Daniel tiene los pies en el agua donde los leones beben[2]. Una interpretación falsa de la palabra *lacuum* —que significa fosa y lago a la vez— debió de dar lugar al equívoco. En los manuscritos del Beato, los mismos temas serán representados con sus rótulos correspondientes.

Santa María de Quintanilla de las Viñas

La iglesia está situada en la región de Lara, en la provincia de Burgos, y fue descubierta en el 30 de mayo de 1927. La iglesia no está completa; conserva el ábside rectangular y la nave transversal. Si bien el resto no existe, las excavaciones realizadas demuestran que se trataba de una iglesia basilical de tres naves y que la capilla mayor era de anchura similar a la nave central. Dos habitaciones laterales continuaban los muros del crucero. Una innovación única es la unión del concepto basilical con nave transversal o crucero.

---

[2] El capitel lleva la inscripción:

VBI DANIEL MISSUS EST
IN LACUM LEONUM

Los arranques de pechinas en el ábside y de aristas demuestran que la iglesia estaba cubierta en el ábside y en las naves laterales con bóveda, en tanto que la nave central lo estuvo con techo de madera. Si bien este tipo de cubrir no era exclusivo de España —en Africa se conocía—, el injerto de una nave crucero en una planta basilical sí representa una novedad, como lo son los aposentos laterales de otras construcciones ya citadas, el ábside, las puertas entre naves laterales, el crucero y el porche.

La decoración de la iglesia es rica y abundante incluso en el exterior. La pared del ábside está adornada con tres frisos, que siguen la hilada de sillería, separada por las hiladas lisas. Los dos bajos rodean el ábside y se prolongan en los muros del crucero. Predominan en la decoración las circunferencias tangentes con animales —pavos, perdices, patos, gallinas, pájaros y vegetales-tallos con hojas y racimos—, inscritos en ellas siguiendo un orden simétrico de fuerte sabor sasánida. El friso superior está compuesto con diez círculos, en los que se inscriben los cuadrúpedos como en una teoría heráldica; se distinguen bueyes, perros, gacelas, con semejanza muy acusada de las decoraciones orientales.

Dentro de la iglesia, el arco del ábside reproduce figuras de pájaros y plantas intercalados, similar al friso central exterior. Frontalmente, en las dos impostas rectangulares que cubren la función de capiteles están representados el sol y la luna dentro de sendos clípeos, sostenidos por ángeles de traza similar a los que aparecen en otras impostas sueltas encontradas dentro de la iglesia. Además de estas figuras, en la clave del arco toral está tallada la imagen del Salvador, y dos figuras más con libros en la mano debieron de estar cerca de la primera.

Los relieves son toscos y esquemáticos, con miembros entumecidos, pero de significación iconográfica interesante. El Cristo con barba bendiciendo aparece en España en monedas puestas en circulación bajo el reinado de Ervigio (680-87), según modelo bizantino. La imagen frontal lleva el pelo trenzado, su cuerpo es desproporcionado, sus ojos, grandes, y cabeza alargada. Los pliegues de su ropa paralelos y todo el conjunto primitivo y tosco, no está, sin embargo, exento de monumentalidad.

Las figuras con los libros —una con la mano en alto— siguen las mismas pautas del Cristo.

El sol y la luna, que aparecen con frecuencia en la iconografía como signo de la eternidad del reino de Cristo, no están, sin embargo, escoltodos y sostenidos por ángeles. Por esta razón, Schlunck piensa que el joven con la misma traza que el Cristo, y que representa al sol, pueda ser Cristo de joven. En Bizancio era así la costumbre. En este caso, la luna, como *pendant*, sería María, como figura posible, ya que, por otra parte, la iglesia estaba dedicada a ella.

En 1675, Gregorio de Argaíz menciona la iglesia como un convento famoso bajo el nombre de Santa María de la Lara. Coincide con esto la donación mencionada en el cartulario de San Pedro de Arlanza del 28 de enero de 929, realizada por la comtesa Noma Donna, que con sus hijos a la cabeza hace a la abadesa y monjas del monasterio de Santa María Virgen. Otras dos instrucciones, una en el interior sobre uno de los capiteles y otra en el exterior monogramática, nos dan otros nombres.

Interior:

OC EXIGUUM OFF. DO. FLAMMOLA VOTUM D.

(= oc exiguum exigua offert domina Flammola votum deo)

Exterior:

ADELFONSUS DANIEL FECERUNT

Fuera de España, hoy en Portugal, pero pertenecientes entonces al mundo visigótico hispano, son las iglesias de San Pedro de Balsemao y de San Fructuoso de Montelios.

San Pedro de Balsemao fue una basílica situada a pocos kilómetros de Lamego, al norte de la actual Portugal, de la que quedan el ábside cuadrado y los muros, que avanzan hacia la nave. De magnífica sillería éstos; posterior, sin embargo, el resto. A la capilla mayor se llega a través de arco toral, con dos columnas en línea con los muros de cierre. Las dos naves laterales están separadas por tres arcos entre pilares muy salientes desde el muro. Los arcos de la nave y el arco toral están rehechos. Los capiteles son romanos, los modillones son semejantes a los conservados en el Museo de Mérida y en Sevilla. La decoración de éstos es sencilla y recuerda a las impostas de Santa Comba de Bande, aunque antecedentes de estas ornamentaciones pueden rastrearse en las contrucciones romano-célticas.

San Fructuoso de Montelios

En esta iglesia cerca de Braga se da otra tradición. La datación es segura, ya que fue construida por San Fructuoso, con destino para mausoleo, hacia el 656-65, últimos años de la vida del Santo en Braga.

Su planta es de cruz griega de tipo bizantino muy famosa —mausoleos de Gala Placidia y de San Vitale, en Rávena—. Cada uno de los brazos de la cruz es externamente cuadrado y alojan en su planta ábsides en forma de herradura, menos en el que hace de nave de entrada. La comunicación de estos brazos con el templo se hace por medio de arcos de herradura apoyados sobre pares de columnas exentas y sobre los muros, que, a su vez, quedan englobados en otro arco de herradura mayor que arranca directamente de los costados del crucero. Este tipo de arco abrazando otros es completamente nuevo en la Península, aunque existiera en Italia, lo que hace pensar que sea un modelo importado.

Parece ser que los brazos estuvieron cubiertos por cimborrios o pequeñas cúpulas, que descansaban sobre cuatro columnas en las capillas laterales y seis en la capilla mayor, formando un templete o un minúsculo deambulatorio muy estrecho. Esta disposición tiene su culminación en la iglesia de los Santos Apóstoles, de Constantinopla, de la que San Fructuoso pudiera derivar.

La ornamentación es rica. En el exterior, la edificación está rodeada por un friso a dos metros del suelo, con sogueado estrecho. El cimborrio central, por encima de la arquería, también tiene otro friso con sogueado sencillo a bisel, hojas triples alineadas y fino cantario o cantero.

En el interior se repite, a la altura de los capiteles, el mismo motivo, que, evidentemente, tiene un fuerte sabor clásico. Las basas de las columnas son áticas, y los capiteles, corintios, hermosamente labrados.

La iglesia no conserva inscripciones, pero de ella nos han llegado dos menciones del siglo IX: una que nos dice que estuvo durante la reconquista bajo un tal Alamirus. Posteriormente, en 883, Alfonso III hace donación del monasterio de San Salvador, edificado por San Fructuoso, al obispo Sisenando, de Santiago.

Orfebrería

El pueblo visigodo tuvo una especial atracción por las joyas y preseas, que adornaban de muy distintas maneras. Los reyes dotaron magníficamente a las iglesias con ricos paramentos litúrgicos, que debían ser custodiados por personas especiales. Si hacemos caso a los historiadores árabes, tenemos que pensar que la Corte visigoda superaba en riqueza y suntuosidad a las más ricas de entonces. Pero, aun quitando a la imaginación árabe una buena cantidad de sus asertos y con las debidas reservas, no puede dudarse que sus narraciones tienen una base real. Los continuos hallazgos van demostrando la realidad de muchas de estas narraciones.

Las características de estas joyas se diferencian, sobre todo, de las hispano-romanas por ser éstas modeladas con relieves de variados motivos geométricos, con vegetales y figuras de evocación escultórica. La visigótica cambia la decoración, en la que priva la policromía exuberante, los dorados, las piedras preciosas y los cristales.

Dos tipos de piezas son típicamente visigóticas: las fíbulas, prendedores de ropa que sujetaban la capa al hombre, eran piezas de gran tamaño y poca ornamentación, que con el tiempo se van haciendo más pequeñas. La fíbula desaparecerá cuando la unión de invasores e indígenas se realice, adoptando aquéllos la indumentaria de los hispanoromanos.

La forma de estas piezas, que en ocasiones son auténticas joyas, es, por lo general, el águila, adornada con pedrería. No son piezas genuinamente españolas; por su belleza son famosas las italianas.

Los procesos de ejecución antiguos tuvieron dos efectos: el primero, el de la riqueza del material, por el empleo de delgadas láminas de oro que recubren la pieza; segundo, la policromía y la incrustación de piedras y cristales, prestando a la obra gran suntuosidad. Son ejemplos importantes la paleta en oro hallada en Extremadura, hoy en Baltimore, y la de Calatayud, en el Museo Arqueológico Nacional de Madrid.

Durante los siglos v y vi son frecuentes los broches de cinturón de placas rectangulares y hebillas redondas, muy del gusto visigodo. Están recubiertas con otros materiales e incluso cuajadas de cristales. La riqueza de yacimientos ha permitido estudios en profundidad sobre el tema.

En las postrimerías del siglo vi cambia el panorama. Lo que usaban nos es ya mucho más conocido. P. Palol, en su obra *El arte hispánico de la época visigoda,* resume perfectamente el proceso: «Desde esta fecha sabemos qué objetos se usan en la liturgia; conocemos algunas bellas obras de los talleres reales, de arte auténticamente áulico en el mejor de los sentidos».

La Iglesia hispano-visigoda utiliza un mobiliario litúrgico de tradición mediterránea oriental, ya sea bizantina, ya sea copta, muy patente y clara. Nosotros mismos estudiamos un grupo de estos bronces y su procedencia de los talleres del Nilo copto. Se trata de vasos y patenas eucarísticos y bautismales, algunas veces destinados a ordenaciones sacerdotales. Son vasos de bronce, de cuerpo fusiforme, derivados de las *amulae* paleocristianas, que, a través de piezas importadas por el comercio mediterráneo —del que hemos tenido constancia a través de los bustos aparecidos en las comunidades de Emérita o de Elisipo—, llegan a los talleres visigodos, que las transforman a los gustos hispánicos del momento, añadiéndoles, por lo general, frisos ornamentales vegetales, alguna inscripción y, raramente, anagramas bizantinos, a la manera de las monedas y de los relieves de Quintanilla de las Viñas. Acompañan, generalmente —aunque no existe ningún hallazgo junto—, patenas de tradición romana muy local, terminadas en mango con cabeza animal. Su interior, también ornamentado y con inscripciones alusivas a su función... La costumbre del uso del incensario en nuestras iglesias está también atestiguada por la aparición de incensarios. Sabemos la existencia de tres piezas del mayor interés, dos de ellas prismáticas con cadena: una de Lladó, Gerona, hoy en el Museo de Vich, y otra de Cuenca, en el Museo Arqueológico Nacional de Madrid, inédita, con paralelismos muy claros en el mismo círculo copto de fundidores. Por el contrario, la pieza de Aubinya (Mallorca), de cazoleta semiesférica, es de origen siciliano y bizantino y lleva una inscripción bellísima en griego, hoy epigráficamente adulterada, pero que puede leerse: «¡Oh Dios! tú que aceptaste el incienso de San Zacarías, acepta éste».

El descubrimiento fortuito del tesoro de Guarrazar en 1859 cerca de Guarrazar, en la provincia de Toledo, ha dejado entrever la actividad creadora de la orfebrería —exponente de un auténtico arte áulico, que podía parecernos excesivo si atendíamos a las crónicas—, digna de una refinada y suntuosa producción evolucionada de este tipo de obras de arte.

El tesoro se divide en tres lotes: uno, en el Museo de Cluny, sacado ilegalmente de España; otro, en la Biblioteca del Palacio Real de Madrid, y el último, en el Museo Arqueológico Nacional de Madrid.

Entre los objetos figuran cruces, coronas y alhajas. De singular importancia son las coronas de Suintilla (621-31), la más antigua; hasta 1921, en la Armería de Madrid, de donde fue robada y posiblemente fundida; y la de Recesvinto (649-72), de extraordinaria factura, en el Museo Arqueológico Nacional de Madrid.

Colgar coronas del cimborrio o sobre el altar era una costumbre bizantina, y de allí vino a la Península. Sabemos que Justiniano regaló una a Santa Sofía de Constantinopla, costumbre que continuaron soberanos posteriores. En España también se hizo, y Gregorio de Tours lo refiere respecto a Recaredo.

Tanto las coronas citadas como las otras restantes —son diez en total— son de oro, con cadenas de suspensión del techo y letras e inscripciones colgantes; funcionaban como exvotos de los reyes a la Iglesia... El tema de la decoración es variado: desde el mediterráneo-romano, con friso de círculos entrecruzados, hasta el de acantos repujados y el de los repujados con incrustaciones de pedrería de procedencia bizantina. A todo este lujo de ornamentación se mezcla una forma de hacer visigoda provincial decadente variadamente rica.

La música visigótica

Hasta qué punto la música, como parte de todo un contexto cultural, traída por los pueblos invasores, era o no algo exquisito, nos lo dice un viejo historiador explícitamente: «Nontamen cantus Lombardorum, qui ululant ad modum luporum». También Jordanes, historiador del pueblo invasor, menciona cómo los plantos entonados en las exequias de Teodorico fueron acompañadas por el son de los escudos golpeados con las espadas.

No obstante, la plataforma humana hispano-romana, base de la nueva estructura estatal y política de los invasores, a la vez que romanizada, también era cristiana. Como tal, en una liturgia se debieron de dar los elementos musicales comunes a otras cristiandades con sus dos influencias en lo musical importantes: la sinagogal y la helenística. La lengua fue el latín, como puede verse en los manuscritos, de los que hay indicios incluso con un sistema de notación desde antes del siglo VII y quizá del VI.

Cuatro son los centros, sin apurar mucho las precisiones, de creación musical donde se desarrolla este fenómeno con pujanza y brillantez: Sevilla, Toledo, Zaragoza y Braga, en Lusitania.

En su *De viris illustribus,* San Isidoro nos da una información sobre los autores musicales más importantes. De Leandro dice que «multa dulci sono composuit»; de Julián, que «plurima dulcifluo sono composuit».

Musicalmente, Ildefonso se educó con Isidoro, pero desarrolló su actividad en Toledo, donde moriría en 667. Ildefonso compuso himnos a la Virgen María que supusieron formas nuevas literarias y musicales y varias misas y aleluyas dedicados a Santa Leocadia. Julián perteneció también al centro de Toledo († 690), ejerciendo su influencia musical hasta Palencia, donde ya el obispo Conancio († 639) había compuesto melodías que debieron de ser modernas para su época: «Nam melodias soni multas noviter edidit».

En Zaragoza, el obispo Iohannes († 631) fundó la escuela musical aragonesa. Su hermano Braulio, de enorme erudición y colaborador de Isidoro, fue un gran creador musical, con discípulos tan importantes como Eugenio de Toledo († 657).

Música eclesiástica

La sabiduría de Isidoro fue antorcha poderosa que ilumina toda la Edad Media, siendo motivo de asombro por su poderosa erudición. Dos mil copias de sus obras nos dan buena muestra de ello.

El y su hermano Leandro trabajaron en Sevilla familiarizados con el canto eclesiástico desde su juventud e incluso con las doctrinas musicales de Casiodoro, que Isidoro resume en sus veinte libros de los *Orígenes* o las *Etimologías* de las artes y las ciencias.

Leandro vivió en Bizancio con Gregorio el Grande y con Iohannes, posteriormente obispo de Gerona. Desde el punto de vista litúrgico, este encuentro fue importante, ya que Leandro en la liturgia visigótica es lo que Gregorio en la liturgia romana, que con el tiempo se llamará gregoriana, merecido homenaje al gran propulsor e inspirador de la liturgia romana. Pero también a Isidoro se le debe la unificación de la liturgia visigótica en el concilio IV de Toledo. Liturgia nacionalizada bajo la supremacía de Toledo, y que, en recuerdo del unificador, se llamará isidoriana. El paso del tiempo y la influencia borgoñona en España la hará prácticamente desaparecer.

Por el famoso antifonario de León podemos concluir que éste no fue una obra personal de un solo compositor. Se trata de una obra realizada en común por gentes ilustres o desconocidas, entre los que se encontraban Eugenio, Ildefonso, Julián, Conancio de Castilla, Iohannes, Braulio, etc.

En Roma pasó lo mismo. Aun cuando Gregorio figura como gran fundador de la reforma, la obra total fue, sin duda, obra de un equipo bajo las órdenes del gran papa.

Durante mucho tiempo se pensó que los documentos más antiguos pertenecían a la liturgia romana, no anteriores al siglo IX. Hoy sabemos que el documento más antiguo es el *Libellus orationum* de la liturgia visigótica, conservado en Verona, con escritura datable en el siglo VII o comienzos del VIII. Manuscritos españoles neumáticos de música visigótico-mozárabe se remontan a los siglos VIII y posiblemente al VI y presuponen una notación que se practicaba en Toledo y Tarragona hacia el siglo VII. Por desgracia, desconocemos la clave para descifrarlos;

lo único que se desprende de sus neumas es que la música era monódica, diatónica de ritmo libre y de un sentido modal igual al gregoriano.

Durante el siglo IX dominó en España el canto romano. Los transcriptores pasaron las melodías antiguas a notación sobre pautas, permitiendo así leer la notación diastemática (o de intervalos) intermedia. Esto es lo que no se hizo con la música visigótica, con lo cual no podemos conocer la música de entonces en tanto no aparezca la clave que nos descifre la incógnita.

Sobre la frase de San Isidoro «soni pereunt, quia scribi non possunt», Anglés la ha interpretado en el sentido de que no lograban señalar exactamente la elevación de los sonidos como las posteriores notaciones, llamadas diastemáticas *(diastema* = intervalo).

Salazar contesta diciendo que Isidoro sabía que, ya en tiempos de San Agustín, la Iglesia africana conocía la notación visigoda española y que en el siglo anterior se había practicado una notación en Aquitania. En cualquier caso, debe tenerse en cuenta que el enciclopedismo de San Isidoro era, sobre todo, poliglota y que, aun cuando las *Etimologías* aportan datos valiosísimos, muchos autores anteriores que sirvieron de base a Isidoro ya entendían mal las teorías musicales de la Antigüedad clásica.

Música profana

Los pueblos siempre han tenido sus formas propias de divertirse, sea cual sea la época que les ha tocado vivir. El pueblo hispano-visigodo no escapó a esta regla general. Por los cánones, anatemas y condenas podemos percibir lo que pasaba en el área popular. En el antifonario del rey Wamba de León, llamado así por haberse copiado de un manuscrito de esta época, se incluye esta admonición: «Admonitio Cantoris sub metro heroico et elegiacum dictatum cualiter letiferam pestem vane gloriae refugiat et cor mundum labique in Deum canendo exhibeat». El canon 23 del concilio III de Toledo prohíbe totalmente los cantos y danzas dentro del templo, lo que quiere decir que ambas cosas se hacían en él. El mismo San Isidoro condena a los poetas báquicos y cómicos y las gestas de los héroes antiguos; éstos, por narrar los amoríos con las cortesanas con detalle; aquéllos, por sus cantos tristes. Eran todavía reminiscencias y secuelas de la época pagana que perduraban en la vida popular.

El esfuerzo de los prelados por desarraigar estas costumbres fue unánime en toda Europa, aunque los resultados, incluyendo España, no fueron contundentes. Algunos de los himnos cantados se atribuían a Prudencio, Juvenco, Draconcio. Otras canciones con motivo de una boda eran cantadas por los estudiantes a la nueva pareja. Hasta nosotros ha llegado el *De nubentibus.* Se detallan en él instrumentos y su significado: la trompeta, de claros sones, convoca a las gentes cristianas; los timbales exaltan la música de las danzas; fístula, tibia y lira tocan suavemente con su voz instrumental las melodías de las gestas; las cítaras y los címbalos resuenan, y, con ellos, la «cinara» el *kinnor* hebreo, arpa breve para acompañar canciones alegres, y el «nablum» o salterio hebreo, propicio para las danzas. Esta práctica, por otra parte, no es exclusivamente española. Los poetas religiosos franceses como Sidonio Apolinar, en el siglo V y Venancio Fortunato, en el VI, son buena prueba de ello.

Otros códices españoles contienen músicas profanas de la época visigótica. Son los famosos códices llamados de Azagra, de Rodas, y tres de la Biblioteca Nacional de París, y contienen textos de Eugenio de Toledo († 657).

Entre estas canciones está la famosa del ruiseñor *(Disticon Filomelaicum)*, cuyos neumas indescifrables no nos permiten conocer la melodía de esta obra. El códice contiene el epitafio al rey Chindasvinto († 652) y el planto por su esposa Reciberga, que también pueden ser de Eugenio por haber sido este prelado obispo de Toledo por decreto de este rey, aunque ha de notarse que tanto la reina como el obispo murieron en el año 657.

Instrumentos y textos

En lo referente a la música, las fuentes suministradoras de Isidoro en su magna obra de las *Etimologías* fueron, principalmente, Casiodoro y Boecio. De todas sus obras, las *Etimologías* suponen una aportación especialmente valiosa.

Una primera redacción —con lagunas— está lista hacia el año 620 para el rey Sisebuto, que se la pedía con urgencia. Por su parte, Braulio de Zaragoza urgía constantemente al maestro para su terminación. Cuando el prelado de Zaragoza pasa por Sevilla en el 625, todavía no estaba terminada, y sólo en el 632 llora de alegría al creerla terminada. Enfermo y débil, Isidoro decide mandar la obra a Braulio para que la termine. El la corregirá, la revisará y dividirá en veinte libros..., pero él también la dejó sin terminar.

«El estudio de las artes liberales le sirve a Isidoro de introducción para su obra; siguen las nociones fundamentales de la medicina, y después, las leyes de los tiempos, con su breve resumen de la literatura universal; a continuación, la noticia de las cosas sagradas de las religiones y de las sectas; luego, la exposición de toda suerte de conocimientos profanos: lingüística y etnología, sociología y jurisprudencia, geografía y agricultura, historia natural y cosmología: lenguas y razas, monstruos, animales, minerales, plantas, edificios, campos, caminos, jardines, construcciones, bibliotecas, vestidos, costumbres, instrumentos de la paz y de la guerra, ciencia militar, máquinas y utensilios de todas clases.

Partiendo de Dios, pasa por los ángeles hasta el hombre; baja de los hombres a los animales, al mundo material con sus partes, átomos y elementos, con todo cuanto han puesto en él Dios y los hombres: desde la teología hasta la indumentaria, desde el cedro del Líbano hasta el hisopo de arroyo»... [3]

Las *Etimologías* es el primer intento serio por revivir la antigüedad clásica tras la desoladora experiencia bárbara. «Por ella empezaron a admirar la Antigüedad clásica los discípulos de Isidoro, los grandes Padres de la época visigótica, y en ella aprendieron al amor de los clásicos aquellos poetas y polemistas que vivieron en la Corte de Carlomagno. Allí leían los nombres de Demócrito, Aristóteles, Platón, Séneca, Porfirio y Lucrecio; allí encontraban ideas de Hesíodo y Homero, Ata, Cinna, Horacio, Luciano y Virgilio... Allí escuchaban el eco de los antiguos historiadores como Salustio, Tito Livio, Suetonio, y los estudios científicos de Catón, Varrón, Columela...» [4]

Isidoro intenta recoger todo lo que le fue posible sobre la minería, de la que también da nota en el capítulo tercero de su libro *De officiis;* Casiodoro y Boecio fueron los suministradores del material.

La obra monumental de Gerberto [5] *Scriptores ecclesiastici de musica sacra potissimum* es la más comúnmente citada en música, sobre todo el apartado «Sentenciae Isidori Episcopi ad Braulionem Episcopum de musica». En la obra de Isidoro, el tratado musical ocupa de los pasajes XV al XXIII. Gerberto los divide en capítulos, que van del I al IX:

I: De nomine musicae. II: De inventoribus musicae. III: Quid possit musica. IV: De tribus partibus musicae. V: De triformi musicae divisione. VI: De prima divisione musicae, quae harmonica dicitur (id est modulatio vocis, pertinet ad comoedos et tragoedos, vel choros, vel ad omnes qui voce propria motum facit et ex motu sonum). VII: De secunda divisione musicae quae organica dicitur. VIII: De tercia divisione musicae, quae rhythmica dicitur. IX: De musicis numeris.

El capítulo 7 es de importancia para encontrar la nomenclatura de los instrumentos, definiciones y descripciones. También es importante la definición de música con la que comienza el artículo, que fue tenida por la Edad Media como única. «Musica est peritia modulationis sono cantuque consistens et dicta musica per derivationem a musis».

Por último, los instrumentos que se citan en las *Etimologías* se pueden reconocer en terminología latina; son todos aquellos que desde tiempos remotos existían en Oriente, Egipto y Grecia. Son los siguientes: *tuba, tibiae, calamus, fistulam, sambuca, pandura, cythara, psalterio, lyra, tympanum, cymbala, acitabula, systrum, tintinabulum.*

---

[3] Salazar, A., *La música de España* vol.1 p.40.
[4] Id., ibid.
[5] Martín Gerberto von Hornau (benedictino), nacido en Horb (1720) y muerto en St. Blasien (1793). *Scriptores...* fue escrita en 1784 y reimpresa en 1905. Escribió otros tratados importantes.

INDICE DE AUTORES

ACABÓSE DE IMPRIMIR ESTE VOLUMEN PRIMERO DE
LA «HISTORIA DE LA IGLESIA EN ESPAÑA», DE LA
BIBLIOTECA DE AUTORES CRISTIANOS, EL DÍA
2 DE MAYO DE 1979, FESTIVIDAD DE SAN
ATANASIO, OBISPO Y DOCTOR DE LA
IGLESIA, EN LOS TALLERES DE LA
IMPRENTA FARESO, S.A., PASEO
DE LA DIRECCIÓN, NÚM. 5,
MADRID

LAUS DEO VIRGINIQUE MATRI

ULTIMAS NOVEDADES DE LA BAC

BAC Enciclopedias

HISTORIA DE LOS DOGMAS. Edición dirigida por M. Schmaus, A. Grillmeier y L. Scheffczyk.
T. I cuad. 6: *El método teológico*, por J. Beumer (ISBN 84-220-0797-5).
T. III. cuad. 3a-b: *Eclesiología. Escritura y Patrística hasta San Agustín*, por P. V. Dias y Th. Camelot (ISBN 84-220-0891-2).
T. III cuad. 3c y 3d: *Eclesiología. Desde San Agustín hasta nuestros días*, por Y. Congar (ISBN 84-220-0434-8).
T. IV cuad. 5: *El sacramento del Orden*, por L. Ott (ISBN 84-220-0666-9).

BAC Maior

16. HISTORIA DE LA IGLESIA EN ESPAÑA (5 vols.). Obra en colaboración por un equipo de especialistas bajo la dirección de R. García Villoslada. T. I: *La Iglesia en la España romana y visigoda*.
17. HISTORIA DE LA IGLESIA EN ESPAÑA. T.V: *La Iglesia en la España contemporánea*.

BAC Normal

401. LA INFALIBILIDAD DE LA IGLESIA. *Respuesta a Hans Küng*. Obra en colaboración dirigida por K. Rahner (ISBN 84-220-0880-7).
402. SAN JUAN BOSCO. *Obras fundamentales*. Ed. dirigida por J. Canals y A. Martínez Azcona (ISBN 84-220-0878-5).
403. TEOLOGIA Y ESPIRITUALIDAD DEL AÑO LITURGICO, por J. Ordóñez Márquez (ISBN 84-220-0886-6).
404. EL HUMANISMO DE MAX SCHELER. *Estudio de su antropología filosófica*, por A. Pintor Ramos (ISBN 84-220-0892-0).
405. LA VERDAD DE JESUS. *Estudios de cristología joanea*, por I. de la Potterie (ISBN 84-220-0890-4).

BAC Minor

47. ILUSTRISIMOS SEÑORES, por A. Luciani (ISBN 84-220-0877-7).
48. TEOLOGIA DE LA LIBERACION, por la Comisión Teológica Internacional (ISBN 84-220-0879-3).
49. ESPIRITUALIDAD MISIONERA, por J. Esquerda Bifet (ISBN 84-220-0882-3).
50. SIGNO DE CONTRADICCION, por K. Wojtyla (ISBN 84-220-0881-5).
51. PROBLEMAS DEL CRISTIANISMO, por J. Marías (ISBN 84-220-0893-9).
52. MENSAJE A LA IGLESIA DE LATINOAMERICA, por Juan Pablo II (ISBN 84-220-0898-X).

BAC Popular

13. LOS INSTITUTOS DE VIDA CONSAGRADA. *Hacia un nuevo Derecho*, por J. Beyer (ISBN 84-220-0862-9).
14. EL PAN NUESTRO DE CADA DIA, por M. Malinski (ISBN 84-220-0871-7).
15. EL HERMANO FRANCISCO. *El santo que no muere*, por D. Elcid (ISBN 84-220-0875-0).
16. DIOS CON NOSOTROS. *Meditaciones*, por K. Rahner (ISBN 84-220-0896-3).

Ediciones litúrgicas

ORACIONAL. *Nuevo Devocionario del cristiano*, por A. Pardo (ISBN 84-220-0799-1).
MISAL DOMINICAL Y FESTIVO. Edición preparada por A. Pardo (ISBN 84-220-0861-0).

EDICA, S. A. Mateo Inurria, 15, Madrid-16

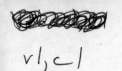

v1, c1